D1617675

DER JUGEND-BROCKHAUS

Band 2

DER JUGEND BROCKHAUS

2. Auflage

Zweiter Band: GRO – PIA

F. A. BROCKHAUS

Leipzig · Mannheim

Redaktionelle Leitung: Eberhard Anger M.A.

Die Deutsche Bibliothek – CIP-Einheitsaufnahme
Der **Jugend-Brockhaus**/[Red.: Eberhard Anger]. –
Leipzig; Mannheim: Brockhaus.
ISBN 3-7653-2302-0 Gb. in Kassette
NE: Anger, Eberhard [Red.]
2. Gro–Pia. – 2. Aufl. – 1993
ISBN 3-7653-2322-5

Satz: Bibliographisches Institut & F. A. Brockhaus AG (DIACOS Siemens) und Mannheimer Morgen Großdruckerei und Verlag GmbH, Mannheim
Druck: Klambt-Druck GmbH, Speyer
Bindearbeit: Franz Spiegel Buch GmbH, Ulm
Printed in Germany
Gesamtwerk: ISBN 3-7653-2302-0
Band 2: ISBN 3-7653-2322-5

Grönland, die größte Insel der Erde; sie wird dem nordamerikanischen Kontinent zugerechnet. Mit einer Fläche von 2,2 Millionen km² ist Grönland etwa 6mal so groß wie die Bundesrepublik Deutschland. Mehr als ⁴⁄₅ der Insel sind von Eis bedeckt, das eine Dicke von über 3 000 m haben kann. Die Eismassen reichen teilweise bis zum Meer, wo sie Eisberge abstoßen. Im Norden gehen sie in das Packeis über, das den Nordpol und das Nördliche Eismeer bedeckt. Eisfrei ist nur ein schmaler, höchstens 150 km breiter Küstenstreifen, vorwiegend im Süden und Westen Grönlands: Schroffen Gebirgen mit Höhen bis zu 1 500 m ist eine stark eingeschnittene Fjord- und Schärenküste vorgelagert. Der höchste Berg ist mit 3 733 m der Gunnbjørn Fjeld in Ost-Grönland. Grönland besitzt eine Reihe wertvoller Bodenschätze: Zink, Chrom, Uran, Eisen. Die etwa 50 000 Einwohner, die aus →Eskimo und Europäern hervorgegangen sind, leben vorwiegend von Fischerei und Fischverarbeitung, Robbenjagd und Schafzucht. Zwischen den Siedlungen gibt es Boots- und Hubschrauberverkehr; daneben sind auch Hunde- und Motorschlitten im Gebrauch. Hauptstadt der Insel ist Godthåb.

Geschichte. Grönland wurde um 875 von den →Normannen entdeckt, deren Fürst, Erich der Rote, die Insel ›Grünes Land‹ nannte und hier die erste europäische Siedlung gründete. Von 1261 an gehörte Grönland zu Norwegen und kam mit diesem in den Besitz Dänemarks, das Grönland behielt, als Norwegen unabhängig wurde. 1979 erhielt die Insel die Selbstverwaltung. Sie ist im Gegensatz zu Dänemark nicht Mitglied der EG.

Die Erforschung Grönlands begann im 18. Jahrh.; zu Beginn des 20. Jahrh. untersuchte der dänische Polarforscher Knud Rasmussen das Leben und die Geschichte der Eskimo. Von diesen leben nur noch sehr wenige auf Grönland. (KARTE Band 2, Seite 196)

Gropius. Der Architekt **Walter Gropius** (* 1883, † 1969) war von maßgeblichem Einfluß auf die Architektur des 20. Jahrh. 1919 wurde er Direktor der Kunstakademie und der Schule für angewandte Künste in Weimar, die er im Staatlichen →Bauhaus zusammenfaßte. Er arbeitete in Berlin, London und zuletzt in den USA; Bauten von ihm finden sich in vielen Teilen der Erde. Gropius wollte Zweckmäßigkeit und Schönheit mit der jeweils neuesten Technik verbinden. In meist strengen, geometrischen Formen schuf er Wohnblöcke, Industriebauten, Universitätsgebäude und Einzelhäuser. Grundlegend waren auch seine Schriften zur modernen Architektur.

Groschen [von lateinisch grossus ›dick‹]. Im Mittelalter war der Groschen im Unterschied zu den Blechmünzen ein ›dicker Pfennig‹, eine silberne Münze. Noch in unserer Zeit nennt man ein 10-Pfennig-Stück Groschen. In Österreich heißt der hundertste Teil eines Schillings Groschen. (BILD Seite 6)

Großbritannien und Nordirland, Königreich in Nordwesteuropa. Es umfaßt England, Wales, Schottland und den Nordosten Irlands. Nicht zum Staatsgebiet gehören die Außenbesitzungen Großbritanniens (ÜBERSICHT Seite 6). Der Inselstaat besitzt nur gegen die Republik Irland eine Landgrenze. Er liegt zwischen Nordsee und Atlantischem Ozean vor der Nordwestküste des europäischen Festlands. Die Hauptinsel ist durch zahlreiche Buchten und Mündungstrichter der Flüsse gegliedert. Sie ist von Norden nach Süden fast 1 000 km lang, aber nur selten breiter als 500 km. Kein Ort ist mehr als 130 km von der Küste entfernt.

Die Mitte, der Süden und der Osten der Hauptinsel werden von **England** eingenommen. Das größtenteils ebene bis hügelige Land erreicht im Penninischen Gebirge fast 900 m. Der Westen wird vom über 1 000 m hohen Bergland von **Wales** beherrscht. Den Nordteil der Insel bildet das überwiegend gebirgige, von den Gletschern der Eiszeit geformte **Schottland.** Höchste Erhebung ist der Ben Nevis mit 1 343 m. Nördlich der Hauptinsel liegen die **Orkney-** und **Shetland-Inseln,** im Nordwesten die **Hebriden.**

Das Klima ist ausgeprägt ozeanisch. Es zeichnet sich durch kühle Sommer und milde Winter aus. Nur im Süden und Südosten sind die Sommer wärmer. Die vorherrschend westlichen Winde verteilen den Niederschlag über das ganze Jahr. Der Golfstrom erwärmt das Meerwasser im Herbst noch auf 11 bis 14 °C. Die Niederschläge nehmen von Westen nach Osten ab, die Sonnenscheindauer nimmt zu. In Verbindung mit der hohen Luftfeuchtigkeit kommt es häufig zu Nebelbildung.

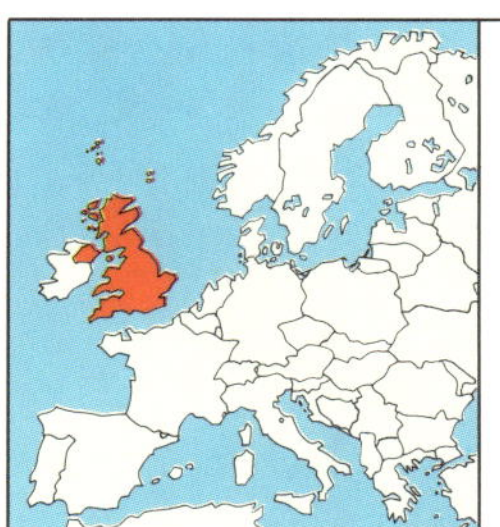

Großbritannien und Nordirland

Fläche: 244 110 km²
Bevölkerung: 57,38 Mill. E
Hauptstadt: London
Amtssprache: Englisch
Nationalfeiertag: Offizieller Geburtstag des Monarchen
Währung: 1 Pfund Sterling (£) = 100 New Pence (p)
Zeitzone: MEZ − 1 Stunde

Großbritannien und Nordirland

Staatswappen

Staatsflagge

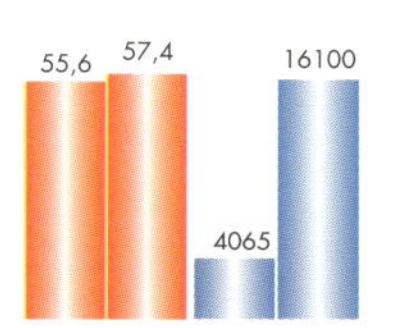

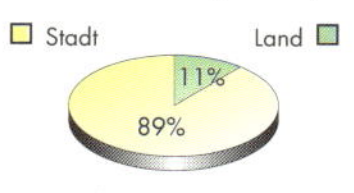

Bevölkerungsverteilung 1990

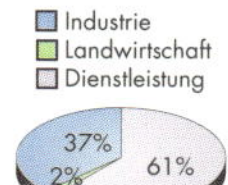

Bruttoinlandsprodukt 1989

Groschen: OBEN Kaisergroschen, Kärnten 1636; UNTEN Guter Groschen, Preußen 1786 (Vorderseiten)

Der ursprünglich vorhandene natürliche Wald ist bis in 500–600 m Höhe weitgehend gerodet worden. An seine Stelle sind vielfach Grasheiden getreten. Seit Anfang dieses Jahrh. wird verstärkt aufgeforstet.

Den größten Anteil an der Bevölkerung haben Engländer, daneben Waliser, Schotten und Iren. Nach 1950 wanderten viele Farbige aus Ländern des Commonwealth in die Industriegebiete Großbritanniens ein. Mehr als ⅓ aller Einwohner lebt in den großen Ballungsräumen. Dünn besiedelt sind Wales und Schottland. Die Mehrheit der Bewohner gehört der →Kirche von England an, die Staatskirche ist.

Wirtschaft. Im 19. Jahrh. erreichte Großbritannien seinen Höhepunkt als Industrie- und Handelsmacht. Wichtige Grundlage war sein Kolonialreich als Rohstofflieferant und Absatzmarkt. Vor allem bedingt durch die beiden Weltkriege und die Auflösung seines Kolonialreichs büßte das Land seine Vormachtsstellung allerdings wieder ein.

Außenbesitzungen Großbritanniens

1) Unmittelbar der Krone unterstehende Gebiete:
- Normannische Inseln im Ärmelkanal (195 km², 130 000 Einwohner)
- Man, Insel zwischen Großbritannien und Irland (588 km², 60 500 Einwohner)

2) Abhängige Gebiete mit Selbstverwaltung:
- Anguilla, Insel der Kleinen Antillen (91 km², 7 000 Einwohner)
- Cayman-Inseln im Karibischen Meer, südlich von Kuba (259 km², 18 000 Einwohner)
- Montserrat, Insel der Kleinen Antillen (98 km², 12 000 Einwohner)
- Turks- und Caicos-Inseln, Inselgruppe nördlich von Hispaniola (430 km², 6 000 Einwohner)
- Jungferninseln, Inselgruppe der Kleinen Antillen östlich von Puerto Rico (153 km², 12 000 Einwohner)
- Falkland-Inseln im südlichen Atlantischen Ozean (12 173 km², 2 000 Einwohner)
- Sankt Helena im südöstlichen Atlantischen Ozean (419 km², 5 000 Einwohner)
- Bermuda-Inseln im nördlichen Atlantischen Ozean (53 km², 55 000 Einwohner)
- Gibraltar im Süden der Iberischen Halbinsel (5,8 km², 30 000 Einwohner)
- British Indian Ocean Territory, Inselgruppe (Tschagos-Inseln) im Indischen Ozean (46 km², 900 Einwohner)
- Hongkong an der südchinesischen Küste (1 045 km², 5,3 Millionen Einwohner)
- Pitcairn, Insel im südlichen Pazifischen Ozean (5 km², 60 Einwohner)

GESCHICHTE GROSSBRITANNIENS

Die Antike

55/54 v. Chr.	**Caesar** versuchte, die von Kelten bewohnte britische Insel zu erobern.
43 n. Chr.	Eingliederung von England und Wales, später auch des südlichen Schottland in das römische Weltreich.
5. Jahrh.	Rückzug der Römer; **Eroberung Englands durch die Angelsachsen;** die keltischen Bewohner wurden nach Cornwall, Wales und Schottland abgedrängt.

Das Mittelalter

7. Jahrh.	**Christianisierung** der Insel, Entstehung einer christlichen Kultur, Wirken des Theologen und Historikers **Beda.**
871–899	König **Alfred der Große** von Wessex legte die Grundlagen für die spätere Einigung Englands.
1066	In der **Schlacht bei Hastings** schlugen die vom französischen Festland kommenden Normannen ein angelsächsisches Heer.
1066–87	Unter **Wilhelm dem Eroberer,** der als Wilhelm I. den Königstitel annahm und einen straff organisierten Staat aufbaute, eroberten die Normannen ganz England und bildeten die Oberschicht. Ihre Verschmelzung mit den Angelsachsen zu einem einzigen Volk dauerte bis ins 14. Jahrh.
1154–89	König **Heinrich II.** gewann durch Erbschaft und Heirat den Westen Frankreichs. Er begann die Unterwerfung Irlands. Bei der Abgrenzung der königlichen und kirchlichen Rechte geriet er in Konflikt mit dem Erzbischof von Canterbury, **Thomas Becket.**
1215	König **Johann** mußte den Baronen des Landes in der ›**Magna Charta libertatum**‹ (deutsch etwa ›Großer Freibrief‹) Mitspracherechte einräumen. Dieses Dokument gilt als Ursprung des englischen Verfassungsrechts.
1282	König **Eduard I.** eroberte Wales und verlieh dem Kronprinzen den Titel eines ›Prince of Wales‹.
1292	Eduard I. nahm die **Lehnshuldigung des schottischen Königs** entgegen und betrachtete sich seitdem als König von Schottland.
1314	Wiederherstellung der schottischen Unabhängigkeit.
1371	Die **Stuarts** bestiegen den schottischen Thron.
1339–1453	Im Hundertjährigen Krieg kämpften die englische und französische Krone um die Herrschaft über große Teile des westlichen Frankreich. Nach wechselvollen Kämpfen setzten sich die französischen Könige durch.
1455–85	**Rosenkriege:** Kriege zwischen dem Haus York (weiße Rose im Wappen) und dem Haus Lancaster (rote Rose im Wappen) um die englische Krone.
1485	**Heinrich Tudor** beendete die Rosenkriege in der Schlacht bei Bosworth und bestieg als Heinrich VII. den Thron.

Eine bedeutende Rolle spielt die Landwirtschaft. Mehr als ¾ der Fläche des Landes sind ackerbaulich nutzbar. Die Hälfte der benötigten Nahrungsmittel werden im Land erzeugt. Die wichtigsten Anbaugebiete liegen in den östlichen Teilen Mittelenglands und Schottlands, wo Weizen, Gerste, Hafer, Kartoffeln und Zuckerrüben angebaut werden. Im Süden wird Gartenbau und Gemüseanbau betrieben. Ein großer Teil der Landwirte widmet sich der **Viehhaltung.** Die Schafzucht hat eine lange Tradition, besonders in Schottland; Schweinezucht, Milchviehhaltung und Geflügelzucht sind verbreitet. Großbritannien hat eine große Fangflotte, jedoch gehen die Fangmengen von Fisch ständig zurück.

Das Land verfügt über große Vorkommen an **Bodenschätzen.** Die Steinkohle hat ihre frühere Bedeutung verloren; in den letzten Jahren ist die Förderung des Nordseeöls in den Vordergrund getreten.

Wichtigster Wirtschaftszweig ist die verarbeitende **Industrie.** Sie beschäftigt rund ⅓ der Erwerbstätigen. Einige Industriezweige (z. B. Eisen- und Stahlindustrie, Luftfahrzeug- und Schiffbau) wurden verstaatlicht. Maschinenbau, Fahrzeug- und Flugzeugbau konzentrieren sich in London, Liverpool, Birmingham, Oxford und Mittelschottland. Bedeutend ist auch die Textilindustrie, der älteste Industriezweig.

Der Fremdenverkehr spielt eine große Rolle. Das Land besitzt die drittgrößte Handelsflotte der Erde. Unter den 300 Seehäfen sind die wichtigsten London, Southampton, Dover, Liverpool und Manchester.

Geschichte

Seit dem Mittelalter wuchsen England, Schottland und Wales immer stärker politisch und kulturell zusammen und bildeten unter dem Namen ›Großbritannien‹ seit Anfang des 18. Jahrh. eine Einheit. Die Beziehungen zu Irland sind sehr eng. Großbritannien entwickelte sich zu einer Seemacht und baute sich ein Kolonialreich auf, das sich erst im 20. Jahrh. unter den Folgen der beiden Weltkriege auflöste. (KARTE Seite 203)

Große Koalition, →Koalition.

Große Seen, englisch **Great Lakes,** die vom Sankt-Lorenz-Strom entwässerten 5 großen Seen Nordamerikas im Grenzbereich Kanadas und der USA. **Oberer See, Michigan-, Huron-, Erie-** und **Ontariosee** bilden mit fast 245 000 km^2 – dies entspricht der Fläche der Bundesrepublik Deutschland – die größte Binnenwasserfläche der Erde. Da die Seen untereinander verbunden sind, haben sie als Schiffahrtsweg eine große Bedeutung, die allerdings durch die 3–4monatige winterliche Eisbedeckung und häufige Stürme beeinträchtigt wird.

Großglockner, höchster Gipfel der österreichischen Alpen. Der in den Hohen Tauern an der Grenze Osttirol/Kärnten liegende Berg hat 2 Gipfel, den Großglockner (3 798 m) und den Kleinglockner (3 764 m). Nach Norden fällt der Berg zur Pasterze, dem Glocknergletscher, ab. Der Großglockner wurde erstmals 1800 bestiegen. Die 48 km lange Großglockner-Hochalpenstraße verbindet das Fuscher-Tal und das Mölltal und damit die österreichischen Länder Salzburg und Kärnten.

Großgriechenland, lateinisch **Magna Graecia,** im Altertum die Teile Süditaliens und Siziliens, die seit dem 8. Jahrh. v. Chr. durch Griechen besiedelt wurden. Zahlreiche Städte waren wesentlich größer als die Städte im griechischen Mutterland; die bedeutendsten, Syrakus und Agrigent, sollen zwischen 500 000 und 1 Million Einwohner gehabt haben. Auch nachdem Sizilien 241 v. Chr. römische Provinz geworden war, behielten die Griechenstädte ihre Verfassung. Griechische Sprache und Kultur überdauerten die römische Zeit noch um Jahrhunderte.

Großherzog, ein Fürst, der in der Rangordnung des Adels über dem Herzog steht. In Luxemburg ist der Großherzog Staatsoberhaupt; die Großherzogswürde ist dort erblich.

GESCHICHTE GROSSBRITANNIENS

Die Neuzeit	
1509–1547	**König Heinrich VIII.** schuf eine vom Papst unabhängige **Staatskirche** (Kirche von England, auch Anglikanische Kirche). Unter ihm setzten die Bemühungen um die Erhaltung des politischen Gleichgewichts unter den europäischen Staaten ein.
1558–1603	**Elisabeth I.** reformierte auf protestantischer Grundlage die Staatskirche und geriet dabei in Gegensatz besonders zu Spanien, der katholischen Vormacht in Europa, und zu Maria Stuart, der katholischen Königin von Schottland. Elisabeth ließ sie gefangennehmen und hinrichten.
1588	Sieg über eine große spanische Flotte, die **Armada;** Beginn des Aufstiegs Englands zur mächtigen See- und Kolonialmacht.
1603	Mit **Jakob I.** bestiegen die Stuarts auch den englischen Thron.
1620	Beginn der englischen **Besiedlung Nordamerikas.**
1625–49	Der Konflikt des katholisch gesinnten **Karl I.** mit dem protestantisch orientierten Parlament mündete in einen Bürgerkrieg, in dem der König unterlag.
1649	Enthauptung Karls I.
1649–58	**Oliver Cromwell,** der Führer des siegreichen Parlamentsheeres, legte die Grundlage für den Aufstieg zur führenden Seemacht.
1660–88	Erneute Herrschaft der Stuarts.
1689	Die ›glorreiche Revolution‹: Mit der Anerkennung der **Bill of Rights** mußte König **Wilhelm von Oranien** die Teilnahme des Parlaments an der Regierung anerkennen.
1707	Mit der Vereinigung des englischen und schottischen Parlaments bildeten England und Schottland unter dem Namen **Großbritannien** einen Staat.
1714–1837	Könige aus dem Haus Hannover.
1700–18	Im Spanischen Erbfolgekrieg festigte Großbritannien seine Stellung in Nordamerika und bannte die Gefahr einer französischen Hegemonie (Vorherrschaft).
1744–47	**See- und Kolonialkrieg** vor allem mit Frankreich.
1756–63	Teilnahme am Siebenjährigen Krieg.
1763	Großbritannien gewann im Frieden von Hubertusburg das französische **Kanada.**
1757–65	Endgültiger Gewinn der Herrschaft in **(Ost-)Indien.**
1787	Festsetzung in **Australien.**
1775–83	Verlust der 13 Kolonien auf dem Gebiet der heutigen Vereinigten Staaten im **amerikanischen Unabhängigkeitskrieg.**
1793–1800	Teilnahme am Krieg gegen die französischen Revolutionsheere.
1803–15	Teilnahme am Krieg gegen die Streitkräfte Napoleons I. – In beiden Kriegen suchte Großbritannien, einer französischen Hegemonie (Vorherrschaft) entgegenzuwirken.
1805	Seesieg unter **Nelson** bei **Trafalgar** über Frankreich.
1806	Gewinn der Kapkolonie.
1814/15	Auf dem Wiener Kongreß festigte Großbritannien seine weltpolitische Stellung.
1829	Gleichberechtigung für die Katholiken.
1832	Die **Parlamentsreform** setzte die Entwicklung zum parlamentarisch regierten Staat in Gang; in der Folgezeit festigte sich das Zweiparteiensystem (Konservative und Liberale).
1846	Durchsetzung des Freihandels.
1837–1901	In der Regierungszeit der **Königin Viktoria** (›Viktorianisches Zeitalter‹) strebte das britische Weltreich einem Höhepunkt entgegen. Der konservative Politiker **Benjamin Disraeli** leitete die Politik des →Imperialismus ein. Großbritannien beteiligte sich führend an der Aufteilung Afrikas. Mit **Eduard VII.** bestieg das Haus Coburg (seit 1917 Haus Windsor genannt) den Thron.
1904	Der Abschluß der **Entente Cordiale** mit Frankreich setzte dem jahrhundertelangen Konflikt mit Frankreich ein Ende.
1907	Mit der **britisch-russischen Verständigung** erweiterte sich die Entente Cordiale zu einem Dreierbündnis.
1914–18	Teilnahme am **Ersten Weltkrieg.** Mit dem Ende des Ersten Weltkriegs gewann das Britische Weltreich seine größte Ausdehnung, gleichzeitig setzte jedoch in den abhängigen Gebieten eine **Unabhängigkeitsbewegung** (besonders in Indien) ein.
1921	Großbritannien entließ den größten Teil Irlands (mit Ausnahme Nordirlands) aus dem britischen Staatsverband.
1931	Mit dem **Statut von Westminster** wurden z. B. Kanada, Australien, Neuseeland und die Südafrikanische Union dem Mutterland gleichgestellt.
1939–45	Teilnahme am Zweiten Weltkrieg (Premierminister Sir Winston Churchill).
1947	**Entlassung Indiens in die Unabhängigkeit.** Danach setzte sich bis in die Gegenwart der Abbau des britischen Weltreichs fort.
1949	Beitritt zum **Nordatlantikpakt** (NATO).
1973	Mitgliedschaft in den **Europäischen Gemeinschaften.**

Grubenottern, Lochottern, giftige →Schlangen, die vor allem in Amerika leben. Sie haben beiderseits zwischen Nasenloch und Auge eine ›Grube‹ als wärmeempfindliches Sinnesorgan. Damit können sie die von Beutetieren ausstrahlende Körperwärme erspüren und daher auch in der Dunkelheit jagen. Zu den Grubenottern gehören z. B. die →Klapperschlangen.

Grundbuch, vom Grundbuchamt, einem Teil des Amtsgerichts, geführtes Register über die in seinem Bezirk gelegenen Grundstücke. Für jedes Grundstück ist ein Grundbuchblatt angelegt, das Lage, Größe und Beschaffenheit aufführt, den Eigentümer sowie Schulden, die auf dem Grundstück liegen (z. B. Hypotheken), verzeichnet.

Grundeln, die Fische →Schmerlen.

Grundgesetz, die mit verschiedenen Änderungen seit dem 23. Mai 1949 gültige →Verfassung für die Bundesrepublik Deutschland. (→Grundrechte)

Grundherr, im Mittelalter der Eigentümer großer Ländereien. Er bewirtschaftete diese Ländereien nicht selbst, sondern vergab das Land an Bauern zur Bewirtschaftung. Diese mußten an den Grundherrn Abgaben leisten und für ihn Arbeiten (Frondienste) verrichten. Dadurch wurden sie zu unfreien Bauern und unterstanden auch der Gerichtsbarkeit ihres Grundherrn. Als **Hörige** waren sie ›Zubehör‹ des Bauernhofes und konnten z. B. zusammen mit diesem verkauft werden. In Mittel- und Ostdeutschland waren sie meist **Leibeigene,** die wie Sklaven behandelt, getauscht oder verkauft werden konnten.

Die **Grundherrschaft** war neben dem →Lehnswesen eine Grundlage der europäischen Gesellschaftsordnung des Mittelalters und der Neuzeit bis in das 18./19. Jahrhundert.

Grundmenge, Mathematik: die Menge, deren Elemente anstelle der Variablen in eine →Gleichung oder →Ungleichung eingesetzt werden sollen.

Grundrechenarten, Mathematik: Es gibt 4 Grundrechenarten: Addition, Subtraktion, Multiplikation und Division. Mit ihrer Hilfe lassen sich die höheren Rechenarten wie das Rechnen mit →Potenzen oder mit →Wurzeln erklären.

1) Unter **Addition** versteht man das Zusammenzählen zweier oder mehrerer Zahlen. In der Rechnung $5 + 3 = 8$ heißen die Zahlen, die addiert werden, **Summanden** (5 und 3), das Rechenzeichen heißt **plus** (+), das Ergebnis nennt man **Summe** (8). Beim schriftlichen Addieren mehrstelliger natürlicher Zahlen werden die Summanden so untereinander geschrieben, daß Einer unter Einer, Zehner unter Zehner usw., also gleiche Stellenwerte untereinander stehen. Man beginnt mit der Addition der Einer. Danach addiert man von rechts nach links die nächst höheren Stellenwerte. Ist die Summe einer Spalte z. B. der Wert 25, so wird die 5 als Ergebnis dieser Spalte aufgeschrieben und die 2 als Übertrag mit den Summanden der nächsten Spalte addiert.

```
Beispiel:   7953
          +  864
          +  721
             21      Übertrag
          ------
            9538     Ergebnis
          ======
```

2) Unter **Subtraktion** versteht man das Wegnehmen (Abziehen) einer oder mehrerer Zahlen von einer anderen. In der Rechnung $8 - 3 = 5$ heißt die Zahl, von der subtrahiert wird, **Minuend** (8), die Zahl, die subtrahiert wird, heißt **Subtrahend** (3), das Rechenzeichen heißt **minus** (−), das Ergebnis nennt man **Differenz** (5). Die Subtraktion ist die Umkehrung der Addition, denn es gilt z. B. $(8 - 3) + 3 = 8$.

Beim Subtrahieren unterscheidet man 2 Methoden:

1) das Wegnehmen (8 minus 3 gleich 5) oder

2) das Ergänzen (3 bis 8 gleich 5).

Das Ergänzungsverfahren hat den Vorteil, daß mehrere Subtrahenden leicht von einem Minuenden subtrahiert werden können. Hierzu schreibt man den Minuenden und die Subtrahenden wieder stellenweise untereinander. Man addiert die Einer der Subtrahenden und ergänzt zum Einer des Minuenden.

Im Beispiel

```
   5637
 − 1456
 −  789
 − 2890
    221      Übertrag
 ------
    502      Ergebnis
 ======
```

ergibt $0 + 9 + 6 = 15$. Da man die Zahl 15 nicht zur Zahl 7 ergänzen kann, ergänzt man zur Zahl 17 und erhält die Zahl 2, die als Ergebnis dieser Spalte aufgeschrieben wird. Der beim Ergänzen ›geliehene‹ Zehner wird als Übertrag in die nächste Spalte addiert. So verfährt man fortlaufend von rechts nach links.

3) Unter **Multiplikation** versteht man das Malnehmen zweier Zahlen. Die Multiplikation natürlicher Zahlen kann als abgekürzte Schreibweise für die Addition gleicher Summanden aufgefaßt werden. So gilt $4 \cdot 7 = 7 + 7 + 7 + 7$, oder $4 \cdot 7 = 4 + 4 + 4 + 4 + 4 + 4 + 4$. In der Rech-

nung $4 \cdot 7 = 28$ heißen die Zahlen, die multipliziert werden, **Faktoren** (4 und 7), das Rechenzeichen heißt **mal** ($\cdot$), das Ergebnis nennt man **Produkt** (28). Will man die Rechnung $532 \cdot 6$ schriftlich lösen, so multipliziert man die Zahl 6 nacheinander mit der Einer-, Zehner- und Hunderterstelle der Zahl 532. Da $2 \cdot 6 = 12$ ergibt, schreibt man die Zahl 2 auf und addiert die 1 zu den Zehnern, nachdem diese mit 6 multipliziert worden sind. In gleicher Weise verfährt man weiter. Es ergibt sich:

$$\begin{array}{r} 532 \cdot 6 \\ \hline 3192 \\ \hline\hline \end{array}$$

Beim Multiplizieren zweier mehrstelliger natürlicher Zahlen wird der erste Faktor mit jeder Stelle des zweiten Faktors multipliziert. Diese Einzelprodukte werden entsprechend ihrem Stellenwert untereinander geschrieben und anschließend addiert.

Beispiel:
$$\begin{array}{rl} 5724 \cdot 356 & \\ \hline 17172 & \\ 28620 & \\ 34344 & \\ {\scriptstyle 111} & \text{Übertrag} \\ \hline 2037744 & \text{Ergebnis} \\ \hline\hline \end{array}$$

4) Unter **Division** versteht man das Teilen zweier Zahlen. In der Rechnung $28:7 = 4$ heißt die Zahl, die geteilt wird, **Dividend** (28), durch die geteilt wird, heißt **Divisor** (7), das Rechenzeichen heißt **geteilt durch** (:), das Ergebnis nennt man **Quotient** (4).

Die Division ist die Umkehrung der Multiplikation, denn es gilt z. B. $(28:7) \cdot 7 = 28$.

Die Divisionsaufgabe 28:7 kann auf 2 Arten gedeutet werden.

1) Wie groß ist ein Teil, wenn man 28 in 7 gleiche Teile teilt?

2) In wieviel gleiche Teile kann man 28 teilen, wenn jeder Teil 7 sein soll? Oder: Wie oft ist 7 in 28 enthalten?

Beispiel:
$$\begin{array}{l} 4667:13 = 359 \\ \underline{-39} \\ 76 \\ \underline{-65} \\ 117 \\ \underline{-117} \\ 0 \end{array}$$

Bei der schriftlichen Division von 4667 : 13 beginnt man, da 4 kleiner ist als 13, nicht mit 4 : 13, sondern mit 46 : 13; Ergebnis: 3 Rest 7. Die Zahl 3 schreibt man hinter das Gleichheitszeichen, die Zahl 7 erscheint als Ergebnis der Subtraktion $46 - 39$ (beachte $13 \cdot 3 = 39$). Zur Zahl 7 kommt dann die Zahl 6, so daß im zweiten Schritt 76 durch 13 dividiert werden muß. In gleicher Weise fährt man fort.

Für Addition und Multiplikation gelten das Kommutativ- und das Assoziativgesetz. Das **Kommutativgesetz** sagt aus, daß in einer Summe die Summanden oder in einem Produkt die Faktoren vertauscht werden dürfen. Für beliebige Zahlen a und b gilt also: $a + b = b + a$ oder $a \cdot b = b \cdot a$.

Das **Assoziativgesetz** sagt aus, daß in einer Summe oder in einem Produkt Klammern an beliebiger Stelle gesetzt werden dürfen. Für beliebige Zahlen a, b und c gilt also:

$(a + b) + c = a + (b + c)$ oder

$(a \cdot b) \cdot c = a \cdot (b \cdot c)$.

Das **Distributivgesetz** verbindet die beiden Rechenarten Addition und Multiplikation. Es sagt aus, daß für beliebige Zahlen a, b und c gilt:

$(a + b) \cdot c = a \cdot c + b \cdot c$.

Kommen in einem Rechenausdruck mit verschiedenen Rechenarten keine Klammern vor, so gilt die Regel **Punktrechnung geht vor Strichrechnung,** also Multiplikation und Division vor Addition und Subtraktion.

Beispiel: $2 + 3 \cdot 5 = 2 + 15 = 17$

Kommen in einem Rechenausdruck nur Strich- oder nur Punktrechnungen vor, so wird von links nach rechts gerechnet.

Beispiel: $27 - 14 + 33 = 13 + 33 = 46$

Treten Klammern in einem Rechenausdruck auf, so müssen die Klammergesetze angewendet werden (→Klammer).

Die Grundrechenarten bei Brüchen und Dezimalzahlen sind in den Artikeln →Brüche und →Dezimalzahlen behandelt.

Grundrechte, unantastbare Rechte, die jedem Menschen zustehen und ihm ein Leben in persönlicher Sicherheit und Freiheit garantieren sollen. Die Verfassung der Bundesrepublik Deutschland, das **Grundgesetz (GG),** hat sie in den Artikeln 1–19 an die Spitze aller Regelungen gestellt, um ihre herausragende und verbindliche Bedeutung für die staatliche Ordnung zu betonen. Dabei unterscheidet das Grundgesetz solche Rechte, die allen Menschen zustehen (**›Menschenrechte‹**) und solche, auf die sich nur Deutsche berufen können.

Allgemeine Grundrechte sind: die Menschenwürde, das Recht auf freie Entfaltung der Persönlichkeit, die Gleichheit vor dem Gesetz, die Meinungs-, Glaubens- und Gewissensfreiheit, die Unverletzlichkeit der Wohnung, das Brief-, Post- und Fernmeldegeheimnis, das Eigentum, das Erbrecht, der Schutz von Ehe, Familie und Erziehung, das Asylrecht und das Petitionsrecht. Deutschen vorbehalten sind: die Versammlungsfreiheit, die Koalitionsfreiheit (das Recht, Vereine und Gesellschaften zu bilden), die Freizügigkeit (das Recht, im Bundesgebiet zu wohnen und zu arbeiten, wo man möchte), die Berufs- und Ausbildungsfreiheit.

Daneben sind noch andere Grundrechte im Grundgesetz enthalten wie der Anspruch auf rechtliches Gehör vor Gericht und das Verbot rückwirkender Strafgesetze. Ihrem Wesen nach werden die Grundrechte als ›Abwehrrechte‹ verstanden, die dem einzelnen die Möglichkeit geben, sich gegen unberechtigte Eingriffe des Staates zu wehren.

Die meisten Grundrechte werden nicht schrankenlos gewährt, weil sonst ein friedliches Zusammenleben der Menschen nicht möglich wäre. Daher können Grundrechte eingeschränkt werden, aber nur durch oder auf Grund eines Parlamentsgesetzes. Allerdings: das Wesentliche, der Kern eines jeden Grundrechts, muß erhalten bleiben.

Wer sich durch die staatlichen Organe in seinen Grundrechten verletzt fühlt, kann sich in letzter Instanz mit einer Verfassungsbeschwerde an das Bundesverfassungsgericht in Karlsruhe wenden.

In Österreich enthält die Bundesverfassung keine Zusammenfassung der Grundrechte; für diese gelten vielmehr das Staatsgrundgesetz von 1867 über die allgemeinen Rechte der Staatsbürger sowie eine Reihe anderer einzelner Gesetze. Über die Einhaltung der Grundrechte wacht der Verfassungsgerichtshof.

In der Schweiz sind die Grundrechte teils in der Bundesverfassung von 1874, teils in kantonalen Verfassungen enthalten. Ergänzt werden sie durch ungeschriebene Regeln, die das Bundesgericht entwickelt hat.

Grundvertrag, auch **Grundlagenvertrag,** ein am 21. 12. 1972 abgeschlossener Vertrag, der die Beziehungen zwischen der Bundesrepublik Deutschland und der Deutschen Demokratischen Republik regelte. Beide Staaten sicherten sich in diesem Vertrag gegenseitig zu, daß sie ihre Unabhängigkeit in inneren und äußeren Angelegenheiten achten wollten. Sie bekräftigten die Unverletzlichkeit ihrer Grenzen und versprachen sich, aufkommende Streitfragen nur mit friedlichen Mitteln zu lösen. Beide Vertragspartner richteten in der Hauptstadt des anderen ›Ständige Vertretungen‹ ein.

In einem Brief (›Brief zur deutschen Einheit‹ genannt) an die Deutsche Demokratische Republik hob die Bundesrepublik Deutschland hervor, daß die von ihr betriebene Politik der → Wiedervereinigung Deutschlands auf ausschließlich friedlichem Weg nicht im Widerspruch zum Grundvertrag steht.

Grundwasser, unterirdisches Wasser, das die Hohlräume der Erdrinde zusammenhängend ausfüllt und durch Versickerung der Niederschläge, aber auch aus Flüssen und Seen dorthin gelangte. Stößt es dabei auf eine wenig wasserdurchlässige Schicht (Ton), so wird es als Grundwasser gestaut. Da sandige Bodenschichten als Filter wirken, ist Grundwasser meist keimfrei. Für die Trinkwasserversorgung ist es daher von großer Bedeutung (→ Brunnen).

Grundzahl, → Potenz.

Grüne, Sammelbezeichnung für politische Gruppen, die den Umweltschutz in den Mittelpunkt ihrer Zielsetzungen stellen; dabei fordern sie vor allem, die Technik, die das wirtschaftliche, soziale und persönliche Leben in der Industriegesellschaft bestimmt, auf ihre Verträglichkeit für Mensch, Tier und Pflanze zu überprüfen; sie stehen damit den Vertretern der → Alternativbewegung nahe. Einige Gruppen wollen ihre Ziele durch eine Änderung der Gesellschaftsordnung erreichen. – Die 1980 gegründete Partei **›Die Grünen‹** entwickelte sich in der Bundesrepublik Deutschland zur stärksten Gruppe der Grünen und ist sowohl im Bundestag (seit 1983) als auch in Länder- und Gemeindeparlamenten vertreten. Nach der ersten freien Wahl zur Volkskammer der Deutschen Demokratischen Republik 1990 bildete sich die Partei Bündnis 90/Grüne, die seit der Bundestagwahl 1990 mit 8 Abgeordneten im Bundestag vertreten ist. Bundesweit haben sich Bündnis 90 und Grüne 1993 zusammengeschlossen. Auch in anderen Staaten bildeten sich grüne politische Gruppen (z. B. in Österreich, in der Schweiz und in Frankreich).

Grünewald. Der spätgotische Maler **Mathias Grünewald** (* um 1480, † vor dem 1. 9. 1528), der eigentlich **Mathis Gothart Nithart** hieß, war einer der größten Künstler seiner Zeit. Trotzdem ist von ihm nur wenig bekannt. Seine Lebensdaten sind umstritten, über die Herkunft des Namens Grünewald wird gerätselt; viele seiner Werke müssen verlorengegangen sein. Aus seinen Bildern läßt sich schließen, daß er die Werke seiner Zeitgenossen (z. B. Albrecht Dürer) gekannt hat und auch mit der italienischen Renaissancekunst in Berührung gekommen ist. Er stand als Hofmaler im Dienst zweier Mainzer Erzbischöfe, hielt sich in Frankfurt auf und lebte zuletzt als Wasserbautechniker in Halle. Sein Hauptwerk ist der **Isenheimer Altar,** den er für das Antoniterkloster in Isenheim im Elsaß gemalt hat (1513–15; heute im Museum in Colmar). Es ist ein ›Wandelaltar‹, ein Flügelaltar mit mehreren Flügelpaaren, die auf- und zugeklappt werden können. Dargestellt sind die Kreuzigung Christi, Verkündigung und Auferstehung, ein Engelkonzert, Maria mit dem Kind und mehrere Heilige. Dem Betrachter teilt sich die starke Ausdruckskraft der Szenen mit, die sich vor allem in Körperhaltung und Gesichtsausdruck der realistisch gezeichneten Personen zeigt: z. B. in der Kreuzigungsszene das übermäßige, doch still ertragene Leid Christi und der Menschen bei ihm; eine düstere Landschaft unterstreicht die schmerzliche Stimmung. Innerlichkeit und Mitleiden kennzeichnen auch Grünewalds andere Altartafeln.

Grünfink, Grünling, gelbgrüner Vogel, der in Hecken und Büschen nistet. Er frißt Samen und Beeren. Im Winter ist dieser →Finkenvogel oft am Futterhaus zu sehen.

Guadalquivir [guadalkibir], 560 km langer Fluß in Südspanien. Er entspringt im Andalusischen Bergland, durchfließt das Tiefland von Andalusien und mündet nördlich von Cádiz in den Atlantischen Ozean. Die ungleichmäßige Wasserführung wird durch zahlreiche Talsperren, vor allem an den Nebenflüssen, reguliert. Mit dem angestauten Wasser werden große Ackerflächen künstlich bewässert. Das versumpfte Mündungsgebiet (Marismas) des Guadalquivir ist eines der größten Naturschutzgebiete Europas.

Guadeloupe [gwadlup], Inselgruppe der Kleinen →Antillen. Die Inseln, auf denen rund 330 000 Einwohner leben, werden oft von Orkanen und Erdbeben heimgesucht. Sie bilden ein Übersee-Département Frankreichs.

Guam, größte Insel der Marianen im nordwestlichen Pazifischen Ozean. Sie gehört zum Staatsgebiet der USA, die dort einen militärischen Stützpunkt unterhalten. Die Insel hat rund 106 000 Einwohner, die hauptsächlich Bananen, Mais, Süßkartoffeln (Bataten) und Ananas anbauen. Die Hauptstadt heißt Agaña. Die Insel wurde 1898 von Spanien an die USA abgetreten.

Guanako, Wildform der Lamas (→Kamele).

Guaschmalerei, die →Gouachemalerei.

Guatemala, Republik in Zentralamerika, die an Mexiko im Norden, Belize im Osten sowie El Salvador und Honduras im Süden und Südosten

Guatemala

Fläche: 108 889 km²
Bevölkerung: 9,34 Mill. E
Hauptstadt: Guatemala
Amtssprache: Spanisch
Nationalfeiertag: 15. Sept.
Währung: 1 Quetzal (Q) = 100 Centavos
Zeitzone: MEZ –7 Stunden

angrenzt, fast so groß wie Bulgarien. Guatemala ist vorwiegend Hochgebirgsland mit vielen, zum Teil noch tätigen Vulkanen und häufigen Erdbeben. Im Norden reicht es in das größtenteils mit tropischem Regenwald bedeckte Hügelland der Halbinsel Yucatán. Im Westen stößt ein schmales heißfeuchtes Tiefland an die Küste des Pazifischen Ozeans. Im Osten hat Guatemala nur wenig Anteil am Küstentiefland des Karibischen Meers.

Guatemala ist das einzige Land Zentralamerikas mit überwiegend indianischer Bevölkerung (Nachkommen der Maya), die neben Spanisch noch verschiedene indianische Dialekte spricht.

Wichtigster Wirtschaftszweig ist die Landwirtschaft; eine Vielzahl von Kleinbetrieben produziert meist für den Eigenbedarf. Nur wenige Großbetriebe liefern die Exportgüter Kaffee, Bananen, Zuckerrohr und Baumwollsamen. Die wertvollen Hölzer des Waldes, der über die Hälfte des Landes bedeckt, werden mit zunehmender Verbesserung der Verkehrserschließung für den Export ausgebeutet. Anziehungspunkt für den Fremdenverkehr sind die Bauwerke der Maya.

Guatemala, die Hauptstadt des Landes, liegt im zentralen Hochland. Die Stadt hat 1,5 Millionen Einwohner (mit Vororten) und ist als politisches, wirtschaftliches und kulturelles Zentrum die bedeutendste Stadt Zentralamerikas.

Im heutigen Guatemala entwickelten die →Maya eine Hochkultur, die ihre Blütezeit zwischen 300 und 900 hatte. 1524 bis 1821 stand das Land unter der Herrschaft Spaniens und ist seit 1839 eine selbständige Republik, die bisher meist von Diktatoren regiert wurde. Im 19. Jahrh. bestimmte der Kampf zwischen Konservativen und Liberalen um die Stellung der Katholischen Kirche die Entwicklung des Landes. Die sozialen Spannungen, vertieft durch das Ungleichgewicht in der Besitzverteilung, förderten im 20. Jahrhundert das Entstehen von Guerillabewegungen, führten aber auch zu Reformversuchen. (KARTE Seite 196)

Guatemala

Staatswappen

Staatsflagge

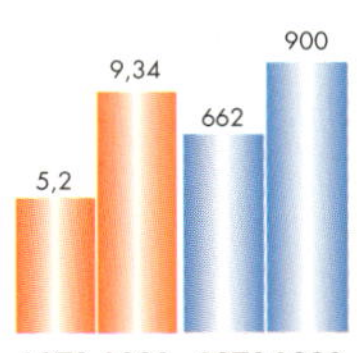

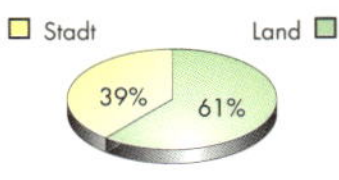

Bevölkerungsverteilung 1990

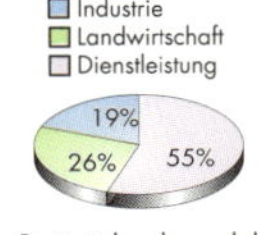

Bruttoinlandsprodukt 1990

Guinea

Staatswappen

Staatsflagge

Guayana, Landschaft im Norden Südamerikas zwischen Orinoco, Atlantischem Ozean und Amazonas-Tiefland. Guayana umfaßt etwa 1,5 Millionen km². Es ist größtenteils gebirgig und mit tropischem Regenwald bedeckt. Längs der Küste erstreckt sich ein tropisch feuchtes, teilweise versumpftes Tiefland. Der größte Teil von Guayana gehört zu Brasilien im Süden und Venezuela im Westen (auch Kolumbien hat einen kleinen Anteil), der Rest zu →Guyana, →Surinam und →Französisch-Guayana.

Gudrun, →Kudrun.

Guerilla [gerilja, spanisch ›Kleinkrieg‹], Bezeichnung für alle Arten der ›verdeckten‹ Kriegsführung, vor allem für militärische Überfälle und Sabotagehandlungen aus dem Untergrund. Der Guerillakrieg kann sich gegen (führende) Einzelpersonen, Einrichtungen und Streitkräfte des eigenen Landes oder einer Besatzungs- und Kolonialmacht richten. Im Völkerrecht ist diese Form des Krieges umstritten.

Das Wort Guerilla kam in den Kämpfen spanischer Aufständischer (1808–14) gegen die französische Besetzung unter Kaiser Napoleon I. auf, als leichtbewaffnete Gruppen einen Kleinkrieg gegen französische Truppen führten. Der chinesische Revolutionär Mao Tse-tung entwickelte im 20. Jahrh. eine ausgefeilte Guerillataktik.

Gulden: 10 Niederländische Gulden (1925)

Guernsey [gōhnsi], eine der zu England gehörenden →Normannischen Inseln im Ärmelkanal. Guernsey ist 63 km² groß und hat 51000 Einwohner. Im Süden bricht die Insel mit einer steilen, buchtenreichen Felsküste zum Meer ab; die Küste im Norden ist flach und weist sandige Buchten auf. Guernsey hat mildes Klima und bedeutenden Fremdenverkehr. Viehwirtschaft und Gemüseanbau sind ebenfalls wichtige Wirtschaftszweige. (KARTE Seite 202)

Guevara [gewara]. Der Guerillakämpfer und gebürtige Argentinier **Ernesto ›Che‹ Guevara** (* 1928, † 1967), ursprünglich Arzt, nahm auf Kuba und später in Bolivien an Guerillakämpfen gegen die dortige Regierung teil. In Kuba beteiligte er sich am Aufbau eines sozialrevolutionären Gesellschafts- und Regierungssystems. Nach seinem Tod (in Bolivien gefangengenommen und später ohne Gerichtsurteil erschossen) wurde Guevara zu einer Leitfigur revolutionärer Bewegungen in Süd- und Mittelamerika.

Gurke mit Blüten und junger Frucht

Guillotine [gijotine], nach dem französischen Arzt Joseph Guillotin benanntes Fallbeil, das seit 1792 als Hinrichtungsgerät in der →Französischen Revolution und in der Folgezeit verwendet wurde. Es besteht aus einem scharfen Eisenblatt, an dem rechts und links Gewichte befestigt sind. Dieses Messer wird an einem Gerüst hochgezogen. Der zum Tod Verurteilte muß darunter in vorgebeugter Haltung knien. Das Messer fällt, von den Gewichten gezogen, auf den Nacken des Verurteilten nieder und enthauptet ihn.

Guinea

Fläche: 245857 km²
Bevölkerung: 7,27 Mill. E
Hauptstadt: Conakry
Amtssprache: Französisch
Nationalfeiertag: 2. Okt.
Währung: 1 Guinea-Franc (F.G.)
Zeitzone: MEZ – 1 Stunde

Guinea [ginea], Republik an der Westküste Afrikas. Das Land hat etwa die Größe von Großbritannien und Nordirland. Es gliedert sich in die feuchtheiße Küstenzone mit Sümpfen und Mangroven **(Niederguinea),** das von Grassavannen bewachsene höher gelegene **Mittelguinea** und nach Osten und Südosten das trockenere **Oberguinea.** Die Bevölkerung setzt sich aus sehr vielen Volksgruppen zusammen; den größten Anteil stellen die Fulbe, die im 18. Jahrh. hier ein mächtiges Reich bildeten.

Etwa 1/5 der Gesamtfläche wird landwirtschaftlich genutzt, vor allem in Niederguinea. Angebaut werden Reis, Mais, Hirse und Maniok für den Eigenbedarf und Kaffee, Bananen, Ananas, Erdnüsse und Palmkerne für den Export. In den Savannengebieten, die früher ausgedehnte Wälder trugen, wird wenig ertragreiche Viehhaltung betrieben. Nahrungsmittel müssen eingeführt werden. Bodenschätze (z. B. Bauxit, Diamanten) sind die wichtigsten Exportgüter. Die Industrie ist schwach entwickelt.

Die ehemalige französische Kolonie wurde 1958 unabhängig. (KARTE Seite 194)

Guinea-Bissau [ginea bissau], Republik in Westafrika. Das Land hat die Größe Baden-Württembergs und besteht aus dem flachen Festland und den Bissagos-Inseln. Das Klima ist tropisch mit hohen Niederschlägen. Die Einwohner leben überwiegend von der Landwirtschaft. Für den Eigenbedarf wird besonders Reis angebaut; ausgeführt werden Erdnüsse, Palmöl, Kokosnüsse und Fisch. Bauxit- und Phosphatvorkommen werden ausgebeutet; Industrie ist kaum vorhanden. Wichtigster Hafen des Landes ist Bissau. – Die ehemalige portugiesische Kolonie wurde

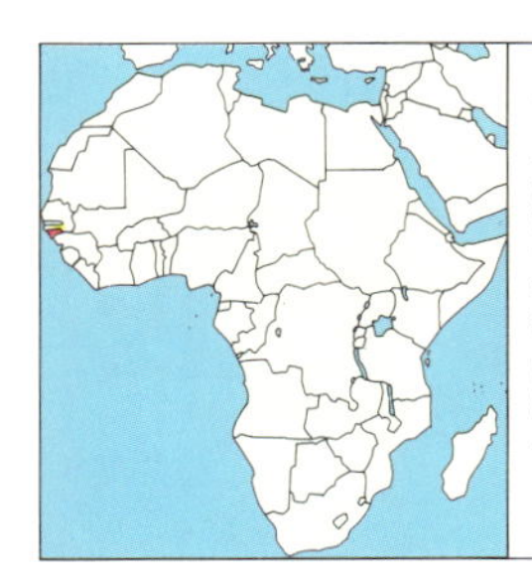

Guinea-Bissau

Fläche: 36 125 km²
Bevölkerung: 998 000 E
Hauptstadt: Bissau
Amtssprache: Portugiesisch
Nationalfeiertag: 24. Sept.
Währung: 1 Guinea-Peso (PG) = 100 Centavos (CTS)
Zeitzone: MEZ – 1 Stunde

nach einem Guerillakrieg 1974 unabhängig. Das Land gehört zu den ärmsten Ländern der Erde. (KARTE Seite 194)

Gulden [gekürzt aus guldin pfenning ›goldene Münze‹], alte Goldmünze. Gulden wurden unter anderem in Florenz geprägt und heißen daher auch **Florin.** In Deutschland kamen sie um 1300 in Umlauf. Der Gulden ist noch heute die Währungseinheit der Niederlande.

Gulliver, ein Schiffsarzt, von dessen abenteuerlichen Erlebnissen während 4 verschiedener Reisen der bekannteste Roman des Schriftstellers Jonathan →Swift handelt.

Gummi, 1) Pflanzen- und Baumsäfte, die an der Luft erhärten und →Harze bilden. Gummi läßt sich auch aus einigen Samen gewinnen. Die für den menschlichen Gebrauch weitgehend unbedenklichen Gummiarten werden z. B. als Verdickungsmittel in Lebensmitteln und Kosmetika sowie in Speiseeis und Zuckerwaren (Gummibonbons) verwendet.

Auch **Kaugummi** enthält neben Kunststoffen natürlichen Gummi als Hauptbestandteil. Diesem sind Geschmacksstoffe, Sirup, Zucker und Farben zugesetzt.

2) Mit Gummi wird auch vulkanisierter, natürlicher oder künstlicher →Kautschuk bezeichnet.

Gummibaum, Zimmerpflanze mit glänzend dunkelgrünen Blättern. In ihrer Heimat Südostasien ist sie ein mächtiger Baum mit vielen Stützwurzeln. Als Gummibaum bezeichnet man auch den Eukalyptusbaum und Kautschukbaum.

Gummilinse, →Objektiv.

Gunther, König der Burgunder im →Nibelungenlied.

Gurke, zu den Kürbisgewächsen gehörende kriechende oder kletternde Pflanze mit einfachen Ranken. Ihre länglichen Früchte sind eigentlich große Beeren, die viele Samen enthalten. Die Gurke stammt aus Ostasien und wurde schon in der Antike von Griechen und Römern angebaut.

Gürteltiere tragen als einzige Säugetiere an Kopf, Rücken und Schwanz einen Panzer aus kleinen Hornplatten, die am Rücken gürtelartig angeordnet sind. Bei Gefahr können sich manche Arten, z. B. das **Kugelgürteltier,** wie Igel zusammenrollen. Andere graben sich mit ihren starken, schaufelartigen Krallen rasch ein. Sie wühlen damit auch Erdhöhlen, die sie meist nur nachts verlassen, und graben Ameisen und Termiten aus. Gürteltiere, die sehr kleine, schmelzlose Zähne haben, fressen auch kleine Tiere und Pflanzen. Sie leben in trockenen, sandigen Gebieten Mittel- und Südamerikas. Das **Riesengürteltier,** dessen Fleisch auch gegessen wird, ist mit Schwanz bis zu 1,50 m lang, die **Gürtelmaus** erreicht nur 13 cm Länge.

Guru, im Hinduismus und bei den →Sikh der Name für den geistlichen Lehrer, dessen Aufgabe es ist, seine Schüler auf dem Weg zur religiösen und geistigen Vervollkommnung zu führen. Gurus sind meist alte Männer, denen diese Befähigung zugestanden wird, weil sie selbst diesen Weg bereits gegangen sind. In den modernen Guru-Bewegungen (→Jugendreligionen) wird das Wissen um den richtigen Weg im Unterschied zum ursprünglichen Verständnis nur einem einzigen geistlichen Lehrer zugestanden. Dieser genießt oft göttliche Verehrung, z. B. der Guru Rajneesh Chandra Mohan (→Bhagwan-Bewegung).

Gustav II. Adolf, * 1594, † 1632, war erst 17 Jahre, als er 1611 König von Schweden wurde. Sein Land befand sich damals in einer äußerst schwierigen politischen Lage. Es war gleichzeitig in 3 Kriege verwickelt, die Gustav Adolf nach und nach beendete. Gleichzeitig führte er, unterstützt von seinem Kanzler Axel Oxenstierna, Maßnahmen durch, die nicht nur der Stärkung der Kriegsmacht, sondern auch einem allgemeinen wirtschaftlichen Aufschwung dienen sollten.

Gürteltiere: LINKS Kugelgürteltier, RECHTS zusammengerolltes Kugelgürteltier

Guinea-Bissau

Staatswappen

Staatsflagge

Gustav II. Adolf (aus einem Gemälde von Anthonis van Dyck)

Guyana

Staatswappen

Staatsflagge

Wichtig war auch, daß er den Adel für sich gewinnen konnte, indem er ihm durch eine neue Reichstagsordnung ein Mitspracherecht gewährte. Als im Verlauf des →Dreißigjährigen Krieges der Kaiser und somit die katholische Seite bis zur Ostsee vordrang, griff Gustav Adolf, der sich als ein Führer des Protestantismus verstand, unterstützt durch Frankreich, in den Krieg in Deutschland ein. In der Person Gustav Adolfs verbanden sich eine aufrichtige religiöse Überzeugung und ein ausgeprägtes Machtbewußtsein. So erreichte er durch seine militärischen Erfolge zweierlei: Er half den protestantischen Fürsten und sicherte den Fortbestand des Protestantismus; außerdem machte er Schweden zu einer Großmacht, die den Raum um die Ostsee beherrschte. Gustav Adolf fiel 1632 in der Schlacht bei Lützen.

Gutenberg. So nannte sich nach seinem Haus ›zum Gutenberg‹ in Mainz **Johannes Gensfleisch zur Laden** (* um 1397, † 1468). Er ist der Erfinder des **Buchdrucks** mit gegossenen, beweglichen Lettern. Das Wesentliche dabei war die Herstellung einer Form zum Guß der Lettern (Schriftkörper) für jeden Buchstaben und jedes Zeichen in beliebig großer Anzahl. Diese Lettern konnten immer wieder neu verwendet werden. Mit ihnen druckte Gutenberg eine lateinische Bibel, auch **Gutenberg-Bibel** genannt, von der noch 47 zum Teil unvollständige Exemplare erhalten sind. 1465 nahm ihn der Erzbischof von Mainz unter seine Hofleute auf. Im Mainzer **Gutenberg-Museum,** dem Weltmuseum der Druckkunst, kann man alles Wissenswerte über Gutenberg und den Druck der lateinischen Bibel erfahren.

Guyana

Fläche: 214 969 km^2
Bevölkerung: 990 000 E
Hauptstadt: Georgetown
Amtssprache: Englisch
Nationalfeiertag: 23. Febr.
Währung: 1 Guyana-Dollar (G$) = 100 Cents (c)
Zeitzone: MEZ −5 Stunden

Guyana, Republik im Nordosten Südamerikas. Das Landesinnere gehört zum Bergland von Guayana. Tropischer Regenwald bedeckt ³/₄ des Landes. Die Bevölkerung besteht zur Hälfte aus Indern, ¹/₃ sind Schwarze. Daneben gibt es Mischlinge, Indianer, Weiße und Chinesen. Hauptsiedlungs- und Wirtschaftsgebiet ist die Küstenebene. Dort werden hauptsächlich Zuckerrohr, Reis, Kokospalmen, Kaffee und Südfrüchte angebaut. An Bodenschätzen ist vor allem Bauxit von Bedeutung. Die Bauxitaufbereitung ist neben der Verarbeitung von Zuckerrohr eine Grundlage der einheimischen Industrie. Der Staat kontrolliert die Wirtschaft. – 1815 kam das Land in britischen Besitz. 1966 erhielt es die Unabhängigkeit. Es ist Mitglied der Vereinten Nationen, des Commonwealth of Nations und der EWG assoziiert. (KARTE Seite 197)

H, der achte Buchstabe des Alphabets, ein Konsonant. H ist das chemische Zeichen für Wasserstoff (lateinisch **h**ydrogenium). h ist das Einheitenzeichen für die Zeiteinheit Stunde (lateinisch **h**ora), z. B. km/h = Kilometer pro Stunde. Als Vorsatzzeichen bei →Einheiten steht h für →Hekto (z. B. hl = **Hekt**o**l**iter). In der Geometrie gibt *h* die Höhe an. In der Musik ist H der 7. Ton der C-Dur-Tonleiter.

ha, Einheitenzeichen für →**H**ekt**a**r.

Haag, →Den Haag.

Haar, biegsames Oberhautgebilde bei Mensch, Tier und Pflanze.

Das Haar des Menschen besteht aus einer Hornmasse. Es findet sich in langer Form als Kopf-, Bart-, Achsel- und Schamhaar, in kurzer Form als Wimpern und Augenbrauen, am Naseneingang und im äußeren Gehörgang. Außerdem sind alle übrigen Körperteile mit feinem Wollhaar bedeckt mit Ausnahme der Fußsohle, Hohlhand und Lippen. Jedes Haar besteht aus einem **Haarschaft,** der von der **Haarwurzel** aus nachwächst und ernährt wird. Das verdickte Ende der Haarwurzel in der Unterhaut heißt **Haarzwiebel.** Das Haar wird umschlossen vom Haarbalg, in den kleine Talgdrüsen einmünden. Am Haarbalg setzt ein kleiner Muskel an, der durch seine Verkürzung das Haar aufrichten kann (→Gänsehaut). Farbstoffe (→Pigmente) bestimmen die Haarfarbe. Im Alter nimmt der Pigmentgehalt der Haare ab, und sie werden lufthaltiger, was ihr Ergrauen zur Folge hat. Angeborener Farbstoffmangel führt zum →Albinismus. Die Haare des Menschen wachsen täglich etwa 0,25 mm und unterliegen einem normalen Wechsel.

Das Haarkleid der Säugetiere **(Fell)** schützt gegen Kälte, Nässe und Verletzungen.

Wörter, die man unter G vermißt, suche man unter Dj, J oder K

Die Haare der Pflanzen entstehen durch Auswachsen der Oberhautzellen. Sie dienen häufig dem Schutz der Pflanze, z. B. schützen die **Brennhaare** die Brennessel vor Tierfraß. Die hakigen **Kletterhaare** des Hopfens schützen den Klettersproß; **Flughaare** verringern die Fallgeschwindigkeit bei Früchten und Samen.

Haargefäße, →Adern.

Habichte, mittelgroße →Greifvögel mit dunkelbraun-weiß gestreiftem Bauch. Sie leben an Waldrändern, wo sie auf hohen Bäumen ihr Nest bauen. Mit den kurzen, rundlichen Flügeln und dem langen Schwanz fliegen sie schnell und sehr wendig. Jede Deckung nutzend, fliegt ein Habicht, im Unterschied zu vielen anderen Greifvögeln, dicht über dem Boden und überfällt seine Beute (Vögel, Eichhörnchen, Mäuse, Hasen) blitzschnell; er verfolgt sie sogar im dichten Wald. Der Habicht wurde wie die →Falken früher zur Jagd abgerichtet. Heute ist er in ganz Europa selten geworden und steht ganzjährig unter Schutz. Dem Habicht sehr ähnlich ist der kleinere **Sperber,** der in besonders wendigem Flug vor allem kleine Singvögel erlegt.

Habsburger, Fürstengeschlecht, dem zwischen 1452 und 1806 fast alle deutschen Könige und Kaiser und danach bis 1918 die Kaiser und Könige von Österreich-Ungarn entstammten. Die Stammburg Habsburg (›Habichtsburg‹) liegt bei Brugg im schweizerischen Kanton Aargau. Von dort aus herrschten die Habsburger als Grafen über ihren Besitz in der Nordschweiz, im Elsaß und am Bodensee. Mit Graf **Rudolf I.** wurde 1273 erstmals ein Habsburger deutscher König (bis 1291). Er gewann die Herzogtümer Österreich, Steiermark, Kärnten und Krain und begründete damit die Hausmacht der Habsburger, die jedoch im 14. Jahrh. ihre Schweizer Stammlande verloren. Im 15. Jahrh. erbten sie Böhmen, Mähren, Ungarn und Schlesien.

Maximilian I. (1493–1519) gewann durch seine Heirat die Niederlande und die Freigrafschaft Burgund für die Habsburgische Hausmacht. Sein Sohn **Philipp der Schöne** erheiratete den Habsburgern Spanien mit dessen Nebenlanden und Kolonien. Auf diese Heiratspolitik bezieht sich der Spruch: »Laß andere Kriege führen, du, glückliches Österreich, heirate«! (lateinisch »Bella gerant alii, tu felix Austria nube«!). Kaiser **Karl V.** (1519–56) herrschte über ein Reich, in dem ›die Sonne nicht unterging‹. Habsburgische Länder lagen wie ein Ring um Frankreich, das sich bedroht fühlte und in vielen Kriegen mit den Habsburgern diesen Ring zu sprengen suchte. Mit dem Aufstieg Englands zur Seemacht gerieten die Habsburger auch in scharfen Gegensatz zu England. 1714 verloren sie die spanischen Lande (→Spanischer Erbfolgekrieg). Um die Thronfolge seiner Tochter Maria Theresia in Österreich zu sichern, erließ Kaiser Karl VI. 1713 ein Erbfolgegesetz, die →Pragmatische Sanktion. **Maria Theresia** und ihr Mann, der spätere Kaiser **Franz I.,** begründeten das Haus **Habsburg-Lothringen,** dem die Habsburger bis heute entstammen. (→deutsche Geschichte, →Österreich)

Hackordnung, die →Rangordnung in einer Hühnergruppe. Sie zeigt sich darin, daß die ranghöheren (stärkeren) Hühner die rangniederen (schwächeren) hacken, wenn diese ihnen Futter streitig machen oder zu nahe kommen. Im übertragenen Sinn spricht man auch bei Rangordnungen anderer Tiergruppen und menschlicher Gruppen von Hackordnung (→Verhaltensforschung).

Hades, im griechischen Götterglauben das Totenreich, aber auch der Herr der Toten und der Unterwelt. Die Griechen setzten Hades später mit **Pluton** gleich. Bei den Römern hieß die Unterwelt **Orkus.**

Hadrian, *76, †138. Die Regierungszeit (117–138) des römischen Kaisers Hadrian wurde von der Nachwelt als ›Goldenes Zeitalter‹ gepriesen. Hadrian folgte auf Kaiser →Trajan, dessen Eroberungspolitik er aufgab; statt dessen sorgte er für die innere und äußere Festigung des Reiches (Bau des Limes in Deutschland, des ›Hadrianwalls‹ in Schottland). Durch wirtschaftliche und soziale Gesetzgebung suchte er den Wohlstand seiner Untertanen zu sichern. Er gründete Städte und ließ viele Bauten errichten (Pantheon und sein Grabmal, die Engelsburg, in Rom, Palast in Tivoli, Bauten in seiner Lieblingsstadt Athen). Er förderte die Literatur und Kunst und wird auch der ›Philosophenkaiser‹ genannt.

Hafer, ein →Getreide.

Haff, flache Meeresbucht, die durch eine →Nehrung fast völlig vom offenen Meer abgetrennt ist; meist gibt es nur schmale Durchlässe zum Meer, die vielfach für die Schiffahrt künstlich offengehalten werden. Einmündende Flüsse führen dem Haff Süßwasser zu, das sich mit dem Meerwasser zu Brackwasser vermischt. Bei völligem Abschluß vom Meer bildet sich aus dem Haff ein Strandsee, der meist Süßwasser enthält. (BILD Küste)

Hafnium, Zeichen **Hf,** →chemische Elemente, ÜBERSICHT.

Habichte: OBEN Habicht; UNTEN Sperber

Haie: **1** Großgefleckter Katzenhai, **2** Hammerhai, **3** Japanischer Hornhai, **4** Blauhai, **5** Meerengel, **6** Grauhai

Haft, allgemeine Bezeichnung für verschiedene Formen des erlaubten Freiheitsentzugs. **Untersuchungshaft** wird angeordnet, wenn jemand dringend verdächtig ist, eine Straftat begangen zu haben und außerdem zu befürchten steht, er werde fliehen, Beweismaterial beiseite schaffen oder Zeugen beeinflussen. Die Untersuchungshaft ist nur auf Grund eines richterlichen **Haftbefehls** zulässig. Gegen Zeugen, die vor Gericht ohne Grund die Aussage oder den Eid verweigern, kann **Beugehaft** festgesetzt werden. Versucht jemand, sein Vermögen außer Landes zu bringen, um seinen Zahlungsverpflichtungen zu entgehen, kann er in **Sicherungshaft** genommen werden. Eine **Ordnungshaft** nimmt in Kauf, wer sich vor Gericht schlecht benimmt.

Haftpflicht. Jeder ist gesetzlich verpflichtet, einen Schaden, den er anderen zufügt, zu ersetzen. Dafür haftet er mit seinem gesamten Vermögen. Wichtige Beispiele für eine gesetzliche Haftpflicht sind die des Kraftfahrzeughalters, des Tierhalters oder des Aufsichtspflichtigen. Vor den finanziellen Folgen der Haftpflicht kann eine **Haftpflichtversicherung** schützen; diese muß z. B. von jedem Kraftfahrzeughalter abgeschlossen werden.

Haftschalen, →Kontaktlinsen.

Hagebutten, die Früchte der Heckenrose (→Rosen).

Hagel, fester Niederschlag in Form von Eiskugeln oder Eisstücken von mehr als 5 mm Durchmesser. Der Bildung von Hagel geht die Bildung von Frostgraupeln (→Graupeln) voraus. In hoch in die Atmosphäre reichenden Quellwolken werden Eisstückchen von starken Aufwinden in die Höhe geblasen. Unterwegs fangen sie Wassertröpfchen ein, die die Körner mit einer Wasserhaut umgeben und bei Temperaturen unter 0 °C zu einer klaren Eisschicht gefrieren. In der Höhe läßt die Kraft der Aufwinde nach, die Körner fallen nach unten. Dieser Vorgang wiederholt sich mehrmals, bis die Eisstücke, die die Größe von Tennisbällen erreichen können, zu schwer werden und endgültig zu Boden fallen.

Hagen von Tronje, im →Nibelungenlied ein Gefolgsmann König Gunthers von Burgund. Er war seinem König treu ergeben. Für seine Königin Brunhild tötete er →Siegfried. Den Goldschatz (›Nibelungenhort‹) des erschlagenen Siegfried versenkte er im Rhein. Hagen starb durch die Hand Kriemhilds.

Hahn, männliches Huhn (→Hühner); auch andere männliche Vögel.

Hahn. Der Chemiker **Otto Hahn** (* 1879, † 1968) entdeckte ab 1907 in Zusammenarbeit mit Lise Meitner mehrere natürliche radioaktive Elemente. 1938 fand er mit Fritz Straßmann die →Kernspaltung des Urans und schuf damit eine der Voraussetzungen zur Nutzung der →Kernenergie. Er erhielt dafür 1944 den Nobelpreis für Chemie.

Hahnium [nach Otto Hahn], Zeichen **Ha,** von amerikanischen Forschern vorgeschlagene, aber international nicht anerkannte Bezeichnung für das chemische Element 105, das auch als Bohrium, Nielsbohrium und Unnilpentium bezeichnet wird. (→chemische Elemente, ÜBERSICHT)

Haie. Durch die Darstellung in Romanen und Filmen wurden Haie zum Inbegriff räuberischen

Verhaltens. Doch nur wenige Arten dieser Fische (27 von 250) sind für Menschen gefährlich. Haie leben in tropischen und subtropischen Meeren; auch im Mittelmeer kommen sie vor, kleinere Arten (z. B. Katzenhai, Meerengel) in der Nord- und Ostsee. Mit ihrem länglichen, stromlinienförmigen Körper können die meisten sehr schnell schwimmen. Die ausgebreiteten Brustflossen wirken wie Tragflächen. Die vordere Rückenflosse ist dreieckig und ragt oft über die Wasseroberfläche hinaus, so daß Haie schon von weitem zu erkennen sind. Sie schwimmen meist in Gruppen. Die Haut ist durch zahnartige Schuppen rauh wie Sandpapier. Ihr an der Unterseite des Kopfes liegendes Maul hat zahlreiche, in Reihen hintereinanderstehende Zähne, mit denen die Haie die Beute (Fische, Tintenfische) ergreifen und festhalten und auch harte Muscheln und Krebse zerknacken (z. B. der Japanische Hornhai). Die beiden größten Arten, der bis 14 m lange **Walhai,** der größte lebende Fisch, und der **Riesenhai,** ernähren sich von Plankton. Die frei schwimmenden Haie bringen lebende Junge zur Welt, die auf dem Meeresgrund wohnenden Arten legen Eier in Hornkapseln ab. Die Bauchflosse des Männchens ist zum Begattungsorgan umgebildet.

Für Menschen gefährlich sind vor allem die **Makrelenhaie** (›Menschenfresser-Haie‹), deren bekanntester Vertreter der **Weißhai** oder **Menschenhai** ist. Er ist 6–9 m lang und gilt als der gefräßigste aller Haie. Er greift Fische, Seeschildkröten, Delphine, Robben und Menschen an, frißt aber auch Abfall, der ins Meer gelangt. Dem 3,5 m langen **Mako,** ebenfalls ein Makrelenhai, wird nachgesagt, daß er Schiffbrüchige angreift, für Badende jedoch ungefährlich ist, da er Flachwasser meidet. Aus der Familie der **Grauhaie (Blauhaie)** sind besonders der **Blauhai** und der bis 5 m lange **Tigerhai** als ›Menschenfresser‹ bekannt. Auch der **Große Hammerhai** mit hammerartig verbreitertem Kopf kann, wenn er in Küstennähe kommt, für Badende gefährlich werden. Haie werden zu ihrem Angriff auf Menschen vermutlich durch ruckartige Schwimmbewegungen, Zappeln und Umsichschlagen ermutigt. Die dabei entstehenden Druckwellen können sie mit dem Tastsinn ihrer Seitenlinie (→Fische) auf große Entfernungen wahrnehmen, ebenso blutende Wunden, da sie sehr gut riechen können.

Haie werden von besonderen Schiffen aus gejagt. Man gewinnt aus ihnen Tran, Fischmehl, Lebertran und Leder. Der bis 1 m lange **Dornhai,** der auch in der Ostsee lebt, kommt als ›Seeaal‹, seine geräucherten Bauchflossen kommen als ›Schillerlocken‹ in den Handel.

Haifa, 227 400 Einwohner, bedeutendste Hafenstadt Israels, liegt am Fuß des Berges Karmel an der Mittelmeerküste.

Haiti

Fläche: 27 750 km²
Bevölkerung: 6,4 Mill. E
Hauptstadt: Port-au-Prince
Amtssprache: Französisch
Nationalfeiertag: 1. Jan.
Währung: 1 Gourde (Gde.) = 100 Centimes
Zeitzone: MEZ –6 Stunden

Haiti [indianisch ›Gebirgsland‹], Republik im Westen der Antilleninsel →Hispaniola, etwas kleiner als Belgien. 9 von 10 Einwohnern sind Schwarze, der Rest Mulatten. Die Bevölkerung gehört in ihrer überwiegenden Mehrheit zur Katholischen Kirche; daneben ist ein magisch-religiöser Volksglaube afrikanischer Herkunft, der Wodu-Kult, weit verbreitet.

Haiti zählt zu den ärmsten Ländern Amerikas. Die Landwirtschaft, hauptsächlich von Kleinbauern betrieben, ist wichtigster Wirtschaftszweig. Angebaut wird vorwiegend für den Eigenbedarf, daneben für die Ausfuhr vor allem Kaffee. Die Wälder, die früher wertvolle Hölzer lieferten, wurden durch Raubbau und Rodung großenteils zerstört. Bergbau und Industrie sind wenig entwickelt.

Nach langen Wirren wurde die ehemals französische Kolonie 1804 unabhängig. 1844 spaltete sich der Ostteil der Insel Hispanola als →Dominikanische Republik ab. (KARTE Seite 197)

Hakenkreuz, ursprünglich ein Symbol, das schon aus der Frühgeschichte (um 2500 v. Chr.) überliefert ist und unterschiedlich gedeutet wurde (z. B. als Sonnenrad oder als Hammer des Gottes Thor). Seit Ende des 19. Jahrh. war das Hakenkreuz Abzeichen antisemitischer Gruppierungen, später vor allem der Nationalsozialisten (NSDAP), die darin ein rein ›arisches‹ Symbol sahen. Auch Staatswappen und -flagge des Deutschen Reichs während des Nationalsozialismus zeigten das Hakenkreuz. Seine Verwendung ist heute durch Strafgesetz verboten.

Halbaffen gehören wie die Affen zur Säugetierordnung →Primaten. Sie leben vor allem auf der Insel Madagaskar **(Lemuren, Indris, Fingertiere),** auch in Afrika **(Galagos** mit den **Buschbabies, Loris)** und Südasien **(Loris, Koboldmakis,**

Haiti

Staatswappen

Staatsflagge

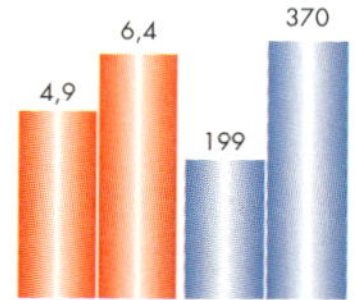

Bevölkerung (in Mill.)
Bruttosozialprodukt je E (in US-$)

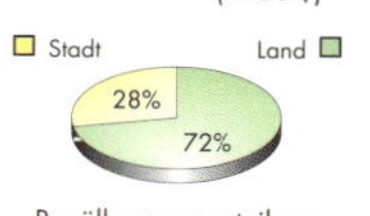

Bevölkerungsverteilung 1990

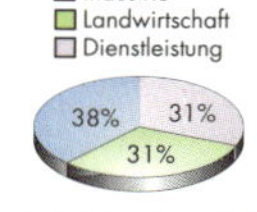

Bruttoinlandsprodukt 1989

Hakenkreuz

Koboldmaki

Allens-Galago

Schlanklori

Plumplori

Spitzhörnchen

Halbaffen

Spitzhörnchen). Die Halbaffen ähneln in einigen Merkmalen und Verhaltensweisen den Affen, besitzen aber z. B. ein einfacheres Gehirn. Ihre langen Schwänze sind keine Greifschwänze. Wie Affen können sie mit Händen und Füßen greifen und zum Teil auch über kurze Entfernung aufrecht gehen. Ihr Gesicht ist behaart und ähnelt dem eines Fuchses oder einer Katze. Die kleinen Halbaffen leben auf Bäumen. Sie haben große, leistungsfähige Augen, was sie zur Jagd in der Dämmerung und Nacht befähigt (auf Insekten, Frösche, Schnecken, kleine Vögel); sie fressen auch Knospen und Früchte.

Halbfliegengewicht, Halbleichtgewicht, Halbmittelgewicht, Halbschwergewicht, →Gewichtsklassen.

Halbgerade, Geometrie: Zeichnet man von einem Punkt A aus durch einen Punkt B eine gerade Linie, so erhält man eine Halbgerade. Sie wird mit $\overline{AB}$ bezeichnet. Dabei bedeutet A den Anfangspunkt der Halbgeraden.

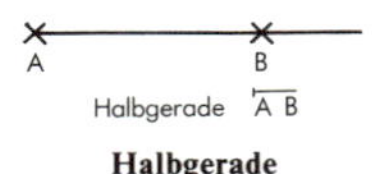

Halbgerade

Halbleiter, Stoffe, die sich bei sehr niedrigen Temperaturen wie Nichtleiter (Isolatoren) verhalten, das heißt den elektrischen Strom nicht leiten. Bei steigender Temperatur treten die (in einem Leiter in großer Menge vorhandenen) frei beweglichen Ladungsträger in immer größer werdender Zahl auf, so daß der Stoff leitfähig wird. Der elektrische →Widerstand von Halbleitern sinkt also bei Temperaturerhöhung und steigt bei Temperatursenkung. Im Unterschied dazu steigt der Widerstand von metallischen Leitern mit der Temperatur an.

Manche Halbleiter haben einen elektrischen Widerstand, der lichtabhängig ist.

Die für die technische Anwendung wichtigsten Halbleiter sind die Elemente Silicium (Si) und Germanium (Ge). Neben diesen **Elementhalbleitern** gewinnen **Verbindungshalbleiter,** das heißt Verbindungen von Elementen, z. B. Gallium mit Arsen (Galliumarsenid, GaAs), für den Bau von **Halbleiterbauelementen** immer mehr an Bedeutung. Solche aus Halbleitern aufgebauten Bauelemente der Elektronik sind z. B. Photowiderstände und Photoelemente (→Photozelle) sowie →Dioden und →Transistoren.

Halbvokal, →Laut.

Halbwert(s)zeit, die für jedes Isotop eines radioaktiven Elements (→Radioaktivität) charakteristische Zeitdauer, in der von einer ursprünglich vorhandenen Anzahl radioaktiver Kerne die Hälfte zerfallen ist. Die Halbwert(s)zeit ist eine Größe, die nur für eine große Anzahl von instabilen Teilchen sinnvoll definiert werden kann. Für ein einzelnes instabiles Teilchen läßt sich nicht vorhersagen, wann es zerfallen wird.

Halle an der Saale, 321 000 Einwohner, Stadt in Sachsen-Anhalt und traditionsreiche Universitätsstadt, liegt am Rande der Leipziger Tieflandbucht. Die Salzvorkommen der Umgebung wurden bereits vor mehr als 2 000 Jahren genutzt. Der bedeutendste Industriezweig ist der Maschinen- und Waggonbau, elektrotechnische, chemische und pharmazeutische Industrie.

Halligen, Inseln im Wattenmeer, die aus der Zerstörung früherer großer Marschgebiete hervorgegangen sind. Sie finden sich vorwiegend vor der Westküste Schleswig-Holsteins. Auch bei Flut ragen sie ein wenig aus dem Wasser, weswegen auf ihnen Viehhaltung möglich ist. Sturmfluten zwingen hingegen die Bewohner, sich mit ihrem Vieh auf die künstlich aufgeschütteten Erdhügel, die Wurten, zurückzuziehen.

Die Halligen haben große Bedeutung für den Schutz des Festlandes vor der zerstörerischen Kraft des Meeres; die größeren sind daher durch Deiche oder andere Schutzbauten befestigt.

Hallimasch, ein →Pilz.

Hallstattzeit, älterer Hauptabschnitt der mitteleuropäischen →Eisenzeit (800–400 v. Chr.). Die Hallstattkultur wurde von den Kelten geprägt und ist durch die zunehmende Verwendung des Eisens gekennzeichnet. Der Name geht auf den Ort Hallstatt in Österreich zurück, in dessen Nähe ein Salzbergwerk mit vielen Funden dieser Kulturstufe entdeckt wurde.

Halluzinationen [von lateinisch (h)alucinari ›faseln‹], Sinnestäuschungen, die bei bestimmten Geisteskrankheiten (Schizophrenie), bei Erkrankungen des Gehirns (z. B. Geschwülste) und durch Gifte oder Rauschmittel (Alkohol, Drogen) auftreten. Die Betroffenen hören z. B. Stimmen, sehen Farben und Licht oder nicht vorhandene Dinge und Personen.

Halo [griechisch ›Hof (um Sonne oder Mond)‹], ringartige Lichterscheinung um Sonne oder Mond, die infolge Spiegelung oder Brechung der Lichtstrahlen an Eiskristallen in der hohen Atmosphäre auftritt. Ein Halo kann als Zeichen für aufkommendes Schlechtwetter gedeutet werden.

Halogene [griechisch ›Salzbildner‹], Gruppe der reaktionsfähigen nichtmetallischen Elemente Fluor, Chlor, Brom, Jod und das unbeständige Astat, deren Metallverbindungen Salzcharakter haben. Auf Grund ihrer starken Elektronegativität verbinden sich die Halogene mit fast allen Elementen.

Hals, Abschnitt des Wirbeltierkörpers, der den Kopf mit dem übrigen Körper verbindet; sein rückwärtiger Teil ist der Nacken. Sein Knochengerüst besteht bei Mensch und Säugetieren aus den 7 Halswirbeln der →Wirbelsäule, wobei die beiden obersten die Bewegungen des Kopfes ermöglichen. Vor der Halswirbelsäule verläuft die →Speiseröhre und davor die →Luftröhre mit dem →Kehlkopf, unterhalb von diesem liegt die →Schilddrüse. Seitlich am Hals kann man den Pulsschlag der großen Schlagadern tasten, die den Kopf mit Blut versorgen.

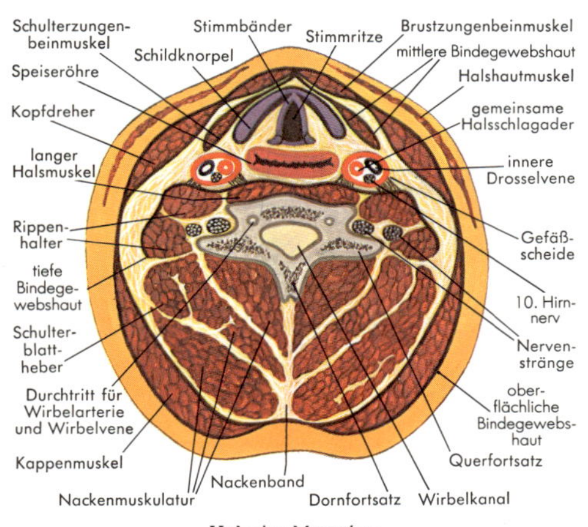

Hals des Menschen
(Querschnitt in Höhe der Stimmbänder)

Hals. Der niederländische Maler **Frans Hals** (* zwischen 1581 und 1585, † 1666) hat vor allem Porträts gemalt, die innerhalb der großen Bandbreite barocker Malerei einen eigenen, realistischen Stil aufweisen. Die Dargestellten wirken in ihren prächtigen Trachten mit den damals üblichen, großen weißen Kragen lebhaft und heiter, die hellen, funkelnden Farben unterstreichen diesen Eindruck. Erst im Alter verwendete Frans Hals eher graue oder schwärzliche Farbtöne, umriß die Figuren mit breiten, skizzenhaften Farbsträhnen und verlieh ihnen einen ernsten Ausdruck. Seine Hauptwerke sind Gruppenbilder, z. B. Porträts der Mitglieder von Schützengilden. In seinen Halbfigurenbildern (Porträts, die Kopf und Oberkörper zeigen) stellte er Menschen aller Gesellschaftsschichten dar: Bauern, Soldaten, Schankwirte, Dirnen, wohlhabende Bürger. 1655 malte er den französischen Philosophen René Descartes. Viele seiner Werke hängen im Frans-Hals-Museum in Haarlem (Niederlande).

Hämatịt [von griechisch hämatikos ›blutig‹], weitverbreitetes Mineral, ein Eisenoxid, das als **Eisenglanz** dunkelgrau bis schwarz, als **Roteisenerz** dunkel- bis lichtrot erscheint. In dieser Form ist es häufig färbender Bestandteil vieler Gesteine (z. B. Buntsandstein) und wird auch für rote erdige Farbmittel (Rötel) verwendet.

Hạmbacher Fest. Hambach ist ein Stadtteil von Neustadt an der Weinstraße. Auf dem Hambacher Schloß, der Maxburg, fand im Mai 1832 das Hambacher Fest statt. Auf ihm bekannten sich liberale und republikanische Kräfte zu einem freien und geeinten Deutschland. Bürger aller Schichten nahmen an der Kundgebung teil; besonders stark waren die studentischen Burschenschaften vertreten. Die Redner verlangten eine deutsche Nationalversammlung, die Umgestaltung des Deutschen Bundes und eine Verbrüderung der Völker. Einige deutsche Staaten reagierten darauf mit strenger Zensur der liberalen Presse und der Verfolgung der Hauptredner. Äußerlich stand das Hambacher Fest ganz im Zeichen der Farben schwarz-rot-gold, die seit dem Wartburgfest 1817 die Farben der deutschen Burschenschaften waren.

Hamburg
Landeswappen

Freie und Hansestadt Hamburg
Fläche: 755 km²
Einwohner: 1 626 800

Hạmburg, Stadt der Bundesrepublik Deutschland und ihr bedeutendster Seehafen; sie liegt zwischen Schleswig-Holstein und Niedersachsen an der Unterelbe und ist als Stadtstaat **(Freie und Hansestadt Hamburg)** ein selbständiges Bundesland. Wie in Bremen wird hier die Landesregierung von einem Bürgermeister und dem Senat gebildet; das Landesparlament ist die Bürgerschaft.

Hamburg entwickelte sich seit 825 aus der **Hammaburg,** die an der Mündung der Alster in die Elbe lag und mehrfach von Wikingern überfallen wurde. Im Mittelalter wurde der Ort als westlicher Partner der Ostseestadt Lübeck zur Freien Reichsstadt und zur Hansestadt. Der große Brand von 1842 vernichtete die alte Stadt, aber Hamburg konnte seine Stellung als Handels- und Verkehrszentrum von weltweiter Bedeutung behaupten; Deutschlands älteste Börse und das prunkvolle Rathaus bilden einen geschlossenen Baukomplex. Erst seit dem Ersten Weltkrieg wurde aus der Handelsstadt und ihrem Umland auch einer der größten europäischen Industriestandorte. 1937 wurden das ehemals dänische **Altona** und das südlich der Elbe gelegene **Harburg** eingemeindet.

Im Zweiten Weltkrieg wurde Hamburg zu über 50 % zerstört. Heute ist die Stadt Verkehrsknotenpunkt zwischen Skandinavien und Mitteleuropa und deutsches Pressezentrum, in dem mehr als 50 Tages- und Wochenzeitungen erscheinen. Es gibt 2 Universitäten sowie zahlreiche Institute und Forschungseinrichtungen. 2 Tunnel unterqueren die Elbe, die vor dem malerisch am Süllberg gelegenen **Blankenese** fast 2 km breit ist.

Hamster

Die Hafenanlagen erstrecken sich über 90 km^2; $^2/_3$ der deutschen Reedereien sind hier beheimatet. In der Industrie bestimmen Elektrotechnik, Maschinenbau, Nahrungsmittelindustrie und Erdölwirtschaft das Bild.

Über dem Hafen erhebt sich die Kirche Sankt Michaelis mit ihrem 132 m hohen Turm, als Wahrzeichen Hamburgs kurz ›Michel‹ genannt. Andere Sehenswürdigkeiten sind Hagenbecks Tierpark und die im Stadtzentrum zu einem See aufgestaute Alster.

Hameln, 57 300 Einwohner, Stadt in Niedersachsen an der Weser. Nach einer mittelalterlichen Sage soll der **Rattenfänger von Hameln,** ein Pfeifer, mit dem Spiel seiner Flöte die Stadt von einer Rattenplage befreit haben. Als er von den Bewohnern nicht den vereinbarten Lohn erhielt, lockte er statt der Ratten nun 130 Kinder aus der Stadt und entführte sie.

Hamlet, Hauptfigur einer 1601 entstandenen Tragödie von William Shakespeare. Zu ihrem Inhalt: Hamlets Vater, der König von Dänemark, ist von seinem Bruder Claudius ermordet worden. Claudius hat die Witwe des Ermordeten geheiratet und Hamlet um den Thron betrogen. Der Geist des ermordeten Vaters erscheint und fordert Hamlet zur Rache auf. Nach langem Zögern und Planen handelt Hamlet, und das Stück findet ein blutiges Ende. – Der Stoff geht auf eine alte Hamlet-Sage und ihre verschiedenen schriftlichen Überlieferungen zurück und wurde bis in die heutige Zeit immer wieder zu Dramen, Romanen und Gedichten verarbeitet.

Hammel, das kastrierte, männliche →Schaf.

Hammerwerfen, leichtathletischer Wettbewerb für Herren, bei dem ein Wurfhammer aus einem Wurfkreis (2,134 m Durchmesser) möglichst weit geschleudert wird. Der Wurfhammer besteht aus einer Eisenkugel von etwa 12 cm Durchmesser, die durch einen Stahldraht mit einem dreieckigen Griff verbunden ist. Die Länge des Wurfhammers liegt zwischen 117 und 122 cm, das Gewicht beträgt 7,257 kg. Der Athlet dreht sich mit dem Gerät drei- bis viermal im Wurfkreis und verleiht dem Hammer so den nötigen Schwung, bevor er ihn losläßt. Hammerwerfen, ursprünglich von schottischen und irischen Schmieden bei Volksfesten ausgeführt, ist seit 1900 olympische Disziplin.

Hamster, kleine Nagetiere, die in ihren Backentaschen einen großen Futtervorrat, besonders Getreide (im Jahr bis zu einem Zentner), für den Winter zusammentragen. Daher bezeichnet man auch das übertriebene Anhäufen von Vorräten als ›Hamstern‹. Hamster sind Einzelgänger. Sie graben einen bis zu 2 m tiefen Erdbau, der ein senkrechtes Loch besitzt, in das sie sich bei Gefahr fallen lassen. Um zu fressen, unterbrechen Hamster ihren Winterschlaf mehrmals. Sie fressen auch Regenwürmer, Insekten und Schnekken, sogar kleine Vögel, Eidechsen und Schlangen. Das Weibchen wirft 2–3mal im Jahr 6–12 Junge. Verwandt sind die kleineren **Goldhamster** aus Syrien, die in Deutschland in Wohnungen gehalten werden; sie werden bis zu 3 Jahre alt. Man füttert sie mit Körnern (Hafer, Buchweizen), Gemüse und Salat. Jungtiere können ein Virus ausscheiden, das beim Menschen Gehirnhautentzündung hervorrufen kann.

Hand, unterster Teil des →Arms, mit dem sie durch das Handgelenk verbunden ist. Das Skelett der Hand besteht aus 8 Handwurzelknochen, 5 Mittelhandknochen und 14 Fingerknochen. Äußerlich unterscheidet man den **Handrücken** und die **Hohlhand** (oder Handinnenfläche), an der verschiedene Handlinien in Form von Furchen

Hand: Knochen und Muskeln der rechten Hand (Innenseite)

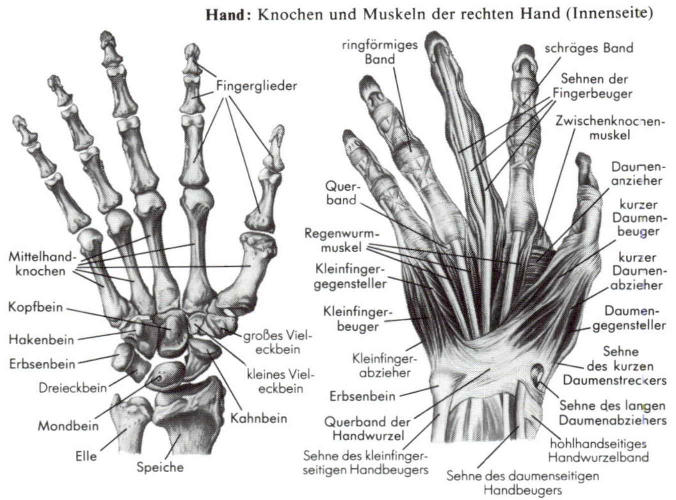

ausgebildet sind. Den 4 Fingern läßt sich der Daumen gegenüberstellen. Während die meisten Menschen die rechte Hand bei ihren Tätigkeiten bevorzugen, benutzt der Linkshänder vorwiegend die linke Hand.

Handball. 6 Feldspieler spielen sich in einer Halle einen Lederball mit einer oder beiden Händen so zu, daß der Ball möglichst schnell ins gegnerische Tor geworfen werden kann. Handball wird von Herren und Damen gespielt. Der Handball wiegt für Herren 425–475 g, für Damen und Jugendliche 300–400 g. Die Spielfläche ist 38–44 m lang und 18–22 m breit. Die Tore sind nur 2 m hoch und 3 m breit; der Torraum mißt im Radius 6 m. Die Strafwurfmarke ist 7 m von der Torlinie entfernt. Die Freiwurflinie verläuft 3 m vor der Torraumlinie. Eine Hallenmannschaft besteht aus 10 Spielern und 2 Torhütern, von denen immer nur 6 Spieler und ein Torwart während des Spiels auf der Spielfläche sein dürfen; die übrigen sind Auswechselspieler, die beliebig oft eingesetzt werden können. Hallenhandball ist ein sehr schnelles Spiel, das von den Spielern neben einem blitzschnellen Reaktionsvermögen vor allem eine ausgefeilte Wurf- und Fangtechnik verlangt. Die Spielzeit beträgt für Herren 2 × 30 Minuten, für Damen und Jugendliche 2 × 25 Minuten. Der Ball darf nicht mit dem Fuß, aber mit dem Oberschenkel gespielt werden; er darf nur 3 Sekunden in der Hand gehalten werden. Mit dem Ball in der Hand dürfen nicht mehr als 3 Schritte gemacht werden, dann muß der Ball entweder abgespielt oder auf den Boden geprellt werden. Der Torwart darf innerhalb des Torraums den Ball mit dem Fuß abwehren. Regelverstöße ahnden die 2 Schiedsrichter mit Freiwurf, Strafwurf (Siebenmeter) und zeitlichem Spielausschluß (meist 2 Minuten) des foulenden Spielers. – Handball wurde früher, ähnlich wie heute Fußball, auf dem Großfeld im Freien gespielt. Als Feldhandball war es 1936 olympische Disziplin. Hallenhandball ist seit 1972 für Herren und seit 1976 für Damen olympische Disziplin.

Händel. Das Werk des Komponisten **Georg Friedrich Händel** (* 1685, † 1759), der etwa 40 Jahre lang in England wirkte, ist – ähnlich wie das Werk Bachs – Gipfel und Abschluß der musikalischen Ausdrucksmittel im Spätbarock.

Als Sohn eines Wundarztes in Halle geboren, begann er 1702 zunächst mit dem Studium der Rechte und betätigte sich gleichzeitig als Organist. Mit 18 Jahren wurde er Cembalist und Geiger an der Hamburger Oper. 1706–10 hielt er sich zu weiterem Studium in Italien auf. 1710 wurde er Hofkapellmeister in Hannover, ging jedoch schon bald als Cembalist an den englischen Hof nach London. 1720 gründete er im königlichen Auftrag eine Oper, die allerdings ständigen Anfeindungen seitens des Adels und der italienischen Rivalen ausgesetzt war. Seit 1732 wandte er sich verstärkt dem Oratorium zu. Erblindet starb er in London und wurde in der Westminsterabtei beigesetzt. Unter seinen Werken ragen die Opern (z. B. ›Xerxes‹, 1738) und die Oratorien, unter ihnen ›Der Messias‹ (1742), hervor. Zu den beliebtesten Werken Händels zählen die ›Feuerwerksmusik‹ und die ›Wassermusik‹.

Georg Friedrich Händel

Handelskompanien, große Handelsgesellschaften, die seit dem Ende des 16. Jahrh. von europäischen Unternehmen für den Handel mit überseeischen Ländern gegründet wurden. Die Regierungen der jeweiligen Heimatländer unterstützten diese Gesellschaften, da sie bei der Kolonisierung der noch weitgehend unbekannten Gebiete wichtige Pionierarbeit leisteten (→Kolonie). Später bekamen Handelskompanien staatliche Hoheitsrechte, gerieten damit aber oftmals unter staatliche Kontrolle. Von besonderer Bedeutung waren die englische und die niederländische Ostindische Kompanie.

Handgranate, kleiner Sprengkörper, der mit der Hand auf geringe Entfernung geworfen wird. Nach der Form unterscheidet man Kugel-, Stiel- und Eierhandgranaten. Handgranaten wirken im Umkreis weniger Meter entweder durch Splitter oder durch Luftdruck. Erstmals im 16. Jahrh. von speziellen Soldaten, den ›Grenadieren‹, verwendet, ist die Handgranate auch heute noch eine besonders bei der Infanterie benutzte **Nahkampfwaffe.**

Handwerk. In einem Handwerksbetrieb werden einzelne Gegenstände angefertigt oder instandgesetzt. Im Gegensatz zur Industrie, wo von vielen Arbeitern sowie mit Hilfe von Maschinen und Fließbändern Güter in großen Stückzahlen hergestellt werden, arbeitet der **Handwerker** meist von Hand oder nur mit wenigen, einfachen Werkzeugen. Er fertigt überwiegend Einzelstükke im Kundenauftrag an. Ein Handwerksbetrieb wird von einem **Handwerksmeister** geführt. Der Meister wiederum kann in seinem Betrieb Lehrlinge (Auszubildende) ausbilden und Gesellen beschäftigen. Es gibt zahlreiche Handwerksberufe in verschiedenen Handwerkszweigen. Die größte Gruppe ist die des Bau- und Ausbaugewerbes (z. B. Maurerhandwerk), gefolgt von den Handwerkern im Maschinen- und Fahrzeugbau (z. B. Kraftfahrzeugmechaniker). Weitere Handwerksberufe sind z. B. Friseur, Fleischer, Bäcker, Schneider, Schuhmacher, Maler, Schreiner, Tischler, Dachdecker, Zimmermann und viele andere.

Vom Mittelalter, etwa seit dem 12. Jahrh. mit der Entstehung der Städte, bis zum 19. Jahrh. waren die einzelnen Handwerksberufe oder -stände in **Zünften** organisiert. Die Zünfte verfolgten nicht nur wirtschaftliche Interessen (Sicherung eines angemessenen Einkommens, strenge Gütevorschriften für ihre Produkte, Hilfe für wirtschaftlich schwache Zunftgenossen), sondern nahmen erheblichen Einfluß auf das politische, gesellschaftliche, kulturelle und religiöse Leben ihrer Zeit.

Hanf, 2-4 m hohe Faser- und Ölpflanze, eine der ältesten Kulturpflanzen. Ursprünglich in Südasien heimisch, wird Hanf heute vor allem in der Sowjetunion, in Indien und Rumänien angebaut. Er wird wie → Flachs geerntet und aufbereitet. Man fertigt aus den Stengelfasern Nähgarne, Bindfäden, Schnüre und Seile. Die Samen liefern Öl zur Seifenherstellung und dienen als Winterfutter für Vögel. Aus den harzähnlichen Blütenausscheidungen einer indischen Hanfart gewinnt man den Grundstoff für einige Rauschmittel (→ Haschisch).

Hänflinge, kleine → Finkenvögel, die in niedrigen Bäumen, Hecken und Büschen nisten. Im Unterschied zu den meisten Finken füttern sie ihre Jungen auch mit frischen, weichen Samen. Im Winter ziehen sie mit anderen Finken in ihrem Brutgebiet umher. Sie fressen dann mit Vorliebe ölhaltige Hanfsamen. Man nennt sie auch **Bluthänflinge,** weil das graubraune Männchen im Frühjahr und Sommer an Brust und Scheitel blutrot gefärbt ist.

Hängegleiten, → Drachenfliegen.

Hannibal, * 247/246, † (Selbstmord) 183 v. Chr., Feldherr und Staatsmann Karthagos, der in den → Punischen Kriegen gegen Rom entscheidende Siege errang, aber schließlich seinem Gegner unterlag.

221 v. Chr. – Hannibal war etwa 25 Jahre alt – bekam er das Kommando über das karthagische Heer in Spanien. Dort erweiterte er das karthagische Herrschaftsgebiet nach Norden bis zum Fluß Ebro. Er griff die Stadt Sagunt, die ein Schutzbündnis mit Rom geschlossen hatte, an und eroberte und zerstörte sie 219 v. Chr. Darauf erklärte Rom Karthago den Krieg, der als Zweiter Punischer Krieg bezeichnet wird. 218 v. Chr. zog Hannibal mit einem Heer von 50 000 Mann, 9 000 Reitern und 37 Elefanten auf dem Landweg von Spanien durch Gallien nach Italien. In 15 Tagen überquerte er die Alpen. Drei Jahre zog er unbesiegt durch Italien; seine größten Siege erfocht er am **Trasimenischen See** (217 v. Chr.) und bei **Cannae** (216 v. Chr.). Dennoch lehnte Rom jedes Friedensangebot ab, und Hannibal wagte es nicht, die Stadt Rom anzugreifen.

212 v. Chr. kam die Wende. Die Römer eroberten einige Städte in Süditalien zurück. Als der römische Feldherr Scipio 204 v. Chr. zum direkten Angriff auf Karthago überging, war Hannibal gezwungen, sein Heer nach Afrika zurückzuführen. Beide Feldherren trafen mit ihren Heeren bei **Zama** (vermutlich südwestlich von Karthago) aufeinander. Jetzt war Scipio der Sieger; Karthago schloß Frieden (202 v. Chr.). Immer wieder forderte Rom Hannibals Auslieferung. Dieser nahm sich mit Gift das Leben.

Hannover, 1) 526 300 Einwohner, Hauptstadt von Niedersachsen, liegt an der Leine und am Mittellandkanal am Rand der Norddeutschen Tiefebene. In Hannover findet jährlich die **Hannover-Messe** (größte technische Messe in Europa) statt. In der Industrie steht an erster Stelle Maschinen- und Fahrzeugbau (z. B. Volkswagenwerk). Zu den Kulturdenkmälern gehören das Leineschloß in der Altstadt (18./19. Jahrh.; heute Landtagsgebäude) und die barocken Gartenanlagen (17./18. Jahrh.) im Stadtteil **Herrenhausen.**

2) Das ehemalige **Königreich Hannover** (seit 1814) entstand aus der Vereinigung mehrerer welfischer Teilfürstentümer im Mittelalter und umfaßte in seiner größten Ausdehnung etwa das Gebiet des heutigen Bundeslandes Niedersachsen. 1714 bis 1837 waren die Landesherren Hannovers zugleich britische Könige. Nach dem → Deutschen Krieg von 1866 wurde Hannover preußische Provinz.

Hanoi, 3,06 Millionen Einwohner, Hauptstadt von Vietnam, liegt 130 km vom Meer entfernt in einem Reisanbaugebiet am Song-ka (Roter Fluß) und besitzt einen großen Handelshafen. 1887-1946 war Hanoi Hauptstadt von Französisch-Indochina.

Hanse. Seit dem 13. Jahrh. baute man in den Werften der Nordseehäfen ein großes, schnelles und seetüchtiges Ruder- und Segelschiff, die **Kogge.** Mit ihr konnte man Waren billiger als zuvor transportieren. Die Kaufleute wurden reicher. Sie schlossen sich zu Gilden und ›Hansen‹ zusammen (Hanse bedeutete ›Schar‹ und war eine Art Genossenschaft). Die Kaufleute, die in ihren Heimatstädten zu Ansehen gelangt waren, bekamen dort auch Ämter und beherrschten bald die städtische Politik. So wurde allmählich aus einem Bund von Kaufleuten ein Städtebund.

Seit 1358 lag die Führung der Hanse bei der Stadt Lübeck. Die Hanse hatte im Nord- und Ostseeraum Handelsniederlassungen. Sie hießen **Kontore.** Die wichtigsten Kontore waren in Bergen, in London und im russischen Nowgorod. Hier hatte man Stapelplätze, Verladeeinrichtungen und Büros. Man lieferte Tuche, Wein und Südfrüchte nach dem Osten und kaufte dort Holz, Getreide, Flachs und Pelze. Wichtige Handelslinien waren von England zum Niederrhein, besonders nach Köln, von Skandinavien nach Hamburg und Lübeck sowie nach Rußland (Nowgorod). 1370 stand die Hanse, der etwa 70–100 Städte angehörten, auf dem Höhepunkt ihrer Macht. Im **Frieden von Stralsund** wurde der dänische König gezwungen, die Privilegien der Hanse und die freie Durchfahrt durch den Sund zu garantieren.

Im 15. und 16. Jahrh. ging die Bedeutung der Hanse zurück. Holländer und Engländer überflügelten die Hansekaufleute, und mit der Entdeckung Amerikas verlagerte sich das Schwergewicht des Handels auf den Atlantischen Ozean.

Die einst wichtigsten Hansestädte Lübeck, Hamburg und Bremen führen die Bezeichnung ›Hansestadt‹ heute noch als amtlichen Namen.

Happening [hạppening, englisch ›Ereignis‹], eine künstlerische Veranstaltung, deren Sinn es ist, Kunst lebendig werden zu lassen und die Trennung zwischen Künstler und Publikum aufzuheben. Happenings kamen innerhalb der Popkunst zu Beginn der 1960er Jahre auf. Der Künstler gibt seinem Publikum eine Anregung, bringt z. B. Materialien mit, mit denen dann alle gemeinsam etwas gestalten. Oft sind es Gegenstände aus dem Alltag, die im gemeinsamen Tun neu gesehen und verwendet werden. Die Kunst liegt nicht im Ergebnis, sondern im Tun, im Schärfen der Sinne, im Freisetzen schöpferischer Kräfte. Für einen kurzen Augenblick wird die Grenze von Kunst und Alltag aufgehoben. Ein bekannter Happening-Künstler ist **Joseph Beuys.**

Harakịri, eine früher in Japan (seit dem 12. Jahrh.) gebräuchliche Art der Selbsttötung, die zur Wahrung der eigenen Ehre meist von Kriegern begangen wurde, z. B. um der Gefangenschaft zu entgehen. Im Rahmen einer Zeremonie schnitt sich der Harakiri Begehende mit seinem Schwert den Leib auf, während ihm ein Freund gleichzeitig den Kopf abschlug. Noch im Zweiten Weltkrieg töteten sich viele japanische Soldaten, besonders Offiziere, auf diese Weise.

Harạre, bis 1982 **Salisbury,** 686 000 Einwohner, Hauptstadt von Simbabwe, liegt im Mashonaland und ist der kulturelle Mittelpunkt des Landes.

Hạrdenberg. Der Staatsmann **Karl August Fürst von Hardenberg** (* 1750, † 1822) gilt mit dem Freiherrn vom → Stein als Reformer des preußischen Staatswesens. 1810 wurde er Staatskanzler und war damit allen anderen Ministern übergeordnet. Außerdem übernahm er die Leitung der Finanzen sowie der Innen- und Außenpolitik. Hardenberg setzte die Steinschen Reformen fort mit dem Ziel, den preußischen Staat vom aufgeklärten Absolutismus zum Liberalismus zu führen. So wurden 1810 die → Zünfte abgeschafft und die Gewerbefreiheit eingeführt; 1812 erhielten die Juden die staatsbürgerliche Gleichheit (Judenemanzipation). Hardenberg schuf eine mustergültige Verwaltung des preußischen Staates. Nachdem sich die von → Metternich angestrebte → Restauration auch in Preußen auswirkte, ging sein Einfluß zurück.

Hardware [hạrdwehr, englisch ›Metallwaren‹], Sammelbezeichnung für alle elektronischen, elektromechanischen und mechanischen Bauteile, Baugruppen und Einrichtungen, aus denen ein Computer aufgebaut ist. Im Gegensatz hierzu steht der Begriff **Software,** der alles umfaßt, was mit der ›Intelligenz‹ des Computers, mit Computerprogrammen, zu tun hat.

Hare-Krịshna-Bewegung [indisch ›Herr Krishna‹], eine 1966 in New York gegründete Vereinigung. Sie zählt zu den → Jugendreligionen. Ihr Ziel ist, die Verehrung des indischen Gottes Krishna zu verbreiten. Die Mitglieder dieser Sekte leben in klosterähnlichen Gemeinschaften und sind zu völliger Enthaltsamkeit, bedingungslosem Gehorsam und zur Aufgabe aller Verbindungen zur Außenwelt verpflichtet. Im Straßenbild fallen sie durch ihr fast kahlgeschorenes Haupt und ihre gelben Kutten auf. Die Mitgliederzahl der Hare-Krishna-Bewegung wird auf weltweit 5 000 geschätzt; die Tendenz ist rückläufig. In der Bundesrepublik Deutschland gibt es rund 200 Anhänger.

Hạrem [arabisch ›verboten‹], in islamischen Ländern, in denen ein Mann mit mehreren Frauen verheiratet sein kann, ein besonderer Teil des Hauses, in dem die Frauen und Kinder des Hausherrn wohnen. Als einzige Männer haben der Hausherr und sein Vater Zutritt. Die Frauen dürfen den Harem nur verschleiert verlassen. In der Türkei wurde der Harem mit der Einführung der Einehe 1921 offiziell abgeschafft. Auch in den

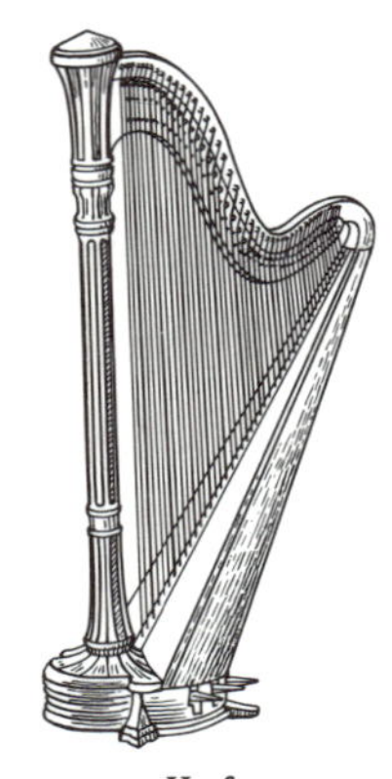

Harfe

übrigen islamischen Staaten ist er weitgehend verschwunden.

Häresie [griechisch ›die erwählte Meinung‹], religiöse Überzeugung, die von den festgelegten Glaubenssätzen der Kirche abweicht und deshalb als Irrlehre angesehen wird.

Harfe, ein Saiteninstrument, das mit den Fingerkuppen beider Hände gezupft wird. Die Harfe war schon den alten Ägyptern seit dem 3. Jahrtausend v. Chr. bekannt. Sie besteht aus Resonanzkasten und Saitenhalter sowie senkrechter Stützstange, die den starken Zug der 47 Saiten auffängt. Heute wird allgemein die **Doppelpedalharfe** verwendet, die 1811 von Sébastien Érard in Paris erstmals gebaut wurde. Sie ist in Ces-Dur gestimmt. Für jeden Ton dieser Tonleiter gibt es ein Doppelpedal (insgesamt 7), mit dem der Ton in allen Oktaven stufenweise um 2 Halbtöne erhöht werden kann, so daß alle Tonarten ausführbar sind.

Harmonium, klavierähnliches Tasteninstrument, das im 19. Jahrh. zum häuslichen Musizieren und als Orgelersatz erfunden wurde. Die Töne werden durch Metallzungen erzeugt, die durch Luft in Schwingungen versetzt werden. Die Luft erzeugt der Spieler selbst mit 2 Pedalen. Je nach Stärke des Luftdrucks gibt das Harmonium laute bis leise Töne ab. Diese feine Differenzierung in der Lautstärke ist der Vorzug des Harmoniums gegenüber der →Orgel. Größere Harmonien besitzen wie die Orgel mehrere Register.

Harn, Urin, Flüssigkeit, die von den Nieren abgesondert und über die Harnleiter in die Harnblase geführt wird.

Harnblase, kurz **Blase,** bei Mensch und Säugetieren das Organ, in dem sich der Harn sammelt, bevor er über die Harnröhre ausgeschieden wird. Die Harnblase ist ein muskuläres Hohlorgan, das sich sehr ausdehnen kann. Wenn sie stark gefüllt ist, kann man sie über dem Schambein tasten. Die Harnblase hat 2 Schließmuskeln, wovon nur einer, der äußere, dem Willen unterworfen ist.

Ab einer bestimmten Füllungsmenge (etwa 300 ml) entsteht der Drang, die Blase zu entleeren. Dieser Vorgang wird durch den Willen ausgelöst, aber über Reflexe gesteuert. Die Blasenmuskulatur zieht sich zusammen und preßt, unterstützt von der Bauchmuskulatur, den Harn nach außen.

Harnblase: männliche Harnblase von vorn, geöffnet; **1** Harnleiter, **2** Blasenmuskulatur, **3** Blasengrund, **4** Blasendreieck, **5** Mündung der Ausführungsgänge der Prostata, **6** Harnröhre, **7** Mündung der Samenausspritzungsgänge, **8** Prostata (Vorsteherdrüse), **9** Mündung der Harnleiter, **10** Blasenschleimhaut im Schnitt, **11** Relief der gefalteten Blasenschleimhaut, **12** Harnleiter, **13** mittleres Nabelband, **14** Blasenscheitel

Harnisch, im Mittelalter und in der frühen Neuzeit die Rüstung der Ritter, Hauptleute und Söldner. Sie besteht aus Eisenplatten, die durch Scharniere und Riemen miteinander beweglich verbunden sind. Die den ganzen Körper abdekkenden Eisenteile boten weitgehenden Schutz gegen Hieb- und Stichwaffen. Ein Harnisch wiegt 25–35 kg. Durch die Verbreitung der Feuerwaffen verlor er seine Bedeutung, da er von Geschossen durchschlagen werden konnte. (BILD Seite 25)

Harpune, eiserner Wurfspeer mit Widerhaken und Fangleine, der besonders beim Walfang eingesetzt wird. Harpunen sind sehr alte und weit verbreitete Jagd- und Fanggeräte. Früher wurden sie vom **Harpunier** geworfen, während sie heute meist aus einer kleinen Kanone geschossen werden. Sporttaucher verwenden sie zur Unterwasserjagd auf Fische. (BILD Seite 25)

Harsch, verfestigter Schnee, der bei höheren Tagestemperaturen schmilzt und in der Nacht wieder gefriert.

Härte, bei Mineralen der Widerstand, den diese dem Ritzen, Hobeln, Schneiden, Schleifen, Bohren oder Einpressen entgegenbringen. Allgemein bekannt ist die Ritzhärte-Einteilung nach dem Wiener Mineralogen **Friedrich Mohs** (um 1800). Danach hat Talk die Härte 1, Diamant die Härte 10.

Harz, das am weitesten in das nordwestdeutsche Flachland vorgeschobene Mittelgebirge. Der rund 100 km lange und 30 km breite Harz gliedert sich in den höheren und regenreicheren **Oberharz** im Nordwesten mit durchschnittlichen Höhen von 800–900 m und den niedrigeren **Unterharz** mit Höhen von 350–500 m im Südosten. Der Oberharz mit dem Brocken (1 142 m) als höchster Erhebung ist dicht bewaldet, der Unterharz mit Misch- und Laubwäldern wurde für den Ackerbau stark gerodet.

Fast der gesamte Unterharz und ein Teil des Oberharzes mit dem Brocken gehören zum Bundesland Sachsen-Anhalt.

Das aus alten Gesteinen bestehende Gebirge ist reich an Bodenschätzen (Silber, Eisen, Kupfer, Schwefel, Blei, Arsen); der im 17. und 18. Jahrh. blühende Bergbau ist erloschen.

Der Fremdenverkehr ist heute vor allem im Westharz die Haupterwerbsquelle der Bewohner. Zahlreiche Talsperren (z. B. Oker-, Oder-, Sösetalsperre) dienen dem Hochwasserschutz, der Elektrizitätsgewinnung und der Trinkwasserversorgung.

Harz, eine klebrige, dickliche, gelb bis braun gefärbte Flüssigkeit, die vor allem von Nadelbäumen abgesondert wird, wenn deren Rinde und Holz verletzt werden. Bei Nadelhölzern wird Harz in besonderen Drüsen gebildet und über **Harzkanäle** ausgeschieden. Man vermutet, daß die biologische Bedeutung des Harzes darin liegt, daß die Wunde vor Fäulnisprozessen geschützt wird. Zur Gewinnung von Harz werden die Bäume auf einer Seite mit tiefen Kerben versehen, und das austretende Harz wird abgezapft. Dabei nutzt man die Tatsache, daß nicht nur unmittelbar nach der Verwundung Harz austritt **(primärer Harzfluß),** sondern dadurch die weitere Harzbildung angeregt wird und ein oft jahrelanger **sekundärer Harzfluß** einsetzt. Besonders viel Harz enthalten einige Kiefernarten. Durch Destillation gewinnt man aus Harz Terpentin und als Rückstand Kolophonium. Beide Stoffe werden in Farben und Firnissen verwendet. Ein fossiles Harz ist →Bernstein.

Haschisch [arabisch ›Heu‹, ›Gras‹], ein Rauschmittel, das aus dem indischen →Hanf gewonnen wird. Der rauscherzeugende Wirkstoff bildet sich bei intensiver Sonnenbestrahlung in den Blättern, Spitzen und Blüten. Haschisch nennt man das Harz der weiblichen Blüte, die Wirkstoffanteile in den Blättern und Stengeln **Marihuana.** Haschisch wird meist in Zigaretten (englisch **Joint**) oder Pfeifen geraucht. Umgangssprachlich heißt er auch **Heu, Hasch, Gras, Pot, Shit** oder **Dope** und der Benutzer Hascher oder Kiffer. Haschisch beeinflußt das Konzentrationsvermögen und die Sinneswahrnehmung; Zeit- und Raum- sowie Farb- und Tonempfindungen werden verändert erlebt. Bei hohen Dosierungen können Angstzustände und Sinnestäuschungen auftreten. Haschisch ist gefährlich, weil es zur Gewöhnung führen und zum Genuß stärkerer →Drogen überleiten kann. In der Bundesrepublik Deutschland sind Erwerb, Besitz und Verbrauch strafbar.

Haselhühner, äußerst scheue →Hühnervögel, die in unterholzreichen, einsamen Mischwäldern Europas und Asiens leben. In Deutschland sind sie selten geworden. Das Männchen hat einen schwarzen Kehlfleck und einen kleinen Federschopf. (BILD Seite 26)

Haselmaus. Die sehr scheue, kastanienbraune Haselmaus baut ihr kugelförmiges Nest mit Vorliebe in Haselsträuchern; Haselnüsse sind auch ihre Hauptnahrung. Dieses zu den →Bilchen gehörende Nagetier wird durch den buschigen Schwanz häufig mit einem jungen Eichhörnchen verwechselt. Zum Winterschlaf zieht sich die Haselmaus in ein Erdloch zurück.

Haselnuß, die eßbare Frucht des 4–6 m hohen **Haselstrauches,** der in Europa häufig in lichten Wäldern, an Waldrändern und in Gärten wächst. Die männlichen Blütenstände, die im Herbst ausgebildet werden, entfalten sich als hängende, gelbe Kätzchen sehr zeitig im folgenden Frühjahr. Auf demselben Strauch befinden sich auch die unscheinbar-knospenförmigen weiblichen Blüten mit violetten Narben. Die gelblichweiße, später braune Nuß sitzt in einer grünen, becherartigen Hülle, deren Schale verholzt.

Harnisch

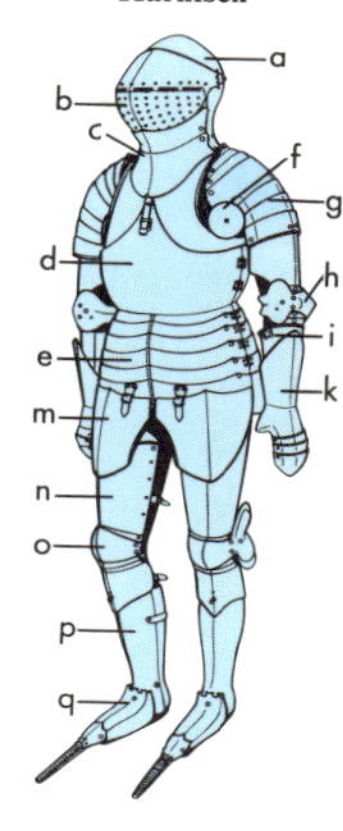

Harnisch: Feldharnisch um 1450; **a** schwerer geschlossener Visierhelm mit **b** aufschlächtigem Visier und **c** Ansteckbart, **d** Brust mit doppelter Schiftung, **e** Plattenschurz mit 5 Bauchreifen, **f** Schwebescheibe, **g** siebenmal geschobene Achsel, **h** Armkachel, **i** Unterarmröhre, **k** ungefingerter Handschuh (Hentze), **m** Beintasche, **n** Diechling, **o** Kniekachel, **p** Beinröhre, **q** Eisenschuh mit absteckbarem Schnabel

Hasen. Auffallende Kennzeichen der Hasen sind die langen Ohren (›Löffel‹), die auf sein sehr scharfes Gehör hinweisen, die kräftigen, langen Hinterbeine (›Läufe‹), der Stummelschwanz (›Blume‹) und die Nagezähne. Im Unterschied zu →Nagetieren haben diese Säugetiere hinter den oberen Nagezähnen noch ein zweites kleines Zahnpaar. In fast ganz Europa lebt einzeln auf Feldern, Wiesen und in lichten Wäldern der bis zu 70 cm lange, graubraune **Feldhase.** In Mitteleuropa ist er das häufigste Jagdwild. Tagsüber ruhen Hasen geduckt in einer natürlichen oder selbstgescharrten Bodenmulde (›Sasse‹). Nähert man sich ihnen, könnte man glauben, sie schliefen. Stattdessen beobachten sie mit weit geöffneten Augen. Erst kurz vor dem Feind (Hund, Fuchs, Greifvogel, Eule, auch der Mensch) springen sie auf und jagen hakenschlagend (also blitzschnell die Richtung ändernd) davon. Dabei erreichen sie 60–80 Kilometer pro Stunde und springen mit einem Satz bis zu 2,5 m weit. Vor allem in der Dämmerung und nachts fressen die Hasen Blätter, Gras und Kräuter, im Winter knabbern sie Rinde, Knospen und Zweige, wodurch sie, wenn sie zu zahlreich werden, Schaden anrichten können.

Die Häsin wirft 2–4mal im Jahr 2–4 faustgroße Junge, die bereits behaart sind und sehen können. Sie werden bald selbständig. Hasen werden bis zu 10 Jahre alt.

Der **Schneehase,** der in den Alpen bis in 3 400 m Höhe lebt, ist im Winter durch sein dann weißes Fell gut getarnt. Schneehasen des arkti-

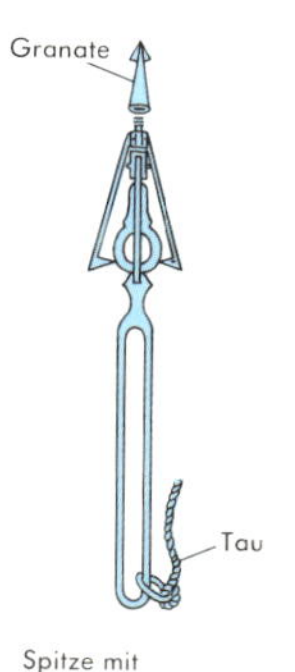

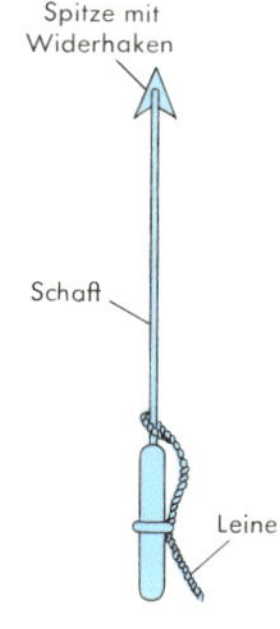

Harpune:
OBEN Geschoßharpune,
UNTEN Handharpune

Hasen

schen Gebiets sind das ganze Jahr über schneeweiß.

Mit den Hasen verwandt ist das →Kaninchen.

Haubentaucher, große Vögel, die sehr gut schwimmen und bis 7 m tief tauchen können. Sie haben keine Schwimmhäute, sondern breite, faltbare Lappen zwischen den Zehen. Das Männchen trägt zur Brutzeit eine schwarze, zweigeteilte Kopfhaube (daher der Name) und einen rostbraunen Federkragen. Haubentaucher bauen ihr Nest zwischen Wasserpflanzen auf Seen und Teichen Mitteleuropas. Sie fressen kleine Fische, Frösche, Insekten und Schnecken. Die gestreiften Jungen sind als Nestflüchter noch sehr wärmebedürftig und verbergen sich oft, auch beim Tauchen, im Gefieder der Eltern.

Haselhuhn

Häuptling, der Führer eines Stammes bei Naturvölkern. Bei vielen Stämmen ist das Häuptlingstum erblich. Bei anderen wird jemand gewählt, dessen Kenntnisse und Fähigkeiten für das Leben der Gemeinschaft wichtig sind; daher gab es bei manchen Indianerstämmen eine Aufgabenteilung zwischen einem Kriegs- und einem Friedenshäuptling. In wenigen Fällen wurden früher auch Häuptlinge vom König eingesetzt (z. B. in Uganda). In vielen afrikanischen Gesellschaften ist der Häuptling auch verantwortlich für das religiöse Leben, bei den Indianern ist dies jedoch meist der →Medizinmann.

Hauptmann. Mit seinen frühen Dramen verhalf **Gerhart Hauptmann** (* 1862, † 1946) dem deutschen Naturalismus, der literarischen Strömung, in der man sich um genaue Erfassung der Wirklichkeit bemühte, zum Durchbruch. Das Wesentliche seiner Kunst plastischer Menschenschilderung ist immer das Mitgefühl mit den Leidenden und Unterdrückten. – Bevor sich Hauptmann schriftstellerisch betätigte, besuchte er eine Kunstschule und lebte als Bildhauer unter anderem in Rom.

Seine erste Erzählung ›Bahnwärter Thiel‹ (1888) handelt von einem Mann, der seinen Sohn durch ein Zugunglück verliert und im Wahnsinn Frau und Kind ermordet. ›Vor Sonnenaufgang‹ (1889), ein Drama um eine alkoholsüchtige und moralisch verkommene Familie, machte Hauptmann in ganz Deutschland bekannt. ›Die Weber‹ (1892), ein Drama über die bedrückende Not der Weber in seiner Heimat Schlesien und ihren Aufstand im Jahre 1844, brachte ihm Weltruhm; eine öffentliche Aufführung des Stückes wurde aber erst 1894 erlaubt.

Weitere Meisterwerke sind ›Fuhrmann Henschel‹ (1899), ›Rose Bernd‹ (1903), ›Die Ratten‹ (1911), worin Hauptmann die Atmosphäre eines Berliner Mietshauses beschreibt, sowie die Diebeskomödie ›Der Biberpelz‹ (1893). Seit ›Hanneles Himmelfahrt‹ (1893) wandte sich Hauptmann immer stärker Märchen- und Traumhaftem zu und behandelte Stoffe aus der Geschichte und der antiken Sagenwelt. Hauptmann, der außer Dramen auch Epen, Gedichte, Romane schuf, erhielt 1912 den Nobelpreis für Literatur.

Hauptwort, →Substantiv.

Hausa, Haussa, eines der bedeutendsten Völker im Sudan. Große Hausagruppen leben als Bauern in den Savannen von Nordnigeria, Tschad, Niger und Burkina Faso. Ihre Handwerkserzeugnisse sind auf den Märkten der Städte sehr gefragt. Viele Hausa sind geschickte Händler; man findet sie in ganz Westafrika. Ihre Sprache ist daher zur Verkehrs- und Handelssprache in diesem Bereich geworden.

Hausfriedensbruch, strafbare Handlung, die derjenige begeht, der in die Wohnung, die Geschäftsräume oder das befriedete Besitztum (z. B. Garten) eines anderen widerrechtlich eindringt oder sich trotz entsprechender Aufforderung nicht daraus entfernt.

Haushaltsplan, Budget [büdsche], **Etat** [eta]. Jede öffentliche Körperschaft (Bund, Länder und Gemeinden) ist vor Beginn eines Haushaltsjahres zur Aufstellung eines Plans verpflichtet, der eine Übersicht über die voraussichtlichen Ausgaben und die erwarteten Einnahmen, z. B. aus Steuern und Gebühren, gibt. Ein solcher Haushaltsplan soll die Bürger darüber informieren, welche Aufgaben sich die Regierungen von Bund, Ländern und Gemeinden für den folgenden Zeitraum gestellt haben und wie sie die dafür notwendigen Ausgaben finanzieren wollen. Reichen die erwarteten Steuereinnahmen für die Bezahlung dieser Vorhaben nicht aus, so muß der fehlende Betrag durch einen Kredit gedeckt werden. Der Haushaltsplan ist stets ausgeglichen: Die Höhe der Ausgaben muß der Höhe der Einnahmen, gegebenenfalls einschließlich der Kreditaufnahme, entsprechen. Ist ein Kredit erforderlich, so wird das Budget als **defizitär** (Defizit = Fehlbetrag) bezeichnet. Übersteigen die Einnahmen die Ausgaben, so kann der Überschuß zur Rückzahlung früherer Schulden oder zur Reservebildung für die Zukunft verwendet werden.

Mit der Aufstellung des Haushaltsplans kann auch die Entwicklung des Wirtschaftsablaufs beeinflußt werden. Erwarten die Politiker oder deren Wirtschaftsberater z. B. eine rückläufige Entwicklung der gesamtwirtschaftlichen Güternachfrage der Bürger, so kann der Staat mit seinen geplanten Ausgaben unter Umständen die fehlende private Nachfrage ersetzen, indem er z. B. Aufträge für öffentliche Bauten (Straßen, Schulen, Verwaltungsgebäude, Krankenhäuser) erteilt. Der Staat greift so ausgleichend (stabilisierend) in den Konjunkturablauf ein. Umgekehrt kann durch zurückhaltendes Ausgabeverhalten des Staates ein wirtschaftlicher Aufschwung (Boom) gedämpft werden.

Hausmeier, bei den Franken (→Fränkisches Reich) der Vorsteher der königlichen Hofhaltung. Der Hausmeier war auch Heerführer und verwaltete die Königsgüter. Die →Karolinger nutzten die mit dem Hausmeieramt verbundene Macht, um die Herrschaft im Fränkischen Reich zu gewinnen; der Hausmeier Pippin löste 751 den letzten König der →Merowinger, Childerich, ab. Von da an gab es das Amt des Hausmeiers nicht mehr.

Haut bedeckt bei Mensch und Tier die Oberfläche des Körpers und schützt ihn vor Kälte, Hitze, Austrocknung oder Krankheitserregern. Die Haut des Menschen ist ein Sinnesorgan; sie ist dicht durchsetzt mit Empfindungsnerven für Druck-, Berührungs-, Schmerz- und Temperaturreize. Durch ihre zahlreichen Blutgefäße und durch Schweißabsonderung hilft sie, die Körpertemperatur zu regulieren. Die Haut ist außerdem ein Atmungs- und Stoffwechselorgan; so werden durch den Schweiß verschiedene Stoffe abgesondert, in der Unterhaut wird Fett gespeichert, und unter der Einwirkung von Sonnenlicht wird Vitamin D gebildet (→Rachitis).

Die Haut ist aus 3 Schichten aufgebaut: Die **Oberhaut** besteht an ihrer Oberfläche aus abgestorbenen, verhornten Zellen, die sich ständig abschuppen und von der tieferliegenden Keimschicht erneuert werden. Hier werden auch die →Pigmente gebildet, die die Hautfarbe bestimmen. Bei Sonnenbestrahlung schieben sie sich nach oben und bewirken die Sonnenbräune. Unter der Oberhaut liegt die **Lederhaut;** ihre Bindegewebsbündel bestimmen die äußerlich sichtbaren Rillen und Felderungen der Haut. In die Lederhaut eingebettet sind zahlreiche Blut- und Lymphgefäße, Nerven, Talg- und Schweißdrüsen und Haare. Die Talgdrüsen fetten die Haut ein. Als dritte Schicht folgt die **Unterhaut.** Sie ist von lockerer, weicher Beschaffenheit und enthält vor allem Fettzellen.

Als **Hautanhangsgebilde** bezeichnet man Haare sowie Finger- und Zehennägel.

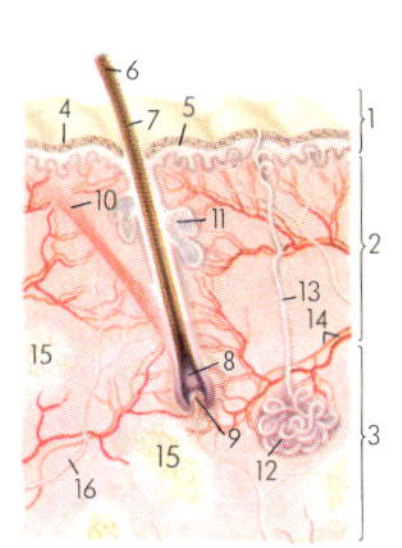

Haut

Haut: 1 Oberhaut; **2** Lederhaut; **3** Unterhaut-Zellgewebe; **4** Hornschicht der Oberhaut; **5** Keimschicht der Oberhaut; **6** Haarmark; **7** Haarrinde; **8** Haarzwiebel; **9** Haarpapille; **10** Haarmuskel; **11** Haarbalgdrüse; **12** Schweißdrüsenknäuel; **13** Schweißdrüsenausführungsgang; **14** Blutgefäße der Haut; **15** Fettgewebe; **16** Nerven

Hautflügler, Insekten mit 2 Paar häutigen Flügeln, die dünn, farblos und fast durchsichtig sind. Zu dieser weltweit verbreiteten Insektenordnung mit über 100000 Arten gehören z. B. Bienen, Ameisen, Wespen und Hummeln.

Havanna, spanisch **La Habana,** 2,07 Millionen Einwohner, Hauptstadt von Kuba, liegt an der Nordwestküste der Insel am Golf von Mexiko. Die Stadt ist Kulturzentrum Kubas mit Universität. Sie wurde im 16. Jahrh. von den Spaniern gegründet und hat einen der besten Naturhäfen der Karibik.

Hawaii-Inseln, Inselgruppe im nördlichen Pazifischen Ozean. Die Inseln mit einer Gesamtfläche von 16705 km² haben 1,11 Millionen Einwohner, zum großen Teil Weiße und Japaner; die Nachkommen der ursprünglichen Bewohner (Hawaiianer) bilden eine Minderheit.

Neben 8 größeren Inseln, die aus den Gipfeln versunkener Vulkane bestehen, gehören zu der Inselgruppe viele kleinere, meist unbewohnte Koralleninseln. Die meisten der Vulkane sind erloschen, so auch die höchste Erhebung der Inseln, der Mauna Kea (4205 m) auf der Hauptinsel Hawaii, während Mauna Loa (4169 m) und Kilauea auf der gleichen Insel noch tätig sind.

Das tropische Klima wird durch fast immer wehenden Wind (Passat) erträglicher. Hauptwirtschaftszweig ist der Fremdenverkehr, gefolgt vom Anbau von Zuckerrohr und Ananas.

Die Inseln wurden im 16. Jahrh. von den Spaniern entdeckt. Im 19. Jahrh. kamen sie unter den

Joseph Haydn

Einfluß der USA und bilden seit 1959 den amerikanischen Bundesstaat Hawaii. (KARTE Seite 198)

Haydn. Der älteste der Wiener Klassiker, **Joseph Haydn** (* 1732, † 1809), hat sich besonders als Komponist von Sinfonien, Streichquartetten und Oratorien ausgezeichnet. Bis zum 17. Lebensjahr war er Chorknabe am Stephansdom in Wien. 1761 wurde er Kapellmeister und Hofkomponist des Fürsten Esterházy in Eisenstadt, wo seine meisten Werke entstanden. Nach dem Tod des Fürsten und der Auflösung der Kapelle übersiedelte er 1790 nach Wien. Konzertreisen führten ihn 1790–92 und 1794/95 nach England.

Haydn komponierte über 100 Sinfonien, darunter die ›Sinfonie mit dem Paukenschlag‹ und die ›Abschiedssinfonie‹ sowie Streichquartette, z. B. das ›Kaiserquartett‹, dessen Thema im langsamen Satz für das ›Deutschlandlied‹, heute Nationalhymne der Bundesrepublik Deutschland, verwendet wurde. Vielgespielt sind auch die beiden Oratorien ›Die Schöpfung‹ (1798) und ›Die Jahreszeiten‹ (1801).

Hebbel. Der unauflösbare tragische Konflikt, besonders beim Zusammenstoß des einzelnen mit überalterten Vorstellungen seiner Zeit, ist das Hauptthema der Dramen des Dichters **Friedrich Hebbel** (* 1813, † 1863). Der Untergang des Helden wird als tragische Notwendigkeit dargestellt, so der Tod der Agnes Bernauer, deren Liebe zu Herzog Albrecht die Thronfolge Bayerns gefährdet (›Agnes Bernauer‹, 1852). In auswegloser Zwangslage stehen auch die Personen in ›Maria Magdalena‹ (1844) und ›Herodes und Mariamne‹ (1849). Mitunter zeigt sich der Ausblick in eine neue Geschichtsepoche wie in der Tragödie ›Gyges und sein Ring‹ (1856). Der Dichter befaßte sich auch theoretisch mit dem Tragischen, schrieb stimmungsschwere, grüblerische Gedichte, Erzählungen und bearbeitete den Nibelungen-Stoff als dreiteiliges Trauerspiel (›Die Nibelungen‹, 1861).

einseitiger Hebel

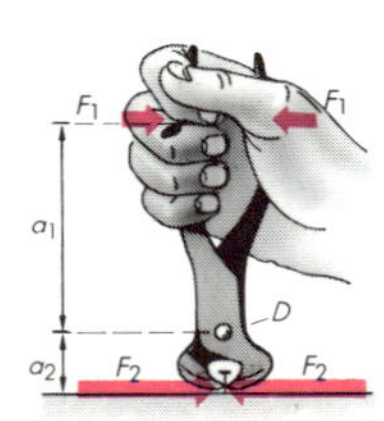

zweiseitiger Hebel

S = Schwerpunkt
D = Drehachse
F_1 = Kraft
F_2 = Gewichtskraft der Last
a_1 = Kraftarm
a_2 = Lastarm
G = Gewichtskraft eines Gewichtsstückes

Hebel

Hebel, ein um eine Achse drehbares Gerät in Form einer Stange oder eines Balkens, das als einfache Maschine schon im Altertum zum Heben von Lasten verwendet wurde, z. B. beim Bau der ägyptischen Pyramiden und bei Schöpfbrunnen. Hier wurde der zweiseitige Hebel (BILD) so benutzt, daß dessen Drehachse nicht in der Mitte des Balkens lag. Die Last wurde am kürzeren Hebelarm **(Lastarm)** angebracht, so daß die von Menschen aufzubringende Kraft am längeren Hebelarm **(Kraftarm)** wirken konnte. Dadurch konnten sehr große Lasten mit geringerer Kraft bewegt werden.

Daraus entwickelte sich das **Hebelgesetz: Last × Lastarm = Kraft × Kraftarm:**

$$F_1 \cdot a_1 = F_2 \cdot a_2.$$

Die Größen F_1 und F_2 sind Kräfte, die senkrecht auf die Hebelarme wirken und deren zugehörige Abstände von der Drehachse mit a_1 und a_2 bezeichnet sind. Der Ausdruck $F_1 \cdot a_1$ der Gleichung wird allgemein als **Drehmoment** M bezeichnet und ist das Produkt aus der Kraft F mit dem Hebelarm a, Formel:

$$M = F \cdot a,$$

da mit einer Kraft, die senkrecht zu einem Hebelarm wirkt, gedreht wird. Daraus ergibt sich das Hebelgesetz in der neuen Form als Drehmomentengleichgewicht, es lautet als Formel:

$$M_1 = M_2.$$

Diese Gleichung bedeutet, daß links und rechts vom Drehpunkt das gleiche Drehmoment wirkt. Der Hebel bewirkt zur Kraftübersetzung gleichzeitig noch eine Hebelwegübersetzung.

Die Hebelwirkung findet sich z. B. bei der Zange, der Schere, der Türklinke, dem Schubkarren.

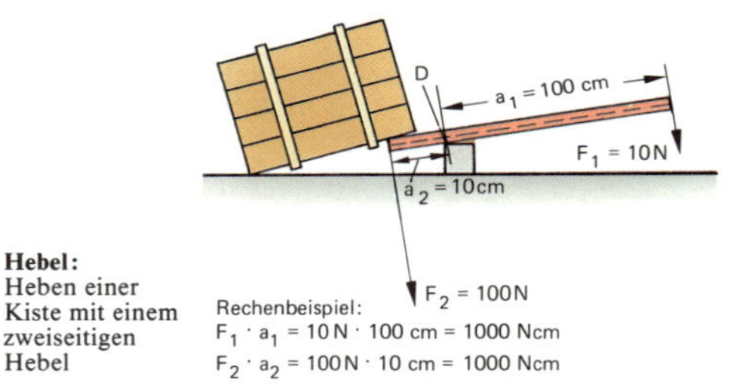

Hebel: Heben einer Kiste mit einem zweiseitigen Hebel

Hebräer, Bezeichnung für →Abraham und seine Nachkommen, die seit dem 19. Jahrh. häufig für die Juden gebraucht wurde.

Hebriden, Inselgruppe vor der Westküste Schottlands, zu Großbritannien gehörend. Von den rund 500 felsigen Inseln und Klippen (zusammen 7 285 km²) sind weniger als 100 bewohnt. Die Inselgruppe gliedert sich in **Äußere** und **Innere Hebriden.** Die Hauptorte sind Stornoway auf Lewis und Portree auf Skye. Das Klima ist feucht, sturmreich und kühl. Auf den von Moor und Heide bedeckten, fast baumlosen Inseln wird hauptsächlich Schafzucht betrieben. Daneben sind Fischfang und Wollverarbeitung von Bedeutung. (KARTE Seite 203)

Hebung, die betonte Silbe eines →Verses (im Unterschied zur **Senkung**).

Hechte, Fische mit torpedoförmig langgestrecktem Körper und weit nach hinten verlagerter Rückenflosse; sie leben in Seen und Flüssen.

Meist steht ein Hecht unbeweglich zwischen Wasserpflanzen und lauert auf Beute. Durch kräftige Schläge mit der großen Schwanzflosse stößt er blitzschnell hervor und packt mit seinem breiten, dicht mit nadelspitzen Zähnen besetzten Maul vorbeikommende Fische, Frösche und Wasservögel. 97 % der jungen Hechte werden von den eigenen Artgenossen gefressen. Der Hecht ist ein beliebter Speisefisch und wird auch gezüchtet. Hechte können über 1 m lang und über 60 Jahre alt werden. (BILD Fische)

Heckel. Der Maler und Graphiker **Erich Heckel** (* 1883, † 1970) hatte als Mitbegründer der Künstlergemeinschaft ›Brücke‹ wesentlichen Anteil an der Entstehung des Expressionismus. Er malte Zirkusleute, jugendliche Menschen in der Natur, ruhige Landschaften sowie Porträts und Selbstporträts. Unter den Nationalsozialisten galt er als ›entartet‹ (→Entartete Kunst).

Hedin. Schon als Zwanzigjähriger bereiste der schwedische Forscher und Entdecker **Sven Anders Hedin** (* 1865, † 1952) Persien und Mesopotamien. Zwischen 1893 und 1902 durchquerte er Asien vom Ural bis Peking und erforschte die innerasiatische Wüste Gobi. Als erster Europäer erkundete er einige Jahre darauf das Hochland von Tibet und fertigte genaue Karten des Landes an. 1927–33 leitete Hedin eine chinesisch-schwedische Expedition, die auf naturkundlichem Gebiet forschte und daneben mehr als 300 steinzeitliche Kulturstätten in den Steppen und Wüsten des westlichen China entdeckte. Über seine Reisen und Entdeckungen schrieb Sven Hedin zahlreiche Bücher, die ihn zu einem der populärsten Forscher seiner Zeit machten.

Sven Hedin

Heer, Landstreitmacht eines Staates, die zusammen mit Luftwaffe und Marine dessen Gesamtstreitkraft bildet. Ein Heer besteht aus verschiedenen Truppengattungen. Bis zum Ersten Weltkrieg waren dies: Infanterie (Fußtruppen), Kavallerie (Reitertruppen) und Artillerie. Dazu kamen noch Spezialtruppen wie Pioniere und Nachrichtentruppen. Durch die technische Entwicklung entstanden in den letzten Jahrzehnten immer neue Truppengattungen, vor allem die Panzertruppe, die die Rolle der Kavallerie übernommen hat.

Das Heer gliedert sich in unterschiedlich große Einheiten und Verbände. Die kleinste Grundeinheit ist die Kompanie (bei Artillerie und Flugabwehrtruppe ›Batterie‹), der größte Verband ist in Kriegszeiten meist die Armee. Dazwischen gibt es das Bataillon (3–4 Kompanien, 500–700 Mann), das Regiment (3 Bataillone, rund 2 500 Mann), die Brigade (mehrere Bataillone und selbständige Kompanien, 4 000 Mann), die Division (3 Brigaden und Divisionstruppen, rund 15 000 Mann) und das Korps (3 Divisionen und Korpstruppen, etwa 60 000 Mann).

Hefe, Hefepilze, einzellige Pilze (→Mikroorganismen), die aus Kohlenhydraten (z. B. Stärke, Zucker) durch Gärung Alkohol (Äthanol) und Kohlendioxid bilden. Die Fähigkeit zur Alkoholbildung wird z. B. bei der Bierherstellung (Bierhefe) genutzt, während bei der Verwendung als Treibmittel (Backhefe) vor allem die Kohlendioxidbildung (Gasentwicklung) eine Rolle spielt. Hefen vermehren sich vor allem ungeschlechtlich durch **Sprossung,** das heißt durch Abschnürung einer kleinen ›Tochterzelle‹.

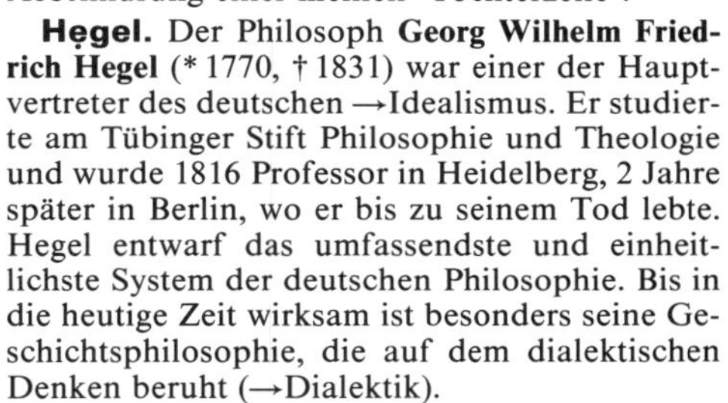

Hegel. Der Philosoph **Georg Wilhelm Friedrich Hegel** (* 1770, † 1831) war einer der Hauptvertreter des deutschen →Idealismus. Er studierte am Tübinger Stift Philosophie und Theologie und wurde 1816 Professor in Heidelberg, 2 Jahre später in Berlin, wo er bis zu seinem Tod lebte. Hegel entwarf das umfassendste und einheitlichste System der deutschen Philosophie. Bis in die heutige Zeit wirksam ist besonders seine Geschichtsphilosophie, die auf dem dialektischen Denken beruht (→Dialektik).

Georg Wilhelm Friedrich Hegel

Hegemonie [griechisch ›Führung‹], Vormachtstellung eines Staates gegenüber anderen Staaten. Hegemonie gründet sich auf die Anerkennung politischer, militärischer und wirtschaftlicher Überlegenheit.

In neuerer Zeit besaß Frankreich unter Kaiser Napoleon I. (1804–14/15) eine Vormachtstellung in Europa. Großbritannien suchte seit dem 17. Jahrh. die Hegemonie eines europäischen Staates über die anderen durch eine ›Politik des Gleichgewichts‹ zu verhindern.

Hehlerei. Wer mit Sachen Handel treibt, von denen er weiß, daß sie unrechtmäßig erworben, z. B. gestohlen worden sind, begeht Hehlerei. Hierauf steht Freiheitsstrafe bis zu 5, in schweren Fällen bis zu 10 Jahren.

Heide, mit Gräsern, Sträuchern und Kräutern bewachsene, meist baumlose Landschaft mit nährstoffarmen Böden, besonders in Mittel- und Westdeutschland (Lüneburger Heide).

Heidekraut, volkstümlich **Erika,** ein immergrüner Zwergstrauch mit vielen, winzig kleinen schuppen- bis nadelförmigen Blättchen. Die rötlichen, glockenförmigen Blütchen enthalten viel Nektar und werden gern von Bienen besucht. Auf sandigem Boden breitet sich das Heidekraut oft über große Flächen aus.

Heilpflanzen I

Heilpflanzen I: 1 Kamille, **1a** Blütenlängsschnitt; **2** Arnika; **3** Baldrian; **4** Eibisch; **5** Weißdorn, **5a** Früchte; **6** Salbei; **7** Wermut; **8** Liebstöckel

Heidelbeeren, Blaubeeren, Bickbeeren wachsen häufig an niedrigen Sträuchern in lichten Wäldern, auf Mooren und Heiden. Das süßsäuerliche Fleisch der runden, blauschwarzen Beeren, die Juli bis September reifen, enthält viele winzige Samen. Zunehmend werden auch die größeren Gartenheidelbeeren angebaut.

Heidelberg, 134600 Einwohner, Stadt in Baden-Württemberg, liegt am Austritt des Neckars aus dem Odenwald in die Rheinebene. Mit dem Heidelberger Schloß (entstanden seit 1225) und geschichtlich bedeutsamen Baudenkmälern aus dem 15.–18. Jahrh. in der Altstadt ist Heidelberg ein beliebter Fremdenverkehrsort. Der 1386 gegründeten Universität, lange Zeit ein Mittelpunkt der deutschen Geistesgeschichte, ist heute das Deutsche Krebsforschungszentrum angeschlossen.

Heidelbergmensch. 1907 entdeckte man in der Nähe von Heidelberg den Unterkiefer eines Menschen. Untersuchungen ergaben, daß der Mensch in der Altsteinzeit gelebt hat. Sein Alter wird auf 320000 bis 500000 Jahre geschätzt. Damit ist der **Heidelberger Unterkiefer** neben einem Schädelrest, den man in Bilzingsleben (Sachsen-Anhalt) fand, der älteste Menschenrest aus Europa.

Heiden, Anhänger von Religionen, die nicht wie Juden, Christen und Moslems einen Gott verehren, sondern viele Götter anbeten. Der Begriff wird häufig abwertend gebraucht; im christlichen Bereich wurde er durch ›Nichtchristen‹ ersetzt.

Heidschnucke, eine Rasse der →Schafe.

Heilbutt, ein →Plattfisch.

Heilige, Menschen, die sich durch besondere Frömmigkeit, durch ihren Bekennermut zu Christus (→Märtyrer) oder durch eine vorbildliche christliche Mitmenschlichkeit ausgezeichnet haben und nach ihrem Tod heiliggesprochen wurden. Zu diesen Zeugen des Glaubens zählen auch Maria und die Apostel. Die Heiligen werden besonders in der katholischen und orthodoxen Kirche verehrt. Das gilt auch für die Orte, an denen sich ihre Gräber oder →Reliquien befinden. Heilige werden von den Gläubigen oft in bestimmten Anliegen und Wünschen als Mittler zu Gott angerufen. Viele gelten als **Schutzpatrone** und **Nothelfer** für ihnen zugeteilte Lebensbereiche, z.B. Petrus für die Fischer und Angler, Hubertus für die Jäger und Christophorus für die Reisenden und Autofahrer. Ein Heiliger ist auch Schutzpatron derjenigen Menschen, die seinen Namen tragen. Heilige gibt es auch in anderen Religionen.

Heilige Allianz. Nach dem Sieg über Napoleon I. (1815) unterzeichneten der russische Kaiser Alexander I., der österreichische Kaiser Franz I. und der preußische König Friedrich Wilhelm III. eine Vereinbarung, die man Heilige Allianz nannte. Sie erklärten, Religion, Frieden und Gerechtigkeit aufrechterhalten zu wollen. Außer Großbritannien und dem Papst traten alle christlichen Monarchen Europas der Heiligen Allianz bei. Als Schlagwort wurde ›Heilige Allianz‹ zum Inbegriff der Politik des österreichischen Kanzlers →Metternich.

Heiliger Geist, nach der christlichen Glaubenslehre neben Gott Vater und Gott Sohn die dritte Person, in der sich Gott äußert (→Dreifaltigkeit). Auf sein Wirken wird das Entstehen (→Pfingsten) und der Fortbestand der Kirche zurückgeführt. Symbolisch wird der Heilige Geist als Taube oder Flammenzunge dargestellt.

Heiliges Römisches Reich, Bezeichnung des Deutschen Reichs vom Mittelalter bis 1806. Als Otto der Große 962 in Rom zum Kaiser gekrönt wurde, knüpfte er bewußt an das Römische Reich des Altertums an. Der Zusatz ›heilig‹ betonte, daß neben der Kirche auch das Reich selbst heilig sei. Im 15. Jahrh. kam die Bezeichnung **deutscher Nation** hinzu, um die deutschen Gebiete des Reichs von Italien und Burgund abzugrenzen.

Heilpflanzen, Arzneipflanzen, für die Herstellung von Heilmitteln verwendete Pflanzen. Sie wachsen wild, werden aber auch angebaut. Verwertet werden entweder ganze Pflanzen oder auch Teile (Blüten, Blätter, Wurzeln, Samen, Rinde). Heilpflanzen, von denen über 10000 Arten bekannt sind, spielen seit ältesten Zeiten in der Behandlung von Krankheiten (Therapie) eine große Rolle. Die aus stark wirksamen ›giftigen‹ Heilpflanzen (→Gift) gewonnenen Heilmittel sind in kleinen Mengen oft lebensrettend, können in größeren Mengen aber tödlich sein. Heilpflanzen werden in der Regel zuerst getrocknet, dann zerkleinert und zu Tee, Saft, Pulver oder Salben verarbeitet.

Heimchen, ein den →Heuschrecken nah verwandtes Insekt.

Heine. Der bedeutendste Lyriker in Deutschland zwischen Romantik und Realismus war **Heinrich** (ursprünglich Harry) **Heine** (* 1797, † 1856). Er stand auch der Schriftstellergruppe ›Junges Deutschland‹ nahe, die scharfe politische Zeitkritik übte und künstlerisch von klassischen und romantischen Idealen abrückte. Schon während seines Jurastudiums (1825 erwarb er den Doktor-Titel; im gleichen Jahr trat er vom jüdischen Glauben zum Christentum über) entstanden die ersten Gedichte und Tragödien. Mit seinen ›Reisebildern‹ (1826/27 und 1830/31), in denen sich geistreiche Reiseschilderungen im Plauderstil und Gedichte abwechseln, hatte Heine so viel Erfolg, daß er von da an als freier Schriftsteller leben konnte. Dieser Prosastil hat Heine zum Begründer des modernen Feuilletons gemacht. Seine Gedichtsammlung ›Das Buch der Lieder‹ (1827) machte ihn über Deutschland hinaus bekannt. 1831 ging Heine als Korrespondent einer Zeitung nach Paris. Er schloß sich Kreisen an, die sozialistische Ideen vertraten. In Paris blieb er bis zu seinem Tod, da er die politischen Verhältnisse in Deutschland ablehnte. Dabei betrachtete Heine es als seine Aufgabe, mit seinen Schriften zwischen Deutschland und Frankreich zu vermitteln. 1835 wurden jedoch seine Werke wegen kritischer Äußerungen gegenüber dem Staat und den gesellschaftlichen Verhältnissen vom Deutschen Bundestag verboten. Nach einer Reise nach Hamburg schrieb Heine das Versepos ›Deutschland. Ein Wintermärchen‹ (1844), das mit beißendem Witz deutsche Schwächen bloßstellt. Im Epos ›Atta Troll‹ (1847) verspottet er die politische Gesinnungs- und Tendenzliteratur. Seit 1848 litt der Dichter an einem unheilbaren Rückenmarksleiden, das ihn bis zu seinem Tod für 8 Jahre an seine ›Matratzengruft‹ fesselte. In dieser Zeit entstand die Gedichtsammlung ›Romanzero‹ (1851). – Viele Lieder und Balladen Heines wurden vertont (z. B. von Franz Schubert und Robert Schumann). BILD Seite 32.

Heinrich, Römische Kaiser und deutsche Könige:

Heinrich I., * um 875, † 936, war der erste deutsche König aus dem Stamm der Sachsen; er regierte 919–936. Mit ihm wurde die Trennung des ostfränkischen Reichs vom westfränkischen Reich endgültig, denn sein Vorgänger, König Konrad I., war zwar nicht aus karolingischem Geschlecht gewesen, hatte aber dem Stamm der Franken angehört. Vor seinem Tod hatte Konrad den deutschen Fürsten Herzog Heinrich als seinen Nachfolger empfohlen. Nach der Legende trafen die Gesandten der Fürsten Heinrich beim Finkenfangen an, als sie ihm den Tod König Konrads melden wollten. Daher hat er den Beinamen **Heinrich der Vogler** oder **der Finkler.** Seine wichtigste Aufgabe war die Sicherung der Ostgrenze, die von Ungarn bedroht war. Gegen hohe Tributzahlungen konnte er sie 926 zu einem neunjährigen Waffenstillstand bewegen, den er nutzte, um Burgen anzulegen und das Heer neu zu organisieren. Als er sich stark genug fühlte, stellte er die Tributzahlungen ein. Darauf erschienen die Ungarn mit einem großen Heer, wurden aber im Frühjahr 933 bei Riade geschlagen, einem wahrscheinlich im Unstruttal in Thüringen gelegenen Ort. Im Norden war Heinrich gegen die Dänen siegreich. Daß sein Sohn Otto einstimmig zu seinem Nachfolger gewählt wurde, zeigt die allgemeine Anerkennung, die seine Politik gefunden hatte.

Heinrich II., der Heilige, * 973, † 1024, ein Urenkel des deutschen Königs Heinrich I., seit 995 Herzog von Bayern, wurde 1002 nach dem Tod des kinderlosen Otto III. zum deutschen König gewählt und 1014 zum Kaiser gekrönt. Seine Regierungszeit war mit Feldzügen ausgefüllt. Er festigte erneut die deutsche Herrschaft in Italien, zwang nach mehreren Feldzügen den polnischen Herzog, ihm zu huldigen, und schloß mit dem kinderlosen König von Burgund einen Vertrag darüber ab, daß das Königreich Burgund nach dessen Tod an das Deutsche Reich fallen sollte. Er stiftete das Bistum Bamberg, dem er reichen Besitz schenkte. Im Bamberger Dom wurde er mit seiner Gemahlin Kunigunde, die sich auch an der Regierung beteiligt hatte, beigesetzt. Beide wurden heiliggesprochen. Ihre Standbilder finden sich an der Adamspforte des Doms, ihr

Heilpflanzen II

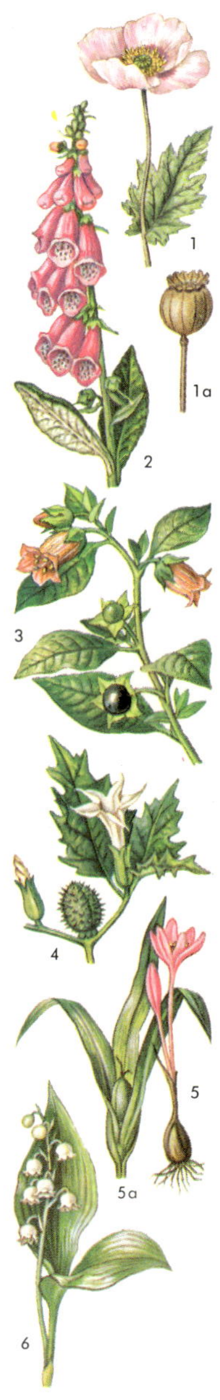

Heilpflanzen II (gifthaltige): **1** Schlafmohn, **1a** Kapsel; **2** Fingerhut; **3** Tollkirsche; **4** Stechapfel; **5** Herbstzeitlose, **5a** fruchttragend; **6** Maiglöckchen; **7** Bilsenkraut; **8** Gewöhnliche Kuhschelle

Heinrich Heine

Grabmal schuf Tilman Riemenschneider (1499–1513).

Heinrich IV., * 1050, † 1106, deutscher König aus dem Haus der Salier. Er war knapp 6 Jahre alt, als sein Vater Heinrich III. (1056) starb. Seine Mutter, Kaiserin Agnes, führte die Regierung für ihn. Erzbischof Anno von Köln, der sich durch Agnes hinter anderen Fürsten zurückgesetzt fühlte, versuchte, über den jungen König Einfluß auf die Reichspolitik zu gewinnen. Er brachte den elfjährigen Heinrich 1062 unter einem Vorwand aus der Pfalz Kaiserswerth auf sein Schiff und entführte ihn über den Rhein nach Köln. Anno war nun der eigentliche Regent des Reichs, mußte jedoch bald den Bremer Erzbischof Adalbert an der Regierung beteiligen. Als Heinrich 1065 volljährig wurde, mußte er sich in langwierigen Kämpfen, vor allem gegen die Sachsen, durchsetzen.

Von 1075 an beherrschte der Machtkampf mit dem Papst die Regierungszeit Heinrichs IV. Indem Heinrich – nach Ansicht des Papstes eigenmächtig – einen neuen Erzbischof in Mailand einsetzte, entfachte er den →Investiturstreit. 1076 erklärte der König Papst Gregor VII. für abgesetzt, worauf dieser ihn bannte. Heinrich zog nach Oberitalien, um sich mit dem Papst auszusöhnen, der sich in der Burg **Canossa** aufhielt. Drei Tage mußte der König bei großer Kälte im Büßerkleid und barfuß im Burghof warten, bis der Papst ihn vom Bann löste. Seitdem ist das Wort ›Canossagang‹ gleichbedeutend mit einem demütigenden Bußgang. Von weitreichender Bedeutung war, daß das Papsttum sich als eine ebenbürtige Macht neben dem deutschen Königtum erwiesen hatte. 1084 wurde Heinrich in Rom zum Kaiser gekrönt.

Als sein ältester Sohn Konrad sich gegen ihn empörte, ächtete er ihn 1098 und ließ seinen zweiten Sohn, Heinrich, zum König wählen. Doch auch dieser erhob sich gegen seinen Vater und zwang ihn 1105 zur Abdankung. Bevor Heinrich IV. den Kampf gegen seinen Sohn beginnen konnte, starb er.

Heinrich VI., * 1165, † 1197, der Sohn Friedrich Barbarossas, wurde mit 4 Jahren zum deutschen König gewählt und gekrönt. 1186 verheiratete ihn sein Vater mit Konstanze, der Erbin des normannischen Königreichs Sizilien. 1190 trat er die Regierung an und wurde im folgenden Jahr zum Kaiser gekrönt, 1194 auch zum König von Sizilien. Damit erreichte die Macht der Staufer ihren Höhepunkt. Heinrich wollte das deutsche Königtum erblich machen und gewann auf einem Reichstag in Würzburg 1196 unter den Fürsten auch eine Mehrheit für diesen Plan, doch erhob der Papst Widerspruch. Heinrich VI. starb während der Vorbereitung eines Kreuzzugs.

Heinrich, Könige von England:

Heinrich II., * 1133, † 1189, der mächtigste englische König des Mittelalters. Er stammte aus dem Haus Anjou-Plantagenet. Seine Mutter Mathilde, Tochter König Heinrichs I., hatte ihren Anspruch auf den Thron nicht durchsetzen können, jedoch gelang es ihr, das Erbe für ihren Sohn zu sichern, der 1154–89 den Thron innehatte. Durch das Erbe seines Vaters, des Grafen von Anjou, und die Ehe mit **Eleonore von Aquitanien** gelangte er in den Besitz des gesamten westlichen Frankreich und war mächtiger als sein Lehnsherr, der französische König. In England schränkte er die Macht der Barone ein. Er versuchte, auch die Geistlichen dem Königsgericht zu unterstellen, und geriet darüber in Konflikt mit **Thomas Becket,** dem Erzbischof von Canterbury. Der Erzbischof wurde 1170 von königstreuen Rittern ermordet. Heinrich II. begründete die englische Herrschaft in Irland.

Heinrich VIII., * 1491, † 1547. Der Name Heinrichs VIII. verbindet sich mit der Reformation in England. Dabei war Heinrich, der aus dem Haus Tudor stammte und 1509–47 König von England war, anfangs ein gläubiger Katholik, der persönlich gegen Martin Luther auftrat und von Papst Leo X. den Ehrentitel ›Verteidiger des Glaubens‹ erhielt. Als aber der Papst die Scheidung seiner ersten Ehe mit Katharina von Aragon ablehnte, erklärte der König sie selbst für aufgelöst. Er heiratete Anna Boleyn, die spätere Mutter der Königin Elisabeth I., und schloß danach noch 4 weitere Ehen.

Dieser persönliche Streit mit dem Papst wurde Anlaß für die **Lösung der englischen Kirche von Rom.** 1535 machte Heinrich VIII. sich selbst zum Oberhaupt der Kirche von England. Nach dem päpstlichen Bann (1538) ließ der König allen Klosterbesitz einziehen und zugunsten des Kronschatzes an Privatleute verkaufen. Heinrich nahm 1542 den Titel ›König von Irland‹ an.

Heinrich, Könige von Frankreich:

Heinrich II., * 1519, † 1559, König von Frankreich (1547–59). Er war der Sohn von König Franz I.; mit 14 Jahren heiratete er die gleichaltrige →Katharina von Medici. Er setzte den Kampf seines Vaters gegen Kaiser Karl V. und dessen gewaltige, Frankreich umgebende habsburgische Hausmacht fort. Dazu verbündete sich Heinrich 1552 im Vertrag von Chambord mit den deutschen Protestanten unter dem Kurfürsten Moritz von Sachsen. Im Fall eines Sieges über den Kaiser wurden ihm die Städte Metz, Toul und Verdun durch Moritz von Sachsen zugesichert. Nach der Abdankung Karls V. versuchte Heinrich gegen dessen Sohn, Philipp II. von Spanien, seine Ansprüche auf Mailand, Neapel und Burgund durchzusetzen. Die Franzosen unterlagen jedoch, und Heinrich mußte auf die italienischen Gebiete und Burgund verzichten.

Heinrich IV., * 1553, † (ermordet) 1610, König von Frankreich (1589–1610). Heinrich, aus dem Haus Bourbon, war König von Navarra. 1572 heiratete er Margarete von Valois, die Tochter König Heinrichs II. von Frankreich und der Katharina von Medici. Heinrich von Navarra war seit 1569 Calvinist, das französische Königshaus der Valois dagegen katholischen Glaubens. Als zur Hochzeit 1572 viele Anhänger des Protestantismus (Hugenotten) in Paris waren, bereitete die Königinmutter Katharina einen Anschlag vor, der dem französischen Hugenottenführer Coligny galt. Den Gewalttaten fielen 5 000 bis 10 000 Menschen zum Opfer (›Bartholomäusnacht‹ am 24. August 1572). Nach dem Tod der 3 Brüder seiner Frau fiel die französische Krone an Heinrich von Navarra. Die Hugenottenbewegung hatte schon zu einer katholischen Gegenbewegung geführt, die Heinrichs Stellung anfocht. Erst als er zum Katholizismus übertrat (1593), erlangte er volle Anerkennung und seine Krönung in Chartres. Durch das Edikt von Nantes gewährte er 1598 den Hugenotten Glaubensfreiheit. Er leitete den Aufbau Frankreichs nach den zerstörerischen Glaubenskämpfen durch wirtschaftliche Maßnahmen ein.

Heinrich der Löwe, * 1129, † 1195. Die Jugend Heinrichs war durch die Kämpfe bestimmt, die sein Vater und er selbst zur Erhaltung der welfischen Macht in Sachsen und Bayern führen mußten. 1142 wurde er als Herzog von Sachsen anerkannt, mußte aber auf Bayern verzichten. Die erbitterte Auseinandersetzung zwischen Staufern und Welfen endete, als der Staufer Friedrich Barbarossa, ein Vetter Heinrichs des Löwen, 1152 zum König gewählt wurde. Friedrich gab dem Welfen 1156 das um die Ostmark verkleinerte Bayern zurück. In den folgenden Jahren unterwarf Heinrich Mecklenburg und Pommern und förderte die Missionierung und die deutsche Besiedlung dieser Gebiete. Er gründete Lübeck neu und baute Braunschweig zu seiner Hauptstadt aus. Als Heinrich dem Kaiser die Waffenhilfe bei dessen Kampf gegen die oberitalienischen Städte verweigerte, eröffnete der Kaiser den Prozeß gegen den Welfen. Auf dem Reichstag von Gelnhausen verhängte Friedrich 1180 über ihn die Reichsacht und übertrug Bayern an Otto von Wittelsbach, Sachsen wurde aufgeteilt. Heinrich, der Schwiegersohn des englischen Königs Heinrich II., ging nach England in die Verbannung. Nach dem Tod Friedrich Barbarossas söhnte er sich mit dessen Nachfolger Heinrich VI. aus, blieb aber auf seinen Besitz um Braunschweig und Lüneburg beschränkt. Heinrich der Löwe starb 1195 in seiner Hauptstadt Braunschweig, in der das Löwendenkmal, Burg Dankwarderode und der Dom noch heute an ihn erinnern.

Heinrich IV.

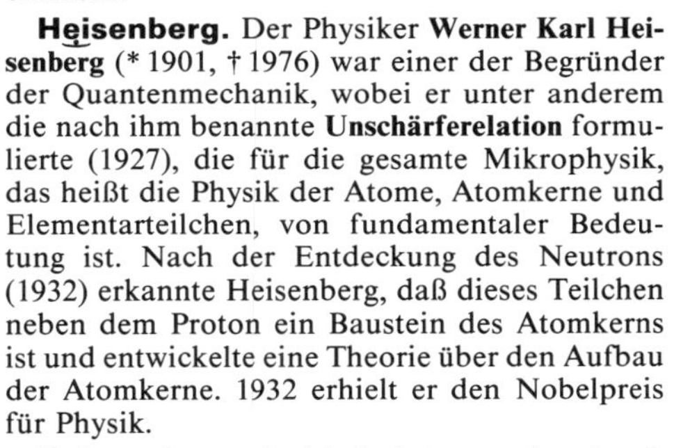

Heisenberg. Der Physiker **Werner Karl Heisenberg** (* 1901, † 1976) war einer der Begründer der Quantenmechanik, wobei er unter anderem die nach ihm benannte **Unschärferelation** formulierte (1927), die für die gesamte Mikrophysik, das heißt die Physik der Atome, Atomkerne und Elementarteilchen, von fundamentaler Bedeutung ist. Nach der Entdeckung des Neutrons (1932) erkannte Heisenberg, daß dieses Teilchen neben dem Proton ein Baustein des Atomkerns ist und entwickelte eine Theorie über den Aufbau der Atomkerne. 1932 erhielt er den Nobelpreis für Physik.

Werner Heisenberg

Hektar [von griechisch hekaton ›hundert‹], Einheitenzeichen **ha,** gesetzliche →Einheit zur Angabe der Fläche von Grund- und Flurstücken: 1 ha = 100 a (Ar) = 10 000 m².

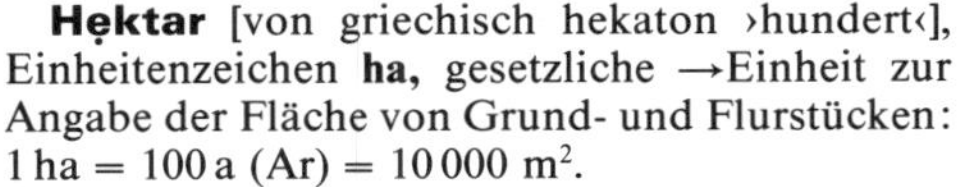

Hekto [von griechisch hekaton ›hundert‹], Vorsatzzeichen **h,** Vorsatz vor →Einheiten für den Faktor 100, z. B.:
1 **Hektoliter** = 1 hl = 10^2 l = 100 l (→Liter),
1 **Hektopascal** = 1 hPa = 100 Pa (→Pascal).

Hektor, in der griechischen Sage Sohn des trojanischen Königs Priamos und der tapferste Held der Trojaner. Er starb im Zweikampf mit Achilles, nachdem er dessen Freund Patrokolos getötet hatte.

Heldensage, Dichtung, in deren Mittelpunkt ein Held steht, häufig ein Krieger, der sich durch Tapferkeit und ruhmreiche Taten auszeichnet. Heldensagen gehören zu den frühesten literarischen Überlieferungen und spielen meist in der Vor- und Frühgeschichte eines Volkes. Der Held in der griechischen Sage, der von Göttern abstammte, wurde **Heros** genannt. Die germanischen Heldensagen behandeln hauptsächlich Ereignisse aus der Zeit der Völkerwanderung (etwa

375–568 n. Chr.), die frei, nur teilweise an historische Tatsachen gebunden, ausgeschmückt wurden. Dazu gehören z. B. die Sage von **Beowulf** sowie die Sage um **Siegfried** und die **Nibelungen.** Eine bekannte keltische Sage, die auch auf historische Begebenheiten zurückgeht, ist die Sage um **König Artus und seine Tafelrunde.**

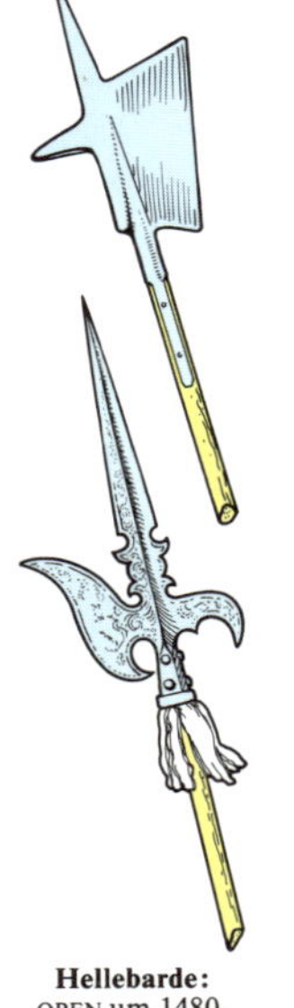

Hellebarde: OBEN um 1480, UNTEN 2. Hälfte des 16. Jahrh.

Helena, in der griechischen Sage eine Tochter des Göttervaters Zeus und der Königin Leda. Sie war von verführerischer Schönheit und wurde die Frau des Königs Menelaos von Sparta. Als →Paris, der Sohn des trojanischen Königs, Helena nach Troja in Kleinasien entführte, löste er den →Trojanischen Krieg aus. Nach der Zerstörung Trojas kehrte Helena nach Sparta zurück.

Helgoland, Felseninsel in der Deutschen Bucht (Nordsee), zu Schleswig-Holstein gehörend. Die nur etwa 2 km² große Insel hat 2 000 Einwohner, die meist vom Fremdenverkehr leben. Helgoland umfaßt das aus Buntsandstein gebildete 62 m hohe Oberland, das Unterland mit Hafen und die etwa 1,5 km entfernte Düne mit Badestrand. Zahlreiche Forschungseinrichtungen sind auf Helgoland angesiedelt.

Helikopter [zu griechisch helix ›Spirale‹ und pteron ›Flügel‹], →Hubschrauber.

Helios, der Sonnengott in der griechischen Götterfamilie.

heliozentrisches Weltsystem, →Kopernikus.

Helium [von griechisch helios ›Sonne‹], Zeichen **He,** →chemisches Element (ÜBERSICHT) aus der Gruppe der →Edelgase. Das farb-, geruch- und geschmacklose Gas wird vor allem aus verschiedenen Erdgasvorkommen (USA, England, Niederlande, Algerien) gewonnen und kommt in geringen Mengen in allen Uranmineralen und in einigen Heilquellen (Bad Dürkheim) vor. Es wird als Schutz- und Kühlgas bei technischen Prozessen, zusammen mit Sauerstoff als künstliche Atmosphäre, z. B. in Tauchgeräten, sowie zur Füllung von Ballonen und Luftschiffen verwendet.

Heller (Reichsmünzstätte Schwäbisch Hall, um 1300; Silber)

Hellas, ursprünglich eine Landschaft im südlichen Thessalien, bei Homer die Heimat der Hellenen; seit 1822 der griechische Name Griechenlands.

Hellebarde, über 2 m lange lanzenartige Hieb- und Stoßwaffe mit Eisenspitze und einem Reißhaken. Die Hellebarde war im Spätmittelalter eine der Hauptwaffen des Fußvolks.

Hellenen [nach der Landschaft Hellas], seit dem 7. Jahrh. v. Chr. Name der →Griechen.

Hellenismus, eine Epoche der altgriechischen Geschichte, die um 330 v. Chr. mit den Er-

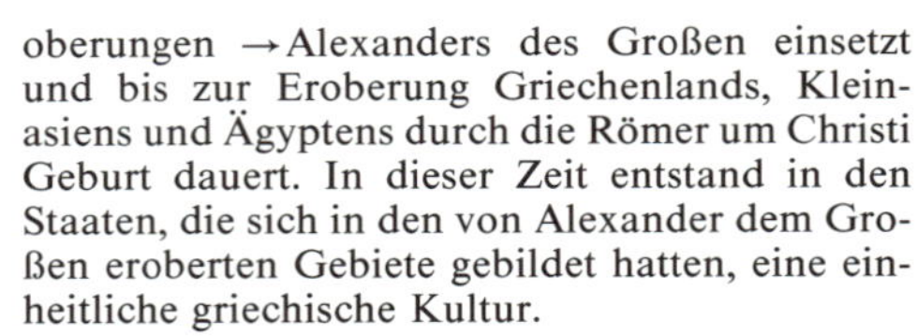

oberungen →Alexanders des Großen einsetzt und bis zur Eroberung Griechenlands, Kleinasiens und Ägyptens durch die Römer um Christi Geburt dauert. In dieser Zeit entstand in den Staaten, die sich in den von Alexander dem Großen eroberten Gebiete gebildet hatten, eine einheitliche griechische Kultur.

Heller, Häller [nach der Stadt Schwäbisch Hall in Baden-Württemberg], kleine Silber-, später Kupfermünzen, die seit dem 13. Jahrh. in Schwäbisch Hall und später auch an anderen Orten geprägt wurden. Sie hatten einen sehr geringen Wert.

Hellespont, →Dardanellen.

Heloten, im alten →Sparta die leibeigenen Bauern. Sie gehörten meist der von den Spartanern unterworfenen Bevölkerung an.

Helsinki, 490 000 Einwohner, Hauptstadt von Finnland, liegt am Finnischen Meerbusen auf einer Halbinsel und deren Umland. Helsinki ist die größte Hafen- und Industriestadt des Landes. Die Stadt wurde 1550, 5 km nördlich des heutigen Zentrums, gegründet und 1640 ans Meer verlegt. Im 19. Jahrh. entstanden Bauwerke im Stil des Klassizismus, z. B. Dom, Regierungspalast, Universität und die russisch-orthodoxe Uspenskij-Kathedrale.

Helvetia, das Land, das von dem keltischen Volksstamm der Helvetier bewohnt wurde, die →Schweiz.

Hemingway [hemingweh]. Die Vorliebe des amerikanischen Schriftstellers **Ernest Hemingway** (* 1899, † Selbstmord 1961) für Abenteuer prägte sein Leben und seine Werke. Gewalt, Gefahren und die Begegnung mit dem Tod sind persönliche Erfahrungen, die Hemingway als Sanitätsfreiwilliger und Reporter im Ersten Weltkrieg, bei der Großwildjagd, beim Angeln auf hoher See und beim Stierkampf machte. Er übertrug sie auf die Helden seiner Werke, die sich in diesen Situationen immer wieder bewähren müssen. Seine Romane (z. B. ›Fiesta‹ 1926, ›Wem die Stunde schlägt‹ 1940) und Erzählungen (z. B. ›Der alte Mann und das Meer‹ 1952) sind in einem knappen, sachlichen Stil geschrieben, der Gefühle nur erraten läßt. 1954 erhielt er den Nobelpreis für Literatur.

Hengst, das männliche →Pferd.

Henna, sehr alte Kulturpflanze des Orients. Der aus Stengel und Blättern gewonnene rotgelbe Farbstoff wurde zum Färben von Wolle und Seide und als Färbemittel für Haare, Haut, Finger- und Zehennägel verwendet, wie Mumienfunde aus dem alten Ägypten zeigen. Haare werden heute noch teilweise mit Henna gefärbt.

Henne, das Weibchen der →Hühner.

Henry-Gewehr, ein erstmals 1854 in den USA gefertigtes 16schüssiges Repetiergewehr (Mehrladegewehr mit Röhrenmagazin unter dem Lauf), benannt nach dem Büchsenmacher T. Henry. In den Indianerkriegen Mitte des 19. Jahrh. war dieses Gewehr dank seiner Feuergeschwindigkeit allen anderen Handfeuerwaffen überlegen. Durch die Winnetou-Romane von Karl May wurde das (in seiner Funktion von diesem falsch beschriebene) Gewehr als **Henry-Stutzen** berühmt. Ab 1866 entwickelte der Konstrukteur O. F. Winchester aus dem Henry-Gewehr die Winchester-Gewehre.

Hephaistos, deutsch **Hephäst,** griechischer Gott des Feuers und Schutzgott des Schmiedehandwerks, Sohn von Zeus und Hera und Gemahl von Aphrodite. Der römische Feuergott hieß **Vulcanus.**

Hera, Here, in der griechischen Sage die Tochter des →Kronos und der Rhea und als Gemahlin des Zeus die Beschützerin der Ehe und der Hochzeitsbräuche. In Homers Odyssee (→Odysseus) wird sie als Gegenspielerin von Zeus dargestellt, die im Unterschied zu ihm die Griechen vor Troja beschützt. Die Römer setzten ihr **Juno** gleich.

Herakles, eingedeutscht **Herkules,** der Sohn des →Zeus und einer menschlichen Mutter (Alkmene), war der stärkste Heros der griechischen Sagenwelt. Er verfügte schon kurz nach seiner Geburt über gewaltige Kräfte. Als Hera, die Gemahlin des Zeus, aus Eifersucht 2 Schlangen zu Herakles schickte, die ihn töten sollten, erwürgte der Säugling beide. Für den König von Mykene, Eurystheus, verrichtete Herakles 12 Arbeiten; unter anderem tötete er den Nemeischen Löwen, reinigte den Rinderstall des Augias, erschlug die neunköpfige Wasserschlange Hydra und befreite den an den Kaukasus gefesselten →Prometheus. Auf den Rat des Zentauren Nessos, den Herakles tödlich verwundet hatte, gab Herakles' Gattin ihrem Mann als Liebeszauber ein Gewand, das mit dem Blut des Nessos getränkt war. Doch das Gewand ließ sich nicht mehr vom Körper lösen und verursachte solche Schmerzen, daß sich Herakles verbrennen ließ. Von Zeus erhielt er die Unsterblichkeit und wurde in den Kreis der olympischen Götter aufgenommen. Bei den Römern wurde er **Hercules** genannt.

Herbarium [zu lateinisch herba ›Kraut‹], Sammlung getrockneter Pflanzen. Die Pflanzen werden gepreßt, auf Papier geklebt und dieses mit Namen, Fundort und Datum beschriftet. Damit die Farben der Pflanzen nicht verbleichen, muß das Herbarium im Dunkeln aufbewahrt werden.

Früher haben meist Ärzte, Apotheker und Kräuterfrauen Heilpflanzen gesammelt und ihr Aussehen und ihre Wirkungen beschrieben. Heute werden Herbarien hauptsächlich von Botanikern zu wissenschaftlichen Zwecken angelegt.

Herbst, eine der 4 Jahreszeiten, die auf der Nordhalbkugel am 23. September beginnt und am 21. Dezember endet. Auf der Südhalbkugel dauert der Herbst vom 21. März bis zum 22. Juni. Zum Beginn des Herbstes ist →Tagundnachtgleiche.

Herbstzeitlose. Im Herbst, wenn die meisten Blumen längst verblüht sind, erscheinen die krokusähnlichen, blaßvioletten Blüten der Herbstzeitlosen ohne jedes Laub in feuchten Wiesen und Wäldern, oft in großer Zahl. Nach der Bestäubung sterben die Blütenkronen ab. Der unfertige Samen ruht im Fruchtknoten, welcher wie die Knolle tief in der Erde sitzt. Erst im nächsten Frühjahr wächst zwischen einem Büschel tulpenblattähnlicher Laubblätter die Fruchtkapsel empor. Besonders die Samen dieser Pflanze sind **sehr giftig.** (BILD Heilpflanzen)

Herculaneum, in der Antike eine römische Stadt am Golf von Neapel, die 79 n. Chr. bei dem großen Ausbruch des Vesuvs zugleich mit →Pompeji verschüttet wurde. Herculaneum liegt unter einer 15 m hohen Schicht versteinerter Lava, die die Ausgrabungen sehr erschwert.

Hercules, →Herakles.

Herder. Der Schriftsteller, Theologe und Philosoph **Johann Gottfried von Herder** (* 1744, † 1803) förderte entscheidend die Entwicklung der deutschen Geistesgeschichte. Nach seinem Studium der Theologie und Philosophie in Königsberg war Herder später als Lehrer und Prediger tätig. Bei einem Aufenthalt 1770/71 in Straßburg lernte er Goethe kennen. Herder vermittelte ihm den Sinn für die Volksdichtung und für die Werke Shakespeares. Schon das auf einer Seereise entstandene ›Journal meiner Reise im Jahre 1769‹ ist ein Dokument der Wendung Herders von der →Aufklärung zum →Sturm und Drang. Im Gegensatz zur Aufklärung lehrte Herder, die Schönheit auch scheinbar regelloser Werke der Kunst und Dichtung verstehen; er zeigte, wie sie auf geschichtlichem und nationalem Boden lebendig gewachsen sind. Er schuf so die Voraussetzung für ein tieferes Verständnis verschiedener Kulturen, der Sprach- und Dichtungsgeschichte der Völker. Herder war der bedeutendste Theoretiker des Sturm und Drang und ein Wegbereiter der deutschen →Klassik und →Romantik. Lebendig geblieben sind die Meisterwerke seiner Übersetzungskunst (›Volkslieder‹, 2 Bände, 1778–79, später unter dem Titel ›Stimmen der Völker in Liedern‹; ›Cid‹ 1805).

Herero, Bantu-Volk in Namibia. Die Herero lebten früher ausschließlich von ihren Rinderherden; ihr Hauptnahrungsmittel war Milch. Wahrscheinlich stammen sie aus Ostafrika und sind mit den Masai verwandt. Im 19. Jahrh. führten sie um das Weideland Kriege gegen die Nama-Stämme (→Hottentotten). 1884 gerieten sie unter deutsche Oberhoheit, gegen die sie sich 1904 erfolglos erhoben (Schlacht am Waterberg). Die deutsche Kolonialregierung ging danach so hart gegen die Herero vor, daß sie damals dem Untergang nahe waren. Heute sind sie wieder eine der wichtigsten Volksgruppen im Land.

Heringe, schlanke, bis etwa 45 cm lange Fische, die in großen Schwärmen die nördlichen Meere bewohnen. Die Schwärme können mehrere Kilometer lang und einige hundert Meter breit sein. Ihre Nahrung sind kleine Krebse, Schnekken, Fischlarven und -eier. Alljährlich werden mehrere Millionen Tonnen Hering, meist mit Netzen, gefangen, aber die Bestände sind, unter anderem durch zu starkes Fischen, zurückgegangen. Der Hering wird auf verschiedene Art zubereitet, z. B. als Salzhering, als Bückling (geräuchert), als grüner Hering (frisch), als Bismarckhering (eingelegt und entgrätet) oder als Rollmops (eingelegt, entgrätet, gewürzt und um eine Gurke gerollt). BILD Fische.

Mit dem Hering sind verwandt die kleineren **Sprotten,** die geräuchert, die **Sardinen,** die in Öl eingelegt, und die **Sardellen,** die gesalzen oder mariniert verkauft werden.

Herisau, 14400 Einwohner, Hauptstadt des Halbkantons Appenzell-Außerrhoden in der Schweiz, liegt am Fuß des Säntis südwestlich von Sankt Gallen.

Herkules, eingedeutscht für →Herakles.

Hermann der Cherusker, →Arminius.

Hermannsschlacht, Schlacht im Teutoburger Wald (9 n. Chr.), in der →Arminius (fälschlich Hermann) die Römer besiegte.

Hermelin, Großes Wiesel, eine Art der →Marder. Sein Fellkleid paßt sich farblich der Jahreszeit an: Im Sommer ist es oben rotbraun, im Winter bis auf die schwarze Schwanzspitze schneeweiß, so daß das Tier auf Schnee gut getarnt ist. Dieser kostbare Winterpelz schmückte früher die Mäntel der Könige. Der ohne Schwanz etwa 25 cm lange Hermelin lebt in Mittel- und Nordeuropa, Asien und Amerika meist in der Nähe menschlicher Siedlungen. Er jagt vor allem Mäuse und Ratten, außerdem Hasen, Wildkaninchen, Fasane und Rebhühner, erbeutet aber auch Geflügel. (BILD Marder)

Hermes, im griechischen Götterglauben der Gott, der die Wanderer und Reisenden beschützte. Er war ein Sohn des Zeus und trat vor allem als Götterbote auf. Dargestellt wurde er mit Flügelschuhen und einem Heroldsstab. Die Römer setzten ihm **Merkur** gleich, den sie auch als Gott des Handels und der Kaufleute verehrten.

Herodes, jüdische Könige, die eine Rolle in der biblischen Geschichte gespielt haben. **Herodes der Große** (* 72, † 4 v. Chr.) vereinigte das ganze jüdische Land und sicherte ihm durch ein Bündnis mit den Römern einen dreißigjährigen Frieden. Als Herrscher war er rücksichtslos und grausam; er ließ seine Frau Mariamne umbringen. In der Bibel wird auch berichtet, daß er den ›Kindermord von Bethlehem‹ befohlen habe, um dabei auch Jesus zu töten, von dem Weissagungen als einem neuen ›König der Juden‹ kündeten.

Sein Sohn **Herodes Antipas,** der 4 v. Chr. bis 39 n. Chr., also zur Zeit Jesu regierte, ließ auf Betreiben seiner Frau Herodias Johannes den Täufer enthaupten.

Herodes Agrippa I., der 44 n. Chr. starb, ließ den Apostel Jakobus hinrichten und Petrus ins Gefängnis werfen.

Heroin wird aus Morphin (→Morphium), einem Bestandteil des →Opiums gewonnen. Wie Morphium betäubt Heroin Schmerzen und verändert Wahrnehmungen, ohne das Bewußtsein völlig auszuschalten. Als Rauschgift streng verboten, ist auch die medizinische Anwendung wegen der großen Suchtgefahr untersagt. Von Drogenabhängigen (›Fixern‹) wird eine Hochstimmung (›flash‹) angestrebt. Heroin wird geschnupft (meist von Anfängern) und später mit Wasser verdünnt in die Vene gespritzt (›fixen‹). Aus einem Kilogramm Rohopium kann 1 Gramm reines Heroin hergestellt werden, das mit unterschiedlichen, zum Teil gefährlichen Beimengungen verschnitten wird. Heroin gilt als besonders gefährliche Droge, da durch Gewöhnung zum Erreichen des Rauschzustandes die Dosis ständig erhöht werden muß. Dies hat einen körperlichen Verfall zur Folge. Überdosierungen enden oft tödlich (›Goldener Schuß‹).

Herrentiere, die → Primaten.

Hertz [nach Heinrich Hertz], Einheitenzeichen **Hz,** Einheit der → Frequenz.

$$1 \text{ Hertz} = 1 \text{ Hz} = \frac{1 \text{ Schwingung}}{\text{Sekunde}} = \frac{1}{\text{s}}$$

Hertz. Der Physiker **Heinrich Hertz** (* 1857, † 1894) bestätigte durch seine Untersuchungen über die Ausbreitung der elektrischen Wellen 1887/88 die Voraussagen der Maxwellschen Theorie elektromagnetischer Wellen sowie deren Wesensgleichheit mit den Lichtwellen. Die von Hertz entdeckten **Hertzschen Wellen** (oder **elektrischen Wellen,** das heißt solche elektromagnetischen Wellen, die mit Geräten der Elektrotechnik erzeugt werden) bilden eine der Grundlagen der heutigen Funktechnik.

Herz, das zentrale Pumporgan im → Blutkreislauf, das den Blutstrom in den Adern immer in eine Richtung fließen läßt. Das Herz liegt im Brustkorb. Es ist ein kegelförmiger Hohlmuskel, dessen Größe ungefähr der Faust seines Trägers entspricht. Leistungssportler und Schwerarbeiter haben ein relativ großes Herz. Die Herzspitze zeigt nach links unten und nach vorn. Den Herzschlag kann man als Herzspitzenstoß 2–4 cm unterhalb der linken Brustwarze tasten.

Das Herz ist von einem bindegewebigen, doppelwandigen Sack, dem Herzbeutel umgeben, in dem sich etwas Flüssigkeit befindet. Die eigentliche Wand des Herzens besteht aus einem besonderen Muskelgewebe, das sich regelmäßig und unabhängig vom Willen zusammenzieht und wieder erschlafft, wodurch eine Pump- und Saugwirkung zustande kommt. Das Muskelgewebe wird über die Herzkranzgefäße ernährt. Das Herz ist durch die Herzscheidewand in eine linke und rechte Hälfte geteilt. Zusätzlich ist jede Herzhälfte nochmals in den kleineren Vorhof und die größere Kammer unterteilt. So entstehen also 4 Hohlräume, von denen jeweils in jeder Herzhälfte Vorhof und Kammer durch Segelklappen miteinander verbunden sind. Diese Klappen wirken wie Ventile, indem sie das Blut nur in eine Richtung, nämlich von den Vorhöfen in die Kammern, fließen lassen.

In die Vorhöfe münden die zuleitenden Blutadern (Venen). Die rechte Herzkammer treibt das sauerstoffarme Blut, das vom Körper kommt, in die Lunge, die linke Herzkammer treibt das sauerstoffreiche Blut, das von der Lunge kommt, in den Körper. Von der linken Kammer geht die große Körperschlagader (Aorta) ab, von der rechten Kammer die Lungenschlagader. Auch im Anfangsteil dieser Gefäße befinden sich Ventile in Form von Taschenklappen.

Etwa 60–80mal pro Minute schlägt das Herz; bei körperlicher Anstrengung oder z. B. bei Fieber kann sich diese Frequenz erheblich erhöhen. Bei jedem Herzschlag werden etwa 70–90 ml Blut in die Schlagadern getrieben. Um diese Pumparbeit zu leisten, zieht sich der Herzmuskel zusammen (Systole) und erschlafft wieder (Diastole). Während der Systole wird das Blut herausgetrieben, während der Diastole füllt sich das Herz erneut mit Blut. Während sich die Kammern zusammenziehen, erschlaffen die Vorhöfe, und während die Kammern erschlaffen, ziehen sich die Vorhöfe zusammen. Bei dieser Herzaktion entstehen 2 Herztöne, die man mit dem Stethoskop hören kann. An der Lautstärke und der Eigenart der Herztöne kann der Arzt erkennen, ob ein Herzklappenfehler besteht. Die bei der Herztätigkeit entstehenden feinen elektrischen Ströme können mit dem → Elektrokardiogramm aufgezeichnet werden; dadurch erhält man Informationen über die Herztätigkeit und die Leistungsfähigkeit des Herzmuskels. Das Fühlen des → Pulses und Messen des → Blutdrucks sind einfache Untersuchungsmethoden zur Überprüfung der Herztätigkeit.

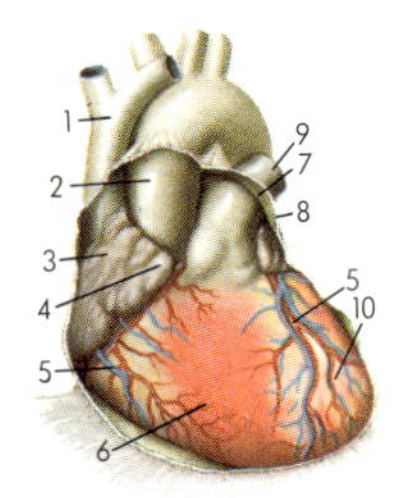

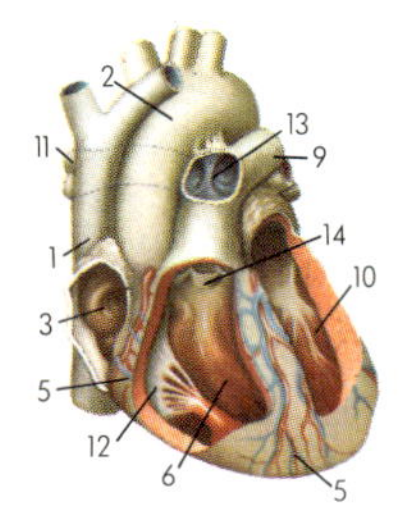

Herz: LINKS geöffneter Herzbeutel. Die Oberfläche des Herzens mit den Kranzgefäßen (rot Kranzarterien, blau Herzvenen) ist von dem inneren Blatt des Herzbeutels überzogen, das an den großen Gefäßen in das äußere Herzbeutelblatt übergeht, dessen Schnittrand (weiß) sichtbar ist. RECHTS Innenräume des Herzens, Vorhöfe und Kammern von vorn geöffnet. In den Herzkammern sind die Segelklappen und ihre Sehnenverbindungen zu den Muskeln sichtbar, im Anfangsteil der Lungenschlagader die Taschenklappen (nach einem anatomischen Präparat, etwas schematisiert): **1** obere Hohlvene, **2** Aorta, **3** rechter Vorhof, **4** rechtes Herzohr, **5** Kranzgefäße, **6** rechte Kammer, **7** Umschlagstelle des Herzbeutels, **8** Schnittrand des äußeren Herzbeutelblattes, **9** linker Lungenarterienast, **10** linke Kammer, **11** rechter Lungenarterienast, **12** Segelklappe, **13** Teilungsstelle der Lungenarterie, **14** Taschenklappen der Lungenarterien

Herzfehler, erworbene Herzklappenfehler oder auch angeborene Fehlbildungen des Herzens. Bei den erworbenen Klappenfehlern schließt eine Klappe nicht mehr richtig, was einen Rückstrom des Blutes zur Folge hat, oder kann nicht vollständig geöffnet werden, so daß

Hermann Hesse

der normale Blutstrom behindert wird. Bei den angeborenen Fehlbildungen des Herzens oder seiner großen Gefäße kommt es häufig zu einer Vermischung von venösem und arteriellem Blut (zum Beispiel durch ein Loch in der Vorhofscheidewand), wodurch der Körper ungenügend mit Sauerstoff versorgt wird.

Herzinfarkt, Schädigung eines Herzmuskelbezirks, meist durch Verschluß eines Herzkranzgefäßes (→Herz). Dabei wird der von diesem Gefäß ernährte Teil des Herzmuskels nicht mehr durchblutet und stirbt infolge mangelnden Sauerstoffs ab. Ein solcher Infarkt tritt urplötzlich ein und kann zum Herztod führen. Wird das Ereignis überlebt, so bildet sich an der Stelle des Infarktes eine Narbe im Herzmuskel, wodurch die Leistungsfähigkeit des Herzens eingeschränkt sein kann. Die krankhafte Veränderung der Herzkranzgefäße und damit das Risiko eines Herzinfarktes werden begünstigt z. B. durch Bluthochdruck, Übergewicht, Bewegungsmangel, Streß und Rauchen.

Herzog, bei den Germanen ein Heerführer, im frühen Mittelalter der Herrscher über ein Stammesgebiet, später ein Mitglied des →Adels.

Herzschrittmacher, elektronisches Gerät, das den Herzmuskel elektrisch anregt und damit die Herztätigkeit gewährleistet. Die Elektrode, die den elektrischen Impuls überleitet, wird in der Herzwand verankert. Die Batterie, die den Strom liefert (sie muß nach 5–10 Jahren gewechselt werden), wird in den Körper eingepflanzt.

Hessen
Landeswappen

Herztransplantation, Herzverpflanzung, Übertragung eines Herzens von einem gerade verstorbenen Menschen auf einen unheilbar herzkranken Patienten. Diese Operation gelang zum ersten Mal 1967 dem südafrikanischen Chirurgen **Christiaan Barnard.** Seitdem sind viele Herzverpflanzungen durchgeführt worden. Probleme entstehen vor allem dadurch, daß der Körper des Empfängers das fremde Organ wieder abzustoßen versucht. Es wurde auch schon der Versuch unternommen, ein Ersatzherz aus Kunststoff einzupflanzen, das noch zusätzlich ein Antriebswerk benötigt. Der sehr umstrittene Versuch, ein Affenherz zu übertragen, scheiterte.

Hesse. In den 1960er Jahren wurden die Werke des Schriftstellers **Hermann Hesse** (* 1877, † 1962, seit 1923 Schweizer Bürger) besonders von der englischen und amerikanischen Jugend wiederentdeckt. Vor allem der Roman ›Der Steppenwolf‹ (1927), in dem die seelische Zerrissenheit eines Menschen als ›Krankheit der Zeit‹ geschildert wird, wurde begeistert aufgenommen. Hesses meist bekenntnishafte Werke spiegeln innere Wandlungen, Kämpfe und Leiden des sensiblen Dichters im Zwiespalt zwischen Geist und Sinnlichkeit, Verstand und Gefühl, Freiheit und Bindung. In seiner Frühzeit schrieb Hesse stimmungshafte Gedichte und Erzählungen; er stand dabei der Neuromantik nahe. Das Hauptwerk dieser Zeit ist der Entwicklungsroman ›Peter Camenzind‹ (1904). In der Erzählung seiner Reifezeit ›Narziß und Goldmund‹ (1930) stellt er seinen inneren Zwiespalt im Gegensatz zwischen 2 grundverschiedenen Freunden, dem Mönch und Denker Narziß und dem Künstler Goldmund, der ein Wanderleben führt, dar. Der romantisch-utopische Roman ›Das Glasperlenspiel‹ (1943) ist Hesses Alterswerk. 1946 erhielt der Schriftsteller den Nobelpreis für Literatur.

Hessen, deutscher Volksstamm, der im Flußgebiet von Fulda, Eder und Lahn siedelte und dort auch während der Zeit der Völkerwanderung seßhaft blieb. Die Hessen gerieten unter fränkische Herrschaft und konnten nur in ihrem alten Kernraum zwischen Rothaargebirge und Rhön ihren eigenen Charakter, ein bodenständiges Bauerntum, bewahren. Die Mundart der Hessen ist ein rheinfränkischer Dialekt.

Fläche: 21 114 km²
Einwohner: 5 660 000
Hauptstadt: Wiesbaden

Hessen wurde 1945 von der amerikanischen Militärregierung zunächst unter dem Namen Großhessen aus den preußischen Provinzen Hessen-Nassau und dem Freistaat Hessen-Darmstadt gebildet (einige Landesteile kamen an Rheinland-Pfalz), das dann als Hessen ein Bundesland der Bundesrepublik Deutschland wurde.

Hessen liegt im Zentrum der Bundesrepublik Deutschland und hat ringsum gemeinsame Grenzen mit vielen anderen Bundesländern; im Osten grenzt es an Thüringen. Zwei Großräume lassen sich unterscheiden: im Norden das Hessische Bergland und im Süden das Rhein-Main-Gebiet, Nordteil der Oberrheinebene. Der Vogelsberg, im Taufstein 774 m hoch, der aus Basalten aufgebaute Rest eines längst erloschenen Vulkans, erhebt sich zwischen diesen beiden Regionen. Weiter östlich liegt die Rhön, deren höchster Berg, die Wasserkuppe (950 m), ein Zentrum der Segelflieger ist.

Das **Hessische Bergland** ist die Heimat der Brüder Grimm. Viele ihrer Märchen entstammen dieser Landschaft, die noch heute eine dünnbesiedelte und sehr waldreiche bäuerliche Region ist. Einzige Großstadt und bedeutender Industriestandort (Maschinenbau, Elektrotechnik) ist **Kassel** an der Fulda, die mit der östlich fließenden Werra Quellfluß der Weser ist. Im Westen liegen an der Lahn die Universitätsstädte **Marburg** und **Gießen** und **Wetzlar** mit optischer Industrie. Im Unterschied zu Nordhessen ist das **Rhein-Main-Gebiet** im Dreieck der Städte Mainz (Landeshauptstadt von Rheinland-Pfalz), Frankfurt am Main und Darmstadt dichtbesiedelt; es ist neben dem Ruhrgebiet der größte städtische Ballungsraum in der Bundesrepublik Deutschland. **Frankfurt am Main** ist Messe- und Bankenmetropole und europäischer Verkehrsknotenpunkt; der Flughafen gehört zu den verkehrsreichsten der Erde. Die Region ist hochindustrialisiert; neben chemischer und elektrotechnischer Industrie sind besonders die Lederwarenindustrie in **Offenbach** und der Kraftfahrzeugbau in **Rüsselsheim** zu erwähnen. Zugleich wird dieses Gebiet aber auch landwirtschaftlich intensiv genutzt. Nördlich von Frankfurt am Main werden in der Wetterau Zuckerrüben und Weizen angebaut; im Nordwesten wachsen an den Südhängen des Taunus im Rheingau hervorragende Weine, durch die Weinorte wie **Rüdesheim am Rhein** und **Eltville am Rhein** weltbekannt wurden. Auch entstanden hier an zahlreichen Heilquellen Kurorte wie **Bad Homburg, Bad Soden** und **Wiesbaden.** Im Süden an der Bergstraße und im Odenwald dominiert der Obstbau.

Geschichte. Im Mittelalter war das ursprünglich mit Thüringen verbundene Hessen durch Erbfolgestreitigkeiten immer wieder geteilt und erst durch Philipp den Großmütigen (1509–67) vereint worden. Unter seinen Nachfolgern entstanden mehrere Grafschaften und Herzogtümer: **Hessen-Kassel** (späteres Kurfürstentum Kurhessen), **Hessen-Darmstadt** und **Hessen-Homburg.** Im 19. Jahrh. wurden diese Territorien unter Einschluß des Herzogtums Nassau preußisch. Hessen-Darmstadt wurde zunächst zu einem Herzogtum innerhalb des Deutschen Reichs, nach dem Ersten Weltkrieg zum Land Hessen. Die preußische Provinz Hessen-Nassau und der Freistaat Hessen-Darmstadt bestanden bis zum Ende des Zweiten Weltkriegs.

Hethiter, indogermanisches Volk, das nach der Einwanderung in das östliche Kleinasien im 2. Jahrtausend v. Chr. ein mächtiges Reich gründete. Hauptstadt dieses Reiches **Hatti** war Hattuscha, 200 km östlich von Ankara. Die hochstehende Kultur der Hethiter war von altkleinasiatischen und babylonischen Elementen beeinflußt. Das gut organisierte hethitische Staatswesen ging um 1200 v. Chr. zugrunde.

Heuschrecken, Insekten, die ›singen‹ können. Dabei reiben meist nur die Männchen Schrilleisten aneinander, um Weibchen anzulokken. Die **Feldheuschrecken** mit kurzen Fühlern streifen den rauhen Innenrand ihrer langen Hinterbeine an einer dicken Kante der Vorderflügel entlang, während die **Laubheuschrecken** und die nah verwandten **Grillen,** auch **Grabheuschrecken,** die Flügel übereinanderreiben. Die Weibchen nehmen dieses Zirpen mit Hörorganen wahr, die sich in den Beinen oder im Hinterleib befinden. Die Hinterbeine der Heuschrecken sind zu kräftigen Sprungbeinen entwickelt, einige Grillen können sehr schnell laufen. Zu den braunen Feldheuschrecken gehören auch die in warmen Gebieten vorkommenden und besonders in Afrika und Asien gefürchteten 2–6 cm großen **Wanderheuschrecken.** Wenn sie in Schwärmen auftreten, können sie ganze Landstriche kahlfressen. In Deutschland findet man auf fast jeder Wiese eine harmlose Feldheuschrecke, den **Grashüpfer.** Eine grüne Laubheuschrecke ist das bis 13 cm lange **Große Heupferd,** das bis 3 m weit springt. Es frißt vor allem kleine Insekten und deren Larven. Die Grillen sind schwarz- oder gelbbraun. Die bis 2,5 cm lange **Feldgrille** lebt auf trockenen Wiesen in Erdgängen. Die größere **Maulwurfgrille,** deren Vorderbeine wie beim Maulwurf zu Grabschaufeln umgebildet sind, verläßt ihre Erdbauten nur zur Paarungszeit. Tritt sie in Massen auf, kann sie zur Plage werden, da vor allem ihre Larven Wurzeln fressen. Die **Hausgrille,** das **Heimchen,** lebt mit Vorliebe in alten Gebäuden und nährt sich von Speiseresten.

Zu den Heuschrecken im weiteren Sinn gehören auch die mit Fangarmen ausgerüsteten Insekten (→Gottesanbeterin) und die tropischen **Gespenstheuschrecken,** deren Gestalt ihrer Umgebung angepaßt ist, z. B. das ›Wandelnde Blatt‹ und die Stabheuschrecke.

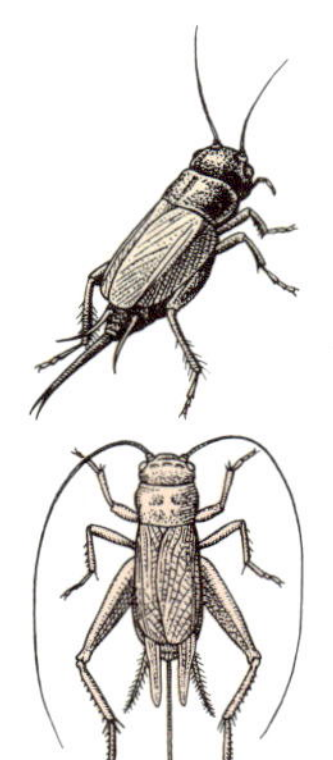

Heuschrecken: OBEN Feldgrille, UNTEN Heimchen

Heuss. Der Schriftsteller und liberale Politiker **Theodor Heuss** (* 1884, † 1963) schloß sich 1918 der Deutschen Demokratischen Partei (DDP) an. Er war 1920–28 sowie 1930–33 Abgeordneter im Reichstag. In der Zeit des Nationalsozialismus betätigte er sich unter politischen Schwierigkeiten als Schriftsteller. Nach dem deutschen Zusammenbruch (1945) beteiligte er sich am politischen Wiederaufbau Deutschlands und wirkte im Parlamentarischen Rat (1948–49) führend an der Formulierung des Grundgesetzes mit. 1948–49 war er Vorsitzender der FDP. Als **erster Bundespräsident der Bundesrepublik Deutschland** (1949–59) prägte er stark das Ansehen dieses Amtes.

Theodor Heuss

Hexameter [griechisch ›Sechsmaß‹], Vers mit 6 Versfüßen (→ Vers).

Hexe, nach dem Volksglauben eine geheimnisvolle, zauberkundige Frau. Sie erscheint in Märchen und Sagen (›Hänsel und Gretel‹, ›Hexensabbat‹ auf dem Blocksberg) als alte und häßliche Schreckgestalt, die Menschen und Tiere ›verhext‹, das heißt, ihnen Schaden zufügt. So verursachen z. B. Wetterhexen Sturm, Hagel und Gewitter. Die Wirksamkeit der Hexenkunst soll zu bestimmten Zeitpunkten (Osternacht, Andreastag) besonders groß sein.

Im Mittelalter suchten die Menschen Schuldige für das Auftreten von Seuchen oder Mißernten. Oft wurden alleinstehende und sonderbare Personen als Hexen verdächtigt. In ganz Europa breitete sich ein **Hexenwahn** aus, der im 14.–17. Jahrh. zu vielen **Hexenverfolgungen** führte. Von verdächtigen Personen (vorwiegend Frauen) wurden in **Hexenprozessen** auf der Folter Geständnisse über angebliche Untaten erpreßt. Die verurteilten ›Hexen‹ wurden häufig verbrannt.

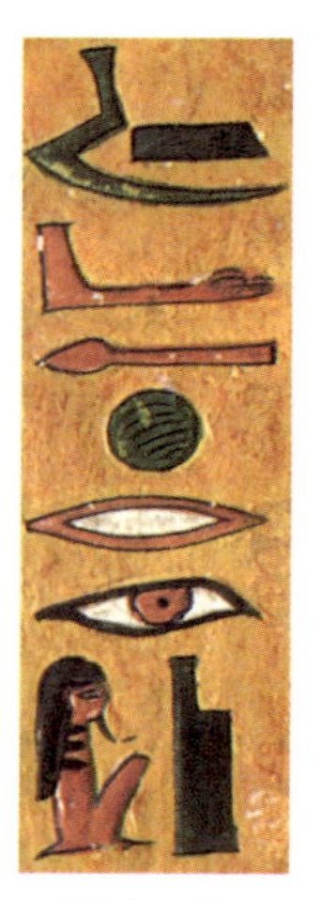

Hieroglyphen (aus dem Grab der Nefertari)

Hexenring. Am Waldboden oder auf Weiden findet man mitunter Pilze, die im ›Ring‹ stehen. Dieser entsteht dadurch, daß das im Boden wachsende Geflecht von Pilzfäden von einem Ausgangspunkt (Mittelpunkt) nach allen Seiten gleichmäßig wächst und bei günstiger Witterung (Wärme, Regen) zu gleicher Zeit die Pilze ausbildet. Als man früher die Ursache dieser Vermehrung noch nicht erkannte, verbanden sich damit abergläubische Vorstellungen von Hexentanzplätzen.

Hieroglyphen [griechisch ›heilige Einmeißelungen‹], die Schriftzeichen von Bilderschriften, vor allem die Bildzeichen der alten Ägypter, die um 3000 v. Chr. entwickelt wurden. Die ägyptischen Hieroglyphen können sowohl einen ganzen Sachverhalt darstellen als auch einzelne Buchstaben sein. Die Schriftzeichen wurden 1822 von dem französischen Gelehrten **François Champollion** entziffert. Hieroglyphisch war auch die Keilschrift. Hieroglyphische Schriften gab es ferner im Industal, auf der Osterinsel und bei den Maya.

High Fidelity [hai fideliti, englisch], Abkürzung **HiFi** [haifi oder auch haifai], hohe Wiedergabetreue bei UKW-Rundfunkempfängern, Plattenspielern, Tonbandgeräten, Kassettenrecordern, Verstärkern, Mikrophonen, Kopfhörern und Lautsprechern. Geräte und Anlagen, für die dieses Qualitätsmerkmal gelten soll, müssen bei der Übertragung und Wiedergabe von Musik und Sprache hinsichtlich des Tonumfangs und der Klangreinheit bestimmte Mindestanforderungen erfüllen, die in einer DIN-Norm festgelegt sind. Eine ideale elektroakustische Anlage verändert Töne, Klänge und Geräusche nicht. In der Praxis läßt sich dies jedoch nur angenähert für einen bestimmten Frequenzbereich, der etwa den Hörbereich umfaßt, erreichen. Die Norm schreibt für HiFi-Anlagen einen Übertragungsbereich von 40–12 500 Hz vor. Diese Werte werden heute bereits von den meisten Anlagen übertroffen. Sehr störend für das Klangempfinden wirkt sich der Klirrfaktor (Maß für die Verzerrungen) aus. Er soll daher bei einer HiFi-Kombination 2,5 % nicht überschreiten.

Hildebrandslied, das älteste, nur als bruchstückhafte Abschrift erhaltene germanische Heldenlied. Es wurde zwischen 810 und 820 in Fulda von 2 Mönchen auf die erste und letzte Seite eines Gebetbuches geschrieben. Die in Stabreimen geschriebene Dichtung handelt von Hildebrand, dem Waffenmeister Dietrichs von Bern, der mit seinem Herrn das Land verlassen hatte und bei seiner Rückkehr nach 30 Jahren seinem Sohn Hadubrand begegnet. Hadubrand weigert sich, in dem ›alten Hunnen‹ seinen Vater zu erkennen. Um seine Ehre zu verteidigen, stellt sich Hildebrand einem Zweikampf und tötet Hadubrand. Das tragische Ende ist in der erhaltenen Fassung des Heldenliedes verloren und nur aus der jüngeren nordischen Überlieferung in ›Hildebrands Sterbelied‹ zu erschließen. In späteren Bearbeitungen des Stoffes versöhnen sich Vater und Sohn.

Hildesheim, 101 900 Einwohner, alte Bischofsstadt in Niedersachsen, südöstlich von Hannover. Die im Zweiten Weltkrieg zerstörte mittelalterliche Altstadt wurde wiederaufgebaut. Kunstgeschichtlich interessant sind der romanische Dom, die romanische Kirche Sankt Michael und das gotische Rathaus.

Hilfsverb, Hilfszeitwort, Wortart, die im Satz meist zusammen mit einem Verb steht. Hilfsverben sind ›werden‹, ›haben‹, ›sein‹. Mit ihnen bildet man die zusammengesetzten Zeitformen, z. B. Indikativ (ich bin gelaufen, ich habe verstanden, ich werde fahren), Konjunktiv (ich würde fahren) und das Passiv (er wurde geschlagen). Die ursprüngliche Bedeutung als Vollverb kann daneben erhalten sein, z. B. ›haben‹ im Sinn von ›besitzen‹ (ich habe Hunger).

Himalaya, das höchste Gebirge der Erde. Es erstreckt sich zwischen der nordindischen Tiefebene und dem Hochland von Tibet und erreicht eine Breite von 250 km und eine Längsausdehnung von 2400 km. Gegliedert ist das Gebirge in die parallel verlaufenden **Vorberge (Siwaliks)** im Süden, den **Nieder-Himalaya** und den durchschnittlich etwa 6000 m hohen **Hoch-Himalaya.** Die höchsten Erhebungen sind **Mount Everest** (8872 m), **Kangchendzönga** (8586 m), **Lhotse** (8516 m), **Makalu** (8463 m), **Dhaulagiri** (8167 m). 10 weitere Bergmassive sind höher als 8000 m, mehr als 200 höher als 7000 m. Der Himalaya ist etwa zur gleichen Zeit entstanden wie die Alpen; noch immer sind, besonders im Bereich des Mount Everest, Hebungsvorgänge im Gang. Das Gebirge besteht hauptsächlich aus Granit und Gneis.

Der Himalaya scheidet die feuchtheißen Gebiete Indiens vom trockenen, kalten tibetanischen Hochland. Die Schneegrenze liegt wesentlich höher als in den Alpen, auf der Südseite bei 4800–5200 m, auf der Nordseite bei 5500 bis 6000 m. Bis auf 3000 m wird auf Rodungsinseln noch Getreide angebaut. Die Baumgrenze liegt bei 4200 m; darüber breiten sich Bergwiesen aus.

Himbeeren wachsen an Sträuchern auf Waldlichtungen und in Gärten. Während die Blüten erst im Mai bis Anfang Juni erscheinen, reifen die roten →Früchte, die in botanischem Sinn keine Beeren sind, bereits im Juli.

Himmel, Himmelsgewölbe, Firmament, das scheinbare Gewölbe in Form einer Halbkugel, das auf dem →Horizont ruht und an dem die Gestirne angeheftet zu sein scheinen. Der Beobachter glaubt, sich im Mittelpunkt dieses Himmelsgewölbes zu befinden; senkrecht über ihm ist der **Scheitelpunkt** oder **Zenit.** Der entgegengesetzte Punkt heißt **Fußpunkt** oder **Nadir.** Durch die Bewegung der Erde um ihre eigene Achse (Erdrotation) dreht sich scheinbar der Himmel in 24 Stunden um die Himmelsachse, die mit der Erdachse zusammenfällt. Dabei gehen die Gestirne im Osten auf und im Westen unter. Sterne in der Nähe des Pols bleiben immer über dem Horizont.

Im religiösen Bereich bezeichnet das Wort Himmel den Ort der ewigen Seligkeit und unmittelbaren Gottesschau.

Himmelfahrt Christi. In der Apostelgeschichte (1,9–11), einem Buch des Neuen Testaments, wird bezeugt, daß der auferstandene Jesus in den Himmel emporgehoben wurde. Das Fest der Himmelfahrt Christi wird seit dem 4. Jahrh. am 40. Tag nach Ostern gefeiert.

Himmelsblau, Azur, die blaue Farbe des Himmels. Sie entsteht dadurch, daß das weiße Sonnenlicht beim Eindringen in die Atmosphäre gestreut wird, und zwar das kurzwellige, blaue Licht am stärksten, das langwellige, rote Licht weniger stark. Für das menschliche Auge überwiegt daher der Anteil des blauen Lichtes. Bei Dunst ist die Streuung weniger wellenlängenabhängig, daher erscheint der Himmel auch weniger blau. Bei tief stehender Sonne färbt sich der Himmel rot (→Abendrot).

Himmelskunde, die →Astronomie.

Himmelsrichtungen, Einteilung des Horizonts durch astronomische Koordinaten. Die Haupthimmelsrichtungen sind **Norden** (N), **Süden** (S), **Westen** (W) und **Osten** (O oder E, von englisch **e**ast). Der Norden oder Nordpunkt und der Süden oder Südpunkt sind durch die Schnittpunkte des →Meridians mit dem Horizont, der Westen oder Westpunkt und der Osten oder Ostpunkt durch den Schnittpunkt des Kreises (Erster Vertikal), der gegen den Meridian um 90° gedreht ist, mit dem Horizont bestimmt. Die Himmelsrichtungen können am Tag durch die Beobachtung der Sonne festgelegt werden. Schaut man auf der Nordhalbkugel mittags um 12 Uhr zur Sonne, so blickt man in Richtung Süden, im Rükken ist Norden, rechts Westen und links Osten. Auf der Südhalbkugel ist es genau umgekehrt. Nachts können die Himmelsrichtungen bei klarem Wetter nach den Sternen bestimmt werden. Benachbarte Sterne hat man zu Sternbildern zusammengefaßt, z. B. der ›Große Wagen‹. Verlängert man die hintere ›Wagenkante‹, also die Verbindungslinie der hinteren Sterne, etwa fünfmal, so stößt man auf einen hellen Stern, den →Polarstern, der fast genau in der Nordrichtung steht.

Himmler. Der Politiker **Heinrich Himmler** (* 1900, † Selbstmord 1945) schloß sich schon früh den Nationalsozialisten an. 1929 ernannte ihn Hitler zum Reichsführer der →SS, eines Hitler besonders verpflichteten militärähnlichen Kampfverbandes der NSDAP. Nach dem Regierungsantritt Hitlers (1933) unterstützte er diesen maßgeblich beim Aufbau eines diktatorischen Regierungssystems in Deutschland. Als Chef der deutschen Polizei (1936–45) und Reichsführer der SS verflocht er Polizeigewalt und SS zu einem Regierungsinstrument, das besonders in Gestalt der Gestapo (→Geheime Staatspolizei) den nationalsozialistischen Staat absicherte. Himmler dehnte den Einfluß der SS auf fast alle Lebensbereiche aus und betrieb auch SS-eigene Wirtschaftsunternehmen. Er organisierte den Terror der Gestapo und war für die Errichtung von Konzentrationslagern verantwortlich, in denen er an Gefangenen medizinische Versuche durchführen ließ. Im Zweiten Weltkrieg organisierte er die

Paul Hindemith

systematische Ermordung der europäischen Juden (Bau von Vernichtungslagern, z. B. in Auschwitz). 1943–45 war er Reichsinnenminister. Nach der deutschen Kapitulation (Mai 1945) beging er Selbstmord.

Hindemith. Der Komponist **Paul Hindemith** (* 1895, † 1963) zählt zu den Vertretern der modernen Musik. Er war 1915–23 Konzertmeister der Frankfurter Oper, danach Bratschist im damals berühmten Amar-Quartett. Auf seine Anregung entstanden die Feste für zeitgenössische Musik in Donaueschingen, die dort heute regelmäßig stattfinden. Als Lehrer wirkte Hindemith in Frankfurt am Main und Berlin. 1938 verließ er das nationalsozialistische Deutschland.

Nach radikalen, mit der Tradition brechenden Frühwerken entwickelte sich Hindemiths Stil zu einer Formstrenge, die einen in der Nachfolge zu Richard Wagner stehenden Klangstil erreichte, so in seiner Oper ›Mathis der Maler‹ (1934/35). Von seinen Werken sind hervorzuheben seine Fugensammlung ›Ludus tonalis‹ für Klavier sowie von seinem Musiziergut für die Jugendmusikbewegung die Kantate für Kinder ›Wir bauen eine Stadt‹.

Hindenburg. Der spätere Generalfeldmarschall (seit 1914) **Paul von Beneckendorff und von Hindenburg** (* 1847, † 1934) stieg nach dem Deutschen Krieg von 1866 und dem Deutsch-Französischen Krieg von 1870/71 zum General auf. Mit dem Sieg der 8. Armee über russische Streitkräfte bei Tannenberg und den Masurischen Seen (1914) wurde er der volkstümlichste deutsche Heerführer im Ersten Weltkrieg. 1916 übernahm er die Führung der Obersten Heeresleitung (OHL). Mit Erich Ludendorff als Erstem Generalquartiermeister leitete er die Operationen der deutschen Streitkräfte an allen Fronten. Ende September 1918 forderten beide die Einleitung von Waffenstillstandsverhandlungen.

Nach Errichtung der Weimarer Republik (1919) wählte ihn die Bevölkerung 1925 und 1932 zum Reichspräsidenten. Persönlich neigte er der Monarchie zu, blieb jedoch in seinem Amt gegenüber der Verfassung loyal. In der Krise der Weimarer Republik suchte er, die zu einer Massenbewegung angewachsene nationalsozialistische Bewegung von der Machtausübung im Staat fernzuhalten. Nach längerem Zögern ernannte er jedoch am 30. Januar 1933 Adolf Hitler zum Reichskanzler. Seitdem schwand die politische Bedeutung Hindenburgs.

Hindernislauf, olympischer Laufwettbewerb für Herren über eine Distanz von 3 000 Metern. Der Wettbewerb wird gelaufen auf einer etwa 400 m langen Rundbahn mit Hindernissen (91,1 bis 91,7 cm hohe Hürden) und einem Wassergraben von 3,66 m Länge und Breite, vor dem eine Hürde steht. Hindernislauf ist seit 1900 olympische Disziplin, seit 1920 über die 3 000-m-Strecke.

Hinduismus, in Indien vorherrschende Religion. Ihr gehören heute rund 530 Millionen Menschen an. Die Wurzeln dieses Glaubens reichen in die Zeit vor über 2000 Jahren zurück. Der Hinduismus kennt weder ein gemeinsames Lehrsystem noch einheitliche religiöse Lebensformen; er faßt vielmehr eine bunte Vielfalt verschiedener Kulte und Glaubensrichtungen zusammen. So besitzt er neben den Hauptgöttern **Brahma, Vishnu** und **Shiva** noch eine unüberschaubare Zahl anderer Götter, von denen die meisten nur lokale Bedeutung haben. Als heilig gelten außerdem zahlreiche Tiere (wie Kuh, Affe, Schlange), Pflanzen, Berge, Flüsse und Seen. Auch pflegt der Hinduismus reiche Formen der Frömmigkeit; Wallfahrten (z. B. nach Benares zum heiligen Fluß Ganges), Opfer vor den Götterbildern in Haus und Tempel, religiöse Feste, Fasten und Meditation. Den verschiedenen Glaubensrichtungen gemeinsam ist das Bekenntnis zu dem System der →Kasten und die Lehre von der Seelenwanderung. Danach ist die Seele an das Irdische gefesselt. Die Befreiung geschieht dann, wenn sie aus diesem Gefängnis ausbricht, um sich mit ihrer Urquelle, dem allumfassenden Gott, zu vereinigen. Doch zuvor durchläuft die Seele einen Kreislauf der Wiedergeburten. Je schlechter ihre Taten im vorherigen Leben waren, desto länger und schwieriger ist der Weg zur endgültigen Erlösung.

Hindukusch, Hochgebirge in Innerasien, größtenteils in Afghanistan gelegen. Der Hindukusch, der vielfach Höhen über 7 000 m erreicht (Tirich Mir 7 708 m), bildet die **westliche Fortsetzung des Himalaya.** Schwer überschreitbare Pässe führen über den stark vergletscherten Hauptkamm des Gebirges vom Nordosten des Landes nach Kabul und Vorderindien. Der westliche und nördliche Hindukusch ist trocken, der Südosten reich bewaldet.

Hinkelstein, →Menhir.

Hinterglasmalerei, seitenverkehrte Malerei mit ölhaltigen Farben auf der Rückseite einer Glasscheibe. Auf der Vorderseite erscheint das Bild dann im richtigen Seitenverhältnis. Als gerahmtes Einzelgemälde war das Hinterglasbild im 18. und 19. Jahrh. vor allem in der Volkskunst verbreitet.

Hinterindien, Halbinsel in Südostasien zwischen dem Golf von Bengalen und dem Südchinesischen Meer. Die Halbinsel umfaßt die Staaten Birma, Thailand, Kambodscha, Laos, Vietnam und zum Teil Malaysia. 3 Gebirgsketten (Westbirmanische Ketten, Hinterindische Zentralketten, Kettengebirge von Annam) von 2 000 bis 3 000 m Höhe durchziehen Hinterindien. Zwischen ihnen fließen die großen Ströme Mekong, Menam, Salween und Irrawaddy, die im Süden große fruchtbare Ebenen schaffen. Hier wohnt der größte Teil der Bevölkerung. Auf der Halbinsel herrscht Monsunklima mit jahreszeitlich wechselndem Wind. Je weiter man nach Norden kommt, desto länger dauert die regenarme, kühlere Zeit des Winters; der Süden ist feuchtheiß. Entsprechend sind im Süden bis auf 1 000 m Höhe tropische Regenwälder und im Norden Savannen zu finden. Auf ausgedehnten Anbauflächen wird vor allem Reis angebaut.

Hippokrates, * etwa 460, † 375 v. Chr., griechischer Arzt, der als Begründer der wissenschaftlichen Heilkunde gilt. Er erklärte die Krankheiten als Folgen fehlerhafter Mischungen der Körpersäfte. In Anlehnung an den **Eid des Hippokrates** enthält heute das **Arztgelöbnis** die Berufspflichten eines Arztes. Darin verspricht der Arzt unter anderem, sein Leben in den Dienst der Menschlichkeit zu stellen und die Erhaltung der Gesundheit seiner Patienten zum obersten Gebot seines Handelns zu erheben.

Hirnanhangdrüse, Hypophyse, bei Mensch und Wirbeltieren eine lebenswichtige Drüse; sie liegt an der Schädelbasis und ist durch einen Stiel mit dem Gehirn verbunden. Sie bildet → Hormone verschiedenster Wirkung und ist ein Zentralorgan für die meisten anderen Hormondrüsen, deren Arbeit sie steuert.

Hiroshima [hiroschima], 1,04 Millionen Einwohner, Hafenstadt im Westen der japanischen Hauptinsel Honshu an der Inlandsee. Im Zweiten Weltkrieg wurde 1945 über Hiroshima von den Amerikanern die erste Atombombe abgeworfen; dabei wurden rund 260 000 Menschen getötet und über 160 000 verwundet. Die ausgebrannte Kuppel der alten Handelskammer und das Museum sind Mahnmale gegen den Atomkrieg. Nach der Zerstörung entwickelte sich die Stadt wieder zu einem bedeutenden Industriestandort.

Hirsche, weit verbreitete Familie der → Huftiere. Die meisten Männchen (beim Rentier auch das Weibchen) tragen ein → Geweih, das die Hirsche von den Hornträgern (Rinder, Ziegen, Schafe) unter den Paarhufern unterscheidet. Der

Hirsche:
OBEN Rothirsch;
MITTE Reh;
UNTEN Damhirsch

→ Elch mit seinem Schaufelgeweih ist der größte Hirsch, das → Rentier der einzige Hirsch, der zum Haustier geworden ist.

In Deutschland lebt in größeren Wäldern der **Rothirsch** (auch **Edelhirsch**). Er ist hier das größte Jagdwild. Das Männchen wird 1,5 m hoch, 2,5 m lang und bis 250 kg schwer. Sein Geweih wirft es zum Frühjahr ab; es wächst bis etwa Ende Juli bis Anfang August nach. Da das Geweih alljährlich um 2 Sprossen vergrößert wird, ist ein ›Sechzehnender‹ demnach 8 Jahre alt; er wird noch häufig angetroffen. ›Achtzehnender‹ sind sehr selten, da bei älteren Tieren die Geweihbildung wieder zurückgeht. Zur Brunftzeit (August/September) schreien oder röhren die Männchen, womit sie andere Hirsche zum Kampf herausfordern wollen. Das wesentlich kleinere Weibchen, die Hirschkuh, setzt nach 36 Wochen Tragzeit meist Anfang Juni ein hellgeflecktes Kalb, selten zwei. Hirsche werden bis zu 20 Jahre alt. – Hirsche leben in Rudeln, die von einer älteren Hirschkuh angeführt werden. Die älteren Männchen halten sich meist abseits. Nur in der Dämmerung und Nacht äsen Hirsche Gras, Blätter, Knospen und Zweige und schälen auch Baumrinde, ähnlich wie die verwandten →Rehe. Durch dieses ›Verbeißen‹ können sie erheblichen Schaden an jungen Bäumen anrichten. Da ihre natürlichen Feinde (Bär, Luchs, Wolf) in Deutschland heute fehlen, muß der Jäger den Bestand durch Abschuß begrenzen. Im Sommer sind Rothirsche rotbraun; das dichtere und längere Winterhaar ist graubraun und tarnt sie gut im kahlen Wald.

Der kleinere **Damhirsch** mit schaufelartigem Geweih, der ursprünglich auch in Europa heimisch war, wurde wieder angesiedelt. Er lebt heute in waldigen Parklandschaften; hier kann er sehr zahm werden, während er in freier Wildbahn äußerst scheu ist.

Hirschkäfer

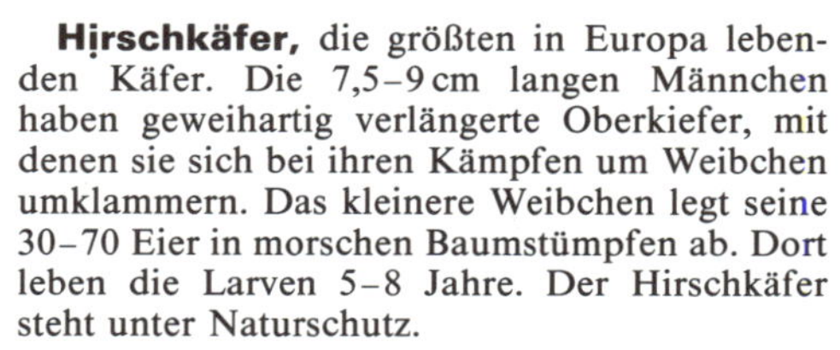

Hirschkäfer, die größten in Europa lebenden Käfer. Die 7,5–9 cm langen Männchen haben geweihartig verlängerte Oberkiefer, mit denen sie sich bei ihren Kämpfen um Weibchen umklammern. Das kleinere Weibchen legt seine 30–70 Eier in morschen Baumstümpfen ab. Dort leben die Larven 5–8 Jahre. Der Hirschkäfer steht unter Naturschutz.

Hirse, ein →Getreide.

Hispaniola, zweitgrößte Insel der Antillen, südöstlich von Kuba. Mehrere parallel verlaufende Gebirgsketten durchziehen die Insel von Westen nach Osten; sie sind durch fruchtbare Senken voneinander getrennt. Das Klima ist tropisch. Die Insel hieß früher **Haiti** (indianisch ›Gebirgsland‹) und ist politisch in die Republik →Haiti im Westen und die →Dominikanische Republik im Osten aufgeteilt.

Die Insel wurde 1492 von Kolumbus entdeckt und Hispaniola (spanisch ›Klein-Spanien‹) genannt. Sie wurde die erste spanische Niederlassung in der ›Neuen Welt‹ und blieb etwa 100 Jahre lang Mittelpunkt der Verwaltung für die spanischen Kolonien. Die eingeborenen Aruak-Indianer wurden ausgerottet; später brachten die Spanier afrikanische Sklaven auf die fruchtbare Insel. Seit dem 17. Jahrh. ließen sich französische Siedler auf dem westlichen Teil der Insel nieder. 1695 wurde dieser Teil französische Kolonie, 1795 auch der östliche Teil.

Hirsche: OBEN Ren; UNTEN Elch

Hitler. Der Politiker **Adolf Hitler** (* 1889, † 1945) gewann als Vorsitzender der Nationalsozialistischen Deutschen Arbeiterpartei (NSDAP) in der Krise der Weimarer Republik eine große Anhängerschaft. Gestützt auf seine Partei, errichtete er als Reichskanzler (1933–45) in Deutschland eine Diktatur und löste 1939 den Zweiten Weltkrieg aus.

Hitler wurde in Braunau in Oberösterreich geboren, lebte lange Zeit in Wien, siedelte 1913 nach Deutschland (München) über und kämpfte im Ersten Weltkrieg in einem bayerischen Freiwilligen-Regiment.

Nach dem Krieg wandte sich Hitler mit demagogischer Beredsamkeit gegen die Erfüllung der im Versailler Vertrag von 1919 Deutschland auferlegten Friedensbedingungen. Zugleich vertrat er eine radikale Judenfeindschaft (Antisemitismus). Mit einem Putschversuch (1923) suchte er vergeblich, von München aus die deutsche Reichsregierung in Berlin zu stürzen. Danach zu Festungshaft verurteilt, schrieb er im Gefängnis (bis 1924) sein programmatisches Buch ›Mein Kampf‹.

Im Zug der Weltwirtschaftskrise, die mit ihren Folgen (Massenarbeitslosigkeit) auch Deutschland ergriff und die Weimarer Republik in eine schwere Krise stürzte, wußte sich Hitler (seit 1932 deutscher Staatsbürger) als aktivster Verfechter deutscher Interessen darzustellen und die NSDAP zu einer Massenbewegung zu machen. Bei den Reichspräsidentenwahlen 1932 gewann er 13,4 Millionen Stimmen, unterlag jedoch dem amtierenden Reichspräsidenten Paul von Hindenburg (19,3 Millionen Stimmen).

Nach längerem Widerstreben ernannte Reichspräsident Hindenburg am 30. Januar 1933 Hitler zum Reichskanzler. Unterstützt von Ausschreitungen der →SA, errichtete er mit ›Notverordnungen‹ und dem →Ermächtigungsgesetz eine Diktatur, in der viele Menschen wegen ihrer Herkunft (besonders die Juden, auch Zigeuner) sowie wegen ihres religiösen und politischen Bekenntnisses (vor allem Sozialdemokraten und Kommunisten) verfolgt wurden. Mit der Vereinigung der Ämter des Reichspräsidenten und des Reichskanzlers gewann er als ›Führer und Reichskanzler‹ zusätzlich weitere persönliche Macht. Mit den ›Rassegesetzen‹ trieb er sein judenfeindliches Programm voran.

In seiner Außenpolitik strebte Hitler schon früh danach, auf Kosten anderer Völker neuen deutschen Siedlungsraum im Osten zu erobern. Vor der Öffentlichkeit stellte er die Gleichberechtigung Deutschlands unter den Großmächten als sein Ziel heraus. Nach dem Anschluß Österreichs an das Deutsche Reich (1938) und der Zerschlagung der Tschechoslowakei (1938/39) löste er mit dem Angriff auf Polen im September 1939 den Zweiten Weltkrieg aus.

Die Erfolge der deutschen Streitkräfte zu Beginn des Kriegs bestärkten ihn in seinem Glauben an seine eigenen militärischen Führungsfähigkeiten. 1941 befahl er den Angriff auf die Sowjetunion und leitete 1942 mit der →Endlösung der Judenfrage eine systematische Ausrottungspolitik gegenüber den europäischen Juden ein. 1944 schlug der Versuch einer Gruppe von Widerstandskämpfern fehl, Hitler zu töten und sein Herrschaftssystem zu beseitigen.

Angesichts der Niederlage Deutschlands, die sich seit 1942/43 angebahnt hatte (→Weltkriege), nahm sich Hitler 1945 das Leben.

Adolf Hitler

Hitler-Jugend, Abkürzung **HJ,** 1926–45 die nationalsozialistische Jugendorganisation, die 1936 zur (allein zugelassenen) Staatsjugend erklärt wurde. Sie umfaßte: **Deutsches Jungvolk** (10–14jährige Jungen) und **Deutsche Jungmädel** (10–14jährige Mädchen), die eigentliche **HJ** (14–18jährige Jungen) und **Bund Deutscher Mädel (BDM;** 14–18jährige Mädchen).

Hitzeschild. Beim Eintauchen von aus dem Weltraum zurückkehrenden Raumflugkörpern in die Lufthülle der Erde entwickelt sich eine hohe Reibungswärme, die bei ungeschützter Außenhaut zum Verglühen des Flugkörpers führen kann. Deshalb sind die gefährdeten Teile eines Raumfahrzeugs mit Keramikplatten verkleidet, die die Reibungswärme aufnehmen (absorbieren) oder ableiten.

hl, Einheitenzeichen für **Hektoliter,** 1 hl = 100 l (→Liter).

Hoch, Hochdruckgebiet, in der Wetterkunde ein Gebiet, in dem im Vergleich zu seiner Umgebung hoher Luftdruck herrscht. Die Luft fließt am Boden aus einem Hoch spiralförmig heraus, weil sie, ebenso wie beim Einströmen in ein →Tief, durch die Erddrehung aus der geraden Richtung abgelenkt wird, und zwar auf der Nordhalbkugel mit, auf der Südhalbkugel entgegen dem Uhrzeigersinn. Das Ausfließen am Boden hat im Kern eines Hochs absteigende Luftbewegung zur Folge. Dies wiederum führt zur Erwärmung der Luft und zur Auflösung von Wolken. Im Kern eines Hochs herrscht daher meist sonniges Wetter mit tiefblauem Himmel. Man unterscheidet kalte und warme Hochdruckgebiete.

Ein **Kältehoch** besteht aus kalter Luft, die wegen ihres großen Gewichts (→Luft) stärker auf die Unterlage drückt, also einen höheren Luftdruck am Boden erzeugt, als Warmluft. Im Winter können in einem Kältehoch, wenn es für längere Zeit bestehen bleibt, auch in Mitteleuropa extrem niedrige Temperaturen auftreten: Da keine schützende Wolkenschicht vorhanden ist, strahlt die Erde in der Nacht ihre Wärme in den Weltraum ab. Im Sommer werden dagegen in einem solchen Hochdruckgebiet, obwohl es im Vergleich zur Umgebung kühlere Luftmassen enthält, häufig sehr hohe Temperaturen gemessen, da die Sonne ungehindert einstrahlen kann. Reine Kältehochs treten vor allem im Gebiet um die Pole und über großen Landmassen der Nordhalbkugel auf, z. B. über Sibirien und Kanada.

In Mitteleuropa findet man meist einen anderen Typ von kalten Hochdruckgebieten: das **Zwischenhoch,** die Zone relativ hohen Luftdruckes zwischen wandernden Tiefdruckgebieten. Von den Kältehochs werden die warmen, **dynamischen Hochdruckgebiete** unterschieden, die vorwiegend im Bereich der Subtropen auftreten, besonders im Sommer aber auch das Wetter in Mitteleuropa beeinflussen. Sie enthalten über einer bodennahen Schicht kühler Luft eine bis in mehrere tausend Meter Höhe reichende Warmluft und verändern meist über lange Zeit ihre Lage nur wenig.

Ho Chi Minh [hotschimin], * 1890, † 1969, seit 1930 der führende kommunistische Politiker Indochinas. Er bekämpfte die französische Kolonialherrschaft in Indochina. 1945 rief er – allerdings ohne bleibenden Erfolg – die ›Demokratische Republik Vietnam‹ aus. An der Spitze einer Untergrundbewegung (›Vietminh‹) gelang es Ho Chi Minh in einem Kleinkrieg gegen französische Streitkräfte, Frankreich zur Aufgabe seiner Herrschaft in Indochina zu zwingen. Er konnte jedoch nur in Nordvietnam einen Staat nach eigenen Vorstellungen schaffen. Diesem Staat stand er bis 1969 als Präsident vor. Gestützt auf die kommunistisch gesinnte ›Partei der Werktätigen‹ baute er eine Diktatur auf; viele Vietnamesen, die mit dieser Entwicklung nicht einverstanden waren, flüchteten nach Südvietnam.

Ziel Ho Chi Minhs war es jedoch nach wie vor, ganz Vietnam unter der Herrschaft seiner Partei zu vereinen. Daher unterstützte er die kommunistische Untergrundbewegung in Südvietnam (›Vietcong‹), die gegen die dortige Regierung kämpfte. In diesem Krieg (→ Vietnam-Krieg) geriet er in einen schweren Gegensatz zu den USA, die der südvietnamesischen Regierung mit eigenen Truppen zu Hilfe gekommen waren.

Ho-Chi-Minh-Stadt [hotschimin-], 3,56 Millionen Einwohner, südostasiatische Industriestadt in Vietnam, nördlich des Mekong-Deltas. Bis 1976 hieß die Stadt **Saigon** und war Hauptstadt der ehemaligen Republik Südvietnam.

Hochofen, bis 40 m hoher, turmförmiger Ofen, in dem aus Eisenerzen Roheisen erschmolzen wird. Wegen der hohen Schmelztemperaturen (bis 1450 °C) ist der stählerne Hochofen von außen wassergekühlt und innen mit feuerfesten Steinen ausgekleidet. Er bildet innen einen Schacht, der von oben, der ›Gicht‹, schichtweise mit Eisenerz und bestimmten Zuschlägen (›Möller‹) sowie mit Koks beschickt wird. Der ständig brennende Koks wird durch eingeblasene Heißluft, den Blaswind, der aus den Winderhitzern kommt, so hoch erhitzt, daß im Überschuß Kohlenmonoxid (CO) gebildet wird. Dieses CO reduziert das Erz, das heißt, es entzieht dem Eisenoxid den Sauerstoff, so daß sich eine Schmelze aus (noch verunreinigtem) Eisen bildet. Die Schmelze sammelt sich am Boden, der ›Rast‹, des Hochofens; auf der Schmelze schwimmt die aus den Zuschlägen und Verunreinigungen stammende Schlacke. Eisen und Schlacke werden alle 3–6 Stunden abgelassen (›abgestochen‹), das Roheisen gelangt in Transportpfannen meist direkt in die Gießerei oder in das Stahlwerk zur Weiterverarbeitung. Die abgestochene Schlacke kann zu Zement oder Straßenbaumaterial verarbeitet werden. Das aus dem Hochofen ausströmende Gas, das ›Gichtgas‹, wird zur Beheizung der Winderhitzer wiederverwendet. Aus einem modernen Hochofen werden täglich bis zu 11000 t Roheisen gewonnen. (BILD Seite 47)

Hochsprung, leichtathletische Disziplin, bei der eine möglichst große Höhe (eine Latte zwischen 2 Sprungständern) nach einem Anlauf zu überwinden ist. Bei der heute üblichen Technik, dem **Fosbury Flop,** springt der Hochspringer ab und schnellt den Körper mit einer seitlichen Drehung rückwärts über die Latte. Hinter der Latte dämpft der Aufsprunghügel, heute meist eine rechteckige, 80 cm dicke Kunststoffmatte in den Maßen 5 × 4 m, den Aufprall des Springers. Der Springer hat 3 Versuche, eine Höhe zu bewältigen. Die einzige Regel für die Ausführung eines Sprungs gebietet dem Springer, mit nur einem Fuß abzuspringen. – Seit 1896 ist Hochsprung olympische Disziplin für Herren, seit 1928 auch für Damen.

Hoch- und Landesverrat. Hochverrat begeht, wer gewaltsam die auf dem Grundgesetz beruhende innere Ordnung der Bundesrepublik Deutschland zu beseitigen sucht oder den Staat unter fremde Herrschaft bringen will. **Landesverrat** begeht, wer Staatsgeheimnisse unbefugt weitergibt und dadurch die äußere Sicherheit (z. B. die Landesverteidigung) gefährdet. Beide Delikte werden sehr hart bestraft. Ähnliche Strafvorschriften gelten in Österreich und der Schweiz.

Hochzahl, Mathematik: → Potenz.

Hockey [hokki] wird von 2 Mannschaften zu je 11 Spielern gespielt. Beide Mannschaften ver-

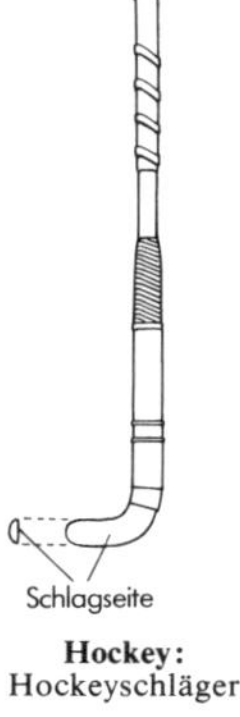

Hockey: Hockeyschläger

Roheisenerzeugung im **Hochofen**

suchen, den Hockeyball mit dem Hockeyschläger in das gegnerische Tor zu treiben. Es gibt Hockey als Feldhockey und als Hallenhockey.

Beim **Feldhockey** ist das Spielfeld 91,40 m lang und 50–55 m breit. Die beiden Tore an den Spielfeldendlinien sind 3,66 m breit und 2,14 m hoch. Vor den Toren ist ein Schußkreis von 14,63 m Radius gezogen. Ein Tor ist nur dann gültig, wenn der Ball zuletzt von einem angreifenden Spieler innerhalb des Schußkreises berührt wurde. Der Hockeyball, ein rund 160 g schwerer Massivball aus Kunststoff oder Leder mit einem Durchmesser von etwa 23 cm, darf nur mit dem Hockeyschläger geschlagen werden. Der Hockeyschläger ist ein bis zu 95 cm langer Stock, dessen unteres Ende gekrümmt und auf einer Seite flach ist. Der Ball darf nur mit der flachen Seite geschlagen werden. Der Torwart ist durch Beinschienen, Brustpanzer, Handschuhe und Gesichtsmaske geschützt. Er darf den Ball mit dem ganzen Körper berühren. Wie beim Handball und Fußball gibt es Eckbälle. Bei Regelverstößen werden Freischläge verhängt. Bei absichtlichen Regelverstößen innerhalb der eigenen Spielhälfte gibt es eine Strafecke. Wird durch ein schweres Foul ein Tor verhindert, gibt es ähnlich dem Strafstoß beim Fußball einen Schlag von der Sieben-Meter-Marke auf das Tor. Zeitstrafen und Platzverweis drohen bei fortgesetztem rohen Spiel oder grober Unsportlichkeit. Wie im Fußball gibt es →Abseits.

Im **Hallenhockey** gelten ähnliche Regeln. Hier darf der Ball aber mit der Hand gestoppt werden. Eckbälle und Abseits entfallen. Die Zahl der Spieler für jede Mannschaft ist auf 5 Feldspieler und einen Torwart begrenzt. Zusätzlich gehören zu jeder Mannschaft 6 Auswechselspieler. Die Spielfläche mißt 36–44 m in der Länge, 18–22 m in der Breite. – Feldhockey ist seit 1908 für Herren, seit 1980 für Damen olympische Disziplin.

Hoden, männliche Keimdrüse, in der die Samenzellen gebildet werden (→Geschlechtsorgane).

Hofer. Nach der Niederlage Österreichs gegen Napoleon I. (1805) mußte Österreich Tirol an Bayern, das mit Napoleon verbündet war, abtreten. Der Gastwirt **Andreas Hofer** (* 1767, † 1810) ist zur Symbolfigur des Tiroler Freiheitskampfes gegen Bayern und Franzosen geworden. Seine Heimatliebe beruhte auf der Treue zur österreichischen Dynastie und zur alten Tiroler Verfassung. 1809 führte Hofer den Aufstand der Tiroler Bevölkerung gegen die Bayern. Nach den Siegen über Bayern und Franzosen am Berg Isel bei Innsbruck übernahm er die Militär- und Zivilverwaltung bis zum Frieden von Wien (1809). Als Österreich erneut auf Tirol verzichtete, setzte Hofer den Kampf fort. Durch Verrat geriet er jedoch in Gefangenschaft und wurde auf Befehl Napoleons in Mantua erschossen.

Hoffmann. Mit seiner Erzählkunst hat **Ernst Theodor Wilhelm Hoffmann** (* 1776, † 1822), der sich aus Bewunderung für Wolfgang Amadeus Mozart **E. T. A. (Amadeus) Hoffmann** nannte, der deutschen →Romantik Weltgeltung verschafft. Von Beruf Jurist, machte er sich als Dichter, Komponist und Zeichner einen Namen. Er arbeitete zeitweise als Musikdirektor, Regisseur, Bühnenmaler und als Kapellmeister. In seiner Erzählprosa, z. B. in ›Der goldene Topf‹ (1814), schildert er den Zusammenstoß von Phantasie und Wirklichkeit. Die Grenzen zwischen Sein und Schein, Wachen und Traum werden fließend. Hoffmann, dessen Werke Dämonisches und Spukhaftes, aber auch Groteskes enthalten, wurde in Deutschland und Frankreich zunächst als ›Gespenster-Hoffmann‹ bekannt. In seinem Roman ›Die Elixiere des Teufels‹ (2 Bände, 1815–16) und in den ›Nachtstücken‹ (1817) gestaltete er eine düstere Welt des Grauenvollen und Gespenstischen. Er schrieb auch Märchen wie ›Klein-Zaches‹ (1819) und ›Meister Floh‹ (1822) und den Roman ›Lebensansichten des Katers Murr‹ (2 Bände, 1820–22). Eine Reihe von Erzählungen faßte er in der Sammlung ›Die Serapions-Brüder‹ (4 Bände, 1819–21) zusammen. Auf 3 Erzählungen des Dichters beruht die Oper ›Hoffmanns Erzählungen‹ von Jacques Offenbach. Als Komponist gehörte Hoffmann zu den Vorläufern der musikalischen Romantik.

Hoffmann von Fallersleben. So nannte sich nach seinem Geburtsort Fallersleben bei Braunschweig der Dichter **August Heinrich Hoffmann** (* 1798, † 1874). Er ist der Verfasser des Deutschlandliedes (1841). Hoffmann wurde von der preußischen Regierung für 6 Jahre des Landes verwiesen, weil er in seiner Gedichtsammlung ›Unpolitische Lieder‹ (1840/41) Mißstände im Staat aufgezeigt hatte. Er gab Volkslieder heraus und schrieb selbst volkstümliche Lieder und Kinderlieder, z. B. ›Alle Vögel sind schon da‹ und ›Winter ade‹.

Hofmannsthal. Das Schauspiel ›Jedermann‹ (1911) des österreichischen Dichters **Hugo von Hofmannsthal** (* 1874, † 1929), eine Wiederbelebung des mittelalterlichen geistlichen Dramas, ist seit 1926 Kern der Salzburger Festspiele. Schon als Jugendlicher machte sich Hofmannsthal durch schwermütige Gedichte und Dramen um den Tod wie ›Der Tor und der Tod‹ (entstanden 1893) einen Namen. Seit ›Elektra‹ (1903) bemühte er sich um eine moderne Deutung antiker Stoffe. Mit dem ›Salzburger Großen Welttheater‹ (1922) setzte er die Überlieferung des österreichischen Barocktheaters fort. Hofmannsthal fand in Gesellschaftskomödien wie ›Der Schwierige‹ (1921) die ihm wesensgemäße dramatische Form. Für viele Opern des Komponisten Richard Strauss schrieb er die Texte (z. B. ›Der Rosenkavalier‹, 1911).

Höhenmesser. Ein Barometer, dessen Skala eine geeichte Metereinteilung besitzt, bezeichnet man als **barometrischen Höhenmesser.** Das Meßprinzip beruht auf der Tatsache, daß der Luftdruck mit zunehmender Höhe fällt, bis in 8 000 m Höhe etwa 1 Hektopascal (hPa) pro 7,5 m Höhenunterschied. Da sich der Luftdruck am Boden von Ort zu Ort und mit der Wetterlage ändert, muß dieser zur genauen Höhenmessung bekannt sein.

In Flugzeugen dient der barometrische Höhenmesser zur Bestimmung der Flughöhe über Meereshöhe. Der Abstand zum Erdboden wird mit elektrischen Höhenmessern (→Radar) bestimmt, die in ähnlicher Weise wie das Echolot funktionieren.

Für den Geographen ist der barometrische Höhenmesser ein Meßinstrument, um bei der Erstellung einer Landkarte wichtige Punkte (z. B. Berge und Stauseen) vermessen zu können. Dem Wanderer im Gebirge gibt er die Möglichkeit, seine Höhe über →Normalnull festzustellen.

Höhensatz, eine aus dem →Pythagoreischen Lehrsatz abgeleitete Regel der Geometrie.

Hohenstaufen, deutsches Fürstengeschlecht im Mittelalter (→Staufer). Die Stammburg, nach der das Geschlecht benannt ist, lag auf dem **Hohenstaufen,** einem Kalkberg (684 m hoch) zwischen Göppingen und Schwäbisch Gmünd vor der Schwäbischen Alb. Die Burg wurde im 16. Jahrh. zerstört.

Höhenstrahlung, die →kosmische Strahlung.

Hohenzollern. Am Rand der Schwäbischen Alb, südlich von Hechingen (Baden-Württemberg), auf dem Zollerberg, liegt die Burg Hohenzollern. Ihre Geschichte reicht bis ins 12. Jahrh. zurück, ebenso wie die Geschichte des gleichnamigen Fürstengeschlechts, das erstmals 1061 bezeugt ist und 1191 die Burggrafschaft Nürnberg zu Lehen erhielt. Schon im 13. Jahrh. teilten sich die Hohenzollern in eine **Fränkische Linie,** die später evangelisch wurde und der die Könige von Preußen und somit zwischen 1871 und 1918 die deutschen Kaiser entstammten, und in eine **Schwäbische Linie,** die katholisch blieb.

Die Fürstentümer der Schwäbischen Linie kamen 1849 an Preußen. Prinzen dieser Linie spielten in der zweiten Hälfte des 19. Jahrh. eine Rolle in der europäischen Politik, so Prinz Karl, der 1866 Fürst von Rumänien wurde, und Prinz Leopold, der sich 1870 um die spanische Krone bewarb, ein Vorgang, der den Ausbruch des Deutsch-Französischen Krieges von 1870/71 mit verursachte.

Die Fränkische Linie stellte die Burggrafen von Nürnberg, die 1415 (endgültig 1417) mit dem Kurfürstentum Brandenburg belehnt wurden. 1618 wurde das Herzogtum Preußen mit diesem vereinigt. 1701 erlangte Kurfürst Friedrich III. als Friedrich I. die Würde eines ›Königs in Preußen‹. Seinen Nachkommen, König Wilhelm I., wählten die deutschen Fürsten 1871 zum deutschen Kaiser.

Hohes Venn, Mittelgebirgsrücken südlich von Aachen, höchster Teil der Ardennen an der Grenze zur Eifel. Im **Botrange** erreicht der Gebirgszug 692 m Höhe. Der breite und vermoorte Rücken ist mit Fichten aufgeforstet. Im Innern ist das Hohe Venn wenig besiedelt. Die Hauptorte liegen am Rand: in Belgien Spa, Malmédy und Eupen, in der Bundesrepublik Deutschland Monschau.

Höhlen, größere Hohlräume im Gestein. Sie sind entweder mit dem Gestein zugleich entstanden, wenn sich etwa in magmatischen Gesteinen große Gasblasen ansammelten, oder nachträglich gebildet worden. Die größten Höhlen entstehen in Kalkgestein, wo in zahlreichen Rissen und Spalten kohlensäurehaltiger Niederschlag versickert, der den Kalk löst **(Karsthöhlen).** Durch herabtropfendes Wasser können sich in solchen Höhlen **Tropfsteine** bilden (→Tropfsteinhöhle). **Brandungshöhlen** werden von der Brandung des Meeres an Steilküsten geschaffen. **Eishöhlen** entstehen, wo die sommerliche Erwärmung nicht ausreicht, um das im Winter gebildete Höhleneis vollständig abzuschmelzen. **Höhlenwasser** stammt zumeist von der Erdoberfläche; es bildet zum Teil Höhlenflüsse.

Höhlentiere (Höhlenfische, Spinnen, einige Insekten, der Grottenolm) haben, da sie immer im Dunkeln leben, kaum Pigmente; die Augen sind in der Regel stark zurückgebildet, jedoch ist ihr Tastsinn oft gut ausgeprägt.

Dem Menschen der →Altsteinzeit dienten Höhlen vielfach als Wohnplätze und Zufluchtsorte.

Höhlenmalerei, →Altsteinzeit.

Hohlspiegel, ein gewölbter →Spiegel, bei dem die ›hohle‹ Fläche dem Licht zugewandt ist.

Hohltiere, einfach gebaute, vielzellige wirbellose Wassertiere, deren bedeutendste und formenreichste Gruppe die →Nesseltiere sind.

Holbein. Der Maler und Zeichner **Hans Holbein der Ältere** (* um 1465, † 1524) aus Augsburg war ein Meister der deutschen Spätgotik, nahm aber auch schon Elemente der Renaissancekunst auf. Er schuf große Altarwerke, Einzeltafeln, Porträts, Zeichnungen und Entwürfe für Glasgemälde. Naturgetreu gab er alle Einzelheiten wieder, den von ihm Porträtierten verlieh er darüber hinaus einen feierlichen, idealen Ausdruck. Ein noch bedeutenderer Porträtmaler war sein Sohn **Hans Holbein der Jüngere** (* 1497, † 1543), der zuerst lange in Basel, später in England lebte, wo er Hofmaler Heinrichs VIII. wurde. Auf einer Italienreise lernte er die Renaissancekunst kennen und nahm ihre Formen in seinen Stil auf. Neben Fresken, von denen nur wenige erhalten sind, entstanden in Basel Altarbilder, graphische Arbeiten, unter denen die Holzschnitte zum Thema ›Totentanz‹ herausragen, und vor allem Porträts, die sich durch plastische Lebensechtheit auszeichnen, darunter mehrere des Humanisten Erasmus von Rotterdam. Auch aus seiner Zeit in England sind vor allem Porträts überliefert. Hier malte er z. B. die englische Königsfamilie.

Hölderlin. Erst zu Beginn des 20. Jahrh. wurde der Dichter **Friedrich Hölderlin** (* 1770, † 1843) wieder entdeckt. Bestimmend waren für Hölderlin das Griechentum und dessen Mythologie, die Idee der Kunst, aber auch die Ideale der Französischen Revolution. Anfangs schrieb er Natur- und Liebesgedichte in antiken Versmaßen, später große Elegien (›Brot und Wein‹, ›Der

Friedrich Hölderlin

Holunder: Schwarzer Holunder, OBEN blühend, UNTEN Fruchtstand

Archipelagus‹), in denen er seine Hoffnung auf eine im klassischen Griechenland vorgebildete, schönere Zeit zum Ausdruck bringt. In seinen Hymnen (›Der Rhein‹, ›Friedensfeier‹) fragt Hölderlin nach der Bestimmung der abendländischen Völker und Menschen. Er schrieb auch den Briefroman ›Hyperion‹ (2 Bände, 1797–99), der gekennzeichnet ist durch Sehnsucht nach dem Einssein mit der Natur und nach der griechischen Welt, und das Drama ›Der Tod des Empedokles‹ (1798–1800). Hölderlin, der Theologie studiert hatte, aber nie Pfarrer werden wollte, verdiente seinen Lebensunterhalt als Hauslehrer. Nach ersten Anzeichen geistiger Erkrankung verbrachte er ab 1807 den Rest seines Lebens im Haus eines Tübinger Tischlers.

Holland, der Westteil der Niederlande mit den beiden Provinzen Nord- und Südholland; umgangssprachlich auch für die Niederlande insgesamt gebraucht.

Hölle, in zahlreichen Religionen der Ort der ewigen Verdammnis und Strafe nach dem Tod. Nach christlicher Lehre kommen jene Menschen in die Hölle, die ihr Leben bewußt im Widerspruch zu Gott geführt haben. Heutige Theologen deuten das ›In-der-Hölle-sein‹ als Zustand des Fernseins von Gott und des endgültigen Scheiterns eines Menschen.

Hollywood [holliwud], Stadtteil von Los Angeles in Kalifornien, Sitz vieler Filmgesellschaften und Zentrum der Filmindustrie in den USA. Das erste Filmstudio entstand um 1911; heute werden fast ¾ der amerikanischen Spielfilme hier gedreht.

Holmium, Zeichen **Ho,** →chemische Elemente, ÜBERSICHT.

Holographie [von griechisch holos ›ganz‹ und graphein ›schreiben‹], von Dennis Gabor seit 1948 entwickeltes Verfahren der Bildaufzeichnung und -wiedergabe, das im Unterschied zur konventionellen Photographie die Speicherung und Wiedergabe von Bildern mit dreidimensionaler Struktur ermöglicht.

Holozän, →Erdgeschichte, ÜBERSICHT.

Holstein, →Schleswig-Holstein.

Holsteinische Schweiz, wald- und seenreiche Landschaft in Schleswig-Holstein zwischen Kiel und Lübeck. Die Gletscher der letzten Eiszeit hinterließen hier eine kuppige, unruhige Oberfläche. Im Bungsberg, der höchsten Erhebung Schleswig-Holsteins, erreicht sie 168 m Höhe. Der ständige Wechsel von Wasserflächen und waldbestandenen Hügeln macht den besonderen Reiz dieser Landschaft aus, die um die Hauptorte Plön, Malente und Eutin zu einem vielbesuchten Fremdenverkehrsgebiet geworden ist.

Holunder, zwei verschiedene Sträucher. Der **Schwarze Holunder,** dessen krumme, kantige Äste eine tiefrissige Rinde haben, wächst in Wäldern, Gebüschen und Parkanlagen. Seine stark duftenden, weißen Blüten stehen in großen, schirmartigen Blütenständen zusammen. Getrocknete Blüten dienen als Tee gegen Erkältungskrankheiten (›Fliedertee‹). Die reifen, schwarzen Früchte schmecken roh fad und können in größerer Menge Übelkeit und Erbrechen verursachen. Sie werden zu Saft, Marmelade, Gelee und Wein verarbeitet.

Der **Rote Holunder** mit schwach duftenden, grünlichgelben, traubenförmigen Blütenständen, roten Beeren und warziger Rinde wächst vorwiegend in Gebirgswäldern.

Holz, hartes Gewebe der Bäume und Sträucher. Es setzt sich vor allem aus →Cellulose, celluloseähnlichen Stoffen und dem Holzstoff Lignin zusammen. Es hat sowohl die Aufgabe der Festigung und Stoffleitung (Wasser- und Nährstofftransport) wie auch die der Stoffspeicherung. Der Geruch von frisch geschlagenem Holz stammt von Harzen, Gerbstoffen und Terpentinöl, je nach Holzart. Bei Holz mit einem Feuchtigkeitsgehalt von bis zu 30% setzt durch Pilze und Bakterien sehr schnell eine Vermoderung ein, wogegen Holzschutzmittel schützen. Holz ist mengenmäßig gesehen das häufigste organische Naturprodukt; ⅓ der Festlandsoberfläche der Erde wird von Wäldern bedeckt.

Bis zur Mitte des 19. Jahrh. wurde Holz vor allem als Energielieferant verwendet, entweder direkt als Brennholz zur Wärmeerzeugung oder in Form der aus ihm hergestellten Holzkohle in Industrie und Gewerbe. Auf Grund seines hohen Sauerstoffgehalts (45%) ist sein Heizwert im Vergleich zu Kohle und Heizöl gering. Die größte Rolle spielt Holz noch heute als Baumaterial, für die Möbelherstellung und als Rohstoff für Zellstoff und Papier.

Holz besitzt hohe Festigkeit und Wärmedämmung sowie ein geringes Gewicht. Es läßt sich vielfältig bearbeiten. Weiche Nutzhölzer sind z. B. Tanne, Fichte, Linde und Pappel. Zu den harten Nutzhölzern gehören Eiche, Buche, Ulme und einige Obstbaumhölzer. Außerordentlich leicht und elastisch ist das Holz des Balsabaums (→Balsa).

Holzblasinstrumente, →Blasinstrumente.

Holzbock, eine →Zecke.

Holzschnitt, die Kunst, eine Zeichnung in eine Holzplatte zu schneiden, auch der von dieser nachher auf Papier abgezogene Druck. Auf das geglättete Holz zeichnet der Künstler zunächst das Bild vor. Mit einem Messer oder Stichel wird anschließend so viel Holz aus der Platte ausgehoben, daß die Zeichnung in Form von erhabenen

Holzschnitt: Heilige Dorothea; bayerisch, Anfang 15. Jahrh.

Stegen oder Flächen stehenbleibt. Von diesen stehengebliebenen, ›hohen‹ Teilen des Holzstocks wird der Abdruck genommen, deshalb nennt man dieses Verfahren **Hochdruck,** im Unterschied zum Tiefdruck des Kupferstichs und dem Flachdruck der Lithographie (→Druckverfahren). Gedruckt wurde mit der Hand oder einem Lederballen, später mit der Druckerpresse. Nach der Erfindung des Buchdrucks (auch ein Hochdruckverfahren) bot sich der Holzschnitt für Buchillustrationen an. Bedeutende Künstler waren z. B. Albrecht Dürer und Lucas Cranach der Ältere. Holzschnitte waren auch in China und Japan sehr verbreitet, vor allem in der Form des **Farbholzschnitts.** Hierfür braucht man mehrere Druckplatten, die unterschiedlich eingefärbt und übereinandergedruckt werden.

Holzwürmer, im Holz vorkommende Tiere und deren Larven. Der **Klopfkäfer** (auch **Totenuhr**) erzeugt Klopfgeräusche, indem er den Kopf auf den Boden des Gangs schlägt, den er ins Holz gefressen hat.

Homer, griechischer Dichter, der im 8. Jahrh. v. Chr. in dem von Ioniern besiedelten Teil von Kleinasien lebte. Ihm schrieben die alten Griechen die beiden Dichtungen →Ilias und →Odyssee zu, die am Anfang der großen epischen Dichtung des Abendlandes stehen. In ihnen ist eine viele Jahrhunderte zurückreichende Überlieferung zusammengefaßt, und die Götterwelt erhielt eine für alle Griechen gültige Ordnung.

Homo [lateinisch ›Mensch‹, ›Mann‹], im biologischen System die wissenschaftliche Bezeichnung für die Gattung →Mensch.

Homöopathie [zu griechisch homoios ›ähnlich‹], Heilmethode, die vorzugsweise natürliche Heilmittel aus dem pflanzlichen, tierischen und mineralischen Bereich verwendet. Die Homöopathie folgt in der Auswahl ihrer Heilmittel der ›Ähnlichkeitsregel‹. Diese sagt, daß ein Arzneimittel, das in hohen Dosen bei einem gesunden Menschen bestimmte Krankheitszeichen (Symptome) hervorruft, in verdünnter Form eine Krankheit mit ähnlichen Symptomen heilen kann. Deshalb werden in der Homöopathie die Arzneimittel in abgestuften Verdünnungen verabreicht.

Homosexualität, sexuelle Neigung zu gleichgeschlechtlichen Partnern. Über die Gründe für die Entstehung der Homosexualität gibt es lediglich Theorien, z. B., daß Homosexualität in der frühkindlichen Entwicklung angelegt sei, durch Einflüsse der sozialen Umwelt gefördert werde oder von Änderungen im Hormonhaushalt hervorgerufen sein könnte. Homosexuelle Handlungen männlicher Erwachsener mit Jugendlichen unter 18 Jahren sind vom Gesetzgeber (nach § 175 Strafgesetzbuch) unter Strafe gestellt.

Sexuelle Beziehungen zwischen Frauen bezeichnet man als **lesbische Liebe,** benannt nach der griechischen Insel Lesbos, auf der in der Antike die griechische Dichterin Sappho mit einem Kreis junger Mädchen zusammenlebte.

Honduras

Fläche: 112 088 km²
Bevölkerung: 5,2 Mill. E
Hauptstadt: Tegucigalpa
Amtssprache: Spanisch
Nationalfeiertag: 15. Sept.
Währung: 1 Lempira (L) = 100 Centavos
Zeitzone: MEZ –7 Stunden

Honduras, eine Republik in Zentralamerika, etwa so groß wie Bulgarien. Im Westen grenzt Honduras an Guatemala und El Salvador, im Süden an Nicaragua. Der Anteil an der Küste des

Holzschnitt: Max Beckmann; Frau mit Kerze; 1920

Holzwürmer: Klopfkäfer

Honduras

Staatswappen

Staatsflagge

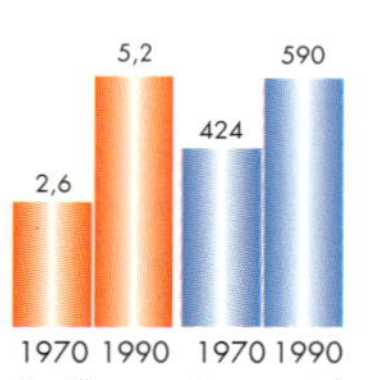

Bevölkerung (in Mill.) Bruttosozialprodukt je E (in US-$)

Stadt Land
44% 56%

Bevölkerungsverteilung 1990

Industrie
Landwirtschaft
Dienstleistung
24% 23% 53%

Bruttoinlandsprodukt 1990

Pazifischen Ozeans ist gering (124 km). Bis auf die Küstenebenen mit ihren weitläufigen Bananenplantagen ist Honduras ein Gebirgsland, unterbrochen durch Talbecken und Hochebenen mit fruchtbaren vulkanischen Böden, auf denen vor allem das Hauptnahrungsmittel Mais sowie die Exportprodukte Kaffee und Tabak angebaut werden. Die Bevölkerung besteht zu 9/10 aus Mischlingen, im Tiefland vorwiegend Mulatten und Zambos, im Bergland Mestizen; die Zahl der Indianer, Schwarzen und Weißen ist gering. Neben der Landwirtschaft, dem wichtigsten Wirtschaftszweig des Landes, haben Bergbau (Blei, Zink, Silber, Gold) und Industrie nur geringe Bedeutung.

Kolumbus landete 1502 an der Karibikküste von Honduras. Früher gehörte das Land zum Kulturgebiet der → Maya. Seit 1828 ist Honduras eine selbständige Republik, deren Geschichte von inneren Unruhen und Kriegen mit den Nachbarn (zuletzt 1969 der durch ein Fußballspiel ausgelöste Krieg mit El Salvador) geprägt war. (KARTE Seite 196)

Hongkong, 5,8 Millionen Einwohner (davon 98 % Chinesen), britische Kolonie an der Südostküste von China; sie umfaßt neben der Insel **Hongkong** mit der Hauptstadt Victoria die Halbinsel **Kowloon,** viele kleine Inseln und mit den **New Territories** ein Stück des chinesischen Festlands. Hongkong entwickelte sich wegen seines großen Naturhafens frühzeitig zu einem der bedeutendsten Seehäfen der Welt und ist heute Mittelpunkt des Handels in Ostasien; viele internationale Firmen, Hotels und besonders Banken haben hier ihre Niederlassungen.

1841/42 mußte China Hongkong an Großbritannien abtreten. Durch einen Pachtvertrag erwarb die britische Regierung 1898 die New Territories auf 99 Jahre hinzu. Auf Grund eines Abkommens mit der Volksrepublik China (1984) will Großbritannien 1997 die gesamte Besitzung an China zurückgeben. Das auf der Marktwirtschaft beruhende Wirtschaftssystem Hongkongs soll darüber hinaus noch lange bestehen bleiben.

Honig, seit Jahrtausenden bekanntes Nahrungsmittel und bis zur Einführung der Zuckerrübe das wichtigste Mittel zum Süßen von Speisen.

Erzeugt wird Honig von → Bienen, indem sie den zuckerhaltigen Saft von Blüten (Nektar) in ihren Honigmägen umwandeln. Dabei entsteht ein Gemisch aus Wasser, Zuckern (vor allem Traubenzucker, Fruchtzucker) und z. B. Enzymen, Aminosäuren, Mineral- und Aromastoffen, Vitaminen und organischen Säuren. Da die Bienen auf ihren Flügen stets auch große Mengen Pollen (Blütenstaub) eintragen, sind diese auch immer im Bienenhonig enthalten. Für 1 kg Honig müssen etwa 100 000 bis 2 Millionen Blüten aufgesucht werden. Frischer Honig ist meist klar, bei längerem Stehen trübt er sich oft, und besonders der Traubenzucker beginnt auszukristallisieren. Dies kann verhindert werden, wenn man dem Honig geringe Mengen Milchsäure zusetzt. Honig wird eine heilende Wirkung bei Erkältungskrankheiten nachgesagt.

Honolulu, 814 000 Einwohner, auf der Insel Oahu gelegene Hauptstadt des Staates Hawaii, USA. Honolulu ist Luftverkehrsknotenpunkt und Haupthafen der Hawaii-Inseln. Die Industrie stellt Nahrungsmittelkonserven (vor allem Ananas), Zucker, Bekleidung und Maschinen her. Östlich von Honolulu liegt der vielbesuchte Badeort **Waikiki,** westlich der Kriegshafen und Flottenstützpunkt **Pearl Harbour.**

Hoorn, Kap Hoorn, die Südspitze Südamerikas. Das Kap liegt auf einer kleinen Insel des chilenischen Teils von Feuerland. Es ist in der Schiffahrt für seine Klippen und die dort oft tobenden schweren Stürme bekannt. Kap Hoorn wurde 1616 von dem Niederländer Willem Cornelisz Schouten entdeckt und nach seiner Vaterstadt benannt.

Hopfen, eine 4–8 m hohe Schlingpflanze, die in Mitteleuropa wild in feuchten Wäldern und an Bachufern wächst. Die Pflanze ist zweihäusig. Angepflanzt werden nur die weiblichen Pflanzen. Man zieht die kletternden Stengel an Schnüren, welche an Draht- und Stangengerüsten aufgehängt sind. Aus den unreifen und unbefruchteten Fruchtständen, den grünlichgelben, zapfenartigen ›Dolden‹, wird das Hopfenmehl gewonnen, das den meisten Biersorten den würzig-bitteren Geschmack verleiht und sie haltbarer macht. Hopfen dient auch als Heilmittel zur Beruhigung bei nervösen Störungen. (BILD Seite 53)

Hopliten [griechisch ›Waffenträger‹], in der griechischen Antike die mit Schwert, Speer, Panzer und Helm schwerbewaffneten Krieger. Sie bildeten die **Phalanx,** die Schlachtreihe der Antike.

Horaz. Der römische Dichter **Quintus Horatius Flaccus** (* 65, † 8 v. Chr.) wurde mit seinen Oden (›Gesängen‹) der Schöpfer der lateinischen Lyrik. Er hat auch die Taten des Kaisers Augustus und das von diesem herbeigeführte ›Goldene Zeitalter‹ besungen. Seine Dichtungen sind vollständig erhalten.

Hörige, →Grundherr.

Horizont [von griechisch horizein ›abgrenzen‹], Grenzlinie zwischen Himmelsgewölbe und Erdoberfläche; auf See wird sie **Kimm** genannt.

Hormone [von griechisch horman ›anregen‹], lebensnotwendige Wirkstoffe, die im Körper von →Drüsen innerer Sekretion, auch von Geweben (Gewebshormone) ins Blut abgesondert werden. Sie wirken schon in kleinsten Mengen anregend oder auch hemmend auf verschiedene Körperfunktionen und beeinflussen Wachstum, Stoffwechsel, Organfunktionen und psychisches Verhalten. Ihr Wirkungsmechanismus zeigt sich am deutlichsten an den krankhaften Erscheinungen, die bei einem zu großen oder zu kleinen Angebot des jeweiligen Hormons entstehen. Eine übergeordnete Hormondrüse ist die →Hirnanhangdrüse. Das Hormon der →Schilddrüse hat eine stoffwechselsteigernde Wirkung, die Nebenschilddrüsen regulieren den Calciumhaushalt. Die Bauchspeicheldrüse greift in den Zuckerstoffwechsel ein (→Zuckerkrankheit), und die weiblichen und männlichen Keimdrüsen produzieren die →Geschlechtshormone. Das Nebennierenrindenhormon Cortison wird als Heilmittel z. B. bei der Behandlung von rheumatischen und allergischen Erkrankungen angewendet.

Horn, 1) chemischer Stoff, der zu den Eiweißen gehört und von den obersten Zellschichten der Haut gebildet wird. Aus Horn bestehen die Schuppen der Kriechtiere (Eidechsen, Schildkröten), die Federn der Vögel, die Hufe und →Hörner, Haare und Krallen der Säugetiere sowie die Finger- und Fußnägel des Menschen. **Hornhaut** nennt man eine dicke Schicht abgestorbener und verhornter Hautzellen, die sich als Hand- und Fußschwielen bilden.

2) sehr altes Blasinstrument mit gekrümmtem, sich konisch erweiterndem Schallrohr. Es wurde ursprünglich aus Tierhorn, später auch aus Metall oder Holz (→Alphorn) gefertigt. Der Ton wird mit den Lippen erzeugt, die vibrierend gegen das Kesselmundstück gepreßt werden. Heute versteht man unter dem Horn nur noch das **Waldhorn;** es besteht aus einem 3,65 m langen, mehrfach gewundenen Metallrohr, das in einem Schallbecher mit 30,5 cm Durchmesser endet. Ursprünglich konnte man mit dem Horn nur bestimmte Naturtöne blasen. Die Erfindung der Ventile im 19. Jahrh. ermöglichte es, durch Zuschaltung kleinerer Rohrstücke die Länge der Luftsäule, die für die Tonhöhe bestimmend ist, zu verändern und somit die chromatische Skala der Halbtöne zu erschließen.

Das Horn ist im Klang das farbigste der Blechblasinstrumente, im Spiel und Ansatz für den Bläser aber auch das schwierigste. Ein besonderer Effekt ist das ›Stopfen‹: Die linke Hand des Spielers wird in die Stürze des Horns eingeführt, und es entsteht ein eigentümlich gepreßter Ton.

Das **Posthorn** und das **Jagdhorn** sind ventillose Naturhörner alten Stils.

Hörnchen, artenreiche, weitverbreitete Familie mittelgroßer →Nagetiere. Nach der Lebensweise unterscheidet man **Baumhörnchen** (→Eichhörnchen), **Erdhörnchen** (→Murmeltier, →Präriehund, →Ziesel) und **Flughörnchen,** die zwischen Vorder- und Hinterbeinen eine Flughaut haben. Beim Sprung können sie damit noch eine gewisse Strecke in der Luft gleiten, jedoch keine Flugbewegungen ausführen.

Hörner, paarige, längliche oder gekrümmte Zapfen an der Stirn vieler Wiederkäuer (Ziege, Rind, Antilope). Hörner bestehen im Innern aus Knochen, dem eine dicke Hornschicht aufgelagert ist. Sie dienen den Tieren als Waffe. Im Unterschied zum →Geweih, das ganz aus Knochen besteht, wachsen Hörner zeitlebens; ein abgebrochenes oder verletztes Horn wird nicht erneuert. Häufig tragen beide Geschlechter Hörner, doch sind die der Männchen kräftiger. Die Hörner der Nashörner bestehen nur aus Hornmaterial.

Hopfen:
Gemeiner Hopfen
(Höhe bis 6 m)

Hornisse, eine große →Wespe.

Hörsinn, →Gehör.

Horus, der Hauptgott der alten Ägypter, der in Gestalt eines Falken verehrt wurde. Er war der Weltbeherrscher und der Gott des Lichts sowie Schutzgott der Könige, der sich in der Person des jeweils regierenden Königs offenbarte. (BILD Seite 54)

Hostie [von lateinisch hostia ›Opfer‹], das ungesäuerte, also ohne Zusatz von Gärmitteln gebackene Weizenbrot, das als scheibenförmige Oblate bei der katholischen Meßfeier und beim Abendmahl in den evangelischen Kirchen gereicht wird. In den orthodoxen Kirchen wird gesäuertes Brot verwendet. Nach katholischem und orthodoxem Glauben ist die geweihte (konsekrierte) Hostie der Leib Christi in Gestalt von Brot.

Hottentotten, zusammenfassender Name für eine Völkerfamilie im südlichen und südwestlichen Afrika. Die Hottentotten nennen sich selbst **Khoi-Khoin** (›Menschen‹). In der Hottentottensprache gibt es, wie auch in den Buschmannsprachen, Schnalzlaute, die mit der Zunge am Gaumen gebildet werden (wie wenn man

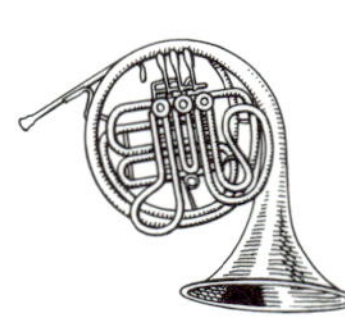

Horn 2:
Waldhorn

Horus

Pferden Takt angibt). In Südafrika gibt es keine Hottentotten mehr. Als einziges Volk haben sich die **Nama** erhalten, die im Süden Namibias leben. Die Hottentotten sind überwiegend Christen.

Houston [hjuhsten], 1,7 Millionen, mit Vororten 3,6 Millionen Einwohner, Stadt in Texas, USA, die bedeutendste Hafen-, Industrie- und Handelsstadt an der amerikanischen Golfküste. Bei Houston liegt das Zentrum der amerikanischen Luft- und Raumfahrtbehörde NASA.

Hovercraft [englisch ›Schwebeschiff‹], → Luftkissenfahrzeug.

hPa, Einheitenzeichen für **Hektopascal,** 1 hPa = 100 Pa (→ Pascal).

Hubraum. Im Zylinder einer Kolbenmaschine bewegt sich der Kolben stets zwischen dem oberen und dem unteren Umkehrpunkt, den **Totpunkten.** In diesen Punkten hat der Kolben jeweils die Geschwindigkeit Null. Der Weg zwischen den beiden Totpunkten wird **Hub** genannt. Als **Hubraum** oder **Hubvolumen** bezeichnet man daher den Raum, der von dem Kolben bei einem Hub verdrängt wird. Bei kleinen Maschinen, z. B. Motorrad- oder Kraftwagenmotoren, gibt man den Hubraum in cm^3 an, bei größeren in Liter. Der gesamte Hubraum einer Kolbenmaschine setzt sich aus den Hubraumwerten aller Zylinder zusammen.

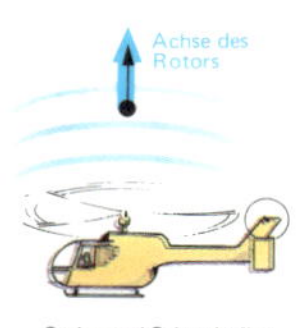

Steig- und Schwebeflug

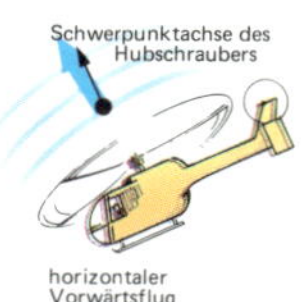

horizontaler Vorwärtsflug

Seitwärts- oder Kurvenflug

Hubschrauber

Hubschrauber, Helikopter, Flugzeug, das keine starren Tragflügel, sondern statt dessen Drehflügel (Rotoren) hat, die von einem oder 2 Verbrennungsmotoren oder Gasturbinen angetrieben werden. Ein Rotor besteht aus 2–5 Rotorblättern. Diese haben im Querschnitt ein Tragflügelprofil, so daß beim Drehen der Rotorblätter ein Auftrieb erzeugt wird. Daher kann der Hubschrauber senkrecht starten und landen, im Schwebeflug an einer Stelle verharren und rückwärts und seitwärts fliegen. Die Beweglichkeit wird durch Verstellen der Rotorblätter erreicht, deren Drehebene sich aus der Waagerechten in die gewünschte Richtung neigt, z. B. beim Horizontalflug nach vorn. Hubschrauber brauchen kein Leitwerk, sie müssen aber das Reaktionsmoment ausgleichen, das bestrebt ist, den Rumpf entgegen der Drehrichtung der Rotoren zu drehen. Dieser Drehmomentausgleich ergibt sich von selbst bei Hubschraubern mit 2 gegenläufigen Rotoren. Hubschrauber mit einem Rotor erhalten am Rumpfende einen kleinen Rotor (Heckrotor) mit senkrechter Drehebene, der durch seine Schubkraft das Drehmoment des Hauptrotors ausgleicht und auch zur Steuerung genutzt wird. Hubschrauber haben eine Geschwindigkeit von höchstens 250–300 km/h, die bei Kampfhubschraubern durch Einbau zusätzlicher Strahltriebwerke erhöht werden kann. Die Gipfelhöhe reicht aus für Einsätze im Hochgebirge.

Die ersten Versuche mit Hubschraubern wurden 1907 in Frankreich von Paul Cornu gemacht. Den ersten einwandfrei lenkbaren und leistungsfähigen Hubschrauber (mit 2 Rotoren) baute 1936 Henrich Focke in Deutschland. Mit dem Zweiten Weltkrieg setzte von den USA ausgehend die weltweite Verbreitung des Hubschraubers ein.

Huckleberry Finn [haklberi-], Titelgestalt des Romans ›Abenteuer und Fahrten des Huckleberry Finn‹ (1884) von → Mark Twain. Der Junge, ein Freund von → Tom Sawyer, erlebt während einer Floßfahrt auf dem Mississippi eine Reihe von Abenteuern. Er liebt Freiheit und Ungebundenheit und handelt nach dem Gefühl statt nach gesellschaftlichen Regeln.

Hudsonbai [hadßenbai], flaches, nur 130 m tiefes Mittelmeer im Nordosten Mittelamerikas, benannt nach dem englischen Seefahrer und Entdecker **Henry Hudson** (* 1550, † 1611). Die 1,2 Millionen km^2 große Hudsonbai (etwa fünfmal so groß wie die Bundesrepublik Deutschland) ist über die Hudsonstraße mit dem Atlantischen Ozean verbunden. Die Hudsonbai ist von November bis Mai vereist.

Hüftgelenk, ein Kugelgelenk, dessen Gelenkpfanne vom Hüftbein des → Beckens und dessen Gelenkkopf vom Oberschenkelknochen gebildet wird (→ Gelenk). Da mehr als die Hälfte des Gelenkkopfs von der Gelenkpfanne umschlossen wird, ist die Bewegungsfreiheit im Vergleich zum Schultergelenk deutlich geringer.

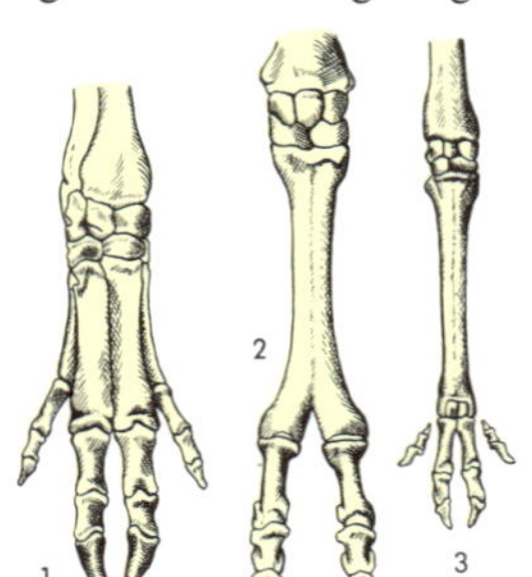

Huftiere: Paarhufer, Vorderfußknochen von Schwein (1), Kamel (2) und Hirsch (3)

Huftiere, pflanzenfressende Säugetiere, bei denen eine oder mehrere Zehen schuh- oder kappenartig von einer Hornmasse, dem **Huf,** umhüllt sind und die Aufgabe der Füße übernommen

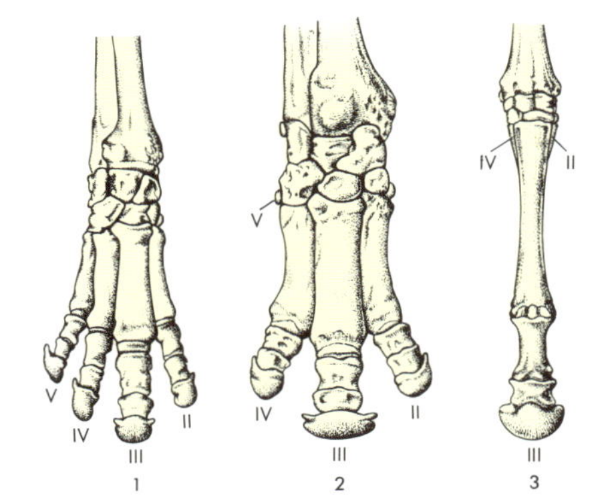

Huftiere: Unpaarhufer; **1** Tapir, **2** Nashorn, **3** Pferd (II–V: zweite bis fünfte Zehe)

haben. Je nachdem, ob die Anzahl der Hufe ungerade oder gerade ist, unterscheidet man **Unpaarhufer** und **Paarhufer.** Zu den Unpaarhufern gehören vor allem die **Einhufer** (z. B. Pferd, Esel, Zebra); 3 Zehen haben die Nashörner, vorn 4 und hinten 3 die Tapire. Die meisten Paarhufer haben 2 Hufe, z. B. Schweine, Rinder, Ziegen, Schafe, Hirsche, Rehe, Antilopen, Kamele und Giraffen. Außer den Schweinen sind sie alle →Wiederkäuer; viele Wiederkäuer tragen Hörner oder Geweihe. Paarhufer, aber keine Wiederkäuer, sind die Flußpferde mit 4 Zehen.

Hugenotten, die Anhänger des →Protestantismus in Frankreich. Wahrscheinlich war das Wort ›Huguenots‹ ursprünglich ein Spottname für die ›Eidgenossen‹. In Frankreich fand nämlich die →Reformation in Form des Calvinismus (→Calvin) Schweizer Prägung Eingang. Eine politische Sprengkraft erhielt diese neue Bewegung dadurch, daß sich in ihr der königsfeindliche Adel sammelte. Die daraus entstehenden politisch-religiösen Auseinandersetzungen gipfelten in den **Hugenottenkriegen** (1562–98), in denen es zu grausamen Verfolgungen kam. Höhepunkt war die **Bartholomäusnacht** (23./24. 8. 1572), die sogenannte ›Pariser Bluthochzeit‹, in der auf Betreiben des katholischen Adels allein in Paris fast 4000 Hugenotten ermordet wurden. Im Edikt von Nantes (1598) erhielten die Hugenotten eine eingeschränkte Religionsfreiheit. Als Ludwig XIV. (1643–1715) die Verfolgungen wieder aufnahm, wanderten rund 200000 Hugenotten aus, vor allem nach Brandenburg-Preußen, Hessen, in die Schweiz, die Niederlande und nach England. Erst durch die Verfassungen der →Französischen Revolution erhielten sie die volle Gleichberechtigung.

Hugo [ügo]. Die Franzosen verehren **Victor Hugo** (* 1802, † 1885) als einen ihrer größten Dichter. Sein erstes Drama ›Cromwell‹ (1827) wurde zu seinen Lebzeiten nie aufgeführt. Heftig diskutiert wurde dessen Vorrede, in der Hugo eine Auflösung der strengen klassischen Formen für das Theater forderte. Die Trennung zwischen Tragödie und Komödie sollte aufgehoben, die Wirklichkeit umfassend dargestellt werden. In seinem Roman ›Notre Dame von Paris‹ (1831), der mehrfach verfilmt wurde, gelang Hugo die Vereinigung von Erhabenem und Häßlichem. Dieses Werk gilt als der größte historische Roman der französischen →Romantik.

Hühner, große →Hühnervögel mit einem nackten Hautkamm auf dem Kopf und nackten, schlaff am Kinn herabhängenden Hautlappen. Das **Haushuhn,** das seit mehr als 4000 Jahren als Haustier gehalten wird, stammt vom südostasiatischen **Bankivahuhn** ab. Das Männchen, der Hahn, hat einen aufrechten Kopfkamm, lange, sichelförmige Schwanzfedern und meist ein farbenprächtiges Gefieder. Das Weibchen, die Henne, bebrütet seine Eier etwa 20 Tage. Dann schlüpfen die Küken, die sofort ihr Nest verlassen (Nestflüchter) und unter Führung der Bruthenne (Glucke) Nahrung suchen. Hühner werden heute in großen Geflügelfarmen als Fleischhühner oder als Legehennen gezüchtet. Während das Wildhuhn nur etwa 20 Eier im Jahr legt, bringt es eine Legehenne auf 300 Eier. (BILD Seite 56)

Hühnervögel, meist mittelgroße Vögel mit kräftigen Lauffüßen, die mit ihren kurzen, gewölbten Flügeln vielfach nur schwerfällig fliegen können. Ihre Nahrung (Körner, Würmer, Insekten) scharren sie aus dem Erdboden. Dort bauen sie auch ihr Nest, das die Jungen sofort nach dem Ausschlüpfen verlassen (Nestflüchter). In Deutschland lebende Hühnervögel sind z. B. →Rebhuhn, →Wachtel, →Auerhuhn, →Birkhuhn und →Haselhuhn. Zu den ausländischen Hühnervögeln gehören die →Fasanen, darunter der →Pfau und der bei uns eingebürgerte Jagdfasan, das →Truthuhn und das Perlhuhn, das wild nur noch in Afrika vorkommt. Ursprünglich aus Südostasien stammt das Haushuhn (→Hühner).

Hülse, eine →Frucht.

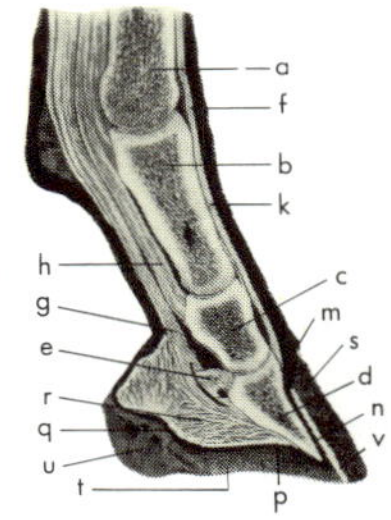

Huftiere

Huftiere:
Huf; OBEN Sohlenplatte, UNTEN Längsschnitt durch die Zehe des Pferdes, **a** Röhrbein (3. Mittelfußknochen), **b** Fesselbein, **c** Kronbein, **d** Hufbein (b–d = Glieder des 3. Fingers), **e** Strahlbein, **f** Strecksehne, **g** Hufbeinbeugesehne, **h** Kronbeinbeugesehne, **k** äußere Haut, **m** Kronenlederhaut, **n** Wandlederhaut, **p** Sohlenlederhaut, **q** Strahllederhaut, **r** Strahlkissen, **s** Hornwand, **t** Hornsohle, **u** Hornstrahl, **v** weiße Linie

Hühner

Humanismus [zu lateinisch humanus ›menschlich‹], eine Geisteshaltung, die auf freie Entfaltung der menschlichen Persönlichkeit und ihrer Fähigkeiten gerichtet ist **(Humanität);** im engeren Sinn eine geistige Bewegung, die im 14. Jahrh. (**Renaissance-Humanismus,** z. B. bei Dichtern wie Dante und Petrarca) in Italien ihren Anfang nahm. Im 15. Jahrh. griff der Humanismus auf Frankreich, Deutschland sowie auf die meisten anderen europäischen Länder über. Das Ziel der Humanisten (z. B. Erasmus von Rotterdam, Philipp Melanchthon, Ulrich von Hutten, Thomas Morus) war das Studium der Antike, vor allem die Beschäftigung mit dem römischen und später dem griechischen Schrifttum, aus dem sie Vorbilder für die Entwicklung und Erziehung eines neuen Menschen ableiten wollten. Ein enges Verhältnis zur Kunst war ebenfalls kennzeichnend für die humanistische Geisteshaltung, die allgemein eher an dem irdischen Wohlergehen der Menschen interessiert war als an der christlichen Jenseitshoffnung. In dieser Hinsicht war der Humanismus eine Bewegung, die im Rahmen der **Renaissance** entstand und im Zusammenhang mit diesem umfassenderen Kultur- und Epochenbegriff zu sehen ist.

Alexander von Humboldt

Das auch heute noch vielfach angestrebte **humanistische Bildungsideal** wird besonders an den **humanistischen Gymnasien** vertreten, in denen Latein und Griechisch wichtige Unterrichtsfächer sind.

Humboldt. Der aus preußischem Adel stammende **Alexander von Humboldt** (* 1769, † 1859) gilt als Begründer der modernen Geowissenschaften (Geographie und Geologie). 1799–1804 bereiste er Zentral- und Südamerika, wo er unter anderem die Pflanzenwelt erforschte und mit zum Teil selbstentwickelten Geräten Meßdaten zum Klima und Erdmagnetismus sammelte. In den nach dieser Reise entstandenen Werken stellte er als einer der ersten Wissenschaftler die Ökologie in den Vordergrund: Er betrachtete Erde, Klima, Pflanzen, Tiere und Menschen in ihren Wechselbeziehungen zueinander.

Humboldt wurde später Professor an der Berliner Universität, die 1946 nach seinem älteren Bruder Wilhelm von Humboldt benannt wurde. In Süd- und Nordamerika tragen Gletscher, Flüsse und Berge seinen Namen, ebenso die gewaltige kalte Meeresströmung vor der Westküste Südamerikas, der **Humboldtstrom.**

Humboldt. Der Gelehrte und Politiker **Wilhelm von Humboldt** (* 1767, † 1835), Bruder Alexander von Humboldts, ist der Schöpfer des humanistischen Gymnasiums (→Humanismus) in seiner heutigen Gestalt. Auf Veranlassung des Freiherrn vom Stein wurde er 1809 als Leiter des Kultus- und Unterrichtswesens in das preußische Innenministerium berufen. Humboldt knüpfte als Vertreter des Neuhumanismus an die humanistische Geisteshaltung und ihr Bildungsideal an. Er entwickelte das Bildungssystem der 1810 gegründeten Berliner Universität. 1814/15 vertrat er Preußen gemeinsam mit Karl August Freiherr von Hardenberg auf dem Wiener Kongreß.

Hummeln sind mit den →Bienen eng verwandt. Ihr Körper ist rundlicher, dichter behaart und auffallender gefärbt. Sie haben einen längeren Saugrüssel, mit dem sie Nektar aus tiefen Blüten (z. B. Klee) saugen und diese dabei bestäuben. Auch Hummeln leben in Völkern zusammen. In dem nur etwa faustgroßen Nest, das sie in Gebüsch, Gras, Mäuselöchern oder Felsspalten anlegen, leben aber nur 200–500 Tiere.

Im Spätherbst entstehen neben der Königin und den Arbeiterinnen fortpflanzungsfähige Männchen und Weibchen, die sich paaren. Dann sterben alle Tiere des Volkes bis auf die befruchteten Weibchen, die z. B. unter Moos überwintern. Jedes Weibchen gründet im Frühjahr einen neuen Staat. Die Weibchen können stechen. Der Stachel kann wieder herausgezogen werden, da er keine Widerhaken besitzt.

Hummer, große, langgestreckte →Krebse mit langem Schwanz. Der in Europa heimische Hummer wird bis 50 cm lang und kann über 20 Jahre alt werden. Er lebt stets in Küstennähe auf steinigem Boden in allen europäischen Meeren mit Ausnahme der Ostsee. Sein erstes Beinpaar trägt sehr große und starke, ungleiche Scheren, mit denen er Muscheln, seine Hauptnahrung, aufknackt. Mit der feineren Greifschere kratzt er die Muscheln aus. Da der Hummer ein sehr beliebter Speisekrebs ist, ist er in Deutschland, wo er an den Küsten Helgolands lebt, durch Abfangen selten geworden. Wie viele andere Krebse werden Hummer beim Kochen rot.

Humperdinck. Der Komponist **Engelbert Humperdinck** (* 1854, † 1921) war 1880–82 Assistent Richard Wagners in Bayreuth. Seine 1893 uraufgeführte Märchenoper ›Hänsel und Gretel‹ verband Elemente des Volksliedes und des Wagnerschen Musikdramas.

Hunde, kleine bis mittelgroße →Raubtiere, die fast die ganze Erde bewohnen. **Wildhunde** haben eine spitze Schnauze, stehende Ohren und einen hängenden, oft buschigen Schwanz (›Rute‹). Sie leben oft gesellig und hetzen ihre Beute im Rudel, wobei sie schnell und ausdauernd laufen. Die im Unterschied zu Katzen starren Krallen ihrer Pfoten wirken dabei wie ›Spikes‹ und verursachen ein scharrendes Geräusch. Mit diesen Pfoten können Hunde ihre Beute auch nicht ergreifen und festhalten wie die Katzen, sondern sie packen mit ihrem besonders starken Gebiß zu. Hunde können nicht klettern, aber gut springen. Sie jagen vor allem mit Hilfe ihres besonders guten Geruchssinns und Gehörs. Da ihre Hautdrüsen nur wenig ausgebildet sind, geben die Tiere Körperwärme durch rasches keuchendes Atmen (›Hecheln‹) ab. Zu den Wildhunden gehören z. B. →Coyoten, →Füchse, →Schakale und →Wölfe; eng verwandt sind die →Hyänen. Verwilderte Haushunde (Köter, Parias), die vor allem in südlichen Städten und Dörfern vorkommen, stellen eine Art ›Gesundheitspolizei‹ dar, da sie Abfall fressen.

Hunde gehören zu den ältesten Haustieren. Sie haben sich so eng wie kein anderes Tier an den Menschen angeschlossen. Alle Haushunde stammen vom Wolf ab. Seit Jahrtausenden werden sie in vielen Rassen für bestimmte Zwecke gezüchtet: so der **Cocker-Spaniel** und der **Dalmatiner** für die Jagd auf Hasen und Hühnerwild; der **Dackel** für die Jagd auf Füchse und Dachse; seiner kurzen Beine wegen kann er diese in ihrem Bau aufstöbern; **Windhunde** für die Jagd auf Wölfe; **Doggen** und **Boxer** für die Jagd auf Bären und Wildschweine. Auch der **Pudel** war ursprünglich ein Jagdhund (Wasserapportierhund), bevor er als Modehund gehalten wurde.

Andere Hunderassen wurden vor allem als Hirten- und Wachhunde ausgebildet. Die bekanntesten sind der Deutsche und der Schottische **Schäferhund** und die Schweizerischen **Sennenhunde.** Als Dienst- oder Gebrauchshunde bezeichnet man die Hunderassen, die für besondere Zwecke abgerichtet wurden wie der **Bernhardiner** als Lawinenhund und der Deutsche Schäferhund als Blindenführer oder Polizeihund.

Hündinnen werden zweimal im Jahr läufig. 63 Tage nach der Begattung bringen sie 3–10 Junge (›Welpen‹) zur Welt, die ihre Augen erst nach 2 oder mehr Wochen öffnen. Sie werden von der Hündin 6 Wochen gesäugt. Das Männchen heißt **Rüde.** Hunde leben etwa 10–15 Jahre, wenige auch länger. (BILDER Seiten 58 bis 61)

Hundertjähriger Krieg, englisch-französischer Krieg, der (mit Unterbrechungen) über 100 Jahre dauerte (1339–1453). Anlaß war der Anspruch des englischen Königs Eduard III. (1327–77) auf den französischen Thron. Nach wechselvollen Kämpfen zwischen den Kriegsparteien konnte der englische König Heinrich V. (1413–22) nach seinem Sieg bei Azincourt (1415) ganz Nordwestfrankreich und Paris besetzen. Mit dem Auftreten der **Jungfrau von Orleans, Jeanne d'Arc,** gewann das französische Königtum allmählich die Oberhand. Der Krieg endete 1453 mit der Eroberung fast des gesamten englischen Besitzes in Frankreich; das von den Engländern besetzte Calais wurde erst 1558 wieder französisch.

Hünengrab, in Norddeutschland übliche Bezeichnung für →Megalithgräber. In anderen Teilen Deutschlands werden auch einfache Hügelgräber so genannt.

Hunger, Bedürfnis, etwas zu essen. Ein geringer Füllungsgrad des Magens und Nährstoffmangel des Gewebes wird über das Blut an ein **Hungerzentrum** im Gehirn gemeldet, das daraufhin das Hungergefühl auslöst. Im Hungerzu-

Hunde (Wildhunde): **1** Mähnenwolf, **2** Junge Mähnenwölfe, **3** Rotwolf, **4** Fennek, **5** Eisfuchs, **6** Waldhund, **7** Hyänenhund, **8** Graufuchs, **9** Marderhund, **10** Löffelhund. – **Hunde** (Haushunde): Jagdhunde; **11** Dalmatiner, **12** Italienisches Windspiel

Hunde (Haushunde): Jagdhunde; **1** Rauhhaar-Foxterrier, **2** Afghane, **3** Basset, **4** Langhaardackel, **5** Cocker-Spaniel, **6** Gordonsetter, **7** Bluthund, **8** Beagle. – **Hunde** (Haushunde): **9–12** Diensthunde; **9** Deutscher Schäferhund, **10** Dobermann, **11** Airedale-Terrier, **12** Boxer

Hunde (Haushunde): Diensthunde; **1** Riesenschnauzer, **2–6** Nutz- und Wachhunde; **2** Kuvasz, **3** Deutsche Dogge, **4** Englische Bulldogge, **5** Bernhardiner, **6** Collie (Schottischer Schäferhund). – **Hunde** (Haushunde): **7–10** Nutz- und Wachhunde; **7** Bobtail, **8** Komondor, **9** Chow-Chow, **10** Wolfsspitz, **11, 12** Haus- und Zwerghunde; **11** Bullterrier, **12** Pekinese

stand, also bei Unterernährung oder völligem Nahrungsentzug (→Fasten), greift der Körper zur Aufrechterhaltung seiner Lebensfunktionen seine Speicherstoffe (gespeicherte Kohlenhydrate, Fett) an, wobei der Fettabbau Gewichtsverlust verursacht. Sind die Reservestoffe aufgebraucht, werden Eiweiße (z. B. Muskeleiweiß) abgebaut, was zu Entkräftung und schwerwiegenden Störungen führt.

Hunnen, asiatisches Reitervolk. Nach antiken Quellen waren die Hunnen von kleinem Wuchs, gelber Hautfarbe und hatten Schlitzaugen. Sie waren Nomaden. Aus Innerasien, etwa der heutigen Mongolei, kommend, verbreiteten sie überall Angst und Schrecken. 375 besiegten sie nördlich der unteren Donau die →Ostgoten und bedrohten die Grenzen des Römischen Reichs. Um 425 gründeten sie ein Reich in der Donau-Theiß-Ebene im Bereich des heutigen Rumänien. Die Eroberungszüge ihres Königs →Attila führten bis ins heutige Frankreich und nach Italien. Schließlich wurden sie 451 von den Franken, Westgoten und den mit ihnen verbündeten Römern in der Schlacht auf den Katalaunischen Feldern im Nordosten Frankreichs geschlagen. Ihr Reich verfiel dann rasch.

Hunsrück, südwestlicher Teil des Rheinischen Schiefergebirges zwischen Mosel und Nahe, die linksrheinische Fortsetzung des Taunus bis zur Saar. Die höchste Erhebung ist der Erbeskopf mit 816 m. Der Hunsrück gliedert sich von West nach Ost in **Hochwald, Idarwald, Soonwald** und **Binger Wald.** Die Randtäler zur Mosel und zum Rhein sind tief eingeschnitten. Häufig wird hier Weinbau betrieben. Auf den Höhen tritt wegen des rauhen Klimas die Landwirtschaft hinter der Forstwirtschaft zurück.

Hürdenlauf, Wettlauf für Damen und Herren, bei dem Hürden aus Stahlrohr überquert werden müssen. Diese dürfen beim Überlaufen geworfen werden. Die Wettkampfdistanzen bei Herren sind 110 m mit 10 Hürden von je 1,06 m Höhe, 200 m mit 10 Hürden je 76,2 cm Höhe, 400 m mit 10 Hürden von je 91,4 cm Höhe. Die Distanzen bei Damen sind 80 m mit 8 Hürden je 76,2 cm Höhe, 100 m mit 10 Hürden je 84 cm Höhe, 200 m mit 10 Hürden je 76,2 cm Höhe, 400 m mit 10 Hürden zu je 76,2 cm Höhe. Hürdenlauf gehört seit 1900 zum olympischen Programm.

Huronsee [nach dem Indianerstamm der Huronen], englisch **Lake Huron,** der mittlere der 5 Großen Seen Nordamerikas. Mit 61 797 km² ist er fast so groß wie das Bundesland Bayern. Der 177 m hoch liegende See ist bis zu 228 m tief.

Hunde (Haus- und Zwerghunde): **1** Mops, **2** Zwergpudel, **3** Chihuahua, **4** Scotch-Terrier

Hurrikan [englisch harriken], tropischer →Wirbelsturm im Golf von Mexiko und im Karibischen Meer. Hurrikane treten meist im Sommer und Frühherbst auf. Beim Auftreffen auf die Küste schwächen sie sich rasch ab, können jedoch durch orkanartige Winde, Wolkenbrüche und Sturmfluten verheerende Zerstörungen anrichten. Die im Lauf eines Jahres entstehenden Hurrikane werden mit englischen weiblichen Vornamen in alphabetischer Reihenfolge bezeichnet. So war der Hurrikan Betsy der zweite des Jahres 1965. Er forderte 75 Todesopfer und richtete Schäden in Höhe von über 500 Millionen Dollar an.

Hussiten. Der Priester und Rektor der Prager Universität, **Johannes Hus** (* 1370, † 1415), war ein Anhänger des englischen Theologen John Wycliffe, dessen Lehren er weitgehend übernahm. Er forderte die Armut der Kirche und das Abendmahl unter beiderlei Gestalten (Laienkelch) und verwarf Beichte, Ablässe und Mönchtum. Von einem leidenschaftlichen Nationalgefühl getragen, wandte sich Hus gegen jeden deutschen Einfluß innerhalb der böhmischen Kirche und der Prager Universität, die unter seiner Leitung tschechisch wurde. Als er schließlich die

Abschaffung des Papsttums predigte, wurden die Gegensätze zwischen ihm und der Kirche unüberbrückbar. Unter Zusicherung freien Geleits folgte Hus 1414 der Einladung Kaiser Sigismunds zu dem Konzil von Konstanz, um seinen Glauben darzulegen. Als er dort seine Lehren nicht widerrief, wurde er verhaftet und im Sommer 1415 von dem Konzil zum Tod auf dem Scheiterhaufen verurteilt.

Nach seiner Hinrichtung warfen seine tschechischen Anhänger, die **Hussiten,** Kaiser Sigismund Wortbruch vor und erhoben sich gegen ihn. In den **Hussitenkriegen** (1419–33) wurden weite Teile des Deutschen Reichs verwüstet. Dabei wurden die von Papst und Kaiser ausgesandten Heere vernichtend geschlagen. Erst 1433, als das Konzil zu Basel der gemäßigten Richtung den Laienkelch zugestand und dadurch die Hussiten spaltete, war die Hauptgefahr beseitigt. Die radikale Gruppe, die die Errichtung des Gottesreichs mit Waffengewalt forderte, wurde in einer blutigen Schlacht 1434 von den Gemäßigten geschlagen. Die Mehrheit der Hussiten wurde im 16. Jahrh. lutherisch, eine Minderheit wieder katholisch. Die Hussiten gelten als Wegbereiter der →Reformation.

Husten, krampfhaftes, geräuschvolles Ausstoßen von Luft aus den Atemwegen, dem meist eine tiefe Einatmung vorausgeht. Ursache des Hustenreizes sind z. B. Entzündungen der Atmungsorgane (→Rachen, →Kehlkopf, →Bronchien, →Lunge). Aber auch äußere Schadstoffe, die die Schleimhaut der Atemwege reizen, führen zum Husten, z. B. Staub oder Rauch, Fremdkörper oder Nahrungsteile, die ›in die falsche Kehle‹ geraten. Durch den Hustenstoß können Schleim oder ein Fremdkörper herausgeschleudert werden. Da der Husten nur das Anzeichen einer Krankheit ist, muß diese Grundkrankheit behandelt werden. Als Hustenmittel benutzt man Arzneien, die den Hustenreiz stillen oder den Auswurf erleichtern.

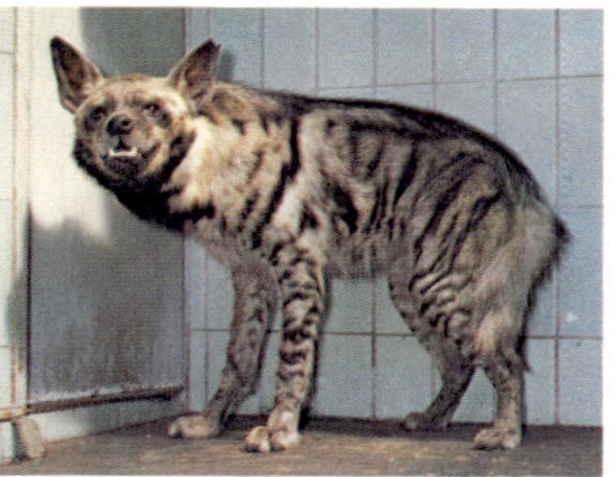

Hyänen: OBEN Schabrackenhyäne, UNTEN LINKS Tüpfelhyäne, UNTEN RECHTS Streifenhyäne

Hutschlangen, die →Kobras.

Hutten. Der Ritter und Dichter **Ulrich von Hutten** (* 1488, † 1523) entstammte einem fränkischen Reichsrittergeschlecht. Seine Eltern schickten ihn zur Ausbildung zum Geistlichen ins Kloster Fulda. Mit 17 Jahren floh Hutten von dort und führte ein unruhiges Wanderleben, das ihn an mehrere deutsche und italienische Universitäten führte. Er fühlte sich den humanistischen Gelehrten zugehörig (→Humanismus).

1517 wurde Hutten von Kaiser Maximilian I. zum Dichter gekrönt. In seinen Schriften verband er leidenschaftliche Kampfansagen gegen das Papsttum mit nationalen Forderungen. Er glaubte, mit Luther und Franz von Sickingen das Reich reformieren und dem Kaiser eine starke Stellung verschaffen zu können. Von der Kirche verfolgt, floh Hutten in die Schweiz, wo Zwingli ihn aufnahm.

Hwangho [chinesisch ›Gelber Fluß‹], mit 4 875 km Länge der zweitlängste Fluß Chinas. Er entspringt im Hochland von Tibet und strömt in großen Windungen am Südrand der Wüste Gobi in die Nordchinesische Ebene. Auf der Nordseite der Halbinsel Shantung mündet der Hwangho ins Gelbe Meer. Die gelbe Farbe, von der der Fluß seinen Namen hat, rührt von Löß und Schlamm her, die er auf seinem Lauf aufnimmt und mitführt. Im Unterlauf werden diese Stoffe abgelagert. Im Lauf der Zeit hat der Hwangho auf diese Weise die Sohle seines Flußbettes immer höher gelegt und an seinen Rändern Dämme aufgeschüttet. Dadurch liegt der Fluß stellenweise bis zu 10 m über dem benachbarten Land. Er hat wiederholt sein Umland verheerend überschwemmt und seinen Lauf verlegt.

Hyänen, Raubtiere, die in großen Rudeln (bis zu 100 Tiere) in Steppen und Wüsten leben. Sie sind etwa so groß wie Wölfe, haben einen dicken Kopf, einen stark nach hinten abfallenden Rükken und ein besonders kräftiges Gebiß zum Zermalmen von Knochen. Hyänen ernähren sich sowohl von Aas als auch von Beute, wobei sie größere Beutetiere (z. B. Gnus) in Rudeln jagen. Sie sind nachts aktiv. Typische Rufe der Hyänen sind ein sehr langgezogenes Heulen und das Hyänen-›Gelächter‹, das vor allem dann zu hören ist, wenn sie sich um ihre Beute zanken. Die **Tüpfelhyäne** lebt in Afrika, die **Streifenhyäne** auch in Südasien. Hyänen können bis zu 40 Jahre alt werden. – Die afrikanischen **Hyänenhunde** sind nicht näher mit den Hyänen verwandt.

Hybride [von lateinisch hybrida ›Mischung‹], der →Bastard.

Hydraulik [von griechisch hydor ›Wasser‹ und aulos ›Rohr‹], Kraftübertragung mittels Flüssigkeiten (Öl, Wasser) durch das Kolbenpumpenprinzip (→Druck). Zur Erzeugung großer Druck-, Zug- oder Antriebskräfte verwendet man hydraulische Maschinenelemente.

Das technische Grundprinzip ist am Beispiel der **hydraulischen Hebebühne** (BILD) dargestellt,

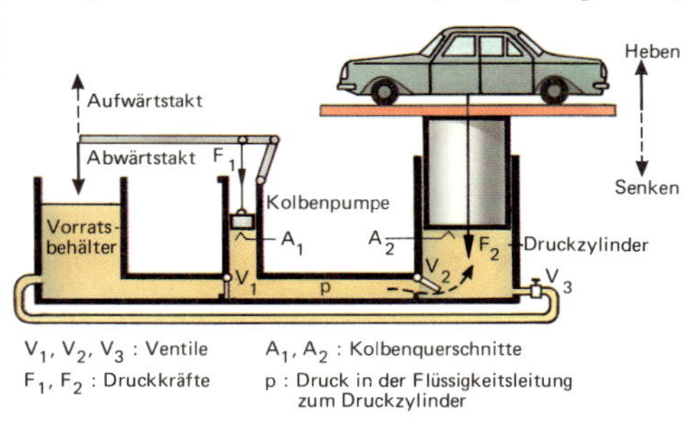

Hydraulik: Hydraulische Hebebühne

$$\text{Druck } p = \frac{\text{kleine Kraft}}{\text{kleine Fläche}} = \frac{F_1}{A_1} = \frac{100\ \text{N}}{5\ \text{cm}^2}\ \text{linke Seite}$$

$$= \frac{\text{große Kraft}}{\text{große Fläche}} = \frac{F_2}{A_2} = \frac{10\ \text{kN}}{500\ \text{cm}^2}\ \text{rechte Seite}$$

wie man sie in Autoreparaturwerkstätten findet: Beim Heben des Fahrzeugs saugt der Kolben (A_1) der Pumpe Flüssigkeit aus dem Vorratsbehälter an; dabei ist das Ventil V_1 offen und V_2 geschlossen. Beim Senken drückt der Kolben die Flüssigkeit in den Druckzylinder (A_2); jetzt schließt sich das Ventil V_1, und V_2 öffnet sich. Durch Pumpen wird Flüssigkeit vom Vorratsbehälter in den Druckzylinder gepreßt und dadurch das Fahrzeug schrittweise angehoben.

Beim Senken des Fahrzeugs wird das Ventil V_3 geöffnet, und die Flüssigkeit kann in den Vorratsbehälter zurückfließen. Die am Pumpenhebel ausgeübte Handkraft beträgt etwa 10 N; diese ist im Vergleich zur Gewichtskraft des Fahrzeuges von 10 000 N gering.

Der Hebebühne ähnliche Geräte findet man beim Friseur oder beim Zahnarzt, deren Stühle man hydraulisch heben und senken kann. Weitere Anwendungsbeispiele sind hydraulische Pressen zum Formen von Autokarosserien, zum Pressen von Stroh, Heu oder Torf sowie zum Entsaften von Obst und Zuckerrüben. In Stahlwerken gibt es Schmiedepressen zum Formen von Werkstücken, die eine Druckkraft von 150 000 000 N ausüben können. Die hydraulische Bremse (→Bremse) bei Kraftfahrzeugen ist eine der am häufigsten vorkommenden Anwendungen.

Hydrokultur, deutsch **Wasserkultur,** Haltung von Pflanzen ohne Erde in einer Nährlösung. Diese Methode wurde entwickelt, um zu erforschen, welche Nährstoffe Pflanzen benötigen. Heute wird die Hydrokultur auch häufig bei Zimmerpflanzen verwendet. Die Pflanzen benötigen außer Wasser und einer Salzmischung nur Kies, Sand oder Tonkügelchen, um sich mit ihren Wurzeln festzuhalten. Allerdings sind ihre Wurzeln nicht geeignet, in Erde zu wachsen, daher kann man eine Hydrokulturpflanze nicht umtopfen.

Hygrometer [griechisch ›Feuchtigkeitsmesser‹], Gerät zur Messung des Feuchtigkeitsgehalts der Luft.

Eine Veränderung der Luftfeuchtigkeit bewirkt bei bestimmten Stoffen (z. B. entfettete Haare oder Wollfäden) eine Längenänderung. Auf Grund dieser Eigenschaft wird zur Messung der Luftfeuchte das **Haarhygrometer** benutzt. Von der Skala eines geeichten Haarhygrometers ist die relative Luftfeuchtigkeit in Prozentzahlen ablesbar. 100 Prozent Luftfeuchtigkeit entsprechen einem mit Wasserdampf gesättigten Raum. Die Temperatur kann bei diesen Messungen unberücksichtigt bleiben, da ihr Einfluß gering ist.

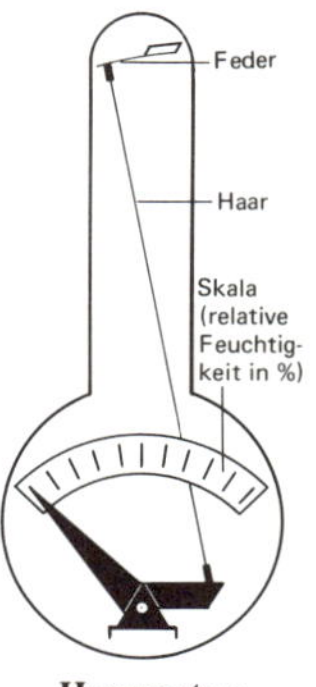

Hygrometer: Haarhygrometer

Um den Nachteil unterschiedlicher Haare außer acht lassen zu können, hat man das **Aspirationspsychrometer** erfunden (Aspiration kommt aus dem Lateinischen und sagt aus, daß Luft angesaugt wird; Psychrometer ist ein anderes Wort für Hygrometer). Mit Hilfe zweier Thermometer, eines Lüfters, eines feuchten Tuchs und eines Stativs kann man es leicht bauen. Das feuchte Tuch wird angeblasen und von trockener Luft umstrichen. Dabei verdampft Wasser aus dem Tuch, und die Thermometerspitze kühlt ab. Man mißt an dem trockenen und an dem feuchten Thermometer eine Temperaturdifferenz, die ein Maß für die Luftfeuchtigkeit ist.

Hyperbel. Bei Taschenrechnern findet man häufig die Taste $\frac{1}{x}$. Gibt man in den Rechner z. B. die Zahl 5 ein und drückt diese Taste, so erscheint als Ergebnis die Zahl 0,2. Es wurde somit die Rechnung $\frac{1}{5} = 1:5 = 0{,}2$ ausgeführt. Diese Rechnung kann für alle Zahlen, auch negative, durchgeführt werden. Die Tabelle stellt die Ergebnisse für einige Zahlen x dar.

x	−5	−4	−2	−1	−0,5	−0,25	0,25	0,5	1	2	4	5
$\frac{1}{x}$	−0,2	−0,25	−0,5	−1	−2	−4	4	2	1	0,5	0,25	0,2

Trägt man die einander zugehörigen Werte der Tabelle als Punkte in ein →Koordinatensystem ein, so erkennt man, daß sie auf einer Kurve liegen (BILD). Diese Kurve nennt man **Hyperbel.**

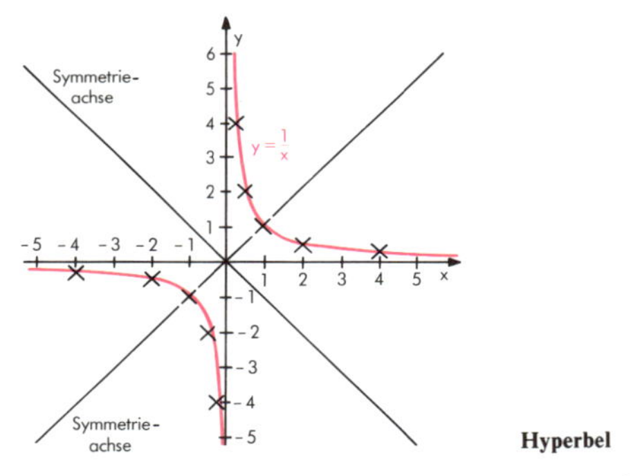

Hyperbel

Die Hyperbel besteht aus 2 Teilen. Für sehr große positive und sehr kleine negative x-Werte nähert sich die Hyperbel immer mehr der x-Achse an, ohne sie zu erreichen. Das gleiche gilt für die y-Achse, falls die Werte für x bei 0 liegen. Die Hyperbel ist achsensymmetrisch (→Symmetrie) zu 2 Geraden, die im Koordinatenursprung senkrecht aufeinander stehen. Deshalb nennt man die gezeichnete Hyperbel auch **rechtwinklige Hyperbel.**

Hypnose [zu griechisch hypnos ›Schlaf‹], künstlich herbeigeführter Zustand zwischen Schlaf und Wachbewußtsein, bei dem die Kontrolle des Denkens stark vermindert, das Bewußtsein eingeengt und die Aufmerksamkeit auf die Äußerungen des Hypnotiseurs ausgerichtet sind. Diese Äußerungen sowie das gleichförmige Sprechen des Hypnotiseurs und der abgedunkelte Raum helfen, die Hypnose herbeizuführen. Da im hypnotischen Zustand der eigene Wille fast ausgeschaltet ist, gehorcht der hypnotisierte Mensch den Befehlen und Anordnungen des Hypnotiseurs, soweit sie seinem Wesen nicht entgegengerichtet sind. In der Medizin wird die Hypnose als Behandlungstechnik verwendet, um seelische Störungen, Ängste, Schlafstörungen und Schmerzen zu beeinflussen und ihre Heilung zu fördern.

Hypotenuse, im rechtwinkligen →Dreieck die größte Seite.

Hypothek [griechisch ›Unterpfand‹], die Absicherung für den Gläubiger im Rahmen eines Kreditgeschäfts (Pfandrecht an einem Grundstück), →Kredit.

Hz, Einheitenzeichen für →Hertz.

I

I, der neunte Buchstabe des Alphabets, ein Vokal. I ist auch das römische Zahlzeichen für 1 und internationales Zeichen für das chemische Element Jod.

Iason, nach der griechischen Sage der Sohn eines Königs in Thessalien. Sein Halbbruder Pelias machte ihm den Thron streitig; er schickte ihn mit den →Argonauten nach Kolchis am Schwarzen Meer, um das →Goldene Vlies zu holen. Iason raubte das Goldene Vlies und kehrte nach vielen Abenteuern zurück, um sich an Pelias zu rächen.

Iberische Halbinsel, die westlichste und größte (580 000 km²) der 3 südeuropäischen Halbinseln. Sie umfaßt Spanien, Portugal, Andorra und Gibraltar; durch die Pyrenäen (daher auch **Pyrenäenhalbinsel**) wird sie von Frankreich getrennt. Ihren Namen hat die Halbinsel von den **Iberern,** einem Volk unbekannter Herkunft im vor- und frühgeschichtlichen Spanien. (KARTE Seite 202)

Ibis

Ibisse mittelgroße →Schreitvögel, die die warmen Zonen der Erde bewohnen. Ihr langer Schnabel ist sichelförmig nach unten gebogen, ihr langer Hals und der Kopf sind nackt. Der fast ganz weiße Ibis mit schwarzem Hals und Kopf, der heute noch in Afrika lebt, wurde im Altertum von den Ägyptern als heiliger Vogel verehrt. Er wurde nach seinem Tod einbalsamiert; man fand ihn in großer Zahl in Pharaonengräbern. Verwandt sind die →Löffler.

Ibsen. Der norwegische Dramatiker **Henrik Ibsen** (* 1828, † 1906) wurde mit 23 Jahren Theaterdichter und Leiter der Bühne in Bergen. 1857 wechselte er an das Osloer Theater und 1864–91 lebte er in Rom, Dresden und München. Zu Ibsens meistgespielten Theaterstücken gehören

›Peer Gynt‹ (1867), ›Nora oder Ein Puppenheim‹ (1879), ›Gespenster‹ (1881) und ›Hedda Gabler‹ (1890). Mit seinen Dramen entfachte er zu seiner Zeit heftige Diskussionen; er griff die bürgerliche Welt und ihre Scheinmoral an, fragte nach dem Verhältnis von Liebe und Ehe, sprach den Frauen ein Recht auf eine eigene Persönlichkeit zu und kritisierte die Lebenslüge, an die sich der Mensch klammere. Ibsen war in Skandinavien und Deutschland einer der Wegbereiter des →Naturalismus und gilt heute als Meister der dramatischen Form und Technik.

IC, Abkürzung für englisch **i**ntegrated **c**ircuit (›integrierter Schaltkreis‹), →integrierte Schaltung.

Idealismus [zu griechisch idea ›Urbild‹], philosophische Weltanschauung. Damit kann eine philosophische Lehre gemeint sein, die alle Dinge letztlich auf eine Idee, also etwas nicht mit den Sinnen Erfahrbares, zurückführt (im Unterschied zum →Materialismus). Idealismus kann auch die Vorstellung bezeichnen, daß die Dinge nicht außerhalb und unabhängig von unserem Bewußtsein existieren (im Gegensatz zu den Lehren des →Realismus). Schließlich wird mit Idealismus eine Lebenshaltung umschrieben, die sich an ideellen Werten orientiert (Gerechtigkeit, Freiheit, Frieden) und kein Interesse an materiellen Gütern zeigt.

Iden, im römischen Kalender Bezeichnung für die Mitte des Monats. Im März, Mai, Juli und Oktober waren die Iden auf den 15. des Monats, in den übrigen Monaten auf den jeweils 13. festgelegt.

Ideologie [zu griechisch idea ›Urbild‹ und logos ›Wort‹, ›Rede‹], Anschauung, die die realen Gegebenheiten nicht vorurteilsfrei und unvoreingenommen sieht, sondern sie danach beurteilt, ob sie den eigenen Vorstellungen, Werten und Ideen gerecht werden. Politische Ideologien sind z. B.

Iglu

Igel: mittel- und westeuropäischer Braunbrustigel

Faschismus, Nationalsozialismus und Kommunismus.

Igel, kurzbeinige, gedrungene Säugetiere mit kurzem Schwanz, die Europa, Afrika und Asien bewohnen. Sie rollen sich bei Gefahr zu einer Kugel zusammen; ihr dichter, harter Stachelpanzer schützt sie dann vor ihren natürlichen Feinden (Fuchs, Dachs, Marder, Hund). Der in Mitteleuropa heimische Igel wird etwa 30 cm lang. Vor allem in der Dämmerung und bei Nacht verläßt er sein Laublager in Hecken und Gehölzen. Er hat ein gutes Geruchsorgan und sucht mit seiner rüsselartigen Schnauze den Boden nach Insekten, Würmern und Schnecken ab. Mit seinen bis zu 40 spitzen, sägeähnlichen Zähnen vertilgt er auch Schlangen, Mäuse und Frösche. Im Herbst, wenn er auch tagsüber Nahrung sucht, frißt er gern Beeren und Obst. Gelegentlich nimmt er die Nester von am Boden brütenden Vögeln aus. Das Weibchen wirft zweimal im Jahr 3–8 nackte und blinde Junge, deren Stacheln erst einige Stunden nach der Geburt durchbrechen und zunächst noch weich sind. Igel werden höchstens 10 Jahre alt. In einem frostgeschützten Schlupfwinkel (Holzstapel, Laubhaufen) halten sie ihren Winterschlaf. Die Igel stehen unter Naturschutz.

Igelfisch: in normalem Zustand (OBEN), bei Gefahr (UNTEN)

Igelfische, in küstennahen Gebieten tropischer Meere lebende Fische. Sie schlucken bei Gefahr Wasser in ihren sackartig erweiterten Magen, wodurch sie sich ähnlich wie die Kugelfische kugelig aufblähen. Dadurch stellen sich die beweglichen Stacheln auf, mit denen ihr Körper besetzt ist; sie sind für den Feind unangreifbar. Mit ihrem fast schnabelartigen Gebiß zermalmen sie Korallen, Muscheln und Krabben.

Iglu, kuppelförmiges Schneehaus der →Eskimo in Nordamerika und West-Grönland mit kreisförmiger Grundfläche. Der Iglu wird aus rechteckigen, spiralförmig aufeinandergeschichteten Schneeblöcken errichtet und dient hauptsächlich als Winterwohnung.

Ignatius von Loyola, * 1491, † 1556, ein Heiliger der katholischen Kirche, brach nach einer schweren Verwundung seine Offizierslaufbahn ab, um sich ganz in den Dienst der Kirche zu stellen. Er gründete den Orden der → Jesuiten, den er bis zu seinem Tod leitete.

Iguaçu, wasserreicher linker Nebenfluß des Paraná in Südamerika. Der 1320 km lange Fluß entspringt im brasilianischen Küstengebirge unweit der Stadt Curitiba. Sein Unterlauf bildet die Grenze zwischen Brasilien und Argentinien. Kurz vor der Mündung bildet er die **Iguaçu-Fälle:** in rund 4 km Breite stürzt das Wasser halbkreisförmig 60–80 m tief in einen engen Cañon.

Ijsselmeer [äjssel-], Binnensee in den Niederlanden. 1932 wurde der 32 km lange Abschlußdeich fertiggestellt, der die ehemalige Zuidersee, eine Nordseebucht, vom offenen Meer abtrennt. Mit einem großangelegten Programm begann man, einen großen Teil des so entstandenen Ijsselmeeres trockenzulegen und in fruchtbares Ackerland umzuwandeln. Durch diese Landgewinnung (über 220000 ha) wurde die landwirtschaftliche Nutzfläche der Niederlande um 10% vergrößert.

Ikarus, in der griechischen Sage der Sohn des → Dädalus.

Ikone [von griechisch eikon ›Bild‹], das Kultbild der Ostkirchen (→ Christentum), meist ein auf Holz gemaltes Heiligenbild. Ikonen wurden in den Kirchen an der **Ikonenwand (Ikonostase)** angebracht, die den Altarraum vom übrigen Kirchenraum trennte; sie finden sich aber auch als private Andachtsbilder in den Häusern orthodoxer Christen. Die Ikonen wurden als geoffenbarte Abbilder heiliger Gestalten und Ereignisse verehrt und vor dem ›Bilderstreit‹ im 8. Jahrh., bei dem es um die religiöse Bedeutung der Ikonen ging, sogar angebetet. Deshalb durften Ikonen ursprünglich nur von Priestern und Mönchen hergestellt werden. Die Darstellung der Heiligen sollte möglichst nicht verändert werden, Farben und Materialien waren genau festgelegt.

Ilias, Epos des griechischen Dichters → Homer aus dem 8. Jahrh. v. Chr., das in 15000 Versen über die 50 entscheidenden Tage der zehnjährigen Belagerung Trojas (auch Ilion genannt) erzählt. Durch Vor- und Rückverweise werden die Hintergründe und der Verlauf des → Trojanischen Krieges sichtbar. Die Entführung Helenas, der Gattin des griechischen Königs Menelaos von Sparta, durch den trojanischen Königssohn Paris hat den Krieg ausgelöst. Im 10. Jahr ihrer Belagerung Trojas scheinen die Griechen zu unterliegen. Patroklos, Freund von Achilles, wird von Hektor, dem trojanischen Königssohn, getötet. In einem Zweikampf tötet Achilles daraufhin Hektor und nimmt noch an dem Toten Rache, indem er ihn festgebunden an seinem Streitwagen mehrmals um die Mauern Trojas schleift. Erst als der alte Trojanerkönig Priamos um den Leichnam seines Sohnes bittet, weicht Achilles' Zorn dem Mitleid. Er sieht ein, daß das Schicksal der Griechen und Trojaner letztlich von den Launen der Götter, die fördernd und hemmend in den Krieg eingegriffen haben, gelenkt wird. Achilles' Ende und der nahe Untergang Trojas werden durch den Tod Hektors bereits angedeutet.

Ill, 1) linker Nebenfluß des Rheins im Elsaß. Die Ill ist 208 km lang. Sie entspringt im französisch-schweizerischen Grenzgebiet südwestlich von Basel, fließt in der Ebene parallel zum Rhein an Mühlhausen und Colmar vorbei und mündet nördlich von Straßburg in den Rhein.

2) Die Ill in Vorarlberg, südöstlich des Bodensees, ist ebenfalls ein Nebenfluß des Rheins. Sie entspringt rechtsrheinisch in der Silvretta, einem Gebirgsstock an der Grenze zwischen Österreich und der Schweiz, durchfließt das Montafon und den Walgau, und mündet unterhalb von Feldkirch im österreichischen Vorarlberg in den Rhein. Die Wasserkraft der Ill wird zur Erzeugung von Elektrizität genutzt.

Iller, rechter Nebenfluß der Donau. Der 147 km lange Fluß entsteht durch Vereinigung der Quellbäche Breitach, Stillach und Trettach in den Allgäuer Alpen. Die Iller, die durch insgesamt 46 Kraftwerke sehr stark zur Elektrizitätsgewinnung genutzt wird, mündet bei Ulm in die Donau.

Iltisse, mittelgroße → Marder, die Wälder, Wiesen und Felder bewohnen. Mit Vorliebe nisten sie sich in einem verlassenen Kaninchenbau ein. Neben Ratten und Mäusen erbeuten sie auch Hamster, Vögel, Frösche und, da sie auch schwimmen, Fische; außerdem fressen sie Obst und Honig. Im Winter bezieht der Iltis Scheunen und Ställe. Er ist bei Geflügelzüchtern gefürchtet, da er Tiere tötet – mehr, als er verzehren kann – und Eier ausnimmt. Zur Verteidigung und Abschreckung, aber auch aus Angst und zur Markierung seines Reviers, verspritzt er aus seinen Stinkdrüsen eine übelriechende Flüssigkeit. Das Gesicht des Iltis, dessen dunkelbraunes Fell als Pelz begehrt ist, wirkt durch helle Flecken wie eine Maske. Eine Zuchtform des Iltis ist das → Frettchen. (BILD Marder)

Immission [lateinisch ›Einwirkung‹], zusammenfassender Begriff für die auf Menschen,

Tiere, Pflanzen, Bauwerke und andere Gegenstände einwirkenden Gase, Strahlen, Dämpfe, Gerüche, Geräusche, Verunreinigungen der Luft wie Rauch und Ruß. Um umweltschädigende Immissionen möglichst niedrig zu halten, sind im Bundes-Immissionsschutzgesetz Höchstwerte für alle Arten von Immissionen festgelegt. (→ Lärm)

Immobilien [von lateinisch immobilis ›unbeweglich‹], unbewegliche Sachen, z. B. Häuser und Grundstücke, auch bestimmte Rechte, z. B. das Nutzungsrecht für ein Grundstück (Erbbaurecht).

Immunität [aus lateinisch immunis ›frei‹, ›unberührt‹], **1)** Medizin: Unempfindlichkeit gegenüber Infektionen. Man unterscheidet die angeborene, natürliche Immunität oder Resistenz von der erworbenen Immunität. Nach einer ansteckenden Krankheit (z. B. Röteln, Masern, Mumps) hat der Körper eigens gegen die Krankheit gerichtete Abwehrstoffe (Antikörper) gebildet, so daß er kein zweites Mal an der überstandenen Krankheit erkranken kann; er ist immun. Durch eine → Impfung kann eine Immunität künstlich bewirkt werden.

2) Recht: Freiheit vor Strafverfolgung. Hierauf können sich die Abgeordneten der Parlamente (Bundestag, Landtag) berufen. Ein Abgeordneter kann wegen einer Straftat nur dann zur Rechenschaft gezogen werden, wenn das Parlament die Immunität aufhebt. Auch Diplomaten und der Bundespräsident der Bundesrepublik Deutschland genießen Immunität.

Imperativ [aus lateinisch imperare ›befehlen‹], **Befehlsform**, Form des Verbs, die dann steht, wenn eine Aufforderung, eine Bitte, ein Verbot oder ein Befehl ausgedrückt wird, z. B. ›hilf mit!‹, ›verschwindet!‹, ›besucht mich!‹, ›geh nicht hin!‹, ›schreibt schneller!‹.

Imperator, bei den Römern ursprünglich der oberste Befehlshaber des militärischen Aufgebots im Krieg. Später wurde es üblich, daß die Soldaten noch auf dem Schlachtfeld einen siegreichen Feldherrn zum Imperator ausriefen. Diesen reinen Ehrentitel machte Augustus nach Erringung der Alleinherrschaft zum Bestandteil seines Namens. Die nachfolgenden römischen Kaiser wurden dann meist durch die Ausrufung zum Imperator in ihr Amt eingesetzt.

Imperfekt [aus lateinisch imperfectus ›unvollendet‹], Vergangenheit. Zeitform des Präteritums zur Bezeichnung einer nicht abgeschlossenen Handlung in der Vergangenheit (→ Tempus).

Imperialismus [aus lateinisch imperium ›Befehlsgewalt‹, ›Herrschaft‹, ›Reich‹], im weiteren Sinn das Bestreben eines Staates, nach dem Vorbild des Römischen Reiches (Imperium Romanum) seine Herrschaft auf möglichst große Gebiete auszudehnen, sei es mit militärischer Gewalt oder durch politischen oder wirtschaftlichen Druck.

Im engeren Sinn versteht man, besonders in der Geschichtswissenschaft, unter Imperialismus die Bemühungen europäischer Staaten, vor allem Großbritanniens, Frankreichs, Rußlands und Deutschlands sowie der USA und Japans, seit etwa 1880, sich andere Teile der Erde anzugliedern. Diese Politik richtete sich besonders auf Länder in Asien, Afrika und Lateinamerika. Dabei spielten als Beweggrund sowohl ein starkes Sendungsbewußtsein (das heißt, zur Herrschaft über Menschen und Länder berechtigt zu sein) als auch wirtschaftliche Gesichtspunkte (Erschließung neuer Rohstoffquellen und Absatzmärkte für die Industrie) eine große Rolle.

Imperium Romanum, das → Römische Reich. – 1034 wurde der Begriff in der Form **Romanum Imperium** zum amtlichen Namen des mittelalterlichen deutschen Reiches (→ Heiliges Römisches Reich).

Impfung, Schutzimpfung, Maßnahme zur Erreichung einer künstlichen → Immunität. Der Impfstoff kann gespritzt, geschluckt oder in die Haut gegeben werden. Am häufigsten angewendet und am wirkungsvollsten ist die **aktive Immunisierung.** Hierbei werden abgeschwächte oder tote Krankheitserreger oder deren Gifte verabreicht. Sie bewirken die Bildung von Antikörpern (→ Abwehrkräfte), ohne zum Ausbruch der Erkrankung zu führen. Dieses Prinzip wendet man z. B. bei Schutzimpfungen gegen Kinderlähmung, Masern, Röteln, Mumps, Diphtherie, Tetanus und Keuchhusten an. Die Schutzwirkung tritt erst nach Wochen ein, hält aber über Jahre bis Jahrzehnte an. Wird ein sofortiger Schutz gebraucht, z. B. bei abwehrgeschwächten Menschen, so bedient man sich antikörperhaltiger Blutseren von Mensch und Tier **(passive Immunisierung).** Hierdurch kann man den Krankheitsverlauf nur mildern. Der so bewirkte Schutz ist aber auf 3–4 Wochen begrenzt.

Import, deutsch **Einfuhr**, der Kauf von Gütern aus dem Ausland im Rahmen des → Außenhandels.

Impotenz [lateinisch ›Ohnmacht‹, ›Schwäche‹], die Unfähigkeit des Mannes zum → Geschlechtsverkehr. Die Ursachen können seelischer Art sein oder auf eine körperliche Erkrankung zurückzuführen sein. Von Impotenz spricht man auch, wenn der Mann zwar den Geschlechtsverkehr vollziehen, aber keine Kinder zeugen kann, da z. B. in der Samenflüssigkeit die Samenzellen fehlen oder unbeweglich sind.

Impressionismus, Stilrichtung der modernen Kunst, die zwischen 1860 und 1870 in der französischen Malerei aufkam. Künstler wie Claude Monet, Édouard Manet, Edgar Degas, Auguste Renoir, zeitweise auch Paul Cézanne, versuchten, die herkömmliche Ateliermalerei mit ihrem künstlichen Licht und ihrer eher dunklen Farbgebung zu überwinden. Die Impressionisten malten meist im Freien. In hellen, lichten Tönen stellten sie alltägliche Szenen, Stadtansichten und Landschaften dar. Das Besondere an ihrem Malstil ist, daß es keine festumrissenen, flächigen Formen gibt. Das impressionistische Bild besteht hauptsächlich aus unvermischt nebeneinandergesetzten Pinselstrichen, die die Oberfläche in Lichtflecke und bunte Schatten auflösen. Der Maler gibt so seinen unmittelbaren, ganz persönlichen Eindruck (französisch ›impression‹) von der Wirklichkeit wieder, deren Erscheinungsbild sich im wechselnden Licht verändert. Im späteren **Neoimpressionismus** (**Pointillismus,** von französisch point ›Punkt‹; seit etwa 1885) wurden die Pinselstriche zu mosaikartig zusammengesetzten kleinsten Farbflecken. Ein Gesamteindruck des Bildes entsteht oft erst, wenn man es aus einiger Entfernung betrachtet.

Impressionismus: Claude Monet, ›Felder im Frühling‹; 1887 (Stuttgart, Staatsgalerie)

Deutsche Impressionisten waren Max Liebermann, Lovis Corinth und Max Slevogt; ein Vorläufer war Adolph von Menzel.

Die französischen Künstler Auguste Rodin und Edgar Degas übertrugen Stilelemente des Impressionismus auf die Plastik, indem sie die Oberflächen ihrer Bildwerke auflockerten und so die feste Form durch das Spiel von Licht und Schatten malerisch gestalteten.

Kennzeichnend für die impressionistische Musik (Claude Debussy, Maurice Ravel) sind zerfließende Klangbilder statt geschlossener Melodien, ferner exotische Klangwirkung durch Aufnahme außereuropäischer Elemente. Für den Hörer soll sich der klangliche Eindruck in Stimmungen und bildhafte Vorstellungen umsetzen.

In der impressionistischen Literatur (zwischen 1890 und 1910) ging es nicht mehr um die Schilderung der gegenständlichen Welt, sondern die Dichter versuchten, in einer lyrischen Sprache seelische Regungen auszudrücken (in Frankreich Charles Baudelaire, Paul Verlaine, in Deutschland z. B. der junge Rainer Maria Rilke, Richard Dehmel).

Impuls [lateinisch ›Antrieb‹, ›Stoß‹]. Physik: Läßt man eine →Kraft F eine gewisse Zeit t auf einen zunächst ruhenden Körper der Masse m einwirken, so wird er beschleunigt (→Beschleunigung) und hat nach Beendigung der Kraftwirkung die Geschwindigkeit v. Das Produkt aus Masse m und Geschwindigkeit v eines Körpers nennt man seinen Impuls p, $p = m \cdot v$ ($= F \cdot t$, falls F konstant ist). Wirken keine Reibungskräfte, so behält der Körper die Geschwindigkeit v bei. Der Impuls ist eine Erhaltungsgröße. Stößt der Körper auf einen anderen, ruhenden der gleichen Masse m, so überträgt er bei einem vollkommen elastischen zentralen Stoß seinen Impuls vollständig auf diesen Körper. Nach diesem Zusammenstoß hat nun der zweite Körper die Geschwindigkeit v, während der erste Körper ruht. Dieses Experiment läßt sich auf einem glatten Tisch mit 2 gleichen Geldstücken leicht nachvollziehen.

In der Elektronik versteht man unter Impuls ein elektrisches Signal, das aus einem kurzen Spannungs- oder Stromstoß besteht.

inch [intsch], Einheitenzeichen **in,** in Großbritannien und den USA gebräuchliche Längeneinheit entsprechend dem →Zoll; 1 in = 25,4 mm (vereinheitlichter Wert).

Indianer, Sammelname für die Ureinwohner Amerikas mit Ausnahme der Eskimo. Der Name geht auf die Überzeugung von →Kolumbus zurück, daß der von ihm entdeckte Erdteil Indien sei. Eine andere Bezeichnung, ›Rothäute‹, hängt mit der früher bei vielen **Indianerstämmen** üblichen Körperbemalung zusammen.

Vor der Ankunft der Europäer hatten die Indianer eine Vielzahl von Sprachen und Lebensformen entwickelt; das Eindringen der Weißen vernichtete in Mittel- und Südamerika bedeutende indianische Hochkulturen. Für die Gesamtzahl der damals lebenden Indianer schwanken die Schätzungen zwischen 15 und 40 Millionen. Durch Kriege, noch mehr aber durch eingeschleppte Krankheiten, wurde ihre Zahl in kurzer Zeit erheblich verringert. Heute schätzt man sie auf 21 Millionen; davon leben 2 Millionen in Nordamerika, 5 Millionen in Mittel- und 14 Millionen in Südamerika.

Die unterschiedliche Art der Inbesitznahme des Landes durch die Europäer hat zu sehr verschiedenartigen Entwicklungen in Nord- und Lateinamerika geführt. In Nordamerika, wo die Europäer vor allem als Siedler (also ganze Familien) das Land erschlossen und die Indianer in →Indianerreservationen abdrängten, wird der Begriff Indianer meist mit Bezug auf die Rasse und Stammeszugehörigkeit verstanden. In Lateinamerika hingegen kamen die Europäer als Eroberer (also nur Männer), waren daher auf Erhaltung der indianischen Arbeitskraft angewiesen und vermischten sich auch mit den Einheimischen. Daher ist dort ›Indianer‹ eher ein durch Kultur und Lebensweise (→Indios) bestimmter Begriff. Die heute noch rein indianische Bevölkerung steht in Lateinamerika wirtschaftlich und ihrem Ansehen nach auf der untersten Stufe. In den letzten Jahren sind Bürgerrechtsbewegungen entstanden, die die im Gesetz garantierte Gleichberechtigung der Indianer verwirklichen sollen.

Indianerreservationen, Indianerreservate, in den USA und Kanada den Indianern vorbehaltene Siedlungsgebiete.

Bei der Erschließung des amerikanischen Westens verdrängten europäische Siedler die Indianer aus ihren Jagd- und Lebensräumen. Erstmals im 17. Jahrh., verstärkt im 18. und 19. Jahrh. wurden den Indianern festumgrenzte Wohngebiete, Reservate, zugewiesen. Diese liegen meist in landwirtschaftlich wenig ertragreichen Gebieten, so daß, um den Lebensunterhalt zu sichern, auch Gelegenheitsarbeiten in umliegenden Betrieben angenommen werden müssen. Innerhalb der Reservate besitzen die Indianer Rechte zur Selbstverwaltung; sie haben Stammesräte und eine eigene Polizei. Heute gibt es in den USA über 200 Reservate, in denen ungefähr die Hälfte der Indianer wohnt. In Kanada wurden Indianerreservationen seit dem 19. Jahrh. eingerichtet.

Ähnliche Siedlungsgebiete für Indianer gibt es auch in Lateinamerika.

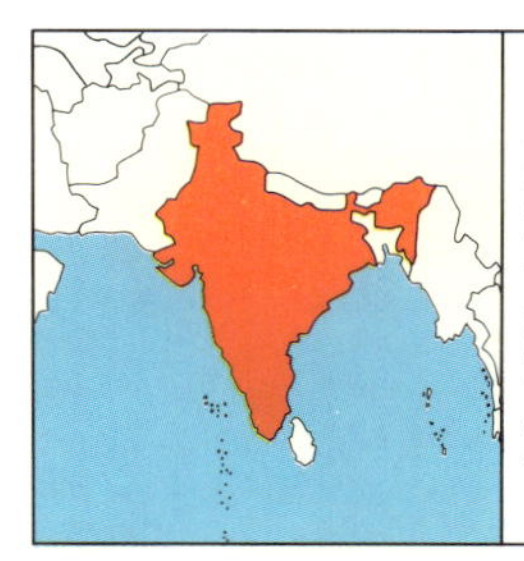

Indien

Fläche: 3,288 Mill. km²
Bevölkerung: 850 Mill. E
Hauptstadt: Neu-Delhi
Amtssprachen: Hindi und Englisch
Nationalfeiertage: 26. Jan. und 15. Aug.
Währung: 1 Ind. Rupie (iR) = 100 Paise (P)
Zeitzone: MEZ $+4\frac{1}{2}$ h

Indien, Republik in Südasien. Das Land ist der siebtgrößte Staat der Erde und erstreckt sich von Norden nach Süden über 3200 km. Im Norden hat Indien Anteil am **Himalaya.** Südlich davon liegt die **Ganges-Brahmaputra-Ebene.** In dem flachen Schwemmland treten die Flüsse während der Regenzeit oft über die Ufer und verändern ihren Lauf. Der größte Teil, die eigentliche Halbinsel, wird vom **Hochland von Deccan,** einer nach Osten geneigten Plateaulandschaft, bestimmt. Die **Westghats** begrenzen es an der Küste zum Arabischen Meer, die **Ostghats** an der Küste zum Golf von Bengalen. Die Küstenebene im Osten ist breiter als die im Westen und dichter besiedelt.

Das tropische bis subtropische Klima Indiens wird durch den jahreszeitlichen Wechsel der **Monsune** bestimmt. Von November bis Juni weht der trockene Nordostmonsun, im Sommer der regenbringende Südwestmonsun. Die höchsten Niederschläge fallen im Nordosten und an der Westküste des Deccan. Der flache Nordwesten hat mit nur 200 mm Jahresniederschlag Wüstenklima. Im Norden beträgt die Jahresdurchschnittstemperatur 25 °C, im Süden 27 °C.

Indien ist nach China das bevölkerungsreichste Land der Erde. Das Wachstum der Bevölkerung betrug zwischen 1971 und 1990 jährlich rund 15,8 Millionen. Maßnahmen der Regierung zur Verringerung der Geburtenzahl haben bislang nicht den gewünschten Erfolg. Die dichteste Besiedlung haben der Südwesten, die Ganges-Brahmaputra-Ebene und die Deltagebiete des Ostens. Millionenstädte sind Bombay, Delhi, Kalkutta, Madras, Ahmedabad, Bangalore, Hyderabad, Kanpur, Poona, Nagpur, Lucknow, Jaipur. Ein großer Teil der Menschen lebt am Rand der Städte in Elendsvierteln.

Indien

Staatswappen

Staatsflagge

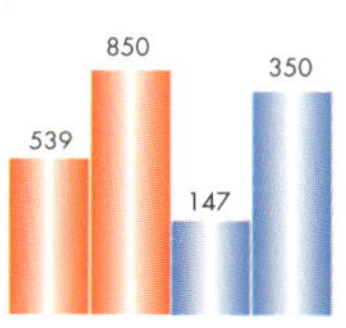

Bevölkerung (in Mill.) — Bruttosozialprodukt je E (in US-$)

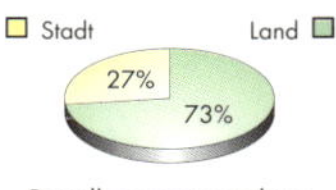

Bevölkerungsverteilung 1990

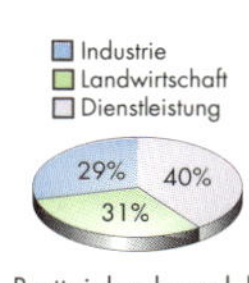

Bruttoinlandsprodukt 1990

Nach der Verfassung sind 15 Regionalsprachen zugelassen. ⅔ der Bevölkerung können weder lesen noch schreiben. Die Bewohner gehören verschiedenen Religionsgemeinschaften an; die meisten sind **Hindus.**

Die Wirtschaft wird von staatlichen und privaten Unternehmen gemeinsam getragen. Die wichtigsten Industriezweige, Banken und Versicherungen sind verstaatlicht; Handel, Handwerk und Landwirtschaft sind in privater Hand, die Preise können jedoch vom Staat festgesetzt werden.

Die Hälfte der Landesfläche kann ackerbaulich genutzt werden. Davon wird ⅕ bewässert. Die Betriebsgrößen sind gering, ein Teil der Beschäftigten sind Landarbeiter ohne Bodenbesitz. Die Landwirtschaft ist vom Monsun abhängig. Bleibt er nicht aus, deckt die Landwirtschaft den Hauptteil des Bedarfs an Nahrungsmitteln. Die wichtigsten Reisanbaugebiete liegen in der Gangesebene, in Süd- und Ostindien. Hirse wird in Nordwest- und Mittelindien angebaut. Daneben spielen Weizen im Norden, Mais, Hülsenfrüchte, Erdnüsse, Zuckerrohr in der Gangesebene, Tee im Nordosten, Baumwolle und Jute eine große Rolle, ebenso Tabak und Gewürze. Trotz der großen Anzahl von Rindern ist die Viehwirtschaft unterentwickelt. Aus religiösen Gründen werden Rinder nicht geschlachtet. Der Fleischverbrauch ist gering.

Indien ist, besonders im Deccan, reich an Bodenschätzen. Das Chota-Nagpur-Plateau südlich der Gangesebene liefert Steinkohle, Eisenerz, Mangan, Kupfer, Bauxit und Glimmer. An der Westküste wird Eisenerz abgebaut. In Assam (im Nordosten), Gujarat und bei Bombay (im Westen) wird Erdöl gefördert. Mangel an elektrischer Energie verhindert den stärkeren Ausbau der Industrie, die aber dennoch seit 1960 Fortschritte gemacht hat. Grundstoff- und Schwerindustrie, Maschinenbau, chemische und weiterverarbeitende Industrie machen Indien auf vielen Gebieten unabhängig vom Ausland. Größter und ältester Industriezweig ist die Baumwollindustrie mit den Zentren Bombay und Ahmedabad an der Westküste. Juteindustrie ist in Kalkutta (Gangesdelta) beheimatet. Die chemische Industrie stellt vorwiegend Düngemittel her. Automobilwerke gibt es in Bombay, Baroda und Bangalore. In den großen Hafenstädten werden Schiffe gebaut.

Die Eisenbahn ist wichtigster Verkehrsträger des Landes, sie besitzt das größte Gleisnetz in Asien. Mehr als ⅔ aller Güter werden mit der Bahn befördert.

Geschichte. Ausgehend vom Gangestal begründete die Maurja-Dynastie im 3. Jahrh. v. Chr. ein Großreich, das einen großen Teil des Subkontinents und der nördlich daran angrenzenden Gebiete umfaßte. Von hier breitete sich der Buddhismus nach Südost- und Ostasien aus. Eine geordnete Verwaltung und geistig-religiöse Toleranz bestimmten den Staat. Im 4. und 5. Jahrh. n. Chr. begann unter der Gupta-Dynastie das ›goldene Zeitalter‹ Indiens, in dem Reichtum und Wohlstand herrschten, Wissenschaft und Künste blühten. Der **Hinduismus** wurde neue Religion. Islamische Reichsgründungen überlagerten die indischen vom 16. bis zum 18. Jahrh.

Die europäische Kolonialherrschaft begann Ende des 15. Jahrh. mit der Landung Vasco da Gamas in Calicut, dem heutigen Kozhikode an der Südwestküste. Nach der Niederlage Frankreichs im Siebenjährigen Krieg 1763 übernahm die britische Ostindische Handelskompanie die Macht in Indien. Anfang des 19. Jahrh. gingen deren Rechte an die britische Krone über. 1877 nahm Königin Victoria den Titel einer Kaiserin von Indien an. 1885 begann der Kampf der Inder um die Unabhängigkeit. Führer dieser Bewegung wurde im 20. Jahrh. **Mahatma Gandhi,** durch den eine Massenbewegung entstand. Politisches Kampfmittel war die gewaltlose Überschreitung von Gesetzen. 1947 wurde Indien unabhängig, die überwiegend islamischen Teile wurden zum selbständigen Staat Pakistan. (KARTE Seite 195)

Indikativ [aus lateinisch (modus) indicativus ›die zur Aussage geeignete Aussageweise‹], **Wirklichkeitsform,** Form des Verbs, die dann steht, wenn ein Sachverhalt beschrieben wird, der wahr ist oder von dem man annimmt, daß er wahr ist. Den Indikativ gibt es ebenso wie den Konjunktiv in allen Zeitstufen.

Indikator [von lateinisch indicare ›anzeigen‹], allgemein: Stoff oder Gerät, das Reaktionsabläufe zu verfolgen gestattet, indem es das Erreichen oder Verlassen eines bestimmten Zustandes anzeigt.

In der Chemie sind besonders Farbstoffe als Indikatoren wichtig. Sie zeigen bei chemischen Reaktionen Änderungen des Zustandes der beteiligten Stoffe an. Am bekanntesten sind die Säure/Base-Indikatoren, die durch ihre Fähigkeit, in verschiedenen Farben aufzutreten, anzei-

Beispiele:

	Lackmus	Bromthymolblau
Farbe in Säure:	rot	rot
Farbe in Lauge:	blau	blau
Farbe im Wasser:	violett	grün

gen, ob in einer Lösung eine Säure oder Lauge enthalten ist oder sie sich wie Wasser verhält.

Den Farbumschlag eines Indikatorfarbstoffs kann man z. B. im Tee beobachten, der sich bei Zugabe von Zitronensaft aufhellt.

Indio, spanisches und portugiesisches Wort für den →Indianer Lateinamerikas. Anders als im europäischen Sprachgebrauch ist Indio in Lateinamerika weniger ein rassisch als ein durch Kultur und Lebensweise dieser Menschen bestimmter Begriff (→Rasse). Er bezieht sich meist auf Abkömmlinge der indianischen Ureinwohner, die im Alltagsleben eine Indianersprache sprechen und noch nach überlieferter Art in geschlossenen Gruppen leben. Mit ihrer zunehmenden Anpassung an die neuere Lebensweise nimmt daher – nach diesem Sprachgebrauch – der Anteil der Indios an der lateinamerikanischen Bevölkerung ständig ab.

Indischer Ozean, der kleinste der 3 Ozeane. Er liegt zwischen Afrika, Asien, Australien und der Antarktis. Mit Rotem Meer und Persischem Golf bedeckt er eine Fläche von etwa 74 Millionen km². Der Ozean wird durch Rücken, die im wesentlichen in nordsüdlicher Richtung verlaufen, in mehrere Becken gegliedert (z. B. Somalibecken, Arabisches Becken, Zentralindisches Becken, Nordaustralisches Becken). Die größte Tiefe wird im Sundagraben südlich von Java mit 7 455 m erreicht. Der größte Teil des Indischen Ozeans liegt im Bereich der Tropen und Subtropen beiderseits des Äquators. Im nördlichen Teil beherrscht der Wechsel von Nordost- zu Südwestmonsun sowohl Klima wie Meeresströmungen. Zu den wichtigsten Inseln und Inselgruppen des Indischen Ozeans gehören Madagaskar, Komoren, Seychellen, Sri Lanka und Malediven.

Indium [nach der indigoblauen Flammenfärbung], Zeichen **In,** →chemische Elemente, ÜBERSICHT.

Individuum [lateinisch ›das Unteilbare‹], als Einzelwesen (Mensch, Tier, Pflanze) der kleinste Bestandteil einer Gemeinschaft oder Gesellschaft. Das menschliche Individuum genießt als selbständiges, vernunft- und willensbegabtes Wesen Schutz und Anerkennung der Gesellschaft.

Indochina, das ehemals zu Frankreich gehörende Gebiet der heutigen Staaten →Kambodscha, →Laos und →Vietnam in Südostasien.

Indogermanen, 1) Gesamtbezeichnung für die Völker mit indogermanischen Sprachen.

2) vorgeschichtliche Bevölkerungsgruppe, Träger der indogermanischen Ursprache. Über die Indogermanen ist nicht viel bekannt. Was man heute über sie weiß, hat man aus dem Wortschatz der indogermanischen Einzelvölker erschlossen. Demnach betrieben die Indogermanen in der Jungsteinzeit Ackerbau und Viehzucht. Sie lebten in Großfamilien, die zu kleinen Dorfgemeinschaften verbunden waren. Über die Urheimat der Indogermanen besteht keine Klarheit. Wahrscheinlich siedelten sie zunächst im osteuropäischen Raum, wanderten von hier aus mit größeren Teilen nach Westen und verteilten sich dann in verschiedene Richtungen. Besonders in Südeuropa (→griechische Geschichte) führte die indogermanische Wanderungsbewegung zu großen Umwälzungen.

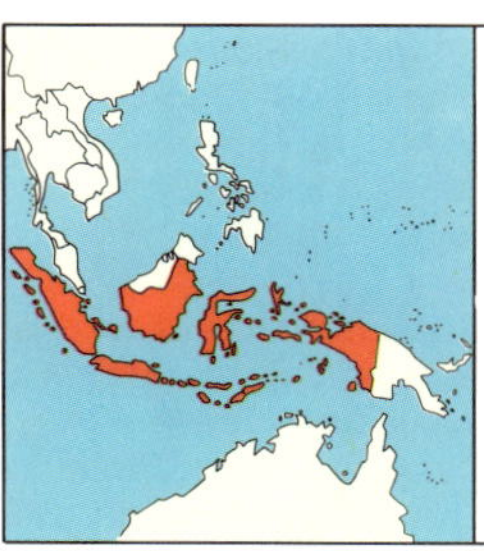

Indonesien

Fläche: 1 919 443 km²
Bevölkerung: 191,3 Mill. E
Hauptstadt: Jakarta
Amtssprache: Bahasa Indonesia
Nationalfeiertag: 17. Aug.
Währung: 1 Rupiah (Rp.) = 100 Sen (S)
Zeitzone (von W nach O): MEZ +6, +7 bzw. +7½ h

Indonesien

Staatswappen

Staatsflagge

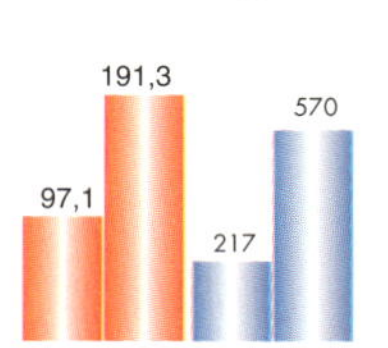

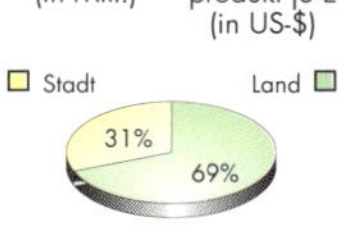

Bevölkerungsverteilung 1990

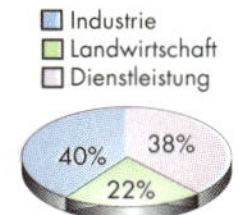

Bruttoinlandsprodukt 1990

Indonesien, Inselstaat in Südostasien beiderseits des Äquators, eine Republik. Das Land ist fünfmal so groß wie die Bundesrepublik Deutschland. Es umfaßt die 4 Großen Sunda-Inseln Sumatra, Java, Celebes, Borneo (ohne den Nordwesten), die Kleinen Sunda-Inseln, die Molukken und viele kleinere Inseln. Die meisten sind von Faltengebirgen durchzogen. In Ostsumatra, Südborneo und Nordjava liegen ausgedehnte Schwemmlandebenen. Auf den Inseln gibt es viele Vulkane, von denen rund 60 noch tätig sind.

Das tropische Klima bringt im Westen über 2 000 mm Niederschlag. Nach Osten hin nehmen die Niederschläge ab, Trockenzeiten schieben sich ein. Im Bereich der Vulkane sind die Böden sehr fruchtbar.

Die Bevölkerung besteht zum größten Teil aus Indonesiern, die sich überwiegend zum Islam bekennen. ⅔ der Einwohner leben auf Java. Die städtische Bevölkerung hat durch Landflucht stark zugenommen.

Hauptwirtschaftszweig ist die Landwirtschaft, die rund ⅐ der Fläche nutzt. In bäuerlichen Kleinbetrieben werden besonders Reis, Mais, Maniok, Sojabohnen, Erdnüsse und Süßkartoffeln angebaut.

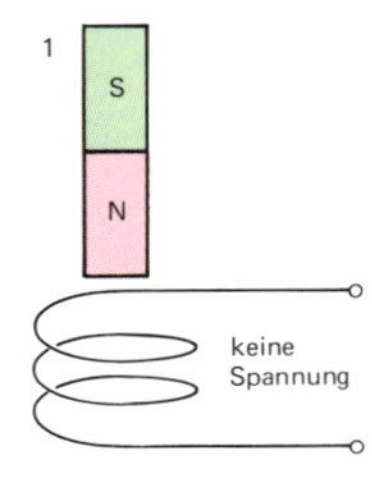

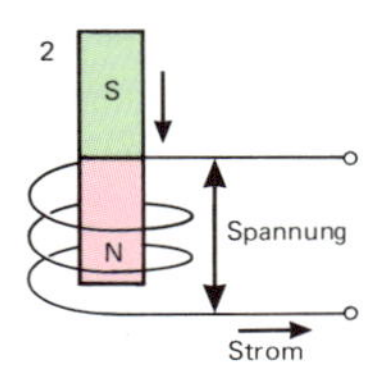

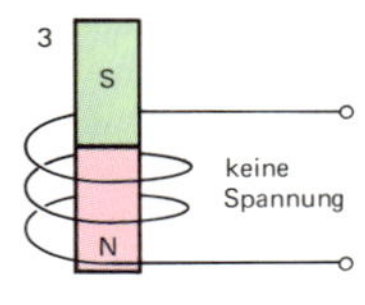

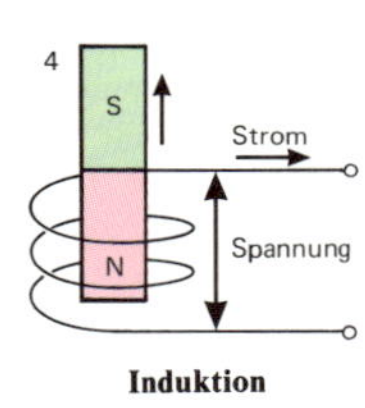

Induktion

Auf Sumatra und Borneo hat die Holzwirtschaft stark zugenommen. Die Wälder, die $^{2}/_{3}$ des Landes bedecken, liefern Brenn- und Nutzholz, Gerbstoffe und Harze.

Von den Bodenschätzen ist Erdöl am wichtigsten, ferner werden Erdgas, Zinn-, Nickel- und Kupfererze, Bauxit und Kohle gefördert. Die Industrie umfaßt vor allem Tabakverarbeitung, Kautschukaufbereitung, Zuckerfabriken und andere Betriebe, die landwirtschaftliche Erzeugnisse verarbeiten. Hauptausfuhrgüter sind Erdöl, Holz, Kautschuk, Kaffee, Zinn, Palmöl und Textilien.

Geschichte. Im 17. Jahrh. waren die Inseln abwechselnd portugiesisch, britisch und niederländisch. Im Verlauf des 19. Jahrh. festigte sich die Herrschaft der Niederländer. **Niederländisch-Indien,** wie die Niederländer ihre Besitzung nannten, wurde 1949 unabhängig. Seit der Staatsgründung unter Präsident Sukarno verfolgt Indonesien eine Politik der Neutralität. (KARTE Seiten 195 und 198)

Induktion [aus lateinisch inductio ›das Hineinführen‹]. Schließt man an ein Strommeßgerät eine Spule an und stößt rasch den Nordpol (oder den Südpol) eines →Magneten in die Spule, so schlägt der Zeiger des Strommeßgerätes aus und zeigt einen kurzen elektrischen Strom an (Stromstoß). Zieht man den Magneten aus der Spule heraus, so schlägt der Zeiger nach der anderen Seite aus. Ursache für das kurzzeitige Fließen des Stromes ist die Änderung des Magnetfeldes in der Spule beim Einführen des Magneten. Dadurch kommen die →Elektronen in den Windungen der Spule in Bewegung.

Bewegung der Elektronen im **Induktionsversuch:**

1) Der Magnet ist in Ruhe. Das Magnetfeld in der Spule ändert sich nicht, die Elektronen bleiben in Ruhe, es entsteht keine →Spannung (BILD 1).

2) Der Magnet wird rasch eingeführt, das Magnetfeld in der Spule verändert sich, die Elektronen bewegen sich, es entsteht eine Spannung (BILD 2).

3) Der Magnet bleibt wieder in Ruhe, dann ruhen auch die Elektronen (BILD 3).

4) Beim Herausziehen des Magneten kommen die Elektronen wieder in Bewegung und erzeugen erneut eine Spannung, weil sich erneut das Magnetfeld in der Spule ändert (BILD 4).

Große technische Bedeutung hat die Erzeugung von Induktionsspannungen durch Drehbewegungen. Dieses Prinzip wird z. B. beim Fahrraddynamo, bei der Lichtmaschine im Auto oder bei den großen →Generatoren der Elektrizitätswerke angewendet.

Indus, Hauptstrom Pakistans, rund 3 180 km lang. Er entspringt in Tibet in etwa 5 000 m Höhe und durchbricht in schwer zugänglichen Schluchten den Himalaya. In der Ebene gabelt er sich in mehrere Arme und vereinigt sich mit den 5 Flüssen des Pandschab. Bei Karatschi mündet er in einem großen Delta in den Indischen Ozean. Die Wasserführung des Indus ist sehr unterschiedlich. Für die Landwirtschaft ist der Fluß von großer Bedeutung. Er wird von Pakistan und Indien für die Bewässerung genutzt.

Industrie [aus lateinisch industria ›Fleiß‹]. Gewerbliche Betriebe, die aus Rohstoffen halbfertige oder fertige Produkte (z. B. Stahlerzeugung) oder aus halbfertigen Produkten Fertigerzeugnisse herstellen (z. B. Automobilindustrie), sind Industriebetriebe. Industrieerzeugnisse werden meist in Fabriken unter Einsatz von Maschinen in großen Mengen hergestellt. Der Produktionsvorgang wird in einzelne Arbeitsgänge gegliedert (Arbeitsteilung), so daß oft auch der Arbeiter an Maschinen nur noch bestimmte Handgriffe ausübt (z. B. am Fließband). Im Unterschied dazu sind im →Handwerk meist nur wenige Personen mit der Erfüllung eines Kundenauftrags beschäftigt.

Es gibt zahlreiche Industriezweige, z. B. Stahlindustrie, Kraftfahrzeugindustrie, kunststoffverarbeitende Industrie, Spielwaren-, Schmuck-, Textil-, Nahrungsmittel-, Tabakindustrie und viele andere. Nach der Art und Verwendung der hergestellten Güter kann man Investitionsgüter- und Ge- oder Verbrauchsgüter-(Konsumgüter-) Industrie unterscheiden. Während Konsumgüter für die ›Verbraucher‹, die Endabnehmer, bestimmt sind, die diese Güter über den Handelsweg (Großhandel, Einzelhandel) kaufen, stellt die Investitionsgüterindustrie ihre Erzeugnisse für weiterverarbeitende Abnehmer her. Ein Investitionsgut ist z. B. eine Maschine, die ein Betrieb für die Herstellung anderer Güter einsetzt.

Die **Industrialisierung,** die Verbreitung von Industriebetrieben, besonders im Verhältnis zu den früher vorherrschenden Wirtschaftsbereichen Landwirtschaft und Handwerk, setzte gegen Ende des 18. Jahrh. ein und machte zahlreiche Länder zu sogenannten Industrieländern, z. B. Großbritannien. Durch eine räumlich dichte Ansiedlung von Industriebetrieben an bestimmten Standorten entstanden zum Teil reine Industriestädte oder Industriegebiete (z. B. Ruhrgebiet, Rhein-Main-Gebiet).

Industrielle Revolution, von Friedrich Engels geprägter Begriff für die Phase schneller technischer, wirtschaftlicher und sozialer Veränderungen im 18. und 19. Jahrh. Auslöser für den Beginn der industriellen Revolution waren die im Zusammenhang mit den landwirtschaftlichen Ertragssteigerungen stehende Bevölkerungsvermehrung und der Aufschwung des Fernhandels (→Kolonien). Um die dadurch gesteigerte Nachfrage nach Gütern aller Art befriedigen zu können, mußte man die benötigten Waren in großen Mengen herstellen. Da dies mit der herkömmlichen Handarbeit nicht zu schaffen war, entwikkelte man Maschinen, die die Arbeit vereinfachten und beschleunigten. Als revolutionierend erwies sich die **Erfindung der Dampfmaschine 1769.** Den Kauf der teuren Maschinen und die Errichtung großer Fabrikbetriebe konnten sich nur diejenigen Leute leisten, die über genug Geld (Kapital) und Grundbesitz verfügten. Diese Unternehmer ließen auf eigenes Risiko von den bei ihnen beschäftigten Arbeitern (ehemaligen Handwerkern und Bauern) gegen Lohn Waren herstellen, um sie dann mit Gewinn zu verkaufen. Für diese Wirtschaftsform prägten im 19. Jahrh. Gesellschaftstheoretiker den Begriff →Kapitalismus, der vor allem die negativen Erscheinungsformen kennzeichnen sollte. Die industrielle Revolution begann mit der Erfindung der Maschinen in der Textilindustrie, dehnte sich auf den Bergbau und die Eisenverarbeitung aus und erfaßte dann das Verkehrswesen, wobei England stets einen zeitlichen Vorsprung vor Kontinentaleuropa hatte.

Dort, wo es Fabriken gab, entstanden durch den Zuzug vieler Menschen große Städte, die manchmal zu großen Industrierevieren (z. B. Ruhrgebiet) zusammenwuchsen.

Bis zur Mitte des 19. Jahrh. überwogen die negativen Begleiterscheinungen der industriellen Revolution. Da wegen der explosionsartig angestiegenen Bevölkerungszahl ein Überangebot an Arbeitskräften bestand, konnten die Löhne sehr niedrig gehalten werden. Um überleben zu können, mußten die Arbeiter, oft auch deren Frauen und Kinder, täglich bis zu 16 Stunden arbeiten. Eine soziale Absicherung kannte man nicht. Ein besonderes Problem war die Arbeit selbst, die sich wegen der weitgehenden Arbeitsteilung meist auf nur wenige Handgriffe beschränkte und deshalb sehr eintönig war. Aus diesen sozialen Problemen heraus entstanden die Ideen des Sozialismus (→sozialistisch) und des Kommunismus (→kommunistisch).

Seit der Mitte des 19. Jahrh. verbesserte sich die Situation der Arbeiter durch die Tätigkeit der Kirchen und Gewerkschaften sowie durch das Eingreifen des Staates (Sozialgesetzgebung Bismarcks). Auf Grund der günstigen wirtschaftlichen Entwicklung wuchs nun auch das Einkommen der Arbeiter; die Massenarmut wurde beseitigt. Es entstand eine neue industrielle Gesellschaft, deren Lebensstandard infolge vieler technischer Neuerungen stieg.

Im 20. Jahrh. spricht man im Zusammenhang mit der Automation von einer zweiten, im Zusammenhang mit dem Aufkommen von Mikroprozessoren von einer dritten Industriellen Revolution.

Infant [aus lateinisch infans ›Kind‹], Titel der portugiesischen und spanischen Prinzen und Prinzessinnen **(Infantin)** des Königshauses.

Infanterie [von italienisch infante ›Knabe‹, ›Knappe‹], seit dem 17. Jahrh. gebräuchlicher Name für die zu Fuß kämpfenden Truppen. Vorher sprach man stets vom **Fußvolk.** Im Altertum und im Mittelalter kämpfte das Fußvolk in meist ungeordneten Haufen mit Schwert und Lanze (schweres Fußvolk) sowie mit Bogen, Schleuder und Speer (leichtes Fußvolk). Seit dem 16./17. Jahrh. rüstete man die Soldaten zunehmend mit Feuerwaffen, z. B. Musketen, aus. Im 18. Jahrh. gliederte man die Infanterie in Gewehrschützen (Füsiliere, Jäger) und Handgranatenwerfer (Grenadiere). Später wurde die Bewaffnung vereinheitlicht. Seit dem Ersten Weltkrieg bildeten sich für verschiedene Aufgaben und Einsatzarten unterschiedliche infanteristische Truppengattungen heraus. Heute unterscheidet man **Panzergrenadiere** (Begleitinfanterie der Panzertruppe), **Jäger** (für den Kampf in Ortschaften und Wäldern), **Gebirgsjäger** und **Fallschirmjäger.**

Infektionskrankheiten, →ansteckende Krankheiten.

Infinitiv [aus lateinisch (modus) infinitivus ›nicht näher bestimmte Zeitwortform‹], **Nennform,** Grundform des Verbs, die nichts über Person und →Numerus aussagt, z. B. ›singen‹, ›lachen‹, ›tanzen‹.

Inflation [aus lateinisch inflare ›aufblähen‹], ständiges Ansteigen der Preise für Güter und Dienstleistungen (Gegensatz: Deflation). Eine Inflation kann viele Ursachen haben, die teilweise darauf beruhen, daß die vorhandene Geldmenge mit der verfügbaren Gütermenge bei einem bestimmten stabilen Preisniveau nicht übereinstimmt. So kann die →Notenbank eines Landes zuviel Geld in Umlauf bringen; dadurch nimmt die Geldmenge stärker zu als die Gütermenge. Auch kann die Nachfrage nach Gütern und Dienstleistungen das Angebot übersteigen, da die Bürger, die Unternehmen oder der Staat mehr kaufen wollen, als von den Herstellern und dem Handel angeboten wird **(Nachfrageinflation).** Die dadurch entstehende ›Güterknappheit‹ kann über steigende Marktpreise ausgeglichen werden.

Ebenso kann es von Seiten der Anbieter zu inflationären Prozessen kommen, wenn z. B. der Wettbewerb zwischen den einzelnen Herstellern nicht groß genug ist, um die Preise niedrig zu halten. Gibt es im Grenzfall nur einen Anbieter (Monopolist), so kann dieser die Preise in beliebiger Höhe festsetzen, ohne auf die Nachfrager Rücksicht nehmen zu müssen. Weil Anbieter auf diese Weise überhöhte Gewinne erzielen können, spricht man auch von **Gewinninflation.**

Allgemeine Preissteigerungen können weiterhin dadurch verursacht werden, daß sich die zur Herstellung eingesetzten Produktionsfaktoren übermäßig verteuern (z. B. hohe Löhne und Gehälter oder steigende Rohstoffpreise). Die Anbieter versuchen dann, ihre höheren Produktionskosten über höhere Preise am Markt decken zu können **(Kosteninflation).**

Eine Inflation kann auch durch die außenwirtschaftlichen Beziehungen zu anderen Ländern in ein Land hereingetragen werden, wenn z. B. viele teure Güter aus dem Ausland eingeführt werden **(importierte Inflation).**

Je nach der Stärke der Geldentwertung durch die Preissteigerungen unterscheidet man die **schleichende,** die **beschleunigte** und die **galoppierende Inflation.** Die Stärke der Inflation wird mit Hilfe der **Inflationsrate** ausgedrückt, die angibt, um wieviel Prozent sich die Preise für Güter und Dienstleistungen im Vergleich z. B. zum Vorjahr erhöht haben.

In der Geschichte kam es oft nach Kriegen in den kriegführenden Staaten zu Inflationen. In Deutschland war nach den beiden Weltkriegen die Inflation so hoch, daß das Geld fast nichts mehr wert war und zeitweise Güter gegen Güter getauscht wurden (z. B. ›Zigarettenwährung‹), bis schließlich nur noch eine →Währungsreform die übermäßige Inflation beenden konnte.

Informatik, Wissenschaftsgebiet und Studienrichtung der Informationsverarbeitung, vor allem im Hinblick auf den Einsatz von elektronischen Datenverarbeitungsanlagen. Hauptziel ist, Strukturen und Beschreibungsmöglichkeiten von Informationsverarbeitungssystemen und -prozessen zu finden.

Infrarotstrahlung, IR-Strahlung, Wärmestrahlung. Physik: Tastet man das durch die Brechung an einem Prisma entstandene kontinuierliche Spektrum einer Glühlampe (→Farbe) vom blauen nach dem roten Ende und über das rote Ende hinaus mit einem empfindlichen Thermometer ($\frac{1^\circ}{10}$ – Einteilung) ab, dann zeigt es einen Temperaturanstieg an auch in dem Bereich, in dem der Schirm dem Auge dunkel erscheint. Die Wirkung in diesem Bereich des Spektrums jenseits der sichtbaren roten Farbe wird vom **infraroten Licht** hervorgerufen. Alle warmen Körper strahlen infrarotes Licht aus, das man nicht sieht, aber als Wärme empfindet. In der Medizin verwendet man Infrarotstrahlung zur Behandlung von Hals-, Nasen-, Ohren- und Hautkrankheiten. Infrarote Strahlen durchdringen im Gegensatz zu sichtbarem Licht Nebel, man kann deshalb mit Hilfe infrarotempfindlicher Filme **(Infrarotfilme)** sogar bei Nebel photographieren.

Infusion [lateinisch ›Eingießung‹], Zufuhr größerer Flüssigkeitsmengen direkt in das Blutgefäßsystem. Wenn die Nahrungsaufnahme auf normalem Weg nicht möglich ist oder kurzfristig ausgeschaltet werden muß, bedient man sich der Infusion zum Ausgleich größerer Wasserverluste (z. B. bei Erbrechen, Durchfall, Blutverlust) und zur Kalorienzufuhr. In der Regel wird die Infusionslösung tropfenweise, mit Hilfe eines Schlauches und einer Nadel, über die Armvene verabreicht.

Ingwer, →Gewürzpflanzen.

Injektion [von lateinisch inicere ›hineinwerfen‹], **Einspritzung,** Verabreichung von in Flüssigkeit gelösten Medikamenten mit einer Spritze in den Körper. Injektionen werden zur Behandlung und Erkennung von Krankheiten durchgeführt. Es gibt verschiedene Arten der Injektion: z. B. in die Blutgefäße (hauptsächlich in die Venen), in die Haut, unter die Haut, in den Muskel, in die Gelenke. Man verwendet heute in der Regel Einmalspritzen, um die Übertragung von Krankheitskeimen zu verhindern.

Inka, die Bewohner des **Inka-Reiches** im westlichen Südamerika. Es waren Indianer mit Ketschua-Sprache. Ursprünglich war Inka der Name des Herrschers in einem Kleinstaat, der um 1200 n. Chr. im Gebiet um **Cuzco** bestand. Unter dem 9. Inka, Pachacutec Yupanqui, der 1438–71 herrschte, dehnte sich das Inka-Reich durch kriegerische Eroberungen und geschickte Verhandlungen mit benachbarten Kleinstaaten aus. Bis zum Beginn der spanischen Eroberung Südamerikas (1531) war ein Großreich entstanden, das sich im Andengebiet von Kolumbien bis Chile erstreckte und von Cuzco aus straff verwaltet wurde. Die Wirtschaft umfaßte neben dem Ackerbau, der zum großen Teil auf bewässerten Terrassen betrieben wurde, auch Viehhaltung (z. B. Lamas) sowie Küstenfischerei. Ein hochentwickeltes (Kunst-)Handwerk verarbeitete Edelmetalle und Bronze und stellte kunstvolle Gewebe und Töpferware her. Ein ausgedehntes Straßennetz diente dem Warenaustausch, der militärischen Beweglichkeit und der Nachrichtenübermittlung. Eine Schrift gab es nicht. Als Hilfsmittel für die Erfassung von Abgaben an den Staat dienten **Quipus,** Schnüre, auf denen mit Hilfe von Knoten Zahlen festgehalten wurden. Weitere Zeugnisse der Inka-Kultur, die viele Elemente aus den Hochkulturen der unterworfenen Staaten aufgenommen hatte, sind Überreste von Festungen, Tempeln und Palästen aus ohne Mörtel zusammengefügten, so genau behauenen Steinblöcken, daß nicht einmal ein Messer dazwischen paßt.

Inkreis, Geometrie: → Dreieck.

Inkubationszeit [von lateinisch incubare ›auf etwas liegen‹, ›brüten‹], die Zeit zwischen Ansteckung (Infektion) und Ausbruch der Krankheit bei → ansteckenden Krankheiten. Bei bakteriellen Infektionen beträgt sie in der Regel wenige Tage, bei virusbedingten Erkrankungen 2–3 Wochen oder mehr.

Inn, rechter Nebenfluß der Donau. Der 510 km lange Fluß entspringt im südlichen Graubünden (Schweiz) im Bergsee Lago dal Lunghin in 2480 m Höhe. Er durchfließt das Engadin (Schweiz), Nordtirol (Österreich), das Bayrische Alpenvorland und mündet bei Passau in die Donau. Durch mehrere Wasserkraftwerke wird der Inn in Tirol und in Bayern zur Elektrizitätsgewinnung genutzt.

Innsbruck, 125000 Einwohner, im Tal des Inn gelegene Hauptstadt von Tirol, Österreich. Als alte Brücken- und heutige Kongreß- und Messestadt, als Handels- und Verkehrszentrum von Tirol ist Innsbruck zugleich einer der bekanntesten Fremdenverkehrsorte Österreichs. 1964 und 1976 fanden hier die Olympischen Winterspiele statt.

Input, Datenverarbeitung: Eingang, Eingangsinformation, Eingangsgröße, Eingabedaten (z. B. für einen Computer); Gegensatz: Output.

Inquisition [lateinisch ›Untersuchung‹], kirchliche Institution, die im 12. Jahrh. durch ein Einvernehmen zwischen dem Papst und dem Kaiser entstand. Sie wurde dem Orden der → Dominikaner übertragen und sollte der zunehmenden Gefährdung der Kirche durch ›Irrlehren‹ begegnen. Die Inquisitionsgerichte hatten die Aufgabe, diejenigen aufzuspüren und zu verurteilen, deren religiöse Überzeugungen von der amtlichen Lehre abwichen. Diese Menschen wurden als ›Ketzer‹ verfolgt. Die Geständnisse der Beschuldigten wurden oft durch schwerste Folter erpreßt. Die Strafen waren abgestuft von Kirchenstrafen (Bußwerke und Ausschluß von Sakramenten) über Gütereinziehung und Gefängnisstrafen bis hin zum Feuertod. Vollstreckt wurde das Urteil durch staatliche Gewalten. Von Anfang an verbanden sich bei der Ketzerverfolgung religiöse mit politischen und finanziellen Beweggründen. Auch das Aufspüren von Hexen, angeblich vom Teufel besessener Menschen, fiel in die Zuständigkeit der Inquisitionsgerichte. Viele der als Hexen bezichtigten Frauen und Männer gestanden unter den Qualen der Folter eine Verbindung mit dem Teufel ein. Sie wurden auf dem Scheiterhaufen verbrannt. Man glaubte, ihren Leib verbrennen zu müssen, um dadurch wenigstens ihre Seele retten zu können. Die Macht der Inquisition ging erst mit dem Dreißigjährigen Krieg (1618–48) zu Ende. Sie hatte bis dahin Hunderttausende unschuldiger Menschen das Leben gekostet.

Insekten bilden eine sehr artenreiche Klasse der → Gliederfüßer. Man schätzt, daß etwa 1 Million Tierarten zu dieser Klasse gehören, und immer wieder werden neue Arten entdeckt. Insek-

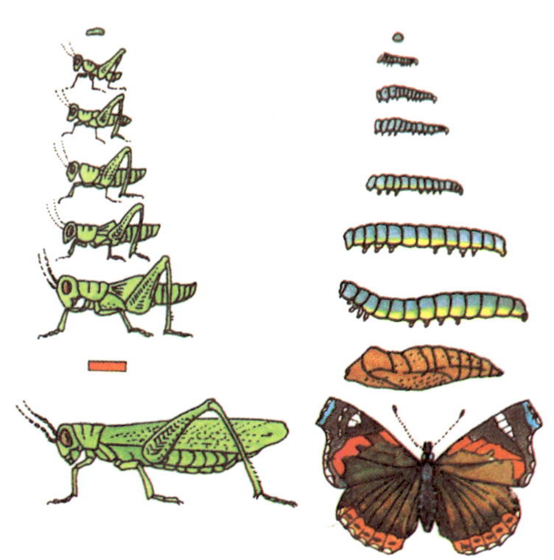

Insekten: Entwicklungstypen der Insekten; **a** Feldheuschrecke (Entwicklung ohne Verwandlung); **b** Schmetterling (Entwicklung mit Verwandlung: sie bilden zwischen Larvenstadium und dem ausgewachsenen Insekt ein Puppenstadium aus)

ten stellen wahrscheinlich die größte Gruppe im Tierreich überhaupt dar. Noch größer ist die Individuenzahl der Insekten. Zu einem Heuschreckenschwarm können z. B. 1 Milliarde Tiere gehören, auf einer einzigen Pflanze bis zu 25 000 Blattläuse sitzen. Die meisten Insekten leben in den Tropen. Sie sind vor allem Landtiere, viele leben auch im Süßwasser; im Meer sind sie selten. Die meisten Insekten leben allein; einige bilden →Tierstaaten, z. B. einige Bienen- und Wespenarten, die Ameisen und Termiten.

Der Körper der Insekten ist meist durch deutlich sichtbare Einkerbungen in 3 Abschnitte (Kopf, Brust und Hinterleib) gegliedert. Daher ihr Name von lateinisch insecare ›einschneiden‹; die deutsche Bezeichnung lautet **Kerbtiere.** Am Kopf sitzen 2 Fühler, 3 Paar Mundwerkzeuge und meist 2 Facettenaugen (→Auge). Der Brustabschnitt besteht aus 3 Ringen, die an der Bauchseite je ein Beinpaar tragen; also haben alle Insekten 6 Beine. Am zweiten und dritten Brustring kann jeweils ein Flügelpaar sitzen. Voll ausgebildete Vorder- und Hinterflügel, die einander aber nicht immer gleich sind, haben z. B. Bienen, Schmetterlinge, Käfer, Libellen, Heuschrecken, geflügelte Ameisen, Wespen und Hummeln. Bei manchen Insekten ist das hintere Flügelpaar verkümmert, z. B. bei Fliegen und Mücken. Es gibt auch Insekten ohne Flügel, z. B. die Flöhe.

Im Hinterleib der Insekten sitzen außer den Eingeweiden die Atmungsorgane (→Tracheen).

Fast alle Insekten machen während ihrer Entwicklung 2 oder 3 Verwandlungen durch. Aus den meist in großer Zahl abgelegten Eiern schlüpfen zunächst die gefräßigen **Larven** entweder als beinlose **Made,** wie bei den Fliegen, oder als **Raupe** (mit Beinen), z. B. bei den Schmetterlingen. Aus der Larve schlüpft dann bei vielen Arten das fertige Insekt; bei anderen (z. B. Käfern und Schmetterlingen) entwickelt sich aus der herumkriechenden Larve noch eine stillruhende **Puppe,** erst aus dieser entsteht das fertige Insekt. Meist ist der Lebensabschnitt als erwachsenes Insekt viel kürzer als das Jugendstadium (z. B. beim Maikäfer und Hirschkäfer). Ähnlich wie Kriechtiere und Lurche verbringen Insekten der kälteren Gebiete den Winter in einer Art Kältestarre an geschützten Plätzen. Viele überwintern als Puppe oder Ei.

Bestimmte Insekten können Schaden anrichten, manche durch ihre Freßgewohnheiten (Kartoffelkäfer, Heuschrecken), andere als Krankheitsüberträger (Mücken, Fliegen, Flöhe), einige als Parasiten (Wanzen, Läuse). Insekten sorgen aber auch für die →Bestäubung vieler Pflanzen. Bienen und Seidenraupen werden als Nutztiere gezüchtet.

Insel, rings von Wasser umgebenes Land, jedoch nicht die →Kontinente. In Flüssen oder Seen liegende Inseln heißen oft **Wört** oder **Werder.** Kleinere Inseln werden auch **Eiland,** die aus Marschland aufgebauten Inseln der deutschen Nordseeküste **Halligen,** die Felsbuckelinseln der skandinavischen Küste **Schären** genannt. Inseln treten meist in Gruppen **(Archipel)** oder Reihen **(Inselkette)** auf. Nach ihrer Lage unterscheidet man **kontinentale Inseln,** die vom Festland durch Meeresüberflutung getrennt sind oder durch Anschwemmung gebildete Aufschüttungen darstellen, und **ozeanische Inseln,** die Korallenbauten (→Atoll) oder vulkanischen Ursprungs sind.

Auf Grund ihrer Abgeschlossenheit weisen Pflanzen und Tiere auf Inseln meist viele nur dort vorkommende (endemische) Arten auf. So findet sich auf den Galápagos-Inseln, etwa 1 100 km westlich von Ecuador, Südamerika, gelegen, eine große Zahl nur dort vorkommender Tierformen (Darwin-Finken, urtümliche Riesenschildkröten und Riesenechsen).

Instinkt [mittellateinisch ›Anreiz‹], Biologie: angeborene Verhaltensweisen, die zu lebensnotwendigen und arterhaltenden Handlungen führen. So veranlassen Instinkte einen Vogel, im Frühjahr ein Nest zu bauen, einen Partner zu suchen und seine Jungen zu füttern.

Instrumentenflug, →Blindflug.

Insulin, blutzuckersenkendes →Hormon, das in der →Bauchspeicheldrüse gebildet wird. Mangel an Insulin führt zur →Zuckerkrankheit.

Intarsia, Einlegearbeit, kunstvoll in Holz eingelegte Verzierung aus andersfarbigem Holz oder aus Elfenbein, Schildpatt, Perlmutt und anderem Material. Die figürlichen oder ornamentalen Einlagen wurden entweder in Vertiefungen eingelassen, die mit dem Schnitzmesser aus dem Holz ausgehoben wurden, oder die farbigen Hölzer wurden zusammengefügt auf die Grundfläche aufgeleimt. Mit Intarsien wurden vor allem Möbel, aber auch Wandtäfelungen verziert. Ihre Blütezeit erreichte diese Kunst in der italienischen Renaissance, in der sogar perspektivische Darstellungen (Landschaft, Architektur, Figuren) entstanden.

integrierte Schaltung, [zu lateinisch integratio ›Wiederherstellung‹], **integrierter Schaltkreis,** Abkürzung **IC** [aus englisch **i**ntegrated **c**ircuit], elektronischer Baustein, der die aktiven und passiven Bauelemente (z. B. Transistoren, Dioden, Widerstände, Kondensatoren) einer elektronischen Schaltung in einem Halbleiterkristall zusammengefaßt enthält. Er wird daher auch **monolithische** (das heißt aus einem Block bestehende) **Schaltung, integrierte Halbleiterschaltung** oder **Festkörperschaltung** genannt.

Integrierte Schaltungen, eine Weiterentwicklung der →gedruckten Schaltung, haben gegenüber Schaltungen, die aus einzelnen Bauelementen (›diskret‹) aufgebaut sind, viele Vorteile, z. B. wesentlich geringerer Platzbedarf, kleinerer Stromverbrauch, kürzere Schaltzeiten (wichtig für digitale Rechenschaltungen), höhere Zuverlässigkeit und geringere Kosten. Sie werden daher in allen Bereichen der Elektronik eingesetzt. Neben der Unterscheidung nach verschiedenen Herstellungsverfahren unterteilt man integrierte Schaltungen in digitale und analoge Schaltkreise. Aus digitalen Schaltkreisen werden umfangreiche logische Schaltungen mit Verknüpfungs- und Speicherfunktionen für Computer aufgebaut. Analoge Schaltungen benötigt man z. B. für einen Verstärker.

Intelligenz [lateinisch ›Verstand‹, ›Einsicht‹], Fähigkeit, Probleme zu lösen und sich in neuen Situationen auf Grund von Einsicht, Einfühlungsvermögen und logischem Denken zurechtzufinden. Die Intelligenz eines Menschen hängt von seiner jeweiligen Auffassungsgabe, Urteilsgeschwindigkeit und Phantasie ab.

Die Psychologie bemüht sich um eine wissenschaftliche Messung der Intelligenz durch verschiedene Testverfahren. Als Maß für die Höhe der Intelligenz gilt der **Intelligenzquotient,** Abkürzung **IQ.** Er gibt an, inwieweit jemand von einem statistisch ermittelten Durchschnittswert (= 100) abweicht. Bei einem IQ zwischen 90 und 109 hat man eine durchschnittliche Intelligenz, unter 70 spricht man von Schwachsinn und über 130 von hervorragender Intelligenz.

Internationale, Vereinigung von Parteien, die aus der sozialistischen →Arbeiterbewegung hervorgegangen sind. Sie knüpft historisch an die Forderung des →Kommunistischen Manifestes an: ›Proletarier aller Länder vereinigt euch!‹.

1864 entstand unter Mitwirkung von Karl Marx die **Erste Internationale,** die bis 1876 bestand. Die 1889 gegründete **Zweite Internationale** befaßte sich mit grundsätzlichen Fragen (z. B. mit der Frage, ob durch soziale Reformen oder durch eine Revolution die Lage der Arbeiter verbessert werden könne). Sie zerbrach zu Beginn des Ersten Weltkriegs (1914), als die Mehrheit der deutschen Sozialdemokraten und der französischen Sozialisten die von ihren Regierungen geforderten Kriegskredite bewilligten. Die Zweite Internationale, nach dem Krieg neu gegründet, besteht heute als **Sozialistische Internationale** fort.

1919–43 bestand die **Dritte Internationale,** eine Vereinigung kommunistischer Parteien. Sie wurde als ›Kommunistische Internationale‹ (Abkürzung Komintern) ein Werkzeug der sowjetischen Außenpolitik.

Internationales Olympisches Komitee, englisch **International Olympic Committee,** Abkürzung **IOC,** überfachliche Organisation und höchste Instanz für Olympische Spiele. Die IOC-Vollversammlung vergibt die Spiele an den Austragungsort, immer an eine Stadt oder Region, nie an ein Land; ferner entscheidet sie in olympischen Regelfragen und, nach Abstimmung mit den internationalen Sportverbänden, über das sportliche Programm der Spiele. Das IOC wählt seine Mitglieder selbst, wobei eine feste Mitgliederzahl nicht gegeben ist. Sie betrug bisher im Höchstfall 91. Mit der Anerkennung →Nationaler Olympischer Komitees überträgt das IOC diesen einen großen Teil seiner Überwachungs- und Kontrollfunktionen im jeweiligen Land.

Interpol, Kurzwort für **Inter**nationale kriminal**pol**izeiliche Organisation. Interpol wurde 1923 gegründet, um eine Möglichkeit zu schaffen, Verbrechen, die über Staatsgrenzen hinweg reichen, besser bekämpfen zu können, z. B. wenn ein Verbrecher ins Ausland flüchtet. Interpol hat seinen Sitz in Lyon. Der Kontakt zwischen Interpol und der deutschen Kriminalpolizei wird vom →Bundeskriminalamt gehalten.

Interpretation [lateinisch ›Auslegung‹], die erklärende Auslegung von Texten unter inhaltlichen und formalen Gesichtspunkten. Sie wird als Hilfsmittel in der Literaturwissenschaft angewendet, im Recht (Auslegung z. B. von Gesetzestexten) und in der Theologie, wo sie **Exegese** genannt wird; auch in der Kunst, der Psychologie und Philosophie bedient man sich der Interpretation. Bei der Aufführung musikalischer Werke spielt die Interpretation als nachschöpferische Wiedergabe eine besondere Rolle.

Interpunktion [lateinisch interpunctio ›Scheidung (der Wörter) durch Punkte‹], **Zeichensetzung,** gliedert durch →Satzzeichen einen Satz in einzelne Sinnabschnitte und Satzteile. Die Regeln der Interpunktion sind in der Grammatik festgelegt.

Interregnum, [lateinisch ›Zwischenherrschaft‹], vor allem in Wahlmonarchien die Zeit zwischen dem Tod eines Herrschers und dem Amtsantritt des Nachfolgers.

In der deutschen Geschichte wird besonders die Zeit zwischen 1254 und 1273 als Interregnum bezeichnet, als nach dem Tod des letzten Stauferkönigs Konrad IV. ausländische Fürsten (Wilhelm von Holland, Richard von Cornwall, Alfons X. von Kastilien) zu deutschen Königen gewählt wurden. Es war eine Zeit innerer Wirren und allgemeiner Unsicherheit. 1273 einigten sich die Kurfürsten auf die Wahl des Habsburgers Rudolf I. zum deutschen König.

melodisches Intervall

harmonisches Intervall

Intervall

Intervall [von lateinisch intervallum ›Zwischenraum‹], in der Musik der Abstand zwischen 2 Tönen, den man als Unterschied in der Tonhöhe hören kann. Intervalle werden nach der Zahl der Notenstufen, die sie umfassen, benannt.

Intervalle im Abstand einer Oktave (bezogen auf c^1)

Zwei Töne, die nacheinander oder sukzessiv (in einem Melodieverlauf) erklingen, nennt man **melodisches Intervall.** Erklingen sie gleichzeitig oder simultan (als Zweiklang), so spricht man von einem **harmonischen Intervall.**

Weiterhin unterscheidet man **reine Intervalle** (Prime, Quarte, Quinte, Oktave) und **große Intervalle** (Sekunde, Terz, Sexte, Septime). **Kleine Intervalle** entstehen, wenn ein großes Intervall durch einen Halbton erniedrigt wird. Ein **übermäßiges Intervall** erhält man, wenn ein reines oder großes Intervall um einen Halbton erhöht wird, ein **vermindertes Intervall,** wenn ein reines oder kleines Intervall um einen Halbton erniedrigt wird.

Invasion [zu lateinisch invadere ›eindringen‹], das Einrücken mit bewaffneter Macht in einen fremden Staat oder in ein größeres Gebiet, das von feindlichen Truppen besetzt ist.

Invasionen im Zweiten Weltkrieg waren z. B. der großräumige Angriff deutscher Truppen auf die Sowjetunion (1941) und die Landung der gegen Deutschland kämpfenden Armeen der USA, Großbritanniens und anderer Länder in der Normandie (Frankreich, 1944). Mit der Invasion nordkoreanischer Truppen in Südkorea begann 1950 der Koreakrieg.

Investition [zu lateinisch investire ›einkleiden›], Anschaffung, Erweiterung, Verbesserung oder Erhaltung von Vermögensgegenständen eines Betriebes. Kauft ein Unternehmen Maschinen, um damit Güter herzustellen, oder wird das Betriebsvermögen z. B. durch den Kauf eines Lastwagens erhöht, so investiert der Unternehmer.

Investiturstreit. Seit der Regierungszeit Ottos des Großen (936–973) setzte der König Bischöfe in ihre Ämter ein und übergab ihnen die Zeichen ihrer geistlichen und weltlichen Gewalt: Ring, Hirtenstab und Zepter. Diese Einsetzung wird Investitur genannt. Im 11. Jahrh. lehnten die Päpste die ›Laieninvestitur‹ (die Einsetzung eines Geistlichen durch einen Nichtgeistlichen) ab. Als Heinrich IV. (1056–1106) trotz Verbots durch Papst Gregor VII. (1073–85) weiter Bischöfe einsetzte, kam es zum Streit. Der deutsche König setzte den Papst ab, der Papst bannte den König. 1077 erreichte Heinrich IV. in Canossa die Lösung vom Bann. Aber der Streit wurde erst 1122 durch das **Wormser Konkordat** beendet. Danach wählten die Geistlichen einer Bischofskirche (Domkapitel) in Gegenwart des Königs den Bischof. Der König belehnte den Bischof vor der Weihe mit dem Zeichen seiner weltlichen Gewalt, dem Zepter. Nach der Weihe überreichte ein Vertreter des Papstes Ring und Hirtenstab.

IOC, Abkürzung für →Internationales **O**lympisches **K**omitee.

Ionen [zu griechisch ion ›wandernd‹], elektrisch positiv oder negativ geladene →Atome oder Moleküle; bei ihnen sind somit weniger oder mehr Elektronen vorhanden, als zu ihrer Neutralisierung notwendig wären. Je nach der Zahl der überschüssigen oder fehlenden Elektronen spricht man von einfach, zweifach usw. negativ oder positiv geladenen Ionen und kennzeichnet den Ladungszustand der Ionen durch Anfügen von +, ++(2+), −, −−(2−) usw. als rechten oberen Index an den chemischen Symbolen. In der Chemie spricht man von einwertigen (z. B. H^+, OH^-), zweiwertigen (z. B. Mg^{++}, SO_4^{--}), dreiwertigen (z. B. Al^{3+}) Ionen.

Die Abspaltung von Elektronen **(Ionisation)** erfordert die Zuführung von Energie **(Ionisierungsenergie)** durch Einstrahlung von Licht oder Röntgenstrahlen (Photoeffekt, **Photoionisation**), durch Zusammenstoß mit energiereichen geladenen Teilchen **(Stoßionisation),** z. B. mit Elektronen bei der →Gasentladung, oder durch hohe Temperatur **(thermische Ionisation).** – In den höheren Schichten der →Atmosphäre wirkt das Sonnen-UV-Licht ionisierend **(Ionosphäre).**

In Elektrolyten entstehen Ionen durch Dissoziation (Spaltung) von Molekülen in 2 entgegengesetzt geladene Bestandteile. Positive Ionen laufen im elektrischen Feld zur Kathode **(Kationen),** negative Ionen **(Anionen)** zur Anode.

Ionier, indogermanisches Volk, das um 1900

v. Chr. in Griechenland einwanderte und vor allem auf der Halbinsel Attika (mit Athen) siedelte. Als die Dorer in Griechenland eindrangen, wurden Teile der Ionier verdrängt. Sie besiedelten die Inselgruppe der Kykladen und Teile der kleinasiatischen Westküste. Im engeren Sinn bezeichnet man als Ionier die Bewohner der 12 Städte Kleinasiens, die den ›Ionischen Städtebund‹ eingingen und den ›Ionischen Aufstand‹ gegen die Perser (500 v. Chr.) entfachten. Im 6. Jahrh. v. Chr. waren die Ionier auch an der Gründung von Kolonien (am Schwarzen Meer, in Süditalien und Sizilien) beteiligt.

Der **ionische Baustil** ist neben dem dorischen und dem korinthischen Stil einer der großen Baustile der antiken griechischen Tempel und Hallen (→ Säule, → griechische Kunst).

Ionosphạ̈re, die zwischen Mesosphäre und Exosphäre liegende Schicht der → Atmosphäre.

Iphigẹnie, in der griechischen Sagenwelt eine Tochter des Königs Agamemnon und seiner Gemahlin Klytämnestra. Als Agamemnon seine Schlachtschiffe zum Kampf um Troja auslaufen lassen wollte, verwehrte ihm dies zunächst die Jagdgöttin Artemis, weil sie über den König erzürnt war. Um sie zu besänftigen, sollte Iphigenie geopfert werden. Artemis verhinderte jedoch den Vollzug des Opfers. Sie brachte Iphigenie als Priesterin in einen ihrer Tempel auf der Halbinsel Krim im Schwarzen Meer. Dort mußte Iphigenie jeden fremden Neuankömmling der Artemis opfern. Eines Tages kam auch ihr Bruder → Orest dorthin, und Iphigenie sollte ihn, wie jeden Fremden, töten. Doch sie erkannte Orest rechtzeitig. Mittels einer List gelang es beiden, nach Griechenland zurückzukehren. – Die Sage um Iphigenie wurde in zahlreichen literarischen Werken dargestellt. Sie findet sich in Dramen von Aischylos, Euripides, Racine, Goethe, aber auch z. B. in einer Oper von Christoph Willibald Gluck.

IQ, Abkürzung für **I**ntelligenz**q**uotient, → Intelligenz.

Irạk, Republik in Vorderasien, etwa einenhalb mal so groß wie Italien. Das Land wird von 3 Landschaftstypen geprägt: dem **Gebirgsland** im Nordosten, dem von Euphrat und Tigris durchflossenen Zweistromland **(Mesopotamien),** Hauptanbaugebiet des Landes, und der westlich des Euphrat gelegenen **Wüste.** Das Klima ist kontinental mit heißen Sommern (bis 52 °C) und kalten Wintern. Die Niederschläge nehmen von Westen nach Osten ab.

Die Bevölkerung besteht zu ³/₄ aus Arabern;

Irak

Fläche: 434 924 km²
Bevölkerung: 17 Mill. E
Hauptstadt: Bagdad
Amtssprachen: Arabisch, Kurdisch
Nationalfeiertag: 14. Juli
Währung: 1 Irak-Dinar (ID) = 1 000 Fils
Zeitzone: MEZ + 2 Stunden

im Nordosten leben rund 1,5 Millionen Kurden. Auch Türken und Iraner leben im Land. Der Islam ist Staatsreligion. Wichtigste Städte sind Bagdad, Mossul und Basra.

Die Landwirtschaft bringt trotz der seit 1958 durchgeführten Bodenreform keine hohen Erträge. Weizen und Gerste sind die wichtigsten Anbauprodukte. Entlang der Flüsse und Kanäle stehen zahlreiche Dattelpalmen. Größte wirtschaftliche Bedeutung hat die Erdölförderung. Irak gehört zu den Ländern mit den größten Ölreserven. Pipelines transportieren das Öl zu den Häfen am Mittelmeer und am Persischen Golf. Die Industrie gewinnt an Bedeutung. Ihre Zentren liegen in Bagdad und Basra. Kraftwerke, Erdölchemie, Maschinenbau, Fahrzeugbau und Stahlindustrie werden aufgebaut.

Geschichte. 1921 erhielt Großbritannien vom Völkerbund das Mandat über das Land, das bis dahin Teil des Osmanischen Reichs war. 1932 wurde es ein unabhängiges Königreich. In einem blutigen Putsch wurde 1958 der König von Offizieren ermordet und die Republik ausgerufen. Seitdem regiert ein Revolutionsrat.

Unter Präsident Husain führte Irak 1980–88 einen Krieg gegen Iran (1. Golfkrieg). 1990 führte die Besetzung von Kuwait zum 2. Golfkrieg und zur Niederlage des Irak. (KARTE Seite 194)

Irạn, Islamische Republik in Vorderasien, etwa 3mal so groß wie Frankreich. Im Norden liegt das Elburs-Gebirge mit mehr als 5 000 m Höhe. Die westliche Begrenzung bildet das Zagros-Gebirge. Dazwischen erstreckt sich das Hochland von Iran als eine in manchen Teilen fast vegetationslose Beckenlandschaft, zum Teil von Salzwüsten und Salzseen erfüllt. Erdbeben sind häufig. Klimatisch gehört das Hochland zum Trockengürtel der Erde. Die Randgebirge im Westen, Süden und Norden erhalten für Ackerbau ausreichende Niederschläge. Die Sommer im Hochland sind trocken und heiß. Der Norden und Nordwesten haben strenge Winter. Die Bevölkerung konzentriert sich besonders

Staatswappen

Staatsflagge

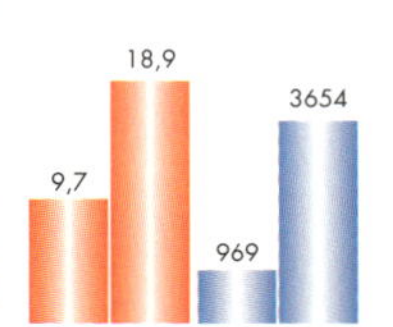

Bevölkerung (in Mill.)
Bruttosozialprodukt je E (in US-$)

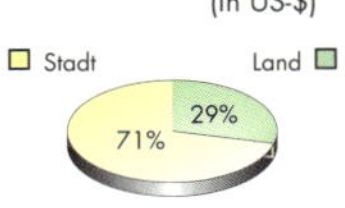

Bevölkerungsverteilung 1990

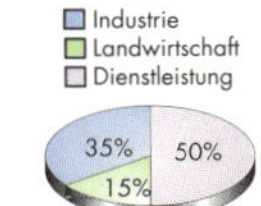

Bruttoinlandsprodukt 1986

Iran

Fläche: 1 648 000 km²
Bevölkerung: 55,6 Mill. E
Hauptstadt: Teheran
Amtssprache: Persisch
Staatsreligion: Schiit. Richtung des Islam
Nationalfeiertage: 11. Febr. und 1. April
Währung: 1 Rial (RI) = 100 Dinars (D)

Iran

Staatswappen

Staatsflagge

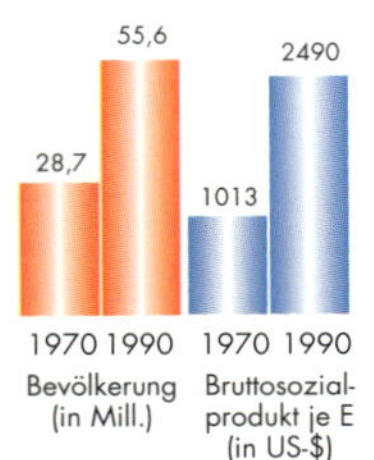

Bevölkerung (in Mill.)

Bruttosozialprodukt je E (in US-$)

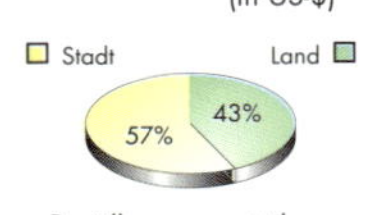

Bevölkerungsverteilung 1990

Bruttoinlandsprodukt 1990

im Nordwesten und in den städtischen Ballungsräumen. Etwa ⅔ der Einwohner sind Perser. Zu den großen Minderheiten zählen unter anderem Kurden im Nordwesten, Turkmenen im Nordosten, Araber und Armenier. Der schiitische Islam ist Staatsreligion.

W i r t s c h a f t. Seit der Landreform 1960–70 bestehen kleinbäuerliche Betriebe. Weizen und Gerste werden als Grundnahrungsmittel angebaut. Die Agrarprodukte des Tieflands am Kaspischen Meer sind Reis, Tee, Citrusfrüchte, Tabak und Baumwolle, das südliche Tiefland liefert Zuckerrohr, Südfrüchte und Datteln.

Iran gehört zu den größten Erdöl- und Erdgasförderländern der Erde. Pipelines transportieren Öl und Gas zum Hafen der Insel Charg im Persischen Golf. Die Exporterlöse wurden unter der Herrschaft des Schah zur I n d u s t r i a l i s i e r u n g (Eisen- und Stahlerzeugung, Kraftwerke und Erdölchemie) verwendet. Seit der iranischen Revolution ist die Produktion zurückgegangen. Große Bedeutung haben traditionelles Handwerk (Teppichknüpferei) und Kleingewerbe. Neben Erdöl werden Teppiche, Baumwolle und Erze ausgeführt.

G e s c h i c h t e. Erstmals weltgeschichtliche Bedeutung gewann Persien (so hieß Iran nach einem seiner Stämme, den Persern, bis 1934) durch die Reichsgründung von Kyros II. im 6. Jahrh. v. Chr. Unter Dareios reichte es von Thrakien bis zum Indus und von Libyen bis Taschkent. Der Ionische Aufstand führte zur Niederlage gegen die Griechen 479 v. Chr. Alexander der Große eroberte das gesamte Reich. Nach seinem Tod (323 v. Chr.) folgte ihm hier Seleukos. Nach der Herrschaft der Sassaniden eroberten die Araber um 650 das Land und führten den Islam ein. Nach mehreren Wechseln der Herrscherhäuser geriet Persien im 19. Jahrh. in die Auseinandersetzung zwischen Rußland und Großbritannien über die Vorherrschaft im Mittleren Osten. 1925 gründete Schah Resa die Dynastie Pahlewi; er führte zahlreiche Reformen durch. Nach 1945 verstärkte sein Sohn Mohammed Resa die Reformbewegungen durch eine Bodenreform und Bekämpfung des Analphabetismus. Wachsender Widerstand gegen den Schah und seine Politik führte schließlich 1978/79 zum Sturz der Monarchie. Seit 1979 herrscht in Iran, 1979–89 unter der geistigen Führung des Ayatollah Khomeini, ein streng am schiitischen Islam orientiertes Revolutionsregime. Vor allem Anhänger der Monarchie wurden hingerichtet. 1980–88 befand sich das Land im Krieg mit Irak. (KARTE Seite 195)

Iridium [zu griechisch iris ›Regenbogen‹, wegen der verschiedenen Farben seiner Oxide], Zeichen **Ir,** →chemische Elemente, ÜBERSICHT.

Iris [griechisch ›Regenbogen‹], **1)** Botanik: die →Schwertlilie. **2)** Anatomie: die Regenbogenhaut des →Auges.

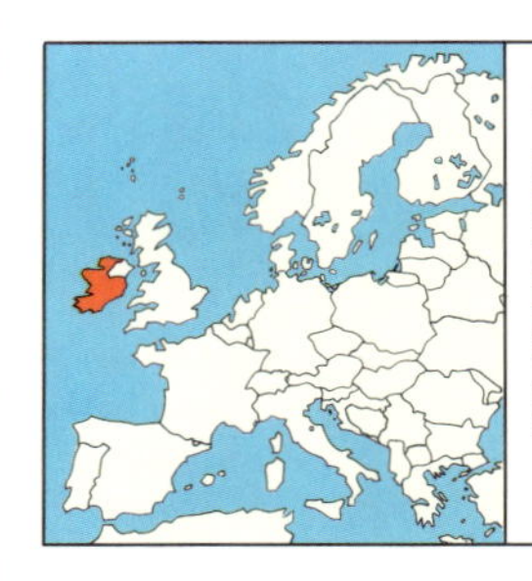

Irland

Fläche: 70 283 km²
Bevölkerung: 3,51 Mill. E
Hauptstadt: Dublin
Amtssprachen: Irisch, Englisch
Nationalfeiertag: 17. März
Währung: 1 Irisches Pfund (Ir£) = 100 New Pence (p)
Zeitzone: MEZ –1 Stunde

Irland, Republik auf der Insel Irland in Nordwesteuropa, etwa doppelt so groß wie Belgien. Der Nordosten der Insel wird von Nordirland (→Großbritannien und Nordirland) eingenommen. Von Großbritannien durch die Irische See getrennt, wird Irland größtenteils vom Atlantischen Ozean umschlossen. Die Küste ist buchtenreich. Randgebirge, die im Süden über 1 000 m aufragen, umgeben das zentrale Tiefland, das von fruchtbarem Boden bedeckt ist. Die Insel ist arm an Wald und hat große Moore. Das Klima ist gemäßigt und sehr feucht. Ihm verdankt Irland sein immergrünes Pflanzenkleid (›Grüne Insel‹).

Nur wenige der meist irischen Bewohner sprechen Irisch als Muttersprache, die meisten Englisch. Der größte Teil der Iren gehört der katholischen Kirche an. Die wichtigsten Städte sind Dublin an der Ostküste und Cork im Süden.

Die landwirtschaftlich genutzte Fläche besteht überwiegend aus Wiesen und Weiden. Die Viehwirtschaft erbringt ⅘ der landwirtschaftlichen Produktion. Daneben werden Gerste, Hafer, Weizen und Zuckerrüben angebaut.

Zu der traditionellen Nahrungs- und Genußmittelindustrie sind Betriebe in den Bereichen Maschinenbau, Chemie und Textilien getreten. Der Fremdenverkehr ist ein wichtiger Wirtschaftsfaktor. Irland gehört der Europäischen Gemeinschaft an.

Geschichte. Irland wurde im 12. Jahrh. von England unterworfen. Gegen die Politik der britischen Krone, unter Heinrich VIII. besonders gegen dessen Religionspolitik, kam es immer wieder zu Aufständen. Die irische Nationalbewegung gegen das ›Vereinigte Königreich von Großbritannien und Irland‹ erreichte 1921 die Unabhängigkeit des Landes; →Nordirland wurde abgetrennt. (KARTE Seite 203)

Irokesen, eine Gruppe sprachverwandter Indianerstämme im Gebiet der östlichen Großen Seen in Nordamerika, zu der z. B. die **Erie, Huronen** und **Mohawk** gehören. Die Irokesen trieben früher intensiven Anbau von Mais, Bohnen und Kürbissen. Ihre großen, mit Palisaden befestigten Siedlungen bestanden aus mehreren Langhäusern, in denen jeweils eine Sippe unter der Herrschaft einer älteren Frau wohnte. In der Geschichte Nordamerikas spielten die Irokesen eine wichtige Rolle. In den siebziger Jahren des 16. Jahrh. schlossen sich mehrere Stämme zu einem **Irokesenbund** zusammen. Der Bund unterwarf benachbarte Stämme, kämpfte im britisch-französischen Kolonialkrieg gegen die Franzosen und im Amerikanischen Unabhängigkeitskrieg (→Vereinigte Staaten von Amerika) auf britischer Seite. Der Bund besteht noch heute. Gegenwärtig leben rund 9 000 Irokesen in den USA und rund 15 000 in kanadischen Indianerreservationen.

irrationale Zahlen, Mathematik: Zahlen, die sich nicht als Brüche darstellen lassen (→Zahlenaufbau).

Isabella I., die Katholische, Thronfolgerin von Kastilien und León (* 1451, † 1504). Sie heiratete 1469 den Thronfolger von Aragón, →Ferdinand II., den Katholischen. In Isabellas Königreichen trat das Herrscherpaar, das vom Papst den Ehrennamen ›Katholische Könige‹ verliehen bekam, 1474 die Regierung an, in Aragón 1479. Die Verbindung der 3 spanischen Königreiche legte den Grund zum spanischen Nationalstaat. Isabella unterstützte die Entdeckungsfahrten von Kolumbus.

Isar, rechter Nebenfluß der Donau. Der 263 km lange Fluß entspringt im Karwendelgebirge (Österreich), durchfließt das Bayrische Alpenvorland sowie die Stadt München und mündet bei Deggendorf in die Donau. Zahlreiche Wasserkraftwerke der Isar dienen der Elektrizitätsgewinnung.

Ischia [i̯skia], zur Provinz Neapel, Italien, gehörende vulkanische Insel am Eingang zum Golf von Neapel. Ischia ist 46,4 km^2 groß und hat 50 000 Einwohner. Die Insel hat wegen ihrer landschaftlichen Schönheit, ihres milden Klimas und ihrer Thermalquellen das ganze Jahr über regen Fremdenverkehr. Weitere Erwerbsquellen sind Weinbau und Fischfang. Der Hauptort ist Porto d'Ischia.

Isis, eine der volkstümlichsten Gottheiten des alten Ägypten, als Schwester und Gemahlin des Totengottes →Osiris und Mutter des Lichtgottes →Horus wurde sie zum Sinnbild der Gattentreue und Mutterliebe; dargestellt wurde sie mit Kuhhörnern und Sonnenscheibe, häufig mit dem Schriftzeichen des Herrscherthrons auf dem Kopf. (BILD Seite 82)

Islam [arabisch ›Ergebung in Gottes Willen‹]. ›Allah (Gott) ist groß! Ich bezeuge, es gibt keine Gottheit außer Allah; ich bezeuge, Mohammed ist der Gesandte Allahs. Herbei zum Gebet.‹ Mit diesem immer gleichen Ruf kündigt der Muezzin (›Gebetsrufer‹) täglich fünfmal vom →Minarett den Moslems die Gebetsstunde an. Damit erfüllen die Gläubigen eine der 5 Grundpflichten (›Fünf Säulen des Islam‹), die ihnen der Prophet →Mohammed auferlegt hat. Dieser stiftete um 610 den Islam, die jüngste der Weltreligionen. Die von Mohammed verkündeten Offenbarungen Allahs wurden nach seinem Tod im →Koran gesammelt. Neben dem fünfmaligen täglichen Gebet muß sich jeder Moslem zu dem Glauben an den **einen Gott, Allah,** bekennen, eine jährliche Almosensteuer entrichten, im Monat Ramadan fasten und einmal in seinem Leben nach →Mekka wallfahrten. Danach trägt er den Ehrentitel Hağği (Hadschi). Außerdem muß der gläubige Moslem auf den Genuß von Alkohol und Schweinefleisch verzichten.

Ähnlich wie im Christentum gibt es auch im Islam die Vorstellung von einem allgemeinen Gericht am Ende der Zeiten. An diesem Tag richtet Allah jeden Menschen nach seinen Taten. Die Bösen werden dann in die Hölle verstoßen, die Guten mit dem Paradies belohnt. Wer als Märtyrer stirbt, kommt sofort nach dem Tod ins Paradies, einen Ort der geistigen und leiblichen Freuden.

Seit 656 spaltete sich der Islam in die Konfessionen der →Schiiten und →Sunniten. Die beiden Gruppen streiten sich um die Führerschaft der islamischen Glaubensgemeinschaft. Dieser

Irland

Staatswappen

Staatsflagge

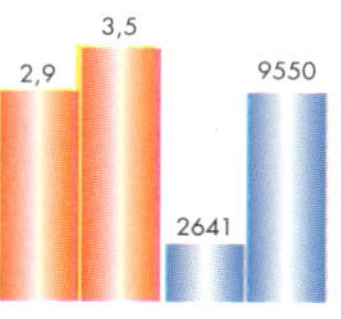

1970 1990 1970 1990
Bevölkerung (in Mill.) Bruttosozialprodukt je E (in US-$)

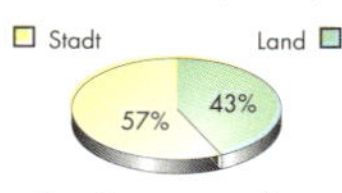

Bevölkerungsverteilung 1990

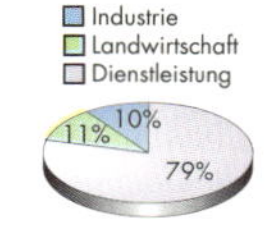

Bruttoinlandsprodukt 1989

Isis

innerislamische Zwist behinderte jedoch die rasche Ausbreitung dieser Religion nicht. Verbreitet wurde der Islam meist im Gefolge der im Koran vorgeschriebenen ›Heiligen Kriege‹. Heute hat der Islam über 700 Millionen Anhänger in aller Welt. Zentren sind Nord- und Mittelafrika, Teile Innerasiens, die Philippinen, Südindien und der Nahe Osten. Ausgehend von den religiösen Führern in Iran gewinnt zur Zeit eine Richtung des Islam stark an Bedeutung, die die strenge Anwendung der Gesetze des Koran im gesamten privaten und staatlichen Bereich fordert.

Der Islam prägte auch die Kunst der islamisch gewordenen Völker, also vor allem der arabischen, persischen und türkischen Völker. Maßgeblich für die **islamische Kunst** wurde das Verbot, Figuren abzubilden, das im religiösen Bereich meist eingehalten wurde. Daher gibt es so gut wie keine religiöse Malerei und Plastik; im höfischen und bürgerlichen Bereich finden sich häufiger Figurendarstellungen, so auf Teppichen, Stoffen, in der Buchmalerei. Das wichtigste Dekor an Bauten und Gebrauchsgegenständen bilden Ornamente in abstrakten Formen, die geometrisch oder pflanzlich-rankenhaft (→ Arabeske) sein können und große Flächen überziehen. Die islamische Baukunst brachte Moscheen, Grabbauten, Klöster, Hochschulen, Paläste, Bäder und Befestigungen hervor; die Bauten sind oft prunkvoll ausgestattet. Ein wichtiges Element der Baukunst war der Hufeisenbogen. Von Persien ging im 11./12. Jahrh. die Verwendung von farbigen Fliesen als großflächigem Wandschmuck aus. Auch die arabische Schrift, die durch den Koran in allen islamischen Ländern bekannt ist, hatte als Wandschmuck große Bedeutung. Da dem Glauben der Moslems zufolge Gerätschaften aus Gold und Silber den Seligen im Paradies vorbehalten waren, blühten im Kunsthandwerk vor allem Keramik, Glaskunst und die Bearbeitung von unedlem Metall.

Auch in Nordafrika und Spanien gibt es bedeutende Zeugnisse der islamischen Kunst; herausragend besonders die 785 gegründete Moschee von Córdoba und die Alhambra von Granada (13/14. Jahrh., ›maurischer Stil‹).

Islamabad, 236 000 Einwohner, 1961 angelegte Hauptstadt Pakistans, auf einer Hochebene im Nordosten des Landes gelegen.

Island

Staatswappen

Staatsflagge

Island, Inselstaat im nördlichen Atlantischen Ozean. Meist aus vulkanischem Gestein aufgebaut, ist die Insel vorwiegend Hochland (300–1200 m). Viele zum Teil noch tätige Vulkane und heiße Quellen (z. B. Geysire) prägen

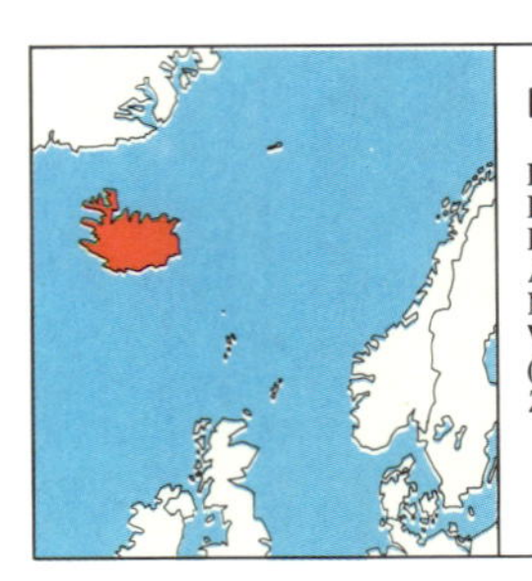

Island

Fläche: 100 270 km²
Bevölkerung: 253 500 E
Hauptstadt: Reykjavík
Amtssprache: Isländisch
Nationalfeiertag: 17. Juni
Währung: 1 Isländ. Krone (ikr) = 100 Aurar (aur.)
Zeitzone: MEZ – 1 Stunde

das Bild. Die höchstgelegenen Gebiete um den Vatnajökull (2 000 m) sind vereist. Die Küsten weisen viele Fjorde auf. 1963 entstand vor der Südwestküste durch einen untermeerischen Vulkanausbruch die Vulkaninsel Surtsey. Das ozeanische Klima wird durch den Golfstrom gemildert. Stürme, Nebel und Regen sind häufig.

Wichtigste Wirtschaftszweige sind Fischerei und Fischverarbeitung. Die Landwirtschaft betreibt Viehzucht und in durch Erdwärme (heiße Quellen) beheizten Gewächshäusern Gemüseanbau. Die Industrie wird ausgebaut; ein großes Aluminiumwerk produziert bereits.

Island wurde 874 von Wikingern besiedelt, die einen Freistaat schufen. Später gehörte es zu Norwegen, dann zu Dänemark und ist seit 1944 selbständige Republik. Es ist Mitglied der NATO. (KARTE Seite 205)

Islandtief. Im Seegebiet von Island im nördlichen Atlantischen Ozean treten häufig Tiefdruckgebiete (→ Tief) auf, die für den Ablauf des Wetters in Europa von Bedeutung sind. Sie bringen vor allem West- und Nordeuropa Niederschläge und im Winter toben oft orkanartige Stürme über der Nordsee.

Isobaren [zu griechisch isos ›gleich‹ und baros ›Druck‹], Linien auf einer Wetterkarte, die Orte mit gleichem Luftdruck verbinden. Sie geben dort die Verteilung des Luftdrucks mit Hoch- und Tiefdruckgebieten wieder.

Isolatoren [zu italienisch isolare ›abtrennen‹], **Nichtleiter,** Stoffe, durch die kein elektrischer Strom fließen kann, z. B. Bernstein, Glas, Gummi, Glimmer, Keramik, die meisten Kunststoffe, Öl, Benzin, reiner Alkohol, destilliertes Wasser und Gase unter normalem Druck. Elektrische Leitungen und Geräte sind mit Isolierstoffen umgeben, die vor stromführenden Metallteilen schützen.

Isothermen [zu griechisch isos ›gleich‹ und therme ›Wärme‹], Linien auf einer Wetterkarte, auf denen Orte gleicher Lufttemperatur liegen.

Isotope [zu griechisch isos ›gleich‹ und topos ›Ort‹], Atomkerne (→Atom) mit gleicher Protonenzahl (Kernladungszahl, Ordnungszahl) *Z*, aber unterschiedlicher Neutronenzahl *N* und damit unterschiedlicher Nukleonenzahl (Massenzahl) *A*. Isotope gehören zum gleichen chemischen →Element und lassen sich mit chemischen Methoden nur sehr schwer trennen, weil die chemische Natur eines Atoms von seiner Elektronenhülle bestimmt wird, deren Struktur fast ausschließlich von der Protonenzahl *Z* festgelegt wird. Außer **stabilen Isotopen** kennt man natürliche und durch Kernreaktionen künstlich hergestellte **radioaktive (instabile) Isotope (Radioisotope).** Die Elemente mit Ordnungszahlen über 83 weisen nur noch radioaktive Isotope auf. Es gibt Elemente mit bis zu 34 Isotopen, z. B. Platin. Nur 3 Isotope weist der Wasserstoff auf (→Atom, BILD 1).

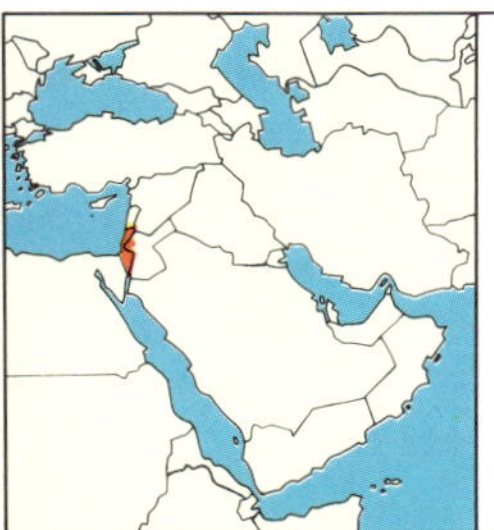

Israel

Fläche: 20 770 km²
Bevölkerung: 4,37 Mill. E
Hauptstadt: Jerusalem
Amtssprachen: Hebräisch (Iwrith), Arabisch
Staatsreligion: jüd. Glaube
Nationalfeiertag: 5. Ijjar
Währung: 1 Neuer Schekel (NIS) = 100 Agorot
Zeitzone: MEZ + 1 Stunde

Israel, Staat in Vorderasien, an der Ostküste des Mittelmeeres. Er hat etwa die Größe von Hessen. Das Land erstreckt sich von Norden nach Süden über 400 km. Der Süden wird von der Wüste **Negev** eingenommen. Der Norden gliedert sich in die Küstenebene, das Bergland und den westlichen Teil des Jordangrabens. Israel liegt im Übergangsgebiet von Mittelmeer- zu Wüstenklima. Die Sommer sind warm und trocken, die Winter im Bergland kühl bis kalt, in den Niederungen mild. Die natürliche Vegetation besteht aus Steppenpflanzen, durch Aufforstung werden die Waldflächen im Gebirge vergrößert.

Bei der Staatsgründung 1948 setzte sich die Bevölkerung aus rund 675 000 Juden und 125 000 Arabern und Drusen zusammen. 700 000 Araber hatten das Land verlassen müssen und stellen bis heute als Palästinenserflüchtlinge (→Palästinenser) in den Nachbarstaaten ein ungelöstes Problem dar. Seit der Staatsgründung bis 1981 sind rund 1,6 Millionen Juden eingewandert (→Juden), zunächst aus Mitteleuropa, später aus arabischen Ländern, seit Ende der 1950er Jahre aus Osteuropa, in den letzten Jahren besonders aus der Sowjetunion, nach deren Zerfall aus Rußland und den Nachfolgestaaten der UdSSR. Um die Einwanderer unterzubringen, wurden Siedlungen gegründet; den Bewohnern werden Steuererleichterungen gewährt. Über 90 % der jüdischen und etwa 50 % der arabischen Bevölkerung leben in Städten. Die bedeutendsten Großstädte sind Jerusalem, Tel Aviv-Jaffa und Haifa.

Für Männer und Frauen besteht allgemeine Wehrpflicht; Frauen können aus religiösen Gründen vom Wehrdienst befreit werden. In Israel besteht keine Staatsreligion. Die Mehrzahl der Einwohner bekennt sich zum jüdischen Glauben.

Wirtschaft. Israel hat, trotz ungünstiger Bedingungen (Wüste, Wassermangel, Rohstoffknappheit und Kriege mit den arabischen Nachbarn), einen modernen Industriestaat aufgebaut. Von der Landwirtschaft wird etwa 1/5 der Gesamtfläche ackerbaulich genutzt; davon wird fast die Hälfte bewässert. Intensiver und mit modernen Maschinen betriebener Anbau produziert auch für den Export. Die jüdischen Landwirte bearbeiten das Land größtenteils gemeinsam, z. B. im →Kibbuz. Hauptanbaugebiete sind die Küstenebene, der Norden und der Nordteil des Negev. Das für die Bewässerung benötigte Wasser wird durch Pipelines vom Norden und von der Meerwasserentsalzungsanlage am Golf von Elath herangeschafft. Wichtigste Ausfuhrgüter sind Frühgemüse und Blumen. Die bedeutendsten Erzeugnisse des Ackerbaus sind Weizen und Baumwolle, die der Obstplantagen Zitrusfrüchte.

An Bodenschätzen werden vor allem Phosphat, Kupfer, Gips und Mineralsalze des Toten Meers ausgebeutet.

Zwei Drittel der Einfuhr bestehen aus Rohstoffen und Halbfabrikaten. Damit erzeugt die heimische Industrie fast alle im Inland benötigten Güter sowie Ausfuhrgüter. Hauptstandorte sind Tel Aviv-Jaffa und Haifa. Zu den wichtigsten Industriezweigen gehören chemische, Textil-, Elektroindustrie und Fahrzeugbau; die Diamanten- und Smaragdindustrie besitzt Weltgeltung. – Der Fremdenverkehr spielt eine bedeutende Rolle.

Die wichtigsten Häfen sind Haifa und Aschdod am Mittelmeer sowie Elath am Roten Meer.

Geschichte. Als Großbritannien 1948 seine Herrschaft über →Palästina beendete, riefen jüdische Politiker unter Führung von David →Ben Gurion am 14. 5. 1948 den unabhängigen Staat Israel aus. Im Kampf gegen die Armeen arabischer Nachbarstaaten, die sich gegen den neuen

Israel

Staatswappen

Staatsflagge

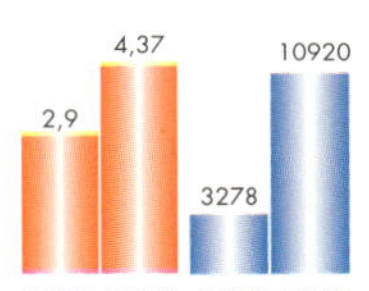

Bevölkerungsverteilung 1990

Bruttoinlandsprodukt 1988

Italien

Staatswappen

Staatsflagge

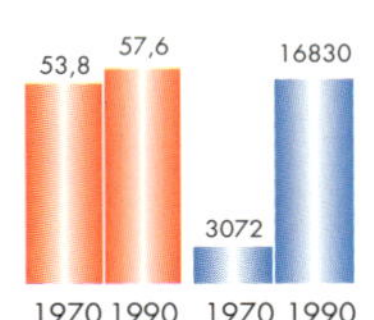

Bevölkerung (in Mill.)

Bruttosozialprodukt je E (in US-$)

Bevölkerungsverteilung 1990

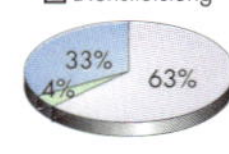

Bruttoinlandsprodukt 1990

Staat wandten, gewannen die jüdischen Siedler Palästinas 1948–49 einen größeren Teil dieses Gebiets als Staatsgebiet Israels. 1956, 1967 und 1973 war Israel in 3 weitere Kriege gegen die Araber verwickelt (→ Nahostkonflikt). 1979 schloß es mit Ägypten einen Friedensvertrag. Die jüdische Besiedlung des 1967 besetzten, vornehmlich von Arabern bewohnten **Westjordanlands** (des östlichen Teils des früheren Palästina) stößt besonders auf den Widerspruch der arabischen Staaten. (KARTE Seite 195)

Israeliten, Angehörige eines Volkes, das in mehreren Schüben vom 15. bis 13. Jahr. v. Chr. allmählich in das von den Kanaanäern besiedelte Kulturland Palästina vordrang und dort ansässig wurde. Sie betrachteten sich als Nachkommen Jakobs, eines Enkels Abrahams, der den zusätzlichen Ehrennamen Israel (hebräisch ›für den Gott streitet‹) erhalten hatte. Das israelitische Volk bestand aus 12 Stämmen. Nach der Überlieferung des Alten Testamentes hatte → Moses sie zuvor am Berg Sinai in der Alleinverehrung Jahwes (Bezeichnung für Gott im Alten Testament) religiös geeint. Die Umfänge einer politischen Einheit zeigten sich in einem religiös-politischen Schutzbund der 12 Stämme während der Zeit der ›Richter‹ (1200–1000 v. Chr.). Die Bedrohung durch benachbarte Stämme, vor allem durch die Philister, führte zur Staatenbildung unter dem König → Saul. Sein Nachfolger → David und dessen Sohn → Salomo einten die Israeliten in einem starken Reich (um 1000 bis 900 v. Chr.), das nach Salomos Tod in 2 Teile zerfiel: das Nordreich **Israel** und das Südreich **Juda.** Die beiden Reichsteile, vom ständigen Kampf gegeneinander geschwächt, wurden Opfer der Assyrer, die 722 das Nordreich zerstörten, und der Babylonier. Als die Babylonier 597 v. Chr. das Teilreich Juda mit Jerusalem eroberten, führten sie den größten Teil des Volkes in die Verbannung nach Babylonien. 538 wurden die Judäer von den Persern befreit und durften in ihre Heimat zurückkehren. Judäa wurde nun eine nach der Ordnung der → Thora verwaltete Einheit und lebte unter ständig wechselnder Fremdherrschaft (→ Juden, → Zionismus).

Istanbul, 2,77 Millionen (mit Vororten 6,62 Millionen) Einwohner, größte Stadt und Haupthafen in der Türkei, liegt auf Hügeln beiderseits des Bosporus und am Marmarameer. Die Stadt wurde der Sage nach um 600 v. Chr. gegründet und hieß **Byzanz,** bis sie 330 mit dem Namen **Konstantinopel** zur Hauptstadt des Römischen Reiches erhoben wurde und nach dessen Teilung Hauptstadt des Oströmischen, später des Byzantinischen Reiches war. Nach fast 100jähriger Bedrohung wurde sie 1453 von den Türken erobert. Nun wurde die Stadt für fast 500 Jahre Hauptstadt des Osmanischen Reichs und Sitz des Sultans. 1930 wurde sie in Istanbul umbenannt. Auch nachdem Ankara 1923 offizielle Hauptstadt der Türkei geworden war, blieb Istanbul der kulturelle und wirtschaftliche Mittelpunkt des Landes. Die Stadt hat einen asiatischen und einen europäischen Teil; beide sind durch eine Brücke verbunden. Das alte Istanbul liegt als Halbinsel zwischen dem Goldenen Horn, einer 6 km langen Meeresbucht am Südende des Bosporus und dem Marmarameer. Hier steht das bedeutendste Bauwerk der Stadt und der byzantinischen Kultur, die im 6. Jahrh. errichtete **Hagia Sophia;** sie ist reich mit Marmor und Mosaiken ausgeschmückt und äußerlich geprägt von der gewaltigen Hauptkuppel, die einen Durchmesser von 33 m und eine Gesamthöhe von 55,60 m hat. Nach 1453 war die Hagia Sophia Moschee, seit 1934 ist sie Museum.

Isthmus [griechisch ›Landenge‹], schmales, zwischen Meeren oder Meeresteilen liegendes Landstück, das 2 benachbarte Landgebiete verbindet, z. B. der Isthmus von Korinth.

Italien

Fläche: 301 278 km²
Bevölkerung: 57,58 Mill. E
Hauptstadt: Rom
Amtssprachen: Italienisch (in Südtirol daneben Deutsch, im Aostatal daneben Französisch)
Währung: 1 Italien. Lira (Lit) = 100 Centesimi (Cent.)

Italien, Republik in Südeuropa. Sie umfaßt einen Teil der südlichen Abdachung der Alpen, die Poebene, die italienische Halbinsel, die großen Mittelmeerinseln Sardinien und Sizilien und einige kleinere Inseln. Der Südrand der **Alpen** ist von vielen Seen gegliedert; der größte ist der Gardasee. Südlich schließt sich das große Tiefland der **Poebene** an. Die italienische Halbinsel, die in ihren Umrissen einem Stiefel ähnelt, wird der Länge nach vom **Apennin** durchzogen. Er beginnt im Westen als Fortsetzung der Alpen und setzt sich im Bogen bis nach Sizilien fort. Der Apennin trennt die breite, reichgegliederte Westseite der Halbinsel von der schmalen, hafenarmen Ostseite. Italien besitzt mehrere zum Teil noch tätige Vulkane (Vesuv, Stromboli, Ätna); Erdbeben, heiße Quellen und Mineralquellen sind Zeugen eines unruhigen geologischen Untergrunds. Unter den Flüssen sind Po, Etsch, Arno und Tiber die bedeutendsten, wegen der unregelmäßigen Wasserführung als Schiffahrtswege aber kaum von Nutzen. Das Herbsthochwasser des Po ist gefürchtet. Im Sommer liegen die Flußbetten der meisten Flüsse trocken.

Das Klima ist, abgesehen von einem Teil Norditaliens, mittelmeerisch mit milden, feuchten Wintern und heißen, trockenen Sommern. Die Pflanzenwelt ist gekennzeichnet durch immergrüne Mittelmeervegetation. Die weitgehende Zerstörung des Waldes in früheren Jahrhunderten führte zu strauchartigen Buschformen (Macchie). Die Kulturpflanzen Ölbaum, Reben und Weizen bestimmen das Landschaftsbild.

Die Bevölkerung besteht zum größten Teil aus Italienern. In Südtirol leben deutschsprachige, im Aostatal französischsprachige Minderheiten. Am dichtesten besiedelt sind Norditalien und die Gebiete um Rom und am Golf von Neapel, sehr dünn dagegen das innere Gebirgsland und Sardinien. Große Armut, Arbeitslosigkeit und hohe Geburtenüberschüsse im unterentwikkelten Süden (Mezzogiorno) sind die Ursachen für eine starke Auswanderung (seit 1870 über 10 Millionen Auswanderer, vor allem in die USA). Innerhalb des Landes ziehen viele Menschen aus dem Süden in den dicht besiedelten Norden. Millionenstädte sind Rom, Mailand, Neapel und Turin. Daneben gibt es über 80 Großstädte in Italien.

Wirtschaft. Über die Hälfte der Landesfläche wird von der Landwirtschaft genutzt. Weizenanbau steht an erster Stelle. Weiter werden Reis, Mais, Zuckerrüben, Gemüse und Kernobst angebaut. Weinanbau ist in fast ganz Italien verbreitet. Kleinbetriebe überwiegen. Südfrüchte, Gemüse, Reis, Wein, Käse und Olivenöl werden ausgeführt.

An Bodenschätzen verfügt Italien über Erdölvorkommen in Sizilien, bei Pescara und in der Poebene, Erdgas in der Poebene, am Ostrand des Apennin, in Süditalien und Sizilien. Daneben werden Eisenerz, Quecksilber, Blei- und Zinkerz gefördert. Weißer Marmor wird bei Carrara gebrochen.

In der Industrie bestehen neben wenigen Großunternehmen viele Kleinbetriebe, besonders im verarbeitenden Gewerbe. Die Großbetriebe liegen im Norden und im Bereich von Rom. Der Staat versucht, das Ungleichgewicht zwischen dem industrialisierten Norden und dem

ITALIENISCHE GESCHICHTE

476	Absetzung des letzten römischen Kaisers Romulus Augustulus. Italien wird für viele Jahrhunderte Kampfplatz auswärtiger Mächte.
393–452	Reich der **Ostgoten,** von Theoderich dem Großen begründet, rund 60 Jahre später dem Byzantinischen Reich unterworfen.
seit 568	Einwanderung der **Langobarden** nach Norditalien (Lombardei). Gegen sie rief der Papst die Franken zu Hilfe.
754	Die ›Pippinische Schenkung‹ des Frankenkönigs Pippin an den Papst legte den Grundstock für die Bildung des **Kirchenstaats.**
800	Kaiserkrönung Karls des Großen in Rom.
11. Jahrh.	In Unteritalien und Sizilien gründeten die **Normannen** ein Reich, das sie vom Papst zu Lehen nahmen. Es fiel später in den Besitz der **Staufer** und erlebte unter Kaiser Friedrich II. eine kulturelle Blüte. Gegen den zunehmenden Einfluß des Kaisers wehrten sich der Papst und die oberitalienischen Städte. Höhepunkte des Machtkampfes waren
1075–1122	der **Investiturstreit** und
1154–84	die 6 Feldzüge Kaiser Friedrichs I. Barbarossa gegen den **Lombardischen Städtebund.**
1266	Aus diesem Machtkampf ging der Papst als Sieger hervor, der mit französischer Hilfe die Staufer besiegte (1268: Hinrichtung Konradins, des letzten Staufers).
1309–76	Der Papst, der immer mehr unter französischen Einfluß geriet, residierte in Avignon.
14./15. Jahrh.	In Oberitalien entwickelten sich aus einigen Städten kleinere und mittlere Staaten, so Mailand unter den Sforza, Florenz unter den Medici und die Adelsrepubliken Genua und Venedig. In Mittelitalien bildete der Kirchenstaat die Brücke nach Unteritalien, wo das Königreich Neapel-Sizilien seit 1442 ganz unter spanischer Herrschaft stand.
15.–18. Jahrh.	Um die Vorherrschaft in Italien kämpften in mehreren Kriegen Frankreich und die Habsburger. Von der Mitte des 16. Jahrh. an wurde das habsburgische Spanien für etwa 150 Jahre Vormacht in Italien. 1713 verlor das nunmehr bourbonische Spanien die meisten italienischen Besitzungen an Österreich.
1720	Der aufstrebende norditalienische Staat **Piemont-Savoyen** erhielt die Insel Sardinien und den damit verbundenen Königstitel. Von fremden Mächten unabhängige Staaten waren außerdem der Kirchenstaat und Venedig.
1796–1815	Ganz Italien stand unter dem Einfluß des napoleonischen Frankreich. Napoleon I. hatte den Titel eines ›Königs von Italien‹ angenommen.
1815	Wiener Kongreß: der Kirchenstaat, das Großherzogtum Toskana, die Königreiche Neapel-Sizilien (unter dem Namen ›Königreich beider Sizilien‹) und Sardinien wurden wiederhergestellt. Das Territorium der ehemaligen Republik Venedig wurde mit Mailand zum österreichischen ›Königreich Lombardo-Venetien‹ vereinigt, und einige kleinere Staaten wurden gegründet. Italien blieb ein geographischer Begriff.
1815–70	Zeitalter des **Risorgimento.** Der Wunsch nach nationaler Selbständigkeit ließ Einigungsbewegungen entstehen, die unter der politischen Führung des Königreichs Sardinien und seines Ministerpräsidenten Camillo Cavour die Gründung des Königreichs Italien (1861) erreichten. In vielen Aktionen ist der Freiheitskämpfer **Giuseppe Garibaldi** hervorgetreten und zu einer der populärsten Figuren des Risorgimento geworden.
1870	Rom wurde Hauptstadt Italiens. Der Papst wurde auf den Vatikan beschränkt.
1915/16	Im Ersten Weltkrieg zuerst neutral, trat Italien gegen Deutschland und Österreich in den Krieg ein, der ihm unter anderem Südtirol einbrachte.
1922–43/45	Die politischen und wirtschaftlichen Krisen der Zeit nach dem Ersten Weltkrieg förderten das Aufkommen des **Faschismus,** dessen Führer Benito Mussolini als Ministerpräsident ein diktatorisches Regierungssystem aufbaute. Das faschistische Italien verbündete sich mit dem nationalsozialistischen Deutschland und trat an seiner Seite in den Zweiten Weltkrieg ein. 1943 wurde Mussolini gestürzt. Italien kämpfte von nun an auf der Seite der Alliierten.
1946	Durch eine Volksabstimmung wurde das Land Republik. Seither ist die ›Democrazia Cristiana‹ (DC, die christlich-demokratische Partei Italiens) stärkste Partei, die in wechselnden Koalitionen mit Liberalen, Republikanern, Sozialdemokraten, Sozialisten und Radikalen die Regierung bildet.
	Italien ist Mitglied der NATO und der EG.

unterentwickelten Süden durch Industrieansiedlung zu mildern; so entstanden z. B. das große Stahlwerk in Tarent und die Großunternehmen der Erdölverarbeitung von Augusta-Syrakus (Sizilien), Cagliari und Sassari (Sardinien). Außer in Bari fehlt aber weitgehend weiterverarbeitende Industrie. In der Elektrotechnik und im Fahrzeugbau besitzt Italien Weltgeltung. Schwerpunkte sind Mailand und Turin. Diese Industriezweige sind ebenso auf den Export angewiesen wie die Textil- und Bekleidungsindustrie.

Dem Fremdenverkehr kommt eine überragende Bedeutung zu. Am meisten werden die Badeorte an der oberen Adria und der Riviera besucht, außerdem Rom und Südtirol. Durch den Ausbau der Autobahnen wird der Fremdenverkehr zunehmend nach Süden gelenkt, besonders an den Golf von Neapel und nach Sizilien. (KARTE Seite 203)

italienische Geschichte, die Geschichte der Apenninhalbinsel und der auf ihr entstandenen Staaten seit dem Mittelalter sowie die Geschichte des seit 1860 geeinten Italien (ÜBERSICHT Seite 85). – Über die Geschichte vor der Völkerwanderung →römische Geschichte.

Ithaka, eine der Ionischen Inseln vor der Westküste Griechenlands. Sie ist 96 km^2 groß und hat 4200 Einwohner. Die Insel besteht aus Kalkgebirge, das bis 804 m hoch ist. Trotz hoher Niederschläge trägt die Insel keinen Wald; teilweise ist sie von dem immergrünen Buschwald der Mittelmeerländer, der Macchie, bedeckt. Nur wenige fruchtbare Täler gestatten Obst- und Weinanbau. Ithaka ist nach der griechischen Sage die Heimat des →Odysseus.

Ivanhoe [aiwenhou] steht im Mittelpunkt des gleichnamigen Romans von Sir Walter →Scott. Ivanhoe ist ein mutiger, seinem König Richard Löwenherz treu ergebener Ritter. Im Streit der Angelsachsen gegen die Normannen, mit deren Hilfe Johann, der Bruder des Königs, die Krone für sich gewinnen will, kämpft Ivanhoe auf seiten der Angelsachsen. Im Turnier von Ashby besiegt Ivanhoe mit Hilfe des Schwarzen Ritters, der kein anderer als Richard Löwenherz ist, die Normannen. Endgültig schlägt Ivanhoe die Verschwörung gegen den König in einem Zweikampf mit seinem größten Feind Bois-Guilbert nieder. Rittertum und Leben im mittelalterlichen England werden in diesem Roman anschaulich dargestellt.

Iwan IV., der Schreckliche, * 1530, † 1584, wurde nach dem Tod seines Vaters schon mit 3 Jahren zum russischen Zaren gekrönt. Er wuchs in einer Zeit schwerer, blutiger Kämpfe zwischen mehreren Gruppen des Adels (in Rußland hießen sie Bojaren) auf, wobei auch sein eigenes Leben mehrmals bedroht war. Dadurch wurde Iwan krankhaft mißtrauisch und bekämpfte später die verhaßten Bojaren auf grausamste Weise. Zugleich war Iwan in seiner Zeit einer der gebildetsten Männer Rußlands. Er sah, daß sein Reich im Vergleich zu den übrigen europäischen Großmächten noch sehr rückständig war und versuchte, für Rußland einen Zugang zur Ostsee und damit nach Westeuropa zu gewinnen. Den Krieg, den er deswegen mit Polen und Schweden führte, verlor er jedoch. Dafür gelang es ihm im Osten, einige tatarische Gebiete, z. B. die Chanate Kasan und Astrachan, zu erobern und die Eroberung Sibiriens einzuleiten.

J

J, der zehnte Buchstabe des Alphabets und das Einheitenzeichen für →Joule.

Jagiellonen, das Herrscherhaus, das 1386–1572 in Litauen und Polen, 1471–1526 in Böhmen und 1490–1526 in Ungarn herrschte. Der Name kommt von **Jagiełło,** einem litauischen Fürsten. Er heiratete 1386 die polnische Prinzessin Hedwig und war als Władysław II. 1386–1434 König von Polen. Jagiełłos Sohn erwarb zur polnischen Königskrone noch die ungarische hinzu. Damit reichte das litauisch-polnische Großreich der Jagiellonen von der Ostsee bis zum Schwarzen Meer. Nach dem Tod des letzten Jagiellonen Sigismund II. August (1572) wurde Polen zum Wahlkönigtum.

Jaguar, größte amerikanische →Katze, die als Einzelgänger bewaldete Flußufer und Sumpfdickichte in Mittel- und Südamerika bewohnt. Mit seinem rostgelben, schwarzgefleckten Fell ist der Jaguar auf der Jagd nach Ratten, Hirschen und Tapiren gut getarnt. Da die bis zu 2 m langen Jaguare gut schwimmen können, erbeuten sie auch Wassertiere. Bei Überschwemmungen leben sie auf Bäumen. Vom kleineren und gewandteren →Leoparden unterscheidet sich der Jaguar durch die schwarzen Tupfen in den Fellrosetten. Im Zoo sieht man den Jaguar seltener als andere Raubkatzen.

Jahn. ›Turnvater‹ nannte man **Friedrich Ludwig Jahn** (* 1778, † 1852), den Schöpfer der deut-

Wörter, die man unter J vermißt, suche man unter Dj, Y oder G

schen Turnbewegung, schon zu seinen Lebzeiten. In der Zeit der Napoleonischen Herrschaft, die er als eine Demütigung empfand, wollte er die körperliche und moralische Kraft der Deutschen stärken. Dazu schien ihm besonders eine allgemeine sportliche Betätigung, die mit politischen Vorstellungen verknüpft war, geeignet zu sein. So eröffnete er 1811 in der Berliner Hasenheide den ersten Turnplatz. Das Turnen umfaßte damals verschiedene Leibesübungen, auch Fechten, Schwimmen, Laufen und Spiele. Für den Turnplatz entwickelte Jahn die Geräte ›Barren‹ und ›Reck‹, zudem prägte er die Turnsprache, die weithin noch bis heute gilt.

Jahr, Zeiteinheit, die durch die Dauer eines Umlaufs der Erde um die Sonne festgelegt ist. Nach Ablauf eines Jahres wiederholen sich Erscheinungen wie die Tageslänge, die →Jahreszeiten usw. Die wirkliche Bewegung der Erde um die Sonne ist für uns durch die scheinbare Bewegung der Sonne an der Himmelskugel wahrnehmbar. Je nachdem, mit welchen Bezugspunkten man einen vollendeten Umlauf feststellt, erhält man verschiedene Jahreslängen.

Das **Sternjahr (siderisches Jahr)** ist die wahre Umlaufzeit der Erde um die Sonne, das heißt, die Zeit zwischen 2 aufeinanderfolgenden gleichen Stellungen der Sonne zu einem bestimmten Fixstern. Es dauert 365,25 636 mittlere Sonnentage.

Das **Sonnenjahr (tropisches Jahr)** ist die Zeit zwischen 2 aufeinanderfolgenden Durchgängen der Sonne durch den Frühlingspunkt, den Schnittpunkt des Himmelsäquators und der →Ekliptik. Es dauert 365,24 220 mittlere Sonnentage. Die Jahreszeiten und der Kalender schließen sich dem tropischen Jahr an. Da das **bürgerliche Jahr** (Kalenderjahr) jedoch aus ganzen Tagen bestehen soll, folgt auf 3 Jahre mit 365 Tagen ein Schaltjahr mit 366 Tagen durch Einschalten eines Schalttages (des 29. Februar), und zwar sind zunächst alle diejenigen Jahre Schaltjahre, deren Jahreszahl durch 4 teilbar ist. Da die Anpassung an die Länge des tropischen Jahres auf diese Weise aber noch nicht genau genug ist, sind von den **Säkularjahren** (das sind die Hunderterjahre, z. B. 1800, 1900, 2000) nur diejenigen Schaltjahre, deren Jahreszahlen durch 400 teilbar sind.

Jahresringe, ringförmige Zonen, die am Stammquerschnitt eines Baumes deutlich zu erkennen sind. Sie werden dann gebildet, wenn, auf Grund wechselnder klimatischer Bedingungen (Temperatur, Feuchtigkeit), Wachstums- und Ruhephasen einander abwechseln. So bilden sich in jedem Frühjahr (Wachstumsphase) große Zellen, um viel Wasser und Nährstoffe leiten zu können. Bis zum Herbst (Beginn der Ruhephase) werden immer kleinere Zellen mit immer dickeren Zellwänden gebildet, die vorwiegend der Festigung dienen. Auf diese folgen im Frühjahr wieder große Zellen. Durch unterschiedliches Wachstum in wasserreichen und trockenen Jahren können sich breitere oder engere Ringe bilden.

Da in den Tropen gleichbleibende klimatische Bedingungen herrschen, gibt es bei vielen dort wachsenden Bäumen auch keine Unterteilung in Wachstums- und Ruhephasen und dementsprechend keine Ausbildung von Jahresringen.

Jahreszeiten, die 4 Zeitabschnitte des →Jahres, nämlich Frühling, Sommer, Herbst und Winter, in denen sich die jährliche Klima- und Vegetationsperiode ausdrückt. Ihren Unterschied verdanken die Jahreszeiten dem Umstand, daß die Rotationsachse der Erde nicht senkrecht auf ihrer Bahn um die Sonne steht, sondern mit dieser einen Winkel von etwa 66,5° einschließt. Das hat zur Folge, daß die Sonne für jeden Erdort zu verschiedenen Zeiten des Jahres verschiedene Mittagshöhen erreicht, von den Wendekreisen polwärts zu Beginn des astronomischen Sommers (ÜBERSICHT Astronomische Jahreszeiten) die größte **(Sommersonnenwende)** und zu Beginn des astronomischen Winters die niedrigste **(Wintersonnenwende).** Die größere Mittagshöhe im Sommer hat einen steileren Einfall der Sonnenstrahlung sowie eine längere Sonneneinstrahlung (Tag länger als die Nacht) zur Folge; beides bewirkt eine stärkere Erwärmung.

Astronomische Jahreszeiten

Nordhalbkugel				Südhalbkugel
Frühling	21. 3.	bis	22. 6.	Herbst
Sommer	22. 6.	bis	23. 9.	Winter
Herbst	23. 9.	bis	22.12.	Frühling
Winter	22.12.	bis	21. 3.	Sommer

Die **meteorologischen Jahreszeiten** (ÜBERSICHT gilt für mittlere geographische Breiten) stimmen mit den astronomischen nicht überein, denn der meteorologische Winter beginnt z. B. schon einige Zeit vor dem Tiefstand der Sonne.

Meteorologische Jahreszeiten

Nordhalbkugel		Südhalbkugel
Frühling	März, April, Mai	Herbst
Sommer	Juni, Juli, August	Winter
Herbst	September, Oktober, November	Frühling
Winter	Dezember, Januar, Februar	Sommer

Jakarta, Djakarta, 9,1 Millionen Einwohner, Hauptstadt von Indonesien, liegt an der

Jakobiner: Jakobinermütze

Nordwestküste der Insel Java. Die nach holländischem Muster von Kanälen durchzogene Altstadt wuchs von der sumpfigen Küste landeinwärts. Mittelpunkt ist der 1 km² große ›Platz der Freiheit‹ (Medan Merdeka). Jakarta ist aus einer 1610 von den Niederländern gegründeten Handelsniederlassung entstanden.

Jakobiner, Bezeichnung für die Mitglieder des wichtigsten politischen Klubs der Französischen Revolution. Sie wurden nach ihrem Tagungsort, dem ehemaligen Kloster Sankt Jakob in Paris, benannt. Die Ziele der Jakobiner waren radikal: Abschaffung der Monarchie, Errichtung einer Volksherrschaft und völlige Gleichheit aller Bürger. Unter ihrem Führer **Maximilien de Robespierre** organisierten die Jakobiner in den Jahren 1793/94 eine Schreckensherrschaft. Nach dem Sturz Robespierres wurde der Jakobinerklub geschlossen. – Äußeres Kennzeichen der Jakobiner waren die langen Hosen (›Sansculotten‹) und die roten **Jakobinermützen.**

Jalta, 84 000 Einwohner, Stadt in der Ukraine an der Südküste der Halbinsel Krim.

In Jalta trafen sich vom 4. bis 11. 2. 1945 die 3 führenden Politiker der im Zweiten Weltkrieg gegen Deutschland kämpfenden Staaten: Präsident **Franklin Delano Roosevelt** (USA), Premierminister **Winston Churchill** (Großbritannien) und Generalsekretär **Jossif Stalin** (Sowjetunion). Die ›Großen Drei‹, wie sie oft genannt werden, besprachen ihre Kriegsziele; dabei konnte Stalin wesentliche eigene Vorstellungen durchsetzen. Gegen den Widerstand vor allem Churchills festigte Stalin den sowjetischen Einfluß in Südosteuropa und in Polen, das allmählich unter die Herrschaft einer kommunistisch geführten Regierung geriet.

Im einzelnen einigten sich die Konferenzteilnehmer vor allem auf die vollständige Entwaffnung Deutschlands und seine Aufteilung in Besatzungszonen. Als Westgrenze Polens schlug Stalin die Oder und die Lausitzer Neiße vor. In einer geheimen Absprache sicherte die Sowjetunion gegen Gebietsgewinne auf Kosten Japans zu, 3 Monate nach der deutschen Kapitulation in den Krieg gegen Japan einzutreten.

Jamaika, drittgrößte Insel der Großen →Antillen, Staat mit parlamentarischer Verfassung; Staatsoberhaupt ist die britische Krone. Das Innere der südlich von Kuba gelegenen Insel bildet ein Gebirgszug, der im Osten, in den Blauen Bergen, 2 257 m Höhe erreicht. Die Küste ist, vor allem im Süden, von langgestreckten Sandstränden gesäumt. Das Klima ist tropisch mit hohen Niederschlägen, besonders an der Nordküste. Es treten häufig Wirbelstürme auf. Die Bevölkerung besteht hauptsächlich aus Schwarzen und Mulatten. Wichtigster Wirtschaftszweig ist der Bergbau: Jamaika zählt zu den größten Bauxitlieferanten der Erde. Daneben ist die Landwirtschaft von Bedeutung; angebaut werden vor allem Mais, Reis, Süßkartoffeln für den eigenen Bedarf, Zuckerrohr, Citrusfrüchte, Bananen, Gewürze für die Ausfuhr.

Jamaika wurde 1494 von Kolumbus entdeckt. Im 17. Jahrh. machten die Engländer die Insel zum größten Sklavenmarkt Amerikas. Die ehemalige britische Kolonie wurde 1962 unabhängig. (KARTE Seite 196)

Jamaika

Fläche: 10 991 km²
Bevölkerung: 2,5 Mill. E
Hauptstadt: Kingston
Amtssprache: Englisch
Nationalfeiertag: 1. Montag im Aug.
Währung: 1 Jamaika-Dollar (J$) = 100 Cents
Zeitzone: MEZ −6 Stunden

Jamaika

Staatswappen

Staatsflagge

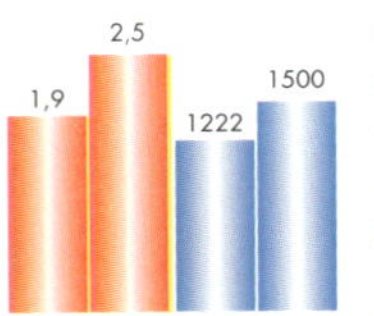

1970 1990 Bevölkerung (in Mill.)
1970 1990 Bruttosozialprodukt je E (in US-$)

Stadt Land

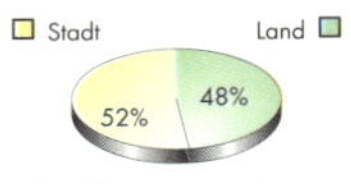

Bevölkerungsverteilung 1990

Industrie
Landwirtschaft
Dienstleistung

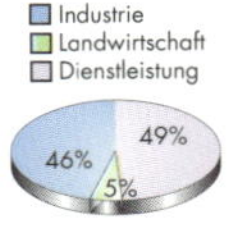

Bruttoinlandsprodukt 1990

Jambus, Versfuß, der aus einer kurzen und einer langen Silbe besteht (→Vers).

Jangtsekiang, Fluß in Asien, 6 300 km lang; davon sind fast 3 000 km schiffbar. Der Jangtsekiang gehört zu den längsten und wasserreichsten Flüssen der Erde. Er entspringt im Hochland von Tibet, durchfließt Südchina und mündet nördlich von Schanghai in das Gelbe Meer, ein Nebenmeer des Pazifischen Ozeans. Er ist die bedeutendste Wasserstraße Chinas; seine Wassermassen stellen eine ausbaufähige Energiequelle dar. Durch Schneeschmelze im Frühjahr und Sommerregen kommt es in den Ebenen Südchinas häufig zu Überschwemmungen.

Japan, aus 3 922 Inseln bestehendes Kaiserreich in Ostasien, eine parlamentarische Demokratie mit dem Kaiser als Symbol des Staates. Die Hauptinseln sind Honshu, Hokkaido, Kyushu und Shikoku. Japan erstreckt sich am Rand des Pazifischen Ozeans von Nord nach Süd über 21 Breitengrade. Vom ostasiatischen Festland ist das Land durch das Ostchinesische und das Japanische Meer getrennt. Die Inseln sind im Innern gebirgig und in Südwestjapan durch Buchten reich gegliedert. Höchster Berg ist der Vulkankegel Fujisan (3 776 m). Von den mehr als 240 Vulkanen sind noch 36 tätig. Auch Erd-

Wörter, die man unter J vermißt, suche man unter Dj, Y oder G

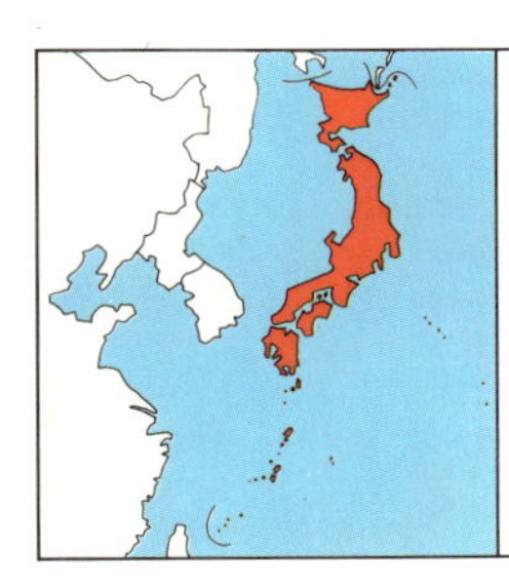

Japan

Fläche: 377 801 km²
Bevölkerung: 124,2 Mill. E
Hauptstadt: Tokio
Amtssprache: Japanisch
Nationalfeiertag: Geburtstag des Kaisers
Währung: 1 Yen (¥) = 100 Sen
Zeitzone: MEZ +8 Stunden

beben sind häufig. Die Flüsse sind kurz, da Japan im Durchschnitt nur 230 km breit ist.

Das wechselhafte Klima wird durch den Wechsel der Monsune bestimmt (im Sommer aus Süden oder Südosten, im Winter aus Norden oder Nordwesten). Beide bringen den ihnen zugewandten Gebirgsseiten reichliche Niederschläge. Der Süden ist subtropisch heiß, der Norden warm bis kühl gemäßigt. Im Spätsommer treten an der Südostküste häufig verheerende Taifune auf. Der hohe Niederschlag läßt viel Wald wachsen. Zwei sich mischende Meeresströmungen vor der Nordostküste Honshus bilden reiche Fischgründe.

Die Bevölkerung besteht fast ausschließlich aus Japanern. Am dichtesten sind die Ballungsgebiete an der Südostküste von Honshu besiedelt, am dünnsten Hokkaido. Japan hat 10 Millionenstädte (Tokio, Yokohama, Osaka, Nagoya, Kioto, Sapporo, Kobe, Fukuoka, Kitakyushu, Kawasaki).

Wirtschaft. Nur ⅙ der Landesfläche kann von der Landwirtschaft genutzt werden. Überwiegend wird Reis angebaut, daneben Äpfel, Wein und Orangen. Bedeutend ist der Teeanbau. Mehr als ⅓ der Betriebe haben weniger als 0,5 ha Fläche. Diese wird sehr intensiv genutzt. Tierisches Eiweiß liefert überwiegend der Fischfang. Im Küstenbereich wird Seetang gewonnen und Perlmuschelzucht betrieben. Der Bergbau ist unbedeutend. Fast alle für den Aufbau einer Industrie wichtigen Rohstoffe werden eingeführt. Die im Land geförderte Steinkohle trat zugunsten des importierten Erdöls zurück.

Mit Beginn des Korea-Kriegs nahm die Entwicklung der Industrie einen großen Aufschwung. Die Häfen der pazifischen Seite sind wichtige Standorte für Leicht- und Schwerindustrie. Bei Stahlerzeugung, Werftindustrie und Kraftfahrzeugbau gehört Japan zu den führenden Herstellerländern. Rundfunk- und Fernsehgeräte sowie Computer sind weltbekannte Erzeugnisse. Die Leichtmaschinenindustrie stellt unter anderem Nähmaschinen, Präzisionsmaschinen und Fahrräder her. Erzeugnisse der optischen Industrie nehmen in der Welt eine Spitzenstellung ein. Japanische Erzeugnisse sind starke Konkurrenten für die westeuropäische und amerikanische Industrie auch auf deren eigenen Märkten. Jedes zehnte Auto in der Bundesrepublik Deutschland kommt aus Japan. Im gesamten Welthandel liegt Japan an zweiter Stelle hinter den USA und vor der Bundesrepublik. In den letzten Jahren haben japanische Firmen verstärkt Niederlassungen im Ausland gegründet. Die Hochseehandelsflotte gehört zu den größten der Erde.

Geschichte. Um die Mitte des 4. Jahrh. vollzog sich die Gründung eines Einheitsstaates. Als erster Herrscher und Begründer des bis heute regierenden Herrscherhauses gilt der legendäre Jimmu Tenno. Enge Verbindungen mit China und Korea schufen eine hochstehende Kultur. Im 9. Jahrh. drängte der Hochadel die kaiserliche Macht in den Hintergrund, die dann durch die Militärregierungen der Shogune abgelöst wurde. Die Machtkämpfe der Feudalherren brachten eine Zeit der Unruhe. Im 17. Jahrh. erreichte die Fremdenfeindlichkeit mit der Ausweisung von Europäern und der Bekämpfung des Christentums einen Höhepunkt. Erst 1854 kam es zu einer Öffnung durch den Freundschafts- und Handelsvertrag zwischen Japan und den USA. Innere Auseinandersetzungen über die Politik der Öffnung gegenüber dem Ausland führten zum Bürgerkrieg und 1868 zur Übernahme der Macht durch den Tenno. Mit der Verfassung von 1889 wurde das Land eine konstitutionelle Monarchie.

Der Sieg im Russisch-Japanischen Krieg machte Japan 1905 zu einer asiatischen Großmacht. 1940 schloß es mit dem faschistischen Italien und Hitler-Deutschland einen Pakt. Mit dem Angriff auf den amerikanischen Hafen Pearl Harbour auf Hawaii (1941) trat Japan in den Zweiten Weltkrieg ein, der für das Land nach den Atombombenabwürfen auf Hiroshima und Nagasaki mit der bedingungslosen Kapitulation endete. Japan ist seit 1946 eine parlamentarische Demokratie, in der nach der Verfassung der Kaiser den Staat und die Einheit der Nation verkörpert. Bis 1951 unterstand Japan einer amerikanischen Militärregierung. (KARTE Seite 195)

Jaspis, ein Quarzmineral, das undurchsichtig, stark gefärbt, unregelmäßig gefleckt oder geflammt ist, z. B. der **rote Jaspis.** Ist das Mineral lauchgrün, so heißt es **Plasma;** ist es grün mit roten Flecken, heißt es **Heliotrop;** ist es gelb und rot gefleckt, heißt es **Silex.**

Japan

Staatswappen

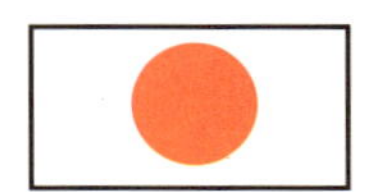

Staatsflagge

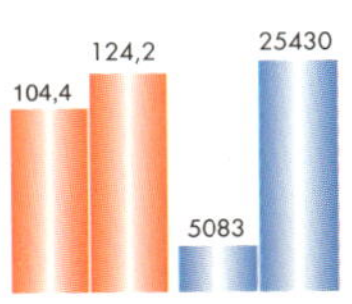

Bevölkerung (in Mill.)

Bruttosozialprodukt je E (in US-$)

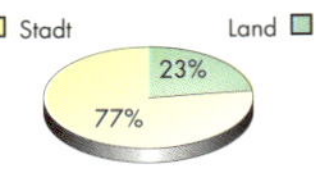

Bevölkerungsverteilung 1990

Bruttoinlandsprodukt 1990

Java, wichtigste Insel Indonesiens. Mit 118 000 km² ist die Insel etwa halb so groß wie Großbritannien und Nordirland, gehört aber mit 80 Millionen Einwohnern zu den am dichtesten besiedelten Gebieten der Erde. Java weist viele Vulkane auf (höchster Berg: **Semeru,** 3 676 m). Die Insel nennt man auch ›Garten Indonesiens‹, denn etwa ⅔ der Inselfläche sind Ackerland, wobei der Reisanbau überwiegt. Im tropischen Klima gedeihen aber auch Mais, Zuckerrohr, Tee, Kokospalmen, Kaffee und Tabak. Wirtschaftlich bedeutsam ist auch die Kautschuk- und Teakholzgewinnung. (KARTE Seite 195)

Jazz [dschäs]. Um den Jazz, der zur Zeit seiner Entstehung eine völlig neue und der europäischen Musik fremde Art des Musizierens darstellte, verstehen zu können, ist es wichtig zu wissen, wie er entstanden ist.

Die Afrikaner, die besonders im 18. und 19. Jahrh. als Sklaven nach Amerika verschleppt wurden, brachten aus ihrer afrikanischen Heimat Lieder mit, die sie vor allem bei der Arbeit, aber auch bei Festen und anderen Anlässen sangen. Viele davon nahmen die Form des →Blues an. Auch die Lieder, die in den Kirchen der Neger gesungen wurden, ähnelten der afrikanischen Volksmusik. Diese religiösen Lieder bezeichnet man heute als →Negro Spirituals. Beides, weltliche Lieder und Kirchenlieder, waren der entscheidende Ausgangspunkt für die Entstehung des Jazz. Dazu kamen, als Beitrag der weißen Amerikaner, die Lieder der ›Minstrels‹ (fahrende Spielleute, die sich die Gesichter schwarz färbten und die Musik der Neger nachahmten) sowie der ›Ragtime‹, eine Form von unterhaltender Klaviermusik, die einerseits von der europäisch-amerikanischen Tanz- und Marschmusik, andererseits ebenfalls von der afrikanischen Musik beeinflußt war.

Alle diese Einflüsse verschmolzen Ende des 19. Jahrh. in New Orleans zu einem neuen Musikstil, dem **New-Orleans-Jazz,** der nur von schwarzen Musikern gespielt wurde. Aus dieser ältesten Form des Jazz entstanden im 20. Jahrh. mehrere neue Stilrichtungen (z. B. Dixieland Jazz, Chicago Jazz, Swing, Cool Jazz, Modern Jazz, Bebop, Free Jazz), die auch von Weißen gespielt werden und die nach der Erfindung von Schallplatte und Radio fast überall in der Welt bekannt wurden.

Ein Hauptmerkmal des Jazz ist die Improvisation, das heißt, die Musiker spielen nicht nach Noten, sondern sie erfinden beim Spielen immer neue rhythmische und melodische Veränderungen eines meist vorgegebenen Themas. Den afrikanischen Ursprung des Jazz erkennt man am deutlichsten am Rhythmus. Immer erklingen 2 verschiedenartige Rhythmen gleichzeitig, was dem Jazz eine große innere Spannung verleiht. Die Rhythmusgruppe (z. B. Schlagzeug, Banjo oder Gitarre, Kontrabaß) schlägt einen gleichbleibenden Grundrhythmus, den **Beat,** und die Melodiegruppe (z. B. Trompete, Klarinette, Posaune, Saxophon) improvisiert dazu einen freien, vorwärtstreibenden Rhythmus, den **Off-Beat,** dessen Akzente zwischen den nach dem Beat vorgegebenen Rhythmus fallen. Den hierdurch entstehenden Effekt nennt man **Swing.** Den Jazzmelodien liegt meist eine Mischung aus Dur- und Molltonarten zugrunde. Kennzeichnend ist die Verwendung von Tönen auf der erniedrigten 3., 5. und 7. Stufe der Tonleiter, die man **Blue notes** nennt.

JAZZ

Arrangement	– Anweisung, wie ein Stück zu spielen ist
Background	– Begleitung einer Jazzband
Big Band	– große Jazzband, in der einzelne Instrumente mehrfach besetzt sind
Break	– Einlage eines Solisten, während die übrige Band aussetzt
Chase	– schnelle Folge von Soloimprovisationen zweier oder mehrerer Musiker, von denen jeder nur wenige Takte ausführt
Chorus	– der Kehrreim, über den improvisiert wird
Combo	– kleine Jazzband von 3 bis etwa 8 Musikern
Head arrangement	– Arrangement, das die Musiker mündlich festlegen, bevor sie zu spielen anfangen
Jam session	– Zusammenkunft von Jazzmusikern, die ohne festgelegte Besetzung und ohne Arrangement improvisieren

Jeanne d'Arc [schandark], eine der Nationalheldinnen Frankreichs. Sie wurde 1412 in Lothringen geboren, also zu einer Zeit, als große Teile Frankreichs von den Engländern besetzt waren (→Hundertjähriger Krieg). Mit 16 Jahren fühlte sie sich durch ›Stimmen‹ berufen, Frankreich zu befreien. An der Spitze eines Heeres befreite sie 1429 die von Engländern belagerte Stadt Orléans (daher ihr Beiname **Jungfrau von Orléans**) und führte den französischen Thronfolger in die alte Krönungsstadt Reims, wo dieser als Karl VII. gekrönt und in Frankreich rasch anerkannt wurde. Ihr Eingreifen gab dem Krieg eine entscheidende Wendung.

Im Mai 1430 geriet Jeanne d'Arc durch Verrat in Gefangenschaft. Im englisch besetzten Rouen wurde sie von einem Kirchengericht als Zauberin und Ketzerin verurteilt und am 30. 5. 1430 auf dem Scheiterhaufen verbrannt. Das Urteil wurde 1456 kirchlich aufgehoben, Jeanne d'Arc 1920 heiliggesprochen.

Jedermann-Funk, →CB-Funk.

Jelzin. Der 1931 geborene russische Politiker **Boris Jelzin** wurde 1991 erster frei gewählter Prä-

Wörter, die man unter J vermißt, suche man unter Dj, Y oder G

sident Rußlands. Er verbot die kommunistische Partei und leitete Wirtschaftsreformen ein. Er gab den Anstoß für eine neue demokratische, rechtsstaatliche Verfassung.

Jemen

Fläche: 527 968 km²
Bevölkerung: 12 Mill. E
Hauptstadt: Sana
Amtssprache: Arabisch
Staatsreligion: Islam
Währung: 1 Jemen-Rial (Y.RI) = 100 Fils
Zeitzone: MEZ +2 Stunden

Jemen, Staat im Südwesten der Arabischen Halbinsel an den schwülheißen Küsten des Roten Meeres und des Golfs von Aden. Das Land ist geprägt von Sandwüste und vulkanischem Gelände. Stadt und Hafen Aden liegen in einem alten Vulkankrater. Im niederschlagsreichen Hochland werden auf fruchtbaren Lavaböden Hirse, Gerste, Weizen, Mais und Kaffee, zunehmend auch Kat angebaut, ein Strauch, dessen Blätter beim Kauen berauschende Wirkung haben. Die Küstenfischerei spielt eine große Rolle. Die heimischen Ölvorkommen werden in der Raffinerie Aden verarbeitet, die Produkte exportiert. Gemessen an ihrem Sozialprodukt, ist die Wirtschaft Jemens geringer entwickelt als die der ölexportierenden arabische Nachbarländer. Die Bevölkerung besteht fast ausschließlich aus Arabern mit stark negroidem Einschlag. Nur 10 % der Bevölkerung lebt in städtischen Siedlungen; 60 % sind Analphabeten. Der Islam ist Staatsreligion.

Früher Teil des Osmanischen Reiches bis 1918 (Sana 1517–1873 autonomes Sultanat), verstärkte sich anschließend die getrennte Entwicklung von Nord- und Süd-Jemen. Nord-Jemen wurde Königreich, 1962 Arabische Republik. Süd-Jemen gehörte als Protektorat zu Britisch-Indien, wurde 1947 britische Kronkolonie, 1967 unabhängig in Form eines kommunistischen Einheitsstaates (Volksrepublik Süd-Jemen). 1990 kam es zum Zusammenschluß beider Jemen. Ein Prozeß der Liberalisierung und Demokratisierung ist in Gang gesetzt. Ein Mehrparteiensystem ist vorgesehen.

Jena, 105 300 Einwohner, Stadt in Thüringen, an der Saale. Jena hat weltbekannte optische (Carl Zeiss) und Glasindustrie (Jenaer Glas) sowie Arzneimittelindustrie. Mit seiner Universität (gegründet 1548) wurde Jena um 1800 zu einem Mittelpunkt geistigen Lebens; hier lehrten z. B. der Dichter Friedrich Schiller und die Philosophen Johann Gottlieb Fichte und Georg Wilhelm Friedrich Hegel.

Jenissej, Fluß in Sibirien, Rußland. Der 4 102 km lange Strom entsteht aus den Quellflüssen Großer und Kleiner Jenissej, die in der Grenzregion zur Mongolei entspringen, durchfließt das Westsibirische Tiefland und mündet in die Karasee, ein Randmeer des Nördlichen Eismeeres. Er bildet die natürliche Grenze zum Mittelsibirischen Bergland. Die Hauptnebenflüsse Abakan, Angara und Tunguska machen den Jenissej zu einem der wasserreichsten russischen Flüsse; er ist schiffbar, allerdings 6–7 Monate im Jahr vereist.

Jericho, Oasenstadt im Jordantal (Westjordanien), 7 000 Einwohner. Der Ort war schon in der Steinzeit besiedelt. Aus dem 7. Jahrtausend v. Chr. stammt die älteste ausgegrabene Stadtanlage. Im Alten Testament wird Jericho im Zusammenhang mit dem Auszug der Israeliten aus Ägypten erwähnt.

Jersey [dschöhsi], die größte der → Normannischen Inseln, zu Großbritannien gehörend. Die 28 km vor der französischen Küste liegende Insel ist 116 km² groß und hat 80 000 Einwohner. Die Hauptstadt ist Saint Hélier.

Jerusalem, 482 000 Einwohner, Hauptstadt des Staates Israel, im Bergland von Judäa gelegen. Jerusalem ist für die 3 Religionsgemeinschaften Judentum, Christentum und Islam von zentraler Bedeutung.

Um 1000 v. Chr. machte der israelitische König David Jerusalem zur Hauptstadt seines Reiches. Sein Sohn Salomo ließ sie prunkvoll ausbauen und den Tempel, das Heiligtum der Juden, errichten; hier stand die Bundeslade, in der nach dem Alten Testament die Gesetzestafeln des Mose aufbewahrt wurden. Sie ging bei der ersten Zerstörung des Tempels 586 v. Chr. durch die Babylonier verloren. Als die Römer 70 n. Chr. einen Aufstand der jüdischen Bevölkerung in Jerusalem niederwarfen, wurde der Tempel endgültig zerstört. Übrig blieb ein Mauerrest, die → Klagemauer.

Auch für die Christen ist Jerusalem von zentraler Bedeutung. Hier starb Jesus von Nazareth. Über seiner Grabstätte erhebt sich die Grabeskirche, die heute von den verschiedenen christlichen Konfessionen verwaltet wird. In der Nähe steht die 1898 geweihte evangelische Erlöserkirche. Um die Mitte des 4. Jahrh. wurde Jerusalem eine

Jemen

Staatswappen

Staatsflagge

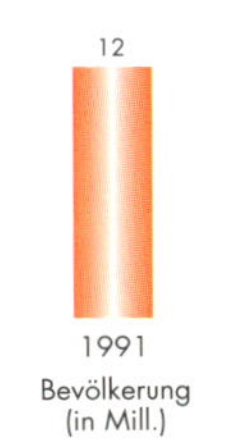

1991
Bevölkerung (in Mill.)

Stadt
Land
29%
71%

Bevölkerungsverteilung 1990

Bruttoinlandsprodukt 1990

christliche Stadt, bis sie 637 in das arabische Weltreich eingegliedert wurde. Von kurzen Unterbrechungen abgesehen (→Kreuzzug), blieb sie bis ins 20. Jahrh. unter islamischer Herrschaft. Von den islamischen Herrschern wurden im ehemals jüdischen Tempelbezirk der islamische Felsendom und die El-Aksa-Moschee errichtet. Beide sind wichtige islamische Heiligtümer und Lehrstätten. Jedes Jahr reisen viele Pilger (Juden, Christen und Moslems) zu ihren großen Festen nach Jerusalem.

Im Krieg um die Errichtung des Staates Israel (1948/49) zwischen Juden und Arabern fiel der Westteil der Stadt an den neuen jüdischen Staat, der Ostteil mit der Altstadt und den Heiligtümern der Christen, Juden und Moslems an Jordanien. 1950 erklärte Israel Jerusalem zu seiner Hauptstadt. Seit 1967 steht ganz Jerusalem unter israelischer Verwaltung (→Nahostkonflikt).

Jesuiten, die Mitglieder eines Männerordens, der 1534 von dem Spanier →Ignatius von Loyola gegründet wurde. Der offizielle Name lautet **Societas Jesu (Gesellschaft Jesu),** Abkürzung **SJ.** Die Jesuiten legen ein von anderen Orden nicht geleistetes Gelübde des besonderen Gehorsams gegenüber dem Papst ab. Der Orden soll nach dem Willen seines Gründers der Verteidigung und Ausbreitung des katholischen Glaubens dienen. So war er auch die treibende Kraft der →Gegenreformation und hatte großen Erfolg in der →Mission, auf den Gebieten von Unterricht und Wissenschaft und als Ratgeber an Fürstenhöfen. Einfluß und Organisation der Jesuiten wurden oft als Bedrohung empfunden. In verschiedenen Ländern wurde der Orden zeitweise verboten und war unter dem Druck Frankreichs sogar kirchlicherseits 1773–1814 aufgehoben. Wichtige Arbeitsgebiete sind heute: Erziehung, Wissenschaft und Bildung, Mission und Entwicklungshilfe, Meditation und geistliche Übungen (Exerzitien). Die Jesuiten haben keine eigene Ordenstracht. Ihr Leiter führt den Titel ›General‹ und hat seinen Sitz in Rom.

Jesus Christus, Begründer und Mittelpunkt des Christentums. Über sein Leben berichten neben wenigen außerbiblischen Zeugnissen vor allem die 4 Evangelien im Neuen Testament (→Bibel). Für eine zusammenhängende Lebensbeschreibung reichen diese Quellen jedoch nicht aus, denn die Evangelisten zeichnen kein Bild der menschlichen Persönlichkeit Jesu und halten sich nicht an die zeitliche Abfolge der Ereignisse. Die Evangelien sind vielmehr als Glaubenszeugnisse der ersten Christen zu verstehen, die den Glauben an Jesus Christus begründen wollen. Christus, der ›Gesalbte‹, ist die griechische Übersetzung des hebräischen Begriffs Messias und wird als zweiter Eigenname für Jesus gebraucht. Die Juden erwarten den von Gott verheißenen Messias, den Erlöser. Das Neue Testament sieht in Jesus den, der in den alttestamentlichen Weissagungen verkündet ist und sie erfüllt.

Jesus wurde um das Jahr 5 vor unserer Zeitrechnung in Bethlehem in Judäa als Sohn Marias (nach christlicher Lehre durch das Wirken des Heiligen Geistes) und Josephs geboren und wuchs in Nazareth in Galiläa auf. Sein öffentliches Auftreten begann in seinem 30. Lebensjahr. Er zog als Wanderprediger durch Palästina, gefolgt von seinen ersten Anhängern (Jüngern). Zentraler Punkt seiner Botschaft ist die Ankündigung, das Reich Gottes sei nahe. Mit seiner Lehre, seinem Messiasanspruch und seinem persönlichen Verhalten setzte sich Jesus über die Regeln des strenggläubigen Judentums hinweg und schuf sich damit viele Gegner. Als er im Alter von 33 Jahren mit einigen Anhängern zum Passahfest nach Jerusalem kam, lieferten ihn seine Gegner dem römischen Statthalter Pontius Pilatus aus. Die jüdischen Geistlichen konnten diesen davon überzeugen, daß Jesus ein politischer Aufrührer und damit für die Römer gefährlich sei. Nach anfänglichem Zögern wurde Jesus von Pilatus zum Tod am Kreuz verurteilt. Die Kreuzigung und das Begräbnis Jesu fanden an einem Freitag um das Jahr 28 unter der Regierung des römischen Kaisers Tiberius statt. Nach christlichem Glauben ist Jesus am dritten Tag auferstanden und nach 40 Tagen in den Himmel aufgefahren. Im Koran, dem heiligen Buch der Moslems, ist Jesus der größte Prophet neben Mohammed.

Jeunesses musicales [schönęß müsikąl, französisch ›musikalische Jugend‹], internationale Vereinigung zur musikalischen Förderung der Jugend. Ihr Ziel ist die internationale Begegnung von jungen Musikern bei Kursen, Wettbewerben und Festivals.

Jod, international **Iod,** Zeichen **J** oder **I,** ein →chemisches Element (ÜBERSICHT) aus der Gruppe der Halogene. Es bildet weiche, metallisch glänzende, grauschwarze Kristalle, die beim Erhitzen, ohne zu verflüssigen, mit blauvioletter Farbe verdampfen (griechisch: ioeides ›veilchenblau‹). Dieser Dampf ist **giftig.**

Jod kommt in geringer Konzentration z. B. im Meerwasser oder in Mineralquellen vor und wird unter anderem aus der Asche von Seetang und Algen, vor allem aber aus jodhaltigen Erdölquel-

Wörter, die man unter J vermißt, suche man unter Dj, Y oder G

len gewonnen. Es ist ein unentbehrlicher Bestandteil des tierischen und menschlichen Organismus und wird als lebenswichtiges Spurenelement mit der Nahrung aufgenommen. Jodmangel kann zur **Kropfbildung** und, besonders während der frühkindlichen Entwicklung, zu Zwergwuchs und Schwachsinn führen. Zur Vorbeugung wird jodhaltiges Speisesalz empfohlen. Eine alkoholische Lösung von Jod wird als **Jodtinktur,** z. B. zur äußerlichen Desinfektion, benutzt; heute vielfach durch andere Mittel ersetzt.

Joga, →Yoga.

Joghurt, Sauermilchprodukt, das aus Kuhmilch hergestellt wird. Zur Erniedrigung des Wassergehaltes wird diese zunächst eingedampft und dann rasch auf 40–45 °C abgekühlt. Hierauf werden besonders gezüchtete, unschädliche Kleinstlebewesen (Bakterien) untergemischt. Sie wandeln einen Teil des in der Milch enthaltenen Milchzuckers in Milchsäure um, die das Milcheiweiß zum Gerinnen bringt. Joghurt kann im Darm leicht abgebaut werden und wirkt regulierend auf die Verdauung.

Johanna von Orléans [-orleã], →Jeanne d'Arc.

Johannesburg, 1,60 Millionen Einwohner, größte Stadt der Republik Südafrika, liegt am Gebirgszug Witwatersrand, mitten im größten Goldbergbaugebiet der Erde. Johannesburg wurde 1886 als Goldgräbersiedlung gegründet. Für die schwarze Bevölkerung wurden gemäß den Grundsätzen der Rassentrennung (→Apartheid) Wohnstädte in der Umgebung errichtet, z. B. **Soweto,** wo es wegen der Apartheidpolitik 1976 zu schweren Unruhen kam.

Johannes der Täufer. Um 29 n. Chr. zogen viele Menschen aus Jerusalem und den anderen Orten Israels hinaus in die Wüste zu Johannes dem Täufer. Er war der bekannteste Bußprediger seiner Zeit. Über sein Leben berichtet das Neue Testament. Seine Geburt (er war 1/2 Jahr älter als Jesus Christus) war begleitet von außergewöhnlichen Ereignissen. Die Bibel deutet sie auf seine besondere Berufung als letzten Propheten des Alten Bundes und als unmittelbaren Vorläufer von →Jesus Christus. Johannes sah seine Aufgabe darin, in der Wüste am Rande des Flusses Jordan ein beispielhaft armes Leben zu führen und den Menschen ihre Sünden vor Augen zu halten. Er forderte sie zu radikaler Umkehr auf, denn das Gericht Gottes und das messianische Reich seien nahe. Als äußeres Zeichen der inneren Reinigung spendete er den Bekehrten eine Bußtaufe im Jordan. Auch Jesus kam, um sich taufen zu lassen. Da verkündete Johannes ihn als den verheißenen Messias. Als er das ehebrecherische Verhältnis des Königs Herodes Antipas öffentlich anprangerte, wurde er verhaftet und schließlich, er war etwa 32 Jahre, enthauptet.

Die Verehrung Johannes des Täufers ist bereits im frühen Christentum bezeugt.

Johannisbeeren wachsen an Sträuchern in Gärten. Aus ihren lockeren, gelbgrünen Blütentrauben entwickeln sich von Ende Juni bis zum August je nach Sorte die herb-säuerlichen **Roten Johannisbeeren** mit roten bis weißlichgelben Früchten. Die bitterherben **Schwarzen Johannisbeeren** sind besonders reich an Vitamin C.

Johanniskäfer, →Glühwürmchen.

Johanniter, 1099 in Jerusalem gegründeter geistlicher Ritterorden. Die Johanniter trugen einen schwarzen (im Krieg roten) Mantel mit weißem Kreuz. Heute besteht der Johanniterorden aus einem evangelischen und einem katholischen Zweig, dem →Malteserorden, die beide in der Krankenpflege tätig sind.

Jordan, längster und wasserreichster Fluß Jordaniens und Israels. Der 250 km lange Jordan entspringt im Grenzbereich von Israel, Libanon und Syrien, durchfließt das Huletal, den See Genezareth und mündet ins Tote Meer. Der Jordan ist für Israel und Jordanien die einzige ergiebige Wasserquelle; besonders Israel leitet große Wassermengen in Kanälen und Röhren bis in die Wüste Negev.

Jordanien

Fläche: 89 206 km²
Bevölkerung: 3 Mill. E
Hauptstadt: Amman
Amtssprache: Arabisch
Nationalfeiertag: 25. Mai
Währung: 1 Jordan-Dinar (JD) = 1 000 Fils (FLS)
Zeitzone: MEZ +1 Stunde

Jordanien, Königreich in Vorderasien. Die Gebiete westlich des Jordan mit der Altstadt von Jerusalem sind seit 1967 von Israel besetzt. Am Golf von Akaba hat das Land einen schmalen Zugang zum Roten Meer. Östlich des Jordan steigt das jordanische Bergland bis auf 1 745 m an, im Osten fällt es zur Wüste hin ab.

Klimatisch gehört Jordanien noch zum Mittelmeerbereich mit Winterregen. Nur ein schmaler Saum im Westen erhält für Ackerbau ausreichen-

Jordanien

Staatswappen

Staatsflagge

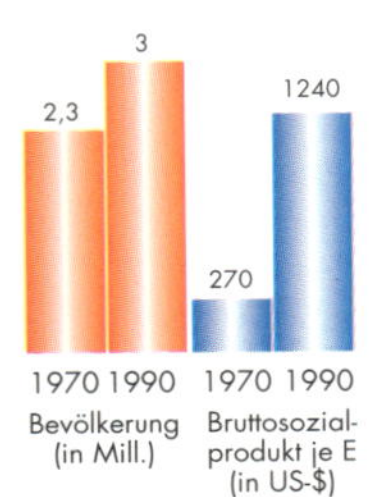

Bevölkerung (in Mill.)
Bruttosozialprodukt je E (in US-$)

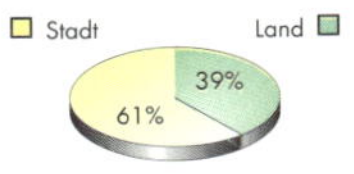

Bevölkerungsverteilung 1990

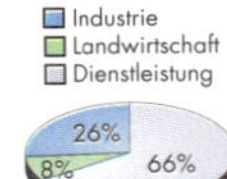

Bruttoinlandsprodukt 1990

den Niederschlag. Das Land besteht zu $^9/_{10}$ aus Wüste oder Wüstensteppe.

Am dichtesten besiedelt ist der Nordwesten. Unter der arabischen Bevölkerung spielen die Beduinen eine herausragende Rolle. Sie besetzen die wichtigsten Positionen im Staat. Ein Drittel der Einwohner sind Palästinenserflüchtlinge. Wichtigste Städte sind Amman, Zerba und Irbid.

Durch die Besetzung des Westjordanlandes durch Israel hat die jordanische Wirtschaft schwer gelitten. Hier lagen die wichtigsten landwirtschaftlichen Anbaugebiete. Dennoch hat sich die Wirtschaft weitgehend wieder erholen können. In den Beckenlandschaften werden Weizen, Gerste, Tomaten, Gemüse, Oliven, Trauben, Bananen und Citrusfrüchte angebaut. Viehwirtschaft wird vorwiegend von Nomaden betrieben. Wichtigste Industriezweige sind Phosphat- und Erdölverarbeitung, Zementherstellung, chemische und Konsumgüterindustrie. Ausfuhrhafen ist Akaba am Roten Meer. Mit Israel gibt es einen regen inoffiziellen Handel.

Seit 1946 ist Jordanien, das bis 1919 zum Osmanischen Reich gehörte und dann von Großbritannien verwaltet wurde, ein selbständiges Königreich. In den 3 Kriegen gegen Israel kämpfte es auf arabischer Seite, unterstützte aber ägyptische Verhandlungen für eine Friedenslösung. Jordanien gehört zu den politisch gemäßigten arabischen Staaten. (KARTE Seite 194)

Joule [dschuhl, nach dem englischen Physiker James Prescott Joule, * 1818, † 1889], Einheitenzeichen **J,** SI-Einheit der →Energie und der →Arbeit. 1 J ist gleich der Arbeit, die nötig ist, um einen Körper, auf den die Gewichtskraft 1 N (Newton) wirkt, um 1 m (Meter) zu heben.

Zwischen der Energieeinheit Joule, der Leistungseinheit Watt (W), der Zeiteinheit Sekunde (s), der Spannungseinheit Volt (V) und der Stromstärkeeinheit Ampere (A) besteht der Zusammenhang: 1 J = 1 Nm = 1 Ws = 1 VAs.

Das Joule ist auf jede Art von Energie oder Arbeit anzuwenden, sei sie elektrischer, magnetischer, mechanischer oder thermischer Natur. Daneben ist auch die Verwendung von →Kilowattstunden (kW·h) gesetzlich gestattet. Seit 1978 ist auch die →Kalorie als Einheit der Wärmemenge durch das Joule ersetzt worden (1 cal = 4,1868 J). In der Ernährungswissenschaft tritt an die Stelle von kcal (Kilokalorie) das kJ. 1 Kilojoule = 1 kJ = 10^3 J = 1 000 J.

Judas Ischariot, einer der 12 Apostel Jesu. Für 30 Silberstücke verriet er Jesus an die jüdische Behörde. Geld, das jemand für einen begangenen Verrat bekommt, wird deshalb heute noch als **Judaslohn** bezeichnet. Über den Tod von Judas Ischariot wird verschieden berichtet. Nach dem Matthäusevangelium soll er sich wegen seines Verrats erhängt haben.

Juden, ursprünglich Bezeichnung der Angehörigen des Stammes, seit der Mitte des 10. Jahrh. v. Chr. auch des Reiches Juda. Zum Volksnamen wurde der Begriff erst seit der Rückkehr aus der babylonischen Gefangenschaft im 6. Jahrh. v. Chr. (→Israeliten); Juden waren jetzt die Bekenner der jüdischen Religion, gleichgültig, ob sie von einer jüdischen Mutter geboren oder zum →Judentum übergetreten waren. Bis 70 n. Chr. lebten die Juden fast ausschließlich in Palästina. Der Aufstand der Juden (›Jüdischer Krieg‹) gegen die römische Besatzung (70 n. Chr.), der an der römischen Übermacht scheiterte, führte zu einschneidenden Veränderungen. Die Römer zerstörten Jersualem und das Heiligtum der Juden, den Tempel. Damit verloren die Juden ihren religiösen und politischen Mittelpunkt. Ein Viertel der jüdischen Bevölkerung wurde getötet, viele wurden römische Kriegsgefangene oder in die Sklaverei verkauft. Die Überlebenden verließen daraufhin in der Mehrzahl das Land und lebten nun verteilt über das ganze Römische Reich.

Obwohl so die Juden stark auseinandergerissen worden waren und kein gemeinsames Zentrum mehr hatten, bewahrten sie ihren Glauben und ihr jüdisches Selbstbewußtsein. Im Mittelalter entwickelte sich in Italien, Spanien, Frankreich und Deutschland, besonders in den Städten am Rhein, z. B. in Worms, eine vielfältige jüdische Kultur. In Spanien vermittelten jüdische Gelehrte den Christen antike und arabische Kultur. Da den Christen die Zinsnahme verboten war, widmeten sich Juden oft dem Geldverleih; sie waren daher als Kreditgeber geschätzt. In einer gegenläufigen Bewegung waren die Juden immer stärker Beschränkungen (Entstehung der →Ghettos) und Verfolgungen ausgesetzt (z. B. in Spanien, Frankreich und Deutschland). Aus Deutschland wanderten viele Juden nach Polen aus und bewahrten dort ihre Sprache, das Jiddische.

Als in der Zeit der Aufklärung der Gedanke der Toleranz die innere Entwicklung der europäischen Staaten zu beeinflussen begann, hoben viele Regierungen allmählich die den Juden auferlegten Beschränkungen auf, so z. B. im ›Toleranzedikt‹ Kaiser Josefs II. (1782) und im Beschluß der französischen Nationalversammlung 1790/91. Im direkten Widerspruch dazu entwickelte sich in Europa seit dem 18. Jahrh. der moderne →Antisemitismus. In der 2. Hälfte des 19. Jahrh. entstand unter den Juden eine Bewegung (→Zionismus), deren Ziel die Rückkehr aller Juden in das ›Land Israel‹ mit dem Mittelpunkt Zion (älterer Name für Jerusalem) war.

Mit der systematischen Judenverfolgung durch das nationalsozialistische Deutschland und der Ermordung von 4,5–6 Millionen europäischer Juden erreichte die Judenverfolgung im 20. Jahrh. ihren Höhepunkt. Bestimmt durch die Bestrebungen des Zionismus und bestärkt durch die erlittene Verfolgung, riefen jüdische Politiker 1948 auf dem Gebiet →Palästinas den Staat →Israel aus.

Judentum, ursprünglich die Religion des jüdischen Volkes, später auch Sammelbegriff für die →Juden und ihre religiöse Einheit. Die jüdische Religion ist gekennzeichnet durch den Glauben an den **einen Gott Jahwe** (Monotheismus), dessen Bund mit seinem Volk Israel in der Geschichte erfahrbar wird. Grundsätzlich lassen sich 2 Richtungen unterscheiden: das **orthodoxe Judentum** und das **Reformjudentum.** Während die orthodoxen Juden die →Thora als wörtliche Offenbarung und unveränderliches Gesetz Gottes und den →Talmud als die spätere Niederschrift einer von Gott verkündeten und zunächst mündlich überlieferten Offenbarung halten, sieht das Reformjudentum in der →Bibel das Buch, in dem Menschen von ihrer Gottesbegegnung und von Israels Geschichte mit Jahwe berichten und im Talmud den Versuch, die Lehren der Bibel zeitgemäß zu übertragen.

Das religiöse Leben der Juden ist bestimmt von den in der Thora enthaltenen und daraus abgeleiteten Geboten. Zentrale Forderungen sind die Einhaltung des →Sabbats und die →Beschneidung aller männlichen Juden. Den Gottesdienst feiern die Juden entweder zu Hause im Kreis der Familie (→Passahfest) oder in der →Synagoge. Zu einem Gottesdienst ist die Anwesenheit von 10 religionsgesetzlich volljährigen männlichen Gemeindemitgliedern notwendig. Ein jüdischer Junge wird mit dem vollendeten 13. Lebensjahr als vollwertiges Mitglied der Gemeinde aufgenommen **(Bar Mizwa).** In den Reformgemeinden werden heute die Mädchen gleichberechtigt behandelt **(Bat Mizwa).** Träger des religiösen Lebens in der Gesamtheit der Gemeinde ist der →Rabbiner. Symbol des Judentums ist der →Davidstern.

Judikative [lateinisch iudex ›Richter‹], auch **Judikatur,** die in den Händen der Richter liegende rechtsprechende Gewalt (→Gericht), die mit →Legislative und →Exekutive die Staatsgewalt bildet.

Handwurf (Tai-Otoshi)

Schulterwurf (Seoi-Nage)

Hüftfeger (Harai-Goshi)

Schenkelwurf (Uchi-Mata)

Große Außensichel (O-Soto-Gari)

Kopfwurf (Tomoe-Nage)

Schärpen-Festhalte (Kesa-Gatame)

Ristkreuzwürgen (Nami-Juji-Jime)

Seitenstreck-Armhebel (Ude-hishigi-Juji-Gatame)

Judo

Judo [aus japanisch ›sanft nachgeben‹ und do ›Weg‹, ›Grundsatz‹], ein aus Japan stammender Zweikampfsport, der von Damen und Herren ausgeübt werden kann. Gekämpft wird auf Matten in einer Halle (Dojo). Die Kampffläche mißt 6 × 6 bis 10 × 10 m. An die Kampffläche schließt sich eine 1 m breite rote Sicherheitszone an. Der **Judoka,** so wird ein Judosportler genannt, trägt eine reißfeste weiße Jacke und eine weitgeschnittene weiße Hose. Judo wird barfuß betrieben. Die Jacke ist mit einem Bindegürtel zusammengehalten, der durch seine Farbe anzeigt, welchem **Schülergrad (Kyu)** oder **Meistergrad (Dan)** der Judoka angehört. Die Kämpfer sind nach →Gewichtsklassen eingeteilt. Ziel der Kämpfenden ist es, durch Zug oder Druck das Gleichgewicht des Gegners zu stören und ihn durch Anwendung einer Wurftechnik so zu werfen, daß er mit Schultern und Gesäß die Matte berührt. Ein gelungener Wurf bedeutet das Ende des Kampfes und den Sieg des Werfenden. Ein Kampf kann nach einem nicht ganz gelungenen Wurf im Bodenkampf entschieden werden. Hierbei werden Hebel-, Halte- und Würgegriffe angewendet, um den Gegner kampfunfähig zu machen. **Hebelgriffe** richten sich ausschließlich gegen das Ellbogengelenk; **Würgegriffe,** die meist unter Einbeziehung des Jackenkragens angesetzt werden, dürfen nicht auf den Kehlkopf des Gegners zielen. Bei einem kampfentscheidenden **Haltegriff** muß der Gegner 30 Sekunden auf der Matte kontrolliert werden. Die Kampfzeit beträgt maximal 5 Minuten, das Kampfgericht besteht aus dem allein entscheidenden Mattenleiter und 2 Außenrichtern. Wettkampfsprache ist das Japanische. – Seit 1964 ist Judo olympische Disziplin für Herren.

Jugendamt, Einrichtung der öffentlichen Jugendhilfe, die von jedem Landkreis und jeder kreisfreien Stadt unterhalten wird. Nach dem Jugendwohlfahrtsgesetz befaßt sich das Jugendamt besonders mit dem Schutz von nichtehelichen Kindern und Pflegekindern und mit der Aufsicht

Jugendstil: Gustav Klimt: Judith, 1909 (Venedig, Galleria Internazionale d'Arte Moderna)

über Heime, die Jugendliche betreuen; es leistet Jugendgerichtshilfe für straffällige Jugendliche und unterstützt Vormundschafts- und Familiengericht.

Jugendherberge, Abk. **JH,** preisgünstige Aufenthalts- und Übernachtungsstätte für jugendliche Wanderer und Reisende; Voraussetzung für die Übernachtung in einer Jugend herberge ist die Mitgliedschaft beim ›Deutschen Jugendherbergswerk‹. Die erste Jugendherberge wurde 1906 in Altena im Sauerland gegründet.

Jugend forscht, jährlich neu ausgeschriebener Wettbewerb für Schüler und Jugendliche von 9 bis 21 Jahren. Er wurde 1966 von der Illustrierten ›Stern‹, der Industrie und dem Bundesforschungsministerium ins Leben gerufen, um das Interesse der Jugend an Naturwissenschaft und Technik zu fördern. Zum Wettbewerb dürfen Arbeiten aus den Gebieten **Biologie, Chemie, Mathematik, Physik, Technik** und **Umweltschutz** eingereicht werden. Die jeweils besten Arbeiten einer Altersgruppe werden von einer Jury für einen Preis vorgeschlagen. Gestiftet werden die Preise von mehr als 50 Einrichtungen des öffentlichen Lebens aus Wirtschaft, Wissenschaft und Politik. Seit 1990 gibt es den internationalen Wettbewerb **Europas Jugend forscht für die Umwelt.**

Jugendliteratur, →Kinder- und Jugendliteratur.

Jugend musiziert, seit 1963 jährlich stattfindender Wettbewerb zur Förderung junger Musiker auf dem Gebiet der Instrumentalmusik. Veranstalter ist der Deutsche Musikrat. Die Preisverleihung findet auf Regional-, Landes- und Bundesebene statt; die Bundessieger werden durch Stipendien gefördert.

Jugendreligionen, auch **neue Religionen,** seit Anfang der 1970er Jahre auftretende Bewegungen, deren Wirken sehr umstritten ist und die sich von den großen Religionsgemeinschaften – wie der katholischen Kirche und den evangelischen Kirchen – abwenden. Die meisten von ihnen kommen aus dem indischen Raum und werden angeführt von einem ›Meister‹ (→Guru) mit göttlichem Anspruch. Sie werben vor allem unter Jugendlichen und jungen Erwachsenen. Ihnen wird eine festgefügte Gemeinschaft voller Glück und Lebenssinn versprochen. Viele Gruppen verlangen von dem einzelnen Mitglied dafür die radikale Abkehr von der gewohnten Lebenswelt einschließlich Ausbildung oder Beruf, Familie und Freundeskreis, die bedingungslose Unterwerfung unter den Sektenführer, Verzicht auf einen eigenen Willen und jeglichen Besitz zugunsten der Gruppe. Die Folgen davon sind oft eine völlige äußere und innere Abhängigkeit bis hin zur seelischen Schädigung und Verformung der Persönlichkeit. Wichtige Jugendreligionen sind: ›Family of Love‹ (bis 1978 die ›Kinder Gottes‹), ›Transzendentale Meditation (TM)‹, →Scientology®-Kirche, die →›Bhagwan-Bewegung‹, die →Mun-Sekte (›Vereinigungskirche‹) und die →Hare-Krishna-Bewegung.

Jugendschutz, gesetzliche Sondervorschriften (Jugendarbeitsschutzgesetz, Gesetz zum Schutz des Jugendlichen in der Öffentlichkeit), die Kinder (bis zum vollendeten 13. Lebensjahr) und Jugendliche (14–17 Jahre) vor gesundheitlichen Schäden und sittlichen Gefahren bewahren sollen. So dürfen Jugendliche, die bis zum Alter von 17 Jahren voll schulpflichtig sind, nicht beschäftigt werden, das heißt, sie dürfen nicht gegen Bezahlung arbeiten. Für Auszubildende ist die tägliche Arbeitszeit auf 8 Stunden und die wöchentliche Arbeitszeit auf 40 Stunden begrenzt. Der Berufsschulunterricht gilt als Arbeitszeit. Die Sonntags- und Nachtarbeit ist untersagt. Ausnahmegenehmigungen gibt es nur für bestimmte Gewerbezweige wie Gaststätten, Bäckereien und Theater im begrenzten Umfang. Zum Schutz in der Öffentlichkeit dürfen an Jugendliche keine alkoholischen Getränke verkauft werden. Der Besuch von Gaststätten, Spielhallen und Tanzveranstaltungen ist für Jugendliche beschränkt. Für die Einhaltung dieser Schutzgesetze sind die Veranstalter verantwortlich. Auch das Rauchen in der Öffentlichkeit ist Jugendlichen unter 16 Jahren verboten. Schriften, die sich negativ auf die Entwicklung eines Jugendlichen auswirken können, werden auf eine öffentliche

Jugendstil: Henry van de Velde, Bucheinband, ausgeführt von P. Claessens; Brüssel, 1895 (Hamburg, Museum für Kunst und Gewerbe)

Liste gesetzt und dürfen nicht an Jugendliche verkauft werden. (→Lebensalter, ÜBERSICHT)

Jugendstil, um 1890 entstandene Kunstrichtung (bis etwa 1914), benannt nach der 1896 gegründeten Münchner Zeitschrift ›Jugend‹. Andere Bezeichnungen: in Frankreich **Art Nouveau,** in Österreich **Sezessionsstil,** in angelsächsischen Ländern **Modern Style.** Der Jugendstil brach mit der Nachahmung historischer Stile, wie sie im 19. Jahrh. verbreitet war, und führte zu einer Stilwende in Kunsthandwerk, Wohnraumgestaltung und Architektur. Kennzeichnend waren zunächst die ornamentalen Schmuckformen: aus Pflanzenmotiven entwickelte, schwingende Liniengebilde, entstanden zum Teil unter dem Eindruck japanischer Kunst. Diese Ornamente finden sich z. B. an Bauwerken, in Innenräumen, auf Möbeln und Bucheinbänden. Von stärkerem Einfluß auf die weitere Entwicklung waren die Forderungen nach künstlerischer Formgebung der Gegenstände des Alltags. Möbel, Gläser, Lampen und andere Gebrauchsgegenstände sollten werkgerecht, zweckentsprechend und gleichzeitig schön gestaltet werden. Die spätere industrielle Formgebung (Industrie-Design) konnte daraus wichtige Anregungen schöpfen. In Darmstadt bildete sich eine Künstlerkolonie, zu der unter anderen die Architekten Peter Behrens (auch Kunsthandwerker) und Joseph Maria Olbrich gehörten, deren Häuser noch erhalten sind. Weitere bedeutende Künstler waren der belgische Architekt Henry van de Velde (auch Möbel, Bucheinbände), der deutsche Kunsthandwerker Otto Eckmann (Möbel, Schriftkunst) und der österreichische Maler Gustav Klimt.

Jugendstrafrecht. Kinder bis zum vollendeten 13. Lebensjahr werden bei Verstößen gegen die Strafgesetze gerichtlich nicht zur Rechenschaft gezogen. Zu bedenken ist aber, daß sie und ihre Erziehungsberechtigten (im Rahmen der Aufsichtspflicht) für angerichtete Schäden privatrechtlich haften (→Haftpflicht). Beispiel: Der 10jährige, der ein Auto aufbricht, kommt nicht vor Gericht; er und seine Eltern können aber auf Schadenersatz in Anspruch genommen werden. Ab dem 14. Lebensjahr jedoch müssen sich Jugendliche für Straftaten vor Gericht verantworten. Dabei werden allerdings nicht die strengen Regeln des Erwachsenenstrafrechts, sondern die Vorschriften des Jugendstrafrechts, besonders das Jugendgerichtsgesetz, angewendet. Sie gelten für alle Jugendlichen bis zum vollendeten 17. Lebensjahr und auch für Heranwachsende (18–21 Jahre), wenn diese zur Tatzeit in ihrer Entwicklung einem Jugendlichen gleichstanden.

Das Jugendstrafrecht will den straffällig gewordenen Jugendlichen durch jugendgerechte Maßnahmen helfen, ihren Lebensweg ohne weitere Straftaten zu gehen. Die Maßnahmen verschärfen sich je nach Schwere und Häufigkeit der Tat. In erster Linie werden Straftaten Jugendlicher durch **Erziehungsmaßregeln** geahndet. Dazu gehören Weisungen für die Lebensführung (z. B. Annahme einer Lehrstelle), Fürsorgeerziehung. Reichen diese nicht aus, können **Zuchtmittel** ergriffen werden, z. B. Verwarnung, Bußgeldzahlung. Das schärfste Zuchtmittel ist der **Jugendarrest,** der stufenweise bis zum Dauerarrest von 4 Wochen ausgeweitet werden kann. Erweisen sich auch Zuchtmittel als nicht ausreichend, weil der betreffende Jugendliche eine ›schädliche Neigung‹ (so sagt das Gesetz) zu Straftaten erkennen läßt, wird **Jugendstrafe** von 6 Monaten bis zu 5 Jahren, bei schweren Verbrechen bis zu 10 Jahren, verhängt.

Das Jugendstrafverfahren wird vor besonderen Teilen des Amtsgerichts (Jugendrichter, Jugendschöffengericht) oder Landgerichts (Jugendstrafkammer) durchgeführt. Bei Verhandlungen ist die Öffentlichkeit ausgeschlossen. Erziehungsberechtigte und Jugendgerichtshilfe (Jugendamt) werden angehört. Rechtsmittel (→Berufung, →Revision) sind nur eingeschränkt zugelassen.

Jugend trainiert für Olympia, ein 1969 eingeführter Wettbewerb für Schulmannschaften in der Bundesrepublik Deutschland. In folgenden 11 Sportarten finden Regional- und Landesausscheidungen in 4 Alterswettkampfklassen (11–12 Jahre, 13–14, 15–16, 17–18) statt: Basketball, Fußball, Handball, Hockey, Kunstturnen, Leichtathletik, Rudern, Schwimmen, Skilanglauf, Tischtennis, Volleyball.

Jugend und Sport, Abkürzung **J+S,** Förderungsprogramm für Jugendliche von 14–20 Jahren in der Schweiz. J+S ist eine gesetzlich verankerte Ergänzung des Pflichtschulsports und des Vereinssports. 35 Sportarten wurden 1990 in Sportfachkursen, Leistungs- und Ausdauerprüfungen angeboten. Rund 80 000 Kursleiter unterrichten pro Jahr eine halbe Million Jugendliche. Die Ausbildung der Kursleiter wird aus Bundesmitteln finanziert; Kantone und Verbände tragen die Kosten.

Jugendweihe, nichtreligiöse Weihehandlung, die an Jugendlichen vollzogen wird. Dabei werden diese auf die geistigen Ziele der jeweiligen weltanschaulichen Bewegung verpflichtet.

Eine besondere Bedeutung hatte die Jugendweihe in der Deutschen Demokratischen Republik, wo sie ein offizieller Festakt für das 8. Schuljahr war. Die Jugendlichen gelobten, bei der Verwirklichung des Sozialismus mitzuarbeiten. Die Jugendweihe sollte die Konfirmation und die Firmung ersetzen. Die Kirchen lehnen daher die Jugendweihe als eine kultische Ersatzhandlung ab.

Jugoslawien

Fläche: 102 173 km²
Bevölkerung: 10,47 Mill. E
Hauptstadt: Belgrad
Amtssprache: Serbokroatisch
Nationalfeiertag: 29. Nov.
Währung: 1 Jugoslaw. Dinar (Din) = 100 Para (p)
Zeitzone: MEZ

Jugoslawien

Staatswappen

Staatsflagge

Jugoslawien, Staat in Südosteuropa, eine Bundesrepublik, die Serbien und Montenegro umfaßt. Dieses Land ist noch etwa so groß wie Bayern und Baden-Württemberg zusammen. Es hat Anteil am Großen Ungarischen Tiefland, am fruchtbaren Hügelland der Sumadija und den Höhenzügen des Dinarischen Gebirges mit den schwer zugänglichen, schluchtenreichen Gebirgsketten in Montenegro. Im Süden Serbiens liegen die Beckenlandschaften Amselfeld und Metohija. Das Klima ist kontinental, im Süden auch vom Mittelmeer beeinflußt.

Etwa ⅔ der Bevölkerung sind serbischer oder montenegrinischer Abkunft; viele Angehörige der Minderheiten (Albaner, Ungarn, Kroaten) haben das Land während des jugoslawischen Bürgerkriegs verlassen. Am dichtesten besiedelt ist das Donau-Theiß-Tiefland und der Kosovo; in den Gebirgsgebieten leben nur wenige Menschen.

Trotz reicher Bodenschätze (Kupfer- und Eisenerz) ist die Wirtschaft des Landes verhältnismäßig wenig entwickelt; sie wurde durch die Folgen des Bürgerkrieges zusätzlich belastet. Die Landwirtschaft erzeugt Getreide, Tabak, Kartoffeln und Obst. Die jugoslawische Staatsgründung war ein Ergebnis des Ersten Weltkrieges. Das neue Königreich entstand durch die Zusammenlegung der Königreiche Serbien und Montenegro mit südslawischen Gebieten aus der Erbmasse Österreich-Ungarns. Vor allem in Kroatien regte sich dagegen eine rechtsradikale Unabhängigkeitsbewegung, die ›Ustascha‹. Nach der Teilung im Zweiten Weltkrieg wurde das Land durch den Partisanenführer Tito als kommunistischer Staat vereint. In Auseinandersetzung mit der Sowjetunion setzte Jugoslawien eine Politik der Blockfreiheit durch. In einem blutigen Bürgerkrieg zerbrach das vormalige Jugoslawien an den Konflikten zwischen den Nationalitäten; Slowenien, Kroatien und Bosnien-Herzegowina sowie Makedonien erklärten 1991 ihre Unabhängigkeit von dem von Serbien beherrschten Rumpf-Jugoslawien. Seither versuchen die Serben, Teile Kroatiens sowie Bosniens und der Herzegowina, in denen Serben leben, zu erobern; die nichtserbische Bevölkerung wird vertrieben oder umgebracht. Im Juni 1993 verständigten sich Serbien und Kroatien über eine Aufteilung von Bosnien-Herzegowina, wobei nur noch kleine Gebiete für die muslimische Bevölkerung vorgesehen wurden. (KARTE Seite 204)

Jujutsu, ostasiatische Kriegskunst chinesischen Ursprungs. Ziel war, den Gegner kampfunfähig zu machen oder ihn zu töten. Hieraus haben sich Aikido, Judo und Karate entwickelt.

Jungferninseln, → Virgin Islands.

Jungfernzeugung, bei Tieren die Fortpflanzung durch Eier, die nicht befruchtet werden müssen. Jungfernzeugung kommt hauptsächlich bei Würmern, Krebsen und Insekten vor. Bei einigen Tieren wechselt Jungfernzeugung mit geschlechtlicher Fortpflanzung. So treten bei Wasserflöhen und Blattläusen während des Sommers nur Weibchen auf, deren Eier sich ohne Befruchtung entwickeln. Erst in der kälteren Jahreszeit, bevor die widerstandsfähigen Wintereier gebildet werden, treten Männchen auf, und die Eier werden befruchtet. Bei der Honigbiene z. B. entwickeln sich aus den unbefruchteten Eiern nur Männchen (›Drohnen‹).

Jungfrau, Gipfel in den Berner Alpen in der Schweiz, 4 158 m hoch. Die Jungfraubahn, eine Zahnradbahn, führt durch einen 7 km langen Tunnel zum Jungfraujoch in 3 454 m Höhe.

Jungsteinzeit, Neolithikum, auf die → Altsteinzeit folgende Epoche der Vorgeschichte von etwa 5000 bis 1800 v. Chr. Der Beginn der Jungsteinzeit ist durch die beginnende Seßhaftwerdung des Menschen gekennzeichnet. Durch das milder werdende Klima wurde, zunächst im Gebiet des → Fruchtbaren Halbmondes, das Pflanzenwachstum stark gefördert. Der Mensch lernte, die eßbaren Pflanzen anzubauen und begann, Landwirtschaft zu treiben. Dies war aber nur möglich, wenn er sich längere Zeit an einem Ort niederließ. Hier baute sich der Mensch dann dauerhafte Hütten und Häuser aus gebranntem

Lehm und Ton. Schaf, Ziege, Schwein, Rind und Pferd wurden zu Haustieren. Das Hauptarbeitsmaterial blieb der Stein, doch die hieraus angefertigten Werkzeuge und Waffen wurden immer kunstvoller und besser (Axt, Beil, Pflug). Pflanzenbau und Tierzucht hatten die Entstehung einer Fruchtbarkeitsreligion zur Folge, in der eine Fruchtbarkeitsgöttin verehrt wurde. Die Toten wurden in großen Grabanlagen (Megalithgräber) mit reicher Ausstattung beigesetzt. Künstlerische Tätigkeit ist an der Formung und Verzierung von Gefäßen ablesbar, wonach manche Kulturgruppen der Jungsteinzeit benannt werden (z. B. →Bandkeramik). In Europa ging die Jungsteinzeit in die →Bronzezeit über, im Vorderen Orient entstanden die ersten Hochkulturen.

Jüngstes Gericht. Nach christlicher Vorstellung wird die Geschichte der Menschheit am Jüngsten Tag, das heißt am letzten Tag, durch ein Gericht Gottes beendet. Nach dem Matthäusevangelium wird Christus an diesem Tag als Weltenrichter wiederkehren, um über Lebende und Tote zu urteilen. Entsprechend ihren irdischen Taten werden sie mit ewiger Freude belohnt oder mit ewiger Verdammnis bestraft. Viele Künstler haben das Jüngste Gericht eindrucksvoll dargestellt. Zu den bekanntesten Werken zählen die Fresken Michelangelos in der Sixtinischen Kapelle in Rom. Auch im Islam ist die Lehre vom Jüngsten Gericht von großer Bedeutung.

Juno, die bedeutendste Göttin des alten Rom, die mit der griechischen Göttin →Hera gleichgesetzt wurde.

Jupiter, 1) der oberste Gott der Römer, der dem griechischen Gott →Zeus gleichgesetzt wurde.

2) Astronomie: größter Planet unseres Sonnensystems mit einem Äquatordurchmesser von 142 796 km. Die Umlaufzeit um die Sonne beträgt 11,862 Jahre, eine Drehung um seine eigene Achse dauert 9 Stunden 55 Minuten 30 Sekunden. Der Jupiter wird von 16 Monden umkreist.

Jura, 1) Gebirgszug, der sich bogenförmig an der Nordwestseite der Alpen entlangzieht. Der westliche Teil des Jura liegt auf französischem, der nordöstliche (etwa 1/4 der Fläche) auf schweizerischem Gebiet. Das Gebirge besteht vorwiegend aus Gesteinen des Erdmittelalters, der Juraformation (→Erdgeschichte). Diese Schichten wurden ursprünglich in den Meeren des Alpenvorlandes abgelagert und bei der Bildung der Alpen gefaltet und herausgehoben. Die Falten sind am stärksten auf der Südostseite, im **Kettenjura,** ausgeprägt. Dort verlaufen sie dicht gedrängt und bilden mit ihren Kämmen die höchsten Erhebungen des Jura, z. B. westlich von Genf im Crêt de la Neige (1 718 m). Nach Westen zu, im **Plateaujura,** bilden die Falten keine spitzen Kämme, sondern sind zu einförmigen Hochflächen mit Höhen unter 800 m abgetragen. Der im Norden gelegene **Tafeljura** hatte an der Faltung wenig Anteil und bildet bis 750 m hohe, stark zerschnittene Hochflächen. Das Klima ist rauh und feucht. Jenseits des Rheins, auf deutscher Seite, setzen sich die Juraschichten nach Nordosten und Norden fort. Sie haben hier allerdings einen anderen Aufbau und bilden die →Schwäbische Alb und die →Fränkische Alb.

2) französischsprachiger Kanton im Nordwesten der Schweiz mit dem Hauptort Delémont (deutsch: Delsberg). Er umfaßt einen Teil des Schweizer Juragebirges und dessen nördliche Ausläufer. In der Landwirtschaft herrscht Viehzucht vor. Die Uhrenindustrie ist der wichtigste industrielle Erwerbszweig. Der Kanton entstand 1979 durch Abtrennung des Nordwestteils vom Kanton Bern. Über 4/5 der Bevölkerung sind katholisch.

Jura
Kanton
Fläche: 837 km²
Einwohner: 65 000

Jura
Kantonswappen

Justinian. Der byzantinische Kaiser **Justinian I.** (* 482, † 565) trat 527 die Nachfolge seines Onkels, Kaiser Justinus, an, nachdem er bereits seit 518 die Regierung geleitet hatte. Er regierte bis 548 mit seiner Gemahlin Theodora, die ihm 532 den Thron rettete, als das Volk sich gegen ihn empörte. Justinian wollte noch einmal, jetzt auf der Grundlage des christlichen Glaubens, Einheit und Größe des Römischen Reiches wiederherstellen. Seine Feldherren Belisar und Narses eroberten das Wandalenreich in Nordafrika und das Ostgotenreich in Italien. Justinian war unumschränkter Herr über Staat und Kirche. Mit dem römischen Papst kam er nach langem Streit zu einer Einigung in Glaubensfragen. Justinian ließ im ›Corpus Juris‹ in lateinischer Sprache Gesetze und Urteile aufzeichnen, die durch die Vermittlung der Universität Bologna im Mittelalter bis ins heutige Recht fortwirken.

Justitia [lateinisch ›Gerechtigkeit‹], im alten Rom die Göttin der Gerechtigkeit. Sie wurde meist mit einer Waage (in neueren Bildnissen auch mit Schwert und verbundenen Augen) dargestellt, die als Zeichen für die Ausgewogenheit einer guten Rechtsprechung stehen sollte.

Justiz [von lateinisch iustitia ›Gerechtigkeit‹], staatliche Tätigkeit, die die Rechtspflege in Zivil-

Wörter, die man unter J vermißt, suche man unter Dj, Y oder G

und Strafsachen betrifft. Sie wird durch die Zivil- und Strafgerichte, die Staatsanwaltschaften, die Justizministerien, die Notariate sowie die Justizvollzugsanstalten verkörpert.

Justizvollzugsanstalt, →Gefängnis.

Jute [aus hindustanisch ›Haarstrang‹], bis 3 m hohe tropische Pflanze, aus der eine kräftige, aber grobe und spröde Faser gewonnen wird. Diese wird zu Verpackungsmaterial (Säcke) und als Grundgewebe für Bodenbelag verarbeitet. Jute wird vor allem in Indien, Bangladesh und China angebaut.

K, der elfte Buchstabe des Alphabets, ein Konsonant. In der Chemie ist K das Zeichen für Kalium. K ist Einheitenzeichen für →Kelvin; °K, Einheitenzeichen für →Grad Kelvin (veraltet); k steht als Vorsatzzeichen für →Kilo. In der Datenverarbeitung wird $K = 2^{10} = 1024$ als Größenvorsatz für Bit oder Byte verwendet, um z. B. den Umfang eines Speichers anzugeben.

K2, Chogori [tschogori], zweithöchster Berg der Erde, mit 8611 m höchster Gipfel des →Karakorum. Der K2 ragt als steile Pyramide nahe der Grenze zwischen Indien und der Volksrepublik China auf und gilt als einer der schönsten Berge der Erde. Die Erstbesteigung gelang 1954 einer italienischen Expedition.

Ka'aba [arabisch ›Würfel‹], zentrales Heiligtum der Moslems in →Mekka, Ziel der vorgeschriebenen Pilgerfahrt. Die Ka'aba ist ein würfelförmiges, fensterloses Gebäude im Mittelpunkt der Großen Moschee. Außen ist sie mit einem schwarzen Tuch bedeckt. An der südöstlichen Ecke der Ka'aba ist der ›Schwarze Stein‹ eingemauert, ein Meteorit, der schon in vorislamischer Zeit als Heiligtum verehrt wurde. Zum heiligen Ort der Moslems wurde die Ka'aba erst, nachdem Mohammed die Gebetsrichtung nach ihr ausgerichtet hatte.

Kaffee: Sproß mit Blüten und Früchten; RECHTS UNTEN Kaffeebohne

Kabel, elektrischer Leiter, der von einer Isolationsschicht umgeben ist. Herkömmliche Starkstrom- und Fernmeldekabel haben Leiter aus Kupfer oder Aluminium.

Kabelfernsehen, Übertragung der Bild- und Tonsignale von Fernsehprogrammen durch Kabel vom Sender zum Empfänger. Dadurch ist es möglich, alle Fernsehprogramme zu empfangen, die in das Kabel eingespeist werden, auch von Sendern, die weit entfernt sind, z. B. aus dem Ausland. Ein Fernsehgerät, das an das Kabelnetz angeschlossen ist, benötigt keine Empfangsantenne (→Fernsehen).

Kabeljau, Dorsch, beliebter Speisefisch, der 60–100 cm, manchmal auch 1,5 m lang und bis zu 25 kg schwer werden kann. Charakteristisch sind die auffallend helle Seitenlinie und der große, kräftige Bartfaden am Unterkiefer. Der Kabeljau lebt in Schwärmen vor allem im Atlantischen Ozean und in der Nord- und Ostsee. Meist hält er sich in Bodennähe auf, wo er seine Nahrung (Fische, Krebse, Weichtiere) findet. Getrocknet wird er als ›Stockfisch‹ oder ›Klippfisch‹ verkauft. Aus der Leber gewinnt man Lebertran. (BILD Fische)

Käfer, größte Ordnung der →Insekten mit rund 350 000 Arten, davon in Mitteleuropa etwa 8 000. Die kleinsten Käfer sind weniger als 1 mm lang, die größten über 15 cm, z. B. der südamerikanische Riesenbockkäfer. Der größte in Deutschland lebende Käfer ist der →Hirschkäfer. Käfer haben einen härteren Hautpanzer als die übrigen Insekten; oft schillert er bunt. Ihr vorderes, häufig schön gefärbtes Flügelpaar ist meist verhärtet. Es schützt den Körper und bedeckt in Ruhestellung die zarten Hinterflügel, mit denen der Käfer fliegt. Die meisten Arten können fliegen, auch die Wasserkäfer, einige der größeren Laufkäfer haben diese Fähigkeit nicht mehr. Bei Gefahr laufen aber die meisten Käfer weg oder stellen sich tot. Käfer leben fast überall, außer im offenen Meer, in der ständig vereisten Region der Hochgebirge und in der Antarktis. Sie sind ihrem Lebensraum angepaßt. So haben die Wasserkäfer (z. B. Gelbrandkäfer, Kolbenwasserkäfer, Taumelkäfer) mit Schwimmborsten besetzte Beine, die als Ruder dienen. Da Käfer durch →Tracheen atmen, müssen sie und auch

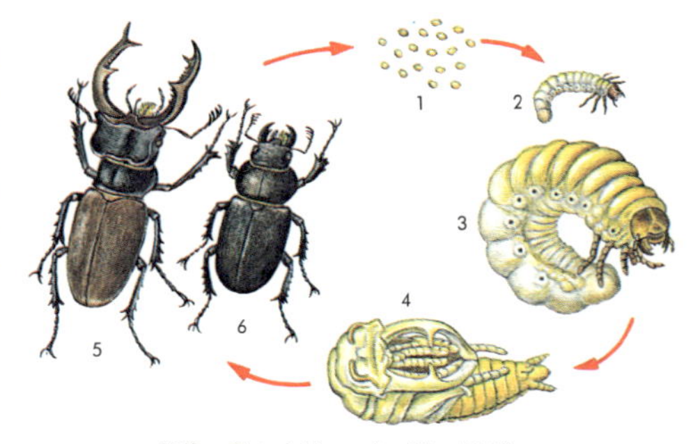

Käfer: Entwicklung des Hirschkäfers: **1** Eier; **2** frühes, **3** spätes Larvenstadium; **4** Puppe; **5** männliches, **6** weibliches geschlechtsreifer Hirschkäfer

Wörter, die man unter K vermißt, suche man unter C, Ch oder Q

ihre Larven immer wieder auftauchen, um Luft aufzunehmen. Manche nehmen eine Luftblase unter den Flügeln als Vorrat mit unter Wasser. Laufkäfer haben besonders lange Beine. Alle Käfer besitzen Mundwerkzeuge zum Kauen und Beißen. Manche machen Jagd auf andere Insekten und deren Larven (z. B. die Laufkäfer und →Marienkäfer) und vertilgen dabei auch viele Schädlinge. Viele Käfer sind Pflanzenfresser und können bei Massenvermehrung großen Schaden anrichten (z. B. →Bockkäfer, →Borkenkäfer, →Holzwürmer, →Kartoffelkäfer, →Maikäfer, →Rüsselkäfer). Die →Mistkäfer ernähren sich von Mist, die Aaskäfer (→Totengräber) von Aas. Käfer durchlaufen eine Entwicklung vom Ei über mehrere Larvenstadien und Puppe bis zum fertigen Insekt. Die Larven leben meist verborgen im Boden, im Holz und im Wasser. Einige Käfer betreiben eine ungewöhnliche Brutpflege (→Pillendreher, Totengräber). Eine Besonderheit im Tierreich sind die Leuchtorgane der Leuchtkäfer (→Glühwürmchen). Ungewöhnlich ist wohl die Verteidigungswaffe des Bombardierkäfers, der bei Gefahr aus Drüsen am Hinterleib unter puffendem Geräusch ein bläuliches Gaswölkchen ausstößt. (Weitere BILDER Seite 102)

Kaffee [auch: kafeh, nach der äthiopischen Provinz Kaffa] wird aus den gerösteten Samen des Kaffeestrauchs gewonnen, der aus Arabien und Äthiopien stammt, heute aber in vielen sehr warmen Gebieten Afrikas und Südamerikas auf Plantagen angebaut wird. Der Kaffeestrauch hat weiße Blüten und kirschenähnliche rote Früchte. Jede Frucht enthält meist 2 Steine mit je einem Kern, der harten **Kaffeebohne.** Die grünen Bohnen werden mit Hilfe von Maschinen von den Hülsen befreit und geröstet. Durch das Rösten erhält der Kaffee seine braune Farbe und sein Aroma. Kaffee enthält **Coffein** (ringförmiger, stickstoffhaltiger Naturstoff, der chemisch identisch ist mit dem Thein aus den Teeblättern), das wegen seiner Wirkung auf Herz und Nerven als anregend gilt, bei übermäßigem Genuß aber schädlich wirken kann. Heute stellt man auch Kaffee her, dem das Coffein weitestgehend entzogen ist. In Arabien wurde schon im 15. Jahrh. Kaffee getrunken, nach Europa kam er erst im 17. Jahrh. (BILD Seite 100)

Kafka. Der in Prag als Sohn eines deutsch-jüdischen Kaufmanns aufgewachsene Schriftsteller **Franz Kafka** (* 1883, † 1924) gilt als einer der bedeutendsten Erzähler des 20. Jahrh. Von Beruf war Kafka Jurist, doch galt sein ganzes Interesse der schriftstellerischen Arbeit. Es entstanden Erzählungen wie ›Die Verwandlung‹ (1916), ›Das Urteil‹ (1916) und ›In der Strafkolonie‹ (1919). Hier wie in allen seinen oft schwer deutbaren Werken zeigt Kafka den Menschen in seiner Unsicherheit und Lebensangst. Ein Großteil seiner literarischen Arbeiten wurde erst nach Kafkas Tod veröffentlicht, unter anderem die nicht vollendeten Romane ›Das Schloß‹ und ›Der Prozeß‹. Kafkas Hauptwerk ›Der Prozeß‹ beschreibt die Geschichte eines Bankbeamten, der von einem unsichtbaren Gericht angeklagt und zum Tod verurteilt wird, ohne daß er erfährt, welche Schuld ihm zur Last gelegt wird.

Kahlenberg, Berg im →Wienerwald nördlich von Wien, 483 m hoch. Durch die Schlacht auf dem Kahlenberg 1683 wurde Wien von der türkischen Belagerung befreit. (→Türkenkriege)

Kaiman, ein →Krokodil.

Kairo, 6,4 Millionen, mit Vororten 14,2 Millionen Einwohner, Hauptstadt Ägyptens und größte Stadt Afrikas, liegt am Nil, 20 km südlich des Deltas. Kairo ist politischer, geistiger und wirtschaftlicher Mittelpunkt des gesamten Nahen Ostens und ein Zentrum des sunnitischen →Islam in Afrika. Seit der Eroberung Ägyptens durch die Araber (7. Jahrh.), besonders unter der Herrschaft der Fatimiden (10.–12. Jahrh.) und der →Mamelucken (13.–15. Jahrh.), entstanden zahlreiche Bauten, die noch heute das Stadtbild Kairos prägen, z. B. die Moschee des Ibn Tulun, die Azhar-Moschee, die El-Azhar-Universität und die Sultan-Hasan-Moschee.

Kaiser, der höchste Titel eines weltlichen Herrschers. Das Wort ist aus dem Beinamen ›Caesar‹ der römischen Herrscher entstanden, die den Titel ›Imperator‹ führten. Als Papst Leo III. am Weihnachtstag des Jahres 800 den fränkischen König →Karl den Großen in Rom zum Kaiser krönte, knüpfte er an die römische Tradition an; viele Zeitgenossen sahen in Karl den Nachfolger der römischen Kaiser, und der römische Adler wurde zum Symbol des neuen Kaisertums. Doch unterschied es sich wesentlich vom römischen Kaisertum. Dem mittelalterlichen Kaiser fiel die Aufgabe zu, die Christenheit und die römische Kirche zu schützen. Nur dem Papst stand das Recht zu, einen Fürsten zum Kaiser zu krönen. Auch andere europäische und außereuropäische Herrscher nahmen den Kaisertitel an; z. B. die Franzosen →Napoleon I. Bona-

Käfer: 1 Mondhornkäfer; **2** Borkenkäfer; Buchdrucker; **3** Stutzkäfer; **4** Pappelblattkäfer; **5** Goldstreifiger Raubkäfer; **6** Moschusbock; **7** Feuerkäfer;, **8** Nashornkäfer; **9** Spanische Fliege

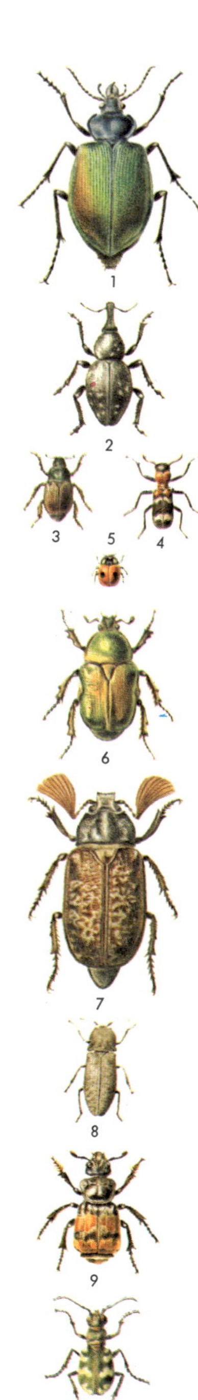

parte und → Napoleon III. Die russischen Zaren nannten sich seit → Peter dem Großen ›Imperator‹. Auch in Brasilien und Mexiko herrschten zeitweise Kaiser. Die chinesischen Herrscher wurden ebenfalls als Kaiser bezeichnet. Dem Kaiser entspricht auch der Herrschertitel in Japan.

Kaisermantel, ein → Schmetterling.

Kaiserschnitt, Schnittentbindung, Operation, bei der die Bauchdecken und die → Gebärmutter durch einen Schnitt eröffnet werden und das Kind aus der Gebärmutter gehoben wird. Sie wird notwendig, wenn bei einer Geburt auf normalem Wege Gefahren für das Kind oder die Mutter auftreten oder voraussichtlich zu erwarten sind. Der Name Kaiserschnitt ist eine irrtümliche Bezeichnung nach der angeblichen Schnittentbindung Caesars; die medizinische Bezeichnung lautet ›sectio caesarea‹ (zu lateinisch caedere ›schneiden‹).

Kakadus, eine Art der → Papageien.

Kakao [kakau, auch kakao] wird aus den Früchten des Kakaobaumes gewonnen, der in Mittel- und Südamerika heimisch ist und heute in vielen heißen und regenreichen Ländern der Erde wächst. Die gelbe bis rote Frucht dieses bis 14 m hohen Baumes hat etwa die Größe einer Gurke und enthält 25–60 Bohnen. Etwa ⅔ der Kakaobohnen werden heute in Afrika geerntet, vor allem in Ghana. Die Bohnen werden gewaschen, getrocknet, durch Gärung von ihrem bitteren Geschmack befreit, geröstet und gemahlen. Beim Mahlen wird das Fett (Kakaobutter) entzogen; es wird zur Herstellung von **Schokolade** verwendet. Übrig bleibt das Kakaopulver, das geringe Mengen Coffein enthält. Mit heißer Milch oder heißem Wasser übergossen, ergibt sich das aromatische, nahrhafte Kakaogetränk. Nach der Entdeckung Amerikas wurde Kakao auch in Europa bekannt. (BILD Seite 103)

Kakteen sind ursprünglich nur im tropischen und subtropischen Amerika heimisch. Sie wachsen vor allem in den Wüsten und Steppen Kaliforniens, der Südstaaten, Mittel- und Südamerikas, besonders jedoch in Mexiko und den Anden (hier noch bis in 5 000 m Höhe). In ihrem Lebensraum sind Kakteen, die in über 6 000 Arten vorkommen, extremen klimatischen Bedingungen ausgesetzt: In der Regel sind die Nächte kalt, die Tage sehr heiß. Auf die seltenen, unregelmäßigen Niederschläge folgen längere, manchmal 2–3 Jahre andauernde Trockenzeiten. In Anpassung daran haben die Kakteen ein dickes fleischiges Gewebe, in dem sie Wasser speichern. Ein Säulenkaktus, der bis 18 m Höhe und 2 m Umfang erreichen kann, vermag bis 5 000 l Wasser zu speichern. Die Blätter sind fast immer zu Dornen oder Stacheln umgewandelt, und dem Stamm ist meist eine Wachsschicht aufgelagert, wodurch die Wasserverdunstung stark vermindert wird.

Die Blüten der Kakteen sind vielfach sehr groß und besonders farbenprächtig; die Blühzeit ist oft kurz, z. B. bei der ›Königin der Nacht‹ nur wenige Stunden. Die Früchte des Feigenkaktus, der vor allem im Mittelmeergebiet stark verwildert ist, sind eßbar. Manche Kakteen werden im Ursprungsland von den Einheimischen getrocknet und wie Holz unter anderem zum Bau von Möbeln verwendet. Einige giftige Arten dienten den Indianern Mexikos als Rauschgift bei Kulthandlungen. (BILDER Seite 104)

Kalahari, Trockensteppe im südlichen Afrika, mit 1 Million km² etwa dreimal so groß wie die Bundesrepublik Deutschland. Der größte Teil der Kalahari gehört zu Botswana. In dem trockenheißen Klima versickern die spärlichen Niederschläge schnell. Die Flußtäler sind meist trocken. Nur der Okawango führt, aus den Bergen Angolas kommend, das ganze Jahr über Wasser; er erreicht jedoch nicht das Meer, sondern endet in einer riesigen Sumpflandschaft, dem Okawango-Binnendelta. Die Kalahari ist Lebensraum der → Buschmänner.

Kalb, das Junge von → Hirsch und → Rind.

Kalender [zu lateinisch calare ›ausrufen‹], Verzeichnis der Tage des Jahres vom 1. Januar bis 31. Dezember, nach Wochen und Monaten geordnet. Grundlage unseres Kalenders ist das Sonnenjahr (→ Jahr). Unser Kalender geht auf Papst Gregor XIII. zurück **(Gregorianischer Kalender),** der 1582 den seit 46 v. Chr. gültigen **Julianischen Kalender,** nach Julius Caesar benannt, reformierte. Seitdem fällt Ostern auf den ersten Sonntag nach dem ersten Frühlingsvollmond. Der Julianische Kalender, der in Rußland bis 1918 in Gebrauch war, entsprach den astronomischen Gegebenheiten nicht ganz und war ungenau, so daß der Unterschied zwischen beiden Kalendern bei der Reform 1582 zehn Tage betrug. Dies wurde dadurch ausgeglichen, daß auf den 4. Oktober 1582 gleich der 15. Oktober folgte. Bei den Mohammedanern, Juden, Chinesen und anderen sind noch heute eigene Kalender in Gebrauch. Seit mehreren Jahren ist man bestrebt, einen einheitlichen Weltkalender einzuführen.

Käfer: 1 Puppenräuber; **2** Lattich-Rüßler; **3** Gartenlaubkäfer; **4** Ameisenbuntkäfer; **5** Marienkäfer; Zweipunkt; **6** Gemeiner Rosenkäfer; **7** Walker; **8** Schnellkäfer; **9** Totengräber; **10** Sandlaufkäfer

Kalif [arabisch ›Nachfolger‹], Nachfolger des Propheten →Mohammed in der geistlichen und weltlichen Führung der islamischen Gesamtgemeinde. Unter den Kalifen dehnte sich der Islam bis nach Indien im Osten und Nordafrika im Westen aus. Zeitweilig unterstanden mit Spanien und dem Balkan auch Teile Europas den Kalifen. Die ersten Kalifen nach Mohammeds Tod wurden gewählt und hatten ihren Sitz in Medina. Seit 661 war das **Kalifat** erblich. Das Geschlecht der Omajjaden regierte bis 750 von Damaskus aus. Vor allem in diese Zeit fielen die großen islamischen Eroberungen. 750 folgte das Geschlecht der Abbasiden. Ihr Zentrum war bis 1258 Bagdad, dann Kairo. Zu den Abbasiden gehörte auch der Kalif Harunar-Raschid, der häufig in der Märchensammlung ›Tausendundeine Nacht‹ erwähnt wird. 1460 ging das Kalifat an die türkischen Sultane über. Seit dem 18. Jahrh. verstanden sich die Kalife nur noch als geistige Führer der sunnitischen Muslime (→Sunniten). Die islamische Welt zerfiel in einzelne Gruppen, die nicht mehr bereit waren, sich einem Kalifen zu unterwerfen. 1924 wurde das Kalifat von der türkischen Nationalversammlung abgeschafft.

Kalifornien, Landschaft an der Westküste Nordamerikas. Der nördliche Teil gehört zum nordamerikanischen Bundesstaat Kalifornien, der südliche zu Mexiko.

Kalifornien ist der drittgrößte Staat der USA (fast doppelt so groß wie Schweden) mit der höchsten Einwohnerzahl (30,3 Millionen). Die Hauptstadt ist Sacramento, die wichtigsten Städte sind San Francisco und Los Angeles. Das 700 km lange und 80 km breite Kalifornische Längstal ist die Kernlandschaft des im Süden wüstenhaften Landes. Mit Bewässerung und unter Mittelmeerklima gedeihen hier Obst, Gemüse, Citrusfrüchte, Baumwolle, Zuckerrüben, Getreide und Weintrauben. Große wirtschaftliche Bedeutung haben Luft- und Raumfahrtindustrie sowie Elektro-, Computer-, Maschinen- und Metallindustrie. Des Sonnenreichtums wegen spielt auch der Fremdenverkehr eine große Rolle. – Im 16. und 17. Jahrh. wurde Kalifornien von Mexiko aus durch Spanier besiedelt und war 1821–48 mexikanische Provinz. 1850 kam Kalifornien als 31. Staat zu den USA. Die Entdeckung von Gold (seit 1848) lockte Hunderttausende von Einwanderern ins Land.

Kalium [zu arabisch al-kili ›Pottasche‹], Zeichen **K,** ein →chemische Element, ÜBERSICHT. Kalium ist ein silberweißes, sehr weiches, mit dem Messer leicht schneidbares Metall, das mit Wasser sehr heftig unter Entwicklung von Wasserstoff reagiert. Kalium ist in der Erdkruste vor allem in gesteinsbildenden Mineralen wie Feldspat und Glimmer weit verbreitet.

Kalium spielt als **K^+-Ion** im tierischen und pflanzlichen Organismus eine bedeutende Rolle. Für die Pflanzen ist es einer der wichtigsten Mineralstoffe überhaupt. Bei tierischen Lebewesen kommt es vor allem in der Zelle vor. Es ist wichtig für die Tätigkeit von Muskeln und Nerven (Erregungsleitung). Kaliumverbindungen werden auch als Düngemittel verwendet.

Kalk, eigentlich **Kalkstein,** ein Sedimentgestein, das vorwiegend aus Kalkspat ($CaCO_3$) besteht. Der Kalkstein entstand aus Ablagerungen von kalkhaltigen Meerestieren. Bei seiner hauptsächlichen Verwendung als Baustoff geht folgendes vor sich:

Erhitzt man Kalk, so spaltet sich Kohlendioxid ab. Vermischt man diesen **gebrannten Kalk** mit Wasser, entwickelt er Hitze; man spricht dann von **gelöschtem Kalk.** Zusätzlich mit Sand vermischt, entsteht Mörtel, der wiederum beim Trocknen einen festen Kalksandstein bildet.

Kalkspat, Calcit, ein sehr formenreiches gesteinsbildendes Mineral (Calciumcarbonat, $CaCO_3$). Kalkspat ist farblos bis wasserklar, weiß oder hell gefärbt; er ist Hauptbestandteil z. B. von Kalkstein und Marmor.

Kalkutta, 3,29 Millionen, mit Vororten 10,9 Millionen Einwohner, größte Stadt in Indien, liegt im feuchtheißen Klima des Mündungsdeltas von Ganges und Brahmaputra. Die Hafen- und Industriestadt ist ein bedeutender Handelsplatz für Jute und Baumwolle. Ein ungelöstes Problem für die Stadt ist die Sanierung der großen Elendsviertel (Slumgebiete). Kalkutta, 1495 erstmals als Dorf erwähnt, war 1773–1912 Hauptstadt Indiens.

Kalmare, zehnarmige →Tintenfische.

Kalorie [zu lateinisch calor ›Wärme‹], Einheitenzeichen **cal,** nicht mehr gesetzliche Einheit der Wärmemenge. Für die Umrechnung auf die SI-Einheit →Joule (J) gilt: 1 cal = 4,1868 J.

In der Ernährungslehre wurde der Energieinhalt von Nahrungsmitteln in **großen Kalorien** (Cal) oder **Kilokalorien** (kcal) angegeben: 1 Cal = 1 kcal = 10^3 cal = 4,1868 kJ.

Kaltblüter, nichtwissenschaftliche Bezeichnung für die →Wechselwarmen.

Kältepole, die Gebiete der Erdoberfläche mit den niedrigsten Temperaturen. Der Kältepol der Südhalbkugel liegt in der östlichen Antarktis, wo

Kakao: OBEN Sproß, MITTE Ast mit Blüten und Früchten, UNTEN aufgeschnittene Frucht

−88 °C gemessen wurden, der Kältepol der Nordhalbkugel in Ostsibirien mit einem Tiefstwert von −70 °C.

kạlter Krieg, schlagwortartige Bezeichnung für den 1947 einsetzenden politischen Konflikt zwischen den USA und der Sowjetunion sowie den von ihnen geführten Staaten. Diese Auseinandersetzung erhielt ihren Namen deshalb, weil sie nicht mit Waffen und Armeen, in Gestalt eines ›heißen‹ Krieges also, geführt wurde, sondern mit nichtmilitärischen Mitteln. Solche Mittel waren unter anderem: politischer und wirtschaftlicher Druck, Propaganda, Einschleusen politischer Gegner und Spione, Unterstützung von Staatsstreichen im Machtbereich des Gegners. Höhepunkt des kalten Kriegs, der im Korea-Krieg (1950–53) eine Ausweitung in einen räumlich begrenzten ›heißen‹ Krieg erfuhr, war die Kuba-Krise (1962). In der Zeit des Kalten Kriegs entstanden die großen Militärbündnisse, die NATO und der Warschauer Pakt.

Der kalte Krieg fand mit dem Zerfall des Ostblocks und der Auflösung des Warschauer Pakts sein Ende, dokumentiert 1990 in der ›Charta von Paris‹.

Kambọdscha, seit 1975 **Kampuchéa** [kamputschẹa], Republik in Südostasien, mehr als doppelt so groß wie Österreich. Das Kernland wird von der Ebene des Mekong und des Großen Sees (Tonle-Sap) gebildet. Gebirge begrenzen das Land im Norden und Osten. Im Südwesten verläuft die Küste des Golfs von Siam. Das tropische Klima wird vom Monsun bestimmt, der von Juni bis November sehr hohe Niederschläge bringt. Der Mekong tritt dann über die Ufer und bewässert das umliegende Land. Die Hälfte Kambodschas wird von Wald bedeckt.

Den Hauptteil der Bevölkerung bilden die buddhistischen Khmer. Am dichtesten besiedelt ist die Mekongebene. Reis ist das Haupterzeugnis der Landwirtschaft. Daneben werden Mais, Zuckerrohr, Jute, Tabak und Pfeffer angebaut. Die Binnenfischerei ist von Bedeutung.

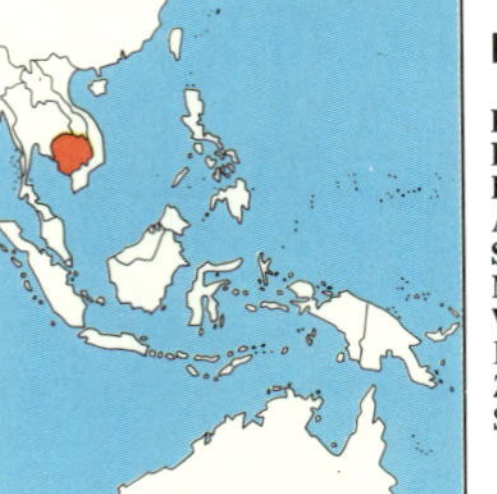

Kambodscha

Fläche: 181 035 km²
Bevölkerung: 6,9 Mill. E
Hauptstadt: Phnom Penh
Amtssprache: Khmer
Staatsreligion: Buddhismus
Nationalfeiertag: 7. Jan.
Währung: 1 Riel (J) = 10 Kak = 100 Sen
Zeitzone: MEZ +6 Stunden

Das Land besitzt kaum Bodenschätze. Mit vietnamesischer und sowjetischer Hilfe wurde die infolge der Kriegsereignisse (Vietnam-Krieg) stark zerstörte Industrie wieder aufgebaut.

Geschichte. Ende des 6. Jahrh. übernahmen die Khmer die Herrschaft im heutigen Kambodscha; ihr Königreich (mit der Residenz- und Tempelstadt Angkor) erreichte im 11./12. Jahrh. seinen Höhepunkt; es verfiel jedoch seit dem 13. Jahrh. und wurde im 19. Jahrh. Teil der französischen Besitzungen in Hinterindien. 1955 gewann das Land die Unabhängigkeit. In den 1960er Jahren geriet es immer stärker in den Sog des Vietnam-Kriegs. 1975–93 war es ein kommunistisch regiertes Land. (KARTE Seite 195) BILD Seite 105.

Kạmbrium, → Erdgeschichte.

Kamẹle, Familie der Paarhufer (→ Huftiere). Die Kamele sind Paßgänger, das heißt, die Beine einer Körperseite werden gleichzeitig nach vorne bewegt. Wegen des dadurch verursachten schaukelnden Ganges werden sie auch ›Wüstenschiffe‹ genannt. Schon in vorchristlicher Zeit wurden Kamele als Haustiere gehalten. Sie dienen als Reit-, Last- und Zugtiere und liefern auch Fleisch und Milch. Den Lebensverhältnissen in Wüstengebieten sind sie gut angepaßt. Ihre nagelartigen kleinen Hufe sind durch eine federnde Hornschicht verbunden, die ein dickes Polster unter den Zehen bildet; daher sinken Kamele im Sand nicht so leicht ein; bei Sandstürmen können sie ihre Nasenlöcher verschließen. Sie fressen Gräser, Blätter und Zweige sogar von Dornengestrüpp, wobei ihre gespaltene Oberlippe Verletzungen verhindert. Bei längeren Hungerperioden kann das Fett in den Rückenhöckern zur Energiegewinnung abgebaut werden. Vor allem aber können sie in größter Hitze und Trockenheit bis zu 17 Tage überleben, ohne Wasser zu trinken.

Kakteen

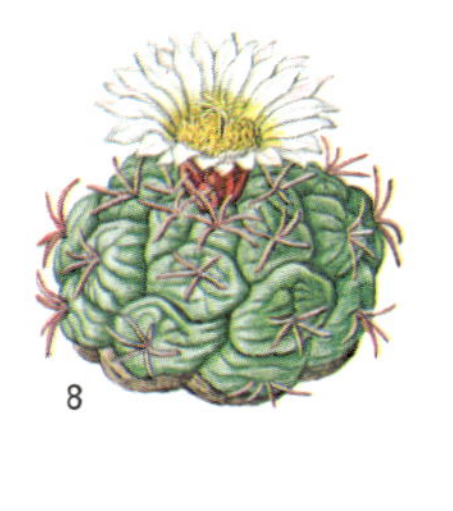

Kakteen: 1 Echinocereus knippelianus; **2** Opuntia clavarioides (Negerfinger); **3** Parodia mairanana; **4** Gymnocalycium mihanocichii var. Friederichii var. Rubra; **5** Rhipsalis capilliformis (Ruten- oder Binsenkaktus); **6** Mammillaria mercadensis (Warzenkaktus); **7** Zygocactus truncatus (Weihnachtskaktus); **8** Thelocactus hexaedrophorus

Sie verlieren dabei bis zu einem Viertel ihres Gewichts, ohne daß der Kreislauf gestört wird. Die Fähigkeit, Trockenheit und Hitze so gut auszuhalten, kommt vor allem daher, daß unnötige Wasserverluste vermieden werden. So ermöglicht die besondere Beschaffenheit der Nasenschleimhaut, daß nachts der Atemluft Wasser entzogen und tagsüber an sie abgegeben wird. Dadurch entsteht ein Kühlungseffekt, der über ein stark verzweigtes Blutgefäßsystem an der Gehirnbasis (›Wundernetz‹) das Gehirn kühlt, auch wenn die Körpertemperatur recht hoch ist. Da die Temperatur des Gehirns die Temperaturregulierung im Körper beeinflußt, können Kamele Körpertemperaturen bis zu 40 °C aufweisen, ehe sie anfangen, den Körper durch Schwitzen abzukühlen. Zudem können sie in kürzester Zeit große Mengen Wasser aufnehmen (gut 100 l in wenigen Minuten) und im Gewebe speichern.

Das **Dromedar** mit nur einem Rückenhöcker, das heute nur als Haustier bekannt ist, bewohnt vor allem die heißen Trockengebiete Nordafrikas und Arabiens. Die plumperen Lastdromedare tragen 150–250 kg Last und legen in der Karawane am Tag etwa 25 km zurück. Die leichteren Reitdromedare laufen am Tag bis zu 80 km. Ein Dromedar kann bis 28 Jahre alt werden.

Das zweihöckerige Kamel (auch **Trampeltier**) ist in den Trockengebieten Innerasiens heimisch. Heute leben in Freiheit nur noch wenige Tiere in der Wüste Gobi. Das dichte Haarkleid der Trampeltiere liefert 6–12 kg Kamelhaar im Jahr, woraus vor allem Decken und Mäntel gefertigt werden.

Die viel kleineren, höckerlosen Schafkamele (auch **Lamas**) leben als anspruchslose, kälteliebende Gebirgstiere in Südamerika. Sie spucken, wenn sie gereizt werden. Aus den Arten **Guanako** und **Vicuña** wurden 2 Haustierformen gezüchtet, das **Lama** als Last- und Fleischtier und das **Alpaka,** das besonders feine Wolle und Felle liefert.

Kamera [von lateinisch camera obscura ›dunkle Kammer‹]. Im allgemeinen wird jedes Gerät, das zur Aufnahme von Bildern geeignet ist, als Kamera bezeichnet. Mit der photographischen Kamera (→Photoapparat) werden Einzelbilder (Photographien) hergestellt, die Filmkamera dient zur Aufnahme von bewegten Vorgängen (→Film). Beide Kameraarten funktionieren in ähnlicher Weise: sie nehmen Licht auf, das vom Aufnahmegegenstand durch die Linse in den Apparat geleitet und auf dem Filmstreifen abgebildet wird. Durch chemische Entwicklungs- und Fixierprozesse lassen sich die Bilder sichtbar und haltbar machen. Anders ist es bei den im Fernsehstudio eingesetzten **Fernsehkameras** und den für Hobbyzwecke verwendeten **Videokameras.** Hier trifft das Licht vom Aufnahmegegenstand auf die lichtempfindliche Schicht einer elektronischen Bildaufnahmeröhre und erzeugt dort ein naturgetreues Abbild. Dieses wird von einem Elektronenstrahl Punkt für Punkt und Zeile für Zeile abgetastet und in elektrische Signale umgewandelt. Die elektrischen Signale lassen sich mit einem **Videorecorder** auf Magnetband speichern und bei Bedarf auf einem Fernsehbildschirm sichtbar machen. Statt der Bildaufnahmeröhren werden in Videokameras auch schon Halbleiterbauelemente eingesetzt, die den Bau besonders handlicher und leichter Geräte ermöglichen.

Kamerun, Republik im Westen Zentralafrikas, etwas kleiner als Frankreich. Vom Kongobecken im Südosten erstreckt sich das Land bis zum Tschadseebecken im Norden. Der größte Teil des Landes wird vom Bergland von Adamaua und vom Südkameruner Bergland einge-

Kambodscha

Staatswappen

Staatsflagge

Bevölkerung (in Mill.)

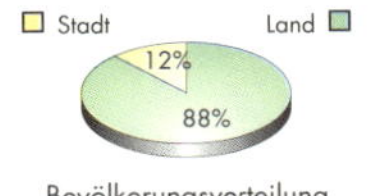

Bevölkerungsverteilung 1990

Kamele: LINKS Trampeltier, MITTE Lama, RECHTS Dromedar

Kamerun

Fläche: 475 442 km²
Bevölkerung: 11,1 Mill. E
Hauptstadt: Jaunde
Amtssprachen: Französisch, Englisch
Nationalfeiertage: 1. Jan., 1. Okt.
Währung: 1 CFA-Franc = 100 Centimes
Zeitzone: MEZ

Kamerun

Staatswappen

Staatsflagge

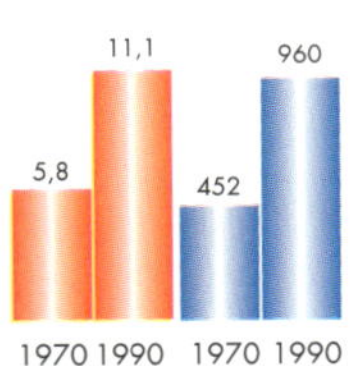

1970 1990 Bevölkerung (in Mill.)
1970 1990 Bruttosozialprodukt je E (in US-$)

Stadt Land
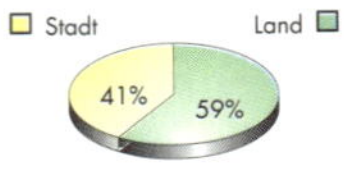

Bevölkerungsverteilung 1990

Industrie
Landwirtschaft
Dienstleistung

Bruttoinlandsprodukt 1990

nommen. Der Kamerunberg ist mit 4070 m die höchste Erhebung Westafrikas. In dem tropischen Klima fallen mit jährlich bis zu 10000 mm außer in Indien die höchsten Niederschläge der Erde.

Bantu- und Sudanvölker bewohnen das Land; im Regenwald gibt es Pygmäenstämme. Über die Hälfte der Einwohner bekennt sich zum Christentum, jeweils etwa ⅕ sind Muslime und Anhänger von Naturreligionen.

Haupterzeugnisse der Landwirtschaft sind Mais, Maniok, Hirse und Zuckerrohr zur Selbstversorgung, Baumwolle, Bananen, Kaffee und Kakao für den Export; außerdem wird Viehwirtschaft betrieben. Mehr als 40 Holzarten des Regenwaldes werden geschlagen, verarbeitet und exportiert.

Der Bergbau hat wenig Bedeutung, lediglich Erdöl und Erdgas spielen eine Rolle. Mehr als ⅓ des Exports wird von Erdöl bestritten. Verarbeitende Industrie wird aufgebaut.

Geschichte. Kamerun gehörte 1884–1918 zum deutschen Kolonialreich. Danach kamen der Hauptteil unter französische und 2 schmale Streifen im Westen unter britische Verwaltung. Der französische Teil wurde 1960 als Republik unabhängig, der englische 1961 zwischen Nigeria und Kamerun aufgeteilt. (KARTE Seite 194)

Kamille, alte Heilpflanze, die wild auf Äckern und in Gärten wächst. Die echte Kamille hat einen hohlen, kegelförmigen Blütenboden. Aus ihren Blüten wird ein Öl gewonnen, das bei der Destillation mit Wasserdampf seine blaue Farbe erhält; der wichtigste Bestandteil ist das blaue **Azulen.** Getrocknete Blüten werden als Tee bereitet. Kamille wirkt krampflösend, entzündungshemmend, schmerzlindernd und beruhigend. (BILD Heilpflanzen)

Kammermusik. Im Unterschied zur Orchestermusik ist die Kammermusik nur für wenige Instrumente bestimmt (→Orchester), wobei jede Stimme nur von einem Instrument gespielt wird. Die Bezeichnung ›Kammermusik‹ stammt von dem um 1560 in Italien geprägten Begriff **musica da camera** ›Musik für die Kammer‹, das hieß für einen kleinen Saal an fürstlichen Höfen.

Zur Kammermusik gehören z. B. das **Duo** (für 2 Instrumente), das **Trio** (für 3 Instrumente), das **Quartett** (für 4 Instrumente) und das **Quintett** (für 5 Instrumente). Das **Streichquartett** ist ein Quartett, in dem 2 Violinen, eine Bratsche und ein Cello spielen.

Kammerton, Ton zum Stimmen von Klavieren, Orgeln und anderen festgestimmten Musikinstrumenten. Seine Frequenz ist international festgelegt; für a[1] gelten heute 440 Hz.

Kampfer, weiße, körnige, lockere Masse, die aus dem Holz des in Südostasien heimischen Kampferbaumes durch Destillation gewonnen und auch synthetisch aus Terpentinöl hergestellt wird. Kampfer wird in der Pharmazie und Parfümerie verwendet, in der Medizin heute nur noch äußerlich in Form von Spiritus und Salben, besonders bei rheumatischen Erkrankungen.

Kampfstoffe, kriegerische Kampfmittel **a**tomarer, **b**iologischer oder **c**hemischer Herkunft (ABC-Kampfmittel oder ABC-Waffen). Über atomare Kampfstoffe →Kernwaffen. **Biologische Kampfstoffe** bestehen aus Krankheitserregern (Bakterien, Viren). Bei **chemischen Kampfstoffen** unterscheidet man nach der Wirkung auf den Menschen Augenreizstoffe, Nasen- und Rachenreizstoffe (z. B. Blaukreuz), Lungengifte (z. B. Grünkreuz), Hautgifte (z. B. Gelbkreuz) und Nervengifte (z. B. Blausäure). Chemische und biologische Kampfstoffe werden von Flugzeugen aus versprüht oder mit speziellen Kampfstoffgeschossen von Artilleriegeschützen verfeuert. Der Einsatz von chemischen und biologischen Kampfstoffen ist völkerrechtlich verboten.

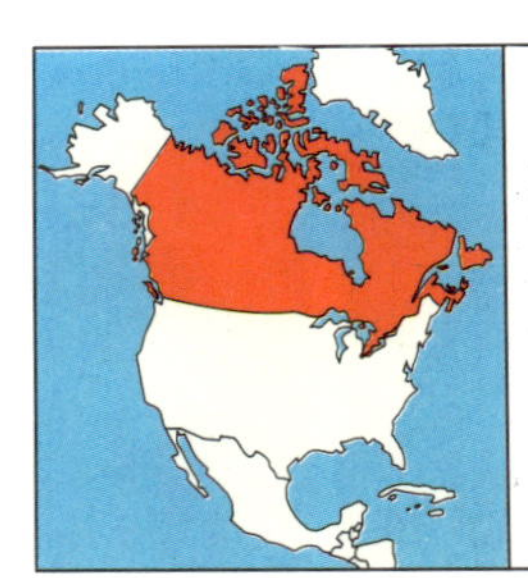

Kanada

Fläche: 9 970 610 km²
Bevölkerung: 26,6 Mill. E
Hauptstadt: Ottawa
Amtssprachen: Englisch, Französisch
Währung: 1 Kanad. Dollar (kan$) = 100 Cents (c)
Zeitzone (von O nach W): MEZ – 4½ Stunden bis MEZ – 9 Stunden

Kanada, Bundesstaat in Nordamerika, der den nördlichen Teil des Festlands ohne Alaska und die kanadisch-arktische Inselwelt umfaßt.

Von Norden nach Süden erstreckt sich das zweitgrößte Land der Erde über 4600 km, von Osten nach Westen über 5100 km. Fast die Hälfte wird von der flachwelligen Landschaft des kanadischen Schildes rund um die **Hudsonbai** eingenommen. Westlich davon erstreckt sich das Tafelland der **Großen Ebenen** (›Great Plains‹). Im Westen erheben sich die schroffen Formen der **Rocky Mountains.** Der Norden der Inselwelt ist stark vergletschert. Im Südosten liegen die Ausläufer der **Appalachen.** Die **Großen Seen,** der **Große Bärensee** und der **Große Sklavensee** gehören zu den größten Binnenseen der Erde.

Kanada hat größtenteils arktisches Klima mit langen, strengen Wintern und kurzen, mäßig warmen Sommern; in den südlicheren Teilen ist das Klima milder. In den Prärien fällt wenig Niederschlag. In den südlichen Teilen von Ontario ist Weinbau möglich. Fast die Hälfte des Landes ist mit Wald bedeckt.

Die Hälfte der Bevölkerung ist britischer, $^{1}/_{4}$ französischer Abstammung. Die Provinz Quebec ist am stärksten französisch geprägt. Die wenigen Indianer leben über das ganze Land verstreut, die Eskimo im fast menschenleeren Norden. Am dichtesten besiedelt sind die südöstlichen Provinzen Quebec und Ontario.

Wirtschaft. Kanada gehört zu den 5 größten Exporteuren landwirtschaftlicher Erzeugnisse der Erde. Im Südwesten werden Weizen, Hafer, Gerste und Ölsaaten angebaut; im Südosten und an der Westküste stehen Obst und Gemüse im Vordergrund. Vieh- und Milchwirtschaft haben große Bedeutung. Die Forstwirtschaft erbringt $^{1}/_{5}$ des Ausfuhrwertes. Die Küsten gehören zu den fischreichsten Fanggründen der Erde.

Das Land ist sehr reich an Bodenschätzen, die noch nicht alle erschlossen sind. Mehr als die Hälfte der Förderung entfällt auf Erdöl und Erdgas. In der Welterzeugung von Nickel, Asbest, Zink, Silber und Kalisalzen ist Kanada führend. Die Erschließung der Bodenschätze im Norden des Landes ist schwierig, weil dort der Boden bis in größere Tiefen ständig gefroren ist.

Die Industrie entwickelte sich auf der Grundlage der heimischen Rohstoffe und der reichen Wasserkräfte, besonders seit dem Zweiten Weltkrieg. Bedeutendster Zweig ist die Zellstoff- und Papierherstellung. In der Erzeugung von Zeitungspapier steht Kanada an erster Stelle in der Welt. Große Bedeutung haben ferner chemische Industrie, Kraftfahrzeug- und Flugzeugbau, Kunststoffverarbeitung und Elektroindustrie. $^{2}/_{3}$ des Handels werden mit den USA abgewickelt.

Geschichte. Im 16. Jahrh. wurde das von Indianern bewohnte Land am Sankt-Lorenz-Strom von Frankreich in Besitz genommen. 1763 verlor Frankreich Kanada an England. Um ein Gegengewicht gegen die USA zu bilden, schlossen sich die kanadischen Provinzen 1867 zu einem Bundesstaat zusammen. Nach dem Ersten Weltkrieg erkannte Großbritannien die Selbständigkeit Kanadas an; 1931 wurde das Land unabhängig. Staatsoberhaupt ist die britische Krone; die französischsprachige Provinz Quebec genießt einige Sonderrechte. (KARTE Seite 196)

Größe und Bevölkerung (1991)

Verwaltungseinheit	Hauptstadt	Fläche in 1000 km²	Einwohner in 1000
Provinzen:			
Newfoundland	Saint John's	405	573
Prince Edward Island	Charlottetown	6	130
Nova Scotia	Halifax	56	892
New Brunswick	Fredericton	73	724
Quebec	Quebec	1541	6771
Ontario	Toronto	1067	9748
Manitoba	Winnipeg	650	1091
Saskatchewan	Regina	652	1000
Alberta	Edmonton	661	2473
British Columbia	Victoria	949	3139
Territorien:			
Yukon Territory	Whitehorse	536	26
Northwest Territories	Yellowknife	3380	54
Kanada	**Ottawa**	**9976**	**26621**

Kanadische Seen, die →Großen Seen.

Kanal [von lateinisch canalis ›Wasserrinne‹], künstlich angelegte Wasserstraße, um verschiedene Flüsse (z. B. Rhein-Main-Donau-Kanal), Seen oder Meere (z. B. Nord-Ostsee-Kanal) zu verbinden. Höhenunterschiede im Gelände werden mit Hilfe von Schleusen oder Schiffshebewerken überwunden. (ÜBERSICHT Seite 108)

In der Funktechnik versteht man unter Kanal einen eng begrenzten Frequenzbereich, der für die Übertragung einer Sendung (z. B. Fernsehprogramm) vorgesehen ist.

Kanalinseln, →Normannische Inseln.

Kanarienvögel, Finkenvögel, die auf den Kanarischen Inseln heimisch und sehr nahe mit dem →Girlitz verwandt sind. Von Natur aus gelbgrün, werden Kanarienvögel schon seit über 400 Jahren in leuchtend gelben, auch weißen, orangen, grünen und roten Farbtönen gezüchtet. Durch die Zucht erzielte man auch ein zum Teil skurriles Aussehen (Kopfhauben, Halskrausen, hohe Läufe) und vor allem den wohltönenden Gesang, so z. B. beim ›Harzer Roller‹, der leuchtend gelb gefärbt ist. Kanarienvögel werden oft im Käfig gehalten. (BILD Seite 108)

Staatswappen

Staatsflagge

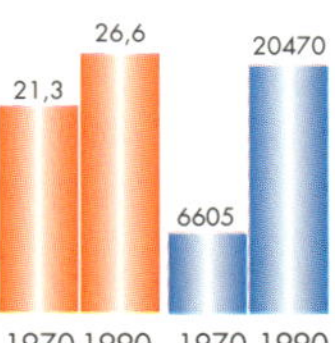

Bevölkerung (in Mill.) Bruttosozialprodukt je E (in US-$)

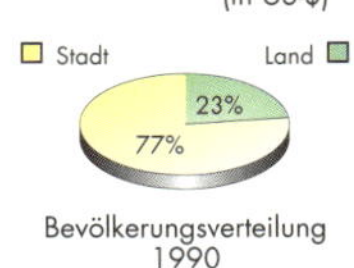

Bevölkerungsverteilung 1990

Bruttoinlandsprodukt 1988

Kanal: Bedeutende Seeschiffahrtskanäle (Auswahl)

Kanal	Land	Eröffnungsjahr	Länge in km	Fahrwassertiefe in m
Europa				
Nord-Ostsee-Kanal (Brunsbüttelkoog bis Kiel-Holtenau)	Bundesrepublik Deutschland	1895	99	11,0
Nieuwe Waterweg (Rotterdam–Hoek van Holland)	Niederlande	1872	33	~15,5
Nordsee-Kanal (Amsterdam–Ijmuiden/Nordsee)	Niederlande	1876	27	~13,5
Amsterdam-Rhein-Kanal (Amsterdam bis Wijk bij Duurstede/Lek und Tiel/Waal)	Niederlande	1952	72	~8,5
Kanal von Korinth (Ionisches Meer–Ägäisches Meer)	Griechenland	1893	6,3	7,9
Afrika				
Suez-Kanal (Port Said–Suez)	Ägypten	1869	162,5	~13,0
Amerika				
Sankt-Lorenz-Seeweg (Atlantischer Ozean–Große Seen)	Kanada/USA	1959	3769	~9,0
Welland-Kanal (Ontariosee–Eriesee, Umgehung der Niagarafälle)	Kanada	1932	44	~9,0
Chesapeake and Delaware-Kanal (bei Philadelphia)	USA	1919	22	8,0
Panama-Kanal (Colón/Atlantischer Ozean–Panama/Pazifischer Ozean)	Kanalzone in Panama	1914	82	13,7

Kanarische Inseln [›Hundsinseln‹], zu Spanien gehörende Inselgruppe vor der Nordwestküste Afrikas; sie besteht aus 7 größeren und 6 kleineren Inseln. Bewohnt sind Teneriffa, Gran Canaria, Fuerteventura, Lanzarote, Hierro, La Palma, Gomera und Graciosa. Die Inseln bestehen hauptsächlich aus Vulkangestein, die höchste Erhebung ist der Pico de Teide (3716 m) auf Teneriffa. Sie haben ein ozeanisch-subtropisches Klima mit kurzen Winterregen. Die von der Landwirtschaft erzeugten Bananen, Tomaten, Gemüsearten, Kartoffeln und Mandeln werden exportiert; eine bedeutende Rolle hat der Thunfischfang. Wegen des milden Klimas und der landschaftlichen Reize gibt es auf den Inseln, besonders im Winter, starken Fremdenverkehr. Das traditionelle handwerkliche Hausgewerbe (Spitzen, Stickereien) hat sich weitgehend auf die Touristen eingestellt. Die Inseln, die den Römern als ›glückliche Inseln‹ bekannt waren, wurden im 14. Jahrh. neu entdeckt und 1478–96 für Spanien erobert. (KARTE Seite 194)

Kanarienvogel, UNTEN Hauskanarienvogel

Kandinsky. Der russische Maler und Graphiker **Wassily Kandinsky** (* 1866, † 1944) wandte sich erst mit 30 Jahren der Malerei zu und kam zum Studium nach München, wo er 1911 mit Franz Marc und anderen die Künstlervereinigung ›Blauer Reiter‹ gründete (→Expressionismus). 1914–21 wirkte er in Rußland, seit 1922 als Lehrer am →Bauhaus in Weimar und Dessau; 1933 verließ er Deutschland wegen der Herrschaft der Nationalsozialisten und ging nach Frankreich. Kandinsky, der sich von der Wiedergabe des Dinglichen löste, begann seit 1910 als erster, abstrakte Bilder zu malen (BILD abstrakte Kunst), anfangs heftig bewegte Farbphantasien, später Kompositionen aus geometrischen Farbflächen und richtungsbetonenden Linien. Sein Pariser Spätwerk zeigt demgegenüber heiterverspielte Formen mit figürlichen Anklängen.

Känguruhs, Familie der →Beuteltiere mit sehr zierlichen Vorderbeinen und stark verlängerten, kräftigen Hinterbeinen. Sie bewohnen die Grassteppen, Wälder und Gebirge in Australien und auf einigen umliegenden Inseln. Einige Arten sind so klein wie Kaninchen; das Riesenkänguruh erreicht die Größe eines erwachsenen Menschen. Känguruhs springen mit ihren Hinterbeinen vorwärts, wobei der lange Schwanz als Stütze dient. Die sehr furchtsamen Riesenkänguruhs, die in kleineren Rudeln leben, flüchten mit Riesensprüngen (2 m hoch, 12 m weit). Beim Weiden von Laub, Früchten und Gras hoppeln Känguruhs auf allen Vieren. Wie alle Beuteltiere bringen sie nach sehr kurzer Tragzeit ein winziges Junges zur Welt, das im Brutbeutel heranwächst.

Kaninchen sind mit den →Hasen verwandt. Wildkaninchen sind kleiner und gedrungener als der Feldhase, sie haben ein graues Fell, kürzere Ohren und Hinterläufe. Sie leben in großen Kolonien auf trockenen, sandigen Böden in Wäldern, auch auf Wiesen und Äckern, in Gärten und Parkanlagen. Wittert ein Kaninchen Gefahr, flüchtet es in seinen selbstgegrabenen Erdbau. Die Fruchtbarkeit des Kaninchens ist sprichwörtlich. Ein Weibchen wirft im Jahr etwa 30 Junge. Ein Kaninchen kann etwa 9 Jahre alt werden. Kaninchen benagen die Rinde junger Bäume und fressen die zarten Triebe und Knospen vieler Pflanzen. Sie unterwühlen auch Dämme und Deiche. Besonders in Australien, wo sie vom Menschen angesiedelt wurden, entwickelten sie sich zur Landplage.

Kaninchen werden in vielen Rassen gezüchtet, um Fleisch und Fell zu gewinnen. Das **Angorakaninchen** mit seinen weichen Haaren wird mehrmals im Jahr geschoren. Die Wolle wird zu Pullovern und Unterwäsche verarbeitet. (BILDER Seite 109)

Kanker, →Weberknechte.

Kannenpflanze, eine →tierfangende Pflanze.

Kannibale, Menschenfresser. Der Verzehr von Menschenfleisch, **Kannibalismus** genannt, kam bei manchen Naturvölkern in tropischen Gebieten vor. In jüngster Vergangenheit wurde er noch in Brasilien, Äquatorialafrika und Neuguinea festgestellt. Nur selten war Nahrungsmangel die Ursache für Kannibalismus. Im allgemeinen hing er mit magischen Vorstellungen zusammen: durch das Fleisch des Opfers glaubte man, dessen frühere Lebenskraft oder andere Eigenschaften annehmen zu können.

Kanon [griechisch ›Stab‹, ›Richtschnur‹], ein Lied oder Instrumentalstück, in dem 2, 3 oder mehr Stimmen dieselbe Melodie singen oder spielen, wobei die Stimmen nacheinander in einem festgelegten Abstand, meist auf derselben Tonhöhe, einsetzen. So entsteht aus einer Melodie ein voller mehrstimmiger Satz. (BILD Seite 110)

Kanone [von lateinisch canna ›Rohr‹], →Geschütz.

Känozoikum, die Erdneuzeit (→Erdgeschichte, ÜBERSICHT).

Kant. Der Philosoph der →Aufklärung **Immanuel Kant** (* 1724, † 1804) wurde in der ostpreußischen Stadt Königsberg geboren, die er nie verließ. Er studierte Naturwissenschaften und Philosophie und wurde Professor für →Logik und →Metaphysik. Er beschäftigte sich mit Fragen über die Entstehung unserer Welt, schrieb über Vulkane und die Veränderung der Erdgestalt und trieb Forschungen über die Entwicklungsgeschichte der Pflanzen und Tiere. Von größter Bedeutung für die deutsche Philosophie wurde seine Auffassung, daß Verstand und Sinnlichkeit (Gefühl) gleichberechtigte Erkenntnisquellen sind und erst aus der Vereinigung beider wissenschaftliche Erkenntnis möglich wird. Um das moralisch richtige Handeln zu bestimmen, entwickelte Kant eine Formel, die er **›kategorischer Imperativ‹** nannte. Danach soll der Mensch so leben, daß alles, was er tut, auch von anderen Menschen getan werden kann, ohne daß dadurch der Menschheit insgesamt ein Schaden entsteht. Der einzelne soll z. B. nicht lügen, weil, wenn jeder lügen würde, niemand mehr wüßte, ob und inwieweit man einem anderen überhaupt noch trauen oder glauben dürfte. (BILD Seite 110)

Kaninchen:
1 Wildkaninchen,
2–7 Hauskaninchen;
2 Rheinische Schecke,
3 Blauer Wiener mit Jungtier,
4 Hasenkaninchen,
5 Lohkaninchen,
6 Angorakaninchen,
7 Deutscher Widder

Kantate [von lateinisch cantare ›singen‹], größeres Gesangswerk, das aus Chören, Einzelgesängen (Arien, Rezitative), Duetten, Terzetten usw. besteht. Die Kantate entstand um 1600 in Italien neben der Oper als Bühnenstück mit weltlichem Inhalt. In Deutschland, wo die Kantate

Kanon

um 1700 bekannt wurde, veränderte sie ihren Inhalt und wurde zu einer Hauptform der evangelischen Kirchenmusik, in der das Wort der Bibel und bekannte Kirchenlieder verarbeitet wurden. Viele **Kirchenkantaten** stammen von Johann Sebastian Bach.

Kanton, Gliedstaat der →Schweiz.

Immanuel Kant

Kanton, 5 Millionen Einwohner, Handels- und Industriestadt in der Volksrepublik China, liegt am Südchinesischen Meer, nordwestlich von Hongkong. Kanton öffnete sich im 16. Jahrh. als einzige Stadt Chinas dem Außenhandel. Heute finden zweimal jährlich Exportmessen statt.

Kanusport, Sammelbezeichnung für alle sportlichen Betätigungen, die mit Kajak, Canadier oder Faltboot ausgeführt werden, im Wettkampfsport nur mit Kajak und Canadier. Der **Kajak** (K), eine Weiterentwicklung des Eskimoboots, wird sitzend mit einem Doppelpaddel gefahren; der **Canadier** (C), aus dem indianischen Kanu entwickelt, wird, im Wettkampfsport nur von Herren, mit einem Stechpaddel im Knien gefahren. Im **Kanurennsport** werden die Rennen auf einer Regattastrecke mit ein- oder mehrfach besetztem Boot über verschiedene Distanzen ausgetragen. Beim **Kanuslalom** soll auf einer wildwasserähnlichen Slalomstrecke mit natürlichen und künstlichen Hindernissen mit höchstmöglicher Schnelligkeit und geringsten Strafpunkten durch 25 Wertungsstellen ins Ziel gefahren werden. Eine Wertungsstelle besteht aus 1 oder mehreren Slalomtoren. Je nach Art sind sie vorwärts, rückwärts oder aufwärts in einer bestimmten Reihenfolge zu durchfahren. Kanuslalom wird mit Kajak und Canadier gefahren. **Wildwasserrennen** werden auf schnellfließenden, wildbewegten Wassern ausgetragen. Wertungsstellen gibt es nicht. Dem Fahrer bleibt es überlassen, sich die günstigste und schnellste Durchfahrt selbst zu

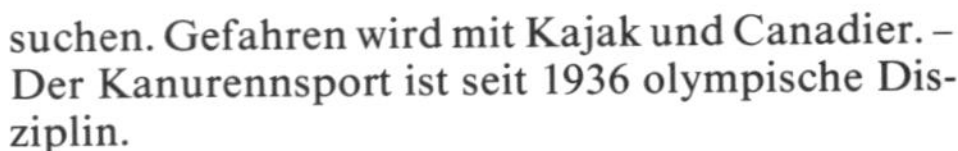
suchen. Gefahren wird mit Kajak und Canadier. – Der Kanurennsport ist seit 1936 olympische Disziplin.

Kaolin, Porzellanerde, weißes, erdiges Lockergestein, das, mit Wasser versetzt, plastisch wird. Es besteht aus Tonmineralen sowie Verwitterungsprodukten von Feldspatgesteinen, z. B. Quarz und Glimmer. Kaolin ist wichtiger Rohstoff der keramischen Industrie (Porzellanherstellung) und wird ferner in der Papier- und chemischen Industrie verwendet. Bekannte Vorkommen gibt es in Sachsen (Meißen), Halle an der Saale, in Frankreich und China.

Kap der guten Hoffnung, in Südafrika das Südende der Halbinsel südlich von Kapstadt. Das Kap ist ein hohes, steiles Kliff mit vorgelagerten Klippen und Untiefen.

Kapern, →Gewürzpflanzen.

Kapetinger. Im 10. Jahrh. kämpften in Frankreich 2 Adelsfamilien um die Macht. Auf der einen Seite standen die Nachkommen der westfränkischen Karolinger, auf der anderen Seite die Grafen von Paris, die sich seit 936 Herzöge der Franken nannten und im 9. und 10. Jahrh. schon 2 Könige stellten. Als der Karolinger Ludwig V. 987 starb, erhoben die Fürsten Frankreichs den Grafen von Paris, Hugo Capet, zum König, nach dem das Geschlecht der Kapetinger benannt ist. Die Kapetinger regierten in ununterbrochener Folge bis 1328. Bedeutende Herrscher waren Ludwig VII. (1137–80), Ludwig IX. (1226–70), Philipp IV. (1285–1314). Mit Karl IV. (1322–28) starb das Geschlecht in der direkten Linie aus. Ihm folgte das Haus Valois, eine Nebenlinie der Kapetinger.

Kap Hoorn, →Hoorn.

Kapital [zu lateinisch capitalis ›hauptsächlich‹], die Menge aller Sachgüter einer Volkswirtschaft, die an der Güterherstellung beteiligt sind, einschließlich des dafür benötigten Geldes. Die Wirtschaftsgüter in einem Betrieb, der Kassenbestand sowie das bei der Gründung in ein Unternehmen eingezahlte Eigen- und Fremdkapital sind betriebswirtschaftliches Kapital.

Das Kapital gilt in einer Volkswirtschaft als **Produktionsfaktor** neben dem (körperlichen) Arbeitseinsatz der Menschen und dem Boden (Natur, Land, Bodenschätze). In neuerer Zeit wird als vierter Produktionsfaktor das menschliche Kapital (englisch **human capital**) angesehen. Es bezeichnet die geistige Leistung, die Menschen auf Grund von Spezialwissen, wissenschaftlicher Ausbildung und besonderer fachlicher Kenntnisse in den Herstellungsprozeß einbringen.

Kapitalismus, eine in den Gesellschaftstheorien des 19. Jahrh. wurzelnde Bezeichnung für eine Wirtschaftsform und Wirtschaftsgesinnung, die von der freien Nutzung des Eigentums ausgeht. Als Wortprägung hat dieser Begriff besonders die negativen Seiten dieser Wirtschaftsweise im 19. Jahrh. (→Industrielle Revolution) im Blick. In den Lehren des →Marxismus ist der Kapitalismus daher eine Phase der gesellschaftlichen und geschichtlichen Entwicklung, die durch eine Revolution in eine sozialistische Gesellschaft überführt werden muß.

In diesem Sinn sucht im Kapitalismus der Besitzer (Eigentümer) von Kapital (Grund und Boden, Geld) unter Verwendung von Maschinen bei der Güterherstellung aus seinem Kapital einen möglichst hohen Gewinn zu erzielen. Im freien Wettbewerb mit anderen Kapitalbesitzern verwendet er das vermehrte Kapital zum selben Zweck.

Die Wirtschafts- und Gesellschaftstheoretiker, die den Begriff Kapitalismus verwenden, unterscheiden 3 Perioden: den **Frühkapitalismus** (17. und 18. Jahrh.), den **Hochkapitalismus** (19. Jahrh.) und den **Spätkapitalismus** (seit dem Ersten Weltkrieg). Im Frühkapitalismus, der im wesentlichen die Zeit des →Merkantilismus umfaßt, trat der Staat selbst als Unternehmer auf, andererseits schuf er für das entstehende Privatunternehmertum günstige wirtschaftliche Rahmenbedingungen (z.B. Steuer- und Zollgesetzgebung). Während im Hochkapitalismus der Staat immer weniger in den Wirtschaftsablauf eingriff, sucht dieser im Spätkapitalismus wieder stärker auf das Wirtschaftsgeschehen Einfluß zu nehmen.

Kapitell [zu lateinisch capitulum ›kleiner Kopf‹], der unterschiedlich gestaltete Kopfteil einer →Säule. (BILD griechische Kunst)

Kapitol, einer der 7 Hügel Roms. Auf ihm stand der Tempel der höchsten römischen Gottheiten Jupiter, Juno und Minerva. Zum Kapitol führten die Triumphzüge der siegreichen Feldherren. Auch wurden hier die Sitzungen des römischen Senats eröffnet. Die heutige Anlage des Platzes geht auf Pläne von →Michelangelo zurück. – In Washington (USA) ist **Capitol** das Haus des Kongresses, des amerikanischen Parlaments.

Kapsel, eine →Frucht.

Kapstadt, 1,9 Millionen Einwohner, zweitgrößte Stadt der Republik Südafrika, bedeutende Hafenstadt an der südwestafrikanischen Küste am Atlantischen Ozean, am Fuß des Tafelberges. Kapstadt wurde 1652 von den Niederländern als Versorgungsstation auf dem Seeweg nach Indien gegründet; es hat einen regelmäßig angelegten Stadtkern, in dem Bauten im niederländischen Kolonialstil erhalten sind.

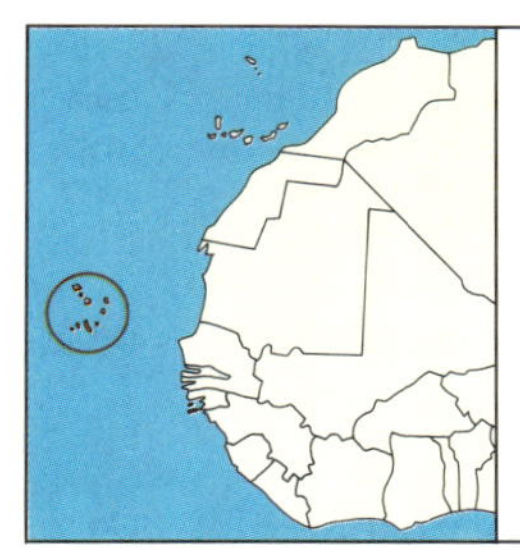

Kap Verde

Fläche: 4033 km²
Bevölkerung: 375000 E
Hauptstadt: Praia
Amtssprache: Portugiesisch
Währung: 1 Kap-Verde-Escudo (KEsc) = 100 Centavos (CTS)
Zeitzone: MEZ –3 Stunden

Kap Verde, Republik auf dem Gebiet der **Kapverdischen Inseln,** einer Inselgruppe 600 km vor der Westküste Afrikas. Die Inseln sind vulkanischen Ursprungs; 10 sind bewohnt, 5 unbewohnt. Das Klima ist sehr warm und regenarm. Wichtigster Wirtschaftszweig ist der Thunfischfang. Das bis 1975 zu Portugal gehörende Land wird überwiegend von Mulatten bewohnt und zählt zu den ärmsten Ländern der Erde. (KARTE Seite 193)

Karakorum [türkisch ›schwarzes Geröll‹], stark vergletschertes Hochgebirge in Innerasien, zwischen Himalaya, Pamir und Kun-lun gelegen. Mit 4 Achttausendern gehört der Karakorum zu den höchsten Gebirgen der Erde: K 2 (8607 m), Gasherbrum I (8068 m), Broad Peak (8047 m) und Gasherbrum II (8035 m). Der Karakorum bildet die Wasserscheide zwischen dem in den Indischen Ozean mündenden Indus und dem Tarimbecken. Ein Karawanenweg führt von Kaschmir (Indien) über den 5574 m hohen Karakorumpaß nach Ostturkestan in China.

Karat. Das **metrische Karat,** Einheitenzeichen **Kt,** ist eine gesetzliche Einheit zur Angabe der Masse von Edelsteinen: 1 Kt = 0,2 g (Gramm).

Karate [japanisch kara ›leer‹, te ›Hand‹], Selbstverteidigungssystem und Nahkampfsportart aus Japan, bei der Schläge und Stöße mit Hand, Faust, Handkante und Ellbogen, Tritte und Stiche mit Fuß und Knie auf empfindliche Körperstellen des Gegners gerichtet werden. Viele der Aktionen können, wenn sie konsequent ausgeführt werden, zu tödlichen Verletzungen führen. Karate setzt sich zusammen aus Angriffstechniken (Stoß-, Schlag-, Fußtechniken) und Abwehrtechniken mit Armen und Beinen. Im wesentlichen werden 3 Kampfstile unterschieden:

Kap Verde

Staatswappen

Staatsflagge

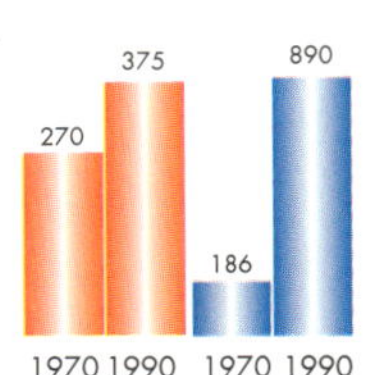

1970 1990 Bevölkerung (in Tausend)
1970 1990 Bruttosozialprodukt je E (in US-$)

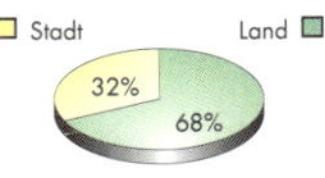

Bevölkerungsverteilung 1990

Industrie
Landwirtschaft
Dienstleistung

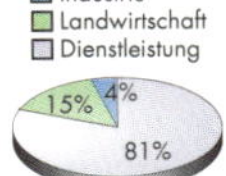

Bruttoinlandsprodukt 1985

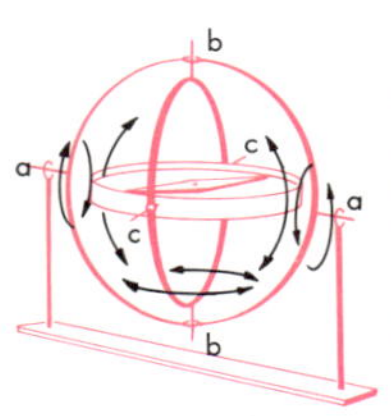

kardanische Aufhängung
mit drei Achsen a, b, c

Beim **traditionellen Karate (Shotokan-Stil)** werden die Angriffs- und Abwehraktionen vor dem Auftreffen abgestoppt. Beim **Leichtkontakt-Karate** dürfen sie den Gegner kontrolliert treffen, während beim **Vollkontakt-Karate** voll zugeschlagen wird. Traditionelles Karate wird ohne Schutz ausgeübt. Leichtkontaktkämpfer tragen Hand- und Fußschutz, Vollkontaktkämpfer müssen Hand-, Fuß-, Kopf-, Schienbein-, Hoden- und Mundschutz tragen. Die Kampffläche, ein glatter Boden, mißt 8 × 8 bis 10 × 10 m. Die Kampfzeit beträgt 2–3 Minuten; Kampfsprache ist das Japanische.

Karawanken, Gebirgsgruppe der südlichen Kalkalpen, in der Grenzregion von Österreich und Slowenien. Eingegrenzt werden die Karawanken im Norden von der Drau, im Süden von der Save. Die höchste Erhebung ist der Hochstuhl mit 2 238 m. Der Wurzen- und der Loiblpaß sind vor allem für den Fremdenverkehr nach Slowenien und Kroatien wichtige Verbindungen über die Karawanken.

Karate

Karate: VON OBEN: Schlagtechniken (Uchi-Waza): Oi-Tsuki, Koken-Shotei, Empi-Uchi; Fußtechniken (Geri-Waza): Yoko-Geri, Hiza-Uke

Karbon [zu lateinisch carbo ›Kohle‹], →Erdgeschichte, ÜBERSICHT.

kardanische Aufhängung, von dem Italiener Geronimo Cardano (* 1501, † 1576) erfundene Aufhängevorrichtung. Sie besteht aus 3 zueinander senkrechten und ineinander beweglichen Ringen, in deren innerstem ein Gegenstand aufgehängt ist. Diese Art der Aufhängung bewirkt, daß Schwankungen oder Drehungen der Unterlage von dem aufgehängten Körper ferngehalten werden. Ein kardanisch aufgehängter Schiffskompaß z. B. behält auch beim Schlingern des Schiffs seine eigene Lage bei.

Kardanwelle, zwei gelenkig miteinander verbundene Antriebswellen, die veränderliche Winkelstellungen zueinander einnehmen können. Bei Autos mit Frontmotor und Hinterradantrieb überträgt die Kardanwelle die Antriebskraft vom Getriebe zu den Hinterrädern. Das Kardangelenk ermöglicht dabei gewisse Lage- und Richtungsänderungen, z. B. beim Federn der Räder. (BILD Gelenk)

Kardinal [zu lateinisch cardinalis ›im Angelpunkt stehend‹], in der katholischen Kirche der höchste Würdenträger nach dem Papst. Kardinäle werden ausschließlich vom Papst ernannt und sind seine ersten Mitarbeiter in der Leitung der Kirche. Sie wählen den Papst. Die Amtsgewalt des Kardinals erlischt mit dem 80. Lebensjahr.

Karfreitag, christlicher Feiertag, der am Freitag vor dem Ostersonntag begangen wird. Er erinnert an das Leiden und die Kreuzigung Christi. Nach christlichem Glauben hat Christus an diesem Tag die Menschheit durch das Opfer seines Todes am Kreuz von ihren Sünden erlöst. In den evangelischen Kirchen gilt der Karfreitag als höchster Feiertag.

Karibisches Meer, der südwestliche Teil des Meeres zwischen Nord- und Südamerika, ein Nebenmeer des Atlantischen Ozeans. Es wird begrenzt im Norden und Osten durch die Antillen, im Süden durch Süd- und im Westen durch Mittelamerika. Im Cayman-Graben, einem in westöstlicher Richtung verlaufenden Tiefseegraben südlich von Kuba, erreicht das Karibische Meer 7 680 m Tiefe. Die hohe Wassertemperatur (bis über 30 °C) begünstigt das Wachstum von Korallen. Über dem Karibischen Meer bilden sich vom Sommer bis zum Frühherbst Hurrikane, die auf den Inseln große Zerstörungen anrichten können.

Karibu, ein nordamerikanisches →Rentier.

Karies, deutsch **Zahnfäule,** die häufigste Erkrankung des Zahnes. Eine wichtige Rolle bei der Entstehung von Karies spielt die Zusammensetzung des Speichels und der Zahnbelag, der unter anderem aus Nahrungsresten und Mikroorganismen besteht. Durch Zersetzung der Kohlenhydrate im Zahnbelag kommt es zur Entkalkung und in der Folge zu Fäulnisprozessen, die zunächst den Zahnschmelz, dann das Zahnbein zerstören. Im Verlauf der Erkrankung wird das Zahnmark befallen, was durch Nervenschädigung meist zu starken Schmerzen führt. Gelegentlich entwickeln sich eitrige Wurzelabszesse, die Bakterien in den ganzen Körper abgeben können. Die Karies beginnt bevorzugt in Vertiefungen und Ausbuchtungen der Kauflächen. Die frühzeitige Behandlung der Karies besteht in einer Entfernung der befallenen Stellen und Ersatz durch eine Füllung. Die beste Vorsorge gegen Karies ist regelmäßige Zahnpflege und kohlenhydratarme Kost, verbunden mit regelmäßiger zahnärztlicher Kontrolle.

Karikatur [von lateinisch caricare ›überladen‹], Darstellung, die durch Übertreibung hervorstechender Merkmale Menschen und ihre Handlungen als komisch erscheinen läßt. Oft sollen damit politische oder soziale Mißstände der Zeit angeprangert werden. Als Randerscheinung der bildenden Kunst gab es die Karikatur seit alters her. Im 19. Jahrh. gewann sie durch die Gründung satirischer Zeitschriften wachsenden

Einfluß. Einer der größten künstlerischen Zeichner auf diesem Gebiet war der Franzose **Honoré Daumier** (* 1808, † 1879), der mit beißender Ironie das bürgerliche Leben seiner Zeit darstellte und die politische Korruption anprangerte. Für die deutsche Zeitschrift ›Simplicissimus‹ (gegründet 1896) zeichneten unter anderen Thomas Theodor Heine und der Norweger Olaf Gulbransson. Heute gibt es Karikaturen in fast allen Zeitungen und Zeitschriften.

Karl, Römische Kaiser:

Karl der Große, * 742, † 814, seit 768 König der Franken, seit 800 römischer Kaiser. Karl stammte aus dem Geschlecht der Arnulfinger, das seither nach ihm →Karolinger heißt. Nachdem sein Vater →Pippin III. der Jüngere gestorben war, regierte Karl zunächst gemeinsam mit seinem Bruder Karlmann, nach dessen Tod 771 allein. Um die Grenzen seines Reiches zu sichern, führte Karl eine Reihe von Kriegen gegen seine germanischen und slawischen Nachbarn, aber auch gegen die Araber im Süden der Pyrenäen. Er unterwarf 773 die Langobarden, 785 die Friesen, 788 das Herzogtum Bayern und sicherte die Ostgrenze des Fränkischen Reiches gegen das asiatische Nomadenvolk der Awaren. Die Slawen drängte er hinter die Elbe und Saale zurück. Im Südwesten gelang es ihm zwar nicht, die Araber von der Iberischen Halbinsel zu vertreiben, doch konnte zwischen den Pyrenäen und dem Ebro zur Sicherung der Grenze die Spanische Mark geschaffen werden. Eine Episode dieser Kämpfe, die Niederlage der Nachhut seines Heeres 778 am Pyrenäenpaß Roncevalles, lieferte den Stoff für das altfranzösische Heldengedicht des ›Rolandslieds‹ (→Roland). Am schwierigsten wurde es für Karl, die heidnischen Sachsenstämme im Gebiet zwischen Nordsee, Elbe und Rhein zu unterwerfen. 772–804 führte Karl Feldzüge, die den Widerstand der Sachsen gegen die Eingliederung in das Fränkische Reich und die damit verbundene Christianisierung brechen sollten. Angeführt wurden die Sachsen von →Widukind.

Den unterworfenen Stämmen zwang Karl den christlichen Glauben auf. Am Weihnachtstag des Jahres 800 wurde Karl auf Grund seines Bündnisses mit dem Papst von diesem in Rom zum Kaiser gekrönt. Damit knüpfte man an die Tradition des römischen Reiches an. Karl, der über großes Ansehen und beträchtliche Macht verfügte, wurde mit dem neuen Titel nun auch offiziell Schutzherr der Christenheit. Sein fränkisches Reich umfaßte ungefähr das Gebiet der heutigen Staaten Frankreich, Bundesrepublik Deutschland, Niederlande, Belgien, Luxemburg, Schweiz, Österreich sowie von Norditalien. Eine feste Hauptstadt im heutigen Sinn als Regierungssitz gab es nicht. Vielmehr zog Karl mit seinem Gefolge von →Pfalz zu Pfalz. Seine Lieblingspfalz war →Aachen.

Karl gab seinem großen Reich eine neue Organisation. Er teilte es in Grafschaften, deren Grenzen nicht mehr die alten Stammesgrenzen waren. Die Verwaltung einer Grafschaft übertrug er adligen Gefolgsleuten, den Grafen. Die Grafen unterlagen der Beaufsichtigung durch die ›Königsboten‹, die vom König entsandt wurden und zugleich die Amtsführung der Bischöfe überwachten. Um im ganzen Reich eine einheitliche Rechtsprechung herbeizuführen, gab Karl Urteile, Anweisungen und Verordnungen in den ›Kapitularien‹ bekannt, die jeweils im Mai am Aufenthaltsort des Königs dem Adel und den freien Bauern vorgelesen wurden. Das überlieferte Recht der einzelnen Stämme bestand jedoch weiter; Karl ließ es aufzeichnen.

Karl versammelte Gelehrte und Künstler an seinem Hof und bemühte sich um eine Hebung der Bildung. Er förderte Bischofsschulen und Klöster. Zum Vorbild wurden Wissenschaft, Kunst und Literatur der alten Griechen und Römer. Diese Periode der Wiederbelebung der antiken Kultur nennt man die ›Karolingische Renaissance‹ (→karolingische Kunst).

Von den Zeitgenossen weitgehend positiv beurteilt (Biographie des Einhard), werden die Taten Karls heute unterschiedlich bewertet. Die Menschen des Mittelalters verehrten Karl als das Ideal eines christlichen Herrschers. Seine Gebeine ruhen in der Aachener Pfalzkapelle.

Karl IV., * 1316, † 1378, deutscher König (1347) und römischer Kaiser (1355) aus dem Haus der Luxemburger. Nach seinem Regierungsantritt machte er seine Geburtsstadt Prag zu seiner Residenz. Er berief bedeutende Baumeister und Bildhauer nach Prag, die das gotische Stadtbild schufen. Als er 1348 die Universität gründete, konnten zum erstenmal Studenten an einer deutschen Universität studieren und mußten nicht mehr nach Paris oder Bologna reisen. In der **Goldenen Bulle** (1356) regelte er die Königswahl. Er vergrößerte den Besitz des luxemburgischen Hauses, zum Teil durch eine kluge Heiratspolitik, um Schlesien, die Niederlausitz und Brandenburg, schloß einen Erbvertrag mit dem Haus Habsburg und verlobte seinen Sohn Sigmund mit der Erbprinzessin von Polen und Ungarn.

Karl V., * 1500, † 1558. Als deutscher König (seit 1519) und Kaiser (seit 1530) aus dem Haus

kardanische Aufhängung: Anwendung beim Schiffskompaß

Karl der Große (Bronzestatuette, 24 cm, Paris, Louvre)

Karl V.
(aus einem Gemälde von Tizian, 1548)

Habsburg herrschte Karl über ein Reich, in dem ›die Sonne nicht unterging‹. Dazu gehörten Spanien, Neapel und Sizilien, Burgund und die Niederlande sowie die spanischen Kolonien in Amerika. Österreich hatte er schon 1521 seinem Bruder Ferdinand überlassen. Karl war in den Niederlanden am Hof seiner Tante, der Statthalterin Margarete, aufgewachsen und zu einem strenggläubigen Fürsten erzogen worden.

Bei der Wahl zum deutschen König setzte sich Karl gegen den französischen König Franz I. durch, indem er die Kurfürsten mit riesigen Geldbeträgen bestechen ließ, die ihm die →Fugger liehen. Franz I. besiegte er in 4 Kriegen bis 1544; den glänzendsten Sieg erfocht er bei Pavia 1525. Im Osten wurde sein Reich durch die Türken bedroht, die 1529 Wien belagerten. In Deutschland bedrohten die Anhänger Martin Luthers die Einheit des katholischen Glaubens (→Reformation).

Karl V. sah aber im Kaisertum eine allen Staaten übergeordnete Macht, deren Ziel es sein sollte, die Einheit des Glaubens und den Frieden zu sichern. Daher verhängte er 1521 auf dem Reichstag zu Worms über Luther die Acht. Nach Deutschland kam Karl V. erst wieder 1530. Die Ausbreitung des lutherischen Glaubens mußte er hinnehmen. Nach dem Friedensschluß mit Frankreich (1544) und einem Waffenstillstand mit den Türken (1546) wandte sich Karl gegen die Protestanten, die er zum katholischen Glauben zurückführen wollte. Gleichzeitig beabsichtigte er, die wachsende Macht der einzelnen Landesfürsten zu brechen. Zwar besiegte er die protestantischen Fürsten im Schmalkaldischen Krieg (1546/1547), unterlag ihnen aber im Bündnis mit Frankreich 1552. Auf dem Augsburger Reichstag (1555) mußte Kaiser Karl V. die Gleichberechtigung der katholischen und der evangelischen Konfession zugestehen. Damit war die religiöse Spaltung Deutschlands vollzogen, und die Macht der Fürsten gegenüber dem Kaiser war gewachsen.

Enttäuscht legte Karl 1556 die Kaiserkrone nieder. Die Kurfürsten übertrugen sie seinem Bruder Ferdinand. Die Regierung seiner spanischen und niederländischen Erblande erhielt sein Sohn Philipp II.

Karl XII., * 1682, † 1718, wurde fünfzehnjährig König von Schweden. Schwedens Nachbarn hielten den Zeitpunkt für günstig, gegen die nordische Großmacht unter einem noch unerfahrenen jungen Herrscher vorzugehen, und so schlossen Dänemark, Polen und Rußland ein Bündnis, das zum Nordischen Krieg führte. Somit war die gesamte Regierungszeit Karls mit kriegerischen Unternehmungen ausgefüllt. Anfangs errang er große Erfolge, bis der russische Kaiser Peter der Große bei Poltawa 1709 das schwedische Heer schlug. Karl versuchte noch einmal, die aussichtslose militärische Lage Schwedens zu wenden, doch wurde er 1718 vor Fredrikshald in Norwegen von einer Kugel tödlich getroffen. Die verbreitete Ansicht, es sei eine schwedische Kugel gewesen, der König sei also ermordet worden, ist nie restlos widerlegt worden. Mit dem Tod Karls XII. war Schwedens Stellung als Großmacht des Nordens gebrochen.

Karl der Kühne, * 1432, † 1477, seit 1467 Herzog von Burgund. In den Auseinandersetzungen des →Hundertjährigen Krieges hatten die burgundischen Herzöge eine große Rolle gespielt und eine bedeutende Machtstellung errungen. Dies wollte Karl der Kühne nutzen, um zwischen Frankreich und Deutschland ein burgundisches Königreich zu errichten. Zunächst versuchte er, Kaiser Friedrich III. durch die Belagerung der Stadt Neuß zu zwingen, ihm den Königstitel zu verleihen. Nachdem dies gescheitert war, gelang es ihm, Lothringen zu besetzen und so eine Verbindung zwischen seinen Besitzungen im Norden (Niederlande) und im Süden (Burgund) herzustellen. Durch einen verlorenen Krieg gegen die Schweizer (1476) in seiner Machtposition geschwächt, fiel er schließlich im Kampf gegen den Herzog von Lothringen in der Schlacht bei Nancy. Nach seinem Tod kamen die im Deutschen Reich liegenden burgundischen Besitzungen an das Haus Habsburg.

Karl Martell, * um 676, † 741, im Fränkischen Reich ein mächtiger Hausmeier (er stand der Verwaltung und dem Heer vor) aus dem Geschlecht der Karolinger. Er einte das zerfallene Frankenreich 719. Dem Vordringen der Araber nördlich der Pyrenäen bereitete er in der Schlacht bei Poitiers 732 ein Ende.

Karlsruhe, 271 200 Einwohner, in der Oberrheinebene zwischen nördlichem Schwarzwald und Rhein gelegene baden-württembergische Stadt. Karlsruhe entstand seit 1715 mit planmäßig angelegten Straßen, die fächerförmig vom Schloß (errichtet 1752–82) ausgehen. Nach dem Wiederaufbau der im Zweiten Weltkrieg zerstörten Stadt wurde Karlsruhe unter anderem Sitz des Bundesverfassungsgerichts und des Bundesgerichtshofs.

Karnak, oberägyptisches Dorf, das zusammen mit dem 3 km entfernten Luxor an der Stelle der altägyptischen Stadt Theben liegt. In Karnak

Wörter, die man unter K vermißt, suche man unter C, Ch oder Q

stehen die Ruinen eines riesigen Tempelbezirks, in dem vor allem der Reichsgott → Amun verehrt wurde.

Karneval [aus italienisch carnevale, aus carne(le)vale ›Fleischfortnahme‹ oder carne vale ›Fleisch, leb wohl!‹], im Rheinland die Bezeichnung für Fasching (→ Fastnacht).

Kärnten, südlichstes Bundesland Österreichs mit der Hauptstadt Klagenfurt. Zentrum des Landes ist das Klagenfurter Becken, das von allen Seiten von Bergketten umschlossen ist, so daß die Sommer heiß und regenarm und die Winter kalt sind. Hier liegen zahlreiche Seen: Weißensee, Millstätter See, Ossiacher See, Wörther See und andere. Sie bilden den Mittelpunkt für den Fremdenverkehr. In den großen Tälern wird Ackerbau und Viehzucht betrieben.

Kärnten
Fläche: 9534 km²
Einwohner: 537000

Karolinen, größte Inselgruppe Mikronesiens im westlichen Pazifischen Ozean; sie besteht aus 963 Inseln, viele davon sind Atolle. Die rund 74000 Einwohner (Mikronesier) leben zum größten Teil auf Ponape, Kusaie, Truk und Yap. In dem tropisch-ozeanischen Klima werden Kokospalmen, Zuckerrohr und Kakao angebaut. Eine weitere Grundlage der Wirtschaft ist der Fischfang.

Die Karolinen wurden 1525 von Portugiesen entdeckt, 1686 nach dem spanischen König Karl II. benannt und 1899 an Deutschland verkauft. Die Inseln kamen 1919 unter japanische Verwaltung und werden seit 1947 von den USA verwaltet. Als ›Föderierte Staaten von Mikronesien‹ besitzen sie seit 1979 Autonomie.

Karolinger, fränkisches Adelsgeschlecht, das nach seinem bedeutendsten Mitglied → Karl dem Großen benannt ist. Nach ihrem Ahnherrn Arnulf von Metz wird das Geschlecht auch **Arnulfinger** genannt. Die Karolinger erlangten zuerst das Amt des → Hausmeiers im → Fränkischen Reich; 751 stürzte Pippin der Jüngere den merowingischen König. Die Enkel Karls des Großen, Lothar, Ludwig der Deutsche und Karl der Kahle (Söhne von Ludwig dem Frommen), teilten das Fränkische Reich unter sich auf (Vertrag von Verdun 843). So entwickelten sich 3 Linien der Karolinger. Sie herrschten in Italien bis 875, im ostfränkischen Reich, der Keimzelle des späteren deutschen Reichs, bis 911 und im westfränkischen Reich, dem späteren Frankreich, bis 987.

karolingische Kunst, die Kunst innerhalb des von Karl dem Großen geschaffenen Reichs von etwa 800 bis ins 10. Jahrh.; sie ging der → Romanik voraus. Der karolingischen Kunst lag das Streben zugrunde, das Erbe der Antike zu wahren (›Karolingische Renaissance‹) und an die spätantike und frühchristliche Kunst des Mittelmeergebiets anzuknüpfen. Die Baukunst übernahm den Zentralbau (Aachener Münster) und die altchristliche Basilika (Einhardsbasilika in Steinbach, Odenwald), die durch Querhaus und größere Krypta erweitert wurde. Ein Beispiel karolingischer Fassadendekoration bietet die Torhalle des ehemaligen Klosters Lorsch in Hessen. In der ›Hofschule‹ Karls des Großen in Aachen entstanden zahlreiche Buchmalereien und Elfenbeinarbeiten, ebenfalls in Reims, Tours und Paris; Goldschmiedekunst und Bronzeguß (Türen des Aachener Münsters) blühten.

Kärnten
Landeswappen

Karosserie [zu lateinisch carrus ›Wagen‹], der äußere Aufbau eines Kraftfahrzeuges, der auf dem Fahrgestell (Chassis) sitzt.

Karotte, Gemüsepflanze, → Mohrrübe.

Karpaten, 1300 km langes, bogenförmiges Faltengebirge im Südosten Mitteleuropas. Polen, die Slowakische Republik, die Ukraine und Rumänien haben Anteil an diesem waldreichen und vorwiegend aus Kalkgestein bestehenden Gebirge. Man gliedert es in West-, Wald-, Ost- und Südkarpaten; die **Hohe Tatra** in den Westkarpaten ist mit 2655 m die größte Erhebung. Durch das Wiener Becken werden die Karpaten von den Alpen getrennt. Die Karpaten sind reich an Bodenschätzen: Kohle, Eisenerz, Kupfer, Magnesit, Antimon, Silber und Gold.

Karpfen, Süßwasserfische, die gewöhnlich in tieferen, stehenden oder langsam fließenden Gewässern, bevorzugt in Grundnähe, leben. Sie werden meist etwa 50 cm, manchmal auch über 1 m lang und sind beliebte Speisefische, die in Fischteichen gezüchtet werden. Während der Wildkarpfen, der z. B. noch in einigen Seen Norddeutschlands vorkommt, voll beschuppt ist, hat der gezüchtete **Spiegelkarpfen** nur einige größere Schuppen, der **Lederkarpfen** ist fast schuppenlos. Karpfen fressen vor allem Bodentiere (Schnekken, Krebstiere, Würmer) und Pflanzen, die sie im trüben Wasser mit ihren Bartfäden aufspüren. Sie legen ihre Eier gerne an Pflanzen in flachen, warmen Gewässern. Karpfen werden etwa 15 Jahre, manchmal sogar über 40 Jahre alt. (BILD Fische)

Karst nennt man nach dem **Karstgebirge** in Slowenien und Kroatien eine Vielzahl von Formen an der Erdoberfläche und im Erdinneren, die durch Lösungsvorgänge des Grund- und

Kartoffel: OBEN Blütenstand, UNTEN Pflanze mit Knollen

Oberflächenwassers im Kalkgestein gebildet wurden.

Karstlandschaften zeichnen sich neben Pflanzen- und Wasserarmut an der Erdoberfläche durch schüssel- bis trichterförmige Vertiefungen, die **Dolinen,** aus. Sie können Durchmesser von 10 m bis zu 1,5 km und Tiefen von 2 bis 300 m aufweisen. Unter der Erde kommt es zur Bildung von Höhlen, z. B. → Tropfsteinhöhlen.

Kartell [von lateinisch charta ›Urkunde‹], Zusammenschluß von Wirtschaftsunternehmen zum Schutz oder zur Durchsetzung gemeinsamer wirtschaftlicher Interessen. Bei der Bildung eines Kartells bleiben die Beteiligten selbständige Unternehmen. Ziel der Kartellteilnehmer ist eine Beschränkung des freien Wettbewerbs auf dem Markt, z. B. durch die gemeinsame Festlegung eines einheitlichen Preises für bestimmte Güter, der nicht unterboten werden darf. Werden Kartellabsprachen nicht durchbrochen, so können sich die Kartellisten Vorteile gegenüber der Konkurrenz, die nicht am Kartell beteiligt ist, sowie gegenüber ihren Nachfragern verschaffen.

Grundsätzlich sind Kartelle in Deutschland verboten. Es gibt jedoch im Gesetz gegen Wettbewerbsbeschränkungen zahlreiche Ausnahmen von diesem **Kartellverbot,** da unter Umständen nur die Bildung eines Kartells das Weiterbestehen mehrerer Unternehmen und damit ihrer Arbeitsplätze sichern kann. – Die oberste Aufsichtsbehörde über Kartelle ist in Deutschland das **Bundeskartellamt** in Berlin.

Karthago, Ruinenstätte an der Nordküste Afrikas, in der Nähe der tunesischen Hauptstadt Tunis. Hier stand im Altertum die Hauptstadt des Reichs der **Karthager** oder **Punier,** wie sie von den Römern genannt wurden. Ihre Vorfahren waren Phöniker; diese hatten die Stadt im 9. Jahrh. v. Chr. gegründet. Im Lauf der Zeit hatte sich Karthago zur größten Handelsmacht im westlichen Mittelmeerraum entwickelt, den es mit einer starken Kriegsflotte kontrollierte; Handelsschiffe fuhren bis nach Britannien. Karthago besaß eine Reihe von Kolonien, besonders in Spanien und auf den Mittelmeerinseln Sardinien und Sizilien.

Kartoffelkäfer: Schadbild

Die jahrhundertelang guten Beziehungen zwischen Karthago und Rom wurden durch die karthagische Besetzung von Messina auf Sizilien unmittelbar gegenüber der süditalienischen Küste beendet. Karthago entwickelte sich zu einer Bedrohung für Rom (264 v. Chr.). Es kam zu den → Punischen Kriegen, in denen Karthago trotz der Siege seiner Feldherren Hamilkar Barkas und → Hannibal von den Römern besiegt, erobert und schließlich völlig zerstört wurde (146 v. Chr.).

An der Stelle Karthagos gründete Caesar 44 v. Chr. eine Kolonie; diese wurde 439 von den Wandalen unter ihrem König Geiserich erobert und im 7. Jahrh. von den Arabern zerstört.

Kartoffel [aus italienisch tartufolo ›Trüffel‹], krautiges, 0,5 – 1 m hohes Nachtschattengewächs. Alle oberirdischen Teile der Kartoffelpflanze sowie aus der Erde gewachsene Keime und ergrünte Kartoffelknollen enthalten ein giftiges Alkaloid. Eßbar ist nur die unter der Erde wachsende Knolle, die **Kartoffel,** auch **Erdapfel** genannt. Ursprünglich stammt die Kartoffel aus Südamerika, aus den Anden von Peru und Chile. Von dort brachten sie die Spanier um 1550 nach Europa. In Deutschland förderte erst im 18. Jahrh. Friedrich der Große ihren Anbau. Heute zählt die Kartoffel in Europa und Asien zu den Hauptnahrungsmitteln. Sie wird auch als Mastfutter für Tiere und zur Herstellung von Stärke und Alkohol verwendet. Hauptanbaugebiete sind Rußland, Polen, Deutschland und Frankreich.

Die Kartoffel wächst auf fast jedem fruchtbaren, nicht zu feuchten Boden. Im Sommer tragen die Pflanzen weiße, rötlich-violette oder blaue Blüten; aus diesen gehen etwa kirschgroße, grüne Beeren hervor, die wie winzige unreife Tomaten aussehen. Die darin enthaltenen Samen dienen nur den Züchtern zur Entwicklung neuer Sorten. Aus den Knospen (den ›Augen‹) der in den Boden gepflanzten Kartoffel entwickeln sich die bis 1 m hohen Laubtriebe und die unterirdischen Triebe, deren Enden sich zu neuen Knollen verdicken. Im Herbst sterben die Blätter ab, und die Pflanze speichert alle Nahrungsreserven (Stärke, Eiweiß, Mineralstoffe, einige Vitamine) in den fleischigen Knollen. Der größte Schädling der Kartoffelpflanze ist der Kartoffelkäfer.

Kartoffelkäfer, halbkugelige, strohgelbe Käfer mit schwarzen Längsstreifen. Sie fressen wie ihre rote, schwarzpunktierte Larve die Blätter der Kartoffelpflanze. Ein Weibchen legt bis zu 800 Eier an den Blattunterseiten ab, aus denen nach wenigen Tagen die Larven schlüpfen.

Karwendelgebirge, Teil der Nordtiroler Kalkalpen nördlich von Innsbruck. Dieser Teil der Alpen gliedert sich in 4 stark zerklüftete Ketten, deren Gipfel bis über 2 700 m aufragen. Große Schutthalden bedecken den Fuß der mächtigen Felswände. Das Karwendelgebirge stellt die größte unbewohnte Fläche Mitteleuropas dar.

Karzinom [aus griechisch karkinos ›Krebs‹], eine bösartige Geschwulst (→ Krebs).

Wörter, die man unter K vermißt, suche man unter C, Ch oder Q

Kasachstan

Fläche: 2 717 300 km²
Bevölkerung: 16,7 Mill. E
Hauptstadt: Alma-Ata
Amtssprachen: Kasachisch, z. T. auch Russisch
Währung: 1 Rubel (Rbl) = 100 Kopeken
Zeitzone: MEZ +3 Stunden

Kasachstan, Staat in Mittelasien, eine Republik. Das Land ist rund achtmal so groß wie Deutschland. Es erstreckt sich von der Wolga im Westen bis zum Altai im Osten, vom Westsibirischen Tiefland im Norden bis zum Tien-shan im Süden. Die Oberfläche besteht zum überwiegenden Teil aus Ebenen und niedrigen Plateaus. Im Osten und Südosten breiten sich bis 4 981 m aufragende Hochgebirgsketten aus. Mehr als die Hälfte der Fläche wird von Wüsten und Halbwüsten eingenommen. Das Klima ist stark kontinental. Die Bevölkerung setzt sich aus Kasachen (rund 40 %), Russen (rund 40 %), Ukrainern und einer deutschen Minderheit zusammen.

Nur etwa $^1/_5$ der Landesfläche ist landwirtschaftlich nutzbar. Kasachstan ist reich an Bodenschätzen (Kohle, Erdöl, Eisenerz), die die Grundlage zur Schwerindustrie bilden. In Wärmekraftwerken werden rund $^4/_5$ der Elektroenergie erzeugt.

Die antiken Schriftsteller nannten die Bewohner des heutigen Kasachstan ›Saken‹. Nach dem Zerfall der →Goldenen Horde verwüsteten die Dsungaren das Land; die kasachischen Stämme unterstellten sich seit 1731 nach und nach russischer Herrschaft. 1936 wurde Kasachstan Sowjetrepublik innerhalb der UdSSR. 1941 kam es zur Zwangsansiedlung von Rußlanddeutschen. 1991 erklärte Kasachstan seine Unabhängigkeit.

Kạschmir, Gebirgslandschaft und ehemaliges Fürstentum im nordwestlichen Himalaya und im Karakorum mit einer Fläche von rund 222 000 km². Der wichtigste Teil Kaschmirs, das etwa 1 500 m hoch gelegene Hochtal im Südwesten, bildet heute den indischen Bundesstaat **Dschammu und Kaschmir.** Der nördliche Teil ist von Pakistan und China besetzt. Die größtenteils muslimische Bevölkerung baut Reis, Weizen, Mais und Obst (Aprikosen) an und betreibt Schafzucht; daneben gibt es Seiden-, Teppich- und Wolltuchweberei (Kaschmirwolle) sowie Kunsthandwerk. Der Fremdenverkehr ist eine bedeutende Einnahmequelle.

Kạspisches Meer, der größte abflußlose See der Erde, mit 371 000 km² etwa so groß wie Deutschland. Die Südküste gehört zu Iran, der übrige Teil zu Aserbaidschan, Rußland, Kasachstan und Turkmenistan. Der Wasserspiegel des Kaspischen Meeres liegt 28 m unter dem Meeresspiegel. Die Verdunstung über dieser großen Wasserfläche ist sehr hoch. Sie übersteigt beträchtlich die Niederschläge und den Zufluß an Süßwasser, vor allem durch die Wolga. Infolgedessen sinkt der Wasserspiegel ständig. Das Wasser bedeckte 1930 noch eine Fläche von 424 300 km². – Der Salzgehalt ist im allgemeinen wesentlich niedriger als der durchschnittliche Salzgehalt des Wassers der Ozeane. Im Kara-Bogas-Gol, einer nahezu abgeschnürten Bucht ohne Süßwasserzufluß, enthält das Wasser jedoch fast 10mal mehr Salz als normales Meerwasser. Im Nordteil ist das Kaspische Meer durchschnittlich 5 m tief, in der Mitte 200 m; im Südteil erreicht es Tiefen von 1 025 m. Der nördliche Teil friert im Winter für 3 Monate zu. Das Kaspische Meer ist fischreich, besonders vor der Wolgamündung.

Kassạndra, in der griechischen Sage eine Tochter des Königs von Troja, der Apoll die Gabe des Hellsehens verlieh, ihr aber die Kraft zu überzeugen versagte, wenn sie ihre Ahnungen mitteilen wollte. Daher heißen unbeachtete Warnungen ›Kassandrarufe‹.

Kassẹttenrecorder [-rikọhder], Magnetbandgerät zur Aufzeichnung und Wiedergabe von Fernseh- und/oder Tonsignalen (→Tonbandgerät, →Videorecorder) mit einer einschiebbaren Kassette, die das unbespielte oder bespielte Magnetband enthält.

Kastagnetten [kastanjẹtten], Rhythmusinstrument aus 2 ausgehöhlten, mit einer Schnur verbundenen Hartholzschalen, die in einer Hand aufeinandergeschlagen werden; sie dienen zur Begleitung von spanischen und italienischen Tänzen.

Kastạnie, zwei nicht näher verwandte Laubbäume. Die **Edelkastanie,** die besonders im Mittelmeerraum beheimatet ist, gehört zur Familie der Buchengewächse. Sie hat eine eichenähnliche Rinde, hellgrüne gezähnte Blätter und ährenförmige Blütenstände. Ihre weichstachelige Fruchtkapsel enthält 2–3 braune **Maronen,** die gedünstet und geröstet gegessen werden.

Die häufig als Zierbaum angepflanzte **Roßkastanie** hat fingerförmig geteilte Blätter und aufrechte, kerzenförmige Blütenstände. Die reifen Früchte, braune **Kastanien,** werden an Vieh und Wild verfüttert. (BILD Seite 118)

Kasachstan

Staatswappen

Staatsflagge

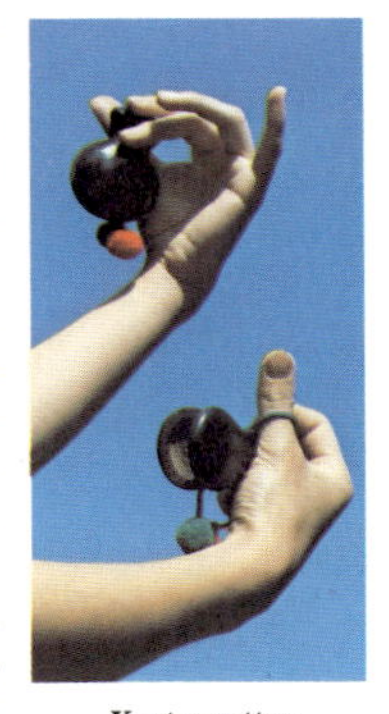

Kastagnetten

Kastanie:
Edelkastanie
OBEN blühender Zweig,
UNTEN
aufgesprungener
Fruchtbecher
mit Früchten

Kastanie:
Roßkastanie
OBEN blühend,
UNTEN Frucht

Kaste [zu portugiesisch casta, von casto ›rein‹], die einzelne Schicht eines bestimmten religiösen und sozialen Gesellschaftssystems. Es erlangte die größte Bedeutung in dem vom →Hinduismus geprägten Indien. Man wird in eine bestimmte Kaste hineingeboren. Damit ist bereits die gesellschaftliche Stellung festgelegt, da jede Kaste einen feststehenden hohen oder niederen Rang besitzt. Ein Auf- oder Abstieg in eine andere Gruppierung ist nicht möglich. Die gegenseitige Isolation geht so weit, daß Mischehen, gemeinsamer Umgang und gemeinsame Arbeit untersagt sind. Ursprünglich kannte diese rund 2000 Jahre alte Gesellschaftsform 4 Kasten: die **Brahmanen** (religiöse Führer, Priester), die **Kshatriyas** (Krieger, Adelige, Herrscher), die **Vaishyas** (Bauern, Handwerker, Händler) und die **Shudras** (Arbeiter und Handwerker mit niederen Tätigkeiten). Mit der Zeit vermehrte sich die Anzahl der Kasten so stark, daß die indische Gesellschaft heute in Hunderte von streng voneinander getrennte Gruppen zerfällt. Daran vermag auch die in der Verfassung garantierte politische Gleichheit aller Bürger nichts Entscheidendes zu ändern. Das gilt besonders hinsichtlich der **Parias,** der ›Unberührbaren‹, die von allen anderen verachtet werden. Sie leben unter oft menschenunwürdigen Bedingungen außerhalb der Kastenordnung und damit außerhalb der Gesellschaft. Ihre Aufgabe ist das Verrichten von ›unreiner‹ Arbeit.

Kastell [lateinisch ›kleines Lager‹], befestigte Anlage, oft auch gleichbedeutend mit ›Burg‹, ›befestigtes Schloß‹; in der römischen Antike eine Grenzbefestigung.

Kastilien, das zentrale Hochland der Iberischen Halbinsel und das Kernland Spaniens. Das im Durchschnitt 600 m hohe winterkalte und recht trockene Hochland wird vom Kastilischen Scheidegebirge in **Alt-** und **Neukastilien** geteilt. In der Mitte Kastiliens liegt die spanische Hauptstadt Madrid. Geschichte: →Spanien.

Kästner. Als freier Schriftsteller in Berlin begann **Erich Kästner** (* 1899, † 1974) mit Gedichten, in denen er sich gegen Spießbürgertum, engherzige Moral und Kriegsbegeisterung (Erster Weltkrieg) wandte. Sein Roman ›Fabian‹ (1931) ist ein bissiger Angriff auf die Zustände in Deutschland Ende der 1920er Jahre (Zeit der Wirtschaftskrise). Für Kinder schrieb er teils realistische, teils phantasievolle Bücher. In ›Emil und die Detektive‹ (1929) erzählt Kästner die spannende Geschichte eines Jungen, der zusammen mit Gleichaltrigen einen Bankräuber zur Strecke bringt, und macht deutlich, wie wichtig gegenseitige Hilfe und Opferbereitschaft sind. Wie dieses Buch wurde auch ›Das doppelte Lottchen‹ (1949) verfilmt, in dem ein Zwillingspaar seine geschiedenen Eltern wieder zusammenbringt. Kästners Werke standen zur Zeit des Nationalsozialismus nach 1933 auf der Liste der verbotenen Bücher; sie mußten während dieser Zeit im Ausland erscheinen. Nach dem Zweiten Weltkrieg war Kästner Redakteur bei einer Zeitung und Herausgeber der Jugendzeitschrift ›Der Pinguin‹. (BILD Seite 119)

Kastor, einer der beiden →Dioskuren.

Kastration [zu lateinisch castrare ›entmannen‹], operative Entfernung oder Ausschaltung der Funktion der Keimdrüsen (Hoden, Eierstöcke, →Geschlechtsorgane) durch Bestrahlung oder Behandlung mit Hormonen. Beim Mann spricht man vom **Eunuchen,** wenn die Kastration vor Eintritt der Geschlechtsreife (Pubertät) ausgeführt wird. Das typische Erscheinungsbild des Eunuchen ist gekennzeichnet durch Unterentwicklung der Geschlechtsorgane und der sekundären Geschlechtsmerkmale (hohe Stimme, geringe Körperbehaarung). Eunuchen sind außerdem sexuell nicht erregbar und zeugungsunfähig (impotent). Findet die Kastration nach abgeschlossener Pubertät statt (ab 25 Jahre), sind die Auswirkungen nicht so stark. Die Kastration war bei den Griechen und auch im frühen Christentum eine Form der Selbstweihe an die Götter. Im 16.–19. Jahrh. spielten Kastraten wegen ihrer hohen Stimme eine wichtige Rolle in der Oper und auch in der Kirchenmusik. Bei Frauen wird die operative Entfernung der Eierstöcke, die einer Kastration gleichkommt, zur Behandlung bestimmter Erkrankungen (Zysten, Krebs) durchgeführt. Die Folgeerscheinungen entsprechen den Symptomen beim Einsetzen der Wechseljahre.

Bei **Haustieren** wird die Kastration vorgenommen, um temperamentvolle Tiere zu zähmen (Hengste, Bullen), den Fettansatz zu steigern und das Fleisch wohlschmeckender zu machen (Schweine, Ziegen) oder unerwünschte Nachkommenschaft zu verhindern (Hunde, Katzen und Kater).

Als Methode der →Empfängnisverhütung wird die Kastration beim Menschen nicht durchgeführt, da die anschließende hormonelle Umstellung im Körper viele unangenehme Folgen hat. Als operative Methode wird die Sterilisation angewendet, also die Durchtrennung der Eileiter oder Samenstränge, wobei die Keimdrüsen ihre normale Funktion weiter ausüben.

Kasus [lateinisch ›Fall‹], Beugefall bei Wortarten, die dekliniert werden können (→Deklination). Der Kasus klärt die Beziehung der einzelnen Satzteile zueinander; er läßt sich z. B. an Endungen, Vorsilben und Artikeln erkennen. In der deutschen Sprache unterscheidet man 4 Kasus, die auch nach den Fragen, die sie beantworten, benannt werden können.

Kasus	Fragemöglichkeiten	Substantivbeugung	Pronomenbeugung
Nominativ – Werfall	wer geht?	der Gärtner	er
Genitiv – Wesfall	wessen Buch ist das?	des Gärtners	sein
Dativ – Wemfall	wem gebe ich das Buch?	dem Gärtner	ihm
Akkusativ – Wenfall	wen sehe ich?	den Gärtner	ihn

Katakomben, unterirdische Gänge und Kammern, die vor allem im 3. und 4. Jahrh. von den Christen zur Bestattung ihrer Toten unter der Stadt Rom angelegt wurden. Katakomben kennt man auch aus anderen Städten wie Neapel und Alexandria.

Katalanen, Volksstamm im Osten Spaniens (Katalonien, Valencia), auf den Balearen und im Roussillon (Südfrankreich). Die Sprache der Katalanen ist mit dem Spanischen und dem Provenzalischen verwandt. Bedeutende literarische Werke auf Katalanisch lassen sich seit 1200 nachweisen. Heute erstreben die Sprecher des Katalanischen eine neben dem Spanischen gleichberechtigte Verwendung ihrer Sprache in Schule und Verwaltung.

Katalaunische Felder [nach dem römischen Namen für Châlons-sur-Marne], Gegend östlich von Paris zwischen den Städten Troyes und Châlons-sur-Marne. Hier fand vermutlich 451 die Schlacht zwischen den mit Westgoten, Burgundern und Franken verbündeten Römern und dem Hunnenkönig Attila statt. Die Niederlage Attilas verhinderte sein weiteres Vordringen nach Westen.

Katalonien, historische Landschaft im Nordosten von Spanien, umfaßt mit den Provinzen Barcelona, Gerona, Lérida und Tarragona 31 930 km^2. Die Landschaft reicht vom Kamm der Pyrenäen über einen Teil des Ebrobeckens bis zur Mittelmeerküste. Es gibt bedeutenden Weinanbau, Ölbäume und Bewässerungskulturen. Durch Volksabstimmung erhielten die rund 6 Millionen Bewohner, vorwiegend →Katalanen, 1979 für ihre Region gewisse Selbstverwaltungsrechte. Kulturelles und wirtschaftliches Zentrum ist die Millionenstadt Barcelona, in deren Großraum Textil-, Eisen- und chemische Industrie angesiedelt sind.

Katalysator [zu griechisch katalysis ›Auflösung‹]. In der chemischen Forschung und Industrie laufen bestimmte Reaktionen bei Zimmertemperaturen nur sehr langsam oder überhaupt nicht ab. Die Reaktionen würden durch Erhitzen zwar in Gang gesetzt oder beschleunigt, aber viele chemische Verbindungen lassen sich nur in geringem Umfang erwärmen, ohne daß sie zerstört werden.

Man kennt heute eine Reihe von Stoffen (z. B. Platin), deren bloße Anwesenheit genügt, um diese gehemmten Reaktionen in Gang zu setzen. Diese Stoffe wirken als Katalysatoren. Ein Katalysator wird im Verlauf des chemischen Vorgangs für kurze Zeit verändert, bildet sich aber am Ende vollständig in den ursprünglichen Zustand zurück. Gelegentlich nennt man Katalysatoren auch Kontakte, was ihrer Wirkung sehr nahekommt. In jüngster Zeit wird die Bedeutung von Platin als Katalysator zur Reinigung von Abgasen diskutiert.

Erich Kästner

Dabei handelt es sich um eine (›katalytische‹) Nachverbrennung, die, neben industriellen Abgasen, z. B. aus Lackierereien, Räuchereien und Lebensmitteltrocknungsanlagen, Autoabgase von stark giftigen Gasen zu reinigen vermag. Die Abgase werden durch ein Wabenrohr, dessen Oberfläche dünn mit Platin, Palladium oder Rhodium überzogen ist, geleitet; dabei werden die im Abgas enthaltenen Kohlenwasserstoffe und Kohlenmonoxide zu Kohlendioxid und Wasser verbrannt, die Stickoxide zu Stickstoff reduziert. Mit Katalysatoren ausgerüstete Autos dürfen nur mit bleifreiem Benzin betrieben werden, sonst ist der Katalysator in kürzester Zeit unbrauchbar.

Katar, ein seit 1971 unabhängiges Scheichtum im Südwesten des Persischen Golfs. Das Land ist eine wüstenhafte Halbinsel mit heißem und sehr schwülem Klima. Seit Katar ein wichtiges Erdölförderland geworden ist, verzehnfachte sich die Bevölkerung, die ursprünglich nur aus einigen wandernden Beduinenstämmen bestand, durch

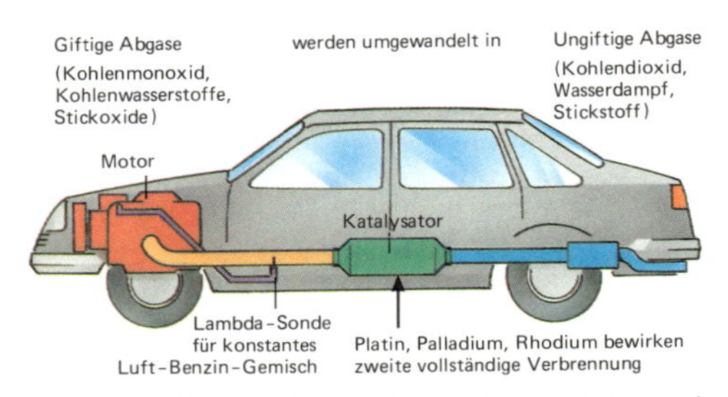

Katalysator: Wirkungsweise des Abgaskatalysators für Autos mit Otto-Motoren (Schema)

Katar

Staatswappen

Staatsflagge

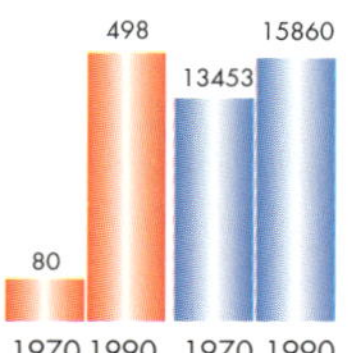

Bevölkerungsverteilung 1988

Industrie
Landwirtschaft
Dienstleistung
15%
2%
83%

Bruttoinlandsprodukt 1989

Katar

Fläche: etwa 11 000 km²
Bevölkerung: 498 000 E
Hauptstadt: Ad Dauha
Amtssprache: Arabisch
Nationalfeiertag: 3. Sept.
Währung: 1 Katar-Riyal (QR) = 100 Dirhams
Zeitzone: MEZ +3 Stunden

die Zuwanderung vieler Gastarbeiter. (KARTE Seite 194)

Katharina II., die Große, wurde 1729 als Tochter eines deutschen Kleinfürsten geboren und hieß eigentlich Sophie Friederike Auguste. Mit 16 Jahren (1745) heiratete sie den russischen Thronfolger Peter (III.) und nahm den Namen Katharina an. Nach seiner Thronbesteigung ließ sie Peter III. absetzen und billigte seine Ermordung. Katharina wurde zur **Kaiserin von Rußland** gekrönt. Hochgebildet im Geist der Aufklärung, regte sie einige Verwaltungsreformen an, hielt aber später am Bestehenden fest. In 2 Kriegen gegen die Türken konnte sie ihr Reich bis ans Schwarze Meer ausdehnen; im Westen gliederte sie einen großen Teil Polens an Rußland an (→Polnische Teilungen). Da es in den weiten Gebieten an der Wolga nicht genug Menschen gab, die das Land bestellten, siedelte sie dort seit 1764 deutsche Bauern an. Als Katharina 1796 starb, war Rußland eine europäische Großmacht.

Katharina von Medici [-meditschi], Königin von Frankreich (* 1519, † 1589). Sie stammte aus dem reichen Florentiner Handelshaus der Medici und heiratete mit 14 Jahren König Heinrich II. von Frankreich. Nach dem frühen Tod Heinrichs war sie Regentin für ihren Sohn Karl IX. Aus Anlaß der Hochzeit ihrer Tochter Margarete mit dem Hugenotten Heinrich von Navarra veranlaßte sie die Ermordung des Hugenottenführers Coligny. Dabei wurden viele tausend Hugenotten getötet (**Bartholomäusnacht** 1572).

Katharina II.

Kathedrale [aus griechisch-lateinisch cathedra ›Bischofsstuhl‹], Hauptkirche eines katholischen Bistums mit dem Sitz des Bischofs; wird in Deutschland und Italien auch **Dom** genannt.

Katheten [zu griechisch kathienai ›hinablassen‹], die beiden kürzeren Seiten eines rechtwinkligen →Dreiecks.

Kathetensatz, mit Hilfe des →Pythagoreischen Lehrsatzes ableitbare Gesetzmäßigkeit bei rechtwinkligen Dreiecken.

Kathode, Katode [aus griechisch kata ›abwärts‹, ›gegen‹ und hodos ›Weg‹], die mit dem Minuspol einer Stromquelle verbundene →Elektrode.

katholische Kirche [zu griechisch katholikos ›allgemein (gültig)‹], **römisch-katholische Kirche,** die unter der Leitung des →Papstes stehende Kirchengemeinschaft. Nach ihrem eigenen Verständnis kennzeichnen sie 4 Wesensmerkmale: die Stiftung durch →Jesus Christus, die Einheit in Lehre und →Sakramenten, die Rückführbarkeit auf die Apostel und ihre umfassende Bedeutung für das Heil der ganzen Welt. Die katholische Kirche ist hierarchisch gegliedert: Papst, Bischöfe, Priester, Laien. Seit dem Zweiten Vatikanischen Konzil (1962–65) wird diese hierarchische Verfassung jedoch als ergänzbar angesehen. Beispielsweise ist das Mitspracherecht der Laien gewachsen. Die Bischöfe üben das Lehramt aus, das auf die →Apostel zurückgeführt wird. Als höchste Autorität entscheidet der Papst und in Gemeinschaft mit ihm das Konzil. Weltweit gehören der katholischen Kirche rund 890 Millionen Gläubige an.

Kation [aus griechisch kata ›abwärts‹, ›gegen‹], zur Kathode wanderndes positiv geladenes Ion eines Elektrolyten (→Elektrolyse).

Katmandu 235 000 Einwohner, Hauptstadt des Himalayastaates Nepal, liegt rund 1 350 m hoch im Katmandu-Tal. Zahlreiche buddhistische Tempel, Klöster und Paläste, darunter auch ein alter und ein neuer Königspalast, prägen das Stadtbild.

Katode, →Kathode.

Katzen, Raubtiere, die mit Ausnahme Australiens alle Erdteile bewohnen. Sie können sehr groß sein wie →Löwe, →Tiger, →Leopard, →Puma und →Jaguar oder so klein wie der →Ozelot. Wildkatzen mit kurzem Schwanz sind z. B. →Luchs und →Serval; zahlreiche besondere Merkmale zeigt der →Gepard. Der kräftige, aber geschmeidige Körper der Katzen ist schlank, manchmal gedrungen, die Schnauze kurz und rundlich. Das ausgezeichnete Gehör, scharfe Augen und die Tasthaare (›Schnurrhaare‹) am Kopf ermöglichen die oft nächtliche Lebensweise. Die Pupillen der Augen, die am Tag bis auf schmale Schlitze geschlossen sind, erweitern sich, je dunkler es wird. Hinter der Netzhaut des Katzenauges liegt eine Art ›Spiegelschicht‹, die die Lichtempfindlichkeit verstärkt. So können Katzen auch noch Helligkeitsreste nutzen, die z. B. der Mensch nicht mehr wahrnimmt. Lautlos schleichen Katzen ihre Beutetiere auf ihren weichen Pfoten (›Tatzen‹, ›Pranken‹) an; die Krallen sind dabei in Hauttaschen eingezogen. Mit einem Satz springen sie dann zu und halten die Beute mit den vorgeschnellten, spitzen Krallen fest, um sie durch Kehl- oder Nackenbiß oder Prankenhieb zu töten. Mit den kräftig entwickelten Eck- und Reißzähnen wird die Beute dann zerlegt und in großen Stücken verschlungen. Da Raubkatzen häufig krankes und schwaches Wild erjagen, stellen sie eine Art ›Gesundheitspolizei‹ dar. Viele können mit ihren beweglichen Krallen gut klettern und springen. Sie leben meist als Einzelgänger, nur der Löwe lebt in Rudeln. Nach einer Tragzeit von 2–3½ Monaten werden 2–3 blinde und kaum behaarte Junge geboren, die lange von den Muttertieren betreut werden müssen. Das meist schön gezeichnete Fell der Raubkatzen (Leopard, Jaguar, Ozelot) ist als Pelz sehr begehrt; sie sind daher stark verfolgt worden. Da außerdem ihr Lebensraum immer mehr eingeengt wird, sind die meisten Arten in ihrem Bestand bedroht. Raubkatzen sind häufig im Zoo zu finden.

Die kleinen, graubraunen **Wildkatzen,** die etwas größer als Hauskatzen sind, leben in Asien, Afrika und Europa; in Mitteleuropa bewohnen diese scheuen Tiere vor allem dichte Wälder in Mittelgebirgen. In Deutschland findet man die unter Naturschutz stehende Wildkatze mit ihrem dicken, getigerten Schwanz vereinzelt in Harz, Hunsrück und Eifel.

Die **Hauskatze,** die seit Jahrtausenden vom Menschen als Haustier gehalten wird, stammt von einer ägyptischen Wildkatzenart, der Falbkatze, ab. Beute streunender Hauskatzen sind vor allem Mäuse, Ratten, Insekten und Vögel.

Hauskatzen paaren sich im Frühjahr und Sommer; das Weibchen wirft nach 63–65 Tagen 5–6 blinde Junge, die bis zum vierten Lebensmonat von ihr betreut werden. Als Hauskatzen sind die langhaarigen Perser- und Angorakatzen, aber auch die kurzhaarigen Siamkatzen beliebt.

Im alten Ägypten wurden Katzen kultisch verehrt. Im Volksglauben kündet die Begegnung mit einer (schwarzen) Katze Unglück oder Wetteränderung an. (Weitere BILDER Seiten 122/123)

Kaub, 1300 Einwohner, rechtsrheinische Stadt. Auf einer Felseninsel im Rhein liegt die **Pfalz,** eine alte kurpfälzische Zollburg aus dem 14. Jahrhundert.

Kaufkraft, die Menge an Geld, die eine Person in einer bestimmten Zeit zum Ausgeben zur Verfügung hat. Die Menge an Gütern, die man sich für dieses Geld aus Arbeitslohn, Zinsen, Krediten und anderen Einnahmen kaufen kann, wird als **Kaufkraft des Geldes** bezeichnet. Die Kaufkraft ist abhängig von der Höhe der Güterpreise in einer Volkswirtschaft: Werden die Güter teurer, kann man sich für ein gegebenes Einkommen weniger leisten, werden sie billiger, reicht das Geld für eine größere Gütermenge aus.

Katzen: **1** Löwin mit Jungtier; **2** Mähnenlöwe; **3** Nordluchs; **4** Amur-Leopard; **5** Gepard; **6** Puma

Kaugummi, →Gummi.

Kaukasus. Der **Große Kaukasus** ist ein über 1500 km langes und 32–180 km breites Hochgebirge im Süden Rußlands, in Georgien und Aser-

Katzen (Hauskatzen): **1** marmorierte Hauskatze; **2** dreifarbige Hauskatze; **3** Kurzhaarkatze: Siamkatze; **4–9** Langhaarkatzen: **4** Colourpoint(katze); **5** Birmakatze; **6** cremfarbene Perserkatze; **7** Perser ›Chinchilla‹-Katzen; **8** dreifarbige Perserkatze; **9** gelbe Perserkatze

baidschan. Es erstreckt sich zwischen Schwarzem und Kaspischem Meer und erreicht im Elbrus (5633 m) seinen höchsten Punkt. Viele selten gewordene Tiere leben im Kaukasus: Bär, Wildschwein, Steinbock, Adler, Geier. Über den 2388 m hohen Kreuzpaß führt die Georgische Heerstraße nach Transkaukasien (Aserbaidschan, Armenien und Georgien). Hier liegt der bis zu 3724 m hohe **Kleine Kaukasus.**

Kaulquappen, die Larven der Froschlurche (→ Frösche, → Lurche).

Kaution [lateinisch ›Vorsicht‹], ein Geldbetrag, der als Sicherheit für die Einhaltung einer übernommenen Pflicht hinterlegt wird. Beim Abschluß von Mietverträgen wird oft vom Vermieter eine Kaution verlangt (höchstens 3 Monatsmieten). Sie dient als Sicherheit für eventuelle Ansprüche des Vermieters aus dem Mietverhältnis. Ein Untersuchungshäftling kann gegen Hinterlegung einer Kaution aus der Haft entlassen werden.

Kautschuk, wichtiger Rohstoff, der als **Naturkautschuk** vorkommt, aber auch künstlich hergestellt wird. Naturkautschuk ist im Milchsaft zahlreicher Pflanzen enthalten, besonders des **Kautschukbaumes** aus dem Amazonasgebiet in

1

2

3

4

Katzen: 1 Königstiger; **2** Jaguar; **3** Serval; **4** Ozelot

Südamerika, dessen Name bei den Indianern ›weinender Baum‹ bedeutet. Er wird heute in vielen tropischen Gebieten Südostasiens (Malaysia, Indonesien, Thailand, Sri Lanka) in großen Plantagen angebaut. Die Rinde der Bäume wird V-förmig oder grätenförmig abgeschält, so daß sich der ausfließende Saft in kleinen Gefäßen sammeln kann. 200 Bäume liefern an einem Tag zum Beispiel den Rohstoff für einen Autoreifen.

Ausgangsstoffe des **künstlichen Kautschuks** sind aus dem Erdöl gewonnene chemische Verbindungen.

Das auffälligste Merkmal von **vulkanisiertem Kautschuk,** dem Gummi, ist die hohe Dehnbarkeit und Elastizität, verbunden mit Zähigkeit und Festigkeit sowie die Abriebfestigkeit. Natur- und künstlicher Kautschuk sind von Bedeutung als Hauptrohstoffe zur Herstellung von Auto- und Fahrradreifen, als Isolierstoff in der Elektrotechnik und als Gewebe in der Bekleidungs- und Schuhindustrie.

Käuze, →Eulen ohne Federohren.

Kavallerie [zu italienisch cavallo ›Pferd‹], Reiterei, berittenen Truppe. Schon im Altertum war die Reiterei neben dem Fußvolk (→Infanterie) die wichtigste Truppengattung. In den Feldschlachten wurde sie meist an den Flügeln der Heere eingesetzt.

Seit dem 17./18. Jahrh. unterschied man je nach Bewaffnung und Einsatzart **schwere Kavallerie** (Kürassiere, Ulanen) und **leichte Kavallerie** (Dragoner, Husaren). Im Ersten Weltkrieg verlor die Kavallerie ihre Bedeutung und wurde danach durch motorisierte Truppen ersetzt.

Kaviar, mit Salz konservierter Rogen des →Störs.

kcal, Einheitenzeichen für Kilokalorie (→Kalorie).

Kegel, ein geometrischer →Körper. Er wird meist begrenzt von einer Kreisfläche und allen Verbindungsstrecken der Kreislinie mit einem Punkt *S,* der nicht auf der Kreisfläche liegt. In diesem Fall spricht man von einem **Kreiskegel.** Die Kreisfläche wird **Grundfläche** genannt. Die Außenfläche des Kegels oberhalb der Grundfläche wird als **Kegelmantel** bezeichnet. Eine Verbindungsstrecke der Kreislinie mit dem Punkt *S* heißt **Mantellinie.** Der Punkt *S* heißt **Spitze** des Kegels. Liegt *S* senkrecht über dem Kreismittelpunkt, so liegt ein **gerader Kreiskegel** vor (BILD 1). In allen anderen Fällen spricht man von einem **schiefen Kreiskegel** (BILD 2). Das Lot von der Spitze auf die Grundfläche bezeichnet man als die **Höhe** des Kegels. Die Oberfläche des geraden Kreiskegels besteht aus einem Kreissektor und einer Kreisfläche (BILD 3).

Wichtige Formeln: Für das Volumen *V* und die Flächeninhalte des Mantels *M* und der Oberfläche *O* eines geraden Kreiskegels gilt:

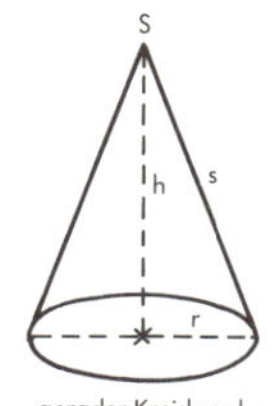

1 gerader Kreiskegel

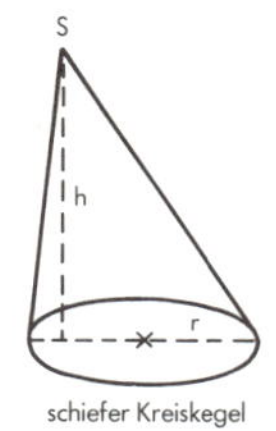

2 schiefer Kreiskegel

S
s
Mantel
$2\pi r$
Grundfläche
r

3 Oberfläche eines geraden Kreiskegels

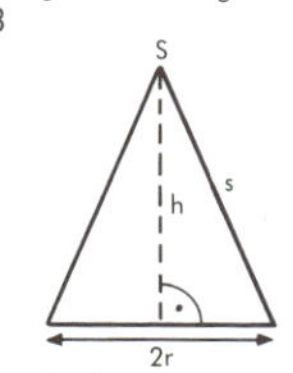

4 Schnittfläche des geraden Kreiskegels längs seiner Höhe

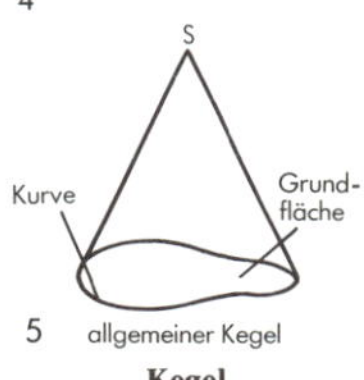

5 allgemeiner Kegel

Kegel

Keilschrift:
OBEN altbabylonische Schrift;
UNTEN hethitische Keilschrift

$$V = \frac{1}{3} r^2 \pi h, M = \pi r s, O = \pi r^2 + \pi r s,$$

wobei r die Länge des Kreisradiusses, h die Länge der Höhe und s die Länge der Mantellinie des Kegels ist. Schneidet man einen geraden Kreiskegel längs seiner Höhe auf, so erhält man als Schnittfläche ein gleichschenkliges Dreieck mit der Schenkellänge s, der Basislänge $2r$ und h als Länge der Höhe. Nach dem →Pythagoreischen Lehrsatz gilt die Beziehung $s^2 = r^2 + h^2$ (BILD 4; Seite 123). Außer dem Kreiskegel spricht man allgemein von einem Kegel, wenn die Grundfläche von einer beliebigen geschlossenen Kurve berandet wird (BILD 5; Seite 123). Für das Volumen V jedes Kegels gilt die Formel:

$$V = \frac{1}{3} G \cdot h,$$

wobei G der Inhalt der Grundfläche und h die Länge der Kegelhöhe ist.

Gottfried Keller

Kegeln, Kugelspiel, das als Gesellschaftsspiel oder als sportlicher Wettbewerb ausgetragen wird. Mit einer Kugel von 16 cm Durchmesser versucht der Kegler, in einer vor dem Wettkampf festgelegten Zahl von Würfen möglichst viele Kegel (rund 40 cm hohe, flaschenförmige Figur) umzuwerfen. Gewertet wird nach der Zahl der gefallenen Kegel in Punkten. Das sportliche Kegeln wird in 4 Disziplinen auf Bahnen ausgetragen, die in Form, Oberfläche und Ausrüstung (Kegelform und -zahl, Kugel) unterschiedlich sind: Asphaltbahn, Bohlenbahn und Scherenbahn mit je 9 Kegeln sowie Bowling mit 10 Kegeln.

Kehlkopf, beim Menschen der Eingang zur Luftröhre im Anschluß an den Rachen; er dient der Stimmbildung. Er besteht aus Schildknorpel, Ringknorpel und den beiden Stellknorpeln. Beim Schlucken verschließt der Kehldeckel den Kehlkopfeingang. Durch die Tätigkeit der Muskeln, die an den Stellknorpeln ansetzen, wird die Stellung der Stimmbänder verändert. Das führt zum Öffnen und Schließen der Stimmritze bei der Atmung und Stimmgebung.

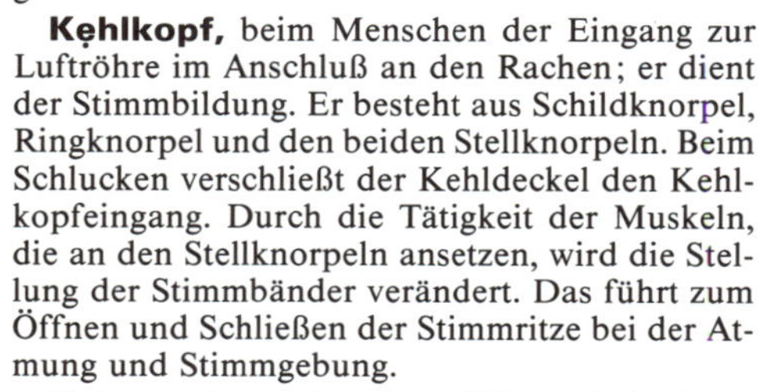

Kehrwert, reziproker Wert, bei einem Bruch $\frac{a}{b}$ der Wert $\frac{b}{a}$; z. B. ist $\frac{3}{2}$ der Kehrwert von $\frac{2}{3}$.

Kehlkopf

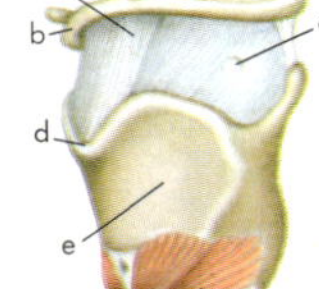

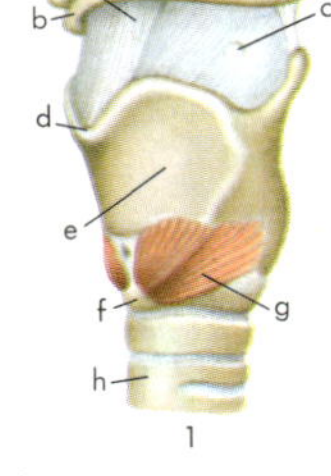

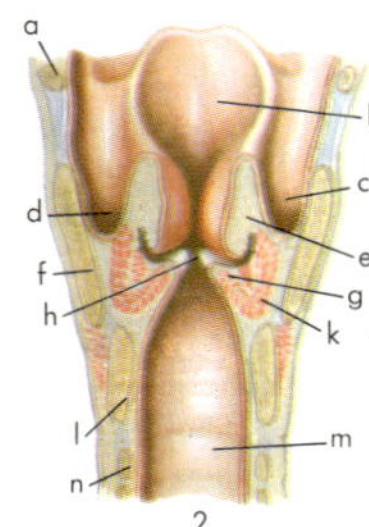

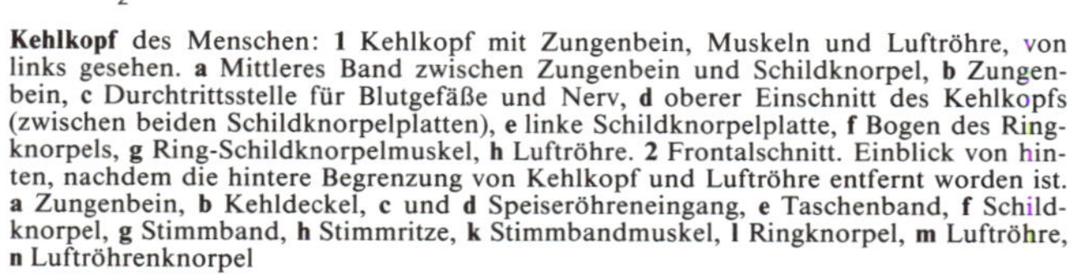

Kehlkopf des Menschen: **1** Kehlkopf mit Zungenbein, Muskeln und Luftröhre, von links gesehen. **a** Mittleres Band zwischen Zungenbein und Schildknorpel, **b** Zungenbein, **c** Durchtrittsstelle für Blutgefäße und Nerv, **d** oberer Einschnitt des Kehlkopfs (zwischen beiden Schildknorpelplatten), **e** linke Schildknorpelplatte, **f** Bogen des Ringknorpels, **g** Ring-Schildknorpelmuskel, **h** Luftröhre. **2** Frontalschnitt. Einblick von hinten, nachdem die hintere Begrenzung von Kehlkopf und Luftröhre entfernt worden ist. **a** Zungenbein, **b** Kehldeckel, **c** und **d** Speiseröhreneingang, **e** Taschenband, **f** Schildknorpel, **g** Stimmband, **h** Stimmritze, **k** Stimmbandmuskel, **l** Ringknorpel, **m** Luftröhre, **n** Luftröhrenknorpel

Keiler, das männliche Wildschwein (→Schweine).

Keilschrift, aus keilförmigen Zeichen gebildete Schrift, die um 2900 v. Chr. bei den →Sumerern entstand und in Vorderasien, besonders in Babylonien und Assyrien, verbreitet war (in Babylonien bis 50 n. Chr.); sie wurde mit Griffeln in weiche Tontafeln eingedrückt.

Die Keilschrift bestand ursprünglich aus Bilderzeichen (zuerst 2 000, später auf rund 500 beschränkt), dann aus einfachen Wortzeichen (z. B. ›Mund‹ und ›Wasser‹ für ›trinken‹ und ›Trank‹). Später wurden daraus Silbenzeichen gebildet, die nicht den Sinn eines Wortes, sondern Laute wiedergaben. Die Entzifferung der Keilschrift wurde 1802 von dem Sprachwissenschaftler Georg Friedrich Grotefend eingeleitet.

Keimzellen, der Fortpflanzung dienende Zellen (→Geschlechtsorgane, →Eizelle).

Keller. Der schweizerische Schriftsteller **Gottfried Keller** (* 1819, † 1890) gilt als Meister der Novelle. Nachdem er sich zuerst als Maler versucht hatte, erkannte er seine schriftstellerische Begabung. Sein erstes bedeutendes Werk war der Künstlerroman ›Der grüne Heinrich‹ (1854/55). Keller verarbeitete in dieser Lebensbeschreibung eines Kunstmalers Erlebnisse aus seiner Jugend. Über 20 Jahre später arbeitete er seinen Roman, der mit dem Tod des Malers endet, tiefgreifend um und gestaltete den Schluß optimistischer. Von seinen Novellensammlungen ist die erste, ›Die Leute von Seldwyla‹ (1856, erweitert 1873/74), die wohl bekannteste. ›Romeo und Julia auf dem Dorfe‹, ›Kleider machen Leute‹ und andere tragische und heitere Novellen sind darin enthalten. Humorvoll oder ernst stellte Keller die Alltagswirklichkeit dar. Er wollte zum Nachdenken anregen und versuchte zu vermitteln, daß jeder für seine Mitmenschen Verantwortung übernehmen muß. Ein wichtiges Thema, den Unterschied zwischen Sein und Schein, behandelte er in ›Kleider machen Leute‹. Keller verurteilte darin die Beurteilung eines Menschen nach Äußerlichkeiten.

Kelten, in Europa lebende vorgeschichtliche Völkergruppe, die zur indogermanischen Sprachfamilie gehört. Die Urheimat der Kelten lag im Gebiet des heutigen Bayern und Böhmen, wo sie im 7. Jahrh. v. Chr. zum erstenmal geschichtlich faßbar werden. In den folgenden Jahrhunderten breiteten sie sich besonders nach Nordwesten und Südwesten hin aus. Bis zum 3. Jahrh. v. Chr. hatten die Kelten in Mittel- und Westeuropa einen großen Kulturraum geschaffen.

Wörter, die man unter K vermißt, suche man unter C, Ch oder Q

Nach ihren Siedlungsgebieten lassen sich verschiedene keltische Volksgruppen unterscheiden: in England und Wales die **Briten,** in Irland und Schottland die **Gälen,** in Belgien und Nordfrankreich die **Belgen,** im übrigen Frankreich, in der Schweiz und Oberitalien die **Gallier.** Ein nach Südosten abgewanderter Stamm waren die **Galater,** die sich in Kleinasien niederließen.

Die Kelten lebten in kleinen befestigten Städten (Oppida) oder in burgähnlichen Siedlungen vorwiegend auf Hügeln. Ihre Kultur, besonders die Religion und die künstlerischen Fertigkeiten, waren sehr stark entwickelt.

Seit dem 2. Jahrh. v. Chr. wurden die Kelten von den →Germanen aus den Gebieten östlich des Rheins verdrängt. Im Zuge der Ausdehnung des Römischen Reiches in Westeuropa seit dem 1. Jahrh. v. Chr. wurde die keltische Kultur von der römischen weitgehend überlagert. Menschen keltischer Herkunft leben heute noch in der Bretagne, in Südwestengland, Wales, Irland und Schottland. Sie sprechen neben der jeweiligen Landessprache keltische Dialekte und pflegen ihr besonderes Brauchtum.

Kẹlvin [nach dem englischen Physiker William Thomson, * 1824, † 1907, seit 1892 Lord Kelvin of Largs], Einheitenzeichen **K,** SI-Basiseinheit der thermodynamischen Temperatur. Die Teilung der **Kelvin-Skala** ist gleich der Celsius-Skala (BILD Temperatur), doch ist ihr Skalen-Nullpunkt (0K) der absolute Nullpunkt der Temperatur, der in der Celsius-Skala bei −273,15 °C liegt. Die thermodynamische Temperatur des Eispunktes beträgt $T_0 = 273{,}15\,\mathrm{K}$ (≙ 0 °C).

Kemạl Atatụrk, der Begründer der modernen Türkei, hieß ursprünglich **Mustafa Kemal Pascha** (* 1881, † 1938). Er erhielt später von der türkischen Nationalversammlung den Ehrennamen ›Atatürk‹ (›Vater der Türkei‹) verliehen.

Nach dem Zusammenbruch des Osmanischen Reichs (1918, →Türkei) setzte sich Kemal Atatürk an die Spitze einer nationaltürkisch und republikanisch gesinnten Erneuerungsbewegung, stürzte 1922 den letzten Sultan Mohammed VI. und rief 1923 die Republik aus. Er selbst wurde zum Staatspräsidenten gewählt.

Im Innern richtete er den neuen Staat an europäischen Vorbildern aus: Trennung von Religion und Staat, Gleichberechtigung der Frau und Einehe, Einführung des lateinischen Alphabets und europäischer Kleidung (Verbot des Schleiertragens für Frauen). Die Ideen Kemal Atatürks, von radikalen Verfechtern eines strengen Islam bekämpft, sind in der Türkei noch wirksam.

Kenia

Fläche: 582 646 km²
Bevölkerung: 25,4 Mill. E
Hauptstadt: Nairobi
Amtssprache: Swahili
Nationalfeiertag: 12. Dez.
Währung: 1 Kenia-Schilling (K.Sh.) = 100 Cents (cts)
Zeitzone: MEZ +2 Stunden

Kẹnia, Republik in Ostafrika beiderseits des Äquators, größer als Frankreich. Im Anschluß an die Küste des Indischen Ozeans folgt nach Nordwesten das allmählich ansteigende Hügelland; im Westen liegt das Hochland mit dem ostafrikanischen Graben, überragt von Vulkanen mit dem Mount Kenia (5 194 m) als höchster Erhebung. Das heiße Klima ist im Innern durch die Höhenlage gemildert. Drei Viertel des Landes erhalten weniger als 500 mm Niederschlag; Nomaden betreiben dort Viehhaltung. Die feuchten Gebiete an der Küste und am Rand des Hochlands sind dicht besiedelt. 60 verschiedene Volksgruppen, vor allem Bantuvölker, bewohnen das Land. Die Landwirtschaft baut Kaffee, Tee, Sisal, Rohrzucker, Bananen, Ananas und Baumwolle für den Export an. Die Viehwirtschaft spielt im Hochland eine große Rolle. Die Industrie Kenias (Nahrungsmittel, Textilien, Holz- und Metallverarbeitung, Erdölraffinerie) ist führend in Ostafrika. Der Fremdenverkehr wird stark gefördert und ist eine wichtige Einnahmequelle.

Die ehemals britische Kolonie wurde 1963 unabhängig. 1964 wurde die Republik ausgerufen. (KARTE Seite 194)

Kenia

Staatswappen

Staatsflagge

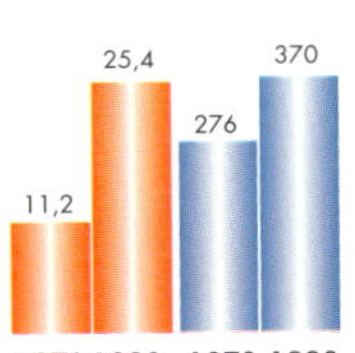

1970 1990 Bevölkerung (in Mill.) — 1970 1990 Bruttosozialprodukt je E (in US-$)

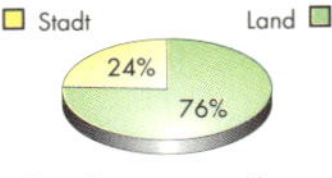

Bevölkerungsverteilung 1990

Bruttoinlandsprodukt 1990

Kẹnnedy. Der 35. Präsident der USA (1961–63), **John Fitzgerald Kennedy** (* 1917, † ermordet 1963) forderte in seiner Antrittsrede vor dem Kongreß die Amerikaner zu einer politischen Neubesinnung auf.

1953–61 war er Senator von Massachusetts. Als Kandidat der Demokratischen Partei wurde er zum Präsidenten gewählt. Er bemühte sich, die soziale Sicherheit des einzelnen Mitbürgers, die Krankenversorgung und das Bildungswesen zu verbessern. Sein Programm schloß die Ankurbelung der Wirtschaft und die Bekämpfung der Arbeitslosigkeit ein. Mit gesetzgeberischen Maßnahmen suchte er die Gleichstellung des schwarzen Bevölkerungsteils zu verbessern, traf dabei aber auf den Widerstand weißer Bevölkerungsgruppen.

Außenpolitisch suchte Kennedy den →kalten

Johannes Kepler

Krieg zu beenden. 1962 kam es jedoch zu einem ernsten Konflikt mit der Sowjetunion um die Stationierung sowjetischer Raketen auf Kuba. Unter Kennedy verstärkte sich die militärische Verflechtung der USA in den Vietnam-Konflikt (→Vietnamkrieg). Bei einem Besuch in Dallas (Texas) fiel Kennedy einem Attentat zum Opfer.

Kẹpler. Der Mathematiker und Astronom **Johannes Kepler** (* 1571, † 1630) stellte die nach ihm benannten Gesetze der Planetenbewegung auf (→Kepler-Gesetze), wobei er vor allem erkannte, daß die Planetenbahnen keine Kreise sein müssen, wie das von →Kopernikus angenommen worden war. Kepler entwarf das erste astronomische →Fernrohr **(Kepler-Fernrohr).**

Kẹpler-Gesetze, drei Gesetze der Planetenbewegung: 1) Die Planeten bewegen sich auf Ellipsen, in deren einem Brennpunkt die Sonne steht. 2) Der Leitstrahl oder Radiusvektor (Verbindungslinie Sonne–Planet) überstreicht in gleichen Zeiten gleiche Flächen **(Flächensatz),** das heißt, in Sonnennähe bewegt sich der Planet rascher als in Sonnenferne (BILD). 3) Die Quadrate der Umlaufzeiten der Planeten verhalten sich wie die 3. Potenzen der großen Halbachsen ihrer Bahnellipsen.

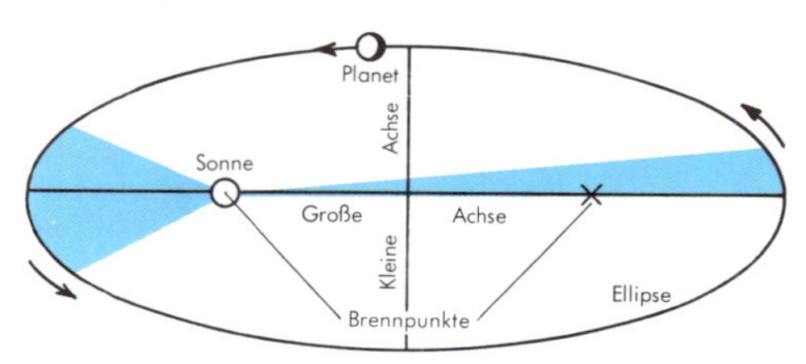

Kepler-Gesetze: Die beiden blauen Flächen sind gleich groß, das heißt, in Sonnennähe muß der Planet in der gleichen Zeit eine größere Bahnstrecke durchlaufen als in Sonnenferne

Kerạmik [zu griechisch keramos ›Ton‹], die Herstellung keramischer Werkstoffe und Erzeugnisse in Töpfereien, Ziegeleien und in der Ton- und Porzellanindustrie; auch die Erzeugnisse selbst werden Keramik genannt. Ausgangsmaterialien sind Tone oder Porzellanerde (→Kaolin), beides Verwitterungsprodukte verschiedener Gesteine. Beigemischt werden Sand, Wasser, schmelzfördernde ›Flußmittel‹ und Metalloxide, durch die die Farbe des ›Scherbens‹ (der Rohstoff nach dem ersten Brand) bestimmt wird. Aus der Mischung werden mit der Hand oder auf der Töpferscheibe Gegenstände geformt oder in Gipsformen gegossen, dann getrocknet und bei Temperaturen zwischen 900 und 2 000 °C gebrannt. Meist folgt dem **Rohbrand** ein zweiter Brand, mit dem ein wasserdichter, glasartiger Überzug **(Glasur)** aufgebrannt wird **(Glattbrand).**

Nach dem Verwendungszweck unterscheidet man **Grobkeramik** (z. B. Ziegel, Bodenplatten) und **Feinkeramik,** zu der die künstlerischen Erzeugnisse gehören (Geschirr, Vasen, Plastiken). Je nach Dichte und Farbe des Scherbens sowie Art der Glasur und Bemalung ergeben sich unterschiedliche Stufungen: einfache **Irdenware** (roter oder ockerfarbener, poröser, also wasserdurchlässiger Scherben, nur Rohbrand); **Hafner-** oder **Töpferware** (derselbe Scherben, farbige Bleiglasur); →Fayence oder **Majolika** (derselbe Scherben, weiße Zinnglasur mit Bemalung); **Steingut** (weißer, poröser Scherben, meist farblose Bleiglasur); **Steinzeug** (weißgrauer, dichter, also wasserundurchlässiger Scherben; durch Einstreuen von Salz schon beim ersten Brand wird eine Salzglasur erreicht); →Porzellan (dichter, weißer Scherben, als einziger mehr oder weniger durchscheinend, besonders feine Glasur). Plastiken, Reliefs, Architekturteile aus meist unglasierter Keramik werden **Terrakotta** genannt.

Keramik gab es schon in vorgeschichtlicher Zeit, z. B. Vorratsgefäße. Funde bieten den Archäologen wichtige Anhaltspunkte zur Unterscheidung von Kulturstufen, etwa durch die Art der Verzierung, und Datierungshilfen. Die Töpferscheibe wurde im 4. Jahrtausend v. Chr. in Mesopotamien erfunden. Keramikerzeugnisse haben oft bedeutenden künstlerischen Wert, so die bemalten griechischen →Vasen, die kunstvollen Fayencen, das feine, bemalte Porzellan.

Kẹrbtiere, die →Insekten.

Kern, Kernphysik: kurz für **Atomkern,** der innere Teil des →Atoms. Mit der Untersuchung und Beschreibung der Atomkerne befaßt sich die **Kernphysik.** Die dabei gewonnenen Erkenntnisse über Kernumwandlungen (→Kernspaltung, →Kernfusion) und Kernbindungsenergien (→Kernenergie) führten unter anderem zum Bau von →Kernkraftwerken und →Kernwaffen.

Kẹrnbeißer, die größten heimischen →Finkenvögel. Sie beißen mit ihrem auffallend dicken und kräftigen Schnabel harte Kerne von Kirschen, Pflaumen und Buchen auf, um deren Samen zu verzehren. Dabei können sie einen Druck von über 30 kg ausüben. Das Fruchtfleisch wird nicht verzehrt. Im Winter fressen Kernbeißer vor allem Samen von Bäumen. Die scheuen, rötlichbraunen Vögel nisten in dichten Baumkronen in Laubwäldern, Obstplantagen und großen Gärten. (BILD Finkenvögel)

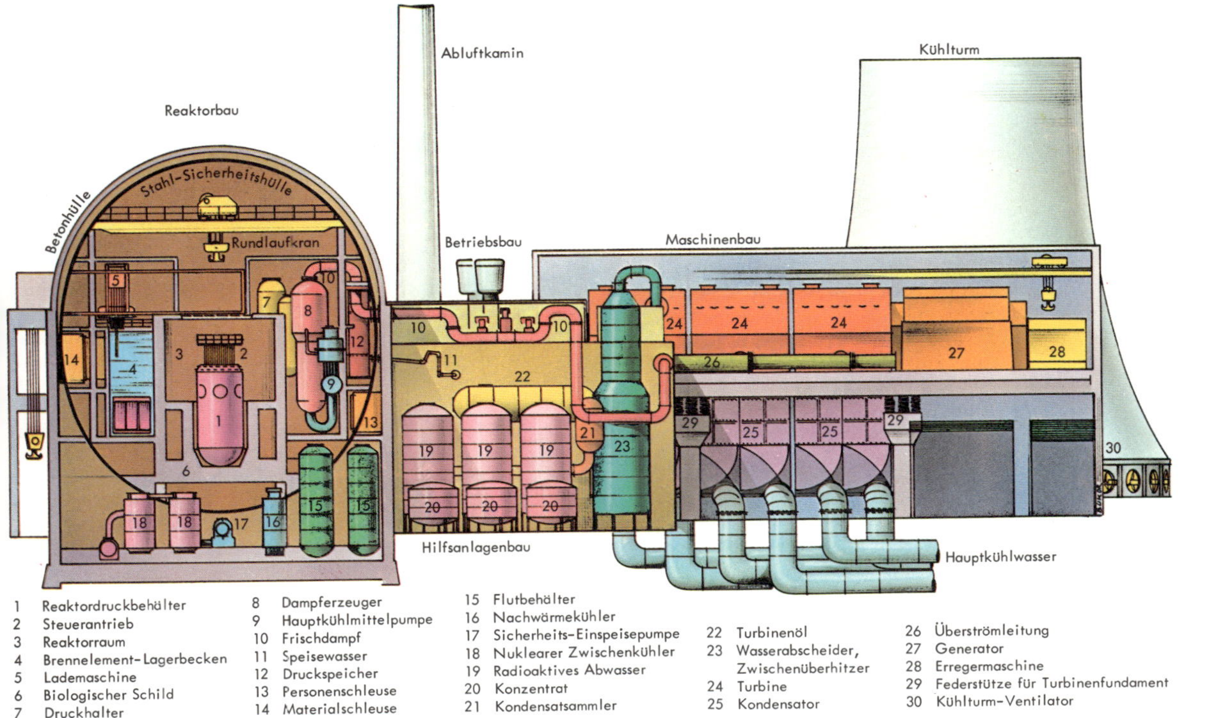

Kernenergie: Kernkraftwerk Biblis

Kernenergie. Dieser Begriff deutet daraufhin, daß bei Veränderung der Kerne von →Atomen Energie gewonnen werden kann. Es gibt hierzu grundsätzlich 2 Wege, die →Kernspaltung und die →Kernfusion. Die jeweils freigesetzte Energiemenge ist im Vergleich zu herkömmlichen Brennstoffen wie Kohle, Öl und Gas um ein Vielfaches höher. So wird bei der Kernspaltung von 1 kg Uran das Zweimillionenfache, bei der Entstehung von 1 kg Helium durch Kernfusion das Zwanzigmillionenfache der Energie frei, die bei der Verbrennung von 1 kg Steinkohle entsteht. Da die kontrollierte Kernfusion zur Energiegewinnung technisch noch nicht beherrscht wird, wird Kernenergie in **Kernkraftwerken** bisher nur durch Kernspaltung erzeugt.

Die beim Spaltungsvorgang freiwerdende Wärme erhitzt in einem Kernkraftwerk Wasser zu Wasserdampf, der über eine Turbine einen Generator zur Stromerzeugung in Bewegung setzt. Ein Kernkraftwerk ähnelt also mit Ausnahme des Spaltvorgangs einem herkömmlichen Kraftwerk. Allerdings entstehen beim Betrieb feste, flüssige und gasförmige radioaktive Stoffe, die durch eine Vielzahl von Sicherungseinrichtungen zurückgehalten werden müssen. So sind beispielsweise die Kühleinrichtungen solcher Kraftwerke wesentlich aufwendiger gebaut, da eine Überhitzung radioaktive Stoffe über Abluft und Kühlwasser in die Umwelt freisetzen könnte. Störungsfrei arbeitende Kernkraftwerke tragen zur Strahlenbelastung der Menschen nur einen verschwindend geringen Teil (ungefähr 1/500) bei.

Zu einem Kernkraftwerk gehören noch eine Reihe weiterer Einrichtungen, die von anderen Kraftwerken nicht benötigt werden, so eine Fabrik zur Herstellung neuer Brennelemente und eine zur **Wiederaufarbeitung** verbrauchter Brennelemente sowie ein sicherer Ort zur **Endlagerung** radioaktiver Abfälle. Dieser muß die Gewähr dafür bieten, daß aus ihm über Jahrtausende keine radioaktiven Stoffe in die Umwelt gelangen können, weil die Radioaktivität mancher Elemente erst nach solch langen Zeiträumen abgeklungen ist. Wegen der Risiken, die mit der Nutzung der Kernenergie, der Wiederaufarbeitung und der

Endlagerung verbunden sind, war und ist der Ausbau der Energieversorgung durch Kernkraftwerke umstritten.

Kẹrnfusion, Kẹrnverschmelzung. Dieser Vorgang spielt sich in der Sonne ab und liefert die Energie, die das Leben auf der Erde erst ermöglicht. Bei den im Innern der Sonne herrschenden Temperaturen von 15 Millionen Grad Celsius und den äußerst hohen Drücken können sich Atomkerne des Elements Wasserstoff zu Atomkernen des Elements Helium zusammenschließen (fusionieren), wobei riesige Energiemengen freiwerden (→Kernenergie).

Künstliche Kernfusionen, bei denen die Energie auf einen Schlag freigesetzt wird, können mit Wasserstoffbomben (→Kernwaffen) durchgeführt werden.

Wenn es gelänge, Fusionskraftwerke zu bauen, bei denen eine **kontrollierte Kernfusion** im **Fusionsreaktor** abliefe, hätte die Menschheit eine praktisch unerschöpfliche Energiequelle zu friedlichen Zwecken zur Verfügung. Deshalb arbeiten viele Wissenschaftler und Techniker daran, den auf viele Millionen Grad Celsius erhitzten Wasserstoff einzuschließen und die (bei den dabei auftretenden Kernfusionen) freiwerdende Energie in technisch nutzbare Energie umzuwandeln.

Kẹrnkraftwerk, oft ungenau **Atọmkraftwerk,** ein Kraftwerk, bei dem mit Hilfe der →Kernspaltung aus →Kernenergie Strom erzeugt wird.

Kẹrnphysik, →Kern.

Kẹrnreaktor, →Kernspaltung.

Kẹrnspaltung, eine der beiden Möglichkeiten zur Gewinnung von →Kernenergie. Die Kernspaltung wurde 1938 von den beiden deutschen Chemikern Otto Hahn und Fritz Straßmann in Berlin entdeckt. Die Bezeichnung Kernspaltung weist darauf hin, daß dabei Atomkerne gespalten werden. Durch Kernspaltung können riesige Energiemengen freigesetzt werden, wie die Atombombenabwürfe der Amerikaner auf die japanischen Städte Hiroshima und Nagasaki 1945 gezeigt haben. Bei einer Atombombe wächst die Zahl der Kernspaltungen lawinenartig an, so daß die Kernenergie in Bruchteilen von Sekunden freigesetzt wird. Dagegen wird bei der friedlichen Nutzung in einem Kernkraftwerk die Kernenergie nur nach und nach frei. Dies geschieht in dem besonders abgesicherten **Kernreaktor,** in dem Hunderte von →Brennelementen enthalten sind.

Trifft in dem Uranbrennstoff ein →Neutron auf den Kern eines Uranatoms, so spaltet sich dieser in 2 kleinere Atomkerne, z. B. in einen Bariumkern und einen Kryptonkern auf, gleichzeitig werden 3 neue Neutronen und eine sehr große Energiemenge frei. Alle entstandenen Spaltstoffe wiegen zusammen weniger als der Urankern und das Neutron zu Beginn dieser Reaktion. Die fehlende Masse wird dabei, wie Albert →Einstein als erster erkannte, in Energie umgewandelt. Die 3 neu entstandenen Neutronen können ihrerseits jeweils einen weiteren Urankern spalten, wobei dann insgesamt 9 Neutronen frei werden usw. Damit in einem Kernkraftwerk diese **Kettenreaktion** gesteuert werden kann (sie würde sonst einer Atombombe gleich das gesamte Kraftwerk zerstören), kann man zwischen die Brennelemente sogenannte **Regelstäbe** einfahren, die meist aus Cadmium bestehen. Sie haben die Eigenschaft, Neutronen einzufangen und zwar um so mehr, je tiefer sie in den Reaktor hineingeschoben werden. Um einen gleichbleibenden Betrieb des Reaktors zu gewährleisten, müssen die Regelstäbe gerade so weit eingefahren werden, daß die Anzahl der Neutronen weder zu- noch abnimmt.

Kẹrnwaffen, Kampfmittel mit ungeheurer Vernichtungskraft, deren Wirkungsweise auf der →Kernspaltung oder der →Kernfusion beruhen. Zu den Kernwaffen gehören **Atombomben,** die von Flugzeugen abgeworfen werden (bisher einmaliger Einsatz: Hiroshima, Nagasaki 1945), **Atomgranaten,** die von Geschützen verfeuert werden, **Atomminen** und **Atomraketen.** Die Atomsprengkörper dieser Kernwaffen (Sprengladungen oder Gefechtsköpfe) bestehen aus spaltbarem oder verschmelzbarem Material und einem Zündsystem. Die bei der Explosion frei werdende Energie bewirkt in einem Umkreis von mehreren Kilometern eine Explosionsdruckwelle (Gebäudeschäden), Wärmestrahlung (alles Brennbare geht in Flammen auf), radioaktive Strahlung (tödlich für biologisches Leben) und radioaktive Verseuchung.

Zerstörungskraft und Wirkungsradius der **Wasserstoffbombe** nach dem Prinzip der Kernfusion entsprechen der Sprengkraft aller Bomben, die im Zweiten Weltkrieg abgeworfen wurden. Die Wirkung der **Neutronenbombe** besteht in der biologischen Strahlenwirkung gegen Lebewesen. Bauwerke und Waffen bleiben bei ihrem Einsatz weitgehend unzerstört.

kẹrnwaffenfreie Zọne, Gebiet, in dem Herstellung, Lagerung, Erprobung, Erwerb und Anwendung von →Kernwaffen verboten sind.

Wörter, die man unter K vermißt, suche man unter C, Ch oder Q

1968 erklärten die lateinamerikanischen Staaten ihren Bereich zur kernwaffenfreien Zone.

Kernwaffensperrvertrag, ein 1965–68 von den USA, der Sowjetunion und Großbritannien ausgehandelter Vertrag, der 1970 in Kraft trat. Ziel des Vertrags ist es, den Ankauf von Kernwaffen oder ihre Herstellung durch bisher kernwaffenlose Staaten zu verhindern. Über die Einhaltung des Vertrags soll die **Internationale Atomenergiebehörde** wachen.

Kerosin, → Petroleum 2).

Kettenreaktion, → Kernspaltung.

Ketzer, im Mittelalter und in der beginnenden Neuzeit Bezeichnung für Menschen, die einer religiösen Überzeugung oder einer Lehre anhingen, die im Widerspruch zur amtlichen kirchlichen Lehre stand und damit verboten war. Diese Menschen wurden besonders durch die → Inquisition verfolgt. Im weiteren Sinn wird oft jemand als Ketzer bezeichnet, der von offiziellen Meinungen oder gängigen Normen abweicht.

Keuchhusten, Stickhusten, eine Kinderkrankheit, die durch Bakterien hervorgerufen wird, wobei man sich durch direkten Kontakt mit dem Erkrankten ansteckt. Nach der Ansteckung vergehen bis zum Ausbruch der Krankheit 7–14 Tage. Die Krankheit beginnt mit einer Entzündung der oberen Luftwege. Nach 8–10 Tagen stellen sich krampfartige Hustenanfälle ein, die mit Erstickungserscheinungen und Blauverfärbung des Körpers einhergehen können. Der Krankheitsverlauf kann sich, je nach Schweregrad, über mehrere Wochen erstrecken. Der Keuchhusten hinterläßt in der Regel lebenslängliche → Immunität.

kg, Einheitenzeichen für → **K**ilo**g**ramm.

KG, Abkürzung für → **K**ommandit**g**esellschaft.

kgV, Mathematik: Abkürzung für **k**leinstes **g**emeinsames → **V**ielfaches.

Khartum, 1,34 Millionen Einwohner, Hauptstadt der Republik Sudan am Zusammenfluß des Weißen und des Blauen Nil. Khartum ist Kulturzentrum sowie wichtigster Handelsplatz und Industriestandort des Landes.

Kibbuz, Kibbutz [hebräisch ›Sammlung‹], eine vorwiegend landwirtschaftliche Siedlung in Israel. Die Mitglieder arbeiten auf genossenschaftlicher Grundlage und leben in enger Gemeinschaft zusammen. In wöchentlichen Versammlungen entscheiden sie über die wirtschaftlichen Angelegenheiten und alle anderen wichtigen Fragen. Charakteristisch sind unter anderem: der Verzicht auf Privateigentum, die gemeinschaftliche Erziehung der Kinder und die gemeinsamen Mahlzeiten. Der erste Kibbuz wurde 1909 gegründet. Die Kibbuz-Bewegung hat eine große Bedeutung für das Entstehen und die Entwicklung des Staates Israel.

Kiebitz

Kiebitz. Der taubengroße, schwarz-weiß gefiederte Kiebitz mit aufrichtbarer Federhaube am Hinterkopf ist nach seinem auffälligen Ruf (›kiewitt‹) benannt. Er bewohnt sumpfige und feuchte Wiesen und Felder im gemäßigten Europa, häufig im nord- und süddeutschen Raum. Während der Bestand vieler Vogelarten abgenommen hat, ist die Zahl der Kiebitze wieder größer geworden, unter anderem, weil heute die Eier, die in einer Bodenmulde abgelegt werden, nicht mehr als Delikatesse gelten. Anfang März kehren viele Kiebitze aus wärmeren Gebieten (Spanien), wo sie in großen Scharen auch überwintern, nach Deutschland zurück.

Kiefer, bei Mensch und Wirbeltieren die Knochen des Schädels, die sich im Bereich des Gesichts befinden und nach ihrer Lage als Ober- und Unterkiefer bezeichnet werden. Sie tragen das Gebiß. Durch ein Gelenk kann der Unterkiefer gegen den Oberkiefer abwärts und zur Seite bewegt werden. Mit Hilfe dieser Bewegungen läßt sich die Nahrung zerkleinern.

Kiefer, ein Nadelbaum, der in über 70 Arten vor allem in der nördlichen gemäßigten Zone wächst. Die langen, dünnen Nadeln stehen in Büscheln zu 2, 3 oder 5 auf einem Kurztrieb an den Zweigen. Kiefern sind einhäusig; die männlichen Kätzchen sitzen meist am Grund junger Triebe, die weiblichen Zäpfchen zu 2–5 an der Spitze letztjähriger Triebe. Die meisten in Mitteleuropa beheimateten Kiefern sind zweinadlig. Am häufigsten ist die **Waldkiefer** (auch **Föhre**), die in Deutschland etwa 1/3 des Waldbestandes bildet. Sie kann bis 45 m hoch und 600 Jahre alt werden, meist wird sie nach 80–100 Jahren gefällt. Als anspruchsloser Baum gedeiht sie auch auf trockenen und nährstoffarmen Böden. Im Freiland ist die Föhre tief und stark beastet und hat eine breite, schirmförmige Krone, im dichten Wald dagegen dünne Äste und eine spitzkegelige (fichtenähnliche) Krone. Aus den Kiefernnadeln gewinnt man Badezusätze. Im Hochgebirge findet man die Föhre oberhalb der Baumgrenze noch als **Latsche** (auch **Legföhre**), deren Stamm strauchartig gebogen dem Boden anliegt. In hohen Lagen der Alpen wächst auch die bis 20 m hohe, fünf-

Kiefer

Kiefer: Zirbelkiefer; Zweig mit Zapfen und weiblichen Blütenständen, oben links männliche Blütenstände

nadlige **Zirbelkiefer** mit eiförmigen Zapfen, deren Samen eßbar sind wie bei der verwandten Pinie. Die in Kalifornien heimischen **Borstenkiefern** gehören zu den ältesten Bäumen. Sie sollen gut 4000 Jahre werden, älter als Mammut- und Eukalyptusbäume.

Kiel, 248700 Einwohner, Landeshauptstadt von Schleswig-Holstein, bedeutender Ostseehafen beiderseits der Kieler Förde, in die am Westufer der Nord-Ostsee-Kanal mündet. Werften und fischverarbeitende Betriebe gehören zu ihren wichtigen Industriezweigen. Der 1665 gegründeten **Christian-Albrechts-Universität** sind bedeutende wissenschaftliche Einrichtungen angeschlossen, z. B. das Institut für Weltwirtschaft und das Institut für Meereskunde. Zum internationalen Treffpunkt wird die Stadt während der alljährlich stattfindenden **Kieler Woche** (Segelregatten, kulturelle Veranstaltungen).

Kieler Förde, Einschnitt der Ostsee, der von der Kieler Bucht in das ostholsteinische Hügelland eingreift. Die Kieler Förde ist 17 km lang und bis zu 6 km breit. Als natürlicher Hafen bildete sie die Voraussetzung für die wirtschaftliche Entwicklung der Stadt Kiel.

Kiemen, die Atmungsorgane der meisten Wassertiere. Die Kiemen sind stark durchblutet; mit den zahlreichen feinen Äderchen nehmen die Tiere den im Wasser gelösten Sauerstoff auf und geben Kohlendioxid aus dem Körper ab. Da 1 Liter Wasser wesentlich weniger Sauerstoff enthält als 1 Liter Luft, müssen Kiemen eine große Oberfläche haben, um den Sauerstoffbedarf decken zu können. Sie sind daher häufig in einzelne Blättchen oder Fäden geteilt, gitterartig durchbrochen, büschelförmig oder gefiedert. Die **äußeren Kiemen,** z. B. bei Krebsen, sind als Körperanhänge zu erkennen; die **inneren Kiemen,** z. B. der Fische, sind von der Körperwand umschlossen und geschützt.

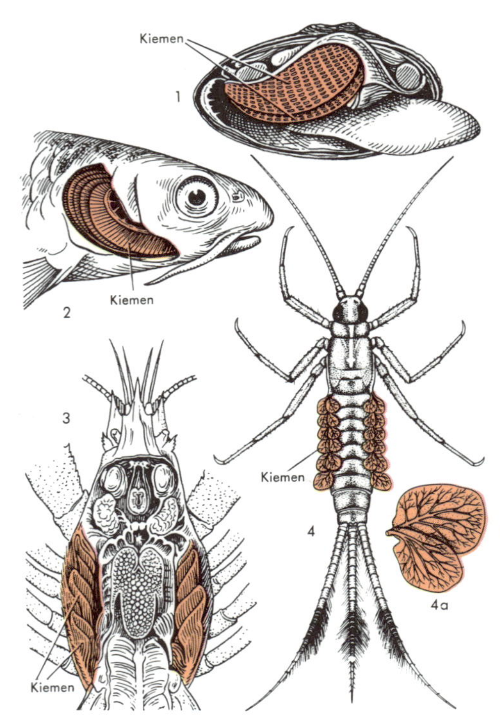

Kiemen: 1 Muschel (gitterförmige Kiemen). **2** Fisch (blattartige Kiemen). **3** Flußkrebs (gefiederte Kiemen). **4** Eintagsfliegenlarve (blattförmige Tracheenkiemen); **a** Tracheenkiemen in der Vergrößerung

Kiew, 2,59 Millionen Einwohner, Hauptstadt der Ukraine, liegt beiderseits des Dnjepr.

Kiew entstand um 880 als Fürstensitz und war im 10.–12. Jahrh. Hauptstadt des **Kiewer Reichs,** der ersten Staatsbildung auf russischem Boden, und kirchliches Zentrum. Durch seine Lage an wichtigen Handelsstraßen war es eine der größten und reichsten Städte Europas. Die Eroberung und Zerstörung durch die Mongolen im 13. Jahrh. hemmte die Entwicklung für lange Zeit. In der Folgezeit gehörte Kiew zu Litauen und Polen, bis es 1920 sowjetisch wurde. Seit dem Verfall der Sowjetunion 1991 ist Kiew Hauptstadt der Ukraine. – Kiew hat prächtige Bauwerke. Besonders sehenswert ist die im 11. Jahrh. erbaute **Sophienkirche.** Das 1051 gegründete **Kiewer Höhlenkloster,** das älteste Kloster auf russischem Gebiet, hatte lange Zeit großen Einfluß auf Kultur und Politik in Rußland; es ist heute Museum.

Kilimandscharo [kilimandscharo], mit 5895 m der höchste Berg Afrikas, im Nordosten von Tansania gelegen. Der aus 3 Vulkanen (Mawensi, Kibo, Schira) zusammengewachsene Berg beherrscht mit seinem eisbedeckten Gipfel das Ostafrikanische Hochland. An seinen unteren Hängen wird bis zu einer Höhe von 1500 m Landwirtschaft betrieben (Mais, Kaffee, Bananen, Weizen, Baumwolle).

Kilo, Vorsatzzeichen **k,** ein Vorsatz vor Einheiten für den Faktor 1000; z. B. 1 **Kilowatt** = 1 kW = 10^3 W = 1000 W, 1 **Kilometer** = 1 km = 10^3 m = 1000 m (→ Einheiten), 1 **Kilotonne** = 1 kt = 10^3 t = 1000 t. – 1 **Kilobyte** = 1024 Byte.

Kilogramm, Einheitenzeichen **kg,** SI-Basiseinheit der →Masse (→Gewicht). Das Kilogramm ist definiert durch den **Internationalen Kilogrammprototyp** aus Platin-Iridium, einen zylinderförmigen Normkörper von 39 mm Durchmesser und 39 mm Höhe, der im Internationalen Büro für Maß und Gewicht in Sèvres bei Paris aufbewahrt wird. Dezimale Vielfache und Teile durch Vorsätze sind nicht vom Kilogramm, sondern vom Gramm zu bilden (→Einheiten).

Kilopond, Einheitenzeichen **kp,** nicht gesetzliche Einheit der Kraft. Das Kilopond ist die Kraft, die erforderlich ist, um einem Körper von der Masse 1 kg die Normfallbeschleunigung von 9,80665 m/s^2 zu erteilen (→Pond, →Newton).

Kilowattstunde, Einheitenzeichen **kW·h,** gesetzliche Einheit der →Energie, vor allem in der Elektrotechnik: 1 kW·h = 3 600 kW·s = $3{,}6 \cdot 10^6$ W·s = 3,6 MJ (Megajoule).

Kimbern, germanischer Stamm, der in vorgeschichtlicher Zeit im Gebiet des heutigen Dänemark siedelte. Er schloß sich mit anderen Stämmen, vor allem den **Teutonen,** zusammen und zog Ende des 2. Jahrh. v. Chr. auf der Suche nach besseren Siedlungsplätzen nach Süden. Römische Heere, die sich ihnen entgegenstellten, wurden von den Kimbern und Teutonen 113 v. Chr. bei Noreia im heutigen Österreich und 105 v. Chr. bei Arausio, dem heutigen Orange in Südfrankreich, besiegt. Auf verschiedenen Wegen drangen die Völker nun nach Italien vor. Schließlich vernichtete der römische Feldherr Marius die Teutonen 102 v. Chr. in der Schlacht von Aquae Sextiae (Aix-en-Provence) und die Kimbern 101 v. Chr. bei Vercellae in Oberitalien.

Kinderdörfer, Jugenddörfer, familienähnliche Hausgemeinschaften, in denen eltern- und heimatlose Kinder und Jugendliche erzieherisch betreut werden. Die der Größe einer kinderreichen Familie entsprechenden Hausgemeinschaften sind in Siedlungsgemeinschaften (Dörfern) zusammengefaßt. Verbindendes Element aller Kinderdörfer ist die Erziehung zum Frieden und die Überwindung nationaler, rassischer und weltanschaulicher Gegensätze.

Eines der ersten Kinderdörfer war das 1946 in Trogen (Schweiz) gegründete Pestalozzi-Kinderdorf (→Pestalozzi). Weltweite Bedeutung erlangten auch die von dem österreichischen Sozialpädagogen Hermann Gmeiner ins Leben gerufenen **SOS-Kinderdörfer.** 1949–85 entstanden in mehr als 60 Ländern weit über 100 dörfliche Heimstätten, denen jeweils ein männlicher Dorfleiter vorsteht. Kinder unterschiedlichen Alters und Geschlechts, aber von gleicher Nationalität und Religion werden dort von besonders dafür ausgebildeten SOS-Kinderdorf-Müttern häuslich betreut.

Kindergeld, ein Zuschuß, den Eltern für jedes Kind vom Staat bezahlt bekommen. Das Kindergeld soll einen wirtschaftlichen Ausgleich für Familien mit Kindern gegenüber kinderlosen schaffen. Die Höhe des Kindergeldes ist in der Bundesrepublik gestaffelt: Für das zweite Kind erhalten die Eltern mehr als für das erste, für das dritte mehr als für das zweite Kind usw. – In Österreich erhalten die Eltern eine staatliche **Familienbeihilfe.** In der Schweiz sind die Arbeitgeber verpflichtet, ihren Arbeitnehmern eine entsprechende **Kinderzulage** zu gewähren.

Kinderkrankheiten, Krankheiten, die vorwiegend im Kindesalter auftreten, vor allem →ansteckende Krankheiten wie Masern, Röteln, Windpocken, Mumps, Keuchhusten.

Kinderkreuzzug, →Kreuzzug.

Kinderlähmung, spinale Kinderlähmung, auch **Polio,** ansteckende Krankheit des zentralen Nervensystems, die vorwiegend im Kindesalter auftritt und zu schweren Lähmungen führen kann. Erreger sind verschiedene Virusarten, die über den Magen-Darm-Kanal in den Körper gelangen und im →Rückenmark zur Entzündung von Nervenzellen führen, die die Bewegungsbefehle an die Muskeln übermitteln. Die Folge ist eine schlaffe Lähmung der betroffenen Muskeln. Nach einer →Inkubationszeit von 5–30 Tagen treten Krankheitszeichen wie Fieber, Durchfall, Erbrechen, Katarrh der Atemwege oder Kopfschmerzen auf. In leichten Fällen kann damit die Krankheit überwunden sein. In schweren Fällen kommt es zu Lähmungen, die häufig Muskelgruppen der Extremitäten (Arme, Beine), selten die gesamte Muskulatur befallen. Nach Beendigung der Krankheit bilden sich in vielen Fällen die Krankheitserscheinungen wieder zurück, häufig bleiben jedoch auf Dauer Lähmungen bestehen. Ist die Atemmuskulatur betroffen, kann die Krankheit zum Tod führen. Eine wirksame Behandlungsmethode nach Krankheitsausbruch ist nicht bekannt. Als vorbeugende Maßnahme hat sich mit großem Erfolg die **Schluckimpfung** bewährt. Die Krankheit hinterläßt lebenslängliche →Immunität.

Kinder- und Jugendliteratur, die Literatur, die für Kinder und Jugendliche geschrieben und von ihnen nachgefragt wird. Sie erreicht ihren Empfängerkreis in Form von Büchern, Heften und Zeitschriften oder über Schallplatten, Kassetten, Funk und Fernsehen. Die meisten Großformen und Gattungen der allgemeinen Li-

DEUTSCHER JUGENDLITERATURPREIS 1956–1993

Jahr	Bilderbuch	Kinderbuch	Jugendbuch	Sachbuch
1956		Roger Duvoisin/Louise Fatio: Der glückliche Löwe	Kurt Lütgen: Kein Winter für Wölfe	
1957		Meindert de Jong: Das Rad auf der Schule	Nikolaus Kalashnikoff: Faß zu, Toyon	
1958	Marlene Reichel: Kasimirs Weltreise	Heinrich Denneborg: Jan und das Wildpferd	Herbert Kaufmann: Roter Mond und Heiße Zeit	
1959		Hans Peterson: Matthias und das Eichhörnchen		
1960		James Krüss: Mein Urgroßvater und ich	Elizabeth Forman-Lewis: Schanghai 41	
1961		Michael Ende: Jim Knopf und Lukas der Lokomotivführer		
1962		Ursula Wölfel: Feuerschuh und Windsandale	Clara Asscher-Pinkhof: Sternkinder	
1963		Josef Lada: Kater Mikesch	Scott O'Dell: Insel der blauen Delphine	
1964		Katherine Allfrey: Delphinensommer	Miep Diekmann: ...und viele Grüße von Wancho	
1965	Leo Leonni: Swimmy	Runer Jonsson: Wickie und die starken Männer	Frederik Hetman: Amerika Saga	
1966	Wilfried Blecher: Wo ist Wendelin?	Max Bolliger: David	Hans Georg Prager: Florian 14	
1967	Lilo Fromm/Brüder Grimm: Der goldene Vogel	Andrew Salkey: achtung sturmwarnung – hurricane	Peter Berger: Im roten Hinterhaus	Kurt Lütgen: Rätsel Nordwestpassage
1968	Katrin Brandt: Die Wichtelmänner	Pauline Clark: Die Zwölf vom Dachboden	Maia Rodman: Der Sohn des Toreros	Erich Herbert Heimann: ...und unter uns die Erde
1969	Ali Mitgutsch: Rundherum in meiner Stadt	Isaac B. Singer: Zlatah die Geiß	Jan Procházka: Es lebe die Republik	
1970	Wilfried Blecher: Kunterbunter Schabernack		Klara Jarunková: Der Bruder des schweigenden Wolfes	Lawrence Elliott: Der Mann, der überlebte
1971	Jela und Enzo Mari: Der Apfel und der Schmetterling – Walter Schmögner: Mrs. Beeston's Tierklinik	Reiner Kunze: Der Löwe Leopold	Ludek Pešek: Die Erde ist nah	Hanno Drechsler, Wolfgang Hilligen, Franz Neumann: Gesellschaft und Staat
1972		Hans-Joachim Gelberg: Geh und spiel mit dem Riesen	Otfried Preußler: Krabat	Ernst W. Bauer: Höhlen – Welt ohne Sonne
1973	Lázló Reber/Eva Janikovsky: Große dürfen alles	Christine Nöstlinger: Wir pfeifen auf den Gurkenkönig	Barbara Wersba: Ein nützliches Mitglied der Gesellschaft	Frederik Hetman: Ich habe sieben Leben
1974	Jörg Müller: Alle Jahre wieder saust der Preßlufthammer nieder	Judith Kerr: Als Hitler das rosa Kaninchen stahl	Michael Ende: Momo	Otto von Frisch: Tausend Tricks der Tarnung
1975	Friedrich K. Waechter: Wir können noch viel zusammen machen		Jean Craighead George: Julie von den Wölfen	David Macauly: Sie bauten eine Kathedrale
1976	Wilhelm Schlote: Heute wünsch ich mir ein Nilpferd	Peter Härtling: Oma	John Christopher: Die Wächter	Theodor Dolezal: Planet des Menschen
1977	Florence Parry Heide und Edward Gorey: Schorchi schrumpft	Ludvik Askenazy: Wo die Füchse Blöckflöte spielen	An Rutgers: Ich bin Fedde	Wally Herbert: Eskimos
1978	Ray und Catriona Smith: Der große Rutsch	Elfie Donnelly: Servus Opa, sagte ich leise	Dietlof Reiche: Der Bleisiegelfälscher	Geraldine Lux Flanahan: Nest am Fenster
1979	Janosch: Oh wie schön ist Panama	Tormod Haugen: Die Nachtvögel		Virginia Allen Jensen/Doris Woodbury Haller: Was ist das? – Peter Parks: Das Leben unter Wasser
1980	John Burningham: Was ist dir lieber...	Ursula Fuchs: Emma oder: Die unruhige Zeit	Renate Welsh: Johanna	Grete Fangerström/Gunilla Hanson: Peter, Ida und Minimum – Heribert Schmid: Wie Tiere sich verständigen
1981	Margret Rettich: Die Reise mit der Jolle	Jürgen Spohn: Drunter & Drüber	Willie Fährmann: Der lange Weg des Lukas B.	Hermann Finke: Das kurze Leben der Sophie Scholl
1982	Susi Bohdal: Selina, Pumpernickel und die Katze Flora	Guus Kuijer: Erzähl mir von Oma	Myron Levoy: Der gelbe Vogel	Cornelia Julius: Von feinen und von kleinen Leuten
1983		Almut und Robert Gernhardt: Der Weg durch die Wand	Malcolm J. Bosse: Ganesh oder eine neue Welt	
1984	Annegert Fuchshuber: Mausemärchen – Riesengeschichte	Gudrun Mebs: Sonntagskind	Tilman Röhrig: In dreihundert Jahren vielleicht	Christina Björk/Lena Anderson: Linnéas Jahrbuch
1985	Annalena McAfee und Anthony Browne: Mein Papi, nur meiner!	Roald Dahl: Sophiechen und der Riese	Isolde Heyne: Treffpunkt Weltzeituhr	Gisela Klemt – Kozinowski u. a. Hg.: Die Frauen von der Plaza de Mayo

DEUTSCHER JUGENDLITERATURPREIS 1956–1993 (Fortsetzung)

Jahr	Bilderbuch	Kinderbuch	Jugendbuch	Sachbuch
1986	Tony Ross: Ich komme dich holen	Els Pelgrom: Die wundersame Reise der kleinen Sofie	Dagmar Chidolue: Lady Punk	Klas Ewert Everwyn: Für fremde Kaiser ...
1987	David McKee: Du hast angefangen! Nein, Du!	Achim Bröger: Oma und ich	Inger Edelfeldt: Briefe an die Königin der Nacht	Huynh Quang Nhuong: Mein verlorenes Land
1988	Margit Kaldhol u. Wenke Øyen: Abschied von Raune	Joke van Leeuwen: Deesje macht das schon	Gudrun Pausewang: Die Wolke	Paul Maar: Türme
1989	Nele Maar: Papa wohnt jetzt in der Heinrichstraße	Iva Procházkova: Die Zeit der geheimen Wünsche	Ingeborg Bayer: Zeit für die Hora Cynthia Voigt: Samuel Tillermann	
1990	Jörg Müller u. Jörg Steiner: Aufstand der Tiere ...	Uwe Timm: Rennschwein Rudi Rüssel	Peter Pohl: Jan, mein Freund	Israel Bernbaum: Meines Bruders Hüter
1991	Kveta Pakovská: eins, fünf, viele	Wolf Spillner: Taube Klara	Anatoli Pristawkin: Wir Kuckuckskinder	Michael Krausnick: Die eiserne Lerche ...
1992	Thomas u. Anna Clara Tidholm: Reise nach Ugri-la-Brek	Benno Pludra: Siebenstorch	Meja Mwangi: Kariuki und sein weißer Freund	Pelle Eckermann u. Sven Nordqvist: Linsen, Lupen und magische Skope
1993	Wolf Erlbruch: Das Bärenwunder	Henning Mankell u. Angelika Kutsch: Der Hund, der unterwegs zu einem Stern war	A. M. Homes: Jack	Helmut Hornung: Safari ins Reich der Sterne

teratur sind, etwas abgewandelt, auch in der Kinder- und Jugendliteratur vertreten. Formen der Epik und Lyrik finden sich neben Dramen, Mischformen (z. B. Bildergeschichte) und Sachliteratur. Andere Einteilungsmerkmale sind die Inhalte (Abenteuerroman, Kriminalgeschichte, zeitgeschichtlich-politisches Jugendbuch) und die Adressaten (Mädchen-, Jungenbuch). Kinder und Jugendliche lesen jedoch nicht nur die eigens für sie verfaßte Literatur; von jeher gehörten sie auch zu den Lesern der ›Erwachsenenliteratur‹ (z. B. Daniel Defoes ›Robinson Crusoe‹, Jonathan Swifts ›Gullivers Reisen‹), die zum Teil für sie gekürzt oder abgeändert wurde. Zu den bevorzugten Literaturarten zählten dabei Fabeln, Volksbücher und Sagen. Die Neigung, nicht mehr Werke der Erwachsenenliteratur an Jugendliche weiterzugeben, sondern sie für diese neu zu fassen, verstärkte sich mit dem Wandel, den die Rolle der Heranwachsenden in der mitteleuropäischen Gesellschaft vom 17./18. Jahrh. an erfuhr. Man sah Kinder und Jugendliche allmählich nicht mehr als ›kleine Erwachsene‹ an, sondern begriff die Jugend als eigenständigen Lebensabschnitt mit besonderen Merkmalen. Zur Überleitung der Jugendlichen in die Erwachsenengesellschaft hielt man die Entwicklung eines eigenständigen Bildungs- und Erziehungswesens für nötig. Dieser Entwicklung entsprach die Begründung einer eigens für Heranwachsende verfaßten Literatur, die zunächst weniger unterhaltende als belehrende Zwecke verfolgte.

Mit Johann Heinrich Campes ›Robinson der Jüngere‹ (1779/80) entstand das erste Werk der Kinder- und Jugendliteratur im modernen Sinn. Im 19. Jahrh. entwickelten sich die an die aufklärerischen Anfänge anknüpfenden unterhaltend-moralischen Erzählungen (besonders für Mädchen), die Abenteuerrichtung (z. B. Karl May), die folkloristische Literatur (›Volksmärchen‹) sowie Bilderbuch und Bildgeschichte. – Ein Produkt des 19. Jahrh. sind auch die bis heute wichtigsten ins Deutsche übertragenen Klassiker der Kinder- und Jugendliteratur: Lewis Carrolls ›Alice im Wunderland‹ (1865), Werke von Charles Dickens, Rudyard Kipling, James Fenimore Cooper, Robert Louis Stevenson, Mark Twain, Frances Elisa Burnett, Carlo Collodi. Die ersten Jahrzehnte des 20. Jahrh. sind durch die neue Betonung der Psychologie und die Entwicklung der Sachliteratur für die Jugend bestimmt. Die Vertreter einer gesellschaftskritischen Richtung gingen nach der nationalsozialistischen Machtergreifung 1933 ins Ausland (Lisa Tetzner, Alex Wedding) oder beschränkten sich auf unverfängliche Themen (Werner Bergengruen, Erich Kästner). – Nach 1945 versuchte man, an die früheren Richtungen wieder anzuknüpfen; sozialkritische Autoren traten mit neuen Werken hervor (Erich Kästner, Lisa Tetzner), Übersetzungen gaben wichtige Impulse (Astrid Lindgren, Hugh Lofting, René Guillot, Pamela Travers). Zeitgeschichtliche Probleme wurden seit 1960 wieder aufgegriffen und seit 1970 in sozialkritischen Büchern, auch für jüngere Leser und in Werken für Kindertheater, behandelt.

Andererseits gibt es besonders seit Ende der 1970er Jahre auch einen neuen Aufschwung im

Bereich der phantastischen und märchenhaften Literatur. Neue Themen sind daneben: die dritte Welt, Faschismus/Nationalsozialismus, der Tod. Nach wie vor starke Berücksichtigung finden Darstellungen zu den Themen Außenseiter und Behinderte und vor allem über kriminell gefährdete und drogenbedrohte Jugendliche. Sachbücher erscheinen zu fast allen Sachgebieten.

Die Zahl der mit Jugendbuchforschung befaßten Universitätsinstitute und sonstigen Einrichtungen ist seit dem Zweiten Weltkrieg stark gewachsen. Seit 1955 besteht der staatlich unterstützte **›Arbeitskreis für Jugendliteratur‹**, der alljährlich auch den **›Deutschen Jugendbuchpreis‹** (seit 1981: **›Deutscher Jugendliteraturpreis‹**, ÜBERSICHT) für besonders gute Jugendliteratur verleiht. (→ Weltliteratur)

Martin Luther King

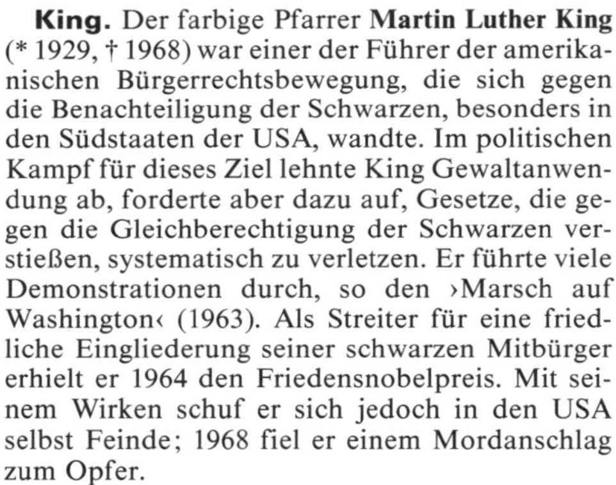

King. Der farbige Pfarrer **Martin Luther King** (* 1929, † 1968) war einer der Führer der amerikanischen Bürgerrechtsbewegung, die sich gegen die Benachteiligung der Schwarzen, besonders in den Südstaaten der USA, wandte. Im politischen Kampf für dieses Ziel lehnte King Gewaltanwendung ab, forderte aber dazu auf, Gesetze, die gegen die Gleichberechtigung der Schwarzen verstießen, systematisch zu verletzen. Er führte viele Demonstrationen durch, so den ›Marsch auf Washington‹ (1963). Als Streiter für eine friedliche Eingliederung seiner schwarzen Mitbürger erhielt er 1964 den Friedensnobelpreis. Mit seinem Wirken schuf er sich jedoch in den USA selbst Feinde; 1968 fiel er einem Mordanschlag zum Opfer.

Kingston [kịngsten], mit Vororten 524 000 Einwohner, Hafen- und Hauptstadt der westindischen Insel Jamaika, liegt mit großen Erdölraffinerien an der Südostküste am Karibischen Meer. Kingston wurde 1692 an der Stelle der durch Erdbeben zerstörten Stadt Port Royal gegründet.

Kinshasa [kinschạsa], 3,68 Millionen Einwohner, Hauptstadt der Republik Zaire, Äquatorialafrika, liegt am linken Ufer des Kongo gegenüber von Brazzaville. Kinshasa ist Verwaltungs-, Wirtschafts- und Kultur-Zentrum des Landes. Die Stadt wurde 1881 von Henry Morton Stanley gegründet und hieß bis 1966 **Léopoldville.**

Kiọto, Kyọto, 1,48 Millionen Einwohner, Industriestadt in Japan auf der Insel Honshu. Kioto ist das Zentrum der alten japanischen Kultur mit vielen Tempeln, Schreinen und Palästen. Die Stadt ist Krönungsstadt der japanischen Kaiser sowie Zentrum des japanischen Buddhismus und hat mehrere Universitäten. Kioto war von etwa 800 bis 1868 Residenz des japanischen Kaisers.

Kịrche [aus griechisch kyrikon ›Gotteshaus‹]. Unter dem Begriff Kirche versteht man zunächst das zum christlichen Gottesdienst bestimmte Gebäude. Zum anderen ist damit die gesamte christliche Glaubensgemeinschaft gemeint. Diese ist aufgespalten in verschiedene Konfessionen, die ebenfalls als Kirchen bezeichnet werden. Die bedeutendsten sind die → katholische Kirche, die → evangelischen Kirchen und die → orthodoxen Kirchen. Durch Merkmale wie große Mitgliederzahlen, innere Stabilität, Dauerhaftigkeit, Offenheit für alle Menschen und eine festgelegte Ordnung der Ämter und Dienste unterscheiden sich die Kirchen von den → Sekten. Alle Kirchen berufen sich auf die → Bibel als heiliges Buch und führen ihre Daseinsberechtigung auf → Jesus Christus zurück. Bereits in der unmittelbaren Zeit nach Christus bildeten sich in den ersten christlichen Gemeinden, den **Urgemeinden,** bestimmte Dienste und Funktionen. Diese nahmen mit der Ausbreitung des Christentums feste Formen an; so wurde die Kirche nicht nur eine Gemeinschaft von Gläubigen, sondern allmählich auch eine Institution. In oft schwierigen Auseinandersetzungen wurde während der ersten Jahrhunderte die Einheit der Lehre hergestellt, die ebenfalls ein Merkmal von Kirche ist. Durch Kirchenspaltungen entstanden die Konfessionen und Sekten. Es ist Ziel der ökumenischen Bewegung, diese Trennungen zu überwinden und damit der Wiedervereinigung der christlichen Kirchen näher zu kommen.

Kịrchenstaat, das ehemalige Staatsgebiet unter der Oberhoheit des Papstes in Mittelitalien. Seit das Christentum 391 Staatsreligion im Römischen Reich geworden war, erwarb die Kirche Grundbesitz in Italien, der seit dem 6. Jahrh. ›Patrimonium Petri‹ (›Erbgut des Petrus‹) genannt wurde. Der fränkische König Pippin (751–68) übergab dem Papst das im Kampf gegen die Langobarden gewonnene Gebiet um Ravenna und Rom; diese ›Pippinsche Schenkung‹ begründete den Kirchenstaat. Karl der Große bestätigte die Schenkung und vergrößerte den päpstlichen Besitz. 1115 fielen die reichen Güter der Markgräfin Mathilde von Tuscien (Toskana) durch Erbschaft an den Kirchenstaat. Während des ganzen Mittelalters versuchten die Päpste, die Landeshoheit gegenüber den Adelsgeschlechtern durchzusetzen, aber erst Papst Julius II. (1503–13) erlangte die volle Souveränität. Er baute den Kirchenstaat zu einem absolutistisch regierten Staatswesen aus. 1809 gliederte Napoleon I. den Kirchenstaat dem Königreich Italien ein. Der Wiener Kongreß stellte den Staat 1815 noch einmal her, bis er 1860

Wörter, die man unter K vermißt, suche man unter C, Ch oder Q

zum größten Teil, 1870 völlig im Königreich Italien aufging. In den Lateranverträgen (1929) zwischen dem Papst und dem italienischen Staat wurde dem Papst als souveränes Gebiet die → Vatikanstadt zugesprochen.

Kirche von England, die englische Staatskirche. Sie entstand in der Reformationszeit, als König Heinrich VIII. sich 1535 vom Papst lossagte. Ihr Glaubensbekenntnis steht den lutherischen Kirchen nahe, in der Feier der Gottesdienste sind jedoch viele Merkmale des Katholizismus erhalten. Der König oder die Königin ist Oberhaupt der Kirche von England und ernennt die Bischöfe, an deren Spitze der Erzbischof von Canterbury steht. Aus der Kirche von England entstand die → Anglikanische Kirchengemeinschaft.

Kirchner. Der Maler und Graphiker **Ernst Ludwig Kirchner** (* 1880, † Selbstmord 1938) war als Mitbegründer der Künstlergemeinschaft ›Brücke‹ ein Hauptvertreter des → Expressionismus. Anfangs schuf er überwiegend Landschafts- und Aktdarstellungen in lichten, heiteren Farben, später Szenen aus dem modernen Großstadtleben in lebhaften Form- und Farbkontrasten. Die Graphik (z. B. Farbholzschnitte) wurde bei ihm wieder zu einer eigenwertigen Kunstgattung neben der Malerei. Nach schwerer Erkrankung lebte er seit 1917 in Frauenkirch bei Davos. Hier entstanden einige Bilder mit schweizerischen Landschaften. Seit 1926/27 wurde sein Stil zunehmend abstrakter; linienhafte Verschlingungen und einfache Farbflächen bestimmten die Bildgestaltung. 1937 wurden Kirchners Werke in Deutschland als ›entartet‹ beschlagnahmt. 1992 wurde in Davos ein Kirchner-Museum eröffnet.

Kirgisien, Staat in Mittelasien, eine Republik. Das Land ist etwa doppelt so groß wie Ungarn; es grenzt an Kasachstan, China, Tadschikistan und Usbekistan. Fast ganz Kirgisien ist ein Hochgebirgsland; die höchste Erhebung mit 7 439 m ist der Pik Pobeda. Kirgisien hat ein kontinentales und trockenes Klima mit Dauerfrost im Winter und heißen Sommern. Das Land wird von Kirgisen, Russen, Usbeken und Ukrainern bewohnt. Die Gläubigen der turksprachigen Völker sind hauptsächlich sunnitische Muslime.

Nur die Hälfte des Landes ist landwirtschaftlich nutzbar; davon sind etwa 85 % Weiden und 10 % Ackerland, das zum größten Teil bewässert wird. Herausragende Bedeutung haben die Schafwollerzeugung, die Ziegen-, Yak- und Mastrinderhaltung, die Seidenraupenzucht (Naturseideerzeugung) und der Anbau von Getreide und Kartoffeln. Die vorhandenen Bodenschätze – Kohle, Erze und Erdöl – werden von der Industrie verarbeitet; ausgeführt werden Nichteisenmetalle, Maschinen und Textilien.

Das Volk der Kirgisen entstand aus der Vereinigung mongolischer und türkischer Stämme. Im 18. Jahrh. wurden sie den Dsungaren tributpflichtig. Im Zuge der russischen Eroberung Turkestans wurde das Land unter der Bezeichnung ›Fergana‹ im 19. Jahrh. dem Zarenreich eingegliedert. 1936 erhält es den Status einer Unionsrepublik. 1991 erklärte Kirgisien seine Unabhängigkeit von der Sowjetunion, der es seit deren Bestehen angehört hatte.

Kirgisien

Fläche: 198 500 km²
Bevölkerung: 4,29 Mill. E
Hauptstadt: Bischkek
Amtssprache: Kirgisisch
Währung: 1 Rubel (Rbl) = 100 Kopeken
Zeitzone: MEZ + 4 Stunden

Kirgisien

Staatsflagge

Kiribati

Fläche: 728 km²
Bevölkerung: 65 000 E
Hauptstadt: Bairiki
Amtssprachen: Gilbertesisch, Englisch
Nationalfeiertag: 12. Juli
Währung: 1 Austral. Dollar/Kiribati ($A/K.) = 100 Cents
Zeitzone: MEZ + 11 h

Kiribati, Republik im Pazifischen Ozean am Äquator. Sie umfaßt mehrere Inselgruppen (Gilbert-, Phönix- und Linieninseln), meist niedrige Koralleninseln (Atolle), die auf eine Meeresfläche von 5,2 Millionen km² verteilt sind. Die Wirtschaft beruht auf Anbau von Kokospalmen (Ausfuhr von Kopra) und Fischerei. Die früher zu Großbritannien gehörenden Inseln sind seit 1979 unabhängig. (KARTE Seite 198)

Kiribati

Staatswappen

Staatsflagge

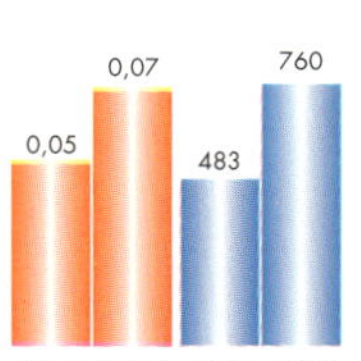

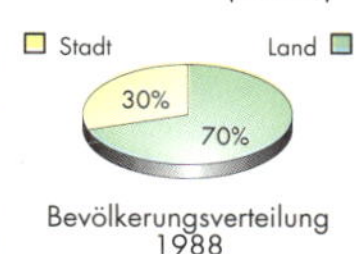

Bevölkerungsverteilung 1988

Kirke, griechische Zauberin (→ Circe).

Kirschen, die Früchte des Kirschbaums. Man unterscheidet die gelb- bis schwarzroten **Süßkirschen** und die später reifenden **Sauerkirschen,** von denen die **Schattenmorelle** besonders beliebt ist. Das Holz des Kirschbaums ist wertvoll und wird zur Herstellung von Möbeln und Musikinstrumenten verwendet.

Kismet [arabisch ›zugeteiltes Los‹], im volkstümlichen Islam das dem Menschen von Gott zugeteilte, unabänderliche Schicksal, in das sich der gläubige Moslem willig fügt.

Kitsch [wohl zu mundartlich kitschen ›schmieren‹, also ›Geschmiertes‹], süßlich sentimentale Scheinkunst, die durch Mangel an Originalität gekennzeichnet ist (Gegenstände, Bilder, Filme, literarische Werke. Die Abgrenzung zur Kunst ist teilweise schwierig und in verschiedenen Epochen unterschiedlich.

Kitz, das Junge von →Reh und →Gemse.

Kiwi, 1) ein mit dem →Strauß verwandter Laufvogel.

2) die etwa eigroße Frucht einer ursprünglich in China beheimateten Pflanze mit 4–6 m langen Ranken. Die braune Fruchtschale ist pelzig behaart, das grüne Fruchtfleisch schmeckt ähnlich wie das einer Stachelbeere; es ist sehr reich an Vitamin C. Kiwis werden vor allem in Neuseeland angebaut (hier erhielten sie nach dem einheimischen Laufvogel Kiwi ihren Namen), neuerdings auch in Südfrankreich, Chile und Kalifornien.

Klagemauer, Gebetsstätte der Juden in Jerusalem. Als die Römer 70 n. Chr. Jerusalem zerstörten, wurde auch der jüdische Tempel bis auf einen Teil der Westwand des Tempelplatzes vernichtet. Nach der Eroberung Jerusalems durch die islamischen Araber (638) war der Tempelplatz mit Ausnahme der Westwand den Juden nicht mehr zugänglich, da die Araber auf dem Gelände des ehemaligen Tempels ein islamisches Heiligtum, den Felsendom, errichteten. So wurde die Westwand des Tempelplatzes nicht nur zu einer Stätte des Gebets, sondern auch zu einem Ort der Klage über die Zerstörung des Tempels.

Klagenfurt, 89 500 Einwohner, Hauptstadt des österreichischen Bundeslandes Kärnten. Die östlich des Wörther Sees gelegene Fremdenverkehrsstadt ist das kulturelle und, neben Villach, das industrielle Zentrum des Landes. Klagenfurt, seit Ende des 12. Jahrh. bezeugt, ist seit 1518 Hauptstadt von Kärnten.

Klammer, Mathematik: Aufgabe: Multipliziere die Summe der beiden Zahlen 7 und 3 mit 4.

Schreibt man für die obige Aufgabe einen Rechenausdruck auf, so ergibt sich $(7 + 3) \cdot 4$. Hierbei bedeutet die **Klammer** eine Rechenvorschrift, die besagt, daß der Term in der Klammer zuerst berechnet wird.

Ergebnis: $(7 + 3) \cdot 4 = 10 \cdot 4 = 40$.

Würde man die Klammer bei dem obigen Ausdruck weglassen, so ergäbe sich ein anderer Rechenausdruck, nämlich $7 + 3 \cdot 4$, bei dem zuerst multipliziert und danach addiert wird (→Grundrechenarten).

Ergebnis: $7 + 3 \cdot 4 = 7 + 12 = 19$.

Das Rechnen mit Klammern geschieht nach folgenden Regeln:

1) Steht in einem Term eine Klammer, so wird diese zuerst berechnet.

Beispiel: $37 - (20 + 5) = 37 - 25 = 12$

2) Steht eine Klammer in einer anderen, so wird der Term in der inneren Klammer zuerst berechnet.

Beispiel: $500 - [(100 - 22) + 35] = 500 - [78 + 35] = 500 - 113 = 387$

3) Steht vor einer Klammer ein Pluszeichen, so kann man die Klammer weglassen.

Beispiel: $17 + (25 - 8) = 17 + 25 - 8 = 34$

4) Steht vor einer Klammer ein Minuszeichen, so kann man die Klammer weglassen, wenn man die Vorzeichen der einzelnen Summanden in der Klammer umkehrt.

Beispiel: $17 - (25 - 8) = 17 - 25 + 8 = 0$

5) Man multipliziert eine Klammer mit einer Zahl, indem man die einzelnen Summanden in der Klammer mit dieser Zahl multipliziert und die entstehenden Produkte addiert oder subtrahiert. Entsprechendes gilt für die Division.

Beispiele: $-4 \cdot (7 - 3) = -28 + 12 = -16$
$(-12 + 16) : (-4) = 3 - 4 = -1$

6) Man multipliziert 2 Klammern miteinander, indem man jedes Glied der einen Klammer mit jedem Glied der anderen multipliziert und die entstehenden Produkte addiert oder subtrahiert.

Beispiel: $(-4 + 7) \cdot (5 - 3) = -20 + 12 + 35 - 21 = 6$

Stehen in den Klammern nur Zahlen, so können die Klammern einzeln berechnet werden, und die Klammergesetze 5 und 6 sind überflüssig.

Beispiel: $(-4 + 7) \cdot (5 - 3) = 3 \cdot 2 = 6$

Von großer Bedeutung sind diese Regeln aber dann, wenn Variable in den Klammern vorkommen, denn dann können die Klammern nicht einzeln berechnet werden. Solche Fälle treten häufig bei Gleichungen und Ungleichungen auf.

Beispiel: $(2x - 4) \cdot (3x + 5) = 6x^2 + 10x - 12x - 20 = 6x^2 - 2x - 20$

Klan, Clan. Der Begriff Klan ist von der Völkerkunde nicht genau definiert. Meist bezeichnet er eine zusammenlebende Verwandtschaftsgruppe bei Naturvölkern. Im Unterschied zur Sippe

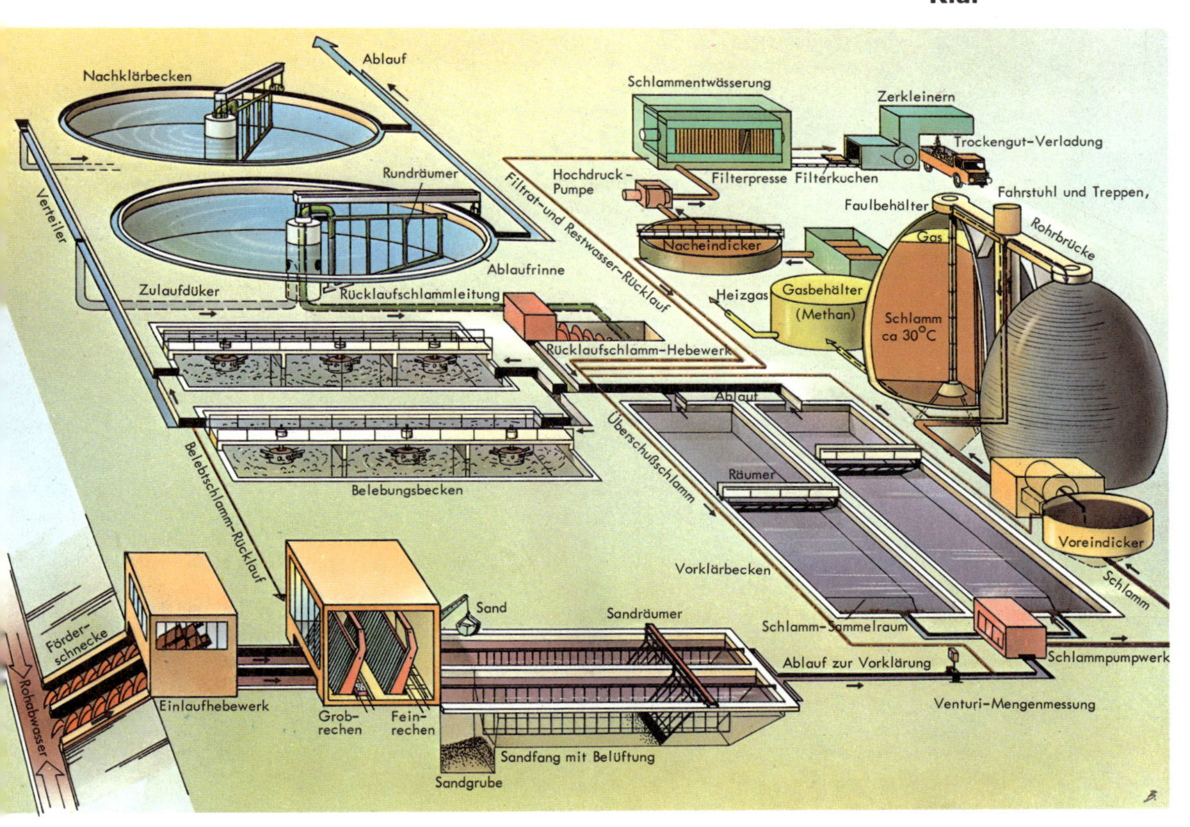

Schema einer **Kläranlage**

zählt beim Klan jedoch nicht die Blutsverwandtschaft, sondern die Klan-Mitglieder führen ihre gemeinsame Abkunft auf einen besonderen Menschen, auf ein Tier, eine Pflanze oder sogar einen Gegenstand, ein ›Totem‹, zurück. Angehörige eines Klans dürfen untereinander nicht heiraten. – In der Umgangssprache ist Klan auch eine abwertende Bezeichnung für eine große Familie.

Klapperschlangen, Art der giftigen →Grubenottern, die vor allem in Nord- und Mittelamerika in Wüstengebieten leben. Sie haben am Schwanz bewegliche Hornringe, mit denen sie bei Gefahr durch Hin- und Herbewegen ein zischendes Geräusch erzeugen. 40–60mal, bei Hitze bis zu 98mal pro Sekunde können die Ringe vibrieren. Man nimmt an, daß die trägen, schwerfälligen Klapperschlangen mit diesem Geräusch drohen und warnen wollen. Junge Klapperschlangen haben diese ›Klapper‹ noch nicht, da sie aus den Resten von Häutungen gebildet wird. Die größte dieser Giftschlangen ist die **Diamantklapperschlange** (2,5 m lang, 10 kg schwer) im Mississippi-Gebiet Nordamerikas.

Kläranlage, Reinigungsanlage für Abwasser. In der **Vorreinigung** werden sperriges Material durch Rechen und Siebe, Sand im Sandfang, Mineralöle und Fette im Fettfänger abgefangen. Die **biologische Abwasserreinigung** verfährt nach dem Prinzip der Selbstreinigungskraft der Gewässer mit Hilfe von Luft (Sauerstoffanreicherung) und bestimmten Bakterien, die die pflanzlichen und tierischen Bestandteile des Abwassers als Nahrung brauchen und sie so zersetzen. In Kläranlagen benutzt man dazu offene, mit Kies und Sand, auch mit belebtem Schlamm gefüllte Behälter, über denen das Schmutzwasser durch Drehsprenger gleichmäßig verteilt wird. Oder man verwendet hohe Behälter, ›Tropfkörper‹ und

Klapperschlange

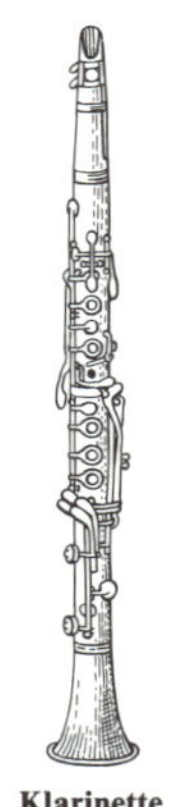
Klarinette

›Faultürme‹, die mit Schlacke oder Koks gefüllt sind. Darauf siedeln sich Mikroorganismen (Bakterien, Algen) an, die das darüberrieselnde Wasser reinigen. In den Faultürmen bilden sich bei der Zersetzung organischer Reste Faulschlamm und Faulgas. Das Gas, überwiegend aus Methan bestehend, hat einen Heizwert, der als Energie wirtschaftlich genutzt werden kann.

Für die Reinigung von phosphathaltigen Abwässern, und das sind fast alle, sind die biologischen Verfahren wenig geeignet; man benötigt hierfür die **chemische Abwasserreinigung** durch Eisen- und Aluminiumsalze. Abwässer, die Giftstoffe enthalten, erfordern spezielle Methoden zur Desinfektion oder Entgiftung. Abwässer aus Krankenhäusern werden mit Chlor desinfiziert.

Klarinette, ein Holzblasinstrument, bei dem der Ton durch ein einfaches →Rohrblatt erzeugt wird, das an dem schnabelförmigen Mundstück befestigt ist. Die eigentliche Tonröhre besteht aus Hartholz, das zylindrisch durchbohrt ist und unten in einen Schallbecher mündet. Die 18 Seitenlöcher erfordern eine schwierige Grifftechnik des Bläsers: 6 Löcher werden mit den Fingern, die übrigen über einen Mechanismus aus metallenen Deckelklappen abgedeckt. Die Klarinette wird in verschiedenen Stimmungen gebaut, meist in B und A. Sie zeichnet sich durch die Fähigkeit zu feinsten Abwandlungen der Klangfarbe aus. Eine Oktave tiefer klingt die **Baßklarinette;** eine Abart ist das →Saxophon.

Klasse, Bezeichnung für eine gesellschaftliche Gruppe, deren Stellung innerhalb einer Gesellschaftsordnung vor allem durch ihre wirtschaftliche Lage bestimmt wird. In der Lehre von Karl Marx und Friedrich Engels (→Marxismus) sind die Klassen die bewegenden Kräfte in der Geschichte. Wissenschaftliche Untersuchungen in den westlichen Industrieländern zeigen, daß sich dort die sozialen Unterschiede zwischen den Klassen verringern.

Klassenkampf, →Marxismus.

klassenlose Gesellschaft, →Marxismus.

Klassik, Bezeichnung für die Blütezeit der →griechischen Kunst (5./4. Jahrh. v. Chr.). Als klassisch werden danach einerseits Epochen bezeichnet, in denen die Kunstauffassung der griechischen und römischen Antike Maßstab des Kunstschaffens war (Naturnähe, aber auch ideale Schönheit, Ausgewogenheit; →Klassizismus), andererseits Epochen, in denen besonders hochrangige, grundlegende schöpferische Werke entstanden. Klassische Epochen in beiden Bedeutungen waren z. B. in der bildenden Kunst die italienische Renaissance, in der Literatur die deutsche Klassik (Goethe und Schiller zwischen 1786 und 1805) und in der Musik die →Wiener Klassik (Haydn, Mozart und Beethoven zwischen 1781 und 1827).

Klassizismus, im allgemeinsten Sinn Stilbegriff zur Bezeichnung von Kunstströmungen, die sich bewußt auf antike Vorbilder berufen. Im Unterschied zu ›klassischen‹ Epochen (→Klassik) herrscht hier eher die schulmäßige Übernahme bestimmter Regeln und Formen vor.

Im engeren Sinn ist der Klassizismus die Stilepoche etwa zwischen 1750 und 1840, die sich in betontem Gegensatz zum als verspielt empfundenen Spätbarock auf die ›strengen‹ Formen der griechischen Kunst zurückbesann. Seine Hauptleistungen liegen auf dem Gebiet der Architektur. Kennzeichnend sind kubische, symmetrische, klar gegliederte Baukörper, oft mit vorgesetzten Säulen, Giebeln oder anderen der Antike entlehnten Elementen. In Berlin baute Karl Friedrich Schinkel in diesem Sinn die Neue Wache (1817/18) und das Alte Museum (1822–30), in München Leo von Klenze in ›ionischem‹ Stil die Glyptothek (Museum antiker Skulpturen, 1816–30). Carl Langhans hatte sich für das Brandenburger Tor in Berlin (1788–91) die Propyläen (Torbau) in Athen zum Vorbild genommen. Ferner setzten bedeutende Stadterweiterungen ein (London, München, Karlsruhe, Sankt Petersburg, Washington) mit einheitlich gestalteten Bebauungen.

Klassizismus: Leo von Klenze, Glyptothek in München; 1816–30

In der Plastik stehen sich als Hauptmeister der Italiener Antonio Canova und der Däne Bertel Thorvaldsen gegenüber. Die Skulpturen sind meist aus weißem Marmor oder Gips, da man

Wörter, die man unter K vermißt, suche man unter C, Ch oder Q

noch nicht wußte, daß viele griechische Bildwerke ursprünglich farbig waren. Deutsche Bildhauer dieser Zeit sind Gottfried Schadow, Christian Daniel Rauch und Johann Heinrich Dannecker.

Kennzeichnend für die Malerei des Klassizismus sind scharfe Linienführung, klare Farben, der Eindruck von Kühle und Glätte sowie aus der antiken Mythologie und Geschichte entnommene Bildinhalte; allgemein herrschten geschichtliche Darstellungen (›Historienbilder‹) vor, ferner Porträts. Herausragende Maler waren die Franzosen Jacques Louis David und Jean Auguste Dominique Ingres.

Klassizistische Strömungen gab es seit dem 16. Jahrh. auch in der Literatur. Vor allem das nach strengen Regeln aufgebaute griechische Drama diente hier als Vorbild. In Deutschland setzte sich im 18. Jahrh. besonders Johann Christoph Gottsched für Nüchternheit und Formenreinheit der Dichtung ein.

In der Musik, wo im Unterschied zu Kunst und Literatur der Rückgriff auf griechische Vorbilder nicht möglich ist, wird der Begriff manchmal auf Komponisten angewendet, die Stilmittel vergangener Epochen aufgreifen (z. B. im 19. Jahrh. Felix Mendelssohn-Bartholdy).

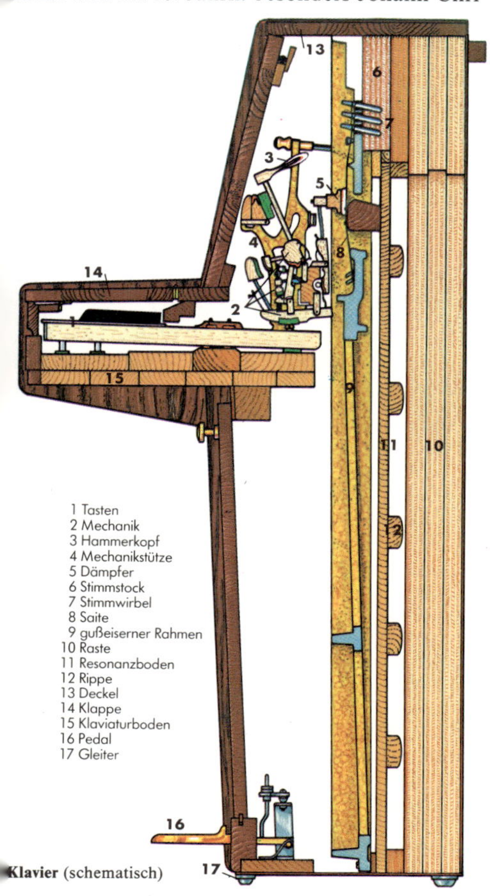

Klavier (schematisch)

Klavichord [von lateinisch clavis ›Schlüssel‹, ›Taste‹ und griechisch chorda ›Saite‹], das älteste Saiteninstrument, das sich zur Tonerzeugung einer Klaviertastatur bediente. Am Ende jeder Taste befindet sich ein Metallstift, die Tangente, die die Saiten auf die gewünschte Tonhöhe verkürzt und gleichzeitig anschlägt.

Klavier [zu lateinisch clavis ›Schlüssel‹, ›Taste‹], **Pianoforte, Hammerklavier,** Sammelbezeichnung für Saiteninstrumente, bei denen die Saiten mit filzummantelten Holzhämmerchen angeschlagen werden. Diese werden über eine komplizierte Mechanik durch den Druck der Tasten in Bewegung gesetzt. Die Stahlsaiten sind in aufsteigender Tonfolge von links nach rechts über 7 Oktaven angeordnet. Wegen des starken Zuges von 20 000 kg sind sie in einem Stahlrahmen über den hölzernen Resonanzboden gespannt. Beim Klavier stehen die Saiten senkrecht zur Tastatur, beim **Flügel,** der die Form des Cembalos übernommen hat, liegen sie waagerecht in Richtung der Tasten. Diese sind aufgeteilt in die weißen für die Töne der C-Dur-Tonleiter und der (natürlichen) a-Moll-Tonleiter sowie die dazwischenliegenden kürzeren, aber erhöhten schwarzen Tasten für die Halbtöne, die für die anderen Tonarten benötigt werden. Für jeden Ton der mittleren bis hohen Lage sind 2–4 gleichgestimmte Saiten vorgesehen; nur die Baßsaiten sind einfach gespannt. Das Neue am Klavier gegenüber dem Cembalo und dem Klavichord war die Möglichkeit, durch **Pedale** Unterschiede in der Lautstärke zu bewirken. Das rechte Fortepedal hebt gleichzeitig alle Filzdämpfer, die sonst nach Loslassen der Taste die Saitenschwingung unterbrechen, auf, so daß die Töne noch eine Weile nachklingen. Das linke Pianopedal verschiebt beim Flügel die gesamte Hammermechanik, so daß pro Ton eine Saite weniger angeschlagen wird. Beim Klavier wird das Spiel dadurch leiser, daß die Hämmerchen näher an die Saiten rücken, der Anschlag also schwächer wird.

Klebstoffe, nichtmetallische Werkstoffe, die Körper und Material unterschiedlichster Art durch Oberflächenhaftung (Adhäsion) und innere Festigkeit (Kohäsion) verbinden können, ohne deren Gefüge wesentlich zu verändern (z. B. Leim, Kleister, Kleber).

Es gibt eine Vielzahl unterschiedlichster Klebstoffe. Beim Kleben mit Holz, Pappe und Papier wird meistens **Leim** benutzt, ein **Eiweißleim** oder ein **Celluloseleim.** Glutinleim z. B. enthält einen Eiweißstoff, das Glutin, das durch Kochen von Knochen und Knorpeln gewonnen wird; es besteht wie alle klebefähigen Stoffe aus Riesenmolekülen. Dieser Leim quillt in Wasser stark auf, gibt dieses aber beim Trocknen auf der Klebefläche überwiegend wieder ab, wobei er die Flächen fest miteinander verbindet.

Kleiber

Daneben gibt es **Schmelzklebstoffe,** die in der Wärme als Schmelze aufgetragen werden und beim Erstarren die Klebverbindung bewirken. **Kontaktklebstoffe** werden auf die zu verklebenden Oberflächen aufgetragen, trocknen dort vor und verkleben anschließend durch kurzzeitiges starkes Zusammendrücken der Teile. Bei **Reaktionsklebstoffen,** z. B. **Ein-** und **Zweikomponentenkleber,** erfolgt die Klebung durch chemische Reaktion.

Besonders die Reaktionskleber haben die Verbindungstechnik revolutioniert. Vieles, was früher genietet oder geschweißt wurde, wird heute geklebt, und zwar fester und dauerhafter als es mit den früheren Techniken möglich war. Wesentliche Teile von Flugzeugen werden durch Metallkleber großflächig verbunden; im gesamten Fahrzeugbau nimmt die Verwendung von Klebstoffen zu. In der Textilindustrie werden Säume schon häufig geklebt statt genäht. Die Elektronikindustrie benutzt Klebstoffe als Schutzüberzüge und zum Beschichten von Leiterplatten. Die Klebetechniken bieten einen weiten Spielraum beim **Aushärten:** Dieses kann bei Bedarf stundenlang hinausgezögert werden, es kann aber auch – bei den **Schnell-** oder **Sekundenklebern** – innerhalb von Sekunden oder Minuten eintreten.

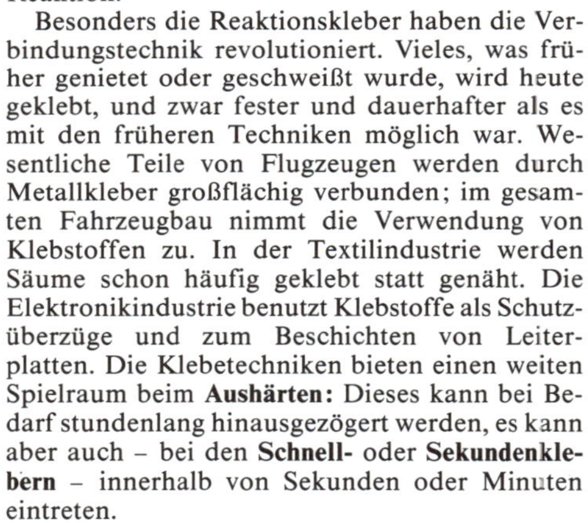

Klee, Gattung der Schmetterlingsblüter mit in der Regel dreizähligen Blättern. Die Blüten sind weiße, gelbe oder rote Dolden, Trauben oder Köpfchen (→Blütenstände). Klee wächst auf Wiesen, Brachland und an Wegen. Er wird als Zwischenfruchtpflanze zur Stickstoffanreicherung im Boden und als Futterpflanze angebaut. Vier- oder mehrblättrige Kleeblätter sind sehr selten und können auf →Mutationen zurückgeführt werden.

Klee. Der Maler und Graphiker **Paul Klee** (* 1879, † 1940) war in München mit den expressionistischen Malern der Künstlervereinigung ›Blauer Reiter‹ befreundet und erhielt in Paris Anregungen durch den Kubismus (Pablo Picasso) und durch die naive Malerei Henri Rousseaus. 1921–30 wirkte er am →Bauhaus; 1933 siedelte er nach Bern über. Ein großer Teil seiner Werke wurde 1937 in Deutschland als ›entartet‹ beschlagnahmt.

Klee begann mit Zeichnungen, die in zarten Liniengeweben Eindrücke und Einfälle festhalten. Seit einer Reise nach Nordafrika mit August Macke schuf er auch zartfarbige Gemälde, auf denen phantastische Gestalten und Formen zu sehen sind. In diesen oft geheimnisvoll anmutenden Bildern scheinen traumhafte Vorgänge sichtbar zu werden. Dem Surrealismus verwandt, erinnert der Stil Paul Klees oft an heiter-naive Kinderzeichnungen. Bewegungsmotive, verbunden mit Pfeilen, Buchstaben, Zeilenanordnungen, lassen die Bilder oft eher zum Ablesen als zum Anschauen geeignet erscheinen.

Kleiber, etwa sperlingsgroße, schön gefärbte Singvögel, die eine den Spechten ähnliche Lebensweise entwickelt haben. Wie diese klettern sie, meist mit dem Kopf nach unten, geschickt an Baumstämmen, um mit ihrem langen, schmalen Schnabel in Ritzen und Spalten der Rinde nach Insekten und Samen zu suchen. Kleiber nisten in Wäldern, Gärten und Parkanlagen in Baumhöhlen, verlassenen Spechthöhlen und Nistkästen. Den zu weiten Eingang kleben sie mit eingespeicheltem Lehm bis auf ein kleines Schlupfloch zu (daher ihr Name ›Kleber‹). Im Winter sieht man sie auch am Futterhaus. Kleiber werden etwa 3–4 Jahre alt.

Kleinasien, Anatolien, nach Westen vorspringende Halbinsel zwischen dem Schwarzen Meer, dem Ägäischen Meer und dem östlichen Mittelmeer. Die Halbinsel entspricht weitgehend dem asiatischen Teil der →Türkei.

Kleinasien war zunächst von einer Reihe von Völkern besiedelt, bevor seit etwa 2000 v. Chr. die **Hethiter,** ein indogermanisches Volk, hier ein bedeutendes Reich bildeten. Nach dem Zerfall des Hethiterreichs entstanden zahlreiche Kleinstaaten. Noch vor 1000 v. Chr. siedelten Griechen an der Westküste. Auch die Thraker griffen nach Kleinasien über. Seit dem 7. Jahrh. v. Chr. bildete der westliche Teil der Halbinsel das Reich der **Lyder,** das aber 546 v. Chr. im **Perserreich** aufging. Nach der Schlacht von Issos (333 v. Chr.) fiel Kleinasien an Alexander den Großen und im 2. Jahrh. v. Chr. an die Römer. Später gehörte das Gebiet zum **Byzantinischen Reich.** Im 11. Jahrh. n. Chr. kam es unter die Herrschaft der Seldschu-

Wörter, die man unter K vermißt, suche man unter C, Ch oder Q

ken, eines türkischen Volks, und gehörte ab dem 14. Jahrh. zum **Osmanischen Reich.**

Kleine Koalition, →Koalition.

Kleist. Erst seit etwa 1900 gilt **Heinrich von Kleist** (* 1777, † 1811) als einer der bedeutendsten deutschen Dramatiker und Erzähler. Zu seinen Lebzeiten stand er im Schatten von Goethe und Schiller, um deren Anerkennung er sich vergeblich bemühte. Nach schweren seelischen Krisen nahm sich Kleist im Alter von 34 Jahren am Berliner Wannsee das Leben. Er hat keine Aufführung seiner Dramen erlebt. Seine heute vielgespielte Komödie ›Der zerbrochene Krug‹ (1808) war in der Inszenierung von Goethe (damals Weimarer Theaterdirektor) ein Mißerfolg.

Kleist stellt in seinen Werken Menschen dar, für die die Welt unsicher und doppeldeutig geworden ist. Nur das innerste Gefühl kann ihnen Halt geben. Doch auch dieses ist Täuschungen ausgesetzt. Während Käthchen im Ritterspiel ›Das Käthchen von Heilbronn‹ (1810) in der Unbedingtheit ihrer Liebe zu dem Grafen allen äußeren Anfechtungen widersteht, wird Alkmenes Gefühlssicherheit zeitweise bedroht (›Amphitryon‹, 1807). Die Tragödie ›Penthesilea‹ (1808) handelt von der völligen Gefühlsverwirrung der Amazonenkönigin, das Schauspiel ›Prinz Friedrich von Homburg‹ (1810) vom Widerstreit zwischen Pflicht und Gefühl. Kleists Erzählungen (→Michael Kohlhaas), die Menschen in Ausnahmesituationen zeigen, sind meisterhaft in ihrer Sachlichkeit, Klarheit und Dynamik. Kleist verfaßte außerdem Gedichte, Anekdoten und Essays (›Über das Marionettentheater‹, 1810).

Kleopatra, * 69 v. Chr., † 30 v. Chr., letzte Königin von Ägypten, bevor dieses römisch wurde. Dichter und Schriftsteller aller Zeiten haben ihre angebliche Schönheit gepriesen. Kleopatra war aber vor allem klug und sehr gebildet. Mit 17 Jahren wurde sie 51 v. Chr. Königin und heiratete nacheinander, der Sitte ihrer Zeit entsprechend, ihre beiden Brüder. Vom Thron vertrieben, gab ihr Caesar die Herrschaft zurück. Ihm gebar sie einen Sohn, Caesarion (* 47 v. Chr., † 30 v. Chr.), und folgte ihm nach Rom. Nach Caesars Tod kehrte sie nach Alexandria zurück, verband sich mit Antonius, der sie zur ›Königin der Könige‹ ausrief, sie 37 v. Chr. heiratete und ihr römische Provinzen schenkte. Wegen dieser Schenkungen stellte Octavian, der spätere Kaiser Augustus, Kleopatra als Feindin Roms hin und erklärte ihr den Krieg. Sie nahm an der Schlacht bei Aktium, in der ihre Flotte besiegt wurde (31 v. Chr.), selbst teil. Nach der Niederlage und dem Tod des Antonius nahm sie sich das Leben, indem sie sich von einer giftigen Schlange beißen ließ. Ihr Schicksal wurde unter anderem in Dramen von Shakespeare (›Antonius und Kleopatra‹, 1607) und George Bernard Shaw (›Caesar und Cleopatra‹, 1899) gestaltet sowie mehrfach verfilmt.

Heinrich von Kleist

Klerus [aus griechisch kleros ›Stand der Auserwählten‹]. In der katholischen Kirche werden die Geistlichen (Diakone, Priester, Bischöfe) auch **Kleriker** genannt; sie bilden den Klerus und sind die Träger aller entscheidenden Funktionen in der Kirche. Entsprechend ihrem Weihegrad nehmen sie die Leitungsaufgaben wahr und stehen den gottesdienstlichen Feiern vor. Damit unterscheiden sie sich von den **Laien,** die keine Weihe besitzen.

Die evangelischen Kirchen kennen neben dem allgemeinen Priestertum aller Gläubigen keinen besonderen Klerikerstand.

Klima, der für ein größeres Gebiet typische Ablauf des Wetters über einen längeren Zeitraum. Um die Durchschnittswerte zu ermitteln, die ein bestimmtes Klima kennzeichnen, werden über viele Jahre hinweg Temperatur, Niederschlag, Luftdruck, Luftfeuchtigkeit, Windrichtung und -stärke und andere Erscheinungen – die Wetterforscher bezeichnen sie als **Klimaelemente** – gemessen. Meist umfaßt eine solche Meßreihe 30 Jahre. Beeinflußt wird das Klima weiterhin von den **Klimafaktoren,** zu denen z. B. geographische Breite, Höhenlage, Verteilung von Land und Meer, Beschaffenheit des Bodens und Vegetation zählen.

Eine allgemein gültige Einteilung der Klimate gibt es nicht, da diese nach sehr verschiedenen Gesichtspunkten vorgenommen werden kann. Nach der Höhenlage unterteilt man in **Gebirgsklima** und **Tieflandklima.** Der Einfluß der Verteilung von Land und Meer führt zur Unterscheidung von Kontinentalklima und ozeanischem Klima. **Kontinentalklima** im Innern der Kontinente weist große Temperaturschwankungen im Tages- und Jahresverlauf auf. Die Winter sind kalt, die Sommer warm. Niederschläge fallen meist im Sommer. Das **ozeanische Klima** ist dagegen vom Meer beeinflußt und zeigt geringe tägliche und jährliche Temperaturschwankungen. Die Winter sind mild, die Sommer mäßig warm. Hohe Niederschläge fallen vor allem im Herbst und Winter.

Trotz der vielfältigen Einflüsse auf das Klima sind auf der Erde mehrere **Klimazonen** ausgebildet, die mit einer gewissen Regelmäßigkeit aufeinanderfolgen. Beiderseits des Äquators erstreckt sich die **tropische Zone,** zu der die ständig warmen Gebiete der Erde gehören. Im Jahresverlauf gibt es keine großen Temperaturschwankungen. Die Niederschläge sind sehr hoch. An die tropische Zone schließt sich die **subtropische Zone** an, in der die Niederschläge gering sind und zeitweise ganz ausbleiben. Hier liegen die Savannen- und Wüstengebiete Amerikas, Afrikas und Australiens. Die Temperaturen sind hoch, weisen aber geringe jahreszeitliche Schwankungen auf. Darauf folgt die Zone mit →Mittelmeerklima, an die sich die **gemäßigte Zone** anschließt. Hier weisen die Temperaturen deutliche Unterschiede zwischen den Jahreszeiten auf. Die Durchschnittstemperaturen des kältesten Monats liegen zwischen +18 °C und −3 °C. Niederschläge fallen zu allen Jahreszeiten. In der **subpolaren Zone** liegen die Durchschnittstemperaturen des kältesten Monats unter −3 °C. Die mäßig warmen Sommer dauern nur wenige Wochen, die langen Winter sind sehr kalt. In der **polaren Zone,** den Gebieten um die Pole, steigt die Durchschnittstemperatur des wärmsten Monats nicht über +10 °C.

Kloake, der meist erweiterte letzte Abschnitt des Darms, in den auch die Harnblase und die Geschlechtsorgane einmünden. Solche Kloaken findet man bei Haifischen, Lurchen, Kriechtieren, Vögeln und wenigen Wirbellosen. Von den Säugetieren besitzen nur die **Kloakentiere** (Ameisenigel, Schnabeltiere) eine Kloake.

Klopfkäfer, →Holzwürmer.

Klopstock. Der Stil und die Gefühlsgewalt des Versepos ›Messias‹ (1748–73) des Dichters **Friedrich Gottlieb Klopstock** (* 1724, † 1803) wirkte zu einer Zeit, als man der Vernunft den Vorrang vor dem Gefühl gab, wie eine Offenbarung. Besonders mit den ersten 3 der 20 Gesänge des ›Messias‹ bereitete Klopstock den Durchbruch des →Sturm und Drang und die Dichtung der Goethezeit vor, in der das seelische Erlebnis das zentrale Thema ist. Auch mit seinen feierlichen, in antiken Versmaßen geschriebenen Oden an Natur, Liebe, Freundschaft, Gott wurde Klopstock der Verkünder eines neuen, schwärmerischen, zugleich frommen und weltfreudigen Lebensgefühls.

Kloster [von lateinisch claustrum ›abgeschlossener Bereich‹], von der Außenwelt abgetrennter Bezirk, in dem **Mönche** oder **Nonnen** nach den Regeln ihres →Ordens in Gemeinschaft leben.

Der in sich geschlossene Komplex einer Klosteranlage umfaßt eine Kirche, an die sich ein überwölbter Gang, der Kreuzgang, anschließt. Er umgrenzt im Viereck einen Garten mit Brunnen. Um den Kreuzgang liegen die Gebäude, die im allgemeinen nicht von Fremden betreten werden dürfen (Klausur). Dazu gehören der Speisesaal (Refektorium), der Kapitelsaal, in dem die Klosterangelegenheiten beraten werden, und der Schlafsaal (Dormitorium). Heute bewohnen die Mönche oder Nonnen meistens einen eigenen Raum (Zelle). Außerhalb dieser eigentlichen Anlage befinden sich meist noch Wirtschaftsgebäude, da sich die Klöster in der Regel selbst versorgen. Neben Gebet und Bibelstudium widmeten sich die Klöster in der Vergangenheit vor allem der Betreuung von Kranken, unterhielten Schulen und umfangreiche Bibliotheken und hatten vielfach eine große Wirkung auf das gesamte kulturelle Leben. Die Mönche schrieben, da es im Mittelalter noch keinen Buchdruck gab, die Bücher Wort für Wort ab und bewahrten sie so für die Nachwelt. Solche handgeschriebenen Werke sind oft mit kostbaren Malereien (Buchmalerei) und kunstvollen Buchstaben verziert.

Während in den evangelischen Kirchen das Klosterwesen nur eine geringe Rolle spielt, kennen neben der katholischen Kirche auch andere christliche Glaubensgemeinschaften, besonders die Ostkirchen, Klöster. Auch in nichtchristlichen Religionen, z. B. im Buddhismus, sind diese Wirkungsstätten des religiösen Lebens weit verbreitet.

Klytämnestra, in der griechischen Sagenwelt die Gemahlin des Königs →Agamemnon.

km, km², km³, Einheitenzeichen für **Ki**lo**m**eter, Quadratkilometer und Kubikkilometer (→Einheiten).

kn, Einheitenzeichen für →**Kn**oten 2).

Knabenkraut, eine →Orchidee.

Knallgas, Gemisch aus Wasserstoff und Sauerstoff im Verhältnis 2:1, das bei Erhitzung auf 500–600 °C mit scharfem Knall explodiert, wobei Wasserdampf entsteht; im weiteren Sinn auch zündfähige Mischungen brennbarer Gase mit Luft.

Kniegelenk, das größte →Gelenk des menschlichen Körpers. Es wird vom Oberschenkelknochen und dem Schienbein sowie der **Kniescheibe** gebildet. In ihm lassen sich Beuge- und Streckbewegungen, in gebeugtem Zustand auch Drehbewegungen ausführen. In das Gelenk sind 2 halbmondförmige Knorpelscheiben (Menisken) eingelagert, die als Ausgleich die unterschiedlich geformten Gelenkenden aufnehmen. Sie wirken als Polster und fangen Erschütte-

Wörter, die man unter K vermißt, suche man unter C, Ch oder Q

rungen ab, werden jedoch bei starker Belastung häufig verletzt. Eine Gelenkkapsel umschließt das Gelenk; in die Vorderwand der Gelenkkapsel ist die Sehne des Oberschenkelmuskels mit der Kniescheibe eingebettet. Die ebenfalls in der Gelenkkapsel gelegenen Seitenbänder und die Kreuzbänder im Innern geben dem Gelenk Halt.

Knoblauch, →Gewürzpflanzen.

Knöchel, bei Mensch und höheren Affen Knochenvorsprünge am Bein im Bereich des Fußgelenks. Sie dienen als Ansatzstellen für Sehnen und die Gelenkkapsel des Fußgelenks. Der an der Innenseite gelegene Knöchel wird vom Schienbein, der an der Außenseite gelegene vom Wadenbein gebildet.

Knochen bilden beim Menschen und bei den meisten Wirbeltieren das Gerüst des Körpers. Alle Knochen des Körpers zusammen werden →Skelett genannt und machen etwa 15–20% des Körpergewichts aus. Sie haben die Aufgabe, den Körper zu stützen und bestimmte Organe zu schützen. Mit Hilfe der Muskeln, die an den Knochen befestigt sind, ermöglichen sie die aufrechte Haltung.

Nach dem Aussehen werden sie eingeteilt in 1) lange oder Röhrenknochen, z. B. Arm- u. Beinknochen, 2) platte oder breite Knochen, z. B. Bekkenknochen, Schulterblatt, Schädelknochen, 3) kurze Knochen, z. B. Wirbel, Hand- und Fußwurzelknochen. Knochen können entweder fest miteinander verbunden sein wie die Schädelknochen oder als bewegliche Verbindung ein Gelenk bilden. Jeder Knochen ist von einer bindegewebigen **Knochenhaut** überzogen. Diese enthält Blutgefäße, die dem Knochen Nährstoffe zuführen, und Nerven, die sie sehr schmerzempfindlich machen. Der harte Anteil des Knochens besteht aus der äußeren **Knochenrinde** und der inneren **Schwammschicht** mit schmalen **Knochenbälkchen.** Der Knochen erhält seine Härte und Festigkeit durch Kalksalze, die in das Knochengewebe eingelagert sind. Im freien Raum zwischen den Knochenbälkchen befindet sich das **Knochenmark,** das bei der Geburt nur als rotes Knochenmark vorhanden ist und allmählich durch gelbes Fettmark ersetzt wird. Das rote Knochenmark dient der Blutbildung. Es ist beim Erwachsenen nur noch in wenigen Knochen wie Rippen, Brustbein, Beckenkamm zu finden.

Knochenbruch, Schädigung des Knochens, wobei dieser teilweise oder vollständig durchtrennt sein kann. Wenn der Knochen angebrochen ist, sieht man dies häufig nur auf dem Röntgenbild. Bei einer vollständigen Durchtrennung ziehen die am Knochen ansetzenden Muskeln die Bruchenden in verschiedene Richtungen, so daß sie sich gegeneinander verschieben und eine Beweglichkeit an der Bruchstelle entsteht. Durch die Verletzung der empfindlichen Knochenhaut verspürt der Patient starke Schmerzen. Da beim Bruch Blutgefäße zerrissen werden, bildet sich ein →Bluterguß, und das Gewebe um den Knochenbruch schwillt an. Die Knochenheilung wird durch Ruhigstellung (Gipsverband) oder Operation (Anbringen von Metallplatten oder Nägeln) möglich. Zwischen den Bruchenden bildet sich der Knochen bei der Heilung neu.

Knollenblätterpilz, ein →Pilz.

Knorpel, bei Mensch und Wirbeltieren festes, zum Teil auch elastisches →Gewebe, das zum Stützgewebe des Körpers zählt. Das Skelett des Neugeborenen ist teilweise aus Knorpelgewebe vorgebildet, das erst im Lauf der Entwicklung durch Knochengewebe ersetzt wird. An vielen Stellen bleibt der Knorpel erhalten, so z. B. an den Gelenkenden der Knochen, an der Nase, am Kehlkopf und am äußeren Ohr. Im Gelenk hat er die Aufgabe, eine reibungslose Bewegung zu ermöglichen, an Nase, Kehlkopf und Ohr bildet er das Stützgerüst.

Knossos, antiker Ort auf Kreta, südlich von Heraklion. Nach der griechischen Sage war Knossos die Stätte des von Dädalus erbauten Labyrinths, der Herrschersitz des sagenhaften Königs Minos und der Schauplatz der Sage von Theseus und Ariadne. Um 2000 v. Chr. wurde hier die größte Palastanlage der →minoischen Kultur erbaut: Wohn-, Kult- und Vorratsräume umgaben einen zentralen Innenhof; Verteidigungsanlagen gab es in Knossos nicht. Die Zerstörung der Anlage um 1375 v. Chr. bedeutete das Ende der minoischen Kultur. – Seit 1900 führte der britische Archäologe Sir Arthur Evans hier Ausgrabungen durch und stellte Teile der Anlage wieder her.

Knoten, 1) Verschlingung von Seilen oder Tauen.

2) Einheitenzeichen **kn,** in der Seefahrt gebräuchliche Einheit der Geschwindigkeit [nach

Knoten 1)

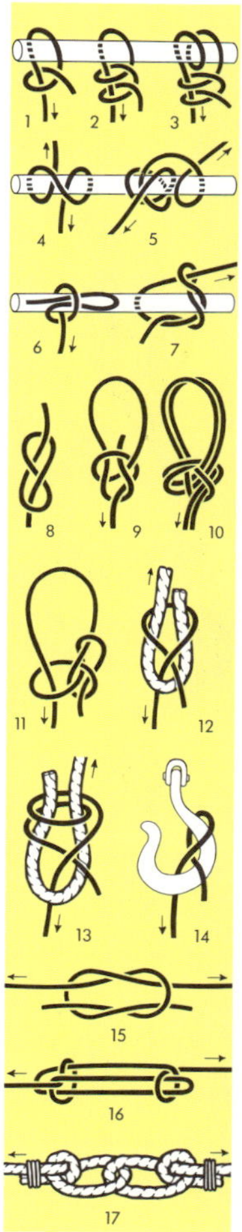

Knoten 1 (seemännische Knoten); **1** ein halber Schlag; **2** zwei halbe Schläge (Knoten läßt sich zusammenziehen); **3** Rundtörn mit zwei halben Schlägen (wenn viel Kraft auf das Ende kommt); **4** Webeleinstek (Seilbefestigung an Rundhölzern oder Poller); **5** Stopperstek (zum Abstoppen einer durchlaufenen Trosse); **6** Schlippstek (Slipstek), leicht lösbare Seilbefestigung; **7** Zimmermannsstek (zum Heben schwerer Balken oder als Seilbefestigung bei ständigem Zug); **8** Achtknoten (verhindert am Seilende das Ausscheren); **9** Pahlstek (häufigster Knoten, zieht sich nicht zusammen, leicht lösbar); **10** doppelter Pahlstek; **11** laufender Pahlstek; **12** einfacher Schotstek (zur Verbindung ungleich starker Enden); **13** doppelter Schotstek; **14** Hakenschlag (hält nur bei Zug); **15** Kreuzknoten oder Weberknoten (die einfachste Seilverbindung); **16** Verkürzungsstek (Trompete; hält nur bei Zug); **17** Trossenstek (Verbindung schwerer Trossen)

den in die Logleine eingeknüpften Knoten, deren Ablauf in der Zeit gezählt wurde]: 1 kn = 1 sm/h (Seemeile durch Stunde) = 1,852 km/h.

Knurrhähne, im Meer lebende Fische, die mit Hilfe der Schwimmblase knurrende Töne erzeugen. Knurrhähne sind meist sehr bunt; ihr Kopf ist gepanzert und oft mit starken Stacheln besetzt. Sie kommen auch an europäischen Atlantikküsten vor. Mit ihren flügelartigen Brustflossen laufen sie auf dem Meeresboden, wo sie sich meist aufhalten. (BILD Fische)

Koalas, Beutelbären, sind keine Bären, sondern →Beuteltiere. Diese 60–80 cm langen, gedrungenen und schwanzlosen Tiere leben auf Bäumen in Ostaustralien. Sie ernähren sich ausschließlich von den Blättern des Eukalyptusbaums. Ihre Haltung im Zoo ist bisher selten gelungen. Alle 2 Jahre wird ein nur etwa 5 Gramm schweres Junges geboren, das im Brutbeutel heranwächst. Fast ein Jahr trägt die Mutter es dann auf dem Rücken umher. Wegen seines weichen, aschgrauen Fells wurde der Koala fast ausgerottet, mit Erfolg aber wieder angesiedelt.

Kobras: Brillenschlange

Koalition [französisch ›Bündnis‹], in der internationalen Politik die Verbindung selbständiger Staaten zu gemeinsamer Kriegsführung gegen einen gemeinsamen Gegner (→Koalitionskriege).

In Staaten, in denen politisch selbständige Parteien um die Macht ringen, ist eine Koalition das Bündnis mehrerer Parteien, die das Ziel haben, als **Regierungskoalition** gemeinsam eine Regierung zu bilden. Eine **Große Koalition** weiß dabei eine hohe, eine **Kleine Koalition** eine niedrige Mehrheit von Abgeordneten im Parlament hinter sich. In einer Großen Koalition finden sich oft Parteien mit sehr unterschiedlichen Zielsetzungen zusammen; eine solche Koalition kommt daher auch seltener zustande als eine Kleine Koalition.

Koalitionskriege, die Kriege der verbündeten europäischen Monarchien gegen das revolutionäre Frankreich, 1792–1807. Im **Ersten Koalitionskrieg** verbündeten sich Preußen und Österreich. Nach der Hinrichtung des französischen Königs traten Großbritannien, die Niederlande, Spanien, Sardinien, Neapel, Portugal und das Reich dem Bündnis bei. 1795 schloß Preußen den Sonderfrieden von Basel. Es stimmte darin einer Abtretung der linksrheinischen Gebiete an Frankreich zu; 1797 mußte dem auch Österreich im Frieden von Campoformio zustimmen. Im **Zweiten Koalitionskrieg** (1799–1802) kämpften Großbritannien, Rußland, Österreich, Portugal, Neapel und die Türkei gegen Frankreich. Napoleon zwang Österreich 1801 zum Frieden von Lunéville und 1802 Großbritannien zum Frieden von Amiens. Der Rhein blieb französische Ostgrenze. Im **Dritten Koalitionskrieg** (seit 1805) standen Großbritannien, Rußland, Österreich und Schweden und seit 1806 auch Preußen (Vierte Koalition) gegen Frankreich. Nach der Niederlage bei Austerlitz 1805 schloß Österreich den Frieden von Preßburg. 1806 unterlagen die Preußen bei Jena und Auerstädt; die Franzosen stießen bis nach Ostpreußen vor. Im Frieden von Tilsit (1807) verlor Preußen alle Besitzungen westlich der Elbe.

Kobalt, Zeichen **Co,** metallisches →chemisches Element (ÜBERSICHT), das härter und fester als Stahl und sehr zäh ist. Es ähnelt chemisch Eisen und Nickel. In der Erdkruste ist es selten, dagegen kommt es angereichert in Eisenmeteoriten, vermutlich auch im Erdkern vor. Technisch wird es zur Herstellung von Legierungen, Hartmetallen und Spezialstählen verwendet. Kobalt ist ein lebenswichtiges Spurenelement.

Koboldmakis, Familie der →Halbaffen.

Kobras, große, sehr giftige Schlangen, die in Afrika und Südasien leben. Bei Erregung richten sie ihren Vorderkörper auf und flachen den Nakken durch Spreizen der Halsrippen scheibenförmig wie einen Hut ab (daher auch **Hutschlangen**). Bei der etwa 1,5 m langen, indischen **Brillenschlange** tritt dabei zwischen den Schuppen eine brillenähnliche Zeichnung hervor. Die afrikanische **Speikobra** kann dem Opfer bis auf 2 m Entfernung ihr ätzendes Gift in die Augen spritzen. Die **Königskobra** ist mit über 4 m die längste Giftschlange. Mit Kobras werden Schlangenbeschwörungen durchgeführt.

Koch. Der Mediziner **Robert Koch** (* 1843, † 1910) gilt als Begründer der Bakteriologie, einer Wissenschaft, die sich mit dem Nachweis und der Erforschung von Krankheitserregern befaßt. Mit der Entdeckung des Milzbranderregers bei Schafen gelang es ihm erstmals, den lebenden Erreger einer ansteckenden Krankheit nachzuweisen. 1882 entdeckte er den Erreger der Tuberkulose, 1883 den der Cholera; er erforschte die Schlafkrankheit und die Malaria. 1905 erhielt er den Nobelpreis für Physiologie und Medizin.

Kochelsee, See am Nordrand der bayerischen Alpen südlich von München, 5,9 km² groß. Sein Wasserspiegel liegt in 600 m Höhe; der See ist bis zu 66 m tief. Am Ostufer liegt **Kochel am See,** ein Luftkurort mit regem Fremdenverkehr.

Kochsalz, kurz **Salz,** chemisch **Natrium-**

chlorid, Na Cl, kommt in der Natur in mächtigen Lagern als **Steinsalz,** gelöst in Salzquellen und im Meerwasser (durchschnittlich 3% Salzanteil) vor. Die Steinsalzlager werden entweder bergmännisch abgebaut, oder das Steinsalz wird unterirdisch mit Wasser gelöst und die dabei erhaltene Lösung oberirdisch wieder eingedampft **(Siedesalz).** Aus Meerwasser wird Kochsalz durch Verdunstung des Wassers durch die Sonne in großen flachen Becken (Salzgärten), z. B. rund um das Mittelmeer, gewonnen.

Kochsalz wird als Speise- oder Tafelsalz und, mit Eisenoxiden verändert, als Viehsalz verwendet. Kochsalz ist auch wichtig für Speise- und Konservierungszwecke (Einpökeln).

Das für Mensch und Tier lebensnotwendige Kochsalz wird dem Körper mit der Nahrung zugeführt und über den Darm ins Blut aufgenommen. Im Körper liegt es gelöst in Form von Na^+- und Cl^--Ionen vor, die im Elektrolyt- und Wasserhaushalt eine wichtige Rolle spielen. Sie können Wasser binden und beeinflussen z. B. die Ausscheidung von Flüssigkeit über die Nieren.

Kogge, gedrungenes, breites Kriegs- und Handelsschiff, das seit Beginn des 13. Jahrh. von Kaufleuten der → Hanse verwendet wurde. Koggen hatten bis zu 3 Segelmasten und konnten zusätzlich mit Rudern versehen sein.

Kohäsion [von lateinisch cohaerere ›zusammenhängen‹], Physik: der innere Zusammenhalt der Stoffe durch das Wirken von Anziehungskräften **(Kohäsionskräften)** zwischen gleichartigen Atomen oder Molekülen; zu unterscheiden von der → Adhäsion.

Kohl. Der in Ludwigshafen am Rhein geborene, christdemokratische Politiker Helmut Kohl (* 1930) war 1969–76 Ministerpräsident von Rheinland-Pfalz und 1976–82 als Vorsitzender der CDU/CSU-Bundestagsfraktion Oppositionsführer in Bonn. Seit 1973 Bundesvorsitzender der CDU, wurde Kohl nach dem Koalitionswechsel der FDP am 1. Oktober 1982 vom Deutschen Bundestag zum Bundeskanzler gewählt und seither dreimal im Amt bestätigt. In seine Regierungszeit fiel die Herstellung der staatlichen Einheit Deutschlands.

Kohlechemie, die Gesamtheit der Verfahren zur Gewinnung chemischer Produkte aus Kohle; heute von geringer Bedeutung.

Kohlen, im weiteren Sinn feste, kohlenstoffreiche Zersetzungsprodukte organischer Stoffe, dies gilt z. B. für Holzkohle oder → Aktivkohle. Im engeren Sinn stellen sie aus fossilem Pflanzenmaterial entstandene, brennbare Sedimentgesteine dar. Diese entstanden in Senkungsgebieten aus Sumpfmoorwäldern feuchtwarmer Klimate. Durch Absenkung wurde viel Pflanzenmaterial angehäuft, das durch chemische und mikrobiologische Vorgänge, so wie in heutigen Mooren, vertorfte. Anschließend, von Gesteinsmassen luftdicht bedeckt, unterlag die pflanzliche Substanz durch Druck und Wärme dem Vorgang der ›Inkohlung‹, wobei der Kohlenstoffgehalt angereichert und je nach Intensität das Braunkohle-, Steinkohle- und schließlich Anthrazitstadium erreicht wurde.

Die Kohlenbildung erreichte in der → Erdgeschichte einen ersten Höhepunkt nach der Entwicklung der Pflanzen im Karbon und Perm. Im Tertiär entstanden Braunkohlenvorkommen.

Neben Kohlenstoff enthalten Kohlen Wasserstoff, Sauerstoff, Stickstoff und Schwefel sowie Asche. Die bei der Verbrennung von Kohle freigesetzten Stick- und Schwefeloxidgase sind wesentliche Faktoren der Umweltbelastung.

Kohlen sind als Flöze in andere Gesteinsschichten eingelagert. Während Steinkohlenlagerstätten in Deutschland bis in 1 500 m Tiefe bergmännisch abgebaut werden, sind Braunkohlenlagerstätten oft in riesigen Tagbauen direkt zugänglich.

Für die Entwicklung der Industrie im 19. Jahrh. spielte die Kohle eine ähnliche Rolle wie das Erdöl in unserer Zeit, sowohl als Energielieferant als auch als Rohstoff der Industrie. Steinkohle wird heute überwiegend zur Koksherstellung, Braunkohle als Brennstoff für Kraftwerke benutzt. Besonders entwickelt werden derzeit Verfahren der Kohlevergasung und Kohlehydrierung (→ Kohleveredlung).

Kohlendioxid, farbloses, nicht brennbares Gas, das in der Luft nur zu 0,03%, jedoch in den Ozeanen in größerer Menge gelöst oder gebunden vorkommt. Konzentrationen ab 8% führen beim Menschen zu einer Vergiftung, die in kurzer Zeit den Tod zur Folge hat (Vorsicht in Gärkellern!). Pflanzen benötigen es zusammen mit Wasser bei der → Photosynthese, bei der der für Mensch und Tier lebenswichtige Sauerstoff abgegeben wird. Kohlendioxid löst sich gut in Wasser und bildet dabei Kohlensäure, die in zahlreichen Mineralwässern und Getränken enthalten ist oder künstlich zugesetzt wird, da ein geringer Kohlendioxidgehalt den Kreislauf anregt und die Durchblutung fördert.

Kohlenhydrate, chemische Verbindungen, die Kohlenstoff, Wasserstoff und Sauerstoff enthalten und für die Ernährung des Menschen und der meisten Tiere unerläßlich sind. Zu ihnen gehören Zucker, Stärke, Cellulose und andere Verbindungen, die von Pflanzen gebildet werden. Die Pflanzen speichern besonders viele Kohlenhydrate in ihren Samen (z. B. in Getreidekörnern und in den Hülsenfrüchten der Erbsen und Bohnen) oder in den Wurzeln (z. B. Kartoffel, Zukkerrübe).

100 g Kohlenhydrate haben einen Nährwert von 1 720 Kilojoule (kJ); diese Energie wird vollständig umgewandelt, wenn man z. B. ungefähr 100 Minuten radfährt. Ißt man mehr Kohlenhydrate, als man für die tägliche Ernährung benötigt, werden sie im Körper zu →Fetten umgebaut und gespeichert.

Kohlenmonoxid, Kohlenoxid entsteht überall da, wo Kohle, Heizöl oder Benzin ohne ausreichende Sauerstoffzufuhr verbrennt oder organische Stoffe abgebaut werden. Dieses farb- und geruchlose **giftige Gas** bildet sich an der Luft schnell zu →Kohlendioxid um. Wenn man Kohlenmonoxid einatmet, verbindet es sich mit dem roten Blutfarbstoff und blockiert ihn, was zur Erstickung führt.

Kohlensäure entsteht in geringer Menge in wäßrigen Lösungen von →Kohlendioxid. Die mittelstarke Säure bildet 2 Arten von Verbindungen: die **Hydrogencarbonate** (z. B. Natriumhydrogencarbonat oder Natron, $NaHCO_3$) sowie die **Carbonate** (Salze und Ester der Kohlensäure), die als Calcium- und Magnesiumcarbonat (Kalkspat, Dolomit, Magnesit) gesteinsbildende Minerale sind. Unter Kohlensäure wird auch häufig Kohlendioxid verstanden.

Kohlenstoff, Zeichen **C** (von lateinisch **c**arboneum), ein →chemisches Element (ÜBERSICHT). Zwischen einer Bleistiftmine und einem wertvollen Brillanten besteht, chemisch gesehen, kein Unterschied. Beide, Graphit und der besonders kunstvoll geschliffene Diamant, bestehen aus reinem elementarem Kohlenstoff. Nur in der Art der Anordnung der Atome unterscheiden sie sich. Erst als man im 18. Jahrh. in einem geschlossenen Gefäß einen Diamanten erhitzte und diesen dabei zerstörte, stellte man diesen Sachverhalt fest.

Heute ist die gegenseitige Umwandlung technisch möglich. Beim Erhitzen unter hohem Druck und Sauerstoffabschluß, also unter Bedingungen, wie man sie tief im Erdinneren, dem natürlichen Entstehungsort von Diamanten, vorfindet, geht Graphit in Diamant über. Hierauf beruht die Herstellung künstlicher Diamanten. Die Hauptmenge des Kohlenstoffs liegt allerdings gebunden in Gesteinen, wie Kalkstein, Kreide, Marmor oder Dolomit sowie als Kohle in der Natur vor. Die Kohlenstoffverbindungen sind Grundlage aller organischen Verbindungen, auf denen alles organische Leben aufbaut.

Kohlenwasserstoffe, chemische Verbindungen aus Kohlenstoff und Wasserstoff. Da sich die Kohlenstoffatome dabei in unterschiedlicher Anzahl zu Ketten oder Ringen vereinigen können, ist eine ungeheure Vielfalt dieser Verbindungen möglich. Zu den Kohlenwasserstoffen, die fest, flüssig oder gasförmig auftreten, gehören z. B. Benzin, Heizöl, Erdgas und Kerzenwachs. Kohlenwasserstoffe lassen sich auch synthetisch herstellen.

Kohleveredlung. Die Bezeichnung Veredlung deutet darauf hin, daß Kohle über ihre Grundverwendung als Brennstoff hinaus für die chemische Industrie ein wichtiger Rohstoff ist.

So wird bei der Produktion von →Koks in einer Kokerei **(Verkokung)** oder in einem →Gaswerk Kohle unter Luftabschluß erhitzt, wobei flüchtige Bestandteile entweichen und schwarzer →Teer übrigbleibt.

Bei der **Kohlevergasung** wird Kohle zu Brenngas und Synthesegas, einem Gemisch aus Kohlenoxid und Wasserstoff, umgesetzt. Synthesegas ist Grundstoff für die Herstellung von Ammoniak, Methanol, Kohlenwasserstoffen und anderen chemischen Produkten.

Durch **Kohlehydrierung** kann Kohle zusammen mit Wasserstoff zu flüssigen Kohlenwasserstoffen, also Benzin, Heiz- und Dieselöl, umgewandelt werden. Allerdings war diese Technik wegen der niedrigen Rohölpreise unwirtschaftlich. Erst seit der Verteuerung der Ölpreise werden in Versuchsanlagen neue Verfahren entwickelt.

Kohlweißling, ein →Schmetterling.

Kokain ist in den Blättern des Kokastrauchs enthalten, der hauptsächlich in Peru und Bolivien angebaut wird. Die Müdigkeit und Hunger verringernde Wirkung der gekauten Kokablätter ist den Indios dieser Regionen schon seit langem bekannt. Seit 1902 kann man Kokain auch im Labor herstellen; es zählt zu den am weitesten verbreiteten →Drogen. Gefährlich ist Kokain, weil die erzeugte Hochstimmung sehr schnell in Wahnvorstellungen und Angstzustände umschlagen kann. Der Deckname für Kokain ist ›Koks‹, und der Benutzer wird ›Kokser‹ genannt. Kokain wird überwiegend geschnupft. Wird zuviel Kokain genommen, besteht die Gefahr des Todes durch zentrale Atemlähmung.

Kokken [von griechisch kokkos ›Kugel‹], →Bakterien.

Kokon [kokõ, französisch], die Gespinsthülle, mit der sich viele Insektenlarven beim Verpuppen umgeben (z. B. Seidenspinner, →Seide).

Kokoschka. Der österreichische Maler, Graphiker und Dichter **Oskar Kokoschka** (* 1886, † 1980) gehörte zu den führenden Künstlern des →Expressionismus. Er begann in Wien mit Porträts und noch vom Jugendstil beeinflußten Illustrationen, zum Teil zu eigenen Dichtungen (Dramen, Erzählungen). Auf Reisen in Europa und Nordafrika entstanden Städtebilder und weite, lichterfüllte Landschaftsdarstellungen von intensiver Farbigkeit. Während seiner Emigration zur Zeit des Nationalsozialismus (1934 nach Prag, 1938 nach London) schuf er Gemälde und Lithographien mit oft politischem Inhalt. Nach dem Zweiten Weltkrieg, seit 1953 lebte er am Genfer See, entstanden wieder viele Landschaften und Porträts; auch gestaltete Kokoschka jetzt mythologische Themen, z. B. die Prometheus-Sage.

Kokospalmen wachsen im tropischen Küstenbereich, besonders des Pazifischen Ozeans. Diese →Palmen werden 20–30 m hoch, ihre riesigen Fiederblätter bis 6 m lang. Die Früchte, von denen eine Palme jährlich bis 50 Stück trägt, sind größer als ein Menschenkopf. Außen sind sie von einer lederartigen, wasserdichten Hülle umgeben, unter der eine 5 cm dicke Faserschicht liegt. So ist die hartschalige **Kokosnuß,** eigentlich der Fruchtstein mit Samen, im Innern gut geschützt. Am Stielende der Nuß sieht man 3 große ›Poren‹, durch die der junge Keimling durch die harte Schale gelangt. Die Nuß enthält das nahrhafte, weiße Samenfleisch und die **Kokosmilch,** die süß und erfrischend schmeckt. Das Fleisch kommt getrocknet als **Kopra** in den Handel. Durch heißes Auspressen gewinnt man aus Kopra **Kokosöl,** das zur Herstellung von Kokosfett, Margarine, Seife, Kosmetikartikeln und Kerzen verwendet wird. Die Faser der Umhüllung wird zu Schnüren, Schiffstauen und Matten verarbeitet.

Koks, aus Steinkohle durch Erhitzen unter Luftabschluß hergestellter Brennstoff, wobei leicht flüchtige Bestandteile wie Ammoniak und Benzol entweichen und der Kohlenstoffanteil steigt, was den Heizwert von Koks wesentlich erhöht. Im Hochofen liefert Koks die Energie Eisenerz zu schmelzen.

Kolben, 1) ein Maschinenteil. Je nach Bauart bewegt er sich im Zylinder einer Kolbenmaschine hin und her (**Hubkolben,** z. B. einer →Dampfmaschine) oder er dreht sich (**Drehkolben,** z. B. des →Wankelmotors). Dabei wird entweder Energie von Gasen an den Kolben (z. B. beim →Verbrennungsmotor) oder umgekehrt vom Kolben an das Arbeitsmedium übertragen (z. B. in Kolbenpumpen). **Kolbenringe,** die in Nuten rings um den Kolben gelegt sind, dienen zur Abdichtung gegenüber der Zylinderwand.

2) ein →Blütenstand.

Kolchose [Kurzwort aus russisch **kol**lektiwnoje **chos**jajstwo ›Kollektivwirtschaft‹], genossenschaftlich organisierter landwirtschaftlicher Großbetrieb in der früheren Sowjetunion. Nach der Oktoberrevolution 1917 schlossen sich kleinere Bauernhöfe freiwillig, seit 1928 auf staatliche Anordnung hin, zu Kolchosen zusammen. Der private landwirtschaftliche Besitz wurde dabei in das Eigentum der Kolchose überführt. Den Bauern verblieb nur ein kleines Stück Land für die private landwirtschaftliche Nutzung.

Daneben gab es **Sowchosen** (Kurzwort aus russisch **sow**jetskoje **chos**jajstwo ›Sowjetwirtschaft‹) als staatliche Landwirtschaftsbetriebe. 1992 wurden Schritte zur Privatisierung von Boden und Immobilien beschlossen, um private wie kollektive Bodennutzung zu ermöglichen.

Kolibris, kleine, farbenprächtige Vögel, die in Mittel- und Südamerika heimisch sind. Sie gehören zu den kleinsten Vögeln der Erde. Der **Zwergkolibri** ist nur so groß wie eine Hummel und wiegt etwa 2 Gramm (soviel wie 15 Streichhölzer); seine Eier sind so groß wie Erbsen. Die langbekrallten Füße der Kolibris eignen sich nur zum Sitzen. Die kleinen abgeflachten Flügel ermöglichen einen raschen Schwirrflug; sie werden dabei so schnell geschlagen, daß sie wie Schatten erscheinen. Während ein Sperling seine Flügel etwa 13 mal pro Sekunde schlägt, kann ein Kolibri seine Flügelschläge auf über 100–200 Schläge pro Sekunde steigern. Wie Hubschrauber fliegen Kolibris vor- und rückwärts, auf- und abwärts und schwirren auf der Stelle vor freihängenden Blüten. Mit ihrem langen, sehr schmalen, oft gebogenem Schnabel und der zum Saugen ausgebildeten Zunge dringen sie auch in tiefe Blütenkelche ein, um Blütensaft zu saugen. Dabei bestäuben sie die Blüten. Der Schwirrflug verbraucht viel Energie, so daß ein Kolibri sehr viel Nahrung aufnehmen muß (etwa alle 10 Minuten). Weitere BILDER Seite 148.

Kolik, plötzlich auftretender krampfartiger Schmerz, der durch das Zusammenziehen von

Kolibris: von OBEN nach UNTEN Glanzkolibri, Helmkolibri, Prachtelfe, Hummelelfe, Langschwanzkolibri (alle Abbildungen etwa die Hälfte der natürlichen Größe)

glatten Muskeln verursacht wird. Er klingt nach einiger Zeit ab, kann aber in unregelmäßigen Abständen wiederkehren. Koliken treten meist in Hohlorganen wie Magen, Darm, Gallenblase oder den ableitenden Harnwegen auf, wo sie durch Verengung (z. B. nach Entzündungen) oder Abflußhindernisse (Steine) ausgelöst werden.

Kolkrabe, Rabe, der größte → Rabenvogel Europas, der mit 64 cm Länge größer als ein Bussard ist. Sein schwarzes Gefieder glänzt metallisch blau. Er fliegt sehr gut, oft segelnd und gleitend, wobei er, im Unterschied zu der sehr ähnlichen, aber kleineren Rabenkrähe, am keilförmigen Schwanzende zu erkennen ist. Die scheuen Kolkraben nisten in einsamen Wäldern auf hohen Bäumen oder auf Felsvorsprüngen. Meist leben sie in Dauerehe. Sie fressen kleine und junge, auch tote Tiere (Insekten, Mäuse, Maulwürfe, Hasen, Lämmer), nehmen auch Beeren und Früchte und suchen an Müllplätzen nach Nahrungsresten. Da Kolkraben stark bejagt wurden, sind sie in Deutschland sehr selten geworden. Nach jahrelangen Schutzbemühungen beginnen sich die Bestände zu erholen.

Der Rabe gilt im Glauben vieler Völker (besonders im Märchen) wegen seiner schwarzen Farbe, seiner krächzenden Stimme und seiner Schläue als Unglücks- und Seelenvogel, der Krieg und Tod ankündigt.

Kollektor [lateinisch ›Sammler‹], **Kommutator,** ein Stromwender. Er ist Bestandteil von Elektromotoren und dient zur Umkehrung der Stromrichtung. Er kann sowohl als Gleichrichter wie auch als Wechselrichter verwendet werden (→ Elektromotor).

Kollwitz. Die Graphikerin und Bildhauerin **Käthe Kollwitz** (* 1867, † 1945) wurde vor allem durch ihre eindringlichen Radierungen, Lithographien und Zeichnungen bekannt, in denen sie Szenen aus dem Leben sozial Benachteiligter und Unterdrückter zeigte. Themen waren z. B. der ›Weberaufstand‹ und der ›Bauernkrieg‹, beides Serien von Radierungen (1897/98 und 1903–08), ferner ›Krieg‹ (Holzschnitte, 1920–24) und ›Hungernde Kinder‹ (Lithographiezyklus, 1920). Aus den Blättern sprechen soziale Anklage und warmes Mitgefühl mit den Leidenden.

Köln, 1 Million Einwohner, alte Bischofsstadt in Nordrhein-Westfalen, in der Kölner Bucht beiderseits des Rheins gelegen. Köln hat einen bedeutenden Binnenhafen. Es ist Sitz von überregionalen Einrichtungen (Westdeutscher Rundfunk) und zahlreichen Kultur- und Bildungsstätten (Deutsche Sporthochschule, Universität, Kunsthochschule für Medien, Forschungsanstalt für Luft- und Raumfahrt). Etwa 50 v. Chr. wurde an dieser Stelle die römische Siedlung **Oppidum Ubiorum** gegründet, die 50 n. Chr. Stadtrechte und den Namen **Colonia (Claudia Ara) Agrippinensis** erhielt. Funde aus dieser Zeit kann man im Römisch-Germanischen Museum besichtigen. Im Mittelalter entwickelte sich Köln zur größten Stadt Deutschlands.

Obwohl die Stadt im Zweiten Weltkrieg zu 75% zerstört wurde, läßt sie an den wiederhergestellten historischen Bauwerken und Kirchen ihren mittelalterlichen Glanz im Städtebild erkennen, so z. B. am **Kölner Dom,** einem der bedeutendsten Kirchenbauten der Gotik, begonnen 1248, fertiggestellt 1880.

Kolonie [von lateinisch colonus ›Bauer‹], Siedlungsgebiet von Teilen eines Volkes außerhalb des Mutterlands, auch die auswärtigen Besitzungen eines Staates. Kolonien wurden meist aus wirtschaftlichen Gründen erobert, als Rohstoffquellen und als Absatzgebiete für eigene Erzeugnisse. Kolonien waren aber auch, wie in der Antike die griechischen und römischen Kolonien an den Mittelmeerküsten, Siedlungsgebiete für Auswanderer aus dem Mutterland. Typische Beispiele für **Siedlungskolonien** sind Nordamerika und Südafrika. Auch militärische Erwägungen wie die Absicherung von Seewegen durch Stützpunkte haben eine Rolle bei der Anlage von Kolonien gespielt. So dienten die **Militärkolonien** Gibraltar, Malta, Zypern und die Suezkanalzone Großbritannien zur Absicherung des Seewegs nach Indien. In klimatisch ungünstigen und weit abgelegenen Gebieten wurden auch **Strafkolonien** angelegt (z. B. Französisch-Guayana für Frankreich, Sibirien für Rußland, Australien für Großbritannien).

Seit der Entdeckung Amerikas 1492 verfolgten die europäischen Staaten eine Politik kolonialer Eroberung **(Kolonialismus).** Zunächst waren es Spanier und Portugiesen, die im 16. Jahrh. in Mittel- und Südamerika die dort bestehenden Reiche unterwarfen. Nachdem 1588 die englische Flotte die spanische Armada vernichtet hatte, löste England Spanien auch als Kolonialmacht ab. 1584 hatte Sir Walter Raleigh die erste nordamerikanische Kolonie gegründet: Virginia. 1600 begann die Eroberung und Erschließung Indiens. Von Jahr zu Jahr kamen neue Gebiete in allen Teilen der Welt hinzu. Die Konkurrenz der Niederlande, die im 17. Jahrh. eine starke Kolo-

Kolibris: von OBEN nach UNTEN Adlerkolibri, Costa-Kolibri, Topaskolibri, Flaggensylphe (alle Abbildungen etwa die Hälfte der natürlichen Größe)

Wörter, die man unter K vermißt, suche man unter C, Ch oder Q

nialmacht vor allem im Bereich des heutigen Indonesien waren, wurde durch die Navigationsakte von 1651 ausgeschaltet. Diese verbot den Import von überseeischen Gütern nach England auf anderen als auf englischen Schiffen. Einen Rückschlag erlitt die koloniale Ausbreitung Großbritanniens durch den Verlust der nordamerikanischen Kolonien (→ Vereinigte Staaten von Amerika). Schon im 19. Jahrh. hat es in einzelnen Kolonien Großbritanniens Bemühungen gegeben, die Unabhängigkeit zu erlangen. Seit 1931 (Westminster-Statut) sind sie als Commonwealth of Nations (→ Britisches Reich) frei untereinander verbunden.

Eine weitere große europäische Kolonialmacht war Frankreich. Seine Kolonien lagen zunächst vorwiegend in Amerika und Indien. Frankreich verlor sie im 18. Jahrh. größtenteils an Großbritannien. Im 19. Jahrh. begann es mit dem Aufbau eines neuen Kolonialreichs in Nordafrika, in Südostasien im Bereich der heutigen Staaten Vietnam, Laos und Kambodscha sowie in Zentral- und Westafrika und Madagaskar.

Gegen Ende des 19. Jahrh. bemühte sich auch das Deutsche Reich um den Erwerb von Kolonien, die dem Schutz deutscher überseeischer Unternehmen und Handelsgesellschaften dienen sollten. Sie hießen ›Schutzgebiete‹. Zwischen 1884 und 1900 wurden Schutzgebiete in Südwestafrika, Kamerun, Togo, in Ostafrika, im Pazifischen Ozean sowie durch einen Pachtvertrag mit China an der ostasiatischen Küste (Kiautschoubucht mit dem Hafen Tsingtau) geschaffen. Deutschland verlor alle Schutzgebiete nach dem Ersten Weltkrieg.

Weitere Kolonialmächte in Europa waren Belgien, dessen König Leopold II. seit 1881 das Kongobecken, das heutige Zaire, besaß, und Italien, das sich in Eritrea (Äthiopien), Somaliland und Libyen festgesetzt hatte. Die russische Kolonisation war eine Ausbreitung auf dem Festland nach Osten und Südosten, wodurch riesige Gebiete in Asien (Sibirien, Turkmenistan, Usbekistan und andere) erschlossen wurden, die bis 1991 zur Sowjetunion gehörten. Nach dem Verfall der Sowjetunion wurden alle diese Staaten selbständig; bis auf Estland, Lettland, Litauen und Georgien bilden sie die → Gemeinschaft Unabhängiger Staaten.

Die meisten Kolonien sind seit Beginn des 20. Jahrh. in unabhängige Staaten umgewandelt worden.

Kolosseum, das größte → Amphitheater Roms und der antiken Welt, 80 n. Chr. vollendet. In ihm fanden über 50 000 Zuschauer Platz.

Kolumbien

Fläche: 1 138 914 km²
Bevölkerung: 32,59 Mill. E
Hauptstadt: Bogotá
Amtssprache: Spanisch
Nationalfeiertag: 20. Juli
Währung: 1 Kolumbian. Peso (kol$) = 100 Centavos
Zeitzone: MEZ − 6 Stunden

Kolumbien, Republik im Nordwesten Südamerikas. Das Land ist doppelt so groß wie Frankreich und grenzt im Westen an den Pazifischen Ozean und im Nordwesten an das Karibische Meer. Kolumbien hat Anteil an den Anden, die sich im Süden des Landes in 3 Gebirgsketten teilen: in die Ostkordillere mit ausgedehnten Hochbecken in 2 500–2 800 m Höhe, die Zentralkordillere mit jungen, zum Teil tätigen Vulkanen (Nevado del Huila, 5 750 m) und die niedrigere Westkordillere (bis 4 764 m hoch). Tiefe, von kurzen und wasserreichen Flüssen erfüllte Täler trennen die Gebirgsketten. Den Osten des Landes nehmen Tiefländer ein.

Das Klima ist bis in 1 000 m Höhe tropisch heiß, mit zunehmender Höhe gehen die Temperaturen zurück; die Schneegrenze liegt bei 4 600 bis 4 800 m Höhe. Besonders hohe Niederschläge erhalten die pazifische Küstenebene, die Westseite der Anden und das südöstliche Tiefland.

Die Bevölkerung besteht überwiegend aus Mischlingen (Mestizen und Mulatten); daneben gibt es Weiße und kleinere Gruppen von Schwarzen und Indianern. Am dichtesten besiedelt sind die Hochbecken und Gebirgstäler.

Etwa ⅕ der Gesamtfläche wird landwirtschaftlich genutzt. Wichtigstes Erzeugnis für die Ausfuhr ist Kaffee. Kolumbien ist nach Brasilien der größte Kaffeeproduzent der Erde. Daneben werden Zuckerrohr, Bananen, Reis, Tabak und Baumwolle für die Ausfuhr angebaut. Im Tiefland wird Viehwirtschaft betrieben.

Die Förderung von Erdöl und Erdgas hat dem Land in den letzten Jahren hohe Einnahmen gebracht. Neben der Sowjetunion ist Kolumbien der größte Lieferant von Smaragden. Mit amerikanischer Hilfe ist eine große verarbeitende Industrie entstanden.

Kolumbien wurde 1499 entdeckt. Nach einem langen Kampf wurde das Land 1819 von Spanien unabhängig. Zeitweise gehörten Ecuador und Venezuela mit Kolumbien zum Staat Groß-Kolumbien. (KARTE Seite 197)

Kolumbien

Staatswappen

Staatsflagge

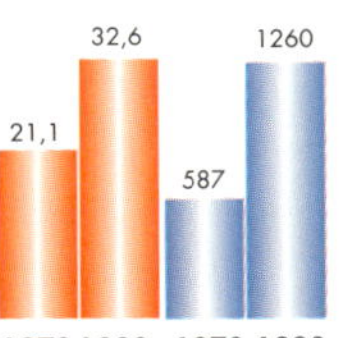

Bevölkerung (in Mill.) Bruttosozialprodukt je E (in US-$)

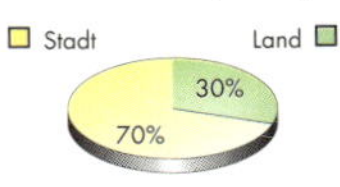

Bevölkerungsverteilung 1990

Bruttoinlandsprodukt 1990

Christoph Kolumbus

Kolumbus. Der Seefahrer und Entdecker Amerikas, **Christoph Kolumbus** (* 1451, † 1506), stammte aus der italienischen Handelsstadt Genua und ließ sich 1476 in Lissabon nieder. Dort machte er sich das neue Wissen um die Kugelform der Erde zunutze und entwickelte den Plan, über den Atlantischen Ozean einen Seeweg nach Indien zu finden. Da er in Portugal sein Projekt nicht verwirklichen konnte, ging er 1485 nach Spanien. Doch erst 1492 stellten ihm die spanischen Könige 3 Schiffe, darunter die ›Santa Maria‹, zur Verfügung. In zweimonatiger Fahrt überquerte Kolumbus den Atlantischen Ozean und landete am 12. Oktober 1492 auf der Bahama-Insel San Salvador. Danach unternahm er noch 3 weitere Fahrten zu dem neuen Erdteil.

Obwohl Kolumbus mit seinem Plan, über eine Fahrt nach Westen Indien zu erreichen, scheiterte, hat er dem Abendland eine neue Welt entdeckt und das Zeitalter der großen Entdeckungen, mit dem die Neuzeit begann, eingeleitet. Seine Zeitgenossen haben die Bedeutung seiner Entdeckungen nicht voll erkannt: Sie glaubten, Kolumbus habe Indien erreicht. Daher heißen bis heute die Urbewohner Amerikas ›Indianer‹ und die Inseln Mittelamerikas ›Westindien‹, während der neue Erdteil nach einem späteren Entdecker, Amerigo Vespucci, benannt wurde.

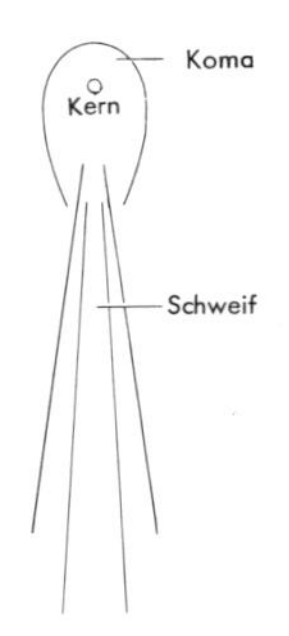

Komet 1: Schematische Darstellung der Bestandteile

Komantschen, Comanchen, Indianerstamm in der nordamerikanischen Prärie. Bis zum Beginn des 18. Jahrh. lebten die Komantschen als Jäger und Sammler in Wyoming. Nachdem sie sich in Westkansas niedergelassen hatten, ernährten sie sich fast ausschließlich durch die Jagd auf Bisons. Gegen das Eindringen der weißen Siedler setzten sie sich zur Wehr. Heute leben noch etwa 6 000 Komantschen im amerikanischen Bundesstaat Oklahoma.

Komedonen, →Mitesser.

Komet [von griechisch kometes ›Haarstern‹], Himmelskörper in unserem Sonnensystem, der auf einer elliptischen Bahn die Sonne umkreist. Die Bahnellipse ist meist sehr langgestreckt, so daß die Umlaufzeit zwischen 3 und vielen tausend Jahren liegt. Bekannte Kometen sind der **Halleysche Komet** (Umlaufzeit 76 Jahre), der **Bielasche Komet** (Umlaufzeit 6,6 Jahre) und der **Enckesche Komet** (Umlaufzeit 3,3 Jahre). Der Halleysche Komet konnte bereits 239 v. Chr. und zuletzt am 19. Mai 1910 beobachtet werden. Bei der Wiederkehr 1986 erreicht er den sonnennächsten Punkt seiner Bahn am 9. Februar 1986. Der Bielasche Komet ist seit 1852 nicht mehr gesehen worden; wahrscheinlich hat er sich aufgelöst.

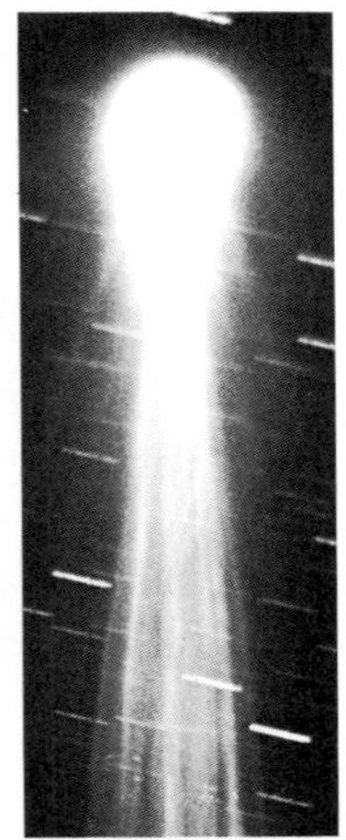
Komet 2: Jurloff-Achmaroff-Hassel (1939)

Die Kometen bestehen aus 3 Teilen (BILD 1): Der **Kern** (mit Durchmessern bis zu einigen 10 Kilometern) ist der Mittelpunkt und stellt ein Gemisch von festen, meteoritenartigen Körpern und Eisstücken dar. Die **Hülle (Koma)** umgibt den Kern und ist ein leuchtendes Gebilde (Gasmassen) mit einem Durchmesser bis zu 600 000 km. Der **Schweif** ist typisch für einen Kometen (BILD 2), deshalb auch die Bezeichnung **Schweifstern.** Er ist eine Fortsetzung der Hülle und ist zurückzuführen auf die elektrisch geladenen Teilchen des Sonnenwinds, die zusammen mit den eingelagerten Magnetfeldern Teile der Koma mitreißen. Daher ist der Schweif in der Regel von der Sonne weggerichtet und wird immer breiter und lichtschwächer, je größer der Abstand vom Kern ist. Man hat Schweife mit einer Länge bis zu 250 Millionen km beobachtet. Kometen werden nach ihren Entdeckern benannt.

Kommanditgesellschaft, Abkürzung **KG,** Rechtsform für einen Gewerbebetrieb. Meist ist einer der Eigentümer, der **Komplementär,** zum Geschäftsführer beauftragt und haftet im Verlustfall oder Konkurs den Gläubigern mit seinem gesamten Vermögen, auch dem Privateigentum. Die übrigen Gesellschafter der KG heißen **Kommanditisten.** Sie dürfen den Betrieb nicht leiten oder nach außen hin vertreten, stehen aber auch bei Verlusten nur mit ihrem in die Gesellschaft eingezahlten Geldanteil ein. Komplementär in einer KG kann außer natürlichen Personen auch eine andere Gesellschaft, z. B. eine Gesellschaft mit beschränkter Haftung, sein. Das Unternehmen führt dann die Rechtsbezeichnung GmbH & Co. KG.

Kommune [von lateinisch communis ›allen gemeinsam‹], allgemein die Bezeichnung für eine Gemeinde oder einen Gemeindeverband.

Unter Kommune versteht man heute auch den Zusammenschluß von Personen, die nach neuen Formen des Zusammenlebens (Wohn- und Wirtschaftsgemeinschaft) suchen.

Im historischen Sinn ist die Kommune das Stadtparlament von Paris, das während des Aufstands vom März 1871 gewählt wurde. Damals hatte die französische Regierung im Deutsch-Französischen Krieg von 1870/71 kapituliert, und deutsche Truppen standen vor den Toren von Paris, während Regierung und Nationalversammlung Paris verlassen hatten. Die Unzufriedenheit der hungernden Arbeitermassen entlud sich in einem Aufstand, dem sich die Pariser Bürgerwehr anschloß. Die Maßnahmen der sozialistisch geprägten Kommune, die die blau-weißrote Fahne durch die rote ersetzte, richteten sich auf die Beseitigung sozialer Nöte: Miet- und Wechselschulden wurden erlassen, der Arbeitstag auf 10 Stunden beschränkt. In blutigen Straßenkämpfen beseitigten Regierungstruppen im Mai 1871 die Kommune.

Kommunion [von lateinisch communio ›Gemeinschaft‹], in der katholischen Kirche der Empfang des Abendmahls, der →Eucharistie.

kommunistisch [von lateinisch communis ›allen gemeinsam‹], eine Richtung innerhalb der sozialistischen Gesellschaftslehren.

Der Kommunismus als Idee. Er strebt die Form einer Gesellschaft an, in der der einzelne zugunsten der Gemeinschaft auf privates Eigentum verzichtet; alle sollen alles besitzen. Die Verfechter dieser Idee sehen im privaten Besitz eine Ursache für den Gegensatz von arm und reich.

Der Franzose **François Babeuf** (* 1760, † 1797) und der Deutsche **Wilhelm Weitling** (* 1808, † 1871) entwickelten kommunistische Vorstellungen. Im →Kommunistischen Manifest entwarfen **Karl Marx** (* 1818, † 1883) und **Friedrich Engels** (* 1820, † 1895) das Bild einer Gesellschaftsordnung (→Marxismus), die in einer Gesellschaft ohne Klassen, das heißt ohne einander bekämpfende soziale Gruppen, ihre Vollendung findet. In dieser klassenlosen Gesellschaft würde zugleich die Herrschaft von Menschen über Menschen enden. Der russische Revolutionär **Wladimir Iljitsch Lenin** (* 1870, † 1924) knüpfte an Marx und Engels an, forderte aber zugleich, daß nur eine revolutionär gesinnte, festgefügte, nicht unbedingt mitgliederstarke Partei, die **Kommunistische Partei,** dieses von Marx entworfene Endziel erreichen könne.

Der Kommunismus als politische Macht. Als die russischen →Bolschewiken während der Oktoberrevolution 1917 in Rußland die Herrschaft übernahmen, entstand dort unter Führung Lenins in Gestalt der Sowjetunion die erste Staats- und Gesellschaftsordnung, die von der Idee des Kommunismus bestimmt sein sollte. Lenin und sein Nachfolger **Jossif Stalin** (* 1879, † 1953) errichteten eine Parteidiktatur, in deren Mittelpunkt die ›Kommunistische Partei der Sowjetunion‹ (Abkürzung: KPdSU) stand. Stalin führte eine radikale Umwandlung der Gesellschaft durch, baute den sowjetischen Staat zu einem führenden Industriestaat und im Zweiten Weltkrieg und der Zeit danach zu einer Weltmacht auf. Seine Nachfolger als Führer der Partei, **Nikita Chruschtschow** (* 1894, † 1971) und **Leonid Breschnew** (* 1906, † 1982), suchten die kommunistische Staats- und Gesellschaftsordnung weiter auszubauen.

Nach dem Zweiten Weltkrieg entstand mit sowjetischer Hilfe im europäischen Vorfeld der Sowjetunion sowie in Asien eine Reihe kommunistischer Staaten. Während die kommunistischen Länder in Europa (mit Ausnahme Jugoslawiens und Albaniens) in unterschiedlichem Grad die Vorherrschaft der Sowjetunion anerkannten (→Ostblock), stellt das 1949 entstandene kommunistische China seit etwa 1960 einen eigenen Führungsanspruch in der kommunistischen Welt. Tiefe soziale Gegensätze sowie der Abbau europäischer Kolonialherrschaften führten in der →Dritten Welt zur Errichtung kommunistischer Staats- und Gesellschaftssysteme (z. B. in Kuba, Angola und Äthiopien). Mit militärischen Mitteln versuchte die Sowjetunion 1979–89 in Afghanistan die kommunistische Herrschaft aufrechtzuerhalten.

Die kommunistischen Parteien. Unter dem Eindruck der Oktoberrevolution in Rußland entstanden kommunistische Parteien. In den nach 1945 entstandenen kommunistischen Staaten nahm die Kommunistische Partei (Abkürzung KP), oft unter einem anderen Namen, nach sowjetischem Vorbild die alleinige Führung des Staates in Anspruch. Während die kommunistischen Parteien lange den ideologischen Führungsanspruch der KPdSU anerkannten, widersetzten sich später außerhalb des europäischen Ostblocks nicht nur die chinesischen, sondern z. B. auch die jugoslawischen, italienischen und spanischen Kommunisten dieser Forderung. Einige westeuropäische kommunistische Parteien, vor allem die italienische und spanische KP, gingen darüber hinaus und bekannten sich im Rahmen einer sozialistischen Gesellschaftsordnung z. B. zu regelmäßig abgehaltenen freien Wahlen und einer aus ihnen hervorgegangenen Regierung. Unter dem Begriff **Eurokommunismus** wurden diese Bestrebungen vor allem in den 1970er und beginnenden 1980er Jahren diskutiert. – Der Zerfall des kommunistischen Weltsystems seit Ende der 1980er Jahre diskreditierte die gesellschaftstheoretische Idee des Kommunismus erheblich. Die kommunistischen Parteien wurden in den Ländern des ehemaligen Ostblocks meist verboten oder sie verwandelten sich. Im Mehrparteiensystem müssen sie mit demokratischen Parteien konkurrieren. Aus geschichtlicher Sicht waren folgende Parteien von Bedeutung:

Kommunistische Partei Deutschlands, KPD, gegründet 1918/19, gewann bis 1932 sechs Millionen Wähler. In der Zeit des Nationalsozialismus

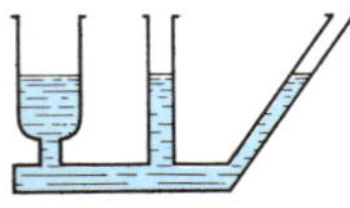

kommunizierende Röhren

wurde sie aufgelöst und ihre Mitglieder und Anhänger verfolgt. 1945 wurde sie wiedergegründet. In der späteren Deutschen Demokratischen Republik erzwang sie den Zusammenschluß mit der Sozialdemokratischen Partei Deutschlands (SPD) zur **Sozialistischen Einheitspartei Deutschlands (SED);** 1990 im Zuge der Wiedervereinigung umbenannt in Partei des Demokratischen Sozialismus (PDS) existiert sie noch regional. – In der Bundesrepublik Deutschland wurde die KPD 1956 vom Bundesverfassungsgericht verboten. 1968 bildete sich eine **Deutsche Kommunistische Partei (DKP).**

Kommunistische Partei Frankreichs (KPF), gegründet 1920, ging als erste kommunistische Partei ein politisches Bündnis mit anderen Linksparteien, besonders den Sozialisten, ein. Nach 1945 lange politisch isoliert, beteiligte sie sich 1981–84 an einer sozialistisch geführten Regierung.

Die **Kommunistische Partei Italiens (KPI),** gegründet 1921, stieg nach dem Zweiten Weltkrieg zur mitgliederstärksten KP in Europa außerhalb der kommunistischen Staaten auf, verlor aber in den 1980er und 1990er Jahren an Bedeutung.

Die **Kommunistische Partei Chinas (KPCh),** gegründet 1921, errang unter Führung von **Mao Tse-tung** (* 1893, † 1976) in einem jahrzehntelangen Bürgerkrieg nach dem Zweiten Weltkrieg in China die Macht und errichtete die Volksrepublik China.

Kommunistisches Manifest. Im Februar 1848 erschien unter dem Titel ›Kommunistisches Manifest‹ die von **Karl Marx** und **Friedrich Engels** verfaßte Programmschrift des ›Bundes der Kommunisten‹, einer kleinen, in London tagenden Vereinigung deutscher Sozialisten.

In diesem Manifest legen Marx und Engels erstmals ihre Auffassung vom Ablauf der Geschichte dar. Grundgesetz der Geschichte ist danach der **Klassenkampf:** der unversöhnliche Gegensatz zwischen einer herrschenden sozialen Gruppe **(Klasse)** und anderen, von ihr beherrschten sozialen Gruppen (Klassen). Durch eine Revolution der unterdrückten Arbeiter, des Proletariats, soll einer Gesellschaft ohne feste Klassen, einer **klassenlosen Gesellschaft,** der Weg bereitet werden. Um dieses Ziel zu erreichen, fordert das Kommunistische Manifest: **»Proletarier aller Länder, vereinigt euch!«**

kommunizierende Röhren, verbundene Gefäße, oben offene, unten miteinander verbundene Röhren oder Gefäße. Füllt man sie mit einer Flüssigkeit, so steht der Flüssigkeitsspiegel überall gleich hoch, da überall der gleiche hydrostatische Druck herrscht. Füllt man aber 2 verschiedene Flüssigkeiten ein, so stehen deren Oberflächen verschieden hoch. In einem U-förmigen Rohr verhalten sich dann die Höhen über der Trennfläche, z. B. zwischen Quecksilber und Wasser, umgekehrt wie die Dichte der Flüssigkeiten.

Kommutativgesetz [›Vertauschungsgesetz‹], Mathematik: das Kommutativgesetz erlaubt die Vertauschung der durch bestimmte Rechenvorschriften (Addition, Multiplikation) verknüpften Zahlen (→ Grundrechenarten).

Kommutator, Elektrotechnik: → Kollektor.

Komödie, neben der → Tragödie die wichtigste Gattung des europäischen → Dramas. Die Komödie ist ein Bühnenstück mit komischen Handlungselementen, das sich oft um einen nur scheinbar vorhandenen Konflikt dreht. Sie entlarvt menschliche Fehler mit Witz, manchmal sogar, anders als das Lustspiel, mit Satire. Wie diese hat sie einen heiteren Ausgang. Zur gegensätzlichen Tragödie bestehen fließende Übergänge, z. B. in der **Tragikomödie.** Inhaltlich lassen sich Komödien in zahlreiche Gruppen einteilen, darunter die der **Charakterkomödien** (ein Mensch, der von einer bestimmten Eigenschaft, z. B. Geiz, beherrscht wird, steht im Mittelpunkt) und der **Situationskomödien** (hier geht es besonders um komische Situationen). Derbere Formen sind **Schwank** und **Posse. Boulevardkomödie** (nach Pariser Boulevardtheater) ist ein Unterhaltungsstück. Zu den Komödien, die sich über lange Zeit erhalten haben, gehören z. B. Werke von Aristophanes, Shakespeare, Molière, Carlo Goldoni, Gotthold Ephraim Lessing, Heinrich von Kleist und manche Stücke des Wiener Volkstheaters (Ferdinand Raimund, Johann Nestroy).

Komoren

Staatswappen

Staatsflagge

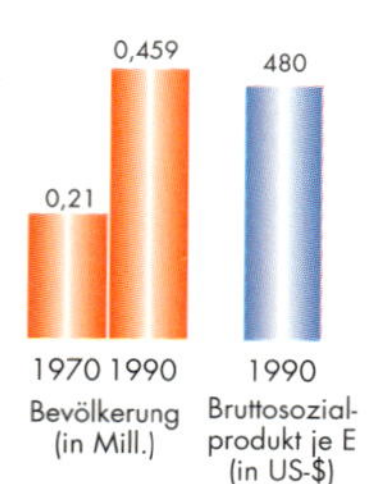

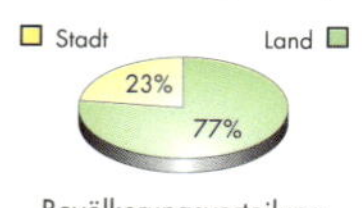

Bevölkerungsverteilung 1990

Bruttoinlandsprodukt 1987

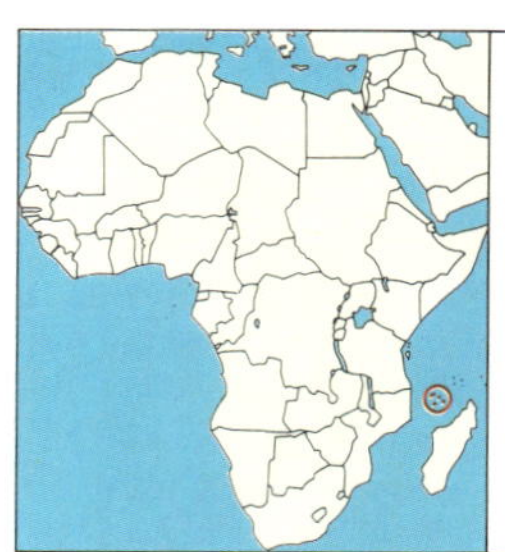

Komoren

Fläche: 1 862 km²
Bevölkerung: 459 000 E
Hauptstadt: Moroni
Amtssprachen: Französisch und Arabisch
Währung: Komoren-Franc (FC)
Zeitzone: MEZ + 2 Stunden

Komoren, Inselgruppe im Indischen Ozean zwischen der Nordspitze Madagaskars und der ostafrikanischen Küste. Die Inselgruppe ist vul-

Wörter, die man unter K vermißt, suche man unter C, Ch oder Q

kanischen Ursprungs. Mayotte, die östlichste Insel, ist französisches Überseedépartement. Drei weitere Hauptinseln – Ngazidja (früher Grande Comore), Nzwani (früher Anjouan), Mwali (früher Mohéli) – und zahlreiche Nebeninseln bilden die **Republik Komoren.** Die meist muslimischen Einwohner leben hauptsächlich von der Landwirtschaft. Ausgeführt werden Kopra, Kakao, Gewürznelken und Pflanzen für die Parfümindustrie. Das Klima ist tropisch und regenreich. Die Republik Komoren, ehemals zu Frankreich gehörend, ist seit 1975 selbständig. (KARTE Seite 194)

Kompanie [von französisch compagnie ›Gesellschaft‹], militärische Grundeinheit in Höhe von 100–200 Mann. Sie wird von einem Kompaniechef, in der Bundeswehr meist ein Hauptmann, geführt und gliedert sich in 3–4 Züge. Bei der Artillerie und der Flugabwehrtruppe heißt diese Grundeinheit **Batterie,** bei den fliegenden Verbänden der Luftwaffe **Staffel.**

Komparation [von lateinisch comparare ›vergleichen‹], die dreistufige **Steigerung** der Adjektive.

Positiv (Grundstufe)	**Komparativ** (Mehrstufe)	**Superlativ** (Meiststufe)
kurz	kürzer	am kürzesten
teuer — wie	teurer — als	am teuersten
häßlich	häßlicher	am häßlichsten

Kompaß [von italienisch compassare ›abschreiten‹], Instrument zur Bestimmung der Himmelsrichtung. Der **Magnetkompaß** dient z. B. dem Wanderer als Orientierungsinstrument in Verbindung mit einer Wanderkarte. Hauptbestandteil eines Magnetkompasses ist eine Magnetnadel, die über einer Windrose drehbar gelagert ist. Da die Erdkugel wie ein Stabmagnet ein Magnetfeld mit Nord- und Südpol besitzt, wobei der magnetische Südpol beim geographischen Nordpol liegt und umgekehrt, richtet sich die Magnetnadel in Nord-Süd-Richtung aus und weist mit ihrer dunklen Spitze nach Norden. Allerdings stimmt die magnetische Nordrichtung nicht mit der geographischen überein, denn der magnetische und der geographische Pol liegen nicht am selben Ort (→Erdmagnetismus). Die Anzeige eines Magnetkompasses muß deshalb um einen bestimmten Wert berichtigt werden, der meist auf Seekarten als **Mißweisung** (in Winkelgraden) angegeben ist. Diese Schwierigkeiten vermeidet der **Kreiselkompaß,** da dieser vom Erdmagnetfeld unabhängig ist. Mit ihm läßt sich die geographische Nordrichtung genau bestimmen, denn eine schnell rotierende Scheibe (etwa 20000 Umdrehungen in der Minute) richtet sich mit ihrer Drehachse immer in Nord-Süd-Richtung aus.

Kompaß: Magnetkompaß

Kompression, Verdichtung, die Verringerung des Volumens eines festen, flüssigen oder gasförmigen Körpers durch Druckerhöhung. So wird z. B. beim Straßenbau der Boden durch Rammen verdichtet. Zum Verdichten von Gasen dienen Verdichter oder Kompressoren. – Häufig wird beim Verbrennungsmotor der Begriff Kompression auch für das **Verdichtungsverhältnis** verwendet. Dieser Wert gibt das Verhältnis an von größtem zu kleinstem Zylindervolumen, das von der Kolbenstellung abhängig ist.

Kompressor, Verdichter, eine Arbeitsmaschine zum Verdichten, z. B. zur Erzeugung von Druckluft. Ein Verdichter sehr einfacher Bauart ist die Fahrradluftpumpe. Sie gehört zur Bauart der **Hubkolbenverdichter.** In einem Zylinder wird durch einen hin- und herbewegten Kolben Luft angesaugt, durch Raumverkleinerung verdichtet und aus dem Arbeitsraum verdrängt. **Drehkolben-** und **Schraubenverdichter** bewirken die räumliche Verdrängung durch drehende Kolben- oder Schraubenbewegung. Die auf Baustellen verwendeten Kompressoren gehören zu diesen Bauarten. Der früher für Kraftwagenmotoren verwendete Kompressor ist ein Drehkolbenverdichter. **Turboverdichter** oder **Kreiselverdichter** arbeiten in umgekehrter Abfolge wie Turbinen: Ein Laufrad saugt Luft an und schleudert sie nach außen; durch ein Leitrad wird sie zum nächsten Laufrad und damit zur zweiten Verdichterstufe geleitet. Es gibt Turboverdichter mit bis zu 10 oder 20 Verdichterstufen, z. B. bei Strahltriebwerken oder Druckerzeugern zum Erdgastransport in Pipelines. Einstufige Turboverdichter werden in sehr unterschiedlicher Größe gebaut, z. B. als Gebläse zur Kühlung von Diaprojektoren, als Hochofen-

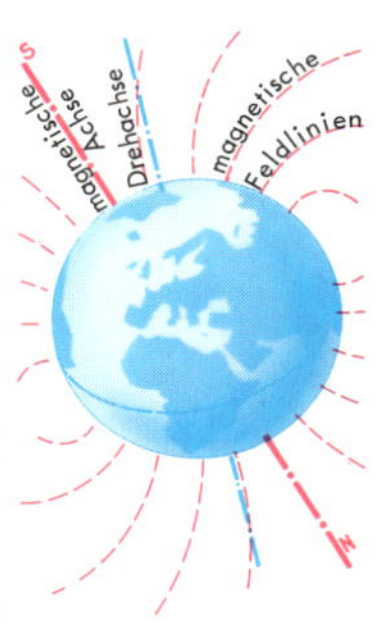

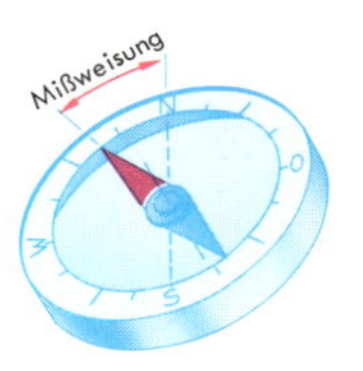

Kompaß: Magnetfeld der Erde und Mißweisung

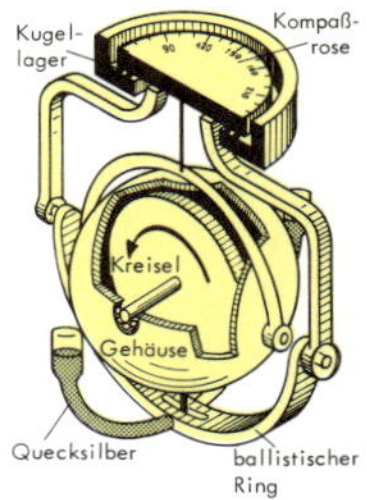

Kompaß: Kreiselkompaß

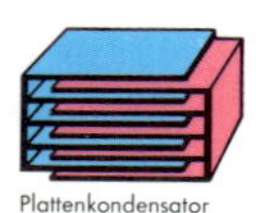
Plattenkondensator

Wickelkondensator

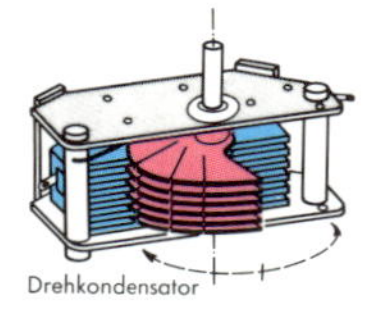
Drehkondensator

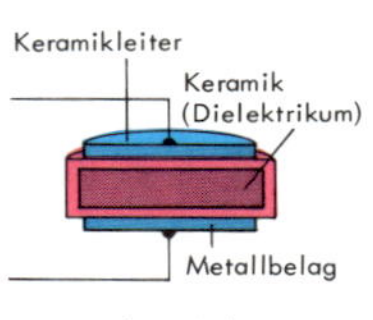

keramischer Sperrschichtkondensator

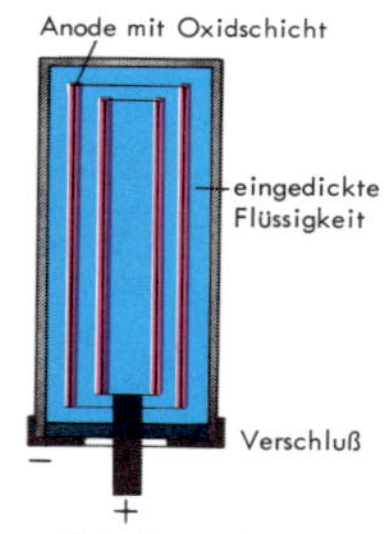

Elektrolyt-Kondensator

Kondensator (Bauformen)

winderzeuger oder als Ladeluftverdichter, die in Verbrennungsmotoren von Abgasturbinen angetrieben werden.

Je nach dem Verhältnis zwischen Enddruck und Ansaugedruck verwendet man für Kompressoren unterschiedliche Bezeichnungen. Bei einem Wert von 1,1 spricht man von **Ventilatoren,** bei Werten bis etwa 3,0 bezeichnet man sie als **Gebläse** oder **Lüfter** und bei noch höheren Werten als eigentliche Verdichter oder Kompressoren.

Kondensation [lateinisch ›Verdichtung‹], **1)** chemische Reaktion, bei der sich 2 kleinere Moleküle, z. B. unter Wasserabspaltung, zu einem größeren Molekül zusammenschließen.

2) Physik: der Übergang vom gasförmigen zum flüssigen Zustand, z. B. kondensiert der gasförmige unsichtbare Wasserdampf in der Atemluft beim Anhauchen einer kalten Fensterscheibe. Es bilden sich feine Wassertröpfchen. Ebenso tritt bei jeder Tau- und Nebelbildung Kondensation auf.

Kondensator [lateinisch ›Verdichter‹], Bauelement der Elektrotechnik. Der Kondensator besteht aus 2 flächenhaften Leitern, den **Belegungen,** die durch eine Isolierung, das **Dielektrikum,** voneinander getrennt sind. Der Kondensator speichert elektrische Ladungen. In aufgeladenem Zustand sperrt er den Durchgang von Gleichstrom; für Wechselstrom dagegen ist er durchlässig. Es gibt zahlreiche Bauformen von Kondensatoren. (Weiteres BILD Seite 155)

Kondore gehören zu den Neuweltgeiern, die man wegen ihres Aussehens und einiger Verhaltensweisen bisher zu den Geiern zählte. Nach neueren Untersuchungen zeigen sich jedoch solche Unterschiede z. B. in Skelett und Muskulatur, daß man darüber diskutiert, sie den →Schreitvögeln zuzuordnen. Der **Andenkondor,** mit einer Flügelspannweite bis zu 3,25 m der größte Vogel neben den Straußen, nistet an Felswänden der Anden. Er hat einen Hakenschnabel wie die Geier, und wie diese frißt er Aas. Sein rot gefärbter Kopf und der Hals sind nackt, so daß er tief in tote Tiere hineinfressen kann, ohne sein Gefieder zu beschmutzen. Auffallend ist seine weiße Halskrause. Im Zoo wird der Andenkondor über 50 Jahre alt. Der kleinere **Kalifornische Kondor** lebt in nur noch geringer Zahl in südkalifornischen Küstengebieten. (BILD Seite 155)

Konfession [lateinisch ›Geständnis‹, ›Bekenntnis‹], das Bekenntnis eines Menschen zu einer Glaubenslehre und damit seine Zugehörigkeit zu einer bestimmten →Kirche. Im Christentum gibt es verschiedene Konfessionen, z. B. die katholische Kirche, die evangelischen Kirchen und die orthodoxe Kirche.

Konfirmation [lateinisch ›Befestigung‹], in den evangelischen Kirchen die feierliche Aufnahme der jungen Christen zwischen dem 12. und 14. Lebensjahr in die Gemeinde der Erwachsenen. Nach dem Glaubensbekenntnis der Konfirmanden folgt die ›Einsegnung‹ und Zulassung zum Abendmahl. Die Jugendlichen werden in der Regel in einem einjährigen Unterricht auf die Konfirmation vorbereitet.

Konfuzius, * 551, † 479 v. Chr., chinesischer Philosoph und Religionsstifter, dessen Tugendlehre (Konfuzianismus) die chinesische Kultur bis ins 20. Jahrh. entscheidend beeinflußte. Zeitweilig wurde er als Gottheit verehrt und in jeder Provinzhauptstadt des Reiches ein Tempel für ihn errichtet. Konfuzius vertrat eine ethische Lebensanschauung: Der einzelne könne nur dann in Frieden mit sich und der Welt leben, wenn er tugendhaft, anständig und aufrichtig sei, seinen Eltern gehorche, die Ahnen verehre und die traditionellen Bräuche pflege. Während der Kulturrevolution in China 1966–74 bekämpften die Kommunisten seine Lehre; sie schien ihnen ein Hindernis bei der Modernisierung und kulturellen Umgestaltung Chinas.

Kongo, Zaire, wasserreichster Strom Afrikas. Der 4320 km lange Fluß entspringt als **Lualaba** im Mitumba-Gebirge an der Grenze zu Sambia. Er durchfließt in weitem Bogen den Staat Zaire und wird erst nach den Stanley-Fällen als Kongo bezeichnet. Als breiter Flachlandstrom durchfließt er das **Kongobecken.** Nach Überwindung der Livingstone-Fälle (heute Inga-Fälle) mündet der Kongo bei Matadi mit einer riesigen Trichtermündung in den Atlantischen Ozean. Mit seinen Nebenflüssen bildet der Kongo ein System von Wasserstraßen von insgesamt 13000 km Länge. Die Stromschnellen werden durch Eisenbahnlinien umgangen. Seine Wasserkraft wird noch kaum genutzt. Bei Inga an den Livingstone-Fällen entstehen seit 1974 große Wasserkraftwerke.

Kongo, Republik in Zentralafrika, etwas größer als Finnland. Am Westrand des Kongobekkens gelegen, erstreckt sich das Land beiderseits des Äquators über die Niederguinea-Schwelle (bis 800 m Höhe) und den 150 km breiten Küstenstreifen bis zum Atlantischen Ozean. Das Klima ist tropisch mit hohen Niederschlägen. Rund die Hälfte des Landes ist mit tropischem Regenwald bedeckt.

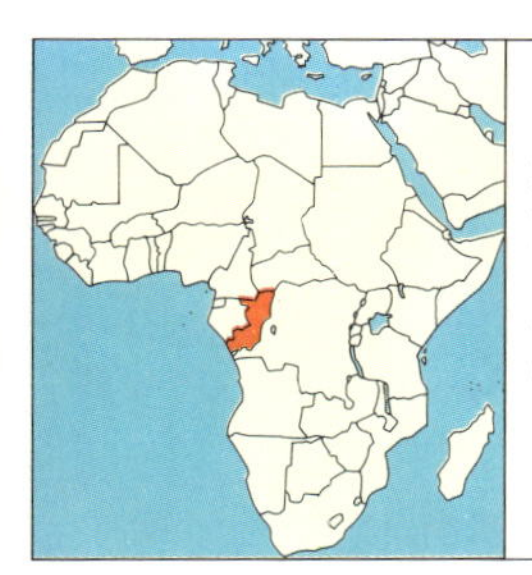

Kongo

Fläche: 342 000 km²
Bevölkerung: 2,3 Mill. E
Hauptstadt: Brazzaville
Amtssprache: Französisch
Nationalfeiertag: 15. Aug.
Währung: CFA-Franc (CFAF)
Zeitzone: MEZ

Die Bevölkerung besteht fast ausschließlich aus Bantuvölkern. Am dichtesten besiedelt ist der Süden des Landes. Wichtigster Wirtschaftszweig ist die Nutzung der tropischen Wälder. Für die Ausfuhr werden Kakao, Bananen, Kaffee und Tabak angebaut. In dem an Bodenschätzen reichen Land bestimmt Erdöl in zunehmendem Maß das Wirtschaftsleben.

Das Land kam Ende des 19. Jahrh. an Frankreich und erhielt 1960 die Unabhängigkeit. Die Republik Kongo arbeitete bis 1991 eng mit den kommunistischen Staaten des Ostblocks zusammen, hat aber ihre wirtschaftlichen Bindungen an Frankreich nicht aufgegeben. (BILD Seite 156; KARTE Seite 194)

Kongreß, →Vereinigte Staaten von Amerika, Verfassung.

Kongruenz [von lateinisch congruens ›übereinstimmend‹], Geometrie: Zwei Figuren heißen zueinander **kongruent** oder **deckungsgleich,** wenn sie sich nur durch ihre Lage, nicht aber durch ihre Form und Größe voneinander unterscheiden.

Kongruente Figuren können mit Hilfe einer **Kongruenzabbildung** (→Abbildung) aufeinander abgebildet werden. In kongruenten Figuren sind entsprechende Winkel und entsprechende Strecken gleich groß. In BILD 1 (Seite 157) sind die beiden Dreiecke ABC und $A'B'C'$ kongruent. Es gilt $\alpha = \alpha'$, $\beta = \beta'$, $\gamma = \gamma'$ sowie $a = a'$, $b = b'$ und $c = c'$.

Für Dreiecke gibt es **Kongruenzsätze,** die aussagen, unter welchen Bedingungen 2 Dreiecke zueinander kongruent sind. Die Kongruenzsätze geben aber auch an, welche Teile eines Dreiecks gegeben sein müssen, damit man es eindeutig konstruieren kann.

Die Kongruenzsätze für Dreiecke lauten: **Zwei Dreiecke sind kongruent, wenn sie**

1) in den Längen ihrer 3 Seiten übereinstimmen;

2) in den Längen zweier Seiten und dem eingeschlossenen Winkel übereinstimmen;

3) in der Länge einer Seite und der beiden anliegenden Winkel übereinstimmen;

4) in der Länge zweier Seiten und dem Winkel, der der größeren Seite gegenüberliegt, übereinstimmen.

Die Kongruenzsätze kann man als Hilfsmittel zum Beweisen von mathematischen Aussagen benutzen.

Beispiel: In jedem gleichschenkligen Dreieck sind die Basiswinkel gleich groß.
Beweis: ABC sei ein gleichschenkliges Dreieck mit $a = b$ (BILD 2; Seite 157). Man zeichnet den Mittelpunkt D der Seite $\overline{AB}$ und die Strecke $\overline{DC}$ in das Dreieck ABC ein. In den beiden Dreiecken ADC und BDC gilt:
1) $|AC| = |BC|$, 2) $|AD| = |BD|$ und 3) $|DC| = |DC|$.
Da die 3 Seiten der Dreiecke gleich lang sind, gilt nach dem 1. Kongruenzsatz, Dreieck ADC ist kongruent zu Dreieck BDC. Da in kongruenten Dreiecken die entsprechenden Winkel gleich groß sind, gilt: $\alpha = \beta$. Dies war zu zeigen.

Koniferen [lateinisch ›Zapfenträger‹], die →Nadelhölzer.

König, Titel für das Staatsoberhaupt in einem Staat, in dem dieses Amt von einer einzelnen, durch ihre Geburt besonders ausgezeichneten Person auf Lebenszeit ausgeübt wird (Monarchie). In der Rangordnung der Fürsten ist König die höchste Herrscherwürde nach dem →Kaiser.

Bei den Germanen, später auch im Fränkischen Reich, wurde der König aus den vornehmsten Familien des Adels gewählt. Für die Erhebung zum König war die Abstammung (›Geblüt‹) ebenso wichtig wie die Zustimmung des übrigen Adels. Die besondere adlige Herkunft wurde meist mit einem göttlichen Vorfahren begründet. Als der Karolinger Pippin I. den König aus dem Geschlecht der Merowinger entthronte, wurde er zwar zum König gewählt, ließ sich aber, da er nicht von ›königlichem Geblüt‹ war, nach Vorbildern aus dem Alten Testament (Saul, David) vom Papst salben. Damit galt er als ›von Gottes Gnaden‹ eingesetzt (→Gottesgnadentum). Die Salbung nahm später im deutschen Reich der Erzbischof von Köln, in Frankreich der Erzbischof von Reims vor. Die dadurch geheiligte Person des Königs bot Armen und Schwachen Schutz und Fürsorge. Der König wurde als Quelle des Rechts und dessen Hüter angesehen. Dienst am König war letztlich Dienst für die in ihm wirkende göttliche Kraft.

Im Mittelalter und in der Neuzeit war das Königtum in Europa die verbreitetste Regierungsform. Außer dem deutschen und französischen König führten die meisten Herrscher den Königstitel, so in Großbritannien, Spanien, Portugal, Dänemark, Norwegen, Schweden usw. In vielen Ländern war das Königtum erblich (Erbmonarchie), z. B. in Frankreich und England,

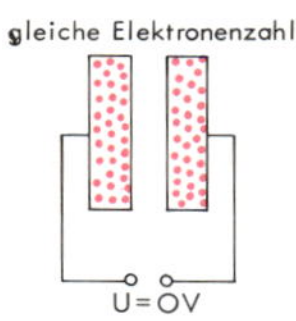

Kondensator
keine Spannung U zwischen den Platten

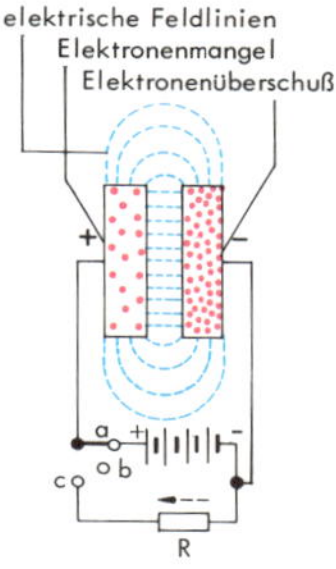

Kondensator
Schalterstellung a: Kondensator wird durch die Batterie aufgeladen,
Schalterstellung b: Kondensator bleibt in aufgeladenem Zustand,
Schalterstellung c: Kondensator wird über den Widerstand R entladen

Kondore:
Andenkondor

Kongo

Staatsflagge

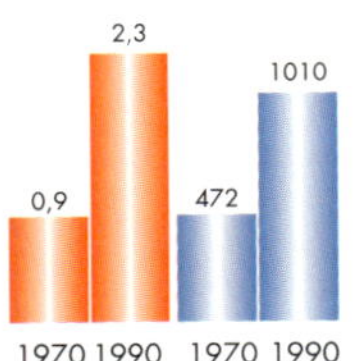

Bevölkerungsverteilung 1990

Industrie
Landwirtschaft
Dienstleistung
39%
48%
13%

Bruttoinlandsprodukt 1990

während der deutsche König von den Kurfürsten gewählt wurde (Wahlmonarchie).

In der Zeit des →Absolutismus erreichte die Machtfülle der Könige ihren Höhepunkt, was in der Phase der →Aufklärung Kritik und Widerstand hervorrief. So wurden vor allem Zweifel an der Berufung durch ›Gottes Gnade‹ erhoben. Im Verlauf der Revolutionen von 1789, 1848 und 1917/18 wurden schließlich in vielen europäischen Staaten die Könige abgesetzt. In heutigen Königreichen (Belgien, Dänemark, Großbritannien, Niederlande, Norwegen, Schweden, Spanien) haben die Könige oder Königinnen nur noch repräsentative Aufgaben.

Königsberg, russisch **Kaliningrad,** 370 000 Einwohner, Stadt in Rußland, ehemalige Hauptstadt der Provinz →Ostpreußen, liegt oberhalb der Mündung des Pregels ins Frische Haff an der Ostsee. Königsberg entstand im Mittelalter um eine Burg des →Deutschen Ordens und wurde im 16. Jahrh. Sitz der Herzöge von Preußen. Die alte Handelsstadt war bekannt für das Königsberger Marzipan und die Königsberger Bernsteinmanufaktur. Mit der Gründung der Universität (1544), an der im 18. Jahrh. der Philosoph Immanuel Kant lehrte, wurde Königsberg ein Mittelpunkt des geistigen Lebens.

Konjugation [aus lateinisch coniugatio ›Verbindung‹], die Flexion (Beugung) des Verbs nach Person, Tempus, Genus, Numerus usw.

Konjunktion [aus lateinisch coniunctio ›Verbindung‹], **Bindewort,** Wortform, die Wörter oder Satzteile verbindet. Die **gleichordnenden** Bindewörter (z. B. und, aber, oder, sondern) verbinden Hauptsätze oder gleichwertige Satzteile. Die **unterordnenden** Bindewörter (z. B. daß, damit, weil, obwohl, wenn) verbinden Haupt- mit Nebensatz, wobei der Nebensatz dem Hauptsatz untergeordnet wird.

Konjunktiv, Möglichkeitsform, Form des Verbs, mit der z. B. ein Wunsch (ich hätte gerne...) oder eine Möglichkeit (es hätte passieren können...) ausgedrückt und die indirekte Rede (er sagte, er habe ...) wiedergegeben wird. Den Konjunktiv gibt es ebenso wie den Indikativ (die Wirklichkeitsform) in allen Zeitformen.

KONJUNKTIV

Indikativ	Konjunktiv
er steht	er sagt, er stehe
er stand	er sagt, er stände
er wird stehen	er sagt, er werde stehen
er hat gestanden	er sagt, er habe gestanden
er hatte gestanden	er sagt, er hätte gestanden
er wird gestanden haben	er sagt, er werde gestanden haben

Konjunktur [von lateinisch coniungere ›verbinden‹], der Verlauf der wirtschaftlichen Entwicklung in einer Volkswirtschaft, das abwechselnde Auf und Ab der Geschäftstätigkeit in der Wirtschaft. Der Konjunkturablauf äußert sich z. B. in der Menge der produzierten und verkauften Güter, der Menge von Herstellungsaufträgen, in dem Grad der Arbeitslosigkeit, der Höhe der Güterpreise, in Handelsgeschäften mit dem Ausland, in der Knappheit des Geldes, das in einem Land umläuft. Der Konjunkturaufschwung **(Expansion)** ist gekennzeichnet durch eine Ausweitung der Produktion und ein Abnehmen der Arbeitslosenzahlen bis hin zur Vollbeschäftigung in der **Hochkonjunktur (Boom, Hausse),** der höchsten Phase und somit dem Ende des Aufschwungs. Im Boom sind die Produktionsanlagen ausgelastet, verbunden mit starken Preissteigerungen, hohen Löhnen und Gewinnen, langen Lieferfristen usw. Der Übergang zum Abschwung, in dem sich alle Maßgrößen in die entgegengesetzte Richtung bewegen, heißt **Rezession (Baisse).** Der konjunkturelle Tiefstand mit Massenarbeitslosigkeit und Betriebsstillegungen wird als **Depression** bezeichnet.

Die Konjunktur verläuft in mehr oder weniger regelmäßigen Wellen, über deren genauen Verlauf es in der wirtschaftswissenschaftlichen Theorie zahlreiche Erklärungen gibt. Es herrscht jedoch sowohl in der Theorie als auch in der Beobachtung der Wirklichkeit keine Einigkeit über die Stärke des Ausschlags der Konjunkturwellen, über die zeitliche Regelmäßigkeit der Auf- und Abwärtsbewegungen sowie über die Ursachen von Auf- und Abschwung. Die **Konjunkturpolitik** des Staates ist meist auf eine Stabilisierung des Wirtschaftsablaufs gerichtet: Mit geeigneten Mitteln, z. B. Steuererleichterungen zur Belebung der Konjunktur, versucht sie, die Ausschläge der Wellen möglichst klein zu halten oder einer ungünstigen Konjunkturentwicklung entgegenzuwirken.

konkav, nach innen gewölbt, z. B. bei Konkavlinsen (→Linse) und Konkavspiegeln (→Spiegel); Gegensatz: konvex. Um konkav und konvex auseinanderhalten zu können, gibt es folgende Merkregel: ›Konk**a**v wie T**a**l und konvex wie Berg‹.

Konklave [lateinisch ›verschließbarer Raum‹]. Stirbt ein Papst, kommen von der ganzen Erde die Kardinäle, die noch nicht das 80. Lebensjahr vollendet haben, nach Rom. Sie allein sind berechtigt, aus ihrer Mitte einen Nachfolger zu wählen. Dazu versammeln sie sich innerhalb des Vatikan an einem Ort, der streng von der Außenwelt abgeschlossen wird. Dieser Ort wie auch die Wahlversammlung selbst werden als Konklave bezeichnet. Erst wenn mit $^2/_3$-Mehrheit ein neuer Papst gewählt ist, wird das Konklave aufgehoben. Diese Bestimmungen wurden im Mittelalter eingeführt. Sie sollen verhindern, daß durch Druck und Beeinflussung von außen die Kardinäle in ihrer Wahlfreiheit beschränkt werden.

Konkordat [lateinisch ›Übereinkunft‹], Vertrag zwischen der katholischen Kirche mit dem Papst als ihrem Oberhaupt und einem Staat, in dem die Wahrung der kirchlichen Rechte und die Zusammenarbeit von Kirche und Staat in dem Gebiet dieses Staates geregelt werden. Wichtige Konkordate sind das Wormser Konkordat von 1122, das den →Investiturstreit beendete, die Lateranverträge von 1929 (→Vatikanstadt) und das →Reichskonkordat von 1933 mit Deutschland.

Konkurs [von lateinisch concursus ›das Zusammenlaufen (der Gläubiger)‹]. Kann eine Person oder ein Unternehmen seinen Zahlungsverpflichtungen nicht mehr nachkommen, weil die Schulden im Verhältnis zu den Einnahmen zu hoch sind, so wird beim Gericht der Konkurs beantragt. Das Unternehmen wird vom **Konkursverwalter** aufgelöst, das Vermögen, das dem in Konkurs gegangenen Schuldner noch geblieben ist, geht in die **Konkursmasse** ein und wird an die Gläubiger, also diejenigen Personen, die von dem Schuldner noch Geld zu bekommen haben, verteilt. Ist kein Vermögen mehr vorhanden, so wird der Konkurs mangels Masse eingestellt. Die Forderungen der Gläubiger können nicht befriedigt werden. In der Umgangssprache wird der Konkurs auch **Pleite** oder **Bankrott** genannt.

Konquistador [spanisch ›Eroberer‹], Offizier in spanischen Diensten. Konquistadoren unterwarfen im 16. Jahrh. Mittel- und Südamerika. **Hernando Cortez** eroberte 1519–21 das Aztekenreich in Mexiko und machte es zur Kolonie ›Neuspanien‹. 1531–35 eroberte **Francisco Pizarro** das Inkareich in Peru und gründete die Kolonie ›Neukastilien‹.

konservativ [von lateinisch conservare ›bewahren‹], eine Haltung, die sich auf die Bewahrung von bestehenden Einrichtungen und Werten in Staat und Gesellschaft richtet. Allen Einrichtungen, die Dauer verbürgen (z. B. Kirche und Familie), wird große Bedeutung zugemessen. Bis ins 20. Jahrh. hinein galt die Monarchie und eine auf →Ständen beruhende Gesellschaft in diesem Sinn als unverzichtbar. Eine Veränderung in der Gesellschaft wird dabei nicht grundsätzlich abgelehnt, sondern es wird die Frage gestellt, ob diese Veränderung notwendig ist. Dabei wird die allmähliche Veränderung angestrebt und eine plötzliche, vollständige oder gar gewaltsame Änderung von Staat und Gesellschaft (Revolution) abgelehnt.

Die konservative Betrachtungsweise **(Konservatismus)** entstand in neuerer Zeit in Auseinandersetzung mit den Ideen und Ereignissen der Französischen Revolution von 1789 und dem von ihr ausgehenden Liberalismus (→liberal). Richtungweisender Vertreter des Konservatismus war z. B. der englische Publizist und Politiker Edmund Burke (* 1729, † 1797). Die politisch-literarische Bewegung der Romantik war stark von konservativen Ideen geprägt; sie sah vor allem in der Geschichte eines Volkes und den in ihr gewachsenen Einrichtungen und Gebräuchen einen hohen Wert. Als um die Mitte des 19. Jahrh. die Arbeiterbewegung stärker wurde und die Möglichkeit einer sozialen Revolution bestand, schwächte sich der Gegensatz zu den Liberalen ab; die Konservativen sahen sich seitdem stärker im Gegensatz zum Sozialismus.

In Großbritannien entwickelte sich seit 1830 aus der königlichen Partei der ›Tories‹ die Konservative Partei. Sie stellte oft den Premierminister, z. B. Benjamin Disraeli (* 1804, † 1881) und Winston Churchill (* 1874, † 1965). – Im Reichstag des Deutschen Reichs traten in der Zeit der Monarchie (1871–1918) die ›Deutsch-konservative Partei‹ und die ›Freikonservative Partei‹ hervor. Danach nahmen andere Parteien konservative Auffassungen auf, nach 1945 z. B. CDU und CSU.

Konsonant, Mitlaut, →Laut.

Konstantin der Große. Der römische Kaiser **Flavius Valerius Constantinus** (* um 280, † 337) war der Sohn des Kaisers Constantius Chlorus und wurde als dessen Nachfolger 306 zu einem von mehreren Kaisern ausgerufen, die sich die Herrschaft über das ausgedehnte Römische Reich teilten. 312 gewann er die Alleinherrschaft im Westen des Reichs. Vor der Schlacht an der Milvischen Brücke (in Rom) hatte Konstantin die Vision des Kreuzes als Siegeszeichen, und sein Sieg überzeugte ihn von der Größe des Christengottes. Von nun an förderte er zusammen mit seiner Mutter Helena das Christentum, das er als gleichberechtigte Religion 313 (Mailänder Toleranzedikt) anerkannte, und schuf die Grundlage der Kirche. 324 erlangte Konstantin auch die Alleinherrschaft im Osten des Reichs. Dort gründe-

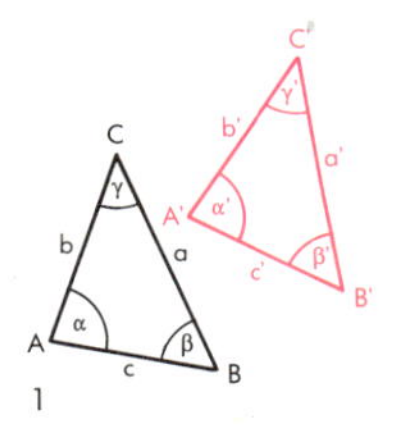

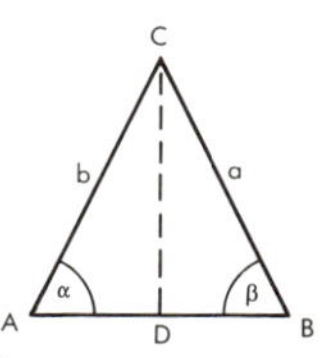

Kongruenz

te er an der Stelle des alten Byzanz eine zweite Hauptstadt: Konstantinopel. 325 berief er eine Bischofsversammlung nach Nicaea (in der heutigen Türkei): Dieses erste Konzil der Kirchengeschichte einigte sich auf ein Glaubensbekenntnis und wahrte so die Einheit der christlichen Kirche.

Um Konstantin den Großen entstanden viele Legenden. Von politischer Bedeutung wurde die Silvesterlegende, nach der der Kaiser, vom Aussatz befallen, durch Papst Silvester geheilt worden sein soll. An diese Begebenheit knüpft eine von der Kurie gefälschte Urkunde des 8. Jahrh., die **Konstantinische Schenkung,** an. Aus Dankbarkeit habe Konstantin dem Papst Silvester und seinen Nachfolgern die Herrschaft über Rom sowie über alle zu Italien gehörigen Provinzen, Orte und Städte übertragen. Auf diese Urkunde, deren Echtheit erst im 15. Jahrh. angezweifelt wurde, stützten sich die Ansprüche des Papsttums auf weltliche Herrschaft in Mittelitalien (→Kirchenstaat).

Konstantinopel [griechisch ›Polis (= Stadt) des Konstantin‹], von 330 bis 1930 Name der heutigen Stadt →Istanbul. Den Namen gab ihr der römische Kaiser →Konstantin der Große. Bis 1453 war Konstantinopel die Hauptstadt des →Byzantinischen Reichs.

Konstanz, 70 000 Einwohner, Stadt in Baden-Württemberg am Bodensee. Die Stadt war früher Bischofssitz. In dem noch erhaltenen Konzilgebäude fand 1414–18 das **Konstanzer Konzil** statt; es stellte die Einheit der katholischen Kirche wieder her, verurteilte die Lehre von Jan Hus (→Hussiten) und ließ ihn als Ketzer in Konstanz verbrennen. Seit 1966 hat Konstanz eine Universität.

konstitutionelle Monarchie, →Monarchie.

Konsul, Titel der beiden höchsten Beamten der römischen Republik. Zwei Konsuln wurden jeweils für ein Jahr gewählt. Sie beriefen die Senats- und Volksversammlungen ein, leiteten sie und führten deren Beschlüsse aus. In Kriegszeiten hatten sie den Oberbefehl über das Heer. Ursprünglich konnten nur Patrizier, seit 367 v. Chr. auch Plebejer in das Amt gewählt werden. In der Kaiserzeit hatten die Konsuln keine politische Bedeutung mehr.

Konsuln hießen auch 1799–1804, während des **Konsulats,** die 3 regierenden Staatsbeamten in Frankreich. **Erster Konsul** war →Napoleon I. Bonaparte.

Heute ist der Konsul ein ständiger Vertreter eines Staates in einem anderen Staat. Er nimmt vor allem die wirtschaftlichen Interessen seines Landes und bestimmte Verwaltungsaufgaben wahr.

Konsum [von lateinisch consumere ›verbrauchen‹, ›verzehren‹], Verbrauch. Unternehmen stellen Güter her, die der Staat oder Privatleute kaufen und ge- oder verbrauchen. Die Käufer und Benutzer dieser Güter sind die **Konsumenten,** die Ge- oder Verbrauchsgüter heißen **Konsumgüter.** Die Menge der konsumierten Güter hängt ab von der Höhe des Einkommens, das den Verbrauchern zur Verfügung steht, von den Güterpreisen sowie von den Wünschen, den Bedürfnissen der Menschen, die diese sich mit dem Kauf der Güter erfüllen möchten. Eine andere Form der Einkommensverwendung ist das Sparen. In Marktwirtschaften kann die Nachfrage nach Konsumgütern die Produktion und damit auch die Investitionen der Unternehmer bestimmen **(Konsumentensouveränität).**

Kontaktlinsen, Haftschalen, gleichen Sehfehler aus und ersetzen eine →Brille. Sie sind durchsichtig und der Form der Hornhaut angepaßt. Man setzt sie direkt auf das Auge, so daß sie dann auf der Hornhaut schwimmen. Je nach dem Material, aus dem sie bestehen, unterscheidet man harte (aus Glas) und weiche (aus Kunststoff) Kontaktlinsen.

Kontinent [von lateinisch continere ›zusammenhängen‹], große zusammenhängende Landmasse. Man unterscheidet die Kontinente →Afrika, →Amerika (unterteilt in Nord- und Südamerika), →Asien, →Australien, →Europa und die Antarktis (→Polargebiete). Europa und Asien werden auch als Eurasien zusammengefaßt. Die vorgelagerten Inseln rechnet man zu dem jeweiligen Kontinent. Den unteren Teil des Kontinents bildet die **Kontinentaltafel,** die sich von 200 m bis 1 000 m Höhe erstreckt. Unter **Kontinentalsockel** versteht man den unter den Meeresspiegel getauchten Rand der Kontinentaltafel (→Schelf).

Größe und Form der heutigen Kontinente haben sich in langen geologischen Vorgängen gebildet. 1912 stellte der deutsche Meteorologe und Grönlandforscher Alfred Wegener seine **Kontinentalverschiebungstheorie** auf. Danach brach vor etwa 200 Millionen Jahren der **Urkontinent (Pangäa)** in die heutigen Erdteile auseinander. Die leichteren Sialschollen der Kontinentaltafeln driften wie Eisschollen in dem schweren Sima (→Erde), in das sie eintauchen. Manche Bruchstücke entfernten sich immer weiter voneinander, andere trieben aufeinander zu. Dabei wurden an ihrer Vorderfront Faltengebirge aufgestaut (südamerikanische Anden). Der Himalaya und die benachbarten Gebirge wurden beim ›Aufprall‹ Indiens auf den asiatischen Kontinent aufgefaltet. Die Gebirge rund um das Mittelmeer sind beim Herannahen Afrikas an Europa entstanden. An der Rückseite der driftenden Kontinente blieben Inselketten zurück (z. B. die Philippinen). Die Ursachen dieser Vorgänge werden heute mit der →Plattentektonik erklärt.

Kontinentalsperre. 1806 verbot der französische Kaiser Napoleon I. den mit ihm verbündeten Staaten Europas jeden Handel mit Großbritannien, er sperrte das europäische Festland, den ›Kontinent‹, gegen die Insel Großbritannien ab. Napoleon scheiterte mit diesem Versuch, Großbritannien zum Frieden zu zwingen.

Konto [von italienisch conto ›Rechnung‹], im weiteren Sinn jede Gegenüberstellung von Geschäftsvorfällen in der →Buchführung von Unternehmen, im engeren Sinn eine Aufstellung über alle Zahlungsvorgänge zwischen einer Bank und ihren Kunden. Man unterscheidet **Geldkonten** und **Depotkonten,** auf denen die einem Kunden gehörenden Wertpapiere (Aktien, Anleihen) verbucht werden. Die Geldkonten werden weiter unterteilt in **Sparkonten** (Sparbuch) und **Girokonten** oder **Kontokorrentkonten.** Im Unterschied zum Sparkonto, auf dem der Kontoinhaber Geldbeträge ansammelt und dafür →Zinsen erhält, dient das Girokonto dem Zahlungsverkehr, das heißt, Geldbeträge können von Konto zu Konto gebucht werden. Zahlungen zugunsten eines Kontoinhabers (Einzahlungen) werden ›Gutschriften‹ genannt. Bezahlt der Kontoinhaber mit einer →Überweisung eine Rechnung oder hebt er Bargeld ab (beides sind Auszahlungen), wird sein Konto belastet (›Lastschrift‹). Der Unterschied zwischen Ein- und Auszahlungen oder Gut- und Lastschriften heißt ›Saldo‹. Beim Girokonto wird dieser Saldo dem Kontoinhaber in Form eines Kontoauszugs regelmäßig mitgeteilt.

Manche Banken richten schon für Jugendliche ab 12 Jahren ein Girokonto **(Taschengeldkonto)** ein.

Kontrabaß, Baß, das größte →Streichinstrument; es gehört seiner Entwicklung nach nicht zur Violinfamilie, sondern entstand aus der Gruppe der Viola da gamba (→Gambe). Der Baß besitzt einen flachen Boden und einen relativ kurzen Hals, der Korpus läuft nach oben spitz zu. Das Instrument, das etwa 2 m hoch ist, wird zum Spielen auf den Boden gestellt. Es ist meist mit 4 Saiten bespannt, die in den Quarten EADG gestimmt werden.

Kontrafagott, →Fagott.

Kontrapunkt [aus lateinisch punctus contra punctum ›Note gegen Note‹], Musikkomposition: die Kunst, mehrere Stimmen gleichzeitig so anzuordnen, daß sie gut zusammenklingen, dabei aber auch ihre melodische Selbständigkeit voll bewahren. Meist werden zu einer gegebenen Melodie (Cantus firmus) eine oder mehrere selbständige Stimmen erfunden. Ist eine Gegenstimme so angelegt, daß sie sowohl als Ober- wie auch als Unterstimme zum Cantus firmus dienen kann, spricht man von **doppeltem Kontrapunkt.** Lassen sich 3 Stimmen untereinander vertauschen, nennt man dies **dreifachen Kontrapunkt.** Zu den anspruchsvollen Formen des Kontrapunkts gehören der **Kanon,** die **Invention** und die **Fuge.**

konvex, nach außen gewölbt, z. B. bei Konvexlinsen (→Linse) und Konvexspiegeln (→Spiegel); Gegensatz: konkav.

Konzentrationslager, Abkürzung **KZ,** ursprünglich Lager, in denen die britischen Kolonialtruppen im Krieg gegen die Buren (1899–1902) burische Frauen und Kinder festhielten, die die Männer im Kampf unterstützten; später vor allem Lager, in denen diktatorische Regierungen ihre politischen Gegner gefangenhielten.

Seit 1923 brachten die sowjetischen Kommunisten ihre politischen Gegner in Zwangsarbeitslager.

Im nationalsozialistischen Deutschland baute die →SS ein straff organisiertes, weitverzweigtes System von Konzentrationslagern auf. Zunächst wurden vor allem politische Gegner des Nationalsozialismus aus den Reihen der verbotenen Gewerkschaften und Parteien sowie Kritiker aus dem Bereich der christlichen Kirchen und des kulturellen Lebens von der Gestapo (→Geheime Staatspolizei) in die Konzentrationslager eingeliefert; später kamen andere Personengruppen wie Juden, Zigeuner, Homosexuelle und Schwerverbrecher hinzu. Konzentrationslager gab es z. B. in Oranienburg (bei Berlin), Dachau (bei München) und Buchenwald (bei Weimar). Im Zweiten Weltkrieg erhöhte sich die Zahl der Konzentrationslager und ihrer Insassen stark.

Den Insassen der Konzentrationslager wurde jegliche Achtung ihrer Rechte als Menschen verwehrt; sie waren zahlreichen Foltern unterworfen. Später wurden medizinische Versuche an ihnen durchgeführt; sie waren der persönlichen Willkür des Lagerpersonals ausgeliefert. Nach dem Beschluß der nationalsozialistischen Partei- und Staatsführung, die europäischen Juden auszurotten, richtete die SS **Vernichtungslager** (z. B.

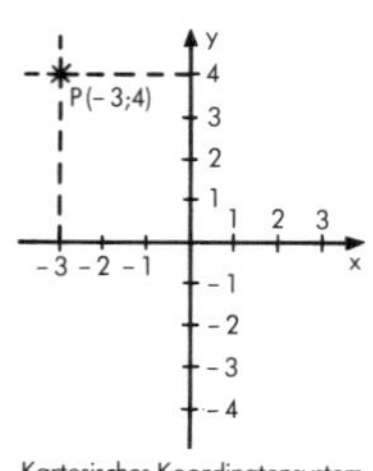

Kartesisches Koordinatensystem
1

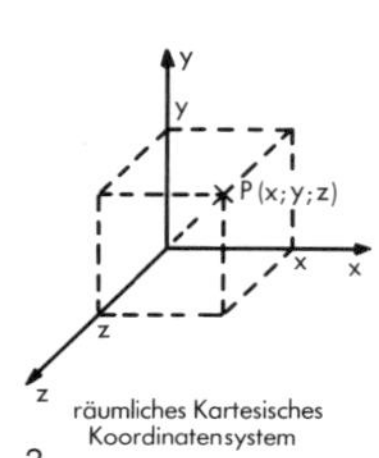

räumliches Kartesisches Koordinatensystem
2

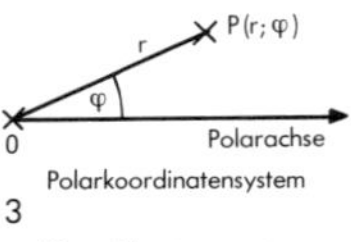

Polarkoordinatensystem
3

Koordinatensystem

bei Auschwitz, Treblinka, Maidanek) ein. In den Gaskammern dieser Lager wurden Millionen Juden ermordet.

konzentrisch, Geometrie: Kreise oder Kugeln mit verschiedenen Radien, aber gleichem Mittelpunkt heißen konzentrisch. Wirft man einen Stein in einen See, so entstehen um den Auftreffpunkt des Steins Wasserwellen, deren Wellenfronten konzentrische Kreise bilden.

Konzern [von englisch concern ›Unternehmung‹], Zusammenschluß von Unternehmen, die rechtlich selbständig bleiben, also auch ihren Firmennamen behalten, aber wirtschaftlich unter gemeinsamer Leitung geführt werden. Vorteile eines Konzerns sind z. B. die gemeinsame Anschaffung und Nutzung technischer Einrichtungen (Maschinen, Lastwagen usw.), die Absicherung bei der Beschaffung von Rohstoffen sowie die gemeinsame Erschließung von Absatzmärkten. Im Konzern können sich Unternehmen der gleichen Produktionsstufe oder hintereinander gelagerter Wirtschaftsstufen (Einkauf, Produktion, Verkauf) zusammenschließen. Durch die Zusammenballung wirtschaftlicher Macht in Konzernen kann der freie Wettbewerb unterschiedlich großer Unternehmen beeinträchtigt werden.

Konzert [von lateinisch concertare ›wetteifern‹], allgemein jede öffentliche Aufführung von Musikwerken, z. B. von Chören oder Instrumentalwerken. Im engeren Sinn ist das Konzert eine Komposition für ein Soloinstrument und Orchester. Es ist aufgebaut wie eine Sonate. Eine besondere Form des Konzertes ist das **Concerto grosso,** bei dem 2 oder 3 Soloinstrumente dem Orchester gegenübergestellt sind.

Konzil [von lateinisch concilium ›Zusammenkunft‹], allgemein eine Versammlung zur Beratung und Entscheidung wichtiger Angelegenheiten, z. B. in Hochschulen. Das Wort bezeichnet jedoch vor allem die Versammlung hoher Geistlicher einer christlichen, besonders der Katholischen Kirche, die über Fragen des Glaubens und der kirchlichen Organisation berät. Die ersten Konzile (man nennt sie auch **Synoden**) fanden schon im 2. Jahrh. statt. Das Ökumenische (›allgemeine‹) Konzil umfaßt alle Bischöfe und Kardinäle der katholischen Kirche. Es wird vom Papst einberufen und geleitet. Wenn die Beschlüsse eines Konzils vom Papst bestätigt sind, werden sie für die gesamte katholische Kirche verbindlich. Lehrentscheidungen gelten dann als unfehlbar. Die Konzile werden nach dem Ort der Zusammenkunft genannt. Das letzte fand 1962–65 in Rom statt. Weil es das zweite Konzil im Vatikan war, trägt es den Namen ›Zweites Vatikanisches Konzil‹.

Koog, bei der Landgewinnung eingedeichtes Marschland, vor allem an der schleswig-holsteinischen Westküste. In den Niederlanden und zum Teil in Ostfriesland werden Köge als **Polder** bezeichnet.

Koordinatensystem, Geometrie: Um die Lage eines Punktes in einer Ebene festzulegen, kann man folgendermaßen vorgehen: Man zeichnet in der Ebene 2 Geraden, die sich rechtwinklig schneiden. Die eine Gerade nennt man die ***x*-Achse** (oder **Abszissenachse**), die andere ***y*-Achse** (oder **Ordinatenachse**). Den Schnittpunkt der beiden Geraden nennt man **Ursprung** oder **Nullpunkt.** Die x-Achse zeichnet man waagerecht, also von links nach rechts. Der Schnittpunkt teilt die beiden Geraden in je einen positiven und einen negativen Teil. Die positiven Teile werden mit einer Pfeilspitze markiert. Auf der x- und y-Achse wählt man nun eine Einheit, z. B. 1 cm. Oft sind die Einheiten auf der x- und y-Achse gleich, doch manchmal kann es auch zweckmäßig sein, unterschiedliche Einheiten zu wählen. Das so entstandene Gebilde nennt man **rechtwinkliges** oder **Kartesisches Koordinatensystem.**

Die Lage eines Punktes P im rechtwinkligen Koordinatensystem wird nun wie folgt bestimmt: Man zeichnet durch P die Parallelen zur x- und y-Achse. Diese Parallelen schneiden die x- und y-Achse, in BILD 1 die x-Achse an der Stelle -3, die y-Achse an der Stelle 4. Dem Punkt P wird dann das Zahlenpaar $(-3;\ 4)$ zugeordnet. Die Zahl -3 heißt die ***x*-Koordinate,** die Zahl 4 die ***y*-Koordinate** des Punktes P. Man schreibt $P(-3;\ 4)$ und liest: ›Punkt P mit der x-Koordinate -3 und der y-Koordinate 4‹. Bei der Kennzeichnung eines Punktes durch ein Zahlenpaar wird immer zuerst die x-Koordinate und dann die y-Koordinate angegeben.

Das Koordinatensystem wird vor allem zur Darstellung von Kurvenverläufen, speziell bei →Funktionen, benutzt. Zur Festlegung eines Punktes im Raum ist noch eine dritte Koordinate **(*z*-Koordinate)** erforderlich. Diese wird auf einer dritten Geraden **(*z*-Achse),** die senkrecht auf der x- und y-Achse steht, abgelesen. In diesem Fall spricht man von einem **räumlichen Kartesischen Koordinatensystem** (BILD 2).

Neben dem Kartesischen Koordinatensystem wird auch oft noch das **Polarkoordinatensystem** verwendet (BILD 3). Zu diesem gehören ein fester Punkt O, der **Anfangspunkt** oder **Pol,** und eine von ihm ausgehende Achse, die **Polarachse.** Ein Punkt *P* der Ebene ist dann durch den Abstand *r* des Punktes vom Pol und durch den Winkel φ zwischen der Polarachse und der Geraden *OP* festgelegt. Man schreibt: $P\ (r;\ \varphi)$. Ausgedehnt auf den Raum werden die Polarkoordinaten zu **Kugelkoordinaten.**

Kopenhagen, 490 000, mit Vororten 1,34 Millionen Einwohner, Hauptstadt von Dänemark und wichtige Hafenstadt. Sie liegt im Osten des Landes auf den Inseln Seeland und Amager am Øresund und ist eine der bedeutendsten Handelsmetropolen in Nordeuropa. Rund 40% der dänischen Industrie befinden sich hier; die Produkte der 1755 gegründeten Porzellanmanufaktur **(Kopenhagener Porzellan)** genießen Weltruhm.

Im Zentrum, innerhalb der zu Grünflächen umgestalteten alten Befestigungsanlagen, liegt der Vergnügungspark **Tivoli.** Die im südlichen Teil von Kanälen umgebene Schloßinsel mit dem Schloß Christiansborg (heute Sitz von Parlament und Oberstem Gerichtshof) liegt in der Altstadt. An der Promenade ›Langelinie‹ sitzt auf einem Felsen die zum Wahrzeichen gewordene Bronzefigur **Kleine Meerjungfrau,** die 1913 von Edvard Eriksen nach einem Motiv aus einem Märchen von Hans Christian Andersen geschaffen wurde.

Kopernikus. Der Domherr, Arzt und Astronom **Nikolaus Kopernikus** (* 1473, † 1543) verfaßte 6 Bücher über die Umläufe der Himmelskörper (›De revolutionibus orbium coelestium‹, 1543), in denen er das **Kopernikanische Weltsystem** begründete. Im Gegensatz zu dem **geozentrischen Weltsystem** des Ptolemäus, bei dem die Erde im Mittelpunkt steht, ist das Kopernikanische ein **heliozentrisches Weltsystem,** bei dem die Sonne den von der Erde und den anderen Planeten umkreisten Mittelpunkt des Sonnensystems bildet. Kopernikus' Werk, das im Widerspruch zur theologischen Lehrmeinung stand, wurde von der Kirche verurteilt (es wurde erst 1835 vom Index der verbotenen Schriften gestrichen), fand aber Anklang bei vielen Gelehrten und wurde schließlich durch Johannes →Kepler vervollkommnet.

Kopf, Haupt, beim Menschen und bei den meisten vielzelligen Tieren der vom übrigen Körper durch den Hals abgesetzte Körperteil. Er enthält das →Gehirn, die →Sinnesorgane und den Eingang zu den Atem- und Verdauungswegen. Er wird von mehreren Schädelknochen gebildet, die fest miteinander verwachsen sind. Eine Ausnahme bildet der Unterkiefer (→Kiefer). Man unterscheidet einen Hirn- und einen Gesichtsschädel. Der **Hirnschädel** umschließt wie eine Kapsel das Gehirn. Die obere Wölbung ist das Schädeldach, das von der Kopfhaut bedeckt ist. Die Knochen, auf denen das Gehirn ruht, nennt man Schädelbasis. Der **Gesichtsschädel** mit dem Nasenbein, Jochbein, Ober- und Unterkiefer bildet die Augenhöhlen und das Nasengerüst mit den lufthaltigen Nasennebenhöhlen.

Der Kopf des Menschen unterscheidet sich von dem der Säugetiere vor allem durch die Größe des Hirnschädels, die durch das beim Menschen stärker entwickelte Gehirn gegeben ist.

Nikolaus Kopernikus

Kopffüßer, die →Tintenfische.

Kopfhörer, ein besonderer Lautsprechertyp zur Schallwiedergabe direkt am Ohr. Kopfhörer bestehen aus 2 **Hörkapseln,** die durch einen Bügel miteinander verbunden sind. In diesen Hörkapseln werden die elektrischen Signale in Töne umgeformt. Der Schall wird durch eine kleine Membran wiedergegeben, die beim **geschlossenen System** über ein geringes abgeschlossenes Luftvolumen mit dem Ohreingang gekoppelt ist. Beim **offenen System** sorgen schalldurchlässige

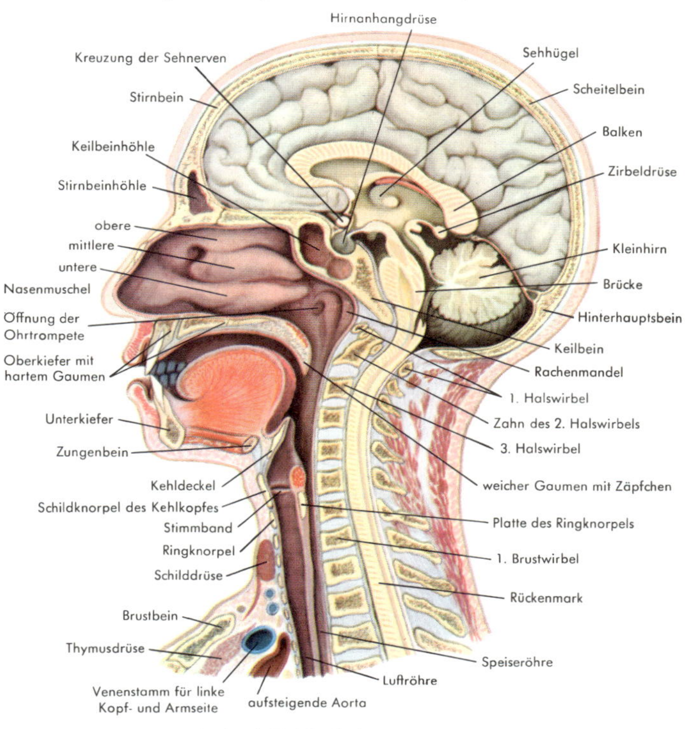

Kopf: Schnitt durch die Mittelachse

Korallen: LINKS Edelkoralle, RECHTS Weiße Hornkoralle

Schaumstoffkissen für einen Abstand zwischen Ohr und Membran.

Kopfschmerz, Krankheitszeichen, das durch Reizung (Druck, Zug, Entzündung oder mangelnde Versorgung mit Nährstoffen) der Schmerzempfänger der Hirnhäute oder größerer Gefäße entsteht, wobei das Gehirn selbst schmerzunempfindlich ist. Auslösende Faktoren sind Entzündungen des Gehirns und der Hirnhäute oder Erkrankungen, z. B. der Nasennebenhöhlen, der Ohren, der Zähne und der Augen. Außerdem können Kopfschmerzen durch einen erhöhten Hirndruck, z. B. bei einer Geschwulst im Gehirn, oder bei direkter Gewalteinwirkung (z. B. Gehirnerschütterung) verursacht sein. Auch Bluthochdruck, Gefäßverkalkung und ständige Verstopfung können zu Kopfschmerzen führen. Häufig ist Kopfschmerz ein Begleitsymptom bei Erkrankungen des gesamten Organismus, z. B. bei ansteckenden Krankheiten, Nieren- und Lebererkrankungen. In sehr vielen Fällen aber ist der Kopfschmerz Ausdruck seelischer Spannungen und Konflikte.

Kopra, zerschnittene, getrocknete Kerne der Kokosnuß (→Kokospalme).

Kopten, die Arabisch sprechenden christlichen Nachkommen der alten Ägypter, die in der Mehrzahl der Orthodoxen Kirche angehören. Sie leben vor allem im Niltal zwischen El-Minja und Kena sowie in Kairo und Alexandria. Die koptischen Bauern haben viele altägyptische Sitten und Bräuche bis heute bewahrt.

Korallen, formenreiche, polypenartige →Nesseltiere, die fast ausschließlich in wärmeren Meeren leben, vor allem in der Südsee, im Indischen Ozean, im Roten Meer und im Mittelmeer. Sie leben als Einzeltiere, z. B. die auch in der Nordsee heimischen **Becherkorallen,** oder in großen Stöcken, die von zahlreichen Polypen gebildet werden. Diese Stöcke entstehen durch ungeschlechtliche Vermehrung (Abschnürung, Knospung oder Teilung), wobei die einzelnen Tiere durch Ernährungskanäle miteinander verbunden bleiben. Ihr Zusammenhang wird häufig durch ein Kalk- oder Hornskelett gefestigt, das an der Fußscheibe abgeschieden wird und in dem die Tiere wie in einem Becher stecken. Der Sokkel verbreitert sich, neue Polypen knospen heraus, und so bilden sich im Lauf der Zeit große bizarre Stöcke, oft riesige →Korallenriffe. Tagsüber verbergen sich die meist winzigen Polypen im Skelett. Nachts können Taucher ihre wie Blumen entfalteten Fangarme beobachten (daher auch **Blumentiere** genannt wie die nah verwandten Seerosen). Korallen fressen winzige Tierchen, die sie mit ihren Fangarmen einfangen. Riffbildende Korallen leben in →Symbiose mit unzähligen winzigen Algen, die als pflanzliche Einzeller zur →Photosynthese Licht benötigen und daher nicht unter 40 m Wassertiefe leben können. Tiefer liegende Riffteile werden aus abgestorbenen Skeletten gebildet. Die Algen liefern den Polypen Sauerstoff und binden Kohlendioxid, das bei der Skelettbildung anfällt. Sie selbst verwerten Abfallprodukte aus dem Stoffwechsel der Polypen.

Die Polypen und die Stöcke kommen in großer Farbenpracht (Purpur, Gelb, Blau, Weiß, Braun) und in auffälligen Formen vor, nach denen sie häufig auch benannt werden (Geweihkoralle, Hirnkoralle, Meerhand). Die rote **Edelkoralle,** die in 3–300 m Tiefe im Mittelmeer lebt, bildet

Korallenriffe: 1 Vulkaninsel mit Saumriff; **2** absinkende Insel mit Wallriff; **3** Atoll

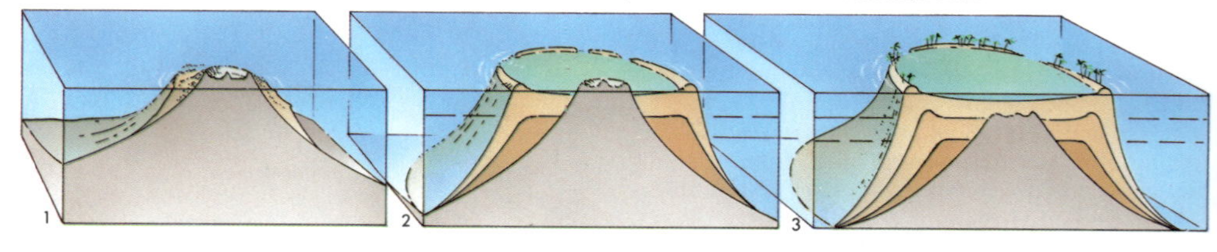

baum- oder strauchartige, weiße bis tiefrote Stökke, deren geschliffene Bruchstücke zu Schmuck verarbeitet werden (›rotes Gold‹). Edelkorallen werden mit besonderen Netzen gefischt.

Korallenriffe bestehen aus den kalkigen Skeletten unzähliger →Korallen. Wenn das Meer die entsprechenden Voraussetzungen bietet – das Wasser muß warm, sauerstoff- und nährstoffreich und darf nicht verschmutzt sein –, können diese Riffe sehr große Ausmaße annehmen. So erstreckt sich das Große Barrier-Riff vor der Nordküste Australiens über fast 2 000 km. Korallenriffe finden sich besonders in der Nähe der Küsten tropischer Meere. Obwohl manche sehr groß sind, wachsen sie pro Jahr nur etwa um 1 cm. Ein 30 m hohes oder breites Riff ist also etwa 3 000 Jahre alt. Ziehen sich Korallenriffe an einer Küste entlang, spricht man von **Saumriffen.** Ihr Wachstum ist stets nach außen gerichtet: Sie wachsen der Brandung entgegen, weil die Korallen in dem frischen, sauerstoffreichen Wasser die besten Lebensbedingungen finden. Nach innen, dem Land zu, zerfällt das Riff. Hier bildet sich im Lauf der Zeit ein schmaler, flacher Kanal mit ruhigem Wasser, der **Riffkanal.** Einen größeren Abstand zum Land haben die **Wallriffe.** Die Wasserfläche, die sie von der Küste trennt, ist allmählich durch ein Absinken des Landes oder einen Anstieg des Meeresspiegels breiter und tiefer geworden. Meist kann sie von Schiffen befahren werden. Sinkt eine Insel so weit ab, daß sie ganz im Meer verschwindet, und hält das Wachstum des Riffs mit der Geschwindigkeit des Absinkens Schritt, bildet sich schließlich ein →Atoll. Neben diesen Korallenriffen, die alle meist schmal und lang sind, gibt es **Krustenriffe,** die an flachen Stellen des Meeres den ganzen Boden bedecken können. Sie stellen für die Schiffahrt gefährliche Untiefen dar. (BILD Seite 162)

Koran [arabisch kur'an ›Lesung‹], das heilige Buch des Islam. Es besteht aus den Verkündigungsworten des Propheten →Mohammed, die in 114 **Suren** (Abschnitten) angeordnet sind. Nach islamischem Glauben enthält der Koran die Botschaft Gottes, die dieser durch Mohammed den Menschen offenbarte. Als unmittelbares Wort Gottes ist er somit der verbindliche Maßstab für das private und gesellschaftliche Leben und die Grundlage des Rechts.

Korbblüter, Familie meist krautiger Pflanzen mit Blütenköpfen. Häufig werden zahlreiche kleine röhren- und zungenförmige Einzelblüten gemeinsam von einer Hülle wie von einem Körbchen (oder Köpfchen) zusammengehalten. Die Röhrenblüten befinden sich fast immer in der Mitte, die Zungenblüten am Rand. Die Fruchtknoten entwickeln sich zu einer nußähnlichen Schließfrucht, häufig mit Federkrone. Korbblüter sind z. B. Sonnenblume, Dahlie, Kamille, Löwenzahn und Disteln.

Kordilleren [kordiljeren], die Kettengebirge im Westen von Nord- und Südamerika. Sie erstrecken sich von der Beringstraße im Norden bis Feuerland im Süden und sind mit über 15 000 km Länge das längste Faltengebirge der Erde. Die nordamerikanischen Kordilleren bestehen aus mehreren Gebirgszügen (z. B. →Rocky Mountains, Küstengebirge, Kaskadengebirge), die durch Becken und Hochflächen voneinander getrennt sind. Die südamerikanischen Kordilleren, die →Anden, gelten als die eigentlichen Kordilleren. Sie stellen einen Gebirgszug von rund 7 500 km Länge und 200–800 km Breite dar und werden von hohen, zum Teil vulkanischen Gipfeln überragt. Im Süden weist das Gebirge einen fast geschlossenen Hauptkamm auf, teilt sich aber im mittleren Teil in eine östliche und eine westliche Kette. Dazwischen liegt ein bis zu 4 000 m hohes Becken (Altiplano) mit vielen Salzpfannen und Seen (z. B. Titicacasee). Die Schneegrenze liegt in Feuerland bei 700 m und steigt im zentralen Teil bis auf 6 000 m an. Der Anbau von Feldfrüchten (Mais, Kartoffeln) ist bis auf eine Höhe von 4 000 m möglich. An den regenfeuchten Osthängen entspringen die großen Ströme, die zum Atlantischen Ozean fließen. Die Kordilleren sind reich an Erzen aller Art. Der tropische Teil des Gebirges war Sitz sehr alter Kulturen, z. B. der Inka.

Korea, Land in Ostasien, das politisch seit dem Ende des Koreakriegs (1953) in Nord-Korea und Süd-Korea geteilt ist. Im Norden besteht das Land aus einem Festlandsaum, der im Westen an die Volksrepublik China grenzt. Nach Süden schließt sich die Halbinsel Korea zwischen Japanischem und Gelbem Meer an. Korea wird an der Ostseite von einem bis zu 2 744 m hohen Gebirge in Nord-Süd-Richtung durchzogen. Die Westseite ist ein von Hügelländern durchsetztes Tiefland. Viele Inseln sind der West- und Südküste vorgelagert. Das Klima ist im südlichen Teil ozeanisch mild und wird nach Norden hin durch den Einfluß des asiatischen Festlands kühler und weniger feucht. Die Niederschläge fallen überwiegend im Sommer. Die Bevölkerung besteht ausschließlich aus Koreanern.

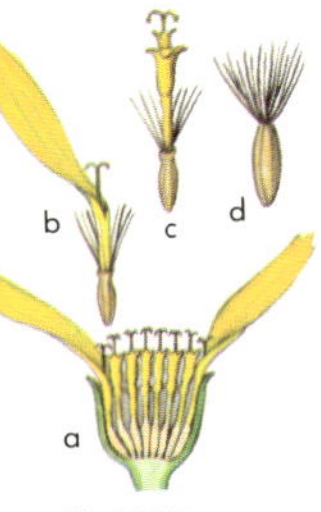

Korbblüter

Korbblüter: a Arnikablütenkopf (Längsschnitt), **b** Randblüte, **c** Scheibenblüte, **d** Frucht

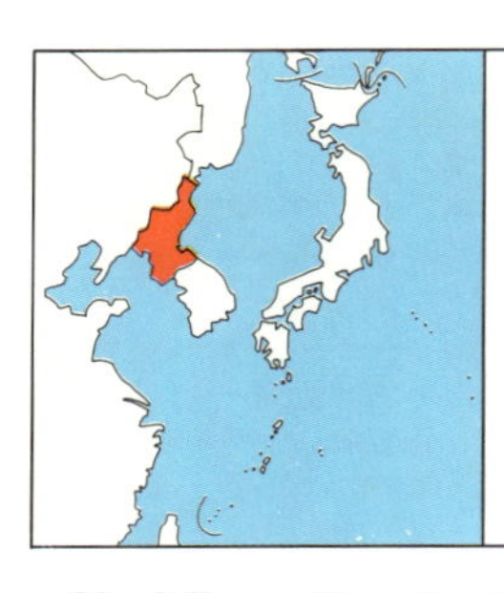

Korea (Nord-Korea)

Fläche: 120 538 km²
Bevölkerung: 23,06 Mill. E
Hauptstadt: Pjongjang
Amtssprache: Koreanisch
Nationalfeiertag: 9. Sept.
Zeitzone: MEZ +8 Stunden

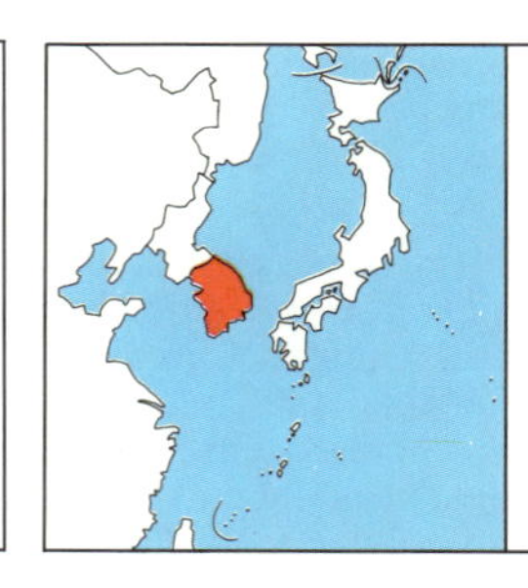

Korea (Süd-Korea)

Fläche: 99 143 km²
Bevölkerung: 43,9 Mill. E
Hauptstadt: Seoul
Amtssprache: Koreanisch
Nationalfeiertag: 15. Aug.
Währung: 1 Won (₩) = 100 Chon
Zeitzone: MEZ +8 Stunden

Korea, Nord-

Staatswappen

Staatsflagge

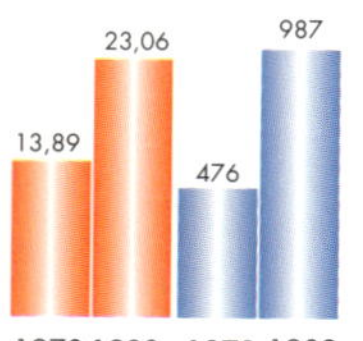

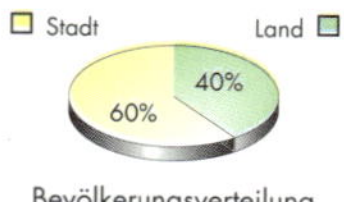

Bevölkerungsverteilung 1990

Bruttoinlandsprodukt 1985

Nord-Korea, Demokratische Volksrepublik Korea. Das Land ist etwa halb so groß wie die Bundesrepublik Deutschland und umfaßt den Festlandsaum und den Nordteil der Halbinsel Korea. Intensiver Ausbau der Landwirtschaft hat nach der Bodenreform von 1946 die Eigenversorgung der Bevölkerung mit Agrarprodukten ermöglicht. Landwirtschaftlich genutzt werden vor allem die Ebenen der Westküste, wo Reis, Mais, Sojabohnen, Hafer und Kartoffeln angebaut werden. Für den Export bedeutsam sind der Anbau der Ginsengwurzel und Seidenraupenzucht. An Bodenschätzen werden Steinkohle, Braunkohle, Eisenerz, Kupfer, Zink, Mangan und Blei abgebaut. Sie sind Grundlage einer bedeutenden, alle wichtigen Zweige umfassenden Industrie. $\frac{1}{3}$ des Exports besteht aus Industriegütern. Nord-Korea ist ein kommunistisch regierter Staat.

Süd-Korea, Republik Korea. Das Land, etwas größer als Ungarn, umfaßt den Südteil der Halbinsel Korea südlich des 38. Breitengrades mit den vorgelagerten mehr als 3 000 Inseln. Die Landwirtschaft ist Grundlage der Wirtschaft. Betriebe mit einer durchschnittlichen Größe von weniger als 1 ha bauen Reis, Gerste, Weizen, Sojabohnen, Kartoffeln und Obst an. Tabak, Ginseng, Baumwolle und Fischereiprodukte sind für den Export bedeutend. An Bodenschätzen werden Steinkohle, Zink, Blei, Wolfram, Graphit, Salz, Eisenerz gewonnen. Mit Hilfe der USA wurde nach dem Koreakrieg metallverarbeitende, Textil- und elektrotechnische Industrie aufgebaut. Industriegüter bilden den größten Teil der Ausfuhr. Die Republik Korea ist eine Präsidialrepublik, in der der Präsident direkt vom Volk für fünf Jahre gewählt wird. (BILD Seite 165)

Geschichte. Im Japanisch-Chinesischen Krieg 1894/95 erreichte Korea die Unabhängigkeit von China, die es aber im Russisch-Japanischen Krieg 1904/05 wieder an Japan verlor. Japan machte das Land 1910 zur Kolonie. Aufstandsbewegungen blieben erfolglos. Entsprechend den alliierten Kriegskonferenzen besetzten die Sowjetunion und die USA 1945 das Land beiderseits des 38. Breitengrades. 1948 erkämpften Kommunisten die Macht in der nördlichen Hälfte. Nach Abzug der Besatzungsmächte griffen kommunistische Truppen den Süden an. Streitkräfte der Vereinten Nationen unter Führung der USA drängten die Angreifer zurück; 1953 wurde das Gebiet um den 38. Breitengrad als Grenze festgesetzt. Versuche, die beiden Staaten zu einigen, führten bis 1992 nur zu einem Nichtangriffspakt. (KARTE Seite 195)

Korfu, griechisch **Kerkyra,** nördlichste der zu Griechenland gehörenden Ionischen Inseln. Korfu umfaßt 592 km² und hat 96 500 Einwohner. Der Nordteil der Insel besteht aus einem bis zu 906 m hohen Kalkgebirge. Im Süden werden Oliven, Wein, Obst und Gemüse angebaut. Korfu gilt als eine der schönsten Inseln Griechenlands und lockt mit seinem klaren Wasser, dem milden Klima und den langen Sandstränden zahlreiche Touristen an. Die Hauptstadt Kerkira (33 600 Einwohner) liegt an der Ostküste. (KARTE Seite 204)

Korinth, griechisch **Korinthos,** 22 500 Einwohner, Stadt in Griechenland im Nordosten der Peloponnes am **Golf** und **Isthmus von Korinth.** Der nach ihr benannte **Kanal von Korinth** verbindet den Golf von Korinth mit dem Saronischen Golf und verkürzt den Seeweg von Athen nach Italien. Der 6 343 m lange Kanal wurde nach vergeblichen Versuchen in römischer Zeit (unter Kaiser Nero) 1881–93 fertiggestellt.

Im 10. Jahrh. v. Chr. gegründet, war Korinth im Altertum nach Athen die bedeutendste Handelsstadt Griechenlands. 146 v. Chr. wurde es von den Römern zerstört und erst 44 v. Chr. durch Caesar wieder aufgebaut. Reste eines Apollontempels aus dem 6. Jahrh. v. Chr. sind erhalten. Durch Ausgrabungen wurden vor allem Bauten aus römischer Zeit freigelegt. Überragt wurde die Stadt von der Burg **Akrokorinth.** Alle 2 Jahre veranstaltete Korinth zu Ehren des Gottes

Poseidon die **Isthmischen Spiele.** Korinth wurde mehrfach von Erdbeben zerstört und nach dem Erdbeben von 1858 einige Kilometer nordöstlich wieder aufgebaut.

Der **korinthische Baustil** ist neben dem dorischen und ionischen Stil einer der großen Baustile der antiken griechischen Tempel und Hallen (→ Säule, → griechische Kunst).

Korinthen, → Rosinen.

Kork [von lateinisch cortex ›Rinde‹], der nach außen abgegebene Teil des Rindengewebes bei Wurzeln, Stämmen und Zweigen der Bäume und Sträucher. Kork besteht aus Schichten toter Zellen, deren Wände durch Beschichtung mit → Cellulose und Suberin wasser- und gasundurchlässig sind. Der Gasaustausch wird durch Poren ermöglicht. Die braune Färbung kommt von fäulnishemmenden Stoffen, die in die Zellen eingelagert sind. Die Korkschicht kann dünn wie eine Haut sein (z. B. Birke), aber auch eine dicke Kruste bilden wie bei der Korkeiche. Bei älteren Stämmen und Wurzeln ist über der Korkschicht noch Borke ausgebildet. Da Kork nicht fault, wird er seit der Antike als Gefäßverschluß (Flaschenkork) verwendet. Heute wird er auch für die Wärme- und Schallisolierung, für Schuhe und Schwimmgürtel genutzt.

Gewonnen wird der Kork hauptsächlich aus der Rinde der **Korkeiche,** einem im Mittelmeerraum beheimateten Laubbaum, der bis über 100 Jahre alt werden kann. Die Rinde dieser bis zu 20 m hohen Eichen ist sehr dick und läßt sich gut abschälen. Es dauert dann 8–12 Jahre, bis wieder ein neues dickes Korkgewebe gebildet wird. Hauptproduktionsland von Kork ist Portugal.

Kormorane [von lateinisch corvus marinus ›Seerabe‹], große, weltweit verbreitete Schwimmvögel, die an Meeresküsten und Binnengewässern leben. Das norddeutsche Küstengebiet bewohnt ein 90 cm langer Kormoran mit schwarzschillerndem Gefieder. Sein scharfer Kot bringt die Bäume, auf denen er nistet, zum Absterben. Mit seinen gut ausgebildeten Füßen, bei denen die Schwimmhaut den ganzen Fuß überspannt, kann er gewandt schwimmen. Von Felsen aus taucht er nach Fischen, schleudert sie mit seinem langen spitzhakigen Schnabel in die Luft, fängt sie auf und schlingt sie hinunter (täglich bis zu 5 Pfund). Nach dem Fischfang müssen Kormorane ihr Gefieder trocknen, da es, im Unterschied zu anderen Wasservögeln, Wasser einläßt. Sie hokken dazu mit ausgebreiteten Schwingen auf Pfählen oder am Strand. Da das eindringende Wasser die Luft zwischen den Federn herausdrückt, können Kormorane, da Wasser schwerer ist als Luft, durch ihr dann höheres Gewicht tief tauchen (1–3 m und mehr). BILD Seite 166

Korn, allgemein der Samen von Pflanzen, besonders der Früchte von Getreidearten.

Kornett [aus italienisch cornetto ›kleines Horn‹], trompetenähnliches Blechblasinstrument, das aus dem Posthorn entwickelt und durch Ventile verbessert wurde. Sein Klang ist nicht so edel wie der der Trompete oder des Horns, aber die leichte Tonansprache machte es in der Militärmusik und im Blasorchester vielseitig verwendbar. (BILD Seite 166)

Körper, Geometrie: eine Figur, die sich in 3 nicht in einer Ebene liegenden Richtungen erstreckt. Diese 3 Richtungen nennt man meist Länge, Breite und Höhe. Man sagt deshalb auch, daß ein Körper **3 Dimensionen** besitzt. Ein Körper wird von Flächen begrenzt. Diese Begrenzungsflächen können eben sein wie beim Würfel, beim Quader oder bei einer Pyramide, sie können aber auch gekrümmt sein wie bei der Kugel, beim Zylinder oder beim Kegel. Körper, die nur von ebenen Flächen begrenzt werden, heißen → Polyeder.

Korrosion [lateinisch ›Zernagung‹], die allmähliche Zerstörung von Steinen und Metallen durch Einwirkung von Wasser, Säuren, Basen, Gasen oder Mikroorganismen. Meist sind die chemisch angreifenden Substanzen im Wasser oder in der Luft enthalten. Betroffen werden sowohl Natursteine als auch Bauwerke aus verschiedensten Materialien und technische Anlagen. Die Stellen, an denen Korrosion sichtbar wird, sehen wie angenagt (Lochfraß) aus; das weitere Fortschreiten der Korrosion kann zum Bruch des Bauteils oder Werkstücks führen. Dem versucht man durch Schutzschichten und Überzüge **(Korrosionsschutz)** vorzubeugen, z. B. durch Anstriche, Öle, Kunststoffolien, Beschichtungen durch Emaillieren, Vernickeln oder Verchromen. Es gibt auch elektrochemische Verfahren, die Korrosion verhindern. Dem Wasser von Dampfkesseln oder dem Kühlwasser von Motoren werden korrosionshemmende Chemikalien zugesetzt.

Korsika, Insel im Mittelmeer, durch die Straße von Bonifacio von Sardinien getrennt. Sie gehört, mit Selbstverwaltungsrechten ausgestattet, zu Frankreich. Mit 8 720 km^2 ist die Insel etwa halb so groß wie das Bundesland Rheinland-Pfalz. Von den rund 290 000 Einwohnern lebt fast $^1/_3$ in den beiden wichtigsten Städten Ajaccio (Hauptstadt) und Bastia. Korsika ist ein stark

Korea, Süd-

Staatswappen

Staatsflagge

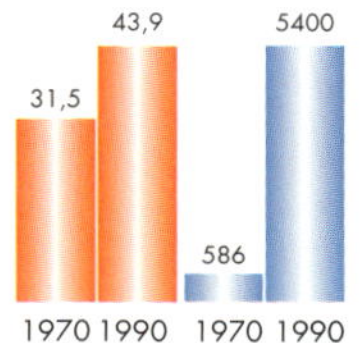

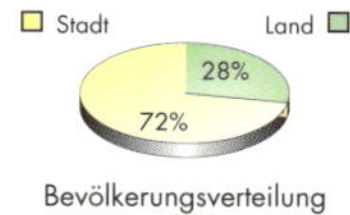

Bevölkerungsverteilung 1990

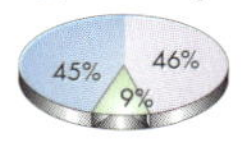

Bruttoinlandsprodukt 1990

Kormoran

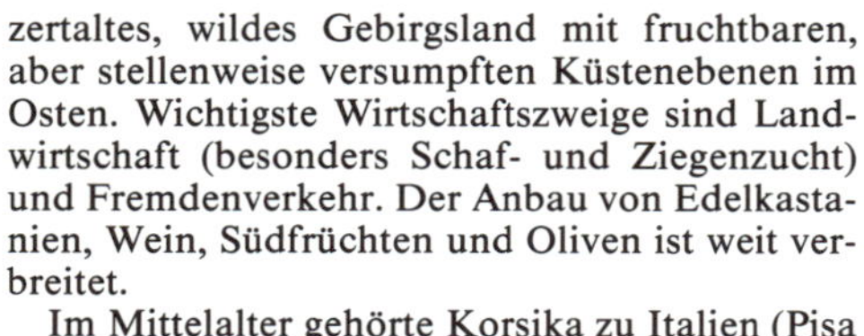

zertaltes, wildes Gebirgsland mit fruchtbaren, aber stellenweise versumpften Küstenebenen im Osten. Wichtigste Wirtschaftszweige sind Landwirtschaft (besonders Schaf- und Ziegenzucht) und Fremdenverkehr. Der Anbau von Edelkastanien, Wein, Südfrüchten und Oliven ist weit verbreitet.

Im Mittelalter gehörte Korsika zu Italien (Pisa und Genua), wurde aber 1768 an Frankreich verkauft. Seit 1970 kämpfen korsische Untergrundbewegungen für eine Unabhängigkeit von Frankreich. Korsika ist die Heimat von Napoleon I. Bonaparte. (KARTE Seite 203)

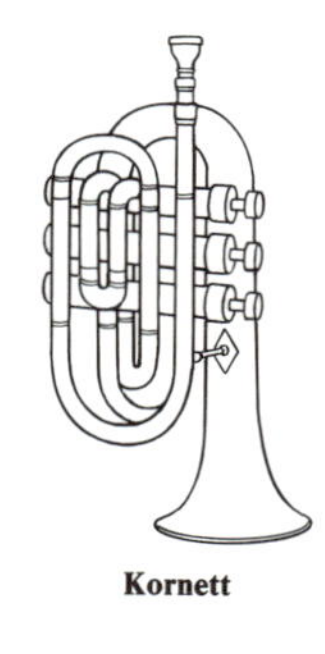

Kornett

Kosaken, ursprünglich tatarische Reiterverbände (→Tataren), später slawische Verbände mit gleicher Kampftechnik. Sie bestanden seit dem 15. Jahrh. aus einer rasch anwachsenden Zahl ehemaliger Bauern, die sich der Leibeigenschaft entzogen. An den Flüssen Don, Wolga, Dnjepr und z. B. am Uralgebirge bildeten sich freie Kosakengemeinschaften mit gewählten Oberhäuptern, den **Atamanen** oder **Hetmanen.** Die Kosaken lebten von Beutezügen und etwas Landwirtschaft oder verdingten sich als Soldaten in polnischen oder russischen Heeren. Nach der russischen Oktoberrevolution 1917 waren sie Gegner der Bolschewiki. Im Zweiten Weltkrieg wurden auf deutscher Seite kosakische Freiwilligenverbände gebildet. – Von großen Ereignissen aus ihrer Geschichte handeln viele Volkslieder der Kosaken.

kosmische Geschwindigkeiten, astronautische Geschwindigkeiten. Wenn ein Körper, z. B. eine Rakete, von der Erde oder einem anderen Himmelskörper, z. B. dem Mond, abgeschossen wird, muß er bestimmte Geschwindigkeiten erreichen, um in den Weltraum zu gelangen. Soll der Körper in eine →Erdumlaufbahn geschossen werden, braucht er die **erste kosmische Geschwindigkeit** oder **Kreisbahn-** oder **Satellitengeschwindigkeit;** sie beträgt beim Start von der Erde 7,9 km/s. Diese Geschwindigkeit müssen seit dem Sputnik und Explorer, seit Wostok bis zum Space Shuttle alle Satelliten und bemannten Raumfahrzeuge erreichen. Schießt man einen Körper mit mindestens der **zweiten kosmischen Geschwindigkeit** oder **Fluchtgeschwindigkeit** von 11,2 km/s ab, kann er der →Gravitation der Erde (Erdanziehungskraft) entfliehen und zu anderen Planeten unseres Sonnensystems gelangen. Die Fluchtgeschwindigkeit benötigen Raumsonden seit Pioneer, Mariner und Venera. Mit der **dritten kosmischen Geschwindigkeit** kann das Gravitationsfeld der Sonne verlassen werden; sie beträgt relativ zur Sonne 42 km/s. Die Jupiter-Sonde Pioneer 10 hat als erstes von Menschen geschaffene Objekt das Sonnensystem verlassen. Um die Milchstraße zu verlassen und so auf andere Spiralnebel zuzufliegen, braucht ein Körper die **vierte kosmische Geschwindigkeit** von rund 100 km/s. Bis jetzt ist kein Flugkörper auf solch einem Weg. (→Raumfahrt, ÜBERSICHTEN)

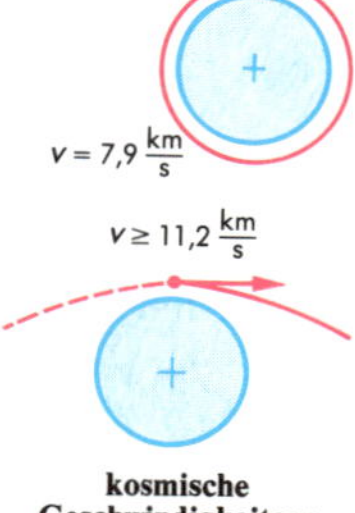

kosmische Geschwindigkeiten: Raumflugbahnen mit verschiedenen Anfangsgeschwindigkeiten *v*

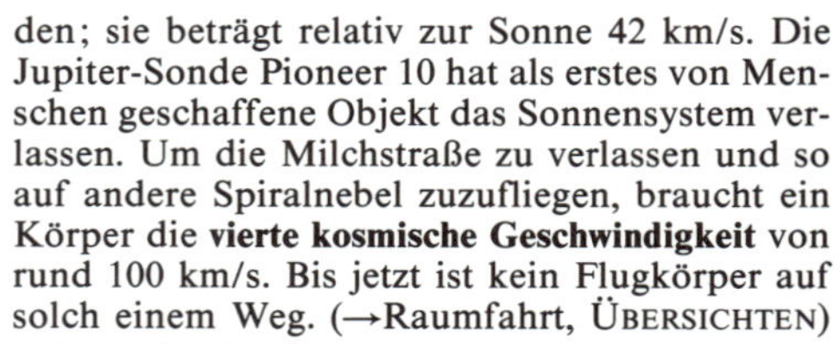

kosmische Strahlung, Höhenstrahlung, Ultrastrahlung, sehr energiereiche Strahlung aus dem Weltraum, die auf die Erdatmosphäre trifft und nach vielen Umwandlungen noch in großen Tiefen im Meer und in der Erdrinde nachweisbar ist. Die **primäre kosmische Strahlung** stößt aus allen Richtungen auf die Erdatmosphäre. Sie besteht in der Hauptsache aus hochenergetischen nuklearen Partikeln, vor allem etwa 85 % Protonen, 14 % Heliumkernen (Alphateilchen) sowie schwereren Atomkernen. Die primäre kosmische Strahlung erzeugt in der Atmosphäre eine **sekundäre kosmische Strahlung** durch Kernreaktionen mit den Luftmolekülen.

Kosmologie, Lehre vom →Weltall (Kosmos) als einem einheitlichen Ganzen. Ausgehend von den astronomischen und astrophysikalischen Beobachtungen und Erfahrungen seit der Antike und unterstützt von einer modernen Geräte- und Meßtechnik, baut die Kosmologie auf physikalischen Erkenntnissen und Theorien auf, um eine Vorstellung über Entstehung, Entwicklung, Alter, Ausdehnung und Struktur des Kosmos zu gewinnen.

Die heutige Kosmologie rechnet mit einem Beginn der Weltentwicklung vor rund 18 Milliarden Jahren aus dem **Urknall;** während der ersten Minuten entstanden aus dem sich ausdehnenden und abkühlenden Energie-Teilchen-Gemisch Protonen und Neutronen, die sich teilweise noch zu Helium verbinden konnten, ehe die rasche Expansion (Ausdehnung) die Temperatur des Weltalls unter die für die Elementsynthese erforderliche Grenze absinken ließ. Weiteres Helium und die schwereren Elemente entstanden durch →Kernfusion in den sich erst später aus den Wasserstoffwolken bildenden Sternen.

Ob die gegenwärtige Expansion des Weltalls bis in unendliche Zeit weiter- oder später in eine Kontraktion (Zusammenziehung) übergeht, hängt von seiner nur schwer zu ermittelnden Gesamtmasse ab und ist noch ungeklärt.

Kosmonaut, →Astronaut.

Koyoten, →Coyoten.

KPD, Abkürzung für **K**ommunistische **P**artei **D**eutschlands (→kommunistisch).

Wörter, die man unter K vermißt, suche man unter C, Ch oder Q

Krabben leben vor allem auf dem Meeresboden und im Küstenbereich. Bei diesen →Krebsen mit flachem, rundlichem Körper und zum Teil trapezförmigem Rückenschild ist der verkümmerte Hinterleib nach vorn eingeschlagen. Die Weibchen tragen in dem so gebildeten Brutraum ihre zahlreichen Eier (über 1 Million) mit sich, bis die Larven schlüpfen. Krabben können sich rasch in Sand und Schlick eingraben. Viele laufen seitwärts, manche seitwärts, rückwärts und vorwärts. Sie jagen vor allem nachts andere Krebse, Muscheln, Schnecken, Würmer und auch kleine Fische. An der Nordseeküste sieht man am häufigsten die bis 8 cm breite **Strandkrabbe.** Der **Taschenkrebs,** der nicht schwimmen kann, wird bis 30 cm breit und über 5 kg schwer; er gilt als Delikatesse. Kleinere Taschenkrebse sieht man auch an der Küste. Die bis 7,5 cm breite **Wollhandkrabbe,** deren Scheren mit dichtem Haarpelz besetzt sind (daher der Name), wandert auch Flüsse hinauf (Elbe, Weser, Oder). Auf der Suche nach Nahrung beschädigen Krabben auch Fischnetze und Aalreusen und unterwühlen Deiche und Dämme. Oft werden →Garnelen fälschlich als Krabben bezeichnet.

Krabben: Strandkrabbe

Kraft. Treten 2 Schülergruppen beim Tauziehen gegeneinander an, so läßt jeder Schüler seine Kraft auf das Seil wirken. Die Stelle, an der eine Kraft F angreift, nennt man den **Angriffspunkt** der Kraft, die Richtung, in der eine Kraft wirkt, die **Kraftrichtung.** Kräfte werden zeichnerisch als Pfeile **(Kraftvektoren)** dargestellt (BILD 1). Der Pfeilanfang ist dabei der Angriffspunkt der Kraft, die Richtung des Pfeils gibt die Kraftrichtung an, und die Pfeillänge veranschaulicht den Betrag der Kraft. Die SI-Einheit der Kraft ist das →Newton (N).

Wenn alle Schüler an dem Seil ziehen, kann es sein, daß sich das gespannte Seil nicht von der Stelle bewegt und im Ruhezustand verharrt. Die Summe der Kräfte nach der einen Richtung ist dann gleich der Summe der Kräfte nach der entgegengesetzten Richtung. Das Seil bliebe aber auch in Ruhe, wenn die Schüler einer Partei durch einen Schüler ersetzt würden, der genausoviel Kraft aufbrächte wie vorher alle Schüler dieser Gruppe zusammen. Eine solche Kraft, die die gleiche Wirkung hat wie mehrere Teilkräfte zusammen, nennt man **Ersatzkraft** oder **resultierende Kraft (Resultierende, Resultante).** Die resultierende Kraft ist gleich der Summe der gleichgerichteten Teilkräfte. Ist eine der kämpfenden Parteien erschöpft, so bewegt sich das Seil in Richtung des Kräfteüberschusses. Die Größe der wirkenden Kraft erhält man dann durch die Differenz der resultierenden Kräfte beider Kraftrichtungen, ihre Richtung zeigt in Richtung der größeren resultierenden Kraft. Wenn 2 Kräfte F_1 und F_2 unter einem Winkel ($< 180°$) auf einen frei beweglichen Körper einwirken, so bewegt er sich in eine Richtung, die zwischen den beiden Zugrichtungen liegt. Dieselbe Bewegung kann auch durch eine einzige resultierende Kraft hervorgerufen werden. Man findet den Betrag und die Richtung dieser Kraft R, indem man die Vektoren der Teilkräfte (Komponenten) F_1 und F_2 zu einem Parallelogramm **(Kräfteparallelogramm)** ergänzt und vom Angriffspunkt A aus die Diagonale zeichnet (BILD 2).

Umgekehrt kann man die Kraftwirkung einer Kraft durch die Wirkungen zweier Kräfte ersetzen. Die Kraft wird in Teilkräfte zerlegt, z. B. bei einem Eimer, der statt von 1 von 2 Personen getragen wird.

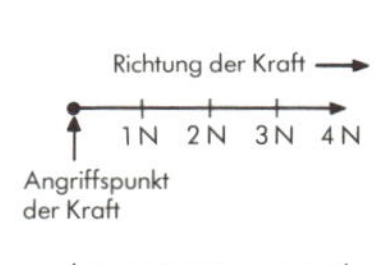

Kraft 1

Kräfte können nicht nur den Bewegungszustand eines Körpers verändern, sondern ihn auch verformen.

Ein auf einem Tisch liegendes Gewichtsstück übt infolge seines →Gewichts auf den Tisch eine Gewichtskraft aus. Umgekehrt übt der Tisch auf den Körper eine gleich große, aber entgegengesetzt gerichtete Kraft aus. Dieses **Gesetz von Kraft und Gegenkraft (actio = reactio)** wurde von Isaac Newton (* 1643, † 1727) entdeckt und lautet: **Wenn ein Körper A auf einen Körper B eine Kraft ausübt, so übt der Körper B auf den Körper A eine gleich große, aber entgegengesetzt gerichtete Kraft aus.**

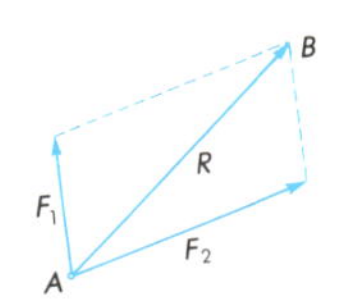

Kraft 2: Kräfteparallelogramm

Kraftwagen, Automobil, Auto, mehrspuriges Straßenfahrzeug, gebaut als Personenkraftwagen (Pkw), Lastkraftwagen (Lkw), Omnibus und Spezialfahrzeug. An der **selbsttragenden Karosserie** werden die Fahrwerks- und Triebwerksteile unmittelbar an verstärkten Stellen der Karosserie befestigt. Die Karosserie besteht aus verzinkten Stahlblechen oder Aluminiumblechen und Kunststoffen. Der Sicherheit der Insassen dienen Knautschzonen (→Crash-Test), die bei der Formgebung der Karosserie eingeplant wer-

GESCHICHTLICHES

1885	Erster dreirädriger Kraftwagen von Carl →Benz. Viertaktmotor 0,75 PS, elektrische Zündung, Differentialgetriebe
1886	Erster vierrädriger Kraftwagen von Gottlieb →Daimler. Viertaktmotor 1,5 PS, Glührohrzündung, Kupplung für 2 Geschwindigkeiten
1887	Magnetzünder von Robert Bosch
1888	Luftreifen von John Dunlop
1892	Spritzdüsenvergaser von Wilhelm Maybach
1900/01	Erster Mercedes-Kraftwagen, gebaut von Wilhelm Maybach in der Daimler-Motoren-Gesellschaft
1908	Serienfertigung des Modells T durch Henry Ford in den USA
1934	Erste Konstruktion des Volkswagens durch Ferdinand Porsche

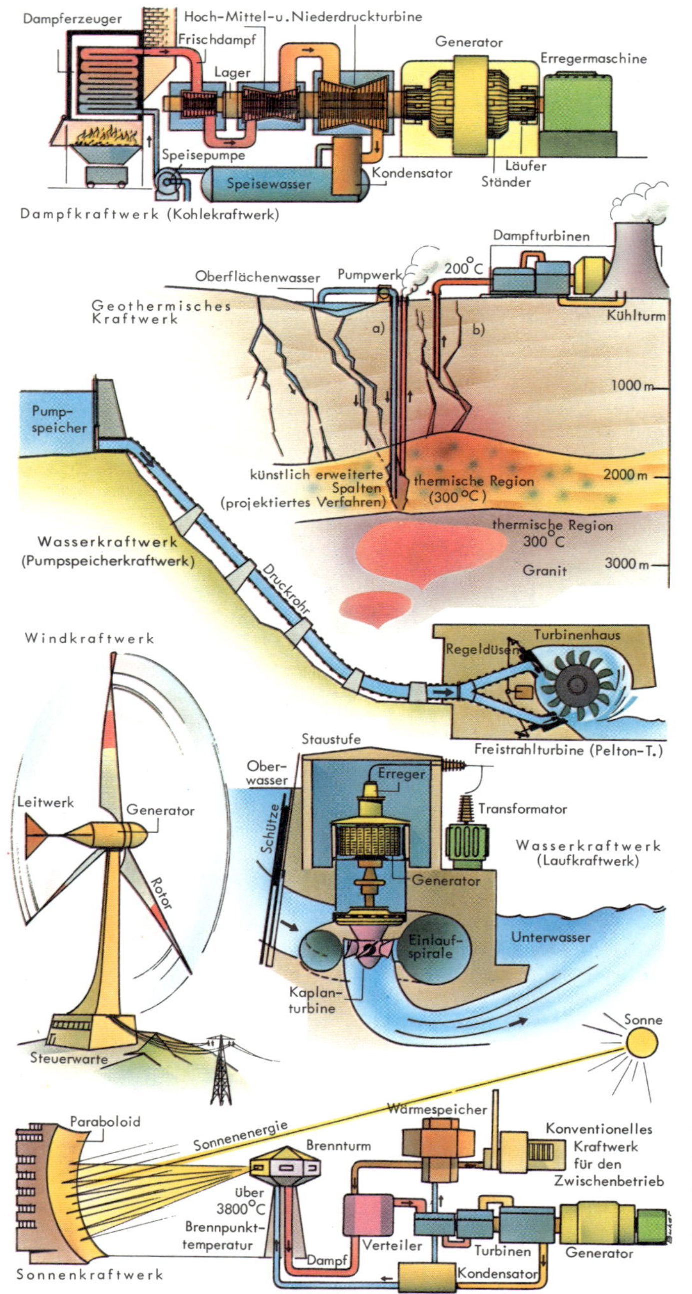

Kraftwerk: Übersicht über die verschiedenen Kraftwerktypen

den. Vor allem wird Wert auf eine aerodynamisch günstige Form gelegt, die den Luftwiderstand so gering wie möglich hält und somit Kraftstoff sparen hilft (→Aerodynamik).

Das **Fahrwerk** besteht aus den Rädern und ihren Aufhängungen sowie aus Federelementen und dem Bremssystem. Bei Lkw und Anhängern sind die Räder durch starre Achsen verbunden. Beim Pkw überwiegen Einzelradaufhängungen. Zur Federung dienen Blatt-, Schrauben- und Drehstab-(Torsions-)Federn; manche Autos haben auch Luft- und Gasfederung. Hydraulische Stoßdämpfer halten die Federwege klein. Hydraulisch wirken auch die →Bremsen. Manche Kraftfahrzeuge verfügen über ein Antiblockiersystem, das maximale Bremskraft bewirkt, ohne daß die Räder blockieren. Zunehmende Verbreitung findet eine hydraulische Lenkkraftunterstützung, Servolenkung genannt, die dem Fahrer den Kraftaufwand erleichtert.

Der **Motor** (→Hubraum) wird gestartet, indem mit einem Schlüssel im Zündschloß ein elektrischer Kontakt geschlossen wird, wodurch der batteriegespeiste Starter (Anlasser), ein Elektromotor, eingeschaltet wird. Dieser dreht den Motor ein paarmal durch, bis er anspringt. Die Motorkraft, physikalisch gesagt das Drehmoment, wird nun über →Kupplung, →Getriebe und →Differentialgetriebe auf die antreibenden Räder übertragen.

Für Pkw wird vorwiegend der →Ottomotor, für Lkw der →Dieselmotor verwendet, beide nach dem Viertaktverfahren (→Verbrennungsmotor). Da der Dieselmotor weniger schädliche Abgase entwickelt und außerdem sparsamer ist, wird er heute auch im Pkw beliebter. Die im Abgas enthaltenen Schadstoffe können über einen →Katalysator geleitet und dadurch wesentlich entgiftet werden. Die mit viel Energie ausströmenden Abgase können nutzbar gemacht werden, wenn man sie eine kleine Turbine antreiben läßt, die ihrerseits einen Verdichter antreibt, der den Motorzylindern verdichtete Luft zuführt. Diese Abgasturbine (genauer **Abgasturbolader**) war bei früheren Flugmotoren in größeren Höhen unerläßlich, den heutigen Autos (›Turbo‹) gibt sie mehr Geschwindigkeit.

Die **elektrische Ausrüstung** besteht hauptsächlich aus dem vom Motor angetriebenen →Generator (Lichtmaschine) und der Batterie als Energiequelle. Mit einer Spannung von 12 Volt (Lkw und Bus 24 V) werden damit Starter, Zündanlage, Hupe, Lampen, Radio usw. betrieben.

Kraftwerk, Anlage, die elektrische Energie mit Hilfe von →Generatoren erzeugt.

Wasserkraftwerke verwenden als Laufkraftwerk das durch Wehre aufgestaute Flußwasser oder als Pumpspeicherwerk die Fallhöhe des in ein höher gelegenes Becken gepumpten Wassers. Sie machen die Energie mit Hilfe von Wasserturbinen, die mit dem Generator verbunden sind, nutzbar. Die unterschiedlichen Wasserstände bei Ebbe und Flut treiben in **Gezeitenkraftwerken** den Generator an (→Gezeiten).

In **Dampfkraftwerken** werden Brennstoffe wie Kohle, Gas, Torf und Erdöl verbrannt. Mit der hierbei entstehenden Wärmeenergie wird Wasser verdampft. Der Dampf wird in der Dampfturbine in mechanische Energie verwandelt, die der Stromerzeugung im Generator dient. Beim **geothermischen Kraftwerk** verwendet man Wasserdampf, der durch Erdwärme entsteht (→Erde).

In **Windkraftwerken,** die wie große Windmühlen aussehen, benutzt man die Bewegungsenergie des Windes, in **Sonnenkraftwerken** die Wärmeenergie der Sonne zur Erzeugung elektrischer Energie. Bei Sonnenkraftwerken, die nach dem photoelektrischen Prinzip arbeiten, wandeln Solarzellen das Sonnenlicht direkt (ohne Umweg über einen Generator) in elektrischen Strom um.

Kernkraftwerke (Atomkraftwerke) werden mit →Kernenergie betrieben. Sie besitzen einen Kernreaktor, in dem Energie durch →Kernspaltung freigesetzt wird.

Großkraftwerke haben eine Leistungsfähigkeit von mehr als 50000 bis 100000 kW. Zur Belieferung von großen Städten oder Industriezentren mit elektrischer Energie zu bestimmten Tageszeiten dienen **Spitzenlastkraftwerke.** Sie werden zur Energieversorgung zugeschaltet, wenn die von den **Grundlastkraftwerken** Tag und Nacht gelieferte elektrische Energie nicht ausreicht.

Krạhen, Rabenvögel, die lautmalend nach ihrer rauh krächzenden Stimme (›krahkrah‹) benannt sind. Die in Mitteleuropa heimischen Krähen werden bis 50 cm lang und haben dunkel gefärbtes Gefieder. Die tiefschwarze **Rabenkrähe** kommt nur westlich der Elbe vor. Die grauschwarze **Nebelkrähe** lebt östlich der Elbe; sie zieht im Winter scharenweise nach Südwesten. Beide fressen Insekten, Würmer, auch Mäuse, Jungvögel und Vogeleier, außerdem Körner und Früchte und nehmen auch Aas. Ihre Nester bauen sie einzeln auf hohen Bäumen an Waldrändern, sammeln sich aber tagsüber zu größeren Scharen. Die schwarze, violett glänzende **Saatkrähe** hat einen schlankeren Schnabel und ein nacktes, helles Gesicht, das sich bei jungen Krähen am Ende des ersten Winters ausbildet. Sie nistet kolonienweise oft zu Hunderten im Wald,

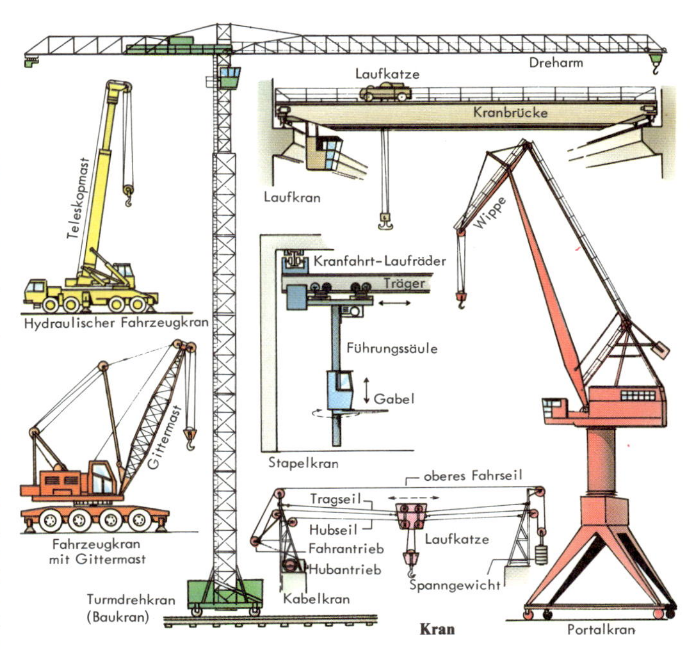

Kran

auch in Großstädten; mitunter befinden sich 15–20 Nester auf einem Baum. Saatkrähen fressen vor allem schädliche Insekten, nicht die Saat. Da man dies jedoch aus Unkenntnis annahm, wurden sie verfolgt und sind in Deutschland selten geworden. (BILD Rabenvögel)

Kṛaken, achtarmige →Tintenfische.

Krampf, plötzliches, vom Willen unabhängiges Zusammenziehen von Muskeln, das den ganzen Körper oder auch nur einzelne Glieder betreffen kann. Häufig treten Krämpfe in der Skelettmuskulatur auf, z. B. Wadenkrämpfe als Folge von Überanstrengung oder Durchblutungsstörungen. Auch in der Muskulatur von Hohlorganen (Magen, Harnleiter) kommen Krämpfe in Form einer →Kolik vor. Krämpfe können sehr schmerzhaft und langdauernd sein (z. B. beim Wundstarrkrampf) oder aus rasch aufeinanderfolgenden Zuckungen bestehen. – Das plötzliche Zusammenziehen meist großer Muskelgruppen bei der →Epilepsie nennt man **Krampfanfall.**

Kran, meist maschinenbetriebenes Gerät zum Heben schwerer Lasten in verschiedenen Ausführungen (BILD), oft in Verbindung mit →Flaschenzug und →Winde.

Krạniche, weltweit verbreitete große Vögel mit langen Stelzbeinen und langem Hals. Früher

Kraniche: Graukranich

brütete in Deutschland häufig der aschgraue **Graukranich,** der, etwas größer als die nicht näher verwandten Störche und Reiher, der größte heimische Vogel ist. Heute brüten in Schleswig-Holstein noch etwa 30 Paare, deren Brutplätze streng bewacht werden. Charakteristische Merkmale des Graukranichs sind die krausen Schwanzfedern und der nackte rote Hinterkopf. In einsamen Sumpfgebieten und Mooren errichtet er auf kleinen Erhebungen am Boden oder im flachen Wasser sein Nest. Vor allem in der Dämmerung und Nacht sucht er mit seinem verhältnismäßig kurzen Schnabel nach Insekten und deren Larven, Eidechsen und Würmern, frißt aber auch Samen und Früchte. Heute kann man Graukraniche in Deutschland nur noch auf ihrem Flug zwischen nordischem Brutgebiet und afrikanischem Winterquartier beobachten, auch wenn sie auf Wiesen Rast machen. Sie fliegen, die Beine und den Hals langgestreckt, zu Hunderten in keilförmigen Flugverbänden. Dabei rufen sie vor allem nachts laut ›trompetend‹.

Der in Afrika heimische **Kronenkranich** mit samtigem Federbausch und gelben Federstrahlen auf dem Kopf baut ein Baumnest. Er ist bei uns häufig im Zoo zu sehen, wo man seine für Kraniche typischen Tänze beobachten kann. Dabei verbeugen sich die Partner, springen in die Luft und fangen hochgeworfene Stöckchen mit dem Schnabel auf. – Verwandt sind die →Trappen und →Rallen (mit →Bleßhühnern und →Teichhühnern).

Krankensalbung, früher **letzte Ölung,** eines der 7 Sakramente der katholischen Kirche, das Schwerkranken und Todkranken durch Salbung mit geweihtem Öl gespendet wird. Dabei werden durch Gottes Gnade die Sünden vergeben.

Krankenversicherung, Versicherung, die im Fall einer Krankheit den größten Teil der Kosten für Arzt, Medikamente, Krankenhaus übernimmt. Dazu muß in der Bundesrepublik Deutschland und in Österreich ein Versicherungsvertrag abgeschlossen werden. Während des gesamten Berufslebens werden vom Arbeitnehmer und vom Arbeitgeber zu gleichen Teilen die Versicherungsbeiträge einbezahlt. Die Höhe dieser Beiträge richtet sich bis zu einer gesetzlich festgelegten Grenze nach dem Lohn oder Gehalt des Arbeitnehmers, dessen Beitragsanteil gleich vom Gehalt abgezogen wird. Bis zu einer bestimmten Höhe des Einkommens ist der Beitritt in eine **gesetzliche Krankenversicherung** Pflicht. Wer mehr verdient, kann sich freiwillig in einer privaten Krankenversicherung versichern.

In der Schweiz gibt es nur in einzelnen Kantonen eine gesetzliche Pflichtversicherung. Sonst kann jeder privat einen Versicherungsvertrag mit einer Krankenkasse abschließen.

Kraulschwimmen, Freistilschwimmen, der schnellste Schwimmstil. Der Schwimmer liegt gestreckt in Brustlage im Wasser und schlägt mit den Beinen im rhythmischen Wechsel auf- und abwärts. Die Arme zieht er abwechselnd in Höhe der Hüfte aus dem Wasser, bringt sie gestreckt nach vorn und zieht sie seitlich am Körper zurück. Zum olympischen Programm gehören für Damen und Herren Wettbewerbe über mehrere Distanzen sowie die Mannschaftswettbewerbe 4 × 200 m bei den Herren und 4 × 100 m bei den Damen.

Krebs, allgemeine Bezeichnung für bösartige →Geschwülste. Sie sind gekennzeichnet durch ungehemmtes Wachstum von Zellen, die in benachbartes Gewebe eindringen und es zerstören. Dabei können die Zellen in Blut- und Lymphgefäße einbrechen und mit dem Blut- oder Lymphstrom in andere Organe gelangen und dort als **Tochtergeschwülste (Metastasen)** weiterwachsen. Man unterscheidet grundsätzlich 2 Arten von Krebs: das **Karzinom,** das vom Epithelgewebe und das **Sarkom,** das vom Binde- und Stützgewebe ausgeht. Die eigentliche Ursache der Entstehung von Krebs ist noch weitgehend ungeklärt. Eine wesentliche Rolle spielen Reizstoffe **(Karzinogene),** die z. B. im Zigarettenrauch oder in verschmutzter Luft vorkommen, sowie chemische Substanzen und Strahlen. Für einige Krebsarten sind Viren als Ursache nachgewiesen. Organe, in denen häufig Krebs entsteht, sind die Lunge, der Magen und der Dickdarm, bei der Frau die Brustdrüse und die Gebärmutter, beim Mann die Vorsteherdrüse (Prostata). Eine Heilung ist durch eine frühzeitige Erkennung (Vorsorgeuntersuchung) und Entfernung der Krebszellen in vielen Fällen möglich. Dies kann durch eine Operation, durch Bestrahlung und durch zellwachstumshemmende Medikamente erreicht werden. Bei fortgeschrittener Erkrankung mit Tochtergeschwülsten ist eine therapeutische Beeinflussung meist nicht mehr oder nur in geringem Maß möglich. Die Zerstörung lebenswichtiger Organe und der Verbrauch von Nährstoffen durch den Krebs führen zu hochgradiger Abmagerung und letztlich zum Tod. In Deutschland sterben etwa 25% aller Menschen an Krebs.

Krebse, formen- und artenreiche Tiere, die zu den →Gliederfüßern gehören. Sie besitzen 2 Paar Fühler (›Antennen‹), 3 Paar Mundwerkzeuge und atmen wie Fische durch →Kiemen. Die meisten Krebse leben im Meer, einige in Seen und Flüssen, wenige auf dem Land (z. B. manche Asseln). Diese atmen wie Insekten mit Hilfe von →Tracheen. Der Körper der Krebse ist meist durch einen harten Chitinpanzer geschützt (daher auch **Krustentiere**). Die größeren Arten haben 5 Beinpaare. Bei manchen hat sich das vorderste Paar zu Scheren entwickelt, mit denen die Tiere ihre Nahrung ergreifen und sich gegen Angreifer wehren. Dazu gehören z. B. der große →Hummer, der →Einsiedlerkrebs und der **Flußkrebs**, der ähnlich wie manche →Krabben vorwärts, seitwärts und rückwärts laufen kann. Er ist in Deutschland wegen Gewässerverschmutzung fast ausgestorben. Zu den Krebstieren gehören auch die →Wasserflöhe.

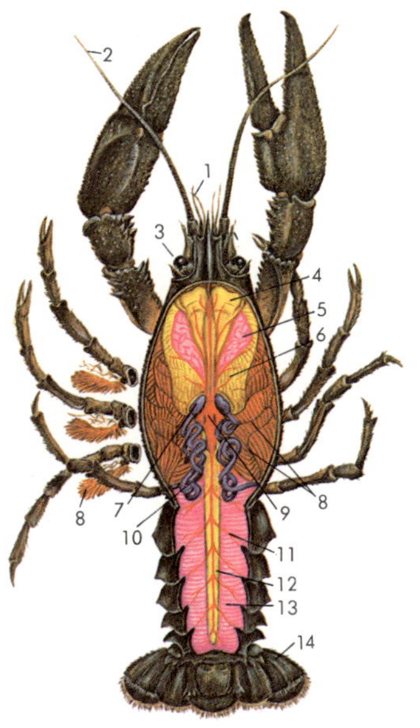

Krebse: Bau eines Flußkrebses (Rückenseite); **1** erster, **2** zweiter Fühler, **3** Auge, **4** Magen, **5** Schließmuskeln des Oberkiefers, **6** Ast der Mitteldarmdrüse, **7** Hoden, **8** Kiemen, **9** Herz, **10** Samenleiter, **11** Arterie, **12** Enddarm, **13** Muskulatur des Krebsschwanzes, **14** Schwanzfächer

Meist pflanzen sich Krebse geschlechtlich fort, aber auch →Jungfernzeugung kommt vor. Man findet sie z. B. bei Wasserflöhen in jahreszeitlichem Wechsel mit geschlechtlicher →Fortpflanzung. Die meisten Krebse betreiben Brutpflege. Sie kleben ihre Eier an den Beinen fest, die Krabben unter den nach vorn geschlagenen Hinterleib, und tragen sie umher, bis die Larven schlüpfen. Das Larvenstadium kann auch fehlen (z. B. beim Flußkrebs). Besonders die kleinen Krebse sind eine wichtige Nahrungsquelle für viele Wassertiere.

Kredit [lateinisch ›er glaubt‹], die leihweise Überlassung eines bestimmten Geldbetrages oder auch bestimmter Güter an andere, die sich zur späteren Rückgabe verpflichten. Der Kreditgeber (Gläubiger) vertraut dem Kreditnehmer (Schuldner). Mit einem Kredit kann man Vorhaben verwirklichen, z. B. ein Motorrad kaufen, für die man erst später bezahlen muß **(Konsumentenkredit).** Für die gesamte Wirtschaft sind Kredite sehr wichtig, da sie helfen, kleine Sparbeträge zusammenzufassen, um z. B. den Bau großer Produktionsanlagen zu ermöglichen, den ein Unternehmen nicht allein finanzieren kann **(Produzentenkredit).** Deshalb sind Banken als ›Vermittler‹ die wichtigsten Kreditgeber für die Wirtschaft.

Wer sich bei einer Bank Geld leiht, nimmt einen Geldkredit auf; wer Waren kauft, ohne sie gleich zu bezahlen, hat einen Waren- oder Lieferantenkredit erhalten.

Voraussetzung für jede Kreditgewährung ist die **Kreditwürdigkeit,** das heißt die Prüfung, ob der Kreditnehmer in der Lage ist, den eingeräumten Kredit und die Zinsen rechtzeitig zurückzuzahlen. Der Kreditgeber verlangt in der Regel Sicherheiten. Beim kurzfristigen Kleinkredit (z. B. Überbrückungskredit), auch beim Kontokorrentkredit (man kann sein Konto überziehen, das heißt mehr Geld abheben, als Guthaben ausgewiesen ist) reicht ein Nachweis über regelmäßiges Einkommen und geordnete finanzielle Verhältnisse aus (Personalkredite).

Bei langfristigen Großkrediten kann der Kreditgeber eine →Bürgschaft, Grundpfandrechte oder die zeitweilige Übertragung von Wertgegenständen (Sicherheitsübereignung) verlangen (Realkredit). Ein Grundpfandrecht ist die Kreditsicherung durch die Eintragung einer Hypothek im →Grundbuch. **Hypothek** bedeutet, daß ein Grundstück dahingehend belastet wird, daß an den Gläubiger eine bestimmte Geldsumme (meist die Kreditsumme) aus dem Verkauf des Grundstücks zu zahlen ist, falls der Kreditnehmer seine Schulden nicht auf eine andere Art bezahlen kann.

Kreditinstitut, ein Unternehmen, das Bankgeschäfte betreibt. Kreditinstitute sammeln z. B. Sparbeträge ihrer Kunden (Passivgeschäft), leihen Geld als →Kredit aus (Aktivgeschäft), vermitteln Zahlungen, besorgen ausländische Zahlungsmittel und verwahren Wertpapiere und andere Wertgegenstände ihrer Kunden (Dienstleistungsgeschäft).

Es gibt verschiedene Arten von Kreditinstituten: neben der Zentralbank oder →Notenbank, die vor allem gesamtwirtschaftliche Aufgaben er-

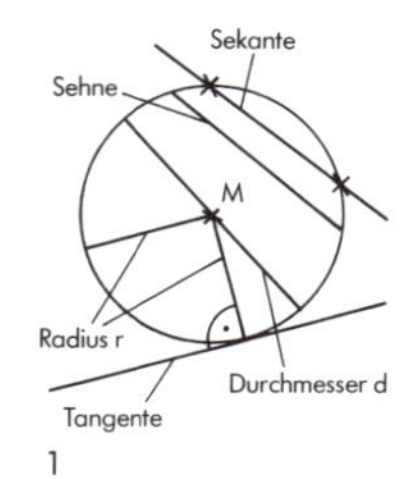

1

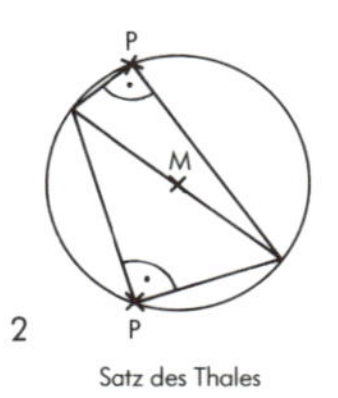

2

Satz des Thales

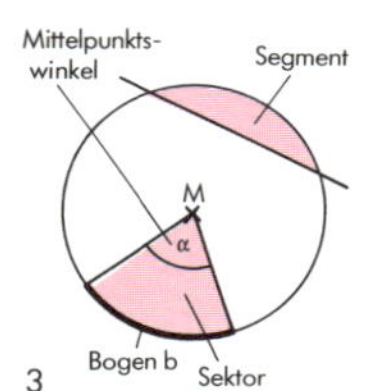

3

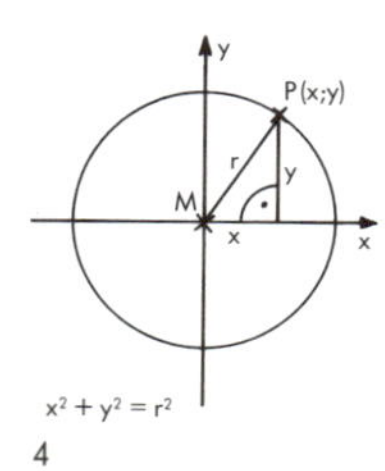

4

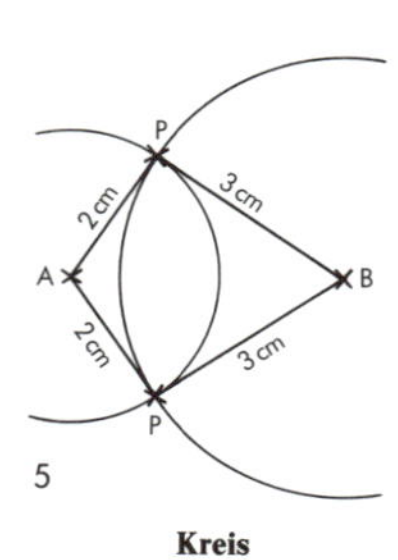

5

Kreis

füllt (z. B. Sicherung des Geldwerts), die Geschäftsbanken, die je nach Umfang ihrer Geschäftstätigkeit in Universalbanken und Spezialbanken unterschieden werden. Im Unterschied zu den Universalbanken führen Spezialbanken nur bestimmte Bankgeschäfte aus, z. B. die Finanzierung des Wohnungsbaus.

Private Kreditinstitute, als →Aktiengesellschaft oder Einzelfirma gegründet, heißen **Banken;** Träger von **Volksbanken** sind Genossenschaften. Öffentliche Kreditinstitute, die unter dem Einfluß von Gemeinden, Kreisen, Städten oder Bundesländern stehen, werden als **Sparkassen** bezeichnet. Auch die Postscheckämter und Postsparkassen zählen hierzu.

Die ersten Kreditinstitute entstanden im mittelalterlichen Italien. Geldwechsler stellten eine **Bank** (italienisch banco ›Sitzbank‹) mit Schüsseln für die verschiedensten Geldsorten auf. Viele Begriffe aus dem Geld-, Bank- und Börsenwesen stammen aus der italienischen Sprache, z. B. Konto.

Kreide, 1) die jüngste Periode des Erdmittelalters (→Erdgeschichte, ÜBERSICHT).

2) Schreibkreide, in der Kreidezeit aus den Skeletten von marinen Kleinlebewesen gebildeter feinkörniger, weicher, abfärbender, weißer Kalkstein, der bis Ende des 19. Jahrh. als Schreibkreide verwendet wurde. Heute besteht die Schreibkreide vorwiegend aus Gips, dem Bindemittel zugesetzt sind. Bunte Kreiden enthalten anorganische oder organische Farbpigmente.

Kreis, Geometrie: Die Menge aller Punkte, die von einem Punkt *M*, dem **Mittelpunkt** des Kreises, einen festen Abstand *r* haben. Die Verbindungsstrecke eines Punktes auf dem Kreis mit dem Kreismittelpunkt heißt **Radius.** Die Menge der Punkte des Kreises wird auch oft als **Kreislinie** bezeichnet. Zur **Kreisfläche** gehören alle Punkte, die in dem Innern des Kreises und auf der Kreislinie liegen. Oft wird auch die Kreisfläche als Kreis bezeichnet.

Formeln: Für den Umfang *U* und den Inhalt *A* der Kreisfläche gilt: $U = 2 \cdot \pi \cdot r$, $A = r^2 \cdot \pi$, wobei *r* die Länge des Radius und π (sprich: Pi) die Kreiszahl ist. Ein Näherungswert von π beträgt: $\pi = 3{,}14159$.

Schneidet eine Gerade den Kreis in 2 Punkten, so heißt die Gerade **Sekante.** Der im Kreis liegende Teil der Sekante wird **Sehne** genannt. Verläuft die Sehne durch den Kreismittelpunkt *M*, so heißt sie **Durchmesser.** Für die Länge *d* des Durchmessers gilt: $d = 2 \cdot r$. Jeder Durchmesser ist Symmetrielinie des Kreises (BILD 1).

Werden von einem Punkt *P* des Kreises Strecken zu den Endpunkten eines Durchmessers gezogen, so entsteht ein Winkel mit dem Punkt *P* als Scheitel. Jeder Winkel, der so entsteht, ist ein rechter Winkel. Dabei darf *P* nicht auf dem Durchmesser liegen. Diese Eigenschaft nennt man den **Satz des Thales** (BILD 2).

Hat eine Gerade mit dem Kreis genau einen Punkt gemeinsam, so nennt man sie **Tangente.** Man sagt: Die Tangente berührt den Kreis. Die Tangente steht senkrecht auf dem Radius, der von dem Berührungspunkt der Tangente mit dem Kreis ausgeht (BILD 1).

Eine Sekante zerlegt den Kreis und die Kreisfläche in 2 Teile. Die Teile des Kreises nennt man **Kreisbogen,** die der Kreisfläche **Kreisabschnitte** oder **Segmente.**

Verbindet man die Enden einer Sehne mit dem Kreismittelpunkt, so entsteht ein Winkel mit dem Kreismittelpunkt als Scheitel. Dieser Winkel wird **Mittelpunkts-** oder **Zentriwinkel** genannt. Der im Innern eines Mittelpunktswinkels liegende Teil der Kreisfläche wird **Kreisausschnitt** oder **Sektor** genannt (BILD 3). Für die Länge *b* des Kreisbogens über dem Mittelpunktswinkel *α* gilt: $b = \frac{\pi \cdot \alpha \cdot r}{180°}$. Der zum Kreisbogen *b* gehörende Sektor besitzt den Flächeninhalt $\frac{1}{2} b \cdot r$. Liegen 3 Punkte nicht auf einer Geraden, so läßt sich stets ein Kreis zeichnen, der durch alle 3 Punkte verläuft (Umkreis eines →Dreiecks). Liegt der Mittelpunkt *M* eines Kreises mit Radiuslänge *r* im Ursprung eines Kartesischen Koordinatensystems (→Koordinatensystem), so gilt nach dem →Pythagoreischen Lehrsatz für die Koordinaten *x* und *y* eines Punktes *P* auf dem Kreis die Gleichung: $x^2 + y^2 = r^2$ (BILD 4).

Kreise werden in der Geometrie zur Konstruktion von Punkten mit vorgegebenen Abständen benutzt. Sucht man z. B. Punkte *P*, die von einem vorgegebenen Punkt *A* den Abstand 2 cm und einem vorgegebenen Punkt *B* den Abstand 3 cm haben sollen, so zeichnet man einen Kreis um *A* mit dem Radius 2 cm und einen Kreis um *B* mit dem Radius 3 cm. Die gesuchten Punkte *P* sind dann die Schnittpunkte der beiden Kreise (BILD 5).

Kreisbahngeschwindigkeit, Satellitengeschwindigkeit, die niedrigste der →kosmischen Geschwindigkeiten.

Kreiskolbenmotor, ein Verbrennungsmotor, dessen bekannteste Ausführung nach dem Erfinder →Wankelmotor genannt wird.

Kreislauf, →Blutkreislauf.

Kreml, burgartig befestigter Stadtteil russischer Städte, früher Sitz der weltlichen und kirchlichen Verwaltung. In vielen Städten, z. B. in Gorkij, sind die mittelalterlichen Befestigungsanlagen noch erhalten. Am bekanntesten ist der **Moskauer Kreml** mit der 1485–95 erbauten roten Backsteinmauer (2,25 km lang mit 20 Türmen); sie umschließt Kathedralen, Paläste, Museen, Kongreßhalle und andere Regierungsgebäude. Der Kreml ist Sitz von Regierung und Parlament.

Kreolen, ursprünglich Bezeichnung für die Nachkommen spanischer Eltern, die in den spanischen Kolonien Amerikas geboren wurden. Später wendete man sie auf alle Weißen an, die in den ältesten europäischen Kolonien von der Karibik bis zum Indischen Ozean geboren wurden. Auch auf den Antillen geborene Schwarze wurden Kreolen genannt.

Kresse, Bezeichnung für verschiedene krautige Pflanzen, die zu den Kreuzblütern gehören. Manche sind Salat- und Gewürzpflanzen mit pfeffrigem Geschmack (z. B. **Gartenkresse** und **Brunnenkresse**), andere Zierpflanzen wie die aus Peru stammende **Kapuzinerkresse** mit großen gelben oder roten Blüten.

Kreta, Insel im östlichen Mittelmeer. Mit 8 259 km² ist Kreta die größte der griechischen Inseln, etwa halb so groß wie das österreichische Bundesland Steiermark. Von den 465 000 Einwohnern lebt ein Großteil in der nördlichen Küstenregion, wo sich auch die wichtigsten Städte (Heraklion, Chania, Rethymnon) befinden. Kreta ist gebirgig (Ida 2 456 m), hat aber auch weitgestreckte grüne Täler und Hochebenen, die Wein-, Obst-, Gemüse- und Olivenanbau ermöglichen. Mildes Klima, Sand- und Kiesstrände sowie malerische Fischerorte haben Kreta zu einem beliebten Urlaubsziel werden lassen.

Von etwa 2500 bis 1400 v. Chr. war Kreta Mittelpunkt der →minoischen Kultur. Die Ruinen der Paläste von Phaistos und →Knossos sind Zeugen dieser Zeit. Im Mittelalter gehörte Kreta – es hieß damals **Candia** – der Handelsstadt Venedig. Viele Bauwerke in Heraklion und Chania erinnern an diese Zeit. 1645 eroberten die Türken die Insel (Heraklion fiel erst 1669), die sich im 19. Jahrh. durch Aufstände von der Türkenherrschaft zu befreien suchte. 1898 erhielt Kreta das Recht der Selbstverwaltung unter griechischem Einfluß. 1913 wurde Kreta mit Griechenland vereinigt. (KARTE Seite 204)

kretisch-mykenische Kunst, zusammenfassende Bezeichnung für die bronzezeitliche Kunst Kretas (→minoische Kultur) und des griechischen Festlands mit dem Zentrum →Mykene.

Kreuz. Seit jeher ist das Kreuz, 2 sich rechtwinklig oder schräg schneidende Balken, bei vielen Völkern ein religiöses Symbol. Weit verbreitet war auch seit dem Altertum der Brauch, Schwerverbrecher durch Annageln oder Anbinden an ein Kreuz hinzurichten (→Kreuzigung). Nachdem Jesus Christus am Kreuz gestorben war, wurde das Kreuz im Christentum zum Sinnbild Christi und seines Leidens (→Kruzifix). Im Christentum bildeten sich verschiedene Hauptformen des Kreuzes heraus, vor allem das griechische und das lateinische Kreuz. Als politisches Symbol spielte das →Hakenkreuz eine besondere Rolle in der deutschen Geschichte.

Kreuzblüter, Familie meist krautiger Pflanzen. In den zweizähligen Blüten stehen je 4 getrennte Kelch- und Blütenblätter kreuzförmig gegenüber. Diese schließen 4 lange (kreuzweise stehende) und 2 kurze Staubblätter sowie einen Stempel (verwachsen aus 2 Fruchtblättern) ein. Die Frucht ist meist eine **Schote** oder ein **Schötchen.** Zu den Kreuzblütern gehören viele Nutzpflanzen wie Raps, alle Kohlarten, Rettich, auch Zierpflanzen wie Goldlack und Levkoje.

Kreuzer, 1) eine Münze, auf die ein Doppelkreuz (BILD Kreuz) geprägt war.
2) ein Kriegsschiff.

Kreuzgang, meist gewölbter Bogengang um den viereckigen Binnenhof eines Klosters, in dem Kreuzprozessionen stattfanden.

Kreuzigung, eine Form der Todesstrafe, die im Altertum bei vielen Völkern, jedoch nicht bei den Juden, üblich war. Die Römer verhängten sie nur über Schwerverbrecher, vor allem über Hochverräter und Aufrührer, soweit sie keine römischen Bürger waren. Der zum Tod am Kreuz Verurteilte mußte den Querbalken des Kreuzes selbst zur Hinrichtungsstätte tragen, bevor er an ihm festgenagelt oder angebunden und dann an dem senkrechten Pfahl hochgezogen wurde. Der qualvolle Tod trat meist erst nach einigen Tagen durch Verdursten, Erschöpfung oder Kreislaufkollaps ein. Erst Kaiser Konstantin der Große (280–337) schaffte die Kreuzigung ab.

Kreuzottern sind neben der äußerst seltenen Aspisviper die einzigen in Deutschland heimischen **Giftschlangen.** Kennzeichnend sind die

Kreuz: 1 griechisches Kreuz; **2** lateinisches, Hoch- oder Passionskreuz; **3** Andreas-, Schrägkreuz; **4** Antoniuskreuz; **5** Schächerkreuz; **6** Tatzenkreuz; **7** Malteser-, Johanniterkreuz; **8** Ankerkreuz; **9** Krückenkreuz; **10** Jerusalemkreuz; **11** Doppelkreuz, Patriarchenkreuz, lothringisches Kreuz; **12** russisches Kreuz, orthodoxes Kreuz; **13** Winkelmaßkreuz, Swastika, volkstümlich: Hakenkreuz

auffallende dunkle Zickzacklinie auf dem Rükken und die – wie bei allen → Vipern – senkrecht schlitzförmigen Pupillen. Das kreuzähnliche Zeichen auf dem Kopf ist undeutlich. Die etwa 70 cm lange Kreuzotter lebt in meist trockenen Waldlichtungen und Heidegebieten; erst gegen Abend geht sie auf Jagd. Hat sie ein Beutetier (Mäuse, Frösche, Eidechsen) bemerkt, schnellt sie vor und beißt mit den dolchartigen Giftzähnen zu. Der Biß der Kreuzotter kann auch für Menschen gefährlich werden, für Kinder ist er lebensbedrohend. Die Kreuzotter greift nur an, wenn sie gereizt oder beunruhigt wird. Das Weibchen bringt bis zu 15 Junge zur Welt, die nur etwas größer als ein Bleistift sind, aber schon voll ausgebildete Giftzähne besitzen. Im Winter verkriechen sich Kreuzottern in Erdhöhlen, verlassenen Tierbauten, hohlen Baumstümpfen oder Felsspalten. Sie stehen unter Naturschutz. (BILD Schlangen)

Kreuzschnabel, mittelgroßer → Finkenvogel mit übereinander gekreuzten Schnabelspitzen, die scharf gekrümmt sind. Mit ihnen kann er die Samen von Nadelbäumen aus den Zapfen herausholen, aber keine Samen vom Boden aufpikken. In Deutschland lebt der **Fichtenkreuzschnabel,** der den Samen von Fichten frißt. Das Männchen ist ziegelrot, das Weibchen und die Jungen sind grünlich. Der Fichtenkreuzschnabel brütet auch bei großer Kälte im Winter.

Kreuzspinnen tragen auf dem Rücken eine helle kreuzförmige Zeichnung. Sie bauen große radförmige Netze, die sie entweder senkrecht zwischen Zweigen oder Pflanzenstengeln aufhängen oder horizontal ausbreiten und meist täglich erneuern. Den ersten Spinnfaden läßt die Spinne durch einen Lufthauch fortwehen, damit er sich irgendwo festheftet. Etwa 1400 dieser äußerst feinen Fädchen müßten zusammengesponnen werden, bis die Stärke eines menschlichen Kopfhaares erreicht ist. Die Kreuzspinne hängt kopfüber im Netz oder lauert in der Nähe auf Insekten. Häufig führt dann ein ›Signalfaden‹ zum Netz, den das Insekt, das sich an den klebrigen Tröpfchen der spiralig angeordneten Fäden verfängt, bewegt. Mit besonders empfindlichen Sinnesorganen in den Beinen kann die Kreuzspinne Schwingungen des Netzes wahrnehmen. Ist sie satt, umspinnt sie ihre Beute als Vorrat. (BILD Spinnen)

Kreuzung, Paarung zweier Lebewesen, die sich in bestimmten Merkmalen unterscheiden. Diese Merkmale werden an die Nachkommen (→ Bastard) in verschiedener Zusammenstellung weitergegeben. Die Kreuzung von Pflanzen und Tieren ist eine Methode der Züchtung. Gregor Johann Mendel hat die Gesetze der → Vererbung durch gezielte Kreuzung von Pflanzen entdeckt.

Kreuzzug, von der Kirche im Mittelalter geförderter Kriegszug gegen Andersgläubige. Die Türken eroberten 1070 Jerusalem. Die Grabeskirche Christi wurde dabei zerstört, die Pilgerreisen christlicher Wallfahrer seitdem immer stärker behindert. Da rief Papst Urban II. auf einer Kirchenversammlung in Clermont 1095 die Ritter als ›Herolde Christi‹ dazu auf, den ›Anbetern Christi in Palästina rasche Hilfe zu bringen‹. Mit dem Ruf »Gott will es!« hefteten sich die Ritter rote Kreuze auf die rechte Schulter. Sie wurden damit **Kreuzfahrer,** Teilnehmer am Kreuzzug. Zwischen 1096 und 1270 zogen in 7 Kreuzzügen mehr als 1 Million Menschen als Pilger und Krieger ins Heilige Land.

Der **1. Kreuzzug** (1096–99) wurde vor allem von französischen Rittern durchgeführt. 1099 erstürmten die Kreuzfahrer Jerusalem und gründeten ein Königreich Jerusalem. Es erstreckte sich von Beirut im Norden bis zur Sinai-Halbinsel und dem Toten Meer im Süden. Im Norden des Königreichs Jerusalem wurden einige kleinere Kreuzfahrerstaaten gegründet. Als die Türken 1144 einen solchen Staat, die Grafschaft Edessa, eroberten, rief der Mönch Bernhard von Clairvaux erneut zum Kreuzzug auf.

Am **2. Kreuzzug** (1147–49) nahmen der deutsche König Konrad III. und der französische König Ludwig VII. teil. Dieser Unternehmung war jedoch kein Erfolg beschieden.

Als Sultan Saladin 1187 Jerusalem erobert hatte, kam es zum **3. Kreuzzug** (1189–92), den Kaiser Friedrich I. Barbarossa bis zu seinem Tod (1190) führte. Ihm folgten der französische König Philipp II. August und der englische König Richard Löwenherz. Ihr Streit nach der Eroberung Akkos (1191) brachte auch diesen Kreuzzug um weitere Erfolge.

Der 4. Kreuzzug (1202–04) wurde von den Venezianern, die die Kreuzfahrer auf ihren Schiffen nach Palästina bringen sollten, nach Konstantinopel umgeleitet. Hier kam es nach der Eroberung der Stadt (1204) zur Errichtung eines ›Lateinischen Kaisertums‹, das bis 1261 bestand.

Auf dem **5. Kreuzzug** (1228–29) handelte Friedrich II. mit dem ägyptischen Sultan die Freigabe der christlichen Pilgerstätten in Jerusalem aus und krönte sich 1229 zum ›König von Jerusalem‹. Die Kreuzfahrer mußten 1244 Jerusalem wieder aufgeben.

Der **6. Kreuzzug** (1248–54) wurde von Lud-

Wörter, die man unter K vermißt, suche man unter C, Ch oder Q

wig IX., dem Heiligen, dem König von Frankreich, gegen Ägypten geführt. Ludwig geriet in Gefangenschaft und mußte gegen hohes Lösegeld freigekauft werden.

Der **7. Kreuzzug** (1270) war eine erfolglose Expedition Ludwigs IX. gegen Tunis. Das Zeitalter der Kreuzzüge fand seinen Abschluß, als 1291 die christlichen Ritter Akko, ihre letzte Besitzung in Palästina, aufgeben mußten.

Der Kreuzzugseifer ergriff 1212 sogar Kinder in Frankreich und am Niederrhein zu Tausenden und führte sie ins Verderben **(Kinderkreuzzug).**

Während der Kreuzzüge entstanden die Ritterorden (so der Deutsche Orden 1198 in Akko) und das Gefühl einer gemeinsamen abendländisch-christlichen Kultur.

Kriechtiere, Reptilien [von lateinisch repere ›kriechen‹], Wirbeltiere, die sich meist kriechend fortbewegen. Die kurzen Beine können ganz zurückgebildet sein wie bei den Schlangen. Die Haut ist fast drüsenlos und trocken und mit hornigen Schuppen oder größeren Hornschildern bedeckt. Da Kriechtiere als → Wechselwarme viel Wärme brauchen, leben die meisten Arten in den Tropen und Subtropen. Die in Mitteleuropa heimischen Arten verbringen den Winter wie die Lurche in frostfreien, zum Teil selbstgegrabenen Erdhöhlen, in Baumhöhlen oder unter Steinen; sie verfallen in eine Kältestarre. Kriechtiere bewohnen das Land oder Süßwasser, nur wenige Arten leben im Meer (Meeresschildkröten, einige Schlangen). Die meisten ernähren sich von Fleisch, nur einige Schildkröten und Echsen auch von Pflanzen. Sie pflanzen sich durch Eier fort, die sie im Boden vergraben und die durch die Umwelttemperatur entwickelt werden. Bei einigen Arten schlüpfen die Jungen im Mutterleib und werden lebend geboren, wie bei der Kreuzotter. Die Eier werden im Innern des Weibchens befruchtet. Mit einem Zahn schlitzen die Jungen die pergamentartige Eischale auf.

Zu den Kriechtieren gehören → Echsen, → Krokodile, → Schildkröten und → Schlangen. In der Stammesgeschichte der Kriechtiere entwickelten sich im Erdmittelalter (→ Erdgeschichte) mit den bis zu 30 m langen Dinosauriern (→ Saurier) riesige Formen, die längst ausgestorben sind. Heute lebende Kriechtiere werden 7–10 m lang (Krokodil, Riesenschlangen).

Krieg, die mit Waffengewalt ausgetragene Auseinandersetzung zwischen Staaten, Völkern oder Gruppen.

Im Hinblick auf den allgemeinen Charakter des Kriegs können unterschieden werden: **Verteidigungs-, Angriffs-** und **Eroberungskrieg.** Der mit Waffen ausgetragene Machtkampf zwischen Gruppen innerhalb eines Staats heißt **Bürgerkrieg.** Nach dem Ausmaß der kriegerischen Ereignisse unterscheidet man **regionale Kriege** (militärische Auseinandersetzungen, die sich auf ein bestimmtes Gebiet beschränken) und **Weltkriege.** Entsprechend dem benützten geographischen Raum spricht man von **Land-, See-** und **Luftkrieg;** neuerdings kommt mit der Entwicklung der Raketentechnik der **Krieg im Weltraum** hinzu. Eine besondere Form des Kriegs ist der **Guerillakrieg** (→ Guerilla). Gemessen an den Kriegsgründen wird unterschieden zwischen **Religionskrieg, revolutionärem Krieg, Befreiungs-** und **Kolonialkrieg.**

Rechtlich gesehen, ist der Krieg die zeitweilige Unterbrechung der friedlichen Beziehungen zwischen 2 Staaten. Zwischen den Kriegführenden gelten die Regeln des **Kriegsrechts.** Der unmittelbare Kriegsanlaß (z. B. die Ermordung des österreichischen Thronfolgers 1914 in Sarajevo) bringt den Krieg zum Ausbruch; er erwächst jedoch aus weiter zurückliegenden Ursachen. Der **Kriegszustand** tritt durch eine **Kriegserklärung** oder durch die unmittelbare Eröffnung der Feindseligkeiten ein und endet durch Wiederaufnahme der friedlichen Beziehungen (→ Frieden).

Bei der Beschreibung der Ursachen und Hintergründe eines Kriegs stellen Politiker, Journalisten oder Geschichtswissenschaftler oft auch die Frage, welcher Staat oder welche Staatengruppe die Schuld am Ausbruch eines Kriegs trägt **(Kriegsschuldfrage).** Besonders leidenschaftlich und mit unterschiedlichen Ergebnissen wurde nach dem Ersten → Weltkrieg in Europa die Schuld an der Auslösung dieses Kriegs diskutiert.

Die Frage nach der moralischen Berechtigung des Kriegs hat die Menschheit seit Jahrtausenden beschäftigt; dabei spielte häufig die Idee des ›gerechten Kriegs‹ (lateinisch: ›bellum justum‹) eine große Rolle. Nach dem Ersten Weltkrieg wurde im Briand-Kellogg-Pakt (Aristide → Briand) das Verbot des Angriffskriegs durchgesetzt. Nach der Satzung der UNO (Artikel 2 Nr. 4) ist ein Krieg nur noch erlaubt als Mittel der Selbstverteidigung oder als Maßnahme der UNO, den Frieden aufrechtzuerhalten oder wiederherzustellen.

Kriemhild, die Schwester des Burgunderkönigs Gunther im → Nibelungenlied. Sie war mit → Siegfried vermählt.

Krim, zur Ukraine gehörende Halbinsel an der Nordküste des Schwarzen Meers. Der grö-

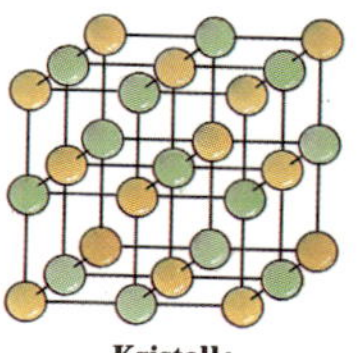

Kristall: Raumgitter von Natriumchlorid; gelb = Natrium, grün = Chlorid

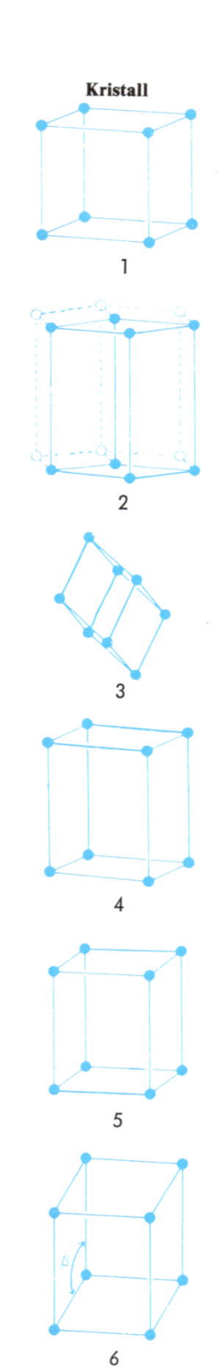

ßere Nordteil ist Flachland mit kontinentalem Klima. Auf dem ehemaligen Steppenland wird heute meist Getreide angebaut und Schafzucht betrieben. Nach Süden hin steigt das Land bis auf 1 545 m (Jailagebirge) an. Entlang der steilen Südküste herrscht Mittelmeerklima; hier findet man Wein-, Obst-, Tabakbau, außerdem Feigen, Citrus- und Maulbeerbäume. Die Krim ist nicht nur wegen ihrer Kurorte (z. B. Jalta), sondern vor allem durch ihren Wein und Sekt bekannt.

Kriminalpolizei, Kurzform **Kripo,** Zweig der Polizei, der mit der Aufklärung von Straftaten und dem Ergreifen der Täter befaßt ist. Durch ihre Tätigkeit wird das Beweismaterial zusammengetragen, das der Staatsanwaltschaft ermöglicht, Anklage gegen einen Beschuldigten zu erheben. Die Beamten der Kriminalpolizei sind in der Regel nicht uniformiert. Jedes Bundesland unterhält als höchste Stufe der Kriminalpolizei ein Landeskriminalamt (LKA), das mit dem → Bundeskriminalamt zusammenarbeitet.

Krimkrieg, der Krieg (1853/54–56) zwischen Rußland einerseits sowie dem Osmanischen Reich, Großbritannien und Frankreich andererseits. Höhepunkt des Kriegs war die Belagerung und Erstürmung der russischen Festung Sewastopol auf der Halbinsel Krim. Mit dem Verzicht auf die Schutzherrschaft über die Fürstentümer Moldau und Walachei (dem späteren Rumänien) im Frieden zu Paris (1856) verlor Rußland an Einfluß auf dem Balkan; sein Versuch, über die Gewinnung der von den Türken beherrschten Meerengen Bosporus und Dardanellen Zugang zum Mittelmeer zu gewinnen, war damit gescheitert. Großbritannien konnte mit diesem Krieg seine kolonialen Interessen (Erhaltung einer Landverbindung nach Indien), Frankreich seine nationalen Anliegen (Wiederherstellung seiner Großmachtstellung auf dem europäischen Kontinent) wahren.

Krishna [krischna], im Hinduismus eine Erscheinungsform des Gottes → Vishnu.

Kristall [von griechisch krystallos ›Eis‹]. Die Materie ist aus einzelnen Bausteinen (Atomen, Ionen und Molekülen) zusammengesetzt. Je nach Temperatur befindet sich ein Stoff im gasförmigen, flüssigen oder festen Zustand. Beim Abkühlen ziehen sich die Bausteine gegenseitig an und gehen, wenn die Temperatur unter den Schmelzpunkt des Stoffes absinkt, feste Bindungen ein. Sie fügen sich gemäß ihren Bindungskräften gitterförmig zu einem dreidimensional sich erweiternden Festkörper zusammen, einem Kristall (BILD). Der Körper ist jetzt form- und volumenbeständig. Seine physikalischen Eigenschaften (z. B. Wärmeleitfähigkeit) variieren allerdings je nach Bindungsrichtung und -kraft zum Nachbarn. Die Richtungen nennt man die **Achsenrichtungen** des Kristalls. Für die Kristallbeschreibung und -berechnung ist die Einführung eines Bezugssystems erforderlich, und zwar ein für die jeweilige Kristallart symmetriegerechtes Achsenkreuz, dessen 3 Achsen zu den vorherrschenden Kristallkanten oder Kristallflächen parallel verlaufen. Eine Kristallfläche, die diese 3 Achsen schneidet, ist durch die Länge der Achsenabschnitte a, b und c geometrisch bestimmt. Sie kennzeichnen die 7 Kristallsysteme, die ihren Ausdruck in den einfachen Elementarzellen finden (BILD). Diese bilden das Grundgerüst für die 32 Symmetrieklassen der Kristalle, die durch Kombination bestimmter Symmetrieelemente zustande kommen. In diese läßt sich die gesamte kristallisierte Materie einordnen. Ein Kristall ist also ein stofflich einheitlicher Körper mit dreidimensional periodisch angeordneten Bausteinen, der in den verschiedenen Richtungen unterschiedlich reagiert.

Ursprünglich war Kristall nur die Bezeichnung für ›Eis‹ und den Bergkristall als ›versteinertem Gletschereis‹. Oft meint man mit Kristall schön geformte Mineralien mit ebenmäßigen äußeren Grenzflächen. Doch schon zu Beginn des 18. Jahrh. bezeichnete man mit Kristall alle regelmäßig geformten Feststoffe. Heute weiß man, daß die kristallisierte Materie in der Natur die Regel ist. Anorganische Stoffe (wie Salze, Karbonate, Metalle), manche organische Verbindungen wie die Salze der Oxalsäure sowie einige Kohlenwasserstoffe haben einen kristallinen Aufbau. Der Verkalkungsprozeß von Gefäßen und Muskeln ist auf Kristallbildungen zurückzuführen; auch viele Viren haben einen kristallinen Aufbau. Aber es existieren auch feste Stoffe, die nicht kristallin sind (Gläser, Opal). Sie sind amorph (›ohne Gestalt‹). Weiteres BILD S. 175.

Kristallnacht, → Reichskristallnacht.

Kroatien, Staat in Südosteuropa, eine Republik. Kroatien umfaßt etwa $^1/_6$ der Fläche Deutschlands. Im Kernraum Kroatiens erstreckt sich zwischen Save, Donau und Drau ein fruchtbares Tiefland. Im Südwesten finden sich wirtschaftlich arme, dünn besiedelte Karstgebiete. Die Adriaküste mit ihren rund 1 200 vorgelagerten Inseln hat Anteil an Istrien und Dalmatien.

Kristall: Die sieben Elementarzellen; **1** kubisch, **2** hexagonal, **3** rhomboedrisch, **4** tetragonal, **5** rhombisch, **6** monoklin, **7** triklin

Kroatien

Fläche: 56 538 km²
Bevölkerung: 4,76 Mill. E
Hauptstadt: Zagreb
Amtssprache: Kroatisch
Nationalfeiertage: 30. Mai, 25. Juni
Währung: Kroat. Dinar
Zeitzone: MEZ

Das Klima wird im Westen vom Mittelmeer bestimmt, nach Osten hin nimmt die Kontinentalität zu. Etwa 8 von 10 Einwohnern sind Kroaten; die größte Minderheit stellen die Serben. Die Kroaten sind überwiegend römisch-katholisch, die Serben serbisch-orthodox.

In den Niederungen des Landes werden Mais, Gemüse, Kartoffeln und Getreide angebaut, an der Küste auch Wein und Zitrusfrüchte; im Hochland herrscht Rinder- und Schweinezucht vor. Die wichtigsten Industriezweige sind Maschinenbau, chemische, elektrotechnische und Textilindustrie in den Zentren Zagreb, Rijeka, Osijek und Split. Im Savegebiet und bei Zagreb wird Erdöl gefördert. Infolge des Bürgerkrieges ist der Fremdenverkehr sehr stark zurückgegangen.

Geschichte: Die Küstenlandschaften mit einer keltisch-illyrischen Mischbevölkerung wurden im 1. Jahrh. v. Chr. Teil des Römischen Reiches. Unter der Oberhoheit des Byzantinischen Reiches bestand seit dem 9. Jahrh. ein Kroatisches Königreich. Die 1102 geschlossene Personalunion mit Ungarn währte bis 1918 und überdauerte auch die Kämpfe gegen die vordringenden Osmanen (Schlacht auf dem Amselfeld 1389). Nach dem Ersten Weltkrieg wurde Kroatien Teil Jugoslawiens. Nach dem Terror der Jahre der Unabhängigkeit unter dem faschistischen Ustascha-Regime wurde das Land eine Teilrepublik des wiedererrichteten Staates Jugoslawien, von dem es sich nach 1990 in einem blutigen Bürgerkrieg löste. Seitdem versucht Kroatien, die das Land erobernden militärischen Verbände der Serben unter schweren Verlusten abzuwehren. Andererseits einigte sich Kroatien 1993 mit Serbien, Bosnien-Herzegowina, bewohnt von Kroaten, Serben und Muslimen, unter sich aufteilen zu wollen, ausgenommen kleinere Gebiete für Muslime.

Krọcket. Zwei Spieler, ausgerüstet mit einem hammerförmigen Holzschläger (etwa 120 cm lang mit zylindrischem Kopf), treiben mit gezielten Schlägen je eine 300–400 g schwere, farbige Holz- oder Kunststoffkugel vom Startpfosten durch 5 Tore (15 cm breit, 20 cm hoch) zum Wendepfosten, danach durch 5 weitere Tore zum Startpfosten zurück. Das Spielfeld ist 23 × 12 m groß. Die Spieler schlagen abwechselnd. Laufen die Kugeln durch ein Tor, so erhalten die Spieler einen Freischlag, bei einem Schlag durch 2 oder mehr Tore der passierten Torzahl entsprechend viele Freischläge. Berührt die eigene Kugel dabei eine gegnerische, wird dem Spieler ein weiterer Freischlag zugesprochen. Die Kugel ist erst dann im Ziel, wenn sie den Startpfosten berührt hat. Sieger ist der Spieler, dessen Kugel als erste den Startpfosten berührt oder die Partei, die zuerst alle Kugeln ins Ziel gebracht hat.

Krokodịle sind neben einigen Schlangen die größten heute noch lebenden → Kriechtiere. Sie halten sich vorwiegend im Wasser auf und können gut schwimmen und tauchen; mit wuchtigen Schlägen ihres kräftigen, seitlich abgeplatteten Schwanzes treiben sie sich vorwärts. Oft liegt ein Krokodil stundenlang unbeweglich lauernd an einer Stelle, wobei häufig nur Augen und Nasenlöcher (die wie die Ohren verschließbar sind) aus dem Wasser schauen, und kann sich dann blitzschnell bewegen. Am bekanntesten in der Familie der **Echten Krokodile** ist das sehr selten gewordene afrikanische **Nilkrokodil.** Wie alle Krokodile wächst es zeitlebens; mit 20 Jahren ist es etwa 2,5 m lang, mit 7 m Länge ist es vermutlich 100 Jahre alt. Es frißt Fische und Wasservögel und greift auch ins Wasser gefallene Haustiere und badende Menschen an. Meist ertränkt das Krokodil sein Beutetier. Sowohl das Nilkrokodil als auch das in Asien vorkommende bis 10 m lange **Leistenkrokodil** schwimmen auch ins offene Meer hinaus und besiedeln der Küste vorgelagerte Inseln.

Krokodile verständigen sich durch dumpf brüllende Laute. Das Weibchen verscharrt seine Eier (bis zu 100), die etwas größer als Hühnereier sind, im Ufersand. Schon vor dem Schlüpfen geben die Jungen quäkende Laute von sich, damit die Mutter sie freischarrt. Sie sind etwa 20–30 cm lang und gehen sofort ins Wasser, um nach Würmern, Käfern und Lurchen zu suchen.

Weitere Krokodilfamilien sind die **Alligatoren** in Amerika und China sowie die **Gaviale** in Indien. Zu den Alligatoren gehören sowohl der **Mississippi-Alligator** Nordamerikas als auch z. B.

Kroatien

Staatswappen

Staatsflagge

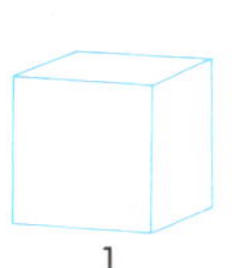

1

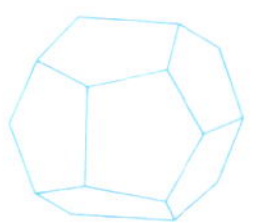

2

3

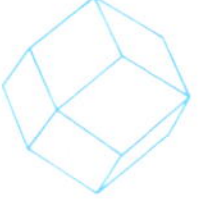

4

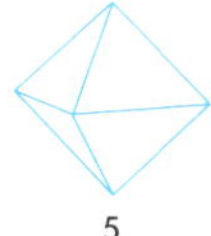

5

Kristall

Kristall: Spezielle Formen des kubischen Kristallsystems; **1** Würfel, **2** Tetraeder, **3** Pentagondodekaeder, **4** Rhombendodekaeder, **5** Oktaeder

Wörter, die man unter K vermißt, suche man unter C, Ch oder Q

Krokodile

die **Brillenkaimane** (Gattung Kaiman) Südamerikas. Aus der Familie Gaviale existiert nur noch eine Art, der 7 m lange indische **Gavial** mit schnabelartiger Schnauze, der nur Fische frißt.

Der einzige Feind erwachsener Krokodile ist der Mensch; er verfolgt sie wegen ihrer Schuppenhaut, die für Lederwaren sehr begehrt ist. Alle Arten sind daher in ihrem Bestand sehr zurückgegangen. Man züchtet Krokodile auch in Farmen, z. B. in den USA.

Krokus

Krokusse blühen zeitig im Frühjahr in der freien Natur (Bergwiesen) mit großen, trichterförmigen, weißen und violetten Blüten, Zuchtformen im Garten auch mit goldgelben Blüten. Der im Herbst hellviolett blühende **Safran** ist eine Gewürzpflanze.

Kronos, Gestalt der griechischen Sage aus dem Göttergeschlecht der →Titanen. Er war der Vater des Zeus, der ihn einer Weissagung entsprechend entthronte und in die Unterwelt verbannte.

Kropf, beim Menschen eine Vergrößerung der Schilddrüse, die meist als eine knotige Verdickung des Halses sichtbar ist. Bei dieser Erkrankung kann die Abgabe von Schilddrüsenhormonen erhöht oder normal sein. Der Kropf kommt zum einen bei Schilddrüsenüberfunktion, zum anderen bei Jodmangel vor. Die Folge des großen Jodmangelkropfes sind Einengung der Luft- und Speiseröhre, verbunden mit Atem- oder Schluckbeschwerden.

Bei Tieren ist der Kropf eine Erweiterung oder Aussackung der Speiseröhre. Diese dient in der Regel zur Vorverdauung schwer verdaulicher Nahrung. Bei Tauben produziert der Kropf die ›Kropfmilch‹, die zur Fütterung der Jungen dient.

Krösus, König (560–546 v. Chr.) von Lydien in Kleinasien. Er unterwarf die kleinasiatischen Griechen und die Völker im Innern Kleinasiens bis zum Halysfluß. Vom Gott Apoll in Delphi hatte er eine Weissagung erhalten. Sie besagte, daß Krösus ein Reich zerstören würde, wenn er den Halysfluß überschritte. Daraufhin überquerte er den Fluß und löste einen Krieg mit den Persern aus. Doch das Reich, das dabei zerstört wurde, war sein eigenes. – Krösus besaß viele Reichtümer; noch heute nennt man einen sehr wohlhabenden Mann einen Krösus.

Kröten, Familie kleiner, landbewohnender →Lurche. Sie sind plumper und gedrungener als die eng verwandten →Frösche und bewegen sich mit ihren kürzeren Beinen mehr kriechend fort. Sie leben in Wäldern, Feldern, Gärten und Parkanlagen; am Tag verbergen sie sich an feuchtschattigen Plätzen. Aus Drüsen ihrer dicken, warzenreichen Haut sondern sie eine schwach giftige Flüssigkeit ab; man sollte sie daher nicht anfassen. In Deutschland leben die gefräßigen **Erdkröten,** die viele schädliche Insekten vertilgen; sie stehen unter Naturschutz. Zur Fortpflanzungszeit wandern Kröten immer zu dem Tümpel, in dem sie als Kaulquappe lebten. Wie sie sich dabei orientieren, weiß man noch nicht. Das 15 cm lange Weibchen schlingt seine bis zu 2 m langen Eischnüre, in denen etwa 7 000 Eier durch eine Gallertmasse verbunden sind, um Wasserpflanzen. In Freiheit werden Kröten etwa 10 Jahre alt. Die →Geburtshelferkröten gehören zu den Unken.

Krustentiere, →Krebse.

Kruzifix [lateinisch ›der an das Kreuz Geheftete‹], die Darstellung Christi am Kreuz ohne Begleitfiguren; meist Skulpturen aus Holz, seltener aus Stein. Altarkruzifixe gibt es seit dem 11. Jahrh. Der Körper des Gekreuzigten ist meist mit dem Lendentuch bekleidet, manchmal auch mit der Tunika. Eine Besonderheit der italienischen

Kunst ist seit dem 12. Jahrh. das gemalte Kruzifix (bemalte Holztafeln in Kreuzform).

Krypta [von griechisch kryptos ›verborgen‹], unterirdische Kammer, die meist als Grabanlage diente. In frühchristlicher Zeit lag das Grab der Märtyrer in den ihnen geweihten Kirchen unter dem Altar. Der Grabraum entwickelte sich bei zunehmender Reliquienverehrung zu einem unterirdischen Sakralraum, der sich in den romanischen Domen und Klosterkirchen zur oft mehrschiffigen **Hallenkrypta** erweiterte; diese nahm den gesamten Raum unter dem erhöht über ihr liegenden Chor ein und erstreckte sich manchmal sogar bis unter die Querschiffe. Im gotischen Kirchenbau wurde auf die Krypta meist verzichtet.

kt, Einheitenzeichen für **K**ilo**t**onne (→Kilo).

Kt, Einheitenzeichen für metrisches →**K**ara**t**.

Kuala Lumpur, 1,17 Millionen Einwohner, Hauptstadt von Malaysia in Südostasien, liegt auf der Halbinsel Malakka. Die Stadt, 1857 gegründet, ist eine Handels- und Industriestadt mit Gebäuden im malaiisch-islamischen Baustil.

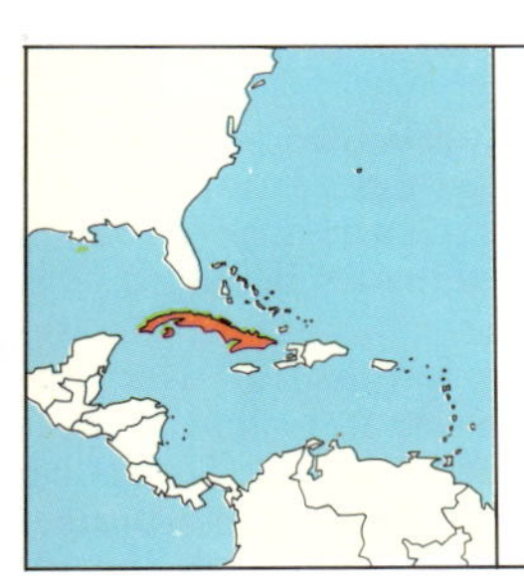

Kuba

Fläche: 110 861 km²
Bevölkerung: 10,58 Mill. E
Hauptstadt: Havanna
Amtssprache: Spanisch
Nationalfeiertage: 1. Jan., 26. Juli, 10. Okt.
Währung: 1 Kuban. Peso (kub$) = 100 Centavos
Zeitzone: MEZ –6 Stunden

Kuba, größte Insel der Großen →Antillen, etwas größer als Bulgarien. Sie liegt südlich von Florida zwischen Golf von Mexiko, Atlantischem Ozean und Karibischem Meer. Zusammen mit zahlreichen kleinen vorgelagerten Inseln und Korallenriffen bildet die Insel die sozialistische **Republik Kuba.** Der größte Teil Kubas ist Flachland; gebirgig ist nur der Osten (bis 1994 m hoch). Das Klima ist tropisch mit geringen Temperaturschwankungen und reichen Niederschlägen im Sommer. Wirbelstürme sind häufig. Die Bevölkerung besteht zur Hälfte aus Weißen spanischen Ursprungs, zur anderen Hälfte aus Schwarzen und Mulatten.

Größte Bedeutung für die fast vollständig verstaatlichte Wirtschaft hat der Anbau von Zuckerrohr; deshalb wird Kuba auch als ›Zuckerinsel‹ bezeichnet. Weitere Erzeugnisse für die Ausfuhr sind Tabak, Kaffee und Citrusfrüchte. Auch die Viehwirtschaft hat große Bedeutung; etwa die Hälfte der landwirtschaftlichen Nutzfläche ist Weideland. Die Industrie ist wenig entwickelt. Die Insel ist verkehrsmäßig gut erschlossen.

Die Geschichte Kubas, das Kolumbus 1492 entdeckte, ist geprägt von der Abhängigkeit von großen Mächten. Bis 1898 war die Insel spanische Kolonie und kam dann in den Besitz der USA. Diese gaben Kuba 1901 die Unabhängigkeit als Republik, behielten jedoch bis 1934 das Recht, auch in die inneren Angelegenheiten des Landes einzugreifen; bis heute besitzen die Amerikaner den Flottenstützpunkt Guantánamo im Osten der Insel.

Nach langjährigem Untergrundkampf kam **Fidel Castro** 1959 an die Regierung. Er suchte mehr und mehr die Unterstützung der Sowjetunion, die auch zum wichtigsten Handelspartner Kubas wurde. Gleichzeitig errichtete Castro ein kommunistisches Gesellschafts- und Regierungssystem auf Kuba, baute mit sowjetischer Hilfe die kubanische Armee zu ihrer heutigen Stärke aus und setzt sie zur Unterstützung von kommunistischen Befreiungsbewegungen und Regierungen in Lateinamerika und Afrika ein. (KARTE Seite 196)

Kuba

Staatswappen

Staatsflagge

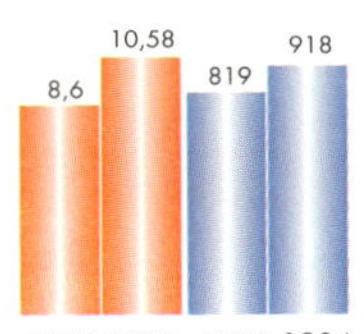

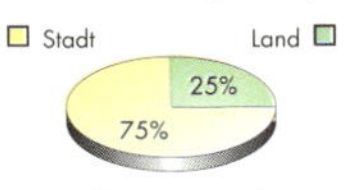

Bevölkerungsverteilung 1990

Bruttoinlandsprodukt 1989

Kubikmillimeter, Kubikzentimeter, Kubikdezimeter, Kubikmeter, Kubikkilometer, Volumeneinheiten (→Einheiten).

Kubismus [zu lateinisch cubus ›Würfel‹], Richtung der modernen Kunst, die der Spanier **Pablo Picasso** und der Franzose **Georges Braque** seit 1907/08 in Paris entwickelten. Sie bezogen sich auf die Worte des Malers Paul Cézanne, die sichtbare Wirklichkeit könne auf die geometrischen Formen Würfel, Kegel und Kugel zurückgeführt werden. Den Kubisten ging es darum, den Bildgegenstand gleichzeitig von mehreren Seiten zu zeigen. Dazu mußten sie die Darstellung von einem Blickpunkt aus (Zentralperspektive) aufgeben und die gegenständlichen Formen aufsplittern. Bruchstücke der Gegenstände in vereinfachten Formen sind zu erkennen, verschmelzen aber mit dem ebenfalls gebrochenen Hintergrund, so daß die Bilder oft fast abstrakt wirken. Der Kubismus war eine der Wurzeln der →abstrakten Kunst. Bräunlich-graue Farben herrschten vor; Materialien wie Holzstücke und Zeitungspapier (›Collage‹) wurden in die Komposition eingearbeitet. Auch die Bildhauerkunst wurde zeitweise vom Kubismus beeinflußt, z. B. bei den scharfkantig-abstrakten Figuren des Russen Alexander Archipenko. (BILD Seite 180)

Kuckuck, schiefergrauer, etwa taubengroßer Vogel mit langem Schwanz, der mit seiner grau-

Kuckuck

Kubismus: Pablo Picasso, ›Die Violine‹; 1912 (Stuttgart, Staatsgalerie)

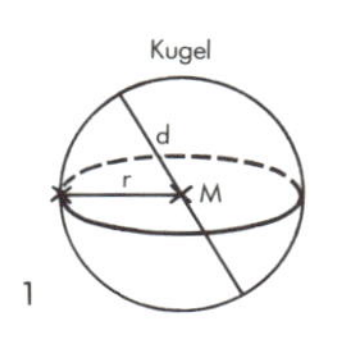

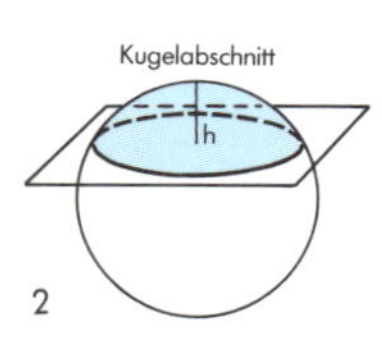

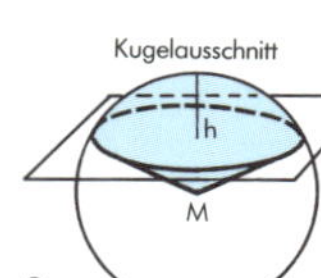

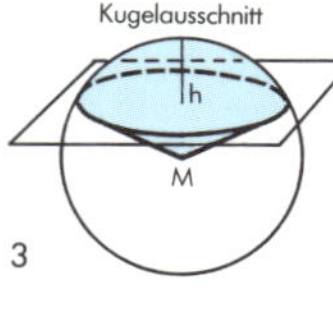

Kugel

braun gebänderten (›gesperberten‹) Unterseite einem Sperber ähnlich sieht. Typisches Kennzeichen ist das wie ›kuckuck‹ klingende Rufen des Männchens, mit dem er nach seiner Rückkehr aus dem afrikanischen Winterquartier sein Revier markieren und Weibchen anlocken will.

Der Kuckuck baut kein eigenes Nest, vielmehr legt das Weibchen seine 8–15 Eier einzeln in die Nester kleinerer Singvögel (Bachstelze, Rotkehlchen, Zaunkönig, Grasmücke). In Größe und Farbe ähneln die Kuckuckseier jeweils denen der Wirtsvögel. Während kurzer Abwesenheit des brütenden Vogels legt das Kuckucksweibchen in wenigen Sekunden ein Ei und wirft dann eines der fremden Eier aus dem Nest oder frißt es auf. Jedes Weibchen bevorzugt die Vogelart, von der es selbst einmal aufgezogen wurde. Der nach etwa 12 Tagen schlüpfende junge Kuckuck wirft in den ersten Lebenstagen alle anderen Eier und bereits geschlüpften Jungvögel aus dem Nest. Er hievt sie mit seinem dazu besonders geeigneten hohlen, sattelartigen Rücken hoch. Seine ›Pflegeeltern‹ ziehen ihn auf und füttern ihn auch noch 3 Wochen außerhalb des Nestes. Ein Kuckuck kann bis zu 13 Jahre alt werden.

Kudrun, Gudrun, Hauptfigur einer mittelalterlichen Heldensage. Im **Kudrunlied** wird erzählt, wie Kudrun von einem abgewiesenen Freier über das Meer entführt und 13 Jahre später nach hartem Kampf von ihrem Verlobten befreit wird. Das Lied endet mit der Schilderung einer dreifachen Heirat.

Kugel, Geometrie: ein geometrischer Körper, der aus allen Punkten des Raumes besteht, die von einem Punkt *M*, dem **Mittelpunkt,** einen Abstand kleiner oder gleich einer festen Länge *r* haben. Die Strecke, die vom Mittelpunkt der Kugel ausgeht und die Länge *r* besitzt, heißt **Radius.**

Formeln: Für den Inhalt der Oberfläche *O* und das Volumen *V* einer Kugel gilt:

$$O = 4\pi r^2 \text{ und } V = \frac{4}{3}\pi r^3$$

wobei *r* die Länge des Radius ist.

Verläuft die Verbindungsstrecke zweier Punkte der Kugeloberfläche durch den Mittelpunkt *M*, so heißt diese Strecke **Durchmesser** (BILD 1). Für die Länge *d* des Durchmessers gilt: $d = 2 \cdot r$. Man unterscheidet folgende Kugelteile:

1) Kugelabschnitt oder **Kugelsegment:** Wird eine Kugel durch eine Ebene geschnitten, so wird die Kugel in 2 Kugelabschnitte oder Kugelsegmente mit derselben Grundkreisfläche zerlegt (BILD 2). Das Volumen eines Kugelabschnittes beträgt:

$$V = \frac{1}{3}\pi h^2 (3r - h)$$

wobei *h* die Länge der Höhe des Kugelabschnittes ist.

2) Kugelhaube oder **Kugelkappe:** Die Kugelhaube oder Kugelkappe ist der gekrümmte Teil der Oberfläche eines Kugelabschnitts (BILD 2). Die Oberfläche einer Kugelhaube beträgt:

$$O = 2\pi rh$$

3) Kugelausschnitt oder **Kugelsektor:** Der Kugelausschnitt oder Kugelsektor ist ein Kugelabschnitt, ergänzt durch den Kegel, dessen Spitze im Mittelpunkt liegt, und dessen Grundfläche gleich der Grundfläche des Kugelabschnitts ist (BILD 3). Das Volumen eines Kugelausschnitts beträgt:

$$V = \frac{2}{3}\pi hr^2$$

4) Kugelschicht: Wird eine Kugel von 2 parallelen Ebenen geschnitten, so entsteht zwischen den Ebenen eine Kugelschicht (BILD 4). Das Volumen einer Kugelschicht ergibt sich aus der Differenz von 2 Kugelabschnitten.

5) Die **Kugelzone** ist der gekrümmte Teil der Oberfläche einer Kugelschicht (BILD 4). Für die Oberfläche einer Kugelzone gilt:

$$O = 2\pi rh'$$

wobei *h′* die Länge der Höhe der Kugelschicht ist.

Kugelblitz, →Blitz.

Kugellager, Maschinenelemente zur Führung und Lagerung sich drehender Maschinenteile wie Achsen, Räder und Wellen. Sie bestehen aus dem Innen- und Außenring sowie den sich dazwischen abrollenden Kugeln. Kugellager sind **Wälzlager;** sie haben den Vorteil der geringen Anlaufreibung und des geringen Schmiermittelverbrauchs.

Kugelstoßen, leichtathletische Disziplin. Aus einem Kreis von 2,135 m Durchmesser stoßen Herren eine 7,257 kg, Damen eine 4 kg schwere Eisenkugel möglichst weit. Kugelstoßen gehört für Herren seit 1896, für Damen seit 1948 zum olympischen Programm.

Kuh, das weibliche →Rind.

Kühlschrank. Als Vorratsschrank für leichtverderbliche Lebensmittel unterscheidet sich der Kühlschrank von normalen Schränken durch seine Isolierung, die das Eindringen von Wärme verhindert, und durch die eingebaute Kältemaschine. Diese besteht aus einem **Kompressor,** angetrieben von einem Elektromotor, und einem mit dem Kompressor verbundenen geschlossenen Röhrenkreislauf, in den ein Spezialgas (das **Kühlmittel**) eingefüllt ist. Um eine Kühlung zu erreichen, preßt der Kompressor das Gas zusammen, das sich dabei erwärmt. Hinter dem Kühlschrank befindet sich der **Kondensator.** Nach dem Prinzip des Autokühlers kann hier das unter Druck stehende erwärmte Gas auf großer Fläche abkühlen, dabei verflüssigt es. In flüssigem Zustand gelangt es in den Kühlschrank. Ein Ventil sperrt dort den Druck des Kompressors. Ohne diesen Druck nimmt das verflüssigte Gas wieder seinen gasförmigen Zustand an (es verdampft). Die eigentliche Kühlfläche im Kühlschrank wird deshalb **Verdampfer** genannt. Zum Verdampfen benötigt das Gas aber Wärme, die es nur der Umgebung, das heißt dem Kühlschrankinnern entziehen kann. Bei diesem Vorgang entsteht im Kühlschrank Kälte. Das Gas wird dann zum Kompressor zurückgeleitet, und der Vorgang beginnt von neuem. Reguliert wird dieser Kreislauf von einem Temperaturregler (Thermostat), der den Elektromotor des Kompressors immer dann einschaltet, wenn die Temperatur im Kühlschrank über die eingestellte Temperatur ansteigt.

Der **Absorberkühlschrank** arbeitet nicht mit Kompressor, sondern erzeugt den erforderlichen Druck in einem elektrisch beheizten Gefäß, das mit ammoniakhaltigem Wasser gefüllt ist. Durch Erwärmung der Lösung im Kocher dampft das Ammoniak aus (1) und das Wasser bleibt zurück bis der Druck groß genug ist, um den Ammoniakdampf im Verflüssiger zu kondensieren. Wie beim Kompressorkühlschrank wird die Flüssigkeit in einer Düse (Drosselorgan) entspannt und verdampft unter starker Abkühlung. Über die dabei entstehende kalte Oberfläche des Verdampfers wird den Lebensmitteln die Wärme entzogen, das heißt, sie werden gekühlt. Das schwach ammoniakhaltige Wasser, das noch sehr warm ist, läuft (2) über einen Wärmetauscher, wo es einen Teil seiner Wärme (3) in den Absorber abgibt. Hier nimmt es den reinen Ammoniakdampf, der aus dem Verdampfer strömt, wieder auf und sättigt sich ab. Eine Umwälzpumpe fördert die entstandene Ammoniaklösung über den Wärmetauscher, wo sie die Wärme des aus dem Kocher fließenden Wassers (2) aufnimmt. Von dort fließt sie zurück (4) in den Kocher, wo der Vorgang erneut beginnt.

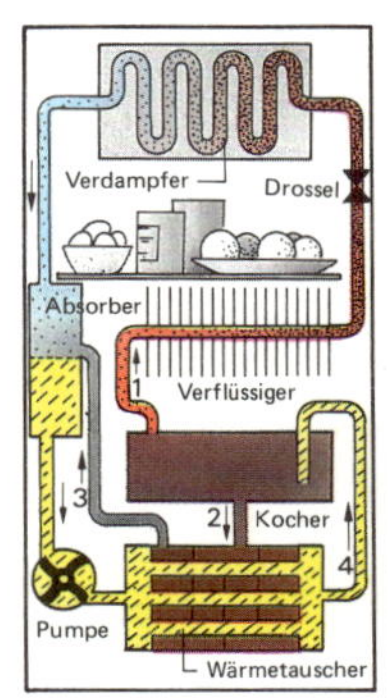

Kühlschrank: Absorberkühlschrank

Während der Kühlschrank nur zur kurzfristigen Lagerung verderblicher Lebensmittel über wenige Tage gedacht ist, dient die **Tiefkühltruhe** der langfristigen Lagerung. Bei Temperaturen unter minus 15 Grad Celsius (– 15 °C) können Fäulnisbakterien keinen Schaden mehr anrichten. Um solche tiefen Temperaturen zu erreichen, ist die Kühltruhe lediglich mit einer leistungsstärkeren Kältemaschine als der Kühlschrank ausgerüstet. Die Nahrungsmittel müssen sehr schnell gefroren werden, damit sich ihr Aussehen und ihr Geschmack nicht verändern. Tiefkühltruhen sind daher häufig in 2 Bereiche aufgeteilt: zum Einfrieren das Vorgefrierfach, in dem Temperaturen bis – 32 °C erreicht werden, und zur Aufbewahrung der Nahrungsmittel bei – 18 °C das Hauptgefrierfach. Tiefkühltruhen brauchen im allgemeinen weniger Energie als Tiefkühlschränke, da beim Öffnen weniger kalte Luft entweicht. Kalte Luft ist schwerer als warme und entweicht deshalb aus einem geöffneten Schrank wesentlich schneller als aus der oben geöffneten Truhe.

Kühlung, Temperaturerniedrigung eines Stoffes (z. B. bei verderblichen Lebensmitteln oder heißem Motoröl) unterhalb oder oberhalb der Umgebungstemperatur. Die Kühlung unter die Umgebungstemperatur ist Aufgabe der Kältetechnik. In der Natur finden starke Abkühlungen der Luft beim Überströmen großer Wasserflächen durch Verdunstung des Wassers statt.

Technische Kühlanlagen arbeiten meist mit indirekter Wärmeabgabe an ein Kühlmittel (z. B. Luft, Wasser oder Öl), das erst in einem luftumströmten Wärmetauscher (z. B. der Kühler beim wassergekühlten Motor) die aufgenommene Wärme abgibt.

Bei direkter Kühlung (z. B. luftgekühlter Motor) wird die Wärme über großflächige Kühlrippen am Motorblock an die Luft der Umgebung abgegeben.

Looping nach unten

Looping nach oben

Halber Looping, halbe Rolle

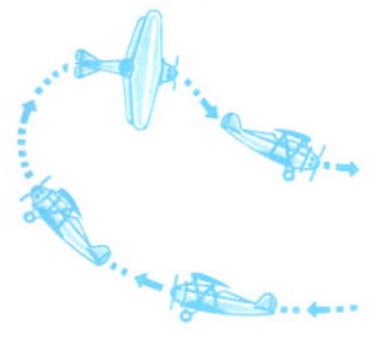

Immelmann-Turn

Fächer-Turn

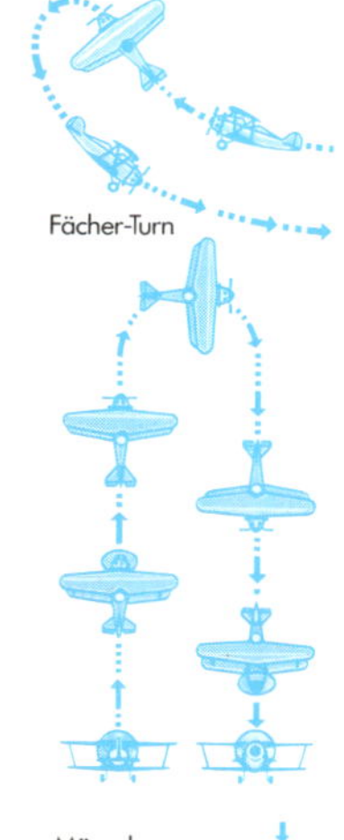

Männchen

Kunstflug

Wichtige Anwendungsgebiete für Kühlverfahren findet man in der Industrie, in Kraftwerken, der Raumfahrt und im Alltag (z.B. der →Kühlschrank).

Die **Kühlschmierung** ist eine in allen Gebieten wichtige Anwendung. Das Schmieröl in Maschinen wird durch Lagerreibung und andere Wärmequellen erhitzt, deshalb ist im Schmierkreislauf ein Ölkühler eingebaut. Dieser Kühler, bestehend aus lamellenbesetzten Röhren, verhindert, daß durch Überhitzen die reibungsmindernden Eigenschaften des Öls verlorengehen und Lagerschäden entstehen.

In Kraftwerken muß der aus der Turbine austretende feuchte Dampf verflüssigt und in den Dampferzeuger zurückgeführt werden. Dies geschieht über Wärmetauscher (Kondensatoren), in denen sich kühlwasserführende Rohrschlangen befinden, auf deren kalter Oberfläche sich der Dampf verflüssigt. Das dazu erforderliche Kühlwasser wird im **Kühlturm** durch Verdunstungskühlung (Versprühen und Abrieseln des erwärmten Wassers in einem Luftstrom) erzeugt.

Damit in der Raumfahrt Landekapseln oder Raumfähren bei der Rückkehr zur Erde nicht in der Atmosphäre durch die Luftreibung verglühen, benutzt man u.a. die **Schmelzkühlung.** Die Beschichtung des Raumfahrzeuges mit Graphit, Beryllium und glasfaserverstärkten Kunststoffen schmilzt beim Eintritt in die Atmosphäre langsam weg und leitet die Wärme ab.

Küken, das junge Geflügel, im erweiterten Sinn die jungen, noch von den Eltern geführten Vögel (→Nestflüchter).

Ku-Klux-Klan. Als den rund 4 Millionen Negersklaven der nordamerikanischen Südstaaten nach dem →Sezessionskrieg (1861–65) die gesellschaftliche Gleichstellung gewährt wurde, schlossen sich 1866/67 Anhänger der Sklaverei zu einem Geheimbund, dem Ku-Klux-Klan, zusammen. Dieser versuchte, mit terroristischen Methoden (Lynchjustiz) und durch Einschüchterung der Schwarzen und der auf ihrer Seite stehenden Politiker den Vorrang der Weißen vor den Schwarzen zu erhalten. Die Mitglieder, 1869 sollen es 500 000 gewesen sein, tragen bei ihren Zusammenkünften weiße Kapuzentracht und haben ein geheimnisvolles Ritual (Symbol des Flammenkreuzes).

Kunst. Der Begriff Kunst kommt von ›können‹ und bedeutete ursprünglich ›Fertigkeit‹, ›Handwerk‹. Die Kunst im engeren Sinn umfaßt die →Dichtung (→Literatur), die →Musik und die bildende Kunst (→Architektur, →Bildhauerkunst, →Malerei, →Graphik, →Zeichnung), ferner die darstellende und ausübende Kunst wie Tanz, Theater, Pantomime und Filmkunst.

Oft wird der Begriff Kunst in eingeschränkter Bedeutung gebraucht und mit dem der bildenden Kunst gleichgesetzt. Die wissenschaftlichen Bemühungen zur Erforschung der bildenden Künste werden **Kunstwissenschaft** genannt; ein wichtiger Zweig ist die **Kunstgeschichte,** die sich mit der geschichtlichen Entwicklung der bildenden Künste befaßt. Seit dem 19. Jahrh. bildete sich die Einteilung nach Stilen und Epochen aus (→karolingische Kunst, →Romanik, →Gotik, →Barock, →Rokoko, →Klassizismus, →Romantik, ferner →Impressionismus, →Expressionismus, →Jugendstil, →Kubismus, →Op Art, →Pop Art). Der Teil der Kunstgeschichte, der sich mit der Erforschung der Bildinhalte befaßt, heißt **Ikonographie.**

Kunstflug, schwierige Figuren wie Überschläge, Rollen und Rückenfliegen, geflogen mit einem Flugzeug. Kunstflugtaugliche Flugzeuge sind ein- oder zweisitzige Maschinen mit starken Motoren und besonders fester Zelle.

Kunsthandwerk, die handwerkliche Herstellung von künstlerisch gestalteten Zweckgegenständen in verschiedenen Materialien und Techniken (Schmiede- und Schnitzkunst, Blas-, Brenn- und Knüpftechnik). Dem Begriff Kunsthandwerk verwandt sind die Bezeichnungen **Kunstgewerbe** und **angewandte Kunst.** Bis zur Industrialisierung im 19. Jahrh. entwarf und fertigte der Künstler seine Werke (Gläser, Möbel, Schmuck) meist eigenhändig. Ein eigenständiges Kunsthandwerk innerhalb der bildenden Künste wurde erst zum Bedürfnis, als der Künstler nur noch die Entwürfe lieferte, nach denen der Industriearbeiter dann den Gegenstand in beliebiger Zahl herstellte. Damit war eine Abwertung handwerklicher Kunst verbunden, der man unter anderem durch die Gründung von Kunstgewerbeschulen entgegenzutreten suchte. Spitzenerzeugnisse des Kunsthandwerks zeigte die Weltausstellung in London 1851. Sie gab auch den Anstoß zur Gründung der ersten Kunstgewerbemuseen. Eine Erneuerung des Kunsthandwerks brachte der →Jugendstil. Kunst, Technik und Handwerk wieder zu verbinden, war das Ziel des Architekten Walter Gropius, als er das →Bauhaus (1919–33) gründete. Heute liegt die Gestaltung vielfach wieder bei unabhängigen Kunsthandwerkern, deren Entwürfe jedoch auch der Serienproduktion zugutekommen.

Wörter, die man unter K vermißt, suche man unter C, Ch oder Q

Kunstharze. Ursprünglich wurden alle Kunststoffe als Kunstharze bezeichnet, um sie von Naturharzen zu unterscheiden, denen sie in Aussehen und Verhalten ähnlich sind. Heute wird dieser Begriff nur für feste, weiche oder flüssige organische, nichtkristalline Produkte verwendet. Diese können entweder durch Reaktion chemisch gleichartiger Bestandteile (Monomere) zu größeren Molekülen (Polymeren) hergestellt werden oder aus Naturharzen, die durch chemische Umsetzung verändert wurden. Ein großer Teil der Kunstharze kann durch chemische Vernetzung in feste, elastische Werkstoffe übergeführt werden.

Kunststoffe. Seit etwa 100 Jahren werden die umgangssprachlich auch **Plastik** genannten Materialien verwendet. Es handelt sich bei ihnen um organische Werkstoffe, das heißt, sie enthalten lediglich die Elemente Kohlenstoff, Wasserstoff, Sauerstoff, Schwefel und Stickstoff. In ihnen haben sich kleinere Moleküle als Bausteine zu riesigen Ketten zusammengeschlossen. Sie werden entweder durch Umwandlung von Naturstoffen (Kautschuk/Gummi) oder künstlich hergestellt, wobei die Rohstoffe überwiegend Kohle, Erdöl und Erdgas sind.

Kunststoffe werden meist auf Grund ihres Verhaltens in der Wärme unterschieden. So erweichen die **Thermoplaste,** auch **Plastomere** genannt, bei höheren Temperaturen und sind dann verformbar. Bei Abkühlung erhärten sie wieder. Demgegenüber sind die **Duroplasten,** auch als **Thermodure** oder **Duromere** bezeichnet, unschmelzbar, plastisch nicht verformbar und unlöslich in Lösungsmitteln.

Das kleine spezifische Gewicht, die leichte Verformbarkeit bei niedrigen Temperaturen, günstige physikalische und chemische Eigenschaften sowie die Färbbarkeit haben die Kunststoffe heute für viele andere technische Zwecke unentbehrlich werden lassen, so daß man deshalb geradezu vom ›Kunststoffzeitalter‹ spricht.

Kunstturnen soll artistisches Können im Boden- und Geräteturnen zeigen. Als Disziplinen gibt es seit 1900 den Olympischen Zwölfkampf für Herren, der je eine Pflicht- und Kürübung am Boden, am Seitpferd, an den (ruhig hängenden) Ringen, am Langpferd (Pferdsprung), am Barren und Reck enthält. Der Olympische Achtkampf der Damen (seit 1952) enthält eine Pflicht- und Kürübung im Pferdsprung, am Stufenbarren, am Schwebebalken und im Bodenturnen. Es gibt Einzelwertungen und Mannschaftswertungen nach Punkten.

Kupfer, Zeichen **Cu** (von lateinisch **cu**prum), ein →chemisches Element (ÜBERSICHT), eines der wichtigsten Gebrauchsmetalle. Das rote, verhältnismäßig weiche, aber sehr zähe, dehnbare Metall läßt sich zu feinstem Draht ausziehen und in sehr dünne Blättchen ausschlagen. In seiner Fähigkeit, Wärme und elektrischen Strom zu leiten, wird es nur noch von dem sehr viel teureren Silber übertroffen. Seine Härte und Festigkeit können durch Legieren mit anderen Metallen wesentlich verbessert werden. So wird es seit langem (→Bronzezeit) mit Zinn zu gießbarer **Bronze** verarbeitet, die z. B. das Material von Glocken ist. Zusammen mit Zink ergibt sich **Messing,** das wegen seiner günstigen Eigenschaften und seines Preises für Armaturen, Schiffsbauteile und Beschläge eine große Rolle spielt.

Kupfer kommt in der Natur gediegen sowie in vielen Erzen vor. Es ist für Menschen, Tiere und Pflanzen ein wichtiges Spurenelement.

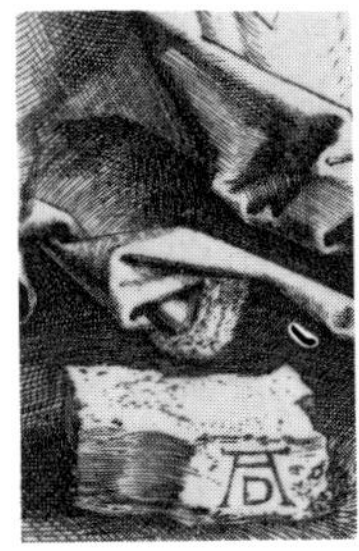

Kupferstich: Ausschnitt in Originalgröße aus Dürers Stich ›Die säugende Maria‹

Kupferstich, die Kunst, in glattpolierte Metallplatten, meist aus Kupfer, Zeichnungen derart einzutiefen, daß sie abgedruckt werden können; auch der Abdruck selbst heißt Kupferstich. In die Vertiefungen wird die Druckerschwärze eingerieben, während die glatten Oberflächenteile der Platte freigewischt werden. Durch Abreiben oder maschinell mit einer Presse wird nun die Zeichnung auf Papier gedruckt, als schwarze Linien auf hellem Grund. Da es die Einritzungen, also die tieferliegenden Teile der Platte sind, die

Kupferstich: LINKS Hausbuchmeister, Jüngling und Tod. RECHTS Albrecht Dürer, Die säugende Maria; 1503

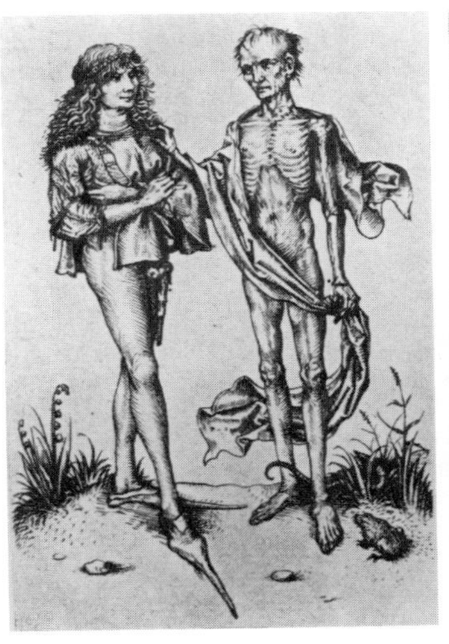

drucken, spricht man von Tiefdruck (→Druckverfahren). Der Kupferstich wurde wohl in Deutschland um 1400 erstmals angewendet. Ein Meister des Kupferstichs war im 16. Jahrh. Albrecht Dürer. Seit dem 17. Jahrh. bevorzugten die Künstler eine verwandte Tiefdrucktechnik, die **Radierung.** Bei diesem Verfahren wird die Metallplatte (Kupfer oder Zink) mit einem säurefesten Ätzgrund (z. B. Wachs) beschichtet. Darauf zeichnet der Künstler mit der Radiernadel die Zeichnung, wobei er zugleich den Metallgrund freilegt. Die Platte wird nun einem Bad mit Salpetersäure oder Eisenchlorid ausgesetzt. Die Säure ätzt das durch die Zeichnung freigelegte Metall und vertieft diese in die Platte. Nach und nach können weitere Partien abgedeckt und die freibleibenden noch tiefer geätzt werden, so daß Linien unterschiedlicher Stärke mit abgestufter Helldunkelwirkung entstehen. Die Radierung eignet sich gut für künstlerische Druckgraphik.

Kupplung, Einrichtung zur lösbaren Verbindung von Fahrzeugen und Leitungen, besonders von Maschinenteilen. Dabei verbindet eine Kupplung 2 sich drehende Wellen miteinander **(Wellenkupplung).** Beim Kraftfahrzeug z. B. sitzt die Kupplung zwischen dem Motor und dem Getriebe, um die Gangschaltung zu ermöglichen. Tritt man das Kupplungspedal durch, wird die Verbindung zwischen Motor und Getriebe aufgehoben, so daß ein Gang eingelegt werden kann. Die übliche Einscheiben-Trockenkupplung besteht aus einer längsverschiebbaren Scheibe mit Reibbelägen, die durch Federkraft gegen die Motorschwungscheibe gepreßt wird.

Kurden. Ein großer Teil des kurdischen Volkes, das auf insgesamt 6 Millionen geschätzt wird, lebt in der Türkei, wo er als Minderheit mit eigener Sprache und Kultur vom Staat nicht anerkannt wird; auch in Iran und Irak findet sich ein hoher Anteil kurdischer Bevölkerungsgruppen. Bis ins 20. Jahrh. hinein lebten die Kurden in kleineren Fürstentümern. Im 20. Jahrh. entwikkelte sich eine kurdische Nationalbewegung, die für einen selbständigen Staat eintrat. Zwischen 1945 und 1946 bestand im Gebiet des nördlichen Iran unter sowjetischem Schutz die kurdische ›Volksrepublik Mahabad‹. Auch in Irak kämpften die Kurden für ihre Eigenständigkeit. Forderungen des kurdischen Bevölkerungsteils in Iran nach größerer Selbständigkeit im Staat lösten im Herbst 1979 blutige Kämpfe zwischen kurdischen Aufständischen und iranischen Streitkräften aus. Nach dem 2. Golfkrieg 1991 kämpften die Kurden im Irak um Selbständigkeit, wurden aber vernichtend niedergeschlagen. Auch in der Türkei gibt es kurdische Aufstände.

Kurfürsten [aus althochdeutsch churi ›Wahl‹], im Deutschen Reich die zur Königswahl berechtigten Fürsten. Ursprünglich beteiligten sich alle Reichsfürsten an der Wahl. Seit dem 13. Jahrh. war die Zahl auf 7 Wähler, die Kurfürsten, beschränkt. Die →Goldene Bulle (1356) erhob diese Gewohnheit zum Gesetz. Kurfürsten waren seitdem 3 geistliche Fürsten, die Erzbischöfe von Trier, Köln und Mainz, und 4 weltliche Fürsten, der Pfalzgraf bei Rhein, der Herzog von Sachsen, der Markgraf von Brandenburg und der König von Böhmen. Zu ihren Vorrechten gehörte, daß sie in ihren Ländern oberste und alleinige Richter waren. Ihre Versammlungen, auf denen sie Reichsangelegenheiten berieten, hießen **Kurvereine.** Als Trier, Mainz und Köln an Frankreich fielen, wurden 1803 neue Kurfürstentümer geschaffen. Nach 1806 behielt als einziger der Kurfürst von Hessen-Kassel seinen Titel.

Kurie, im alten Rom das Versammlungshaus des römischen Senats. – Die **Römische Kurie** ist die zentrale Verwaltungsbehörde des Papstes.

Kurs [von lateinisch cursus ›Verlauf‹], im Bank- und Börsenwesen der Preis von Wertpapieren (z. B. Aktien, Anleihen) oder ausländischen Währungen. Die Kurse für Wertpapiere oder ausländische Währungen (Wechselkurs) bilden sich an der →Börse auf Grund der Verkaufsangebote und Kaufaufträge (Nachfrage), die die Börsenhändler als Beauftragte von Banken und deren Kunden dem amtlichen Kursmakler nennen. Der Kursmakler ermittelt nach dem Prinzip von Angebot und Nachfrage den **Einheits-** oder **Kassakurs.** Dieser Kurs wird so festgesetzt, daß die meisten der vorliegenden Kauf- und Verkaufsaufträge abgewickelt werden können.

Kurtschatowium [nach dem sowjetischen Physiker Igor Kurtschatow], Zeichen **Ku,** von sowjetischen Forschern vorgeschlagener Name für das →chemische Element 104.

Kurve [von lateinisch curvus ›gekrümmt‹], Geometrie: Bezeichnung für alle geraden oder gekrümmten Linien. In der Ebene können Kurven z. B. Geraden, Kreise oder Parabeln sein. Außer den Kurven in der Ebene **(ebene Kurven)** gibt es auch **räumliche Kurven.** Zu diesen gehört z. B. die Schraubenlinie (BILD 1).

Fallen bei einer Kurve Anfangs- und Endpunkt zusammen, so spricht man von einer **geschlossenen** Kurve im Gegensatz zur **offenen** Kurve, bei der Anfangs- und Endpunkt nicht zusammenfallen. Ferner gibt es Kurven mit und ohne

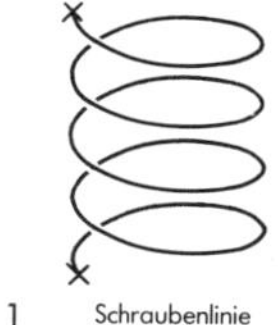

1 Schraubenlinie

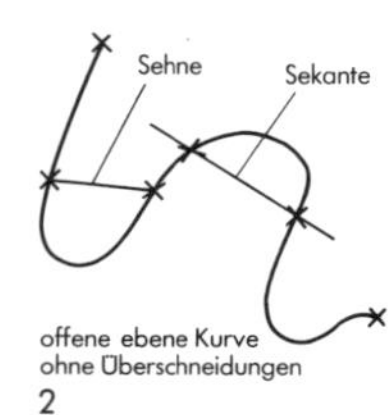

offene ebene Kurve ohne Überschneidungen
2

geschlossene ebene Kurve mit einer Überschneidung
3

Kurve

Überschneidungen (BILDER 2 und 3). Legt man durch 2 Punkte einer Kurve eine Gerade, so nennt man diese eine **Sekante.** Eine **Sehne** nennt man die Verbindungsstrecke zweier Kurvenpunkte (BILD 2).

Kurzarbeit. Aus wirtschaftlichen Gründen (schlechte Auftragslage, Störung der technischen Anlagen durch Betriebsunfälle) kann in einzelnen Betrieben oder auch ganzen Wirtschaftszweigen die vertraglich festgelegte Arbeitszeit vorübergehend herabgesetzt werden. Die Kurzarbeit beruht auf einer Vereinbarung zwischen Arbeitgeber und Arbeitnehmern. Der Verdienstausfall für die Arbeitnehmer, die für kürzere Arbeitszeit auch weniger Lohn bekommen, kann durch die Zahlung eines **Kurzarbeitergeldes** vom Arbeitsamt ausgeglichen werden. Durch die Kurzarbeit können Entlassungen vermieden werden; dem Betrieb bleiben die eingearbeiteten Arbeitskräfte erhalten, und Zeiten, in denen es nicht genug Arbeit für alle Arbeitnehmer gibt, werden überbrückt.

Kurzgeschichte, Übersetzung des amerikanischen Begriffs **Short story,** in Deutschland eine kurze Form der Erzählung. Meist gibt die Kurzgeschichte einen entscheidenden Lebensabschnitt des Helden, oft einer Außenseiterfigur, wieder, und endet mit einem offenen Schluß, das heißt, daß die Lösung des Handlungsablaufs nicht geschildert wird.

Kurzschluß, eine Schaltung, bei der die Pole einer Stromquelle z. B. wegen einer fehlerhaften Isolation (→Isolatoren) oder wegen eines Schaltfehlers unmittelbar miteinander verbunden sind. Der Strom fließt hierbei nur durch die Zuleitungen. Da deren elektrischer Widerstand sehr gering ist, steigt die Stromstärke erheblich an. Infolge der hohen Stromstärke können die Leitungsdrähte so stark erhitzt werden, daß Brandgefahr besteht. (→Sicherung)

Kurzsichtigkeit, ein Sehfehler, bei dem das →Auge nicht in der Lage ist, einen Gegenstand in der Ferne deutlich auf der Netzhaut abzubilden. Das Auge ist zu lang gebaut, die Strahlen vereinigen sich vor der Netzhaut. (→Brille)

Kurzstreckenlauf, Sprint, Sammelbezeichnung für die leichtathletischen Laufwettbewerbe über 100, 200 und 400 m für Damen und Herren. Für Jugendliche, Kinder und Altersklassen gelten kürzere Distanzen (50, 60 und 75 m). Seit 1896 gehört der Kurzstreckenlauf für Herren und seit 1928 für Damen zum olympischen Programm. Seit 1976 werden nur elektronisch gestoppte Rekordzeiten anerkannt. Der Tiefstart (von Startblöcken) ist vorgeschrieben.

Kurzwellen, elektromagnetische Wellen mit relativ kleinen Wellenlängen. Sie liegen etwa zwischen 10 und 100 m, was Frequenzen von 30 bis 3 MHz (Megahertz) entspricht. Kurzwellen werden in die Atmosphäre gestrahlt bis zu einem Bereich, der Ionosphäre heißt, und von dort reflektiert. Dadurch haben sie eine sehr große Reichweite und sind besonders für große Entfernungen, z. B. im Übersee-Funkverkehr, geeignet.

Küste, schmaler Grenzstreifen zwischen Meer und Land, der sich durch Landhebung und -senkung sowie durch Meeresbrandung, Gezeiten und Ablagerungen der Flüsse ständig verändert. **Steilküsten** fallen schroff zum Meer ab; besonders stark wirkt die Brandung dort, wo die Wellenbewegung unmittelbar an einer Steilwand (Kliff) gebrochen wird. Die **Flachküste** (z. B. Nordseeküste) steigt zum Land hin allmählich an. Das Gesteins- und Sandmaterial wird von der Meeresströmung entlang der Küste verfrachtet; dabei bilden sich **Haff-** oder **Nehrungs-** sowie **Ausgleichsküsten** (z. B. Ostseeküste) mit geradem Verlauf der Küstenlinie. An der **Fördenküste** (nördlich von Lübeck) sind während der Eiszeit Schmelzwasserrinnen entstanden, in die später das Meer eindrang. Auch die **Fjordküste** (Norwegen) und die **Schärenküste** (Schweden) sind von Gletschern geformt worden. Eine weitere Küstenform, die **Boddenküste,** findet man zwischen Lübeck und Stettin. Hier bilden die höher gelegenen Teile einer hügeligen Grundmoränenlandschaft die Küstenvorsprünge, während das Meer die tiefer gelegenen Mulden auffüllte und Buchten schuf. Wenn ehemalige Flußtäler vom Meer überflutet werden, entsteht eine **Riaküste** (bei

Kuwait

Staatswappen

Staatsflagge

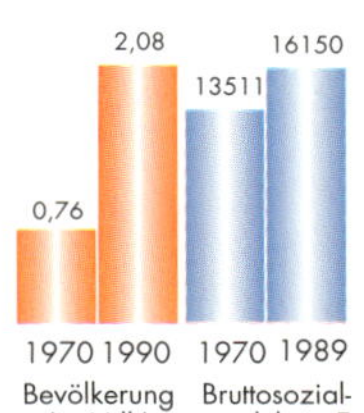

Stadt
Land
4%
96%

Bevölkerungsverteilung 1990

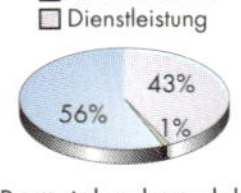

Bruttoinlandsprodukt 1990

Küste: **1** Haffküste, **2** Limanküste, **3** Fjordküste, **4** Schärenküste, **5** Riaküste, **6** Boddenküste

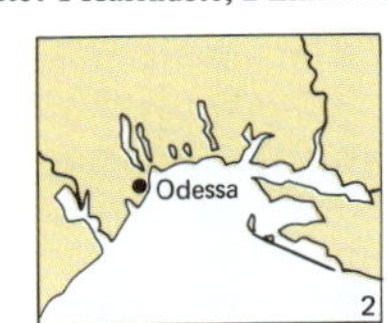

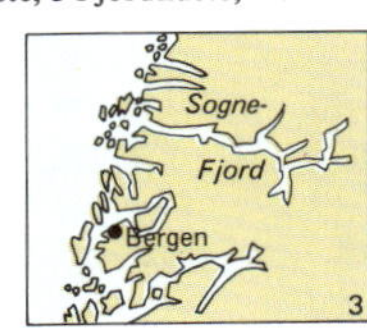

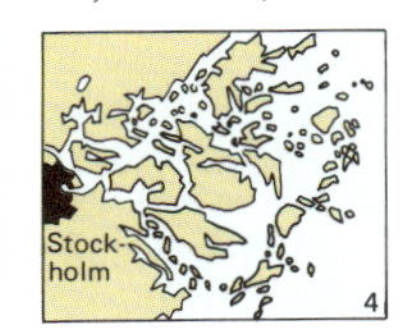

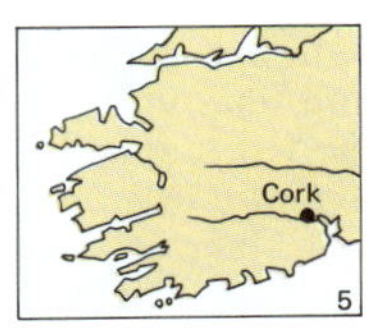

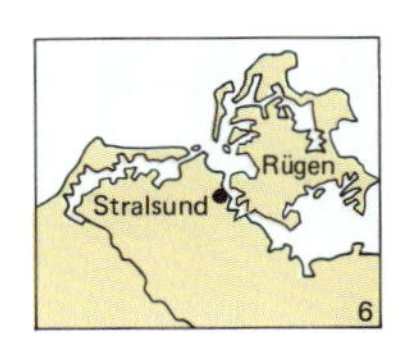

alten Faltengebirgen) oder eine **Limanküste** (bei flachen Tafelländern).

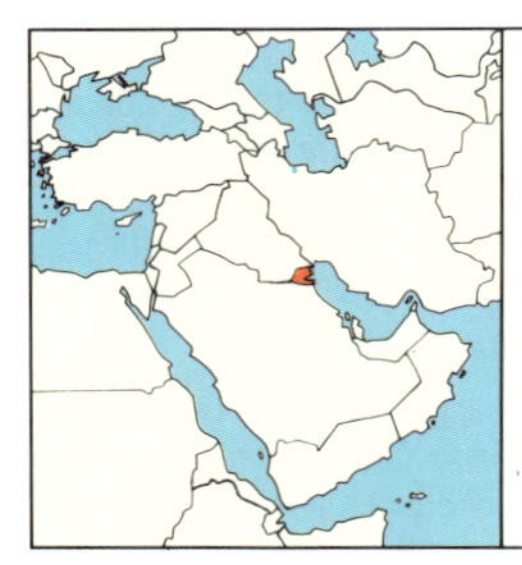

Kuwait

Fläche: 17 818 km²
Bevölkerung: 2,08 Mill. E
Hauptstadt: Kuwait
Amtssprache: Arabisch
Staatsreligion: Islam sunnit. Richtung
Nationalfeiertag: 25. Febr.
Währung: 1 Kuwait-Dinar (KD.) = 1 000 Fils
Zeitzone: MEZ +2 h

Kuwait, Scheichtum am Persischen Golf. Der Reichtum des Landes ist in seinen Erdöllagern begründet. Kuwait, kleiner als das Bundesland Rheinland-Pfalz, besitzt 1/10 der Erdölreserven der gesamten Erde. Es liegt inmitten einer schwülen und heißen Kies- und Sandwüste. Trinkwasser muß entweder vom Schatt-el-Arab herbeigeschafft oder durch die Entsalzung des Meerwassers gewonnen werden. Über die Hälfte der meist muslimischen Einwohner sind Ausländer. Kuwait stand bis 1961 unter britischer Schutzherrschaft und wurde dann unabhängig. Die völkerrechtswidrige Besetzung Kuwaits durch den Irak löste den 2. Golfkrieg aus, in dem alliierte Streitkräfte unter der Führung der USA Irak besiegten und dessen Streitkräfte aus Kuwait vertrieben. (KARTE Seite 194) (BILD Seite 185)

kW · h, Einheitenzeichen für →Kilowattstunde.

Kybernetik [zu griechisch kybernetike (techne) ›Steuermannskunst‹], eine Wissenschaft, die komplizierte Vorgänge in der Natur mit Hilfe der Mathematik beschreibt und mit technischen Modellen nachahmt. Ein solches technisches kybernetisches Modellsystem ist z. B. die Temperaturregelung einer Heizungsanlage.

Der Benutzer der Heizungsanlage stellt die von ihm gewünschte Raumtemperatur am Temperaturregler (Thermostat) ein. Daraufhin heizt die Heizung solange, bis der Temperaturfühler im Raum die gewünschte Temperatur mißt, danach schaltet sie ab. Das Wasser der Heizungsanlage kühlt nun wieder ab und damit auch der Raum. Dies mißt der Temperaturfühler und meldet es weiter an die Heizungsanlage, die daraufhin wieder einschaltet und das Wasser erwärmt.

Kybernetische, also sich selbst regelnde Systeme gibt es auch in Organismen, so z. B. die Temperaturregelung beim Menschen (→Fieber).

Kyffhäuser, waldreicher Bergrücken südlich des Unterharzes im Bezirk Halle, Deutsche Demokratische Republik. Der Kyffhäuser ist im Kulpenberg 477 m hoch. Am Nordrand bricht er steil gegen eine 300 m tiefer liegende Flußniederung ab. Nach Süden ist er flach abgedacht. Dort liegt auch die **Barbarossa-Höhle,** eine 1 300 m lange Höhle im Kalkgestein. – Im Kyffhäuser lebt nach der Sage Kaiser Barbarossa (→Friedrich I.), bis er einmal wiederkehren wird.

Kykladen, griechische Inselgruppe im Ägäischen Meer. Sie umfaßt insgesamt 2 577 km² und hat rund 88 500 Einwohner. Die gebirgigen, bis zu 1 000 m hohen Inseln sind meist kahl und felsig. Neben dem Abbau von Eisenerz, Marmor und Bims spielt der Fremdenverkehr eine Rolle. Auf den Kykladen hatte sich im 3. Jahrtausend v. Chr. eine eigenständige Kultur entwickelt. Unter den Funden aus Gräbern sind vor allem kleine Kultfiguren (›Kykladenidole‹) aus Marmor von Bedeutung. (KARTE Seite 204)

kyrillische Schrift, →Schrift.

KZ, Abkürzung für →**K**on**z**entrationslager.

L

L, der zwölfte Buchstabe des Alphabets, ein Konsonant, und das römische Zahlzeichen für 50; **l,** auch **L,** ist Einheitenzeichen für →Liter. Als Währungseinheit bedeutet £ oder L →Pfund.

La, chemisches Zeichen für Lanthan.

Labrador, Halbinsel im Nordosten Kanadas. Mit 1,6 Millionen km² ist das Land mehr als viermal so groß wie die Bundesrepublik Deutschland. Das von vielen Seen durchsetzte flachwellige Hochland steigt am Ostrand bis auf 1 700 m an und fällt mit seiner zerklüfteten Steilküste jäh zum Meer ab. Das Klima ist kalt und rauh. Labrador ist mit Ausnahme der atlantischen Küste von dichten Nadelholzwäldern überzogen, die nach Norden in die arktische Tundra, bestehend aus Moosen und Gräsern, Flechten und Zwergsträuchern, übergehen. Große Eisenerzvorkommen in Zentrallabrador sind für den Staat Kanada von größter wirtschaftlicher Bedeutung. – Labrador wurde um 1000 von Leif Eriksson und erneut 1497 von dem portugiesischen Seefahrer Giovanni Caboto entdeckt.

Labyrinth, 1) Irrgarten, ein Gebäude oder Garten mit vielen verschachtelten und sich kreuzenden Wegen oder Gängen, die unübersichtlich sind und in die Irre führen. In der griechischen

Sage hat der Baumeister Dädalus auf Kreta ein Labyrinth für das Ungeheuer Minotaurus (→Minos) geschaffen. Es hatte eine solche Ausdehnung, daß eine Flucht aus den Gängen kaum möglich war (→Ariadne).

2) Medizin: Innenohr, der innerste Teil des Ohres, der, bestehend aus gewundenen Kanälchen und seinen Erweiterungen, verwirrend wie ein Labyrinth erscheint. Das Labyrinth wird gebildet von der Schnecke, dem eigentlichen Hörorgan, und den Bogengängen, dem Gleichgewichtsorgan. Man unterscheidet das im Felsenbein liegende und als harte Kapsel dienende **knöcherne Labyrinth** von dem hierin in einer klaren Flüssigkeit schwimmenden **häutigen Labyrinth.**

Lachse gehören zu den besten Speisefischen. Der europäische Lachs, der bis zu 1,5 m lang und 36 kg schwer wird, kommt im Nordatlantik vor. Zum Laichen wandert er stromaufwärts bis zum Oberlauf des Flusses, in dem er geboren wurde. Man vermutet, daß die Lachse sich dabei nach der Sonne orientieren; auch ihr besonders guter Geruchssinn scheint eine Rolle zu spielen. Mit bis zu 6 m weiten Sprüngen überwinden Lachse bis zu 3 m hohe Hindernisse wie z. B. Stromschnellen oder Wehre; bei großen Staudämmen werden dafür ›Fischtreppen‹ angelegt. Zur Eiablage gräbt das Weibchen mit kräftigen Schwanzschlägen eine Grube in den Kiesgrund. Hat das Männchen die Eier befruchtet, wird die Grube mit Sand und Kies bedeckt. Da die Lachse in den Flüssen keine Nahrung aufnehmen, sind sie nach dem Laichen so entkräftet, daß viele sterben; diejenigen, die überleben, lassen sich ins Meer zurücktreiben. Die Jungen wachsen in den Flüssen auf und wandern nach einigen Jahren ins Meer, wo sie sich von Fischen ernähren. Wenn sie nach einigen Jahren zum Laichen in die Flüsse zurückkehren, verlieren sie ihre silbrig-blaugrüne Färbung und nehmen eine rote Tönung an. Ein Lachs wird höchstens 10 Jahre alt. Durch Flußregulierungen und Wasserverschmutzung sind Lachse in deutschen Flüssen nur noch selten anzutreffen. (BILD Fische)

Lackmus, blauer Pflanzenfarbstoff, der aus bestimmten Flechten gewonnen wird. Früher zur Färbung von Textilien und Genußmitteln verwendet, dient Lackmus heute ausschließlich als Säuren-Basen-Indikator (bei Säuren **R**ot-, bei **B**asen **B**laufärbung) in Form der wäßrigen Lösung oder des Lackmuspapiers.

Ladung. Schon 585 v. Chr. beobachtete Thales von Milet, daß geriebener Bernstein (griechisch ›elektron‹) kleine Körper aus Wolle anzog. Andere Körper, die diese Eigenschaft des Bernstein ebenfalls zeigten, nannte man elektrisch.

Lagert man einen an einem Wolltuch geriebenen Kunststoffstab drehbar auf einer Nadel und nähert ihm nacheinander einen zweiten geriebenen Kunststoffstab und einen geriebenen Glasstab, so stoßen die beiden Kunststoffstäbe einander ab, der Kunststoffstab und der Glasstab aber ziehen einander an. Hier liegen also offensichtlich zwei unterschiedliche elektrische Zustände, auch elektrische Ladungen genannt, vor. Der deutsche Physiker Georg Christoph Lichtenberg (* 1742, † 1799) gab der Ladung des geriebenen Kunststoffstabes den Namen negativ, die Ladung des geriebenen Glasstabes bezeichnete er als positiv. Es konnte so die Regel angegeben werden: Gleichnamige Ladungen (positiv-positiv; negativ-negativ) stoßen einander ab und ungleichnamige Ladungen (positiv-negativ) ziehen einander an.

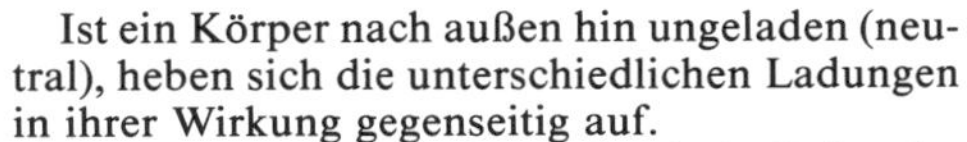

Ist ein Körper nach außen hin ungeladen (neutral), heben sich die unterschiedlichen Ladungen in ihrer Wirkung gegenseitig auf.

Die Einheit der Ladung (Symbol Q) ist das →Coulomb (C).

La Fontaine [lafõtän]. Von dem französischen Dichter **Jean de La Fontaine** (* 1621, † 1695) erschienen zwischen 1668 und 1694 240 →Fabeln, mit denen er seinen Ruf als einer der größten Künstler des französischen Verses begründete. Als Grundlage benutzte er antike Fabeldichtungen, z. B. von →Äsop. Stand früher oft der belehrende Zweck im Vordergrund, so geht es La Fontaine um eine Darstellung des erbarmungslosen Lebenskampfes. Seine Erzählweise ist jedoch stets heiter und anmutig. La Fontaines Fabeln regen die Phantasie ebenso an wie die Nachdenklichkeit, deshalb sind sie bei Kindern wie bei Erwachsenen beliebt.

Lagenschwimmen, Einzelwettkämpfe in 4 Schwimmstilen, als olympische Disziplin über 200 und 400 m. Hintereinander sind jeweils 50 m (100 m bei der 400-m-Strecke) in den Schwimmarten Schmetterling, Rücken, Brust und Kraul zurückzulegen. Seit 1960 ist die 4 × 100-m-Lagenstaffel (je 100 m Rücken, Brust, Schmetterling, Kraul) olympischer Wettbewerb.

Lagerlöf. Weltweit bekannt ist die schwedische Schriftstellerin **Selma Lagerlöf** (* 1858, † 1940) als Autorin des Kinderbuches ›Wunderbare Reise des kleinen Nils Holgersson mit den Wildgänsen‹ (1906/07). Darin bringt Selma Lagerlöf, die viele Jahre Lehrerin war, Kindern ihre

Labyrinth 1): Münze von Knossos auf Kreta (Originalgröße 24 mm ∅)

Selma Lagerlöf

schwedische Heimat nahe. Auch in ihren Erzählungen griff die Schriftstellerin heimatliche Themen auf und verarbeitete Stoffe aus der Vergangenheit, nordische Sagen und Legenden. Ihr Erstlingswerk ›Gösta Berling‹ (1891) verbindet das Schicksal eines jungen Pfarrers mit Erzählungen und Sagen aus Värmland (Mittelschweden). Alle Werke Selma Lagerlöfs belegen ihre Liebe zur Tradition und ihren Glauben an die Macht des Guten. 1909 erhielt sie den Nobelpreis für Literatur.

Lago Maggiore [-maddschohre], der zweitgrößte der oberitalienischen Seen. Er hat 212 km² Fläche, ist 65 km lang und 2–4,5 km breit. Seine größte Tiefe beträgt 372 m. In den Tessiner Alpen gelegen, gehört ⅕ des Lago Maggiore zum schweizerischen Kanton Tessin, ⅘ zu Italien. Die reizvolle Landschaft und das milde Klima führten zur Entwicklung eines lebhaften Fremdenverkehrs an den dichtbesiedelten Ufern. Die Hauptorte sind Locarno und Ascona in der Schweiz sowie Verbania, Stresa und Arona in Italien.

Lagos, 4,1 Millionen Einwohner, Stadt in Nigeria, liegt am Golf von Benin. Im 18. Jahrh. war Lagos ein Ausfuhrhafen für Sklaven, heute ist er der wichtigste Hafen des Landes für den regen Außenhandel.

Lagune [zu lateinisch lacuna ›Weiher‹], ein durch Sandablagerungen (Nehrungen) abgetrennter seichter Meeresteil an Flachküsten. Als Lagune bezeichnet man auch die von Korallenriffen geschützte Wasserfläche im Innern eines Atolls.

Lähmung, Minderung oder völliges Unvermögen, einzelne Muskeln oder ganze Muskelgruppen anzuspannen und zu bewegen. Ursache der Lähmung ist die Schädigung eines Nervs oder einer Schaltstelle im Rückenmark **(periphere Lähmung)** oder eines Zentrums im Gehirn **(zentrale Lähmung).** Periphere Lähmungen betreffen meist ein Gliedmaß (Arm, Fuß), das dann schlaff herabhängt **(schlaffe Lähmung)** und häufig empfindungslos ist. Die zentrale Lähmung ist meist **spastisch.** Dabei ist die Grundspannung der Muskeln erhöht, was sich bei Bewegungen (für den Betroffenen unkontrollierbar) noch verstärkt. Die gelähmten Gliedmaßen sind bedingt gebrauchsfähig. Die zentrale Lähmung zeigt sich meist als Lähmung einer Körperhälfte. Künstlich kann eine Lähmung durch die Anwendung von Betäubungsmitteln zur →Anästhesie oder während der →Narkose herbeigeführt werden.

Lahore [lehor, englisch], 2,17 Millionen Einwohner, mit Vororten 3,15 Millionen, zweitgrößte Stadt Pakistans und Hauptstadt der Provinz Pandschab, nahe der Grenze zu Indien. 1799 wurde Lahore Hauptstadt des Sikh-Reiches und war seit 1849 unter britischer Verwaltung.

Laich, meist in Haufen oder Schnüren, manchmal einzeln im Wasser abgelegte Eier, z. B. bei Schnecken, Insekten, Fischen und Lurchen. Sie werden im Wasser von Männchen besamt. Ein einzelnes Ei nennt man **Laichkorn.** Aus dem Laich der Fische entwickeln sich die Fischlarven, aus dem Laich der Lurche die Kaulquappen.

Lakritze, eingedickter Saft der Wurzel des **Süßholzstrauches,** der in Südeuropa und Asien wächst. Der Saft wird mit Zucker, Mehl, Stärkesirup und Gelatine vermischt. Diese Mischung wird zu Stangen, Bändern oder Figuren geformt. Lakritze gilt als altes Hausmittel gegen Magenbeschwerden.

Lamaismus, eine Form des Buddhismus (→Buddha), die sich seit dem 7. Jahrh. besonders in Tibet und Nepal entwickelt hat. An der Spitze dieser Religion steht der als göttlich verehrte →Dalai Lama. Eine strenge hierarchische Ordnung weist den Priestern (Lamas) und Mönchen die geistliche Führung zu. Sie übernahmen in Tibet vom 14. Jahrh. an auch die weltliche Herrschaft, die erst 1959 durch die Volksrepublik China beendet wurde.

Der Lamaismus ist geprägt von einem weitverbreiteten Dämonen- und Zauberglauben und von einer reichen kultischen Verehrung der zahlreichen Götter.

Lamas, höckerlose →Kamele.

Lamm, das junge →Schaf.

Landesverrat, →Hoch- und Landesverrat.

Landgraf, seit dem 12. Jahrh. ein deutscher Fürstentitel. Ursprünglich standen die Landgrafen einem Bezirk vor, in dem sie den öffentlichen Frieden, den ›Landfrieden‹, sichern sollten. Seit dem 13. Jahrh. waren sie Landesherren. Im 19. Jahrh. trug nur noch der Landgraf von Hessen-Homburg diesen Titel.

Landkarte, verkleinerte zeichnerische Darstellung eines Ausschnittes der Erdoberfläche. Zur Herstellung einer Landkarte sind Beobachtungen im Gelände und Erdvermessungen notwendig. Neuerdings werden auch Luftbilder ausgewertet, vor allem zur Kartierung von schwer zugänglichen Gebieten wie im Urwald oder in Hochgebirgen. Die Ergebnisse werden in ein **Kartennetz** (Projektion des →Gradnetzes der Erdkugel in die Zeichenebene) eingetragen, die Lage von Siedlungen, Wegen, Bahnen, Grenzen usw. ebenso wie Wälder, Wiesen, Ödland. Für Dinge, die so klein sind, daß man sie nicht mehr maßstabsgetreu abbilden kann, werden Symbole eingesetzt, die in einer →Legende erklärt werden. Farben und Höhenlinien dienen der Wiedergabe der Höhenlage. Auf jeder Landkarte ist ein **Maßstab** angegeben, der das Maßverhältnis von Strecken auf einer Karte zu der wirklichen Länge in der Natur wiedergibt. Der Maßstab 1 : 100 000 bedeutet, daß 1 cm auf der Karte 100 000 cm (= 1 km) in der Natur entspricht. Der Maßstab 1 : 50 000 ist größer (nicht kleiner) als im vorherigen Beispiel. Nach dem Maßstab unterscheidet man **topographische Grundkarten** (1 : 5 000), **topographische Karten** (1 : 25 000 bis 1 : 100 000), **topographische Übersichtskarten** (1 : 200 000, 1 : 500 000) und **geographische Karten** (ab 1 : 1 000 000), ferner **Seekarten. Thematische Karten** (mit beliebigem Maßstab) enthalten Aussagen über bestimmte Themenbereiche wie Geologie, Klima, Wirtschaft.

Landtag, in der Bundesrepublik Deutschland die Volksvertretungen der Länder. In Bremen und Hamburg nennt man sie Bürgerschaft, in Berlin (West) Abgeordnetenhaus. Die Landtagsabgeordneten werden in allgemeinen, unmittelbaren, freien, gleichen und geheimen Wahlen gewählt. Die Landtage haben das Recht der Landesgesetzgebung, sie wählen und kontrollieren die Landesregierung.

Im Deutschen Reich vor 1806 hieß die Versammlung der Landstände (die nach Ständen gegliederte Vertretung des Landes gegenüber dem Landesherrn) Landtag. Im 19. Jahrh. trugen die in den konstitutionellen Staaten gebildeten Kammern diesen Namen.

In Österreich sind die Landtage die Volksvertretungen der Bundesländer.

Landwirtschaftliche Produktionsgenossenschaften, Abkürzung **LPG,** zunächst freiwillige, dann erzwungene Zusammenschlüsse von kleinen bäuerlichen Privatbetrieben in der Deutschen Demokratischen Republik, wobei landwirtschaftliche Flächen, Wirtschaftsgebäude, Vieh und Maschinen Eigentum der Genossenschaft waren. Nach der Wiedervereinigung wurden sie aufgelöst.

Länge. 1) Die **geographische Länge** gibt die Entfernung eines Ortes vom Nullmeridian an. Sie wird in **Längengraden** von 0° bis 180° ausgedrückt und östlich des Nullmeridians als **östliche Länge** (ö. L.), westlich davon als **westliche Länge** (w. L.) bezeichnet. Orte gleicher geographischer Länge liegen auf einem →Meridian.

2) Geometrie: Die Bestimmung der Länge einer geradlinigen Strecke geschieht durch einen Vergleich mit einer **Längeneinheit** (BILD 1). Die Basiseinheit der Länge ist das Meter; als Kurzzeichen (Einheitenzeichen) für Meter verwendet man den Buchstaben m. Für kleinere Längen werden auch häufig die Einheiten 1 dm, 1 cm oder 1 mm benutzt. Für größere Längen benutzt man die Einheit 1 km (→Einheiten). Zum Vergleichen (Messen) von Längen benutzt man das Lineal, das Bandmaß, den Meßschieber oder die Meßschraube. Die Länge einer Kurve wird näherungsweise wie folgt bestimmt: Man wählt auf der Kurve eine Anzahl von verschiedenen Punkten und verbindet diese geradlinig. Die Summe der Längen all dieser geradlinigen Streckenteile ergibt einen Näherungswert für die Länge der Kurve. Der Näherungswert kommt der tatsächlichen Kurvenlänge desto näher, je kleiner man die Abstände zweier benachbarter Punkte wählt. Dies erreicht man dadurch, daß man die Anzahl der Punkte erhöht (BILDER 2 und 3).

Längenkreise, gedachte Linien, die durch die beiden Pole der Erde gehen. Ein Längenkreis setzt sich aus 2 gegenüberliegenden →Meridianen zusammen. (BILD Gradnetz)

Langlauf, Disziplin des Nordischen Skisports, bei der in Einzel- oder Staffelwettkämpfen allein die gelaufene Zeit über die Plazierung entscheidet. Herren tragen Einzelrennen über 15, 30 und 50 km sowie Staffelwettkämpfe über 4 × 10 km aus. Damen bestreiten Rennen über 5, 10 und 20 km sowie eine 4 × 5-km-Staffel. Daneben ist Langlauf ein Teilwettbewerb der Nordischen Kombination sowie Teil des Biathlon. Der Langlauf für Herren ist seit 1924, für Damen seit 1952 olympische Disziplin.

Langobarden, germanischer Stamm, der um Christi Geburt an der unteren Elbe siedelte. Seit dem 2. Jahrh. begannen die Langobarden, wie viele andere germanische Stämme nach Süden zu wandern. Unter ihrem König Alboin besetzten sie 568 die Po-Ebene (Lombardei) und große Teile Mittelitaliens (Spoleto, Benevent). Das Langobardenreich in Italien (Hauptstadt: Pavia) wurde 773 von Karl dem Großen unterworfen und Teil des →Fränkischen Reiches.

Langstreckenlauf, Sammelbezeichnung für alle Laufwettbewerbe ab 5 000 m für Herren und ab 3 000 m für Damen bis hin zum Marathonlauf. Auch Mehrstundenrennen werden zum Langstreckenlauf gerechnet. Der 5 000 m- und der 10 000 m-Lauf sowie der Marathonlauf gehören zum olympischen Programm.

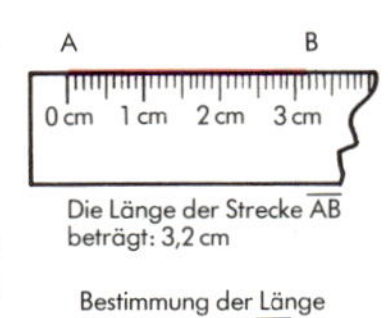

1 Bestimmung der Länge einer Strecke $\overline{AB}$

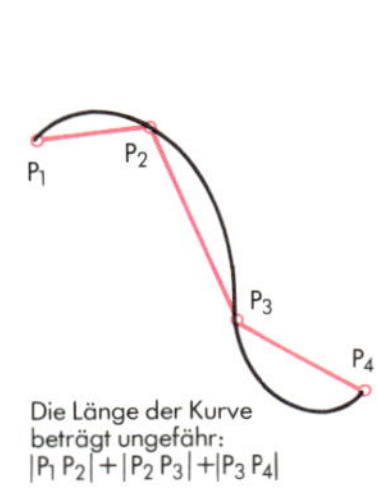

2

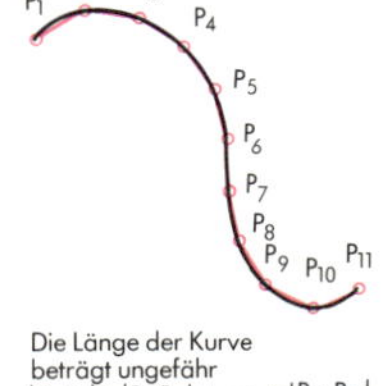

3 Bestimmung der Länge einer Kurve

Länge 2)

Laos

Staatswappen

Staatsflagge

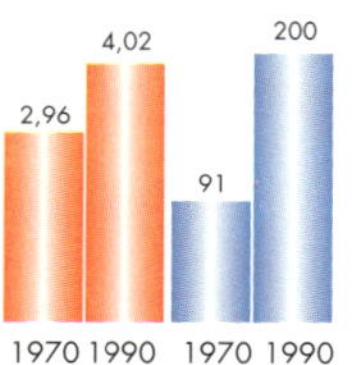

1970 1990 1970 1990

Bevölkerung (in Mill.) Bruttosozialprodukt je E (in US-$)

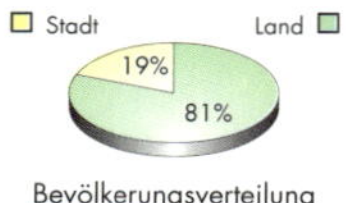

Bevölkerungsverteilung 1990

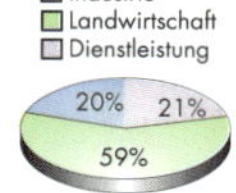

Bruttoinlandsprodukt 1988

Languste n, große, langgestreckte →Krebse mit dickem, langem Schwanz. Im Unterschied zum →Hummer hat ihr erstes Beinpaar keine Scheren, aber Greifhaken. Das erste Fühlerpaar ist sehr lang (bis 25 cm) und kräftig. Die an den Felsenküsten des Mittelmeers und östlichen Atlantiks heimische Languste wird bis 50 cm lang und bis zu 8 kg schwer. Sie ernährt sich von Schnecken, Muscheln und Aas. Wie der Hummer gilt sie als Delikatesse.

Langwellen, elektromagnetische Wellen mit großen Wellenlängen. Sie liegen etwa zwischen 1 und 10 km, das entspricht einer Frequenz von 300 bis 30 kHz (Kilohertz). Langwellen können über mehr als tausend Kilometer gesendet werden. Man verwendet sie im Rundfunk und im Seeverkehr. Hindernisse im Gelände, z. B. Häuser oder Berge, wirken sich kaum auf die Ausbreitung der Langwellen aus.

Lanthan [von griechisch lanthanein ›versteckt sein‹], Zeichen **La,** →chemische Elemente, ÜBERSICHT.

Lanzarote, die nordöstlichste der →Kanarischen Inseln; sie weist zahlreiche Vulkane auf, die teilweise im 19. Jahrh. noch tätig waren. Die Insel ist 795 km² groß, das Bergland bis 684 m hoch. Die etwa 42 000 Einwohner leben vom Fischfang und Weinbau. Zunehmende Bedeutung hat der Fremdenverkehr.

Laokoon, nach der Sage der trojanische Priester des Apoll, der im Trojanischen Krieg seine Landsleute vor dem hölzernen Pferd der Griechen warnte; bald darauf wurden er und seine 2 Söhne bei der Darbringung des Opfers von 2 Schlangen erwürgt. Die bedeutendste Darstellung der Todesszene ist die Marmorgruppe von 3 Bildhauern aus Rhodos (1. Jahrh. v. Chr.), die 1506 in Rom aufgefunden wurde und heute in den Vatikanischen Museen steht. Sie war von großer Wirkung auf viele Künstler seit der Renaissance (Michelangelo, Bernini) und die Kunstbetrachtung vor allem des 18. Jahrh. (Winckelmann, Lessing).

Laos, Volksrepublik in Südostasien, fast dreimal so groß wie Österreich. Laos ist ein langgestrecktes, gebirgiges Binnenland zwischen Vietnam und Thailand, das zum großen Teil von tropischen Regenwäldern bedeckt ist. Im Westen durchfließt der Mekong fruchtbare Ebenen, in denen vor allem Reis angebaut wird. Das Klima ist tropisch, der Monsun bringt im Sommer reichlich Niederschläge.

Die meist buddhistischen Laoten leben hauptsächlich in den Ebenen des Mekong, an dem

Laos

Fläche: 236 800 km²
Bevölkerung: 4,02 Mill. E
Hauptstadt: Vientiane
Amtssprache: Laotisch
Nationalfeiertag: 2. Dez.
Währung: 1 Kip = 100 At
Zeitzone: MEZ +6 Stunden

auch die Hauptstadt Vientiane und andere größere laotische Städte wie die alte Königsstadt Luang Prabang liegen. Wichtigster Wirtschaftszweig ist die Landwirtschaft, die aber den Eigenbedarf nicht decken kann.

Geschichte. Bis 1975 war Laos ein Königreich, dessen Geschichte bis ins 14. Jahrh. zurückreicht. 1893–1953 stand es unter französischer Herrschaft. In den Jahren danach, vor allem zwischen 1963 und 1970, kam es zum Bürgerkrieg, den sowohl die Ost- wie die Westmächte durch Waffenlieferungen zu beeinflussen suchten. Nach dem Ende des →Vietnamkriegs setzte die ›Pathet Lao‹, eine kommunistische Kampforganisation, die Umwandlung des Staates in eine Volksdemokratie durch. (KARTE Seite 195)

Lao-tse [chinesisch ›der alte Meister‹], sagenumwobener chinesischer Philosoph, der zwischen 400 und 300 v. Chr. gelebt haben soll. Der Legende nach kam er mit weißen Haaren zur Welt und konnte schon von Anfang an sprechen. Weiter wird erzählt, daß Lao-tse nicht starb, sondern über die Berge fortzog, wobei er dem Grenzwächter aber noch ein Buch zurückließ – das ›Tao-te-king‹. Es enthält eine Sammlung von Weisheitssprüchen. Nach Lao-tse ist das **Tao** das allen Dingen, Himmel und Erde zugrunde liegende Prinzip. Der Weise müsse sich von allem weltlichen Wirken fernhalten und seine geistige Kraft auf die Versenkung ins Tao ausrichten.

La Paz [lapas], 1 Million Einwohner, Stadt in Bolivien. La Paz, die höchstgelegene Großstadt der Erde, liegt 3 600–4 000 m über dem Meeresspiegel in einem vegetationsarmen Talkessel zwischen dem Altiplano und den schneebedeckten Berggipfeln der Cordillera Real. La Paz ist Sitz der Regierung und Handelszentrum des Landes. Verfassungsmäßige Hauptstadt ist Sucre.

Lapislazuli [mittellateinisch ›Blaustein‹], ein tiefblaues, sehr feinkörniges, undurchsichtiges Mineral, das oft mit weißen (Kalkspat) und goldenen (Pyrit) Flecken durchsetzt ist. Lapislazuli ist heute ein beliebter Schmuckstein; er wurde im Mittelalter zur sehr wertvollen Malerfarbe Ultramarin verarbeitet.

La Plata, Rio de la Plata, der gemeinsame Mündungstrichter der Flüsse Paraná und Uruguay an der Ostküste Südamerikas. Die 300 km lange und 50 bis 200 km breite Mündung ist wegen der starken Ablagerung von Sinkstoffen sehr seicht und kann deshalb nur durch den Einsatz von Baggern für die Seeschiffahrt offen gehalten werden. Die bedeutendsten Häfen sind Buenos Aires, La Plata und Montevideo. Im 16. Jahrh. hofften spanische Seefahrer, auf diesem Fluß das Silberland Peru zu erreichen und nannten ihn deshalb Rio de la Plata (spanisch ›Silberstrom‹).

Lappland, nördlichste Landschaft Skandinaviens. Politisch gehört Lappland zu Norwegen, Schweden, Finnland und Rußland (Halbinsel Kola).

Die Bevölkerung dieses Gebiets sind die **Lappen,** ein Volk, das sich selbst als **Samen** (auch **Sameh** oder **Samek**) bezeichnet und etwa 30 000 bis 40 000 Menschen umfaßt. Der größte Teil von ihnen wohnt in Nordnorwegen. Früher lebten sie vor allem in Mittelfinnland, wichen jedoch vor Russen und Finnen in ihren heutigen Lebensraum aus.

Das Innere Lapplands besteht größtenteils aus weiten, unbesiedelten Hochflächen. Zwergsträucher, Moose, Gräser und Flechten bilden die Pflanzenwelt der hier weit verbreiteten Tundra. Vom Skandinavischen Gebirge im Westen senkt sich Lappland nach Osten hin zu einer niedrigen Wald- und Sumpflandschaft. Hier ist die Holzwirtschaft der bedeutendste Wirtschaftszweig. Daneben bilden riesige Rentierherden die Lebensgrundlage der Bevölkerung. Früher zogen die Lappen als Nomaden von Weideplatz zu Weideplatz. Heute folgen sie ihren Herden mit Motorschlitten und Raupenfahrzeugen; sie haben einen festen Wohnsitz und betreiben vielfach außerdem Ackerbau, Fischfang und Viehzucht (Halbnomaden). Andere sind nur als Bauern, Fischer und Seeleute tätig. Jedoch sind viele Lappen in den Eisenerzbergwerken von Kiruna oder bei der Lapplandbahn, die Kiruna mit den Erzhäfen Narvik und Luleå verbindet, beschäftigt und haben damit ihre traditionelle Lebensweise aufgegeben.

Lärchen sind die einzigen in Deutschland heimischen Nadelbäume, die im Herbst ihre Nadeln abwerfen. In kahlem Zustand erkennt man sie an den knotenförmigen Kurztrieben auf ihren Zweigen, aus denen im Frühjahr ganze Büschel weicher, leuchtend grüner Nadeln hervorgehen. Die Zapfen sind klein und eiförmig. Lärchen wachsen rasch. Sie haben einen schlanken Stamm, werden bis 50 m hoch und fast 1 000 Jahre alt. Die **Europäische Lärche,** eigentlich ein Gebirgsbaum, wird heute auch in tieferen Lagen angepflanzt. Das dauerhafte Holz wird als Möbel- und Bauholz sowie zum Innenausbau verwendet.

largo [italienisch ›breit‹], musikalische Tempobezeichnung: langsam, ähnlich wie adagio, aber etwas breiter, gewichtiger. Das **Largo** ist ein musikalischer Satz in diesem Tempo, z. B. in einer Sonate oder Sinfonie.

Lärm, lauter Schall, der lästig, störend oder gar schmerzhaft auf den Menschen einwirkt. Lärm kann, vor allem wenn er längere Zeit anhält, gesundheitsschädlich sein und Schwerhörigkeit, erhöhten Blutdruck und seelische Schädigungen zur Folge haben; man spricht von **›Lärmkrankheiten‹.**

LÄRMSTÄRKETABELLE

30 dB (A)	nächtlicher Grenzwert in Wohnungen, entspricht Kühlschrankbrummen
50 dB (A)	Straßenverkehrslärm in 30 m Abstand hinter geschlossenen Fenstern
70 dB (A)	mechanische Schreibmaschine in 1 m Abstand
90 dB (A)	schwerer Lkw in 5 m Abstand
120 dB (A)	Schmerzgrenze

Lärmschutz ist Teil des Umweltschutzes. Um Lärmkrankheiten zu vermeiden, muß Lärm möglichst am Ort seiner Entstehung gemindert werden, Straßenlärm z. B. durch leisere Motoren. Die Stärke des Lärms wird mit Schallpegelmessern festgestellt, die den Schalldruck messen. Als Maß für die Lautstärke galt früher meist das Phon, das auf dem subjektiven menschlichen Hörempfinden beruht. Heute hat sich das wissenschaftlich eindeutigere Dezibel (Kurzzeichen dB) international durchgesetzt, und zwar meist in einer dem menschlichen Ohr angemessenen Bewertungskurve (A). Deshalb liest man hinter dem Zahlenwert der Lärmstärke fast stets die Angabe dB(A).

Larve [lateinisch ›Maske‹], die Jugendform vieler Tiere, die sich in Körperbau und Lebensweise wesentlich vom erwachsenen Tier unterscheidet. Larven können sich meist frei bewegen und selbst ernähren. Sie durchlaufen eine Entwicklung (›Metamorphose‹), bei der sich das Tier weitgehend verändert. So entwickelt sich z. B. die Kaulquappe zum Frosch, die Raupe zum Schmetterling. (BILDER Seite 192)

Laser [lehser], Abkürzung für **l**ight **a**mplification by **s**timulated **e**mission of **r**adiation (englisch

Lapislazuli (geschliffen)

Lapislazuli: Kristall auf Kalkstein (Badaghschan, Afghanistan)

Lärchen: OBEN Zweig mit weiblichem Blütenstand (rot) und männlichen Blütenständen (gelb); UNTEN Zweig mit Zapfen

Larve: LINKS Schmetterlingslarve (Raupe); MITTE Maikäferlarve (Engerling); RECHTS Larve des Kamm-Molchs

›Lichtverstärkung durch erzwungene Emission von Strahlen). 1960 gelang es dem amerikanischen Physiker Theodore Harold Maiman, mit dem Laser eine Lichtquelle zu konstruieren, die die Lichtenergie in Form eines engen Parallellichtbündels abstrahlt; das ausgesandte Lichtbündel ist dabei besonders energiereich. – Es gibt verschiedene Lasertypen: den Gaslaser, den Flüssigkeitslaser und den Festkörperlaser. Am Beispiel des Festkörperlasers (Rubinlaser) soll hier der Funktionsmechanismus erklärt werden.

Der Laser besteht aus dem zylindrischen Rubinkristall, der von einer wendelförmigen Blitzlampe umgeben ist; diese steckt in einer innen verspiegelten Röhre. Das Licht der Blitzlampe erzeugt im Rubinkristall angeregte Atome. Diese Atome strahlen Laserlicht ab, das an der halbverspiegelten Endfläche des Kristalls teilweise austritt. Ein Teil des Lichtes wird reflektiert und im Kristall wieder verstärkt. So entsteht ein energiereicher Lichtstrahl einer Wellenlänge, das heißt, ein einfarbiger Lichtstrahl tritt scharf gebündelt aus.

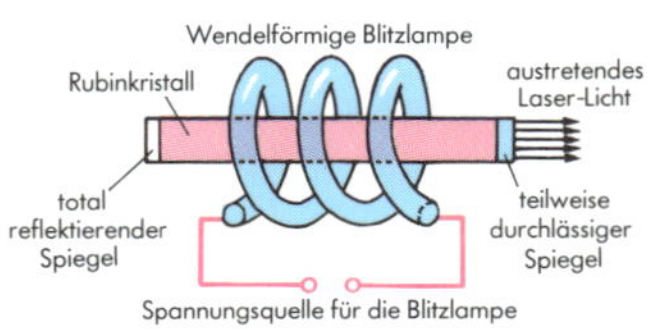

Laser: Schema eines Rubinlasers

Wichtige Anwendungsgebiete findet die Lasertechnik in der Industrie, der Medizintechnik und in der Nachrichtentechnik. Das Schneiden und Zerteilen von Stein-, Keramik- und Holzplatten, aber auch das Schweißen von Stahlplatten ist mit dem Laser möglich. In der Medizin werden Laserstrahlen als ›chirurgische Messer‹ verwendet; sich ablösende Teile der Netzhaut können mit dem Laserstrahl wieder ›angeschweißt‹ werden. – Die Nachrichtentechnik nutzt die physikalischen Eigenschaften des Laserstrahls zur Informationsübermittlung aus. Wegen seiner hohen Energieabstrahlung ist beim Umgang mit Laserlicht größte Vorsicht geboten. Keinesfalls darf Laserlicht direkt oder über spiegelnde Gegenstände ins Auge fallen.

Latein war die Stammessprache der Latiner, die von den Römern übernommen wurde. Sie war die Verwaltungssprache im gesamten Römischen Reich. Nach und nach wurden in den von den Römern beherrschten Gebieten die ursprünglichen Sprachen verdrängt. In Ländern wie Italien, Spanien, Portugal, Frankreich, Rumänien haben sich aus dem Latein neue Sprachen entwickelt, die heute als romanische Sprachen bezeichnet werden. Da Rom auch nach dem Ende des Römischen Reiches Zentrum des Christentums blieb und von hier die Christianisierung ausging, blieb Latein auch im Mittelalter und weit darüber hinaus die Sprache der Kirche und die Sprache von Bildung und Wissenschaft. Sehr viele wissenschaftliche Bezeichnungen z. B. der Medizin, Biologie, Chemie und Astronomie entstammen daher der lateinischen Sprache.

Lateinamerika, zusammenfassende Bezeichnung für die Länder Mittel- und Südamerikas (→Amerika), in denen eine auf das Lateinische zurückgehende romanische Sprache (Spanisch, Portugiesisch) gesprochen wird. Da das Gebiet hauptsächlich von den Völkern der Iberischen Halbinsel (Spanier, Portugiesen) kolonisiert wurde, bezeichnet man es auch als **Iberoamerika.**

Latènezeit [latän-], jüngerer Hauptabschnitt der mitteleuropäischen →Eisenzeit (400 v. Chr. bis Christi Geburt). Die Kultur dieser auf die Hallstattzeit folgenden Epoche wurde von den Kelten getragen. Überreste aus dieser Zeit sind besonders Bergwerke, die man mit einer erstaunlichen Technik betrieb. Vor allem in Grabanlagen sind Schmucksachen, Waffen und Werkzeuge mit kunstvollen Verzierungen erhalten geblieben. Benannt wurde diese Epoche nach der Fundstätte La Tène, einer Untiefe am Nordende des Neuenburger Sees (Schweiz).

Nordpolarmeer
Atlantischer Ozean
Pazifischer Ozean
Indischer Ozean
Antarktika
Maßstab am Äquator etwa 1:190 Mio.
Städte über 1 Mill. Einwohner
Afrika
30,3 Mio. km² groß
648 Mio. Einwohner
Bevölkerungsdichte:
21 Einw. je km²
Höchste Erhebung:
Kilimandscharo 5895 m
Asien
44,4 Mio. km² groß
3184 Mio. Einwohner
Bevölkerungsdichte:
72 Einw. je km²
Höchste Erhebung:
Mount Everest 8872 m
Australien u. Ozeanien
8,5 Mio. km² groß
26,0 Mio. Einwohner
Bevölkerungsdichte:
3 Einw. je km²
Höchste Erhebung in Austr.:
Mt. Kosciusko 2230 m
Europa
10,5 Mio. km² groß
710 Mio. Einwohner
Bevölkerungsdichte:
67 Einw. je km²
Höchste Erhebung:
Montblanc 4807 m
Nord- u. Mittelamerika
24,2 Mio. km² groß
427 Mio. Einwohner
Bevölkerungsdichte:
18 Einw. je km²
Höchste Erhebung:
Mt. McKinley 6198 m
Südamerika
17,8 Mio. km² groß
279 Mio. Einwohner
Bevölkerungsdichte:
17 Einw. je km²
Höchste Erhebung:
Aconcagua 6960 m

AFRIKA

ATLANTISCHER
OZEAN
Golf von Biscaya
Azoren
São Miguel (port.)
Madeira (port.)
Funchal
Kanarische Inseln (span.)
Sta. Cruz de Tenerife
Las Palmas
Belfast
IRLAND
Dublin
GROSS-BRITANNIEN
LONDON
Nordsee
Ostsee
Ärmelkanal
DÄNEMARK
SCHWEDEN
KOPENHAGEN
HAMBURG
NIEDER-LANDE
AMSTERD.
Brüssel
BELG.
LUX.
Hannover
BERLIN
KÖLN
Bonn
BUNDESREP. DTL.
PRAG
TSCH. R.
SLOW. R.
WIEN
BUDAPEST
MÜNCHEN
Bern
SCHWEIZ
ÖSTERREICH
UNGARN
PARIS
Nantes
FRANKREICH
Lyon
Bordeaux
Marseille
MAILAND
Triest
SLOW.
KROAT.
Genua
Korsika
Sardinien
ITALIEN
ROM
NEAPEL
Bari
Adriat. Meer
Palermo
Catania
Sizilien
MALTA
Belgrad
B.-H.
JUGOSL.
SOFIA
BULGARIEN
RUMÄNIEN
BUKAREST
Konstanza
MAK.
Saloniki
GRIECHEN-LAND
ATHEN
Kreta
LIT.
Kaunas
Wilna
WEISS-RUSS-LAND
MINSK
Gomel
RUSS.
WARSCHAU
POLEN
Krakau
MOSKAU
Smolensk
Tula
Pensa
KASAN
Ischewsk
SAMARA
UFA
TSCHELJABINSK
Magnitogorsk
Petropawlowsk
Ischim
RUSSLAND
Woronesch
Saratow
Uralsk
Orenburg
Orsk
Aktjubinsk
Turgaj
KASACHSTAN
Baikonur
Gurjew
Aralsk
Aralsee
Ksyl-Orda
Syr-Darja
KIEW
CHARKOW
Poltawa
UKRAINE
Dnjepr
Wolga
DNJEPROPETROWSK
DONEZK
WOLGOGRAD
Ural
Jassy
MOLD.
Chişinău
ODESSA
ROSTOW AM DON
Astrachan
Krim
Krasnodar
Sewastopol
Schwarzes Meer
Kaukasus
Grosnyj
Wladikawkas
GEORG.
Batumi
TIFLIS
ARMEN.
JEREWAN
BAKU
ASERB.
Kasp. Meer
Krasnowodsk
TURKMENISTAN
Aschchabad
USBEKISTAN
Nukus
Chiwa
Amu-Darja
ISTANBUL
Trabzon
Samsun
ANKARA
Erzurum
TÜRKEI
IZMIR
ADANA
Urmia
Täbris
Ardebil
Gorgan
Rescht
TEHERAN
MESCHHED
Hamadan
Kum (Qom)
Birgand
ISFAHAN
IRAN
Jesd
Kerman
Schiras
Buschehr
Bandar Abbas
Nikosia
ZYPERN
BEIRUT
LIBANON
ALEPPO
SYRIEN
DAMASKUS
Mosul
Kirkuk
BAGDAD
Bachtaran
Kerbela
IRAK
Euphrat
Tigris
BASRA
Abadan
KUWAIT
Kuwait
Jerusalem
ISRAEL
Amman
JORDANIEN
Port Said
KAIRO
Suez
ALEXANDRIA
GISEH
Wüste
Nefud
SAUDI-ARABIEN
BAHRAIN
Manama
Hofuf
KATAR
Doha
Abu Dhabi
VEREIN. ARAB. EMIRATE
RIAD
OMAN
Dubai
Sohar
Medina
DJIDDA
Mekka
Taif
Rub al-Chali
JEMEN
Sana
Taizo
Aden
Golf v. Aden
Salala
Kischn
Mukalla
Kap Guardafui
Sokotra (jem.)
Str. v. Gibraltar
Gibraltar (br.)
Tanger
LISSABON
PORTUGAL
Porto
La Coruña
MADRID
SPANIEN
Saragossa
AND.
BARCELONA
Balearen
Murcia
Sevilla
Mittelmeer
Oran
ALGIER
Annaba
Tell-Atlas
Constantine
Tlemcen
Tunis
TUNESIEN
Sfax
Gafsa
Gabès
Tripolis
Bengasi
El-Beida
Tobruk
RABAT-SALÉ
Fès
CASABLANCA
Meknès
MAROKKO
Atlas
Sahara-Atlas
Hoher Atlas
MARRAKESCH
Toubkal
4165
2235
Touggourt
Béchar
Hassi Messaoud
Beni Abbès
Sidi Ifni
Gadames
ALGERIEN
Tindouf
In Salah
Reggane
El-Aaiún
Westsahara
(von Marokko besetzt)
Dakhla
LIBYEN
Mursuk
Gat
Audjila
Libysche Wüste
Siwa
Nördlicher Wendekreis
Hoggar 3000
Tamanrasset
El-Djouf
Taoudenni
F'Derik
Nouadhibou
MAURETANIEN
Nouakchott
Sahara
Tibesti 3415
Djado
Aïr 2000
Dj. Üweinat 1892
ÄGYPTEN
Assiut
Nil
Qena
Assuan
Assuan-Staudamm
Nasser-See
Wadi Halfa
Nubische Wüste
Rotes Meer
Hidjas
Port Sudan
Dongola
Atbara
Faya-Largeau
Ennedi 1450
NIGER
Agades
Kidal
Timbuktu
Gao
MALI
St. Louis
SENEGAL
DAKAR
GAMBIA
Banjul
Nema
Kayes
Bamako
Bissau
GUINEA-BISSAU
GUINEA
Kankan
Conakry
Freetown
SIERRA LEONE
LIBERIA
Monrovia
Kap Palmas
CÔTE D'IVOIRE
Yamoussoukro
Bouaké
(ELFENB. K.)
ABIDJAN
BURKINA FASO
Ouagadougou
Niger
Niamey
Zinder
Nguigmi
Tschadsee
TSCHAD
N'Djamena
Sarh
GHANA
Kumasi
ACCRA
Sekondi-Takoradi
Voltasee
TOGO
BENIN
Lome
Pto. Novo
LAGOS
Kano
Zaria
Kaduna
Nguru
Maiduguri
Bauchi
NIGERIA
Abuja
Ogbomosho
Ife
IBADAN
Enugu
Port Harcourt
4070
Ngaoundéré
KAMERUN
DOUALA
Yaoundé
Malabo
ÄQUATORIAL-GUINEA
SÃO TOMÉ E PRÍNCIPE
São Tomé
Golf von Guinea
Pagalu (Ä.-G.)
Äquator
Libreville
Lambaréné
Port-Gentil
GABUN
KONGO
Mayoumba
Brazzaville
Pointe Noire
Cabinda (ANG.)
KINSHASA
Matadi
ZENTRALAFRIKAN. REP.
Bangui
Bambari
Bangassou
Bondo
Buta
Libenge
Kongo (Zaire)
Mbandaka
ZAIRE
Mai-Ndombe-See
Bandundu
Kisangani
Kasai
Kikwit
Kwilu
Kananga
Mbuji-Mayi
Kalemie
Shaba (Katanga)
Kamina
Kolwezi
Dilolo
Likasi
Lubumbashi
SUDAN
Darfur 3088
El-Fascher
Nyala
Kordofan
El-Obeid
Omdurman
KHARTUM
Kassala
Wad Medani
Weißer Nil
Blauer Nil
Malakal
Wau
Bahr el-Djebel
Juba
Sobat
ERITREA
Asmara
Massaua
ÄTHIOPIEN
ADDIS ABEBA
Dire Dawa
Harar
Djimma
Abajasee
Tanasee
4620
DJIBOUTI
Djibouti
Berbera
SOMALIA
Eil
Obbia
Dolo
Bardera
Mogadischu
Kismaju
Turkanasee
Marsabit
KENIA
Kenia 5199
Kisumu
NAIROBI
Lamu
Mombasa
Kilimandscharo 5895
UGANDA
Kampala
Entebbe
Albertsee
Ruwenzori 5109
Rutanzigesee
Victoriasee
Kigali
RUANDA
Kivusee
Bukavu
BURUNDI
Bujumbura
Mwanza
Kigoma
Tabora
Tanga
Tanganjikasee
TANSANIA
Dodoma
DARESSALAM
Sansibar
Mbeya 3175
Mtwara
Rovuma
Kap Delgado
KOMOREN
Moroni
Mayotte (franz.)
Aldabra
SEYCHELLEN
Amiranten
Antsiranana
Tsaratanana 2886
Mahajanga
MADAGASKAR
Toamasina
ANTANANARIVO
Antsirabe
Fianarantsoa
Morondava
2666
Toliara
Taolanaro
Europa-I. (franz.)
Androka
Kanal von Moçambique
Maskarenen
Pt. Louis
MAURITIUS
Réunion (franz.)
Indischer Ozean
LUANDA
Malanje
ANGOLA
Lobito
Benguela
Huambo
Menongue
Namibe
Tombua
Xangongo
Cubango
Sambesi
Maramba (Livingstone)
SAMBIA
Lusaka
Kitwe
Mweru-See
Bangweolo-see
Lilongwe
MALAWI
Malawisee
Cabora-Bassa-Staudamm
Blantyre
Tete
Nampula
Moçambique
Quelimane
Beira
MOÇAMBIQUE
Kariba-damm
Harare
SIMBABWE
Bulawayo
Etoscha-Pfanne
Grootfontein
Otavi
NAMIBIA
Namib
Gobabis
Windhuk
Swakopmund
Walfischbai (südafr.)
Makarikari-Becken
Francistown
Messina
BOTSWANA
Kalahari
Gaborone
Limpopo
Transvaal
Pretoria
Mafikeng
JOHANNESBURG
SWASILAND
MAPUTO
Inhambane
Lüderitz
Keetmanshoop
2202
Kimberley
Oranje-Freistaat
Oranje
Drakensberge
Natal
Pietermaritzburg
Durban
LESOTHO
Bloemfontein
SÜDAFRIKA
Port Nolloth
Kapprovinz
Umtata
East London
Worcester
KAPSTADT
Mossel Bay
Port Elizabeth
Kap d. Guten Hoffnung
Kap Agulhas
Ascension (brit.)
St. Helena (brit.)
Südlicher Wendekreis
ATLANTISCHER OZEAN
Tristan da Cunha (brit.)
Gough -I. (brit.)
INDISCHER OZEAN
Maßstab 1 : 60 000 000

ASIEN

KANADA
GRÖNLAND (dän.)
ATLANTISCHER OZEAN
ISLAND
Reykjavík
Nordpolarmeer
Europäisches Nordmeer
Spitzbergen (norw.)
Barentssee
Karisches Meer
Laptewsee
Ostsibirische See
Beaufortsee
Alaska (USA)
Beringmeer
Ochotskisches Meer
RUSSLAND
SIBIRIEN
NORWEGEN
SCHWEDEN
FINNLAND
KASACHSTAN
MONGOLEI
CHINA
TURKMENISTAN
USBEKISTAN
AFGHANISTAN
IRAN
PAKISTAN
INDIEN
NEPAL
BHUT.
BANGLA DESH
MYANMAR (BIRMA)
THAILAND
KAMBODSCHA
VIETNAM
KOREA
JAPAN
TAIWAN (Formosa)
PHILIPPINEN
MALAYSIA
INDONESIEN
SRI LANKA (CEYLON)
MALEDIVEN
ARABIEN
OMAN
Arabisches Meer
Golf von Bengalen
Südchinesisches Meer
Ostchinesisches Meer
Japanisches Meer
Gelbes Meer
INDISCHER OZEAN
PAZIFISCHER OZEAN
Tibet
Gobi
Tarimbecken
Äquator
Nördl. Wendekreis
Nördl. Polarkreis
■ BOMBAY Städte über 1 Mio. Einwohner
○ Kabul Städte von 100 000 - 1 Mio. Einwohner
• Baikonur Städte bis 100 000 Einwohner
Grenzen
Maßstab 1:60 000 000

NORDAMERIKA

HAVANNA
KUBA
Cienfuegos
Sta. Clara
Camagüey
Holguín
Santiago
Great Inagua
Long I.
BAHAMAS
Acklins I.
Turks- und Caicos-In. (brit.)
Yucatán-Str.
Yucatán-H.-I.
Mérida
MEXIKO
Caymans-In. (brit.)
JAMAIKA
Kingston
HAITI
PORT-AU-PRINCE
DOMINIK. REP.
STO. DOMINGO
Puerto Rico (USA)
SAN JUAN
Ponce
Jungfern-In. (USA, brit.)
Anguilla (brit.)
St. Martin (franz., ndl.)
Basseterre
ST. CHRISTOPHER u. NEVIS
ANTIGUA u. BARBUDA
St. John's
Guadeloupe (franz.)
Roseau
DOMINICA
Martinique (franz.)
Fort-de-France
Castries
ST. LUCIA
Kingstown
ST. VINCENT
BARBADOS
Bridgetown
St. George's
GRENADA
Tobago
Port of Spain
TRINIDAD u. TOBAGO
Große Antillen
Kleine Antillen
Karibisches Meer
GUATEMALA
BELIZE
Belmopan
Pto. Barrios
HONDURAS
Tegucigalpa
EL SALVADOR
San Salvador
NICARAGUA
Managua
Nicaragua-see
COSTA RICA
San José
PANAMA
Panama
G. v. Panama
Kokos-I. (Costa Rica)
Malpelo-I. (kol.)
Galápagos-In. (ecuad.)
Kap Gallinas
Aruba (ndl.)
Curaçao
Bonaire
Sta. Marta
Barranquilla
Cartagena
Montería
MARACAIBO
S. v. Maracaibo
Barquisimeto
VALENCIA
CARACAS
Maracay
VENEZUELA
Cúcuta
San Cristóbal
San Fernando de Apure
Orinoco
Ciudad Guayana
Ciudad Bolívar
Bergland von Guayana
Bucaramanga
MEDELLÍN
Manizales
Armenia
Ibagué
BOGOTÁ
KOLUMBIEN
Buenaventura
CALI
Neiva
Popayán
Tumaco
Pasto
Mitú
Río Magdalena
GUYANA
Georgetown
New Amsterdam
SURINAM
Paramaribo
Brokopondo
Franz.-Guayana
Kourou
Cayenne
Boa Vista
QUITO
ECUADOR
6267 Chimborazo
Riobamba
GUAYAQUIL
Salinas
Cuenca
Caquetá
Putumayo
Iquitos
K. Pariñas
Piura
Chiclayo
Marañón
Ucayali
Trujillo
Chimbote
Cerro de Pasco
Huacho
La Oroya
Callao
LIMA
Huancayo
Pisco
Cuzco
PERU
Anden
Arequipa
Puno
Moliendo
Arica
Titicacasee
LA PAZ
Cochabamba
Santa Cruz
Oruro
Poopósee
Sucre
Potosí
BOLIVIEN
Iquique
Antofagasta
Cobija
Río Madre de Dios
Mamoré
Uaupes
Río Negro
Río Branco
Barcelos
Japurá
Amazonas
Tefé
Juruá
Purús
Río Madeira
MANAUS
Llanos
Selvas
Óbidos
Santarém
Tapajós
Xingú
Juruena
Macapá
Marajó
Río Pará
BELÉM
Tijoca
São Luís
Parnaíba
FORTALEZA
Fernando de Noronha (bras.)
Kap São Roque
Natal
Sobral
Caxias
Teresina
Tocantins
Mossoró
Juàzeiro do Norte
Campina Grande
João Pessoa
RECIFE
Paulistana
Garanhuns
Juàzeiro
Maceió
Aracajú
Senhor do Bonfim
Feira de Santana
Rio São Francisco
SALVADOR
BRASILIEN
Rio Branco
Pôrto Velho
Guajará Mirim
Brasilianisches Bergland
Hochland von Mato Grosso
Cuiabá
Araguaia
BRASÍLIA
Anápolis
GOIÂNIA
Jequié
Vitória da Conquista
Ilhéus
Itabuna
Montes Claros
Teófilo Otôni
Caravelas
Governador Valadares
Corumbá
Uberaba
BELO HORIZONTE
Vitória
Campos
Pto. Pres. Vargas
Campo Grande
Ribeirão Prêto
Rio Grande
Juiz de Fora
NOVA IGUAÇU
Niteról
RIO DE JANEIRO
Londrina
Baurú
Campinas
SÃO PAULO
Santos
Soracaba
Ponta Grossa
CURITIBA
Paranaguá
Blumenau
Florianópolis
Fuerte Olimpo
PARAGUAY
Concepción
Ponta Porã
Asunción
Itaipu
Villarrica
Pilcomayo
Río Bermejo
Jujuy
Salta
Tucumán
Gran Chaco
Resistencia
Santiago del Estero
Catamarca
La Rioja
Corrientes
Posadas
Uruguay
Paraná
Passo Fundo
Santa Maria
PÔRTO ALEGRE
Pelotas
Rio Grande
URUGUAY
Salto
Paysandú
Mercedes
Concordia
Bagé
San Juan
Córdoba
Sta. Fe
Paraná
Mendoza
Aconcagua 6959
Rosario
Mercedes
S. Rafael
BUENOS AIRES
La Plata
MONTEVIDEO
Río de la Plata
Azul
Tandil
Santa Rosa
Bahía Blanca
Mar del Plata
Tres Arroyos
Colorado
Neuquén
Zapala
Río Negro
Viedma
S.-Matías-G.
Rawson
Esquel
Comodoro Rivadavia
Golf v. S. Jorge
Pto. Deseado
Santa Cruz
Río Gallegos
Magellan-Str.
Punta Arenas
Feuerland
Ushuaia
Staaten-I.
Sta. Inés
Kap Hoorn
Drake-Str.
Falkland-In. (Islas Malvinas) (brit.)
Stanley
Südgeorgien (brit.)
Süd-Sandwich-In. (brit.)
Süd-Orkney-In. (brit.)
ARGENTINIEN
Patagonien
CHILE
Copiapó
La Serena
Coquimbo
Viña del Mar
Valparaíso
SANTIAGO DE CHILE
Talca
Chillán
Talcahuano
Concepción
Temuco
Valdivia
Puerto Montt
Chiloé
Puerto Aysén
H.-I. Taitao
Wellington-I.
San Félix
San Ambrosio (chil.)
Juan-Fernández-In. (chil.)
PAZIFISCHER OZEAN
ATLANTISCHER OZEAN
Nördl. Wendekreis
Äquator
Südl. Wendekreis
BOGOTÁ Städte über 1 Mio. Einwohner
Mérida Städte von 100 000 - 1 Mio. Einwohner
Tumaco Städte bis 100 000 Einwohner
Grenze
Maßstab 1 : 50 000 000

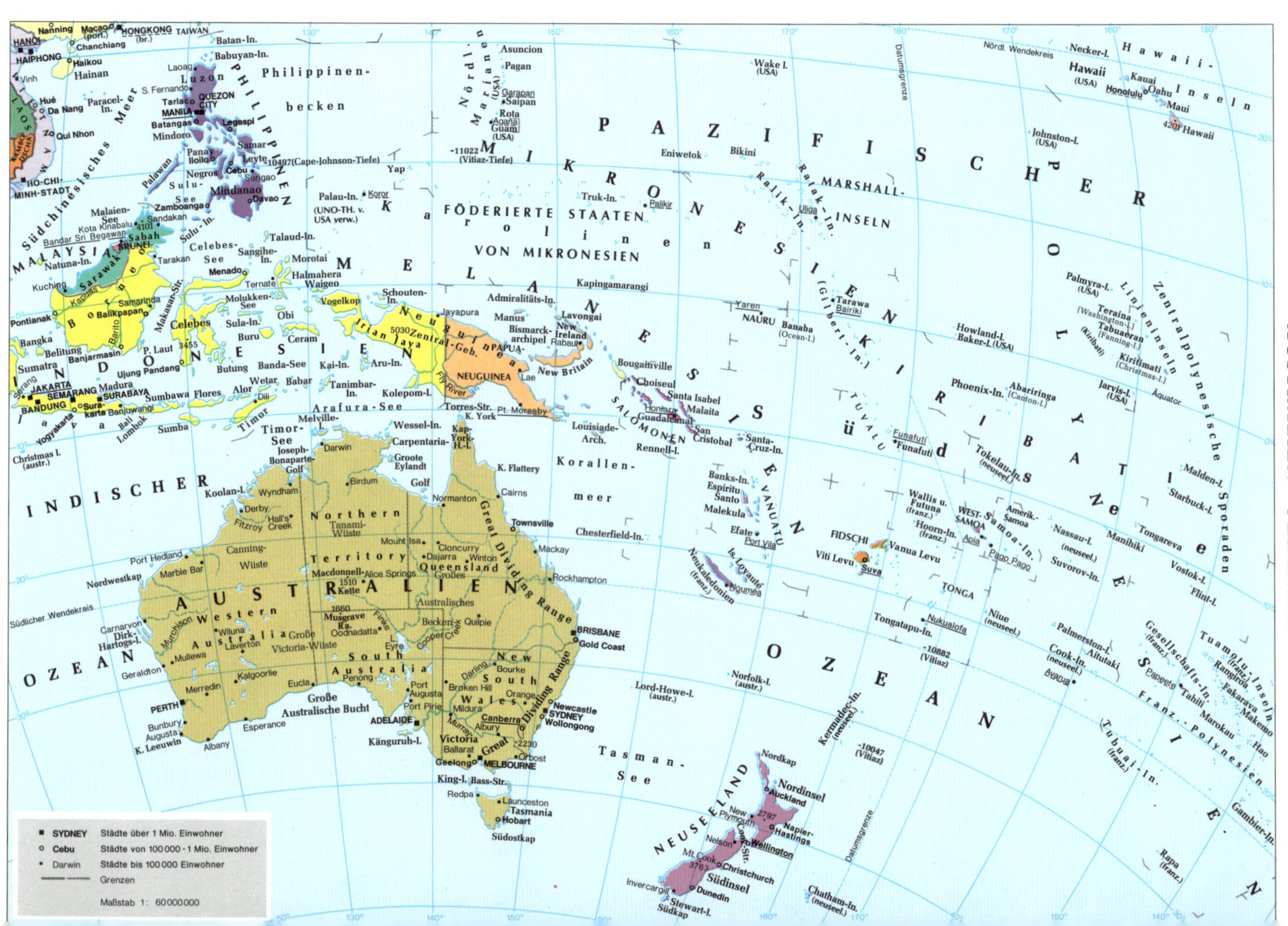
PAZIFISCHER OZEAN
INDISCHER OZEAN
AUSTRALIEN
NEUSEELAND
MIKRONESIEN
MELANESIEN
POLYNESIEN
Nordinsel
Südinsel
Tasman-See
Korallenmeer
Arafura-See
Timor-See
Philippinenbecken
Südchinesisches Meer
Zentralpolynesische Sporaden
Hawaii-Inseln
Marshall-Inseln
Föderierte Staaten von Mikronesien
Nördl. Marianen
Salomonen
Vanuatu
Tuvalu
Fidschi
Tonga
Samoa-In.
Kiribati
Neuguinea
Irian Jaya
Great Dividing Range
Western Australia
Northern Territory
Queensland
South Australia
New South Wales
Victoria
Tasmania
Große Australische Bucht
Datumsgrenze
Äquator
Nördl. Wendekreis
Südlicher Wendekreis
SYDNEY
MELBOURNE
BRISBANE
PERTH
ADELAIDE
Canberra
Darwin
Auckland
Wellington
Christchurch
Dunedin
Honolulu
Suva
Nukualofa
Pt. Moresby
MANILA
JAKARTA
■ SYDNEY Städte über 1 Mio. Einwohner
○ Cebu Städte von 100 000 - 1 Mio. Einwohner
• Darwin Städte bis 100 000 Einwohner
Grenzen
Maßstab 1: 60 000 000

Maßstab 1:30 000 000
Europäisches Nordmeer
Nordsee
Ostsee
ATLANTISCHER OZEAN
Golf von Biscaya
Ärmelkanal
Barentssee
Weißes Meer
Bottnischer Meerbusen
Finnischer Meerbusen
Schwarzes Meer
Kaspisches Meer
Adriatisches Meer
Ägäisches Meer
Tyrrhenisches Meer
Ionisches Meer
Mittelmeer
ISLAND
NORWEGEN
SCHWEDEN
FINNLAND
ESTLAND
LETTLAND
LITAUEN
WEISS-RUSSLAND
RUSSLAND
UKRAINE
MOLDAWIEN
RUMÄNIEN
BULGARIEN
GRIECHEN-LAND
ALBANIEN
JUGOSL.
UNGARN
SLOWAK. REP.
TSCHECH. REP.
ÖSTER-REICH
SCHWEIZ
ITALIEN
POLEN
DEUTSCHLAND
DÄNEMARK
GROSS-BRITANNIEN
IRLAND
FRANKREICH
SPANIEN
PORTUGAL
MAROKKO
ALGERIEN
TUNESIEN
TÜRKEI
SYRIEN
IRAK
IRAN
KASACHSTAN
USBEKISTAN
TURKMENISTAN
GEORGIEN
ARMENIEN
ASERBAIDSCHAN
ZYPERN
MALTA
Ural
Kaukasus
Karpaten
Pyrenäen
Balkan
Pontisches Gebirge
Elburs-Gebirge
Hoher Atlas
Tell-Atlas
Sizilien
Sardinien
Korsika
Kreta
Balearen
MOSKAU
ST. PETERSBURG
KIEW
MINSK
WARSCHAU
BERLIN
PRAG
WIEN
BUDAPEST
BUKAREST
SOFIA
ATHEN
ROM
PARIS
LONDON
MADRID
LISSABON
STOCKHOLM
OSLO
KOPENHAGEN
Helsinki
DUBLIN
ISTANBUL
ANKARA
TEHERAN
BAGDAD
ALGIER
TUNIS
RABAT

BERLIN Städte über 1 Mio. Einwohner
Essen Städte von 500 000 - 1 Mio. Einwohner
Bonn Städte von 100 000 - 500 000 Einwohner
Lindau Städte bis 100 000 Einwohner
Eisenbahn
Eisenbahntunnel
im Bau
Kanal
Grenzen
Ballungsraum
Maßstab 1: 6 000 000
Nordsee
Deutsche Bucht
Helgoland
Westfriesische Inseln
Ostfriesische Inseln
Nordfriesische Inseln
GROSS-BRITANNIEN
Straße von Dover
NIEDERLANDE
BELGIEN
LUXEMBURG
FRANKREICH
BUNDESREPUBLIK DEUTSCHLAND
DÄNEMARK
SCHWEIZ
LIECHTENSTEIN
ÖSTERREICH
ITALIEN
Seeland
Fünen
Lolland
Kieler Bucht
Mecklenburger Bucht
Schleswig-Holstein
Niedersachsen
Nordrhein-Westfalen
Hessen
Rheinland-Pfalz
Saarland
Baden-Württemberg
Bayern
Thüringen
Sachsen-Anhalt
Friesland
Flandern
Brabant
Ardennen
Eifel
Hunsrück
Westerwald
Taunus
Sauerland
Spessart
Rhön
Odenwald
Schwarzwald
Schwäbische Alb
Thüringer Wald
Teutoburger Wald
Weserbergland
Lüneburger Heide
Pfälzer Wald
Vogesen
Jura
Berner Oberland
Walliser Alpen
Picardie
Champagne
Lothringen
Burgund
Île-de-France
Bourbonnais
Franche-Comté
Savoyen
AMSTERDAM
ROTTERDAM
Den Haag
Utrecht
Brüssel
Antwerpen
Gent
Lüttich
PARIS
HAMBURG
Bremen
Hannover
KÖLN
Düsseldorf
Essen
Dortmund
Frankfurt/M.
Stuttgart
MÜNCHEN
Nürnberg
Straßburg
Basel
Zürich
Bern
Genf
Lausanne
Luxemburg
Lyon
Dijon
Reims
Lille
Metz
Nancy
Saarbrücken
Mannheim
Karlsruhe
Freiburg
Kiel
Lübeck
Vaduz
Innsbruck
Zugspitze
Montblanc
Bodensee
Ijsselmeer
Genfer See
Vierwaldstätter See

Ostsee
SCHWEDEN
Schonen
Ystad
Simrishamn
Bornholm (dän.)
Rønne
Neksø
Memel
Heydekrug
Kurisches Haff
LITAUEN
Kėdainiai
Ukmerge
Tauroggen
Memel
Jonava
Nemenčine
Tilsit
zu RUSSLAND
Kaunas
Wilija
Wilna
Labiau
Naumiestis
Prienai
Samland
Königsberg (Pr)
Insterburg
Stallupönen
Wehlau
Pregel
Gumbinnen
Kapsukas
Alytus
Pillau
Danziger Bucht
Frisches Haff
Heiligenbeil
Ost-
preußen
Braunsberg
Bartenstein
Goldap
Mauersee
Suwałki
Druskininkai
Lida
Leba
Putzig
Lauenburg
Gdingen
Zoppot
Danzig
Elbing
Rastenburg
Lötzen
Masuren
Lyck
Augustów
Grodno
Saßnitz
Rügen
Rügenwalde
Stolp
Schlawe
Kolberg
Köslin
Bütow
Berent
Dirschau
Marienburg
Allenstein
Spirding-see
Johannisburg
Goniądz
Sokółka
WEISS-
Pommersche Bucht
Usedom
Swinemünde
Wollin
Cammin
Belgard
Rummelsburg
Pr. Stargard
Marienwerder
Osterode
Ortelsburg
Wolgast
Greifenberg
Konitz
Stettiner Haff
Anklam
Neubrandenburg
Neustettin
Pommern
Gollnow
Tempelburg
Dramburg
Schwetz
Graudenz
Lomscha
Białystok
Wolkowysk
Stettin
Pasewalk
Prenzlau
Deutsch Krone
Culm
Strasburg
Soldau
Mława
Ostrołeka
Łapy
Narew
Stargard
Pyritz
Nakel
Bromberg
Thorn
Ostrów Mazowiecka
Hajnówka
Białowieża
Schneidemühl
Ciechanów
Schwedt
Kolmar
Aleksandrów Kujawski
Sierpc
Pułtusk
Angermünde
Königsberg
Hohensalza
Siemiatycze
RUSSLAND
Eberswalde
Netze
Wongrowitz
Włocławek
Plozk
Zakroczym
Kobryn
Landsberg
Warthe
Küstrin
Schwerin
Samter
Gnesen
Weichsel
Bug
WARSCHAU
Biała Podlaska
Brest
Oder
Posen
Wreschen
Kutno
Sochaczew
Siedlce
Otwock
Berlin
Fürstenwalde
Frankfurt
Bentschen
Schroda
Konin
Koło
Łowicz
Pruszków
Piaseczno
Łuków
Podlachien
Ratno
Schwiebus
Eisenhüttenstadt
Łeczyca
Skierniewice
Brandenburg
Kosten
Warthe
Jarotschin
POLEN
Zgierz
Dęblin
Wieprz
Włodawa
Pripet
Crossen
Lissa
Kalisch
Lodsch
Pabianice
Pilica
Puławy
Guben
Grünberg
Prosna
Fraustadt
Krotoschin
Zduńska-Wola
Tomaszów Maz.
Radom
Lublin
Chełm
Spree
Cottbus
Sorau
Sagan
Glogau
Rawitsch
Ostrów Wielkopolski
Sieradz
Petrikau
Skarzysko-Kamienna
Weichsel
Kraśnik
Krasnystaw
Wladimir Wolynskij
Spremberg
Görlitzer Neiße
Schlesien
Trebnitz
Kempen
Starachowice
Ostrowiec-Świętokrzyski
Hrubieszów
Zamość
Oder
Oels
Wieluń
Radomsko
Polnisches
Kamenz
Görlitz
Bunzlau
Liegnitz
Breslau
Warthe
Kielce
611
Bautzen
Bober
Sandomierz
Dresden
Hirschberg
Brieg
Kreuzburg
Tschenstochau
Mittelgebirge
Stalowa Wola
Pirna
Zittau
Riesengebirge
Schweidnitz
Waldenburg
Lublinitz
Jedrzejów
Reichenbach
Neiße
Oppeln
San
Rawa-Russkaja
Freiberg
Tetschen
Reichenberg
1603
Sudeten
Trautenau
Weichsel
Mielec
Aussig
Glatz
Neisse
Hindenburg
Beuthen
Königshütte
Sosnowitz
Kattowitz
Rzeszów
Jarosław
Lemberg
Brüx
Jungbunzlau
Jitschin
Glatzer
Cosel
Gleiwitz
Ruda Śląska
Krakau
Tarnów
Dębica
Przemyśl
Gorodok
Saaz
Eger
Melnik
Königgrätz
Jägerndorf
Ratibor
Rybnik
Auschwitz
Bochnia
Dunajec
Wisłoka
Wisłok
Galizien
Kladno
Nimburg
1490
Radlin
Czechowice
Krosno
Dnjestr
Sambor
PRAG
Elbe
Pardubitz
Mährisch-Schönberg
Troppau
Bielitz-Biala
Neu-Sandez
Sanok
UKRAINE
Beraun
Kolin
Chrudim
Ostrau
Westbeskiden
Drogobytsch
Boryslaw
Stryj
Böhmen
Zwittau
Neumarkt
Ostbeskiden
1725
Pribram
Deutschbrod
Olmütz
Proßnitz
Prerau
Wsetin
Bartfeld
Turka
TSCHECH. REP.
Zakopane
2663
Hohe Tatra
1335
Waldkarpaten
Moldau
Iglau
Zlin
Sillein
Poprad
Preschau
Humenné
Klattau
Tábor
Brünn
Martin
Rosenberg
Neudorf
Kaschau
Michalovce
Strakonitz
Pisek
Trebitsch
Austerlitz
1591
Niedere Tatra
SLOWAK. REP.
Slowak. Erzgeb.
Uschgorod
Budweis
Znaim
Thaya
Göding
Lundenburg
March
Weiße Karpaten
Trentschin
Waag
Neusohl
Rosenau
Mukatschewo
Gmünd
Altsohl
Sátoraljaújhely
Chust
1378
Laa
Pistyan
Schemnitz
Kisvárda
Nieder-
Kleine Karpaten
Lučenec
Kazincbarcika
Beregovo
Theiß
Freistadt
Krems
Stockerau
Sajó
Özd
Miskolc
Tokaj
Nyiregyháza
Mátészalka
Satu Mare
Donau
Klosterneuburg
Tyrnau
Neutra
Lewentz
Ipel
Baia Mare
Linz
Grein
Melk
WIEN
St. Pölten
Preßburg
Salgótarján
Erlau
Hajdúböszörmény
Wels
Steyr
Amstetten
Baden
Bruck
Neuhäusl
Gran
Carei
Ober-
Gmunden
Österreich
Leitha
Neusiedler See
Mosonmagyaróvár
Komorn
Waitzen
Gyöngyös
Große
Someș
Salzburg
Mariazell
Wiener Neust.
Eisenst.
Gran
Hatvan
Heves
Debrecen
Șărmășag
Hallein
Bad Ischl
Ödenburg
Raab (Győr)
Tatabánya
BUDAPEST
Theiß
Püspökladány
Diosig
Zălău
Liezen
Gloggnitz
Mürzzuschlag
Eisenerz
Jászberény
Karcag
Kapfenberg
Burgenland
Güns
Pápa
Stuhlweißenburg
Cegléd
Szolnok
Großwardein
2995
Enns
Leoben
Steinamanger
Bakonywald
Veszprém
Nagykőrös
Ungarische
Schnelle Körös
Huedin
Steier-
Dunaújváros
Mezőtúr
Bihor-Gebirge
Mur
Judenburg
Graz
Fürstenfeld
Raab
UNGARN
Kecskemét
Csongrád
Körös
Békés
Salonta
Schwarze Körös
Badgastein
Zalaegerszeg
Plattensee
Donau
Kiskunfélegyháza
Szentes
Békéscsaba
Gyula
mark
Keszthely
Tamási
Paks
Orosháza
Weiße Körös
Spittal
Leibnitz
Radkersburg
Tiefebene
Kärnten
Klagenfurt
Marcali
Sió
Kiskunhalas
Hódmezővásárhely
Brad
Villach
Maribor (Marburg)
Mur
Drau
Nagykanizsa
Dombóvár
Makó
Arad
Lipova
Alpen
Karawanken
Kaposvár
Szekszárd
Baja
Szeged
Maros
RUMÄNIEN
Jesenice
Celje
Varaždin
Fünfkirchen (Pécs)
Mohács
Subotica
Theiß
Senta
Deva
Eisenmarkt
Julische Alpen
Kranj
Kikinda
Temesvar
Lugosch
SLOWENIEN
Save
Koprivnica
Batschka
SERBIEN
Udine
Zabok
Bjelovar
Sombor
Sivac
Temes
Caransebes
Görz
Ljubljana (Laibach)
Novo Mesto
Virovitica
Drau
Banat
Postojna
Zagreb
KROATIEN
Osijek
JUGOSLAWIEN
Reșița
Triest
16°
18°
20°
22°
24°
54°
52°
50°
48°
46°

Ärmelkanal
Normannische Inseln
ATLANTISCHER OZEAN
Golf von Biscaya
FRANKREICH
Bretagne
Normandie
Champagne
Burgund
Zentral-massiv
Cevennen
Gascogne
Provence
Pyrenäen
Vogesen
Jura
Alpen
BELGIEN
LUX.
BUNDESREPUBLIK DEUTSCHLAND
SCHWEIZ
ÖSTERREICH
ITALIEN
Golfe du Lion
Mittelmeer
Ligurisches Meer
Golf von Genua
Korsika
PARIS
BRÜSSEL
LYON
MARSEILLE
Bordeaux
Toulouse
Nantes
Lille
Straßburg
Nizza
Genf
Bern
Zürich
Basel
Turin
MAILAND
ANDORRA
Kantabr. Geb.
SPANIEN
K. Ortegal
K. Finisterre
ATLANTISCHER OZEAN
PORTUGAL
LISSABON
Porto
Kantabrisches Geb.
Iberisches Randgebirge
Kastil. Scheidegeb.
MADRID
Sierra Morena
Andalusien
Sa. Nevada
Katalonien
BARCELONA
Valencia
Golf von Valencia
Sevilla
Granada
Málaga
Cádiz
Golf von Cádiz
Straße von Gibraltar
Balearen
Mallorca
Menorca
Ibiza
Formentera
ALGIER
ALGERIEN
Mittelmeer
Maßstab 1: 10 000 000

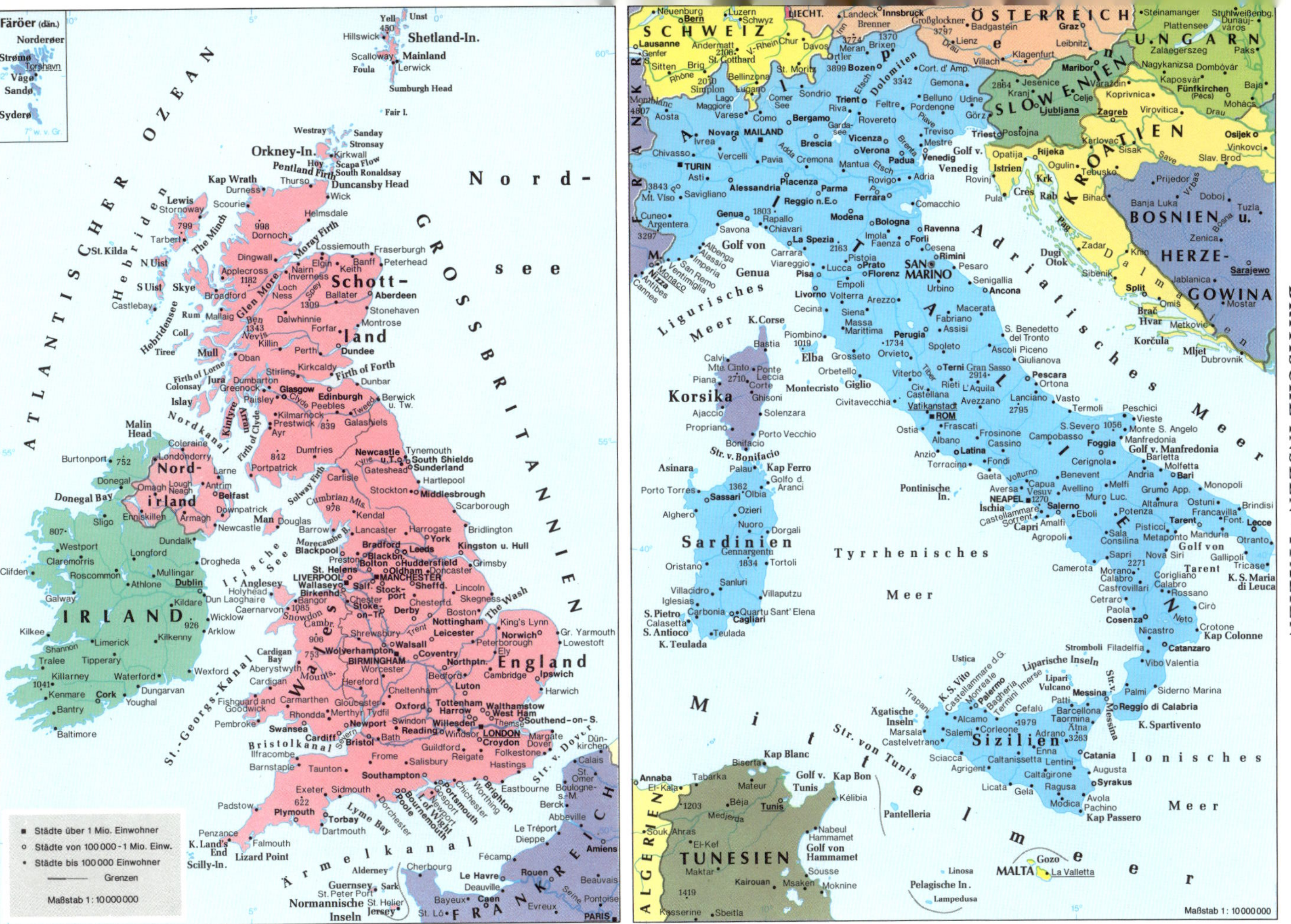
Färöer (dän.)
ATLANTISCHER OZEAN
Shetland-In.
Orkney-In.
Hebriden
Nord-see
GROSSBRITANNIEN
Schottland
England
Wales
Nord-irland
IRLAND
Irische See
Nordkanal
St.-Georgs-Kanal
Bristolkanal
Ärmelkanal
Str. v. Dover
Normannische Inseln
FRANKREICH
LONDON
Städte über 1 Mio. Einwohner
Städte von 100 000 - 1 Mio. Einw.
Städte bis 100 000 Einwohner
Grenzen
Maßstab 1:10000000
ÖSTERREICH
UNGARN
SCHWEIZ
LIECHT.
SLOWENIEN
KROATIEN
BOSNIEN u. HERZEGOWINA
ITALIEN
SAN MARINO
Dalmatien
Dolomiten
Korsika
Sardinien
Sizilien
Ligurisches Meer
Adriatisches Meer
Tyrrhenisches Meer
Ionisches Meer
Mittelmeer
Golf von Genua
Golf v. Venedig
Golf v. Manfredonia
Golf von Tarent
Str. v. Bonifacio
Str. v. Messina
Str. von Tunis
Liparische Inseln
Pontinische In.
Ägatische Inseln
Pelagische In.
Pantelleria
TUNESIEN
ALGERIEN
MALTA
Maßstab 1:10000000

TSCHECH. REP.
POLEN
UKRAINE
SLOWAK. REP.
ÖSTERREICH
UNGARN
SLOWENIEN
KROATIEN
RUMÄNIEN
MOLDAWIEN
BOSNIEN u. HERZE-GOWINA
SERBIEN
JUGO-SLAWIEN
MONTE-NEGRO
Wojwodina
Kosovo
ALBANIEN
MAKEDONIEN
BULGARIEN
GRIECHEN-LAND
TÜRKEI
ITALIEN
BUNDES-REP. DTL.
Adriatisches Meer
Ionisches Meer
Mittelmeer
Schwarzes Meer
Ägäisches Meer
Marmara-meer
Südkarpaten
Siebenbürgen
Karpaten
Beskiden
Balkan
Rhodope-Geb.
Dalmatien
Walachei
Dobrudscha
Bessarabien
Pindos
Peloponnes
Chalkidike
Kreta
Sizilien
Nördliche Sporaden
Südliche Sporaden
Kykladen
Ionische Inseln
Liparische Inseln
Golf von Tarent
G. v. Manfredonia
Str. v. Otranto
Str. v. Messina
PRAG
WIEN
BUDAPEST
Ljubljana
Zagreb
Sarajewo
BELGRAD
Podgorica
Tirana
Skopje
SOFIA
BUKAREST
Chişinău
KIEW
ATHEN
ISTANBUL
NEAPEL
■ ATHEN Städte über 1 Mio. Einwohner
○ Skopje Städte von 100 000 - 1 Mio. Einwohner
• Korinth Städte bis 100 000 Einwohner
Grenze
Maßstab 1 : 10 000 000

SKANDINAVIEN

VEREINIGTE STAATEN

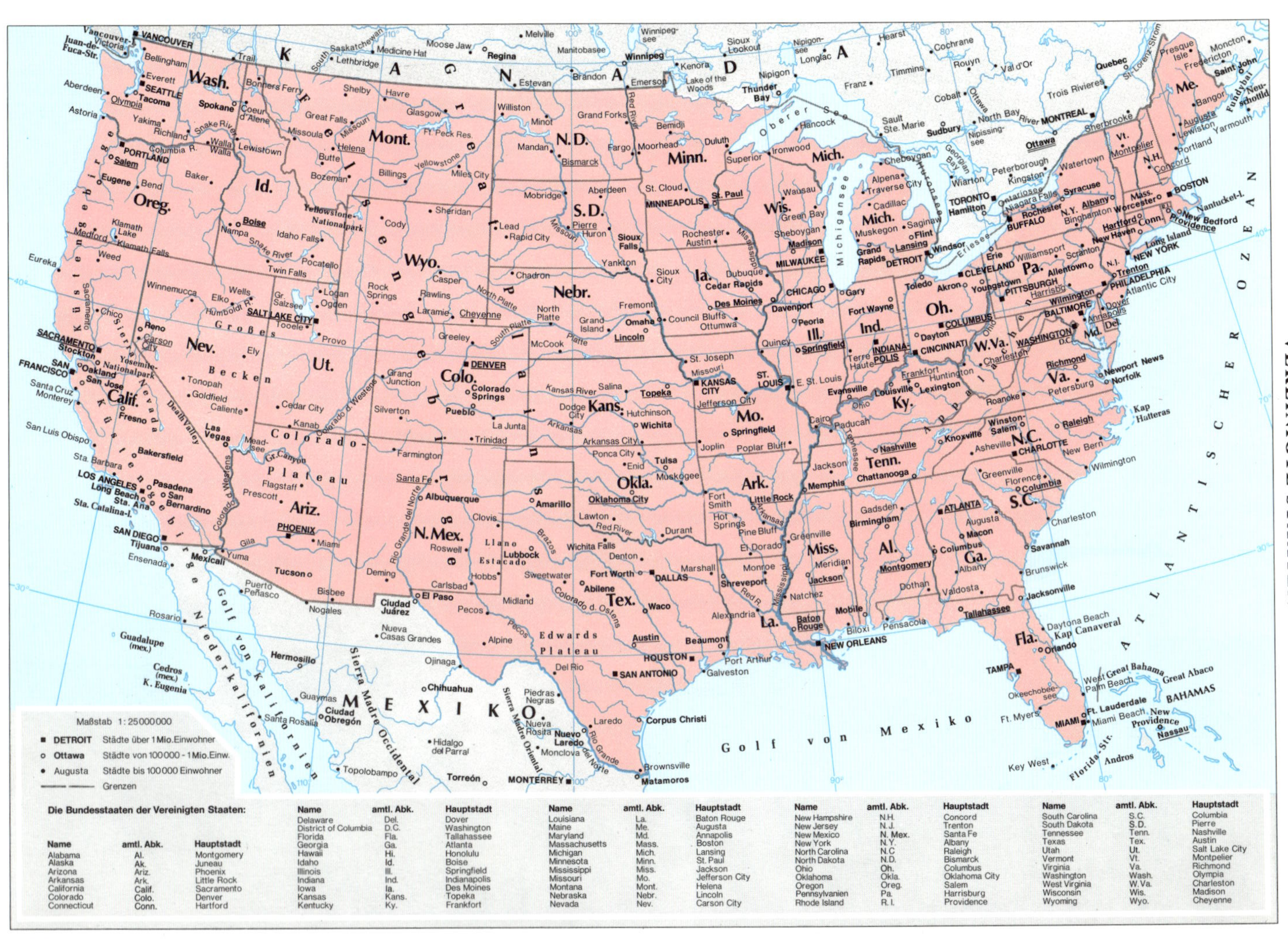

Name	amtl. Abk.	Hauptstadt
Alabama	Al.	Montgomery
Alaska	Ak.	Juneau
Arizona	Ariz.	Phoenix
Arkansas	Ark.	Little Rock
California	Calif.	Sacramento
Colorado	Colo.	Denver
Connecticut	Conn.	Hartford
Delaware	Del.	Dover
District of Columbia	D.C.	Washington
Florida	Fla.	Tallahassee
Georgia	Ga.	Atlanta
Hawaii	Hi.	Honolulu
Idaho	Id.	Boise
Illinois	Ill.	Springfield
Indiana	Ind.	Indianapolis
Iowa	Ia.	Des Moines
Kansas	Kans.	Topeka
Kentucky	Ky.	Frankfort
Louisiana	La.	Baton Rouge
Maine	Me.	Augusta
Maryland	Md.	Annapolis
Massachusetts	Mass.	Boston
Michigan	Mich.	Lansing
Minnesota	Minn.	St. Paul
Mississippi	Miss.	Jackson
Missouri	Mo.	Jefferson City
Montana	Mont.	Helena
Nebraska	Nebr.	Lincoln
Nevada	Nev.	Carson City
New Hampshire	N.H.	Concord
New Jersey	N.J.	Trenton
New Mexico	N. Mex.	Santa Fe
New York	N.Y.	Albany
North Carolina	N.C.	Raleigh
North Dakota	N.D.	Bismarck
Ohio	Oh.	Columbus
Oklahoma	Okla.	Oklahoma City
Oregon	Oreg.	Salem
Pennsylvanien	Pa.	Harrisburg
Rhode Island	R.I.	Providence
South Carolina	S.C.	Columbia
South Dakota	S.D.	Pierre
Tennessee	Tenn.	Nashville
Texas	Tex.	Austin
Utah	Ut.	Salt Lake City
Vermont	Vt.	Montpelier
Virginia	Va.	Richmond
Washington	Wash.	Olympia
West Virginia	W. Va.	Charleston
Wisconsin	Wis.	Madison
Wyoming	Wyo.	Cheyenne

GEMEINSCHAFT UNABHÄNGIGER STAATEN

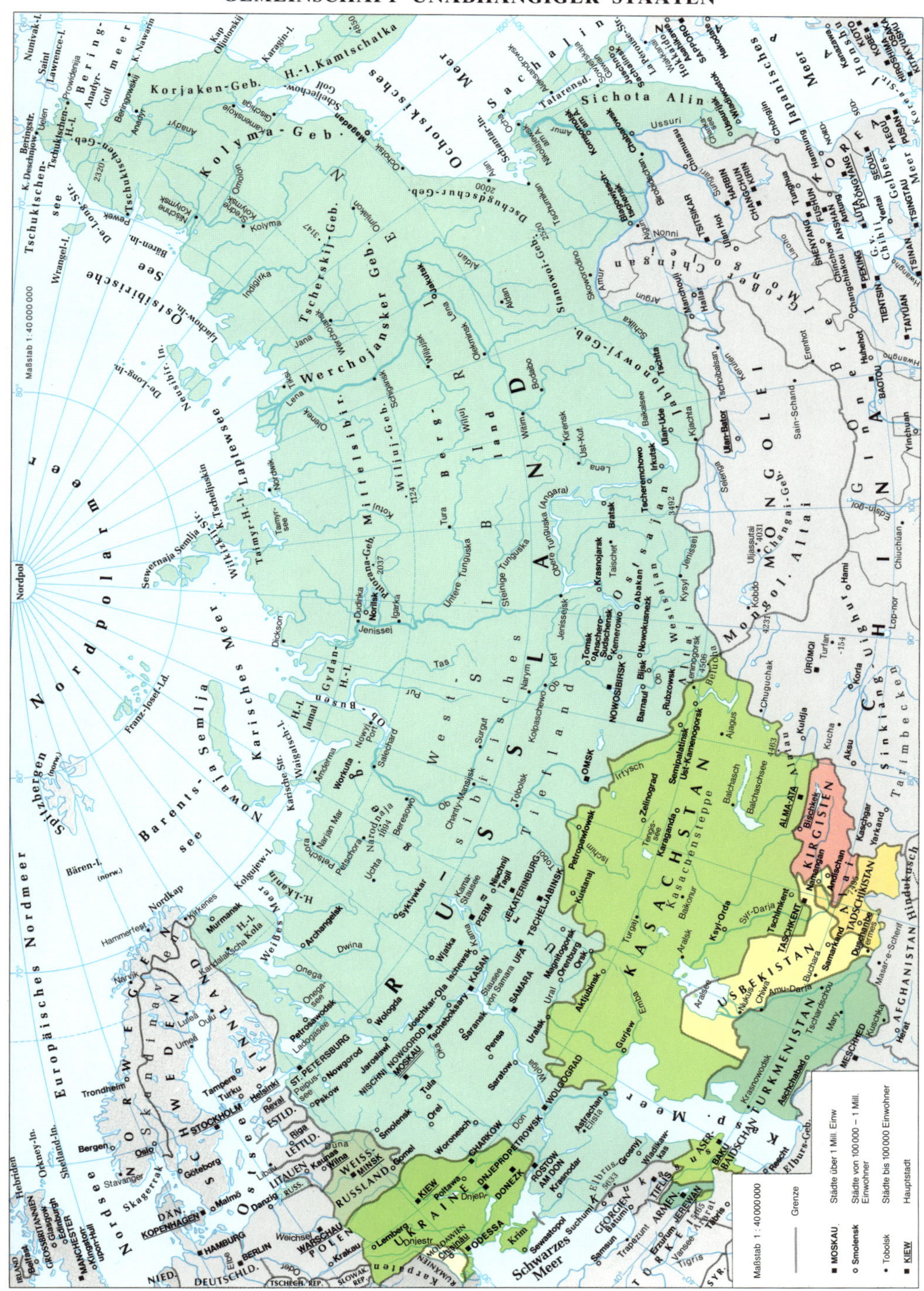

POLARGEBIETE

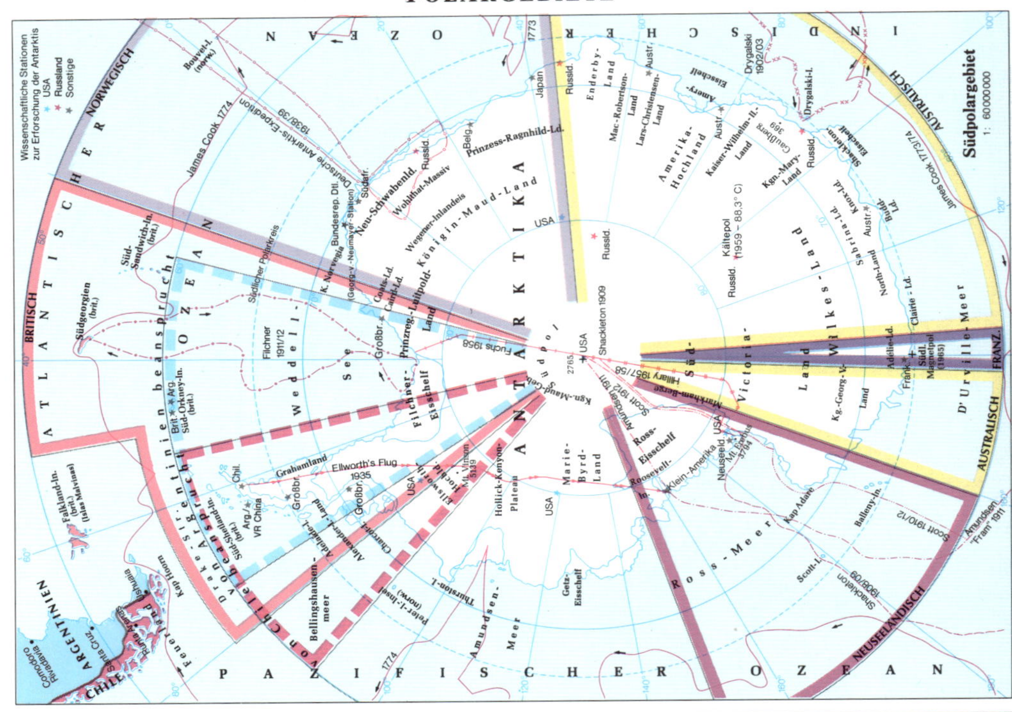

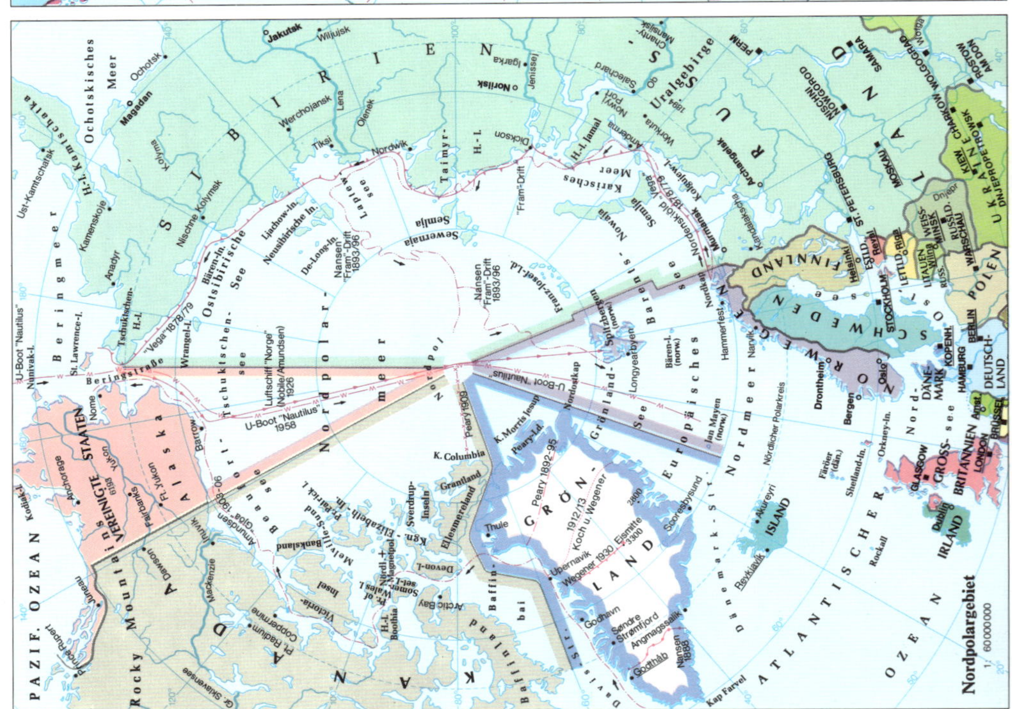

Laubhölzer, Bäume und Sträucher, die im Unterschied zu den →Nadelhölzern meist flächige Blätter haben. ›Laub‹ nennt man die Gesamtheit der Blätter eines Baumes. Die meisten der in Mitteleuropa heimischen Laubbäume (Eiche, Buche, Ahorn, Birke, Linde, Kastanie) sind im Winter kahl. Sie verlieren im Spätherbst zur Zeit der ersten Fröste ihr Laub und bekommen im Frühjahr neue Blätter. Dieser **Laubfall** ist für den Baum lebenswichtig, denn das Laub stellt eine große Verdunstungsfläche dar, durch die ein Baum täglich große Wassermengen an die Luft abgibt. Da die Wurzeln im Winter nur wenig oder, bei Gefrieren des Wassers im Boden, gar kein Wasser aufnehmen können, schützt sich der Baum durch das Abwerfen des Laubs vor dem Vertrocknen. An den Stellen, an denen die Blätter an den Zweigen sitzen, bildet sich ein Korkgewebe (→Kork), das die Blätter abtrennt und zugleich die ›Wunde‹ gegen Verdunstung und Infektion schützt.

Die **Laubfärbung** kommt durch den Abbau des Blattgrüns im Blatt zustande, das die Ernährung des Baumes ermöglicht (→Photosynthese). Das Blattgrün wird dem Stamm zugeleitet und so für das kommende Jahr gespeichert. Auch die immergrünen Laubbäume, die derb-lederartige Blätter haben und vor allem in wärmeren Gegenden vorkommen, erneuern im Abstand von einigen Jahren nach und nach die Blätter. In deutschen Gärten und Parks wachsen als immergrüne Laubbäume z. B. Stechpalme und Buchsbaum. Alle Laubhölzer gehören zu den Bedecktsamigen (→Samenpflanzen) und bilden Früchte aus.

Laubsänger, mit den →Grasmücken verwandte Singvögel.

Laufen, →Kurzstreckenlauf, →Mittelstreckenlauf, →Langstreckenlauf.

Laufvögel, die →Strauße und mit ihnen verwandte Vögel.

Lauge, wäßrige Lösung einer Base (→Basen).

Lausanne [losạnn], 127 300 Einwohner, Hauptstadt des Kantons Waadt, Schweiz, am Nordufer des Genfer Sees. Lausanne ist Sitz des eidgenössischen Bundesgerichts und des Internationalen Olympischen Komitees.

Läuse, sehr kleine, flügellose Insekten, die Blut an Säugetieren, auch an Menschen saugen. Mit den kräftigen Klauen ihrer Beinchen klammern sie sich an Haaren und Kleiderfasern fest. Mit ihrem Stich kann ein Sekret in die Wunde gelangen und starken Juckreiz und Quaddelbildung verursachen. Läuse können ansteckende Krankheiten übertragen (z. B. Fleckfieber). Die länglichen weißen, später gelblichen Eier, die ›Nissen‹, werden an Haare gekittet. Läuse beim Menschen sind **Kopflaus** und **Kleiderlaus** sowie die **Filzlaus,** die vor allem in den Schamhaaren lebt.

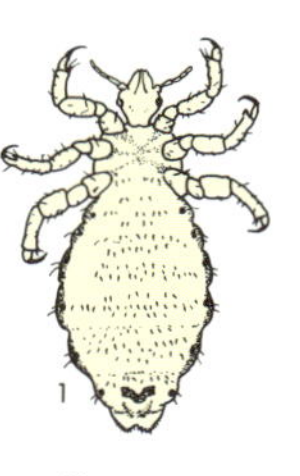

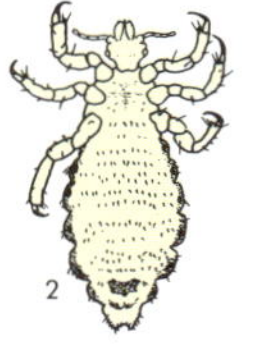

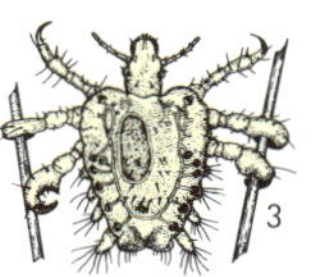

Läuse:
1 Kleiderlaus;
2 Kopflaus;
3 Filzlaus

Laut, Sprachlaut, kleine Klangeinheit der menschlichen Stimme. Aus Lauten ist die Sprache gebildet. Man unterscheidet:

Vokale (Selbstlaute):	a, e, i, o, u;
Umlaute:	ä, ö, ü;
Zwischenlaute:	ai, ei, au, äu, eu;
Konsonanten (Mitlaute):	b, c, d, f, g, h, ch, j, k, l, m, n, p, q, r, s, sch, t, v, w, x, z.

Die Zuordnung des y (Vokal, Zwischenlaut, Konsonant) hängt von seiner Stellung im Wort ab.

Vokale werden durch regelmäßige Schwingungen der Stimmbänder und des Ausatmungsstroms erzeugt. Bei **Nasalen** entweicht die Luft, außer durch den Mund, auch noch durch den Nasenraum. Bei der Aussprache der **Konsonanten** wird in der Mittellinie des Gaumens durch die Stellung der Sprechwerkzeuge eine enge Stelle gebildet. Als **Halbvokale** bezeichnet man Vokale, deren Klangfülle durch ihre Stellung (z. B. vor einem betonten Vokal) erheblich gemindert ist (z. B. das i in ›Allianz‹).

Laute, Zupfinstrument mit einem gewölbten, birnenförmigen Holzkorpus, der aus einzelnen Segmenten zusammengesetzt ist. Die Decke ist flach und von einem runden Schalloch durchbrochen. Die 6 Saiten sind wie bei der Gitarre an einem Querriegel auf der Decke befestigt; am oberen Ende sind sie in einem rechtwinklig abknickenden Wirbelkasten an Schrauben aufgewickelt. Die linke Hand greift die Töne wie bei der Gitarre, die rechte zupft die Saiten mit 5 Fingern, wodurch ein Melodiespiel möglich ist.

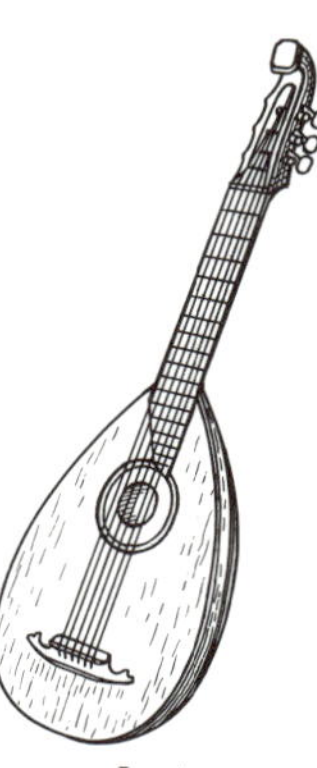

Laute

Lautsprecher, Gerät zur Umwandlung von elektrischen Schwingungen (Tonsignale) in hörbare (akustische) Schwingungen, das die Wiedergabe von Sprache, Musik und Geräuschen ermöglicht. Ein Lautsprecher besteht aus dem eigentlichen Wandlersystem, das die elektrischen Schwingungen in mechanische umwandelt, und der Membran, die diese mechanischen Schwingungen auf die Luft überträgt.

Man unterscheidet in erster Linie zwischen magnetischen und dynamischen Lautsprechern. Beim **magnetischen Lautsprecher** wird die Membran durch die Anziehungskraft eines Elektromagneten in Schwingungen versetzt. Beim heute überwiegend verwendeten **dynamischen Lautsprecher** ist die Membran mit einer Drahtspule verbunden, die von einem Dauermagneten umgeben ist. Fließt ein Wechselstrom durch die Spule,

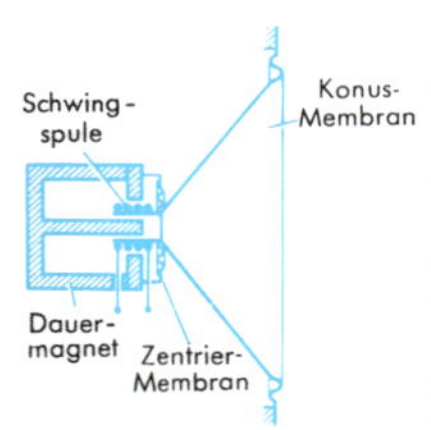

Lautsprecher: dynamischer Lautsprecher mit Dauermagnet

wird sie durch das Magnetfeld, in dem sie sich befindet, bewegt und mit ihr auch die Membran in Schwingungen versetzt. Ferner gibt es den **piezoelektrischen Lautsprecher,** bei dem ein besonders dafür geeigneter Kristall mechanische Schwingungen ausführt und dadurch die Membran bewegt, und den **elektrostatischen Lautsprecher,** der – ähnlich einem Kondensator – im Prinzip aus 2 Metallflächen besteht.

Lautsprecherboxen für HiFi-Anlagen enthalten meist 2 oder 3 Lautsprechersysteme für die tiefen sowie die mittleren und die hohen Töne. Eine **Frequenzweiche** teilt die Tonbereiche entsprechend auf. Die **Baßreflexbox** weist vorne ein Loch (Schallaustrittsöffnung) von bestimmter Größe auf, wodurch eine verbesserte Baßwiedergabe bei kleinen Gehäuseabmessungen erzielt wird. **Aktivboxen** besitzen für die Lautsprechersysteme eigene Verstärker, die sich getrennt einstellen lassen und dadurch eine gute Anpassung an die klanglichen Gegebenheiten des Raums ermöglichen.

Lava, bei Vulkanausbrüchen austretendes Magma und das daraus entstehende meist poröse, häufig auch glasige Ergußgestein. In der Ebene entstehen Lavadecken, beim Herabfließen Lavaströme. Dünnflüssige Lava kann eine Fließgeschwindigkeit von mehreren Metern in der Sekunde erreichen. Die Lava hat beim Austritt eine Temperatur von 1000–1300 °C, die Erstarrung tritt bei 700–900 °C ein.

Lavendel

Lavendel, eine im Mittelmeergebiet heimische strauchartige Pflanze, die in Deutschland in Gärten gepflanzt wird. Aus den duftenden blauen Lippenblüten gewinnt man das gelbliche Lavendelöl, das vor allem in der Parfümerie und Kosmetik verwendet wird.

Lawine [aus spätlateinisch labina ›Erdfall‹], an steilen Gebirgshängen plötzlich abstürzende große Schnee-, seltener Eismassen. Voraussetzung für die Entstehung von Schneelawinen ist eine Schneedecke, die am Boden schlecht haftet oder deren Schichten nur einen ungenügenden inneren Zusammenhalt aufweisen. Erhöhte Lawinengefahr besteht z. B. bei großen Schneefällen, Tauwetter oder Umlagerung der Schneemassen durch Wind. Auch durch Betreten lawinengefährdeter Hänge können Lawinen ausgelöst werden.

Staublawinen bestehen aus feinkörnigem, trockenem Neuschnee, der mit orkanartigem Luftstrom zu Tal fährt. Große Zerstörungskraft hat die **Grundlawine** aus durchweichtem Schnee, oft vermischt mit Erde und Geröll; sie geht als geschlossene, sich im Sturz verdichtende Schnee- und Eismasse nieder. **Schneebrettlawinen** entstehen durch plötzliche Ablösung einer Schneetafel, die auf älteren Schneeschichten abgleitet und dabei in Schollen zerfällt. Häufig werden sie durch Skifahrer ausgelöst. Den besten Schutz gegen Lawinen bietet geschlossener Hochwald (Bannwald). Wo er fehlt, sucht man Dörfer und Straßen durch **Lawinenverbauung** (z. B. Dämme, Mauern) zu schützen.

Lawrencium [lohrentsium, nach dem amerikanischen Physiker Ernest Orlando Lawrence], Zeichen **Lr,** früher **Lw,** künstlich hergestelltes radioaktives →chemisches Element (ÜBERSICHT).

LCD, Abkürzung für **l**iquid **c**rystal **d**isplay, →Flüssigkristallanzeige.

Leasing [lihsing, aus englisch to lease ›(ver)mieten‹]. Ein Unternehmen **(Leasinggeber)** beschafft oder erstellt Anlagegüter (z. B. Gebäude, Maschinen) oder Gebrauchsgüter (z. B. Kraftfahrzeuge) und vermietet diese dann an andere Unternehmen oder Privatleute **(Leasingnehmer)** gegen eine laufende Mietzahlung. Statt zu kaufen, mietet (›least‹) der Leasingnehmer das Wirtschaftsgut. Nach Ablauf des zeitlich befristeten Leasingvertrages kann der Kunde in der Regel den Mietgegenstand zurückgeben, kaufen **(Mietkauf)** oder gegen eine geringere Leasinggebühr weiter nutzen.

Leben, in naturwissenschaftlicher Sicht die Zusammenfassung aller Eigenschaften, die Organismen (→Organ) vom →Einzeller bis zum Menschen von der unbelebten Natur unterscheidet. Kennzeichen des Lebens sind: Wechselwirkung eines Organismus mit seiner Umwelt (Atmung, Verdauung), Wachstum, Fortpflanzung, Bewegung, →Entwicklung (Ausbildung von Organen, die sich immer besser an die Umwelt anpassen) und die Fähigkeit, auf Reize zu reagieren.

Die Sonderstellung des menschlichen Lebens beruht darauf, daß der Mensch die Gesetzmäßigkeiten in der Natur nicht nur bewußt wahrnehmen und sein Handeln danach ausrichten, sondern daß er auch aktiv und schöpferisch in seine Lebensbedingungen eingreifen kann. Das ethische und religiöse Denken spricht ihm daher einen besonderen Wert zu, der den Menschen verpflichtet, eigenes wie fremdes Leben zu achten und zu schützen.

Die Frage nach dem **Ursprung des Lebens** ist strittig. Die Naturwissenschaftler nehmen in ihrer Mehrzahl an, daß es durch Zufall vor etwa 3 Milliarden Jahren auf der Erde aus einer ›Ursuppe‹ einfacher Elemente wie Wasserstoff, Methan und Ammoniak unter Einwirkung elektrischer Entladungen (›Urgewitter‹) entstand. Dagegen wird im christlichen Glauben Gott als der Schöpfer des Lebens angesehen. Das durch seine Gnade dem Menschen verheißene **ewige Leben** wird als Fortsetzung des natürlichen, mit dem Tod endenden Lebens gedacht.

Lẹbensalter, die Zeitspanne von der Geburt bis zum Tod. Statistisch betrug die durchschnittliche Lebenserwartung zu Beginn der 1980er Jahre in der Bundesrepublik Deutschland für Männer 70,2, für Frauen 76,9 Jahre. Über die rechtliche Bedeutung siehe ÜBERSICHT.

Lẹber, größte Drüse des menschlichen und tierischen Körpers, die etwa 1,5 kg schwer ist. Sie ist weich, von braunroter Farbe und normalerweise von außen nicht zu tasten. Im rechten Oberbauch liegt sie direkt unter dem Zwerchfell

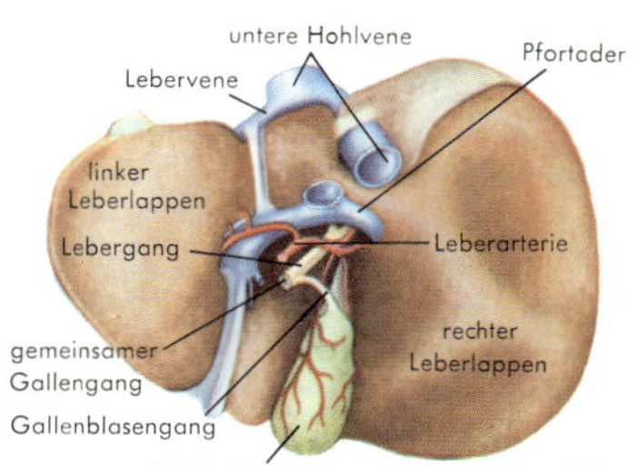

Leber: Ansicht von hinten und unten

und ist zum größten Teil von Rippen geschützt. An ihrer Unterseite befindet sich die Gallenblase, die durch einen Gang mit der Leber verbunden ist. Täglich wird in der Leber etwa 1 Liter Galle gebildet, die über diesen Gang zur Gallenblase und dann zum Darm transportiert wird. Neben der Gallebildung hat die Leber zahlreiche Auf-

DAS LEBENSALTER IN SEINER RECHTLICHEN BEDEUTUNG

Bundesrepublik Deutschland

Das ungeborene Leben:	Recht auf Leben nach der Einnistung der befruchteten Eizelle in die Gebärmutterschleimhaut (Nidation).
Geburt:	Rechtsfähigkeit (Fähigkeit, Rechte und Pflichten zu tragen), Parteifähigkeit (Fähigkeit, Prozesse zu führen), die stellvertretend durch Eltern oder Erziehungsberechtigte ausgeübt wird.
1.–6. Lebensjahr:	Geschäfts- und Schuldunfähigkeit.
6. Lebensjahr:	Schulpflichtbeginn; Kinobesuch erlaubt, wenn Film ab 6 Jahren freigegeben.
7. Lebensjahr:	beschränkte Geschäftsfähigkeit, beschränkte Deliktsfähigkeit (Verantwortlichkeit für unerlaubte Handlungen) nach bürgerlichem Recht.
10. Lebensjahr:	Recht auf Anhörung bei Wechsel des religiösen Bekenntnisses; Kinder und Jugendliche vom 10. bis 16. Lebensjahr können einen Kinderausweis (mit Bild) als Paßersatz bekommen; Kinder, die eine weiterführende Schule besuchen (z. B. ein Gymnasium) und deren Eltern nicht genügend Geld für die Ausbildung haben, können unter Umständen Sozialhilfe erhalten.
12. Lebensjahr:	Kein Religionswechsel gegen den Willen des Kindes; Kinobesuch erlaubt, wenn der Film für Kinder ab dem 12. Lebensjahr freigegeben ist und die Vorstellung vor 22.00 Uhr endet. Kinder bis zum vollendeten 12. Lebensjahr, die kleiner als 150 cm sind, dürfen im Auto nur auf Sitzen (gleich, ob vorne oder hinten) mitgenommen werden, für die Sicherheitsgurte vorgeschrieben sind und die über besondere amtlich genehmigte, kindgerechte Kindersitze verfügen.
14. Lebensjahr:	Mitspracherecht hinsichtlich der elterlichen Sorge nach Ehescheidung der Eltern: religiöses Selbstbestimmungsrecht, bedingte Verantwortlichkeit für Straftaten.
15. Lebensjahr:	Recht, selbständig Sozialleistungen zu beantragen. Mindestalter für Mofa-Prüfbescheinigung.
16. Lebensjahr:	Eidesfähigkeit vor Gericht; Mindestalter für → Führerschein der Klassen 1 b, 4 und 5; Pflicht zum Besitz des Personalausweises; Möglichkeit, vor einem Notar ein Testament zu machen; beschränkte Ehefähigkeit (einer der Verlobten ist mindestens 18, der andere mindestens 16 Jahre alt); Erlaubnis, in der Öffentlichkeit zu rauchen, bis 22.00 Uhr Gaststätten und bis 24.00 Uhr Tanzveranstaltungen aufzusuchen; Kinobesuch erlaubt, wenn der Film ab 16 Jahre freigegeben ist und die Vorstellung vor 24.00 Uhr endet.
17. Lebensjahr:	Mindestalter für – ein freiwilliges soziales Jahr, – Eintritt in die Bundeswehr (als freiwilliger Soldat).
18. Lebensjahr:	Volljährigkeit, aktives und passives Wahlrecht, Mindestalter für den Erwerb des Führerscheins der Klassen 1 und 3, Wehrpflicht.
21. Lebensjahr:	Volle strafrechtliche Verantwortung, Mindestalter für Führerschein der Klasse 2.
25. Lebensjahr:	Mindestalter, um Adoptionen vorzunehmen.
40. Lebensjahr:	Wählbarkeit zum Bundespräsidenten.
45. Lebensjahr:	Ende der Wehrpflicht für Mannschaften im Frieden.
60. Lebensjahr:	Ende der Wehrpflicht für Offiziere und Unteroffiziere im Frieden, Rentenversicherungsansprüche für Frauen.
63. Lebensjahr:	Rentenversicherungsansprüche für Männer.
65. Lebensjahr:	Rentenalter, Altersgrenze für Beamte.

Österreich

Das ungeborene Leben:	Recht auf Leben nach der Nidation.
6. Lebensjahr:	Schulpflichtbeginn.
16. Lebensjahr:	Ehefähigkeit der Frau. Mindestalter für Führerschein Gruppe A (Kleinmotorräder).
18. Lebensjahr:	Möglichkeit der Testamentserrichtung, Beginn der Wehrpflicht.
19. Lebensjahr:	Volljährigkeit, aktives Wahlrecht.
25. Lebensjahr:	passives Wahlrecht.
30. Lebensjahr:	Mindestalter, um Adoptionen vorzunehmen.
35. Lebensjahr:	Wählbarkeit zum Bundespräsidenten.
51. Lebensjahr:	Ende der Wehrpflicht.

Schweiz

Das ungeborene Leben:	Recht auf Leben nach der Nidation.
6. Lebensjahr:	Schulpflichtbeginn.
7. Lebensjahr:	bedingte strafrechtliche Verantwortlichkeit.
14. Lebensjahr:	Mindestalter für Führerschein G.
16. Lebensjahr:	religiöse Bekenntnisfreiheit.
18. Lebensjahr:	Möglichkeit der Testamentserrichtung und der Wahrung höchstpersönlicher Rechte (z. B. auf Anfechtung einer Ehe), Ehefähigkeit der Frau.
20. Lebensjahr:	Volljährigkeit, Wehrpflicht, aktives und passives Wahlrecht.
35. Lebensjahr:	Mindestalter, um Adoptionen vorzunehmen.
50. Lebensjahr:	Ende der Wehrpflicht für Mannschaften.
55. Lebensjahr:	Ende der Wehrpflicht für Offiziere.

gaben im Stoffwechsel. Sie baut aus vielen Nahrungsbestandteilen, die aus dem Darm stammen, Stoffe wie Glykogen (tierische Stärke), Eiweißkörper und Fette auf, speichert sie zum Teil und ist meist auch an deren Verwertung und Abbau beteiligt. Beim Abbau der Eiweißkörper entsteht in der Leber der Harnstoff, der dann über die Nieren ausgeschieden wird, was man als ›Entgiftung‹ bezeichnet. Auch dem Körper zugeführte Stoffe wie Alkohol, bestimmte Medikamente werden in der Leber verändert und abgebaut. Außerdem ist die Leber am Eisenstoffwechsel beteiligt und bildet Substanzen, die für die Blutgerinnung wichtig sind. Bedeutsam ist die Fähigkeit der Leber, zerstörte Leberzellen zu ersetzen.

Leberblümchen, eine →Anemone.

Leberfleck, umgangssprachlich auf Grund seiner Farbe so genanntes Pigmentmal (→Muttermal).

Lech, rechter Nebenfluß der Donau. Der 263 km lange Fluß entspringt in den westlichen Lechtaler Alpen in Vorarlberg auf österreichischem Gebiet. Er durchfließt das Alpenvorland und mündet nördlich von Augsburg in die Donau. Staustufen und ein Stausee (Forggensee bei Füssen) ermöglichen Elektrizitätsgewinnung.

Lechfeld, Ebene südlich von Augsburg, zwischen den Flüssen Wertach und Lech. Entgegen der Überlieferung schlug 955 der deutsche König Otto I. die Ungarn nicht hier, sondern am 10. August westlich von Augsburg und am 11./12. August auf dem Ostufer des Lech.

Le Corbusier [lekorbüsjeh]. Der französisch-schweizerische Architekt und Städteplaner **Le Corbusier,** eigentlich **Charles-Édouard Jeanneret** (* 1887, † 1965), war ein bahnbrechender Neuerer der modernen Architektur. Er fand neue Formen des Stahlbetonbaus, dessen auf wenige Stützen beschränktes System tragende Wände entbehrlich machte und so große Freiheiten in der Konstruktion zuließ. Die Bauten zeichnen sich durch würfelartig klare Formen aus. Nach dem Zweiten Weltkrieg wandte er sich einem Stil zu, der ›Brutalismus‹ genannt wird, weil bei ihm der Baustoff in seiner Rohheit betont wird und oft die Konstruktion und die technischen Installationen sichtbar bleiben. Mit dem Stil war eine Abkehr von der Würfelform verbunden; die Bauten zeigen nun eher abgerundete Formen (Wallfahrtskirche Notre-Dame-du-Haut in Ronchamp, Frankreich).

Leder. Das zu den ältesten Bekleidungsmaterialien gehörende Leder wird aus tierischen Häuten (von Rindern, Pferden, Schafen, Ziegen, Hasen, Fischen, Schlangen, Krokodilen) durch Gerben hergestellt.

Leder- und Oberhäute bestehen zu 30–35% aus Eiweißstoffen und zu 65–70% aus Wasser, aber nur die Lederhaut ergibt das spätere Leder. Zunächst müssen Haare und Bindegewebe entfernt werden. Ein Gemisch aus Kalkmilch und Natriumsulfid zerstört die weiche Oberhaut, so daß sie sich ablösen läßt. Diese Arbeiten werden mit Hilfe von Maschinen durchgeführt. Man erhält die ungegerbte Lederhaut, die ›Blöße‹ genannt wird.

Nun beginnt der Gerbprozeß, der zwischen 3 und 30 Tagen dauert. Dabei werden die Eiweißstoffe verfestigt und mit Teilen der Gerbstoffe gebunden. Die Gerbstoffe bestehen entweder aus pflanzlichen Stoffen oder aus Chrom-, Aluminium- oder Titansalzen.

100 kg Blöße, die infolge des hohen Wassergehaltes nur 20–30 kg Haut enthält, binden 30–35 kg Gerbstoffe, wobei man 40–60 kg Leder erhält.

Durch tierische und pflanzliche Öle wird das Oberleder eingefettet; dadurch wird es geschmeidig und wasserabstoßend.

Je nach Verwendungszweck (Schuhsohle, Schuhoberleder, Taschen, Jacken, Mäntel) schließen sich noch verschiedene Verbesserungsverfahren an den Gerbvorgang an.

Lederstrumpf, Held einer Romanserie von James Fenimore →Cooper.

Leerstelle, Variable, Mathematik: ein Zeichen ohne feste Bedeutung, das durch Zahlen oder Namen von Dingen ersetzt werden darf. Leerstellen treten vor allem in Gleichungen und Ungleichungen auf.

Legasthenie [zu lateinisch legere ›lesen‹ und griechisch asthenes ›schwach‹], **Lese- und Rechtschreibschwäche,** Lernstörung bei Schulkindern. Trotz normaler Intelligenz haben **Legastheniker** Schwierigkeiten beim Schreiben- und Lesenlernen. Sie können häufig ähnlich lautende Buchstaben wie t und d, p und b nicht auseinanderhalten und verwechseln oder vertauschen Buchstabenverbindungen (wie ei und ie) oder Zahlenreihen (z. B. 1958 statt 1985). Die Legasthenie ist keine Krankheit. Ihre Ursachen sind unbekannt. Durch Übungen, die besonders für Legastheniker entwickelt wurden, lassen sich diese Störungen bei frühzeitiger Behandlung im allgemeinen beheben.

Legende [lateinisch ›das zu Lesende‹], **1)** Erzählung, die das Leben eines Heiligen oder Ausschnitte daraus zum Thema hat.

2) Text der Inschrift auf Werken der Malerei, Graphik, Bildhauerkunst, auf Münzen und Siegeln; auch Bildunterschriften, Erläuterungen zu Bildern und Zeichnungen sowie Zeichenerklärungen auf Landkarten.

Legierung [von italienisch legare ›verbinden‹], metallisches Gemisch aus mindestens 2 Bestandteilen, von denen wenigstens der eine ein Metall, das sogenannte Grundmetall, ist. Durch das Legieren lassen sich die Eigenschaften der Einzelbestandteile, besonders aber die des Grundmetalls, ändern und so verschiedenartigsten Beanspruchungen anpassen; es können auch völlig neue Eigenschaften erzielt werden. So hat das aus Kupfer und Zink hergestellte Messing eine wesentlich größere Härte als die Ausgangsstoffe, und die unmagnetischen Metalle Kupfer, Mangan und Aluminium ergeben eine magnetische Legierung.

Legierungen werden meist durch Zusammenschmelzen oder Zusammensintern der Bestandteile hergestellt. Sie entstehen aber auch durch gemeinsame physikalische oder chemische Behandlung oder Reaktionen der Ausgangsstoffe oder ihrer Verbindungen, z. B. durch Amalgamierung, Elektrolyse, Reduktion oder chemische Zersetzung. Technisch haben die Legierungen eine weitaus größere Bedeutung als reine Metalle. Selbst dort, wo der Metallwert eine ausschlaggebende Rolle spielt wie bei Münzen oder Schmuck, werden oft Legierungen wegen ihrer besseren Gebrauchseigenschaften bevorzugt.

Legion [lateinisch ›auserlesene Mannschaft‹], größte Einheit im römischen Heer. Sie umfaßte rund 6000 Fußsoldaten, 300 Reiter und dazu einen Troß, der der Versorgung diente. Als Feldzeichen führte die Legion einen Adler. Sie war untergliedert in 10 **Kohorten,** von denen jede 3 **Manipel** umfaßte. Jedes Manipel war noch einmal in 2 **Zenturien** unterteilt. Die Zenturie umfaßte 100 Mann und wurde von einem Offizier, dem Centurio, befehligt. In der Zeit der Römischen Republik bis kurz vor Christi Geburt gab es 8 Legionen, in der Kaiserzeit bis zu 70 Legionen.

Legislative [aus lateinisch lex ›Gesetz‹], das Recht auf Gesetzgebung. In einem Staat mit →Gewaltenteilung übt das Parlament dieses Recht aus. Der Zeitraum, für den das Parlament gewählt ist und Gesetze verabschieden darf, heißt **Legislaturperiode.** In der Bundesrepublik Deutschland üben Bundestag und Bundesrat, in Österreich Nationalrat und Bundesrat, in der Schweiz die Bundesversammlung (bestehend aus National- und Ständerat) die Legislative aus. Auf der Ebene der Länder (in der Bundesrepublik Deutschland und in Österreich) und Kantone (in der Schweiz) üben eigene Landesparlamente in einem von der Verfassung bestimmten Rahmen Gesetzgebungsrechte (Legislativrechte) aus.

Leguane, eine Familie der →Echsen, heimisch vor allem in Südamerika. Dazu gehören der bis 1 m lange, pflanzenfressende **Drusenkopf** und die noch größere **Meerechse,** die einzige Echse, die auch im Wasser lebt; sie ernährt sich von Tang. Beide kommen auf den Galápagos-Inseln vor. Am bekanntesten ist der bis 2 m lange **Grüne Leguan** mit sehr langem Schwanz, der in tropisch-feuchtwarmen Gebieten lebt. Auf dem Rücken trägt er eine Reihe Hornzacken und am Kinn einen auffallenden Hautlappen. Er lebt auf Bäumen unmittelbar am Wasser, kann sehr gut klettern, laufen, schwimmen und tauchen. Früchte und Blätter, auch Insekten, junge Vögel und Eier sind seine Nahrung. (BILD Seite 214)

Lehen, im Mittelalter ursprünglich ein Teil des Königsguts, das der König als **Lehnsherr** seinem Gefolgsmann verlieh. Ein Lehen verpflichtete den **Lehnsmann (Vasall)** zu Heerfolge (Kriegsdienst) und Treue gegenüber dem Lehnsherrn. Gleichzeitig stellte es den Lohn für seine Dienste dar. Starb ein Vasall, so fiel das Lehen im Normalfall an den Lehnsherrn zurück. In Deutschland wurden die Lehen schon sehr früh erblich. So verlor der König zunehmend die Kontrolle über das Königsgut und damit an Macht und Einfluß. – Von dem lateinischen Wort für Lehen, ›feudum‹, leitet sich der Begriff ›Feudalismus‹ ab.

Lehnswesen, die auf dem Lehnsverhältnis beruhende Rechts- und Gesellschaftsordnung des Mittelalters. Das Lehnswesen hat seine Ursprünge im 8. Jahrh. In dieser Zeit mit ihrem wenig ausgeprägten Handel stellte man die zum täglichen Leben notwendigen Dinge meist selbst her. Reichtum bestand damals in Ackerland. So be- und entlohnten die Könige ihre Gefolgsleute mit Land. Es wurde nicht deren Eigentum, sondern war ihnen nur geliehen, ein →Lehen. Zur Begründung des Lehnsverhältnisses gehörten 2 Elemente: das Lehen auf der Seite des **Lehnsherrn** und die Gefolgschaftstreue diesem Herrn gegenüber auf seiten des **Lehnsmanns (Vasallen).** Vor dem **Lehnsgericht,** das aus den übrigen Vasallen des Lehnsherrn bestand, leistete der Lehnsmann den **Lehnseid.** Der Lehnsherr belehnte ihn förmlich mit der Überreichung von Herrschaftssymbolen. Ein Treuebruch konnte zum Verlust des Lehens führen. Auch der Lehnsherr

Leguane: Grüner Leguan

war seinem Vasallen gegenüber zu Treue und Schutz verpflichtet. Die wichtigsten Dienste eines Vasallen bestanden in Heerfolge und Hoffahrt. Heerfolge bedeutete Kriegsdienst für den Herrscher und Teilnahme an der Romfahrt, das heißt am Krönungszug des Herrschers nach Rom. Hoffahrt bezeichnete die Anwesenheit am Hof des Lehnsherrn zu Rat und Hilfe. Hieraus entwickelten sich zum Teil in späterer Zeit die Landtage; auch der Reichstag war zunächst eine Versammlung von Lehnsträgern. – Große Lehen konnten vom Vasallen an **Untervasallen (Aftervasallen)** weiterverliehen werden. In Frankreich und England mußten auch Untervasallen dem König den Treueid leisten. Im Deutschen Reich leisteten sie den Eid jedoch nur gegenüber dem Lehnsherrn. Sie waren somit nur diesem, nicht dem König, treuepflichtig. Dieser Umstand trug mit dazu bei, daß die Königsmacht geschmälert wurde und die Macht der Landesherren wuchs.

Lehnwort, Wort, das aus einer fremden Sprache übernommen ist. Das Lehnwort wird in Schreibweise und Lautung der Aufnahmesprache angeglichen und deshalb nicht mehr als fremd empfunden, (z. B. ›Mauer‹ aus lateinisch ›murus‹ oder ›Fenster‹ aus lateinisch ›fenestra‹).

Lehrling, →Auszubildender.

Leibeigenschaft, im deutschen Recht des Mittelalters Bezeichnung einer Form der persönlichen Abhängigkeit von einem Leibherrn. Ihren Ursprung hat die Leibeigenschaft in der Völkerwanderungszeit, als Germanen die von ihnen eroberten Gebiete von germanischen Unfreien sowie den dort ansässigen Bauern für sich bebauen ließen. Wer in völliger Abhängigkeit auf dem Hof des →Grundherrn arbeitete und von diesem seinen Unterhalt bezog, war ein Leibeigener. Im Hochmittelalter unterschied man verschiedene Stufen von Leibeigenschaft (z. B. Hörige und Tagelöhner). Allen gemein war die Möglichkeit der Freilassung und des Freikaufs. Seit dem ausgehenden Mittelalter galt jeder Abhängige als leibeigen. Je nach Landesherrschaft war er seinem Leibherrn zu Abgaben in Geld und zu Sachabgaben sowie zu bestimmten Arbeitsleistungen (Frondienst) verpflichtet. Diese verhältnismäßig milde Form der Leibeigenschaft bestand in Süd- und Westdeutschland bis in die Neuzeit. Sie wurde in den einzelnen Staaten – nach vergeblicher Auflehnung im Bauernkrieg – im Zug der Bauernbefreiung im 18./19. Jahrh. abgeschafft.

In Ostdeutschland bildete sich mit dem Erstarken der Gutherrschaften und unter dem Einfluß des slawischen Rechts eine weitaus strengere Form aus. Hier war der Leibeigene zu unbeschränktem Frondienst gezwungen, konnte ohne Erlaubnis des Leibherrn seinen Wohnort nicht wechseln, seine Kinder mußten dem Herrn als Gesinde (Knechte und Mägde) dienen. Die Bauern konnten mitsamt dem Gut verkauft werden. Gegen diese **Erbuntertänigkeit** wandten sich die preußischen Reformen von 1807, doch blieb der Einfluß der Gutsherren auch nach Aufhebung der Leibeigenschaft noch bis zum Ende des 19. Jahrh. spürbar.

Von besonderer Bedeutung war die Leibeigenschaft in Rußland. Dort konnten die Bauern auch ohne das Gut, zu dem sie gehörten, verkauft werden. Erst 1861 wurde die Leibeigenschaft aufgehoben.

Gottfried Wilhelm Leibniz

Leibniz. Der Philosoph **Gottfried Wilhelm Leibniz** (* 1646, † 1716) war auch ein vielseitiger Wissenschaftler. Er erfand unter anderem eine Rechenmaschine für die 4 Grundrechenarten, hatte Pläne zur Entwässerung der Harzbergwerke durch Windräder und trug entscheidend zur Gründung der Preußischen Akademie der Wissenschaften bei.

Bekannt wurde seine philosophische Lehre, wonach alle Lebewesen grundsätzlich im Einklang mit sich und Gott leben. Nach Leibniz gibt es keine bessere Welt als die bestehende, weil Gott nur vollkommene Dinge schaffen könne.

Leibschmerzen, →Bauchschmerzen.

Leichtathletik, Lauf-, Sprung- und Wurfsportarten, die als Einzelwettkämpfe und Mannschaftswettbewerbe ausgetragen werden. Die Leichtathletik bildet den Hauptteil der olympischen Sommerspiele. Zu den Laufsportarten gehören für Herren und Damen eine Reihe von Laufwettbewerben über verschiedene Distanzen, vom 100-m-Lauf bis hin zum Marathonlauf (42,195 km). Hürden-, Staffel- und Gehwettbewerbe für Herren schließen sich an. Bei den Wurfwettbewerben sind Kugelstoßen, Speerwerfen und Diskuswerfen für Damen und Herren olympische Disziplinen. Als zusätzliche olympische Disziplin für Herren gibt es das Hammerwerfen. Nicht olympische Disziplinen sind

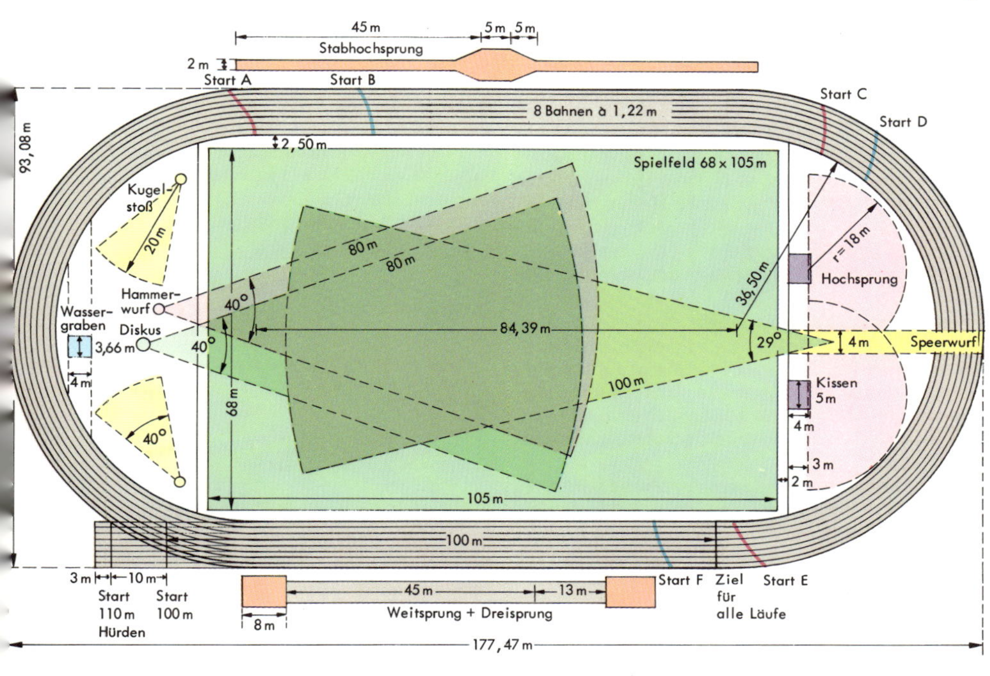

Leichtathletik:
Kampfbahn

Schlagball-, Schleuderball- und Gewichtwerfen sowie Steinstoßen. Zu den Sprungwettbewerben zählen Hoch-, Stabhoch-, Weit- und Dreisprung, für Damen nur Weit- und Hochsprung. Als olympische Disziplin gibt es für Herren den Zehn- und für Damen den Siebenkampf. Weitere Mehrkampfwettbewerbe sind Dreikampf und Fünfkampf.

⇒ Diskuswerfen, Dreisprung, Gehen, Hammerwerfen, Hindernislauf, Hochsprung, Hürdenlauf, Kugelstoßen, Kurzstreckenlauf, Langstreckenlauf, Marathonlauf, Mittelstreckenlauf, Siebenkampf, Speerwerfen, Stabhochsprung, Weitsprung, Zehnkampf.

Leichtgewicht, eine → Gewichtsklasse.

Leichtmetalle, eine Reihe von Metallen, die eine Dichte von weniger als 4,5 g/cm³ haben. Die wichtigsten Leichtmetalle sind **Aluminium, Magnesium, Titan** und **Beryllium** sowie deren Legierungen. Sie werden vor allem im Flugzeugbau, in der Raumfahrttechnik, im sonstigen Fahrzeugbau, z. B. für Reisezugwagen der Eisenbahn und für Autokarosserien, verwendet. Aus Aluminium werden auch Gebrauchsgegenstände hergestellt, z. B. Campingmöbel, Haushalt- und Elektrogeräte.

Leichtschwergewicht, eine → Gewichtsklasse.

Leideform, → Passiv.

Leier, deutsche Bezeichnung für die → Lyra.

Leim, durch Kochen von Knochen und Knorpel gewonnener → Klebstoff, der als Grundsubstanz einen quellfähigen Eiweißstoff enthält.

Leinen, Leinwand, ein Gewebe, das aus den Fasern von → Flachs gewonnen wird.

Leipzig, 503 200 Einwohner, Stadt in Sachsen, liegt verkehrsgünstig in der Auenlandschaft zwischen Pleiße und Elster. Leipzig ist eine Industrie-, Handels-, Messe- und Kulturstadt. Die **Leipziger Messe** entstand im Mittelalter; von Bedeutung war der Pelzhandel. Die Stadt wurde im 19. Jahrh. ein Mittelpunkt des Verlagswesens, des Buch- und Musikalienhandels und der Druckindustrie und hat eine umfassende Bibliothek, die **Deutsche Bücherei.**

Mit der 1409 gegründeten Universität, an der z. B. Goethe studierte, hatte Leipzig vielfach Einfluß auf das deutsche Geistesleben. 1723–50 war Johann Sebastian Bach Kantor an der Thomaskirche. Bis heute ist der hohe Stand der Musikpflege in Leipzig (Gewandhausorchester, Thomanerchor) berühmt. – In der **Völkerschlacht bei**

Leipzig (16.–19. Oktober 1813) wurde im Rahmen der Freiheitskriege Napoleons Armee von den verbündeten Russen, Preußen, Österreichern und Schweden entscheidend geschlagen. Daran erinnert das Völkerschlachtdenkmal.

Leistung, in der Physik der Quotient aus einer verrichteten Arbeit und der dazu benötigten Zeit. Den Begriff der Leistung findet man auf mechanischem Gebiet und im elektrischen Bereich der Technik. Ein Mensch erbringt eine **mechanische Leistung** von 100 Watt, wenn er ein Massestück von 10 kg in 1 s (Sekunde) um 1 m (Meter) hebt. Um eine konstante Leistung von 100 W über längere Zeit zu erzeugen, müßte er das 10 kg schwere Massestück 60mal pro Minute oder 3 600 mal pro Stunde um einen Meter anheben. Das folgende Rechenbeispiel soll den Unterschied zwischen Leistung und Arbeit verdeutlichen:

Zwei Jungen, die beide eine → Masse von 50 kg und damit ein Gewicht von etwa 500 N haben, klettern an 2 Stangen auf gleiche Höhe (6 m). Der eine von ihnen braucht dazu 30 s, der andere 60 s. Beide verrichten dieselbe Arbeit:

$$W = 500\,\text{N} \cdot 6\,\text{m} = 3\,000\,\text{Nm (Newtonmeter)} = 3\,\text{kJ (Kilojoule)}$$

Doch der erste Junge verrichtet die Arbeit in kürzerer Zeit, er vollbringt eine größere Leistung als der zweite.

Um die Leistungen der beiden Jungen vergleichen zu können, dividiert man die verrichtete Arbeit durch die Zeit.

$$\text{Leistung} = \frac{\text{Arbeit}}{\text{Zeit}}$$

Die Leistung des ersten Jungen beträgt also

$$\frac{3000\,\text{Nm}}{30\,\text{s}} = 100\frac{\text{Nm}}{\text{s}} = 100\frac{\text{J}}{\text{s}} = 100\,\text{W}$$

und die des zweiten

$$\frac{3000\,\text{Nm}}{60\,\text{s}} = 50\frac{\text{Nm}}{\text{s}} = 50\frac{\text{J}}{\text{s}} = 50\,\text{W.}$$

Neben der Leistungseinheit 1 Watt benutzte man früher die Einheit Pferdestärke (PS):

$$1\,\text{PS} = 736\,\text{W}$$

Die **elektrische Leistung** bei elektrischen Geräten ergibt sich aus der Tatsache, daß bei einer bestimmten Spannung ein bestimmter Strom durch ein Gerät fließt.

Beispiele für Leistungen:

Dauerleistung eines Menschen	75 W
Höchstleistung eines Menschen	2 kW
mittlere Leistung eines Pferdes	500 W
Leistung eines Volkswagens bei Vollgas	33 kW
Elektrische Lokomotive der Gotthardbahn	9 000 kW
Walchenseekraftwerk	125 000 kW
Rakete (Saturn V, Höchstleistung)	75 000 000 kW

Multipliziert man Spannung und Stromstärke miteinander, so erhält man die aufgenommene elektrische Leistung; sie wird in Watt angegeben.

Ein Heizofen nimmt z. B. bei einer Spannung von 220 V eine Leistung von 1 000 Watt auf. Dabei wird das Gerät von einer Stromstärke von etwa 4,55 Ampere durchflossen, denn:

$$220\,\text{V} \cdot 4{,}55\,\text{Ampere} \approx 1\,000\,\text{Watt.}$$

Auf den Elektrogeräten ist meist die aufgenommene elektrische Leistung angegeben.

Beispiele für die Leistungsaufnahme einiger Geräte:

Elektrischer Rasierapparat	10 W
Glühlampen im Zimmer	15...200 W
Fön	500 W
Kochplatten	1 500 W
Straßenbahn	100 000 W
Elektrische Lokomotive der Gotthardbahn	9 000 kW

Leiter, metallischer oder nichtmetallischer Stoff, der den elektrischen Strom leitet. Jeder Stoff enthält eine sehr große Anzahl positiver und negativer elektrischer Ladungsträger in gleicher Anzahl (Ionen und Elektronen). Im elektrischen Leiter sind viele dieser Ladungsträger beweglich, es kann also ein elektrischer Strom fließen.

Nach der Art ihrer beweglichen Ladungsträger werden **Elektronenleiter** und **Ionenleiter** unterschieden. Elektronenleiter sind besonders die Metalle, Ionenleiter die Elektrolyte sowie geschmolzene Salze. Stoffe mit beschränkter oder fast verschwindender Beweglichkeit der Ladungsträger sind die → Halbleiter und Isolatoren (Isolierstoffe).

Leiterplatte, Platine, → gedruckte Schaltung.

Leitwerk, eine Baugruppe des → Flugzeugs.

Leitzahl, Photographie: Die Leitzahl gibt die Lichtmenge an, die ein → Blitzgerät mit einem Blitz liefern kann. Das Blitzgerät ist desto stärker, je größer seine Leitzahl ist.

Lemminge, kleine, mit Mäusen verwandte Nagetiere, bewohnen die Tundren im nördlichen Europa, Asien und Amerika. Sie sind nicht größer als Meerschweinchen und meist goldbraun gefärbt. Sie vermehren sich so stark, daß alle 3–4 Jahre ein großer Teil von ihnen auswandert, da es ihnen an Nahrung mangelt. Bei dem Versuch, Flüsse und Buchten zu durchschwimmen, finden unzählige Tiere den Tod.

Lemuren, eine Familie der → Halbaffen.

Lenin. Der russische Revolutionär und Politiker **Wladimir Iljitsch Uljanow** (* 1870, † 1924) wurde unter dem Decknamen **Lenin** der Begründer der Sowjetunion.

Nach dem Studium der Rechtswissenschaft war Lenin Anwalt in Sankt Petersburg (1924 nach ihm in Leningrad umbenannt). 1897 wurde er wegen revolutionärer Tätigkeit nach Sibirien verbannt. Nach seiner Entlassung lebte er 1900–17 im westeuropäischen Ausland im Exil. Lenin entwickelte dort als Führer der → Bolschewiken die revolutionären Lehren von Karl Marx und Friedrich Engels weiter. Nach seinen Vorstellungen sollte eine revolutionär gesinnte, zahlenmäßig nicht unbedingt starke Partei als ›Vorhut‹ des Proletariats im Verlauf einer Revolution die kapitalistische Gesellschaftsordnung durch eine sozialistische ersetzen und diese allmählich in eine klassenlose Gesellschaft überführen. Im Ersten Weltkrieg forderte er die revolutionär gesinnten Kräfte in den kriegführenden Staaten auf, den Krieg in einen Bürgerkrieg zu verwandeln und durch einen solchen revolutionären Krieg einer sozialistischen Gesellschaftsordnung zum Durchbruch zu verhelfen.

Nach dem Sturz des russischen Kaisertums in der Februarrevolution 1917 kehrte Lenin nach Rußland zurück. Mit den radikalen Parolen ›Alle Macht den Räten‹ (russisch ›Sowjets‹, → Räterepublik), ›Frieden um jeden Preis‹ und ›Alles Land den Bauern‹ fand er in der vom Krieg schwer in Mitleidenschaft gezogenen russischen Bevölkerung zunehmend Widerhall.

In der Oktoberrevolution 1917 rissen die Bolschewiken (seit 1918 ›Kommunistische Partei‹ genannt) unter seiner Führung die Macht in Rußland an sich. Als Vorsitzender des ›Rates der Volkskommissare‹ übernahm Lenin die Führung Rußlands und schuf, unterstützt von seinen Mitrevolutionären (besonders → Trotzkij und → Stalin), die → Sowjetunion. Unter Berufung auf das Proletariat errichtete er eine sozialistische Gesellschaftsordnung und ein diktatorisches Regierungssystem, das sich in einem Bürgerkrieg (1918–21) behaupten konnte.

Über die Schaffung des Sowjetstaates in Rußland hinaus liegt die weltgeschichtliche Bedeutung Lenins darin, daß sich seit dem Ersten Weltkrieg die kommunistischen Parteien auf seine Deutung des → Marxismus, den **Marxismus-Leninismus,** beriefen.

Lenkflugkörper. Unbemannte Fluggeräte, die, von Raketen- oder Strahltriebwerken angetrieben, sich innerhalb oder außerhalb der Lufthülle bewegen können, werden allgemein als **Flugkörper** bezeichnet. Mit Raketenantrieb sind sie meist ohne Tragflügel flugfähig. Flugkörper haben meist militärische Verwendungszwecke, z. B. als Raketenwaffen. Von den **Raumflugkörpern** (Satelliten und Raumsonden) unterscheiden sich die Flugkörper durch geringere Geschwindigkeit. **Lenkflugkörper** können mit Hilfe von Fern- oder Eigenlenkung ein Ziel genauer ansteuern als ungelenkte Flugkörper oder Geschosse aus Rohrwaffen. Als **Fernlenkwaffen** (Raketen oder Cruise missiles) sind sie auf ein Ziel programmierbar, das sie zu ›erkennen‹, zu verfolgen und mit geringer Abweichung zu treffen vermögen.

Wladimir Iljitsch Lenin

Lenkung, eine Vorrichtung in Kraftfahrzeugen, mit der die Fahrtrichtung beeinflußt werden kann. Die Lenkung wird durch Schwenken der Vorderräder bewirkt. Beim Drehen des Lenkrades werden über ein Lenkgetriebe sowie über Hebel und Schubstangen die Räder eingeschlagen. Sie sind auf den Achsschenkeln gelagert, die um nahezu senkrechte Lenkachsen (Lenkzapfen) schwenken können. Man nennt diese Art der Lenkung deshalb **Achsschenkellenkung.** Bei Anhängern wird meist die **Drehschemellenkung** verwendet. Die ganze gelenkte Achse wird dabei um eine Vertikalachse geschwenkt.

Schwere Fahrzeuge wie Lastkraftwagen, Omnibusse, auch größere Personenkraftwagen sind mit einer **Servolenkung** oder **Hilfskraftlenkung** ausgestattet. Beim Drehen des Lenkrades wird im Lenkgetriebe eine durch Ventile gesteuerte hydraulische Kraftunterstützung wirksam.

Lenkung: Schema des Lenkgestänges eines Kraftwagens und Beispiel einer Servolenkung

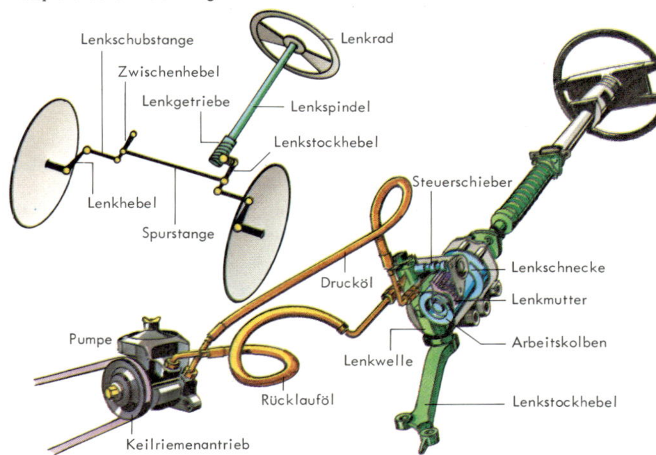

Lenz. Vielen Lesern ist **Siegfried Lenz** (* 1926) durch seine heiteren Geschichten aus ›So zärtlich war Suleyken‹ (1955) bekannt, die in der Heimat des Schriftstellers, in Masuren (Ostpreußen), spielen. Realistisch und anschaulich stellt Lenz jedoch hauptsächlich Probleme und Konflikte der Kriegs- und Nachkriegsjahre dar, so etwa in seinem Roman ›Deutschstunde‹ (1968); hier wird die Zeit des Nationalsozialismus aus der Sicht eines Zwanzigjährigen geschildert. Eine Art Fortsetzung ist ›Das Vorbild‹ (1973). In seinen Erzählungen – sie waren anfangs stark von Ernest Hemingway beeinflußt – geht es um Unfreiheit und Einsamkeit von Menschen, ihr Scheitern und ihre Bewährung. Außer Romanen (unter anderem noch ›Es waren Habichte in der Luft‹, 1951; ›Stadtgespräch‹, 1963) und Erzählungen schreibt Lenz auch Hörspiele und Dramen.

Leonardo da Vinci [-wintschi]. Der italienische Maler, Bildhauer, Architekt, Naturforscher und Techniker **Leonardo** (auch **Lionardo**) **da Vinci** (* 1452, † 1519) war einer der größten europäischen Künstler und gleichzeitig ein vielseitiger Wissenschaftler und Forscher. Seine Ausbildung erhielt er in der Werkstatt des Malers und Bildhauers Andrea del Verrocchio in Florenz. Weitere Stationen seines Lebens waren Mailand, Rom und zuletzt, auf Einladung des französischen Königs Franz I., Frankreich, wo er gestorben ist. Als Maler gilt Leonardo als der Vollender des klassischen Stils der italienischen Renaissance. Einige der berühmtesten Gemälde hängen im Pariser Louvre: die ›Madonna in der Felsengrotte‹ (nach 1483; Werkstatt-Zweitfassung in der Londoner Nationalgalerie); die rätselhaft lächelnde ›Mona Lisa‹, wohl das Porträt der Gattin eines Florentiner Edelmannes (um 1503–06 gemalt); die ›heilige Anna Selbdritt‹ (Anna, die Mutter der Maria, mit Maria und dem Jesusknaben, 1508–10). Ein monumentales Fresko ist das ›Abendmahl‹ im Refektorium (Speisesaal) des Klosters Santa Maria delle Grazie in Mailand (1495–97). Die Vorstellungen Leonardos über Architektur sind nur in Entwürfen und Skizzen enthalten; geplante plastische Werke gelangten nicht bis zum Guß. Als Wissenschaftler und Techniker befaßte er sich mit Projekten wie der Schiffbarmachung des Arno von Florenz bis zum Meer, mit Festungsbau, Kriegstechnik, Geographie und Geologie, Mathematik, Maschinen- und Gerätebau, Flugwesen, Anatomie. Er unternahm Experimente, fertigte Zeichnungen und Karten an, verfaßte kunsttheoretische und wissenschaftliche Schriften. Mit seinen methodischen Beobachtungen und Erkenntnissen war er seiner Zeit oft weit voraus.

Lerchen:
OBEN Haubenlerche,
UNTEN Feldlerche

Gotthold Ephraim Lessing

Leopard [zu lateinisch leo ›Löwe‹ und pardus ›Panther‹], **Panther,** Großkatze (→Katzen) mit vielen Unterarten. Meist als Einzelgänger bewohnt der Leopard Savannen, Urwälder und Gebirgslandschaften in Afrika, Süd- und Ostasien. Wegen des schönen, wertvollen Pelzes wurde er besonders stark verfolgt und ist daher in manchen Gebieten sehr selten geworden oder sogar ausgerottet. Bis auf schwarze Tupfen im Fell sieht der Leopard dem größeren →Jaguar sehr ähnlich. Besonders in Südostasien kommen auch schwarze Leoparden vor, die **Schwarzen Panther,** die irrtümlich für besonders wild und gefährlich gehalten werden. Leoparden können gut klettern und schleppen ihre Beutetiere (Affen, Antilopen, auch Haustiere) oft auf Bäume. In Gefangenschaft werden Leoparden etwa 20 Jahre alt.

Lepra [zu griechisch lepis ›Schuppe‹], **Aussatz,** eine →ansteckende Krankheit, die von einem Bakterium hervorgerufen wird; die Art der Übertragung ist unbekannt. Die →Inkubationszeit ist sehr lang, sie kann Monate bis Jahre dauern. Die Krankheit führt zu Flecken und Knoten auf der Haut, besonders im Gesicht. Das Bakterium befällt auch die Nerven und hat Lähmungen und, da die Empfindung gestört ist, meist auch Verstümmelung zur Folge. Heute kann man die Lepra mit chemischen Mitteln behandeln.

Lepra war schon im Altertum im Orient, besonders in Ägypten und Indien, weit verbreitet. Erst im Mittelalter wurde diese Erkrankung von zurückkehrenden Kreuzfahrern nach Europa eingeschleppt, wo sie sich rasch ausbreitete. Heute findet man die Lepra hauptsächlich in Asien, Afrika, Lateinamerika und Südeuropa.

Lerchen, zierliche, kleine Singvögel, die auf Feldern und Wiesen leben. Ihre lockeren Nester bauen sie gut versteckt am Boden. Mit ihrem unauffällig erdfarbenen Gefieder sind die brütenden Weibchen und die Jungen gut getarnt. Bei Gefahr drücken sich Lerchen an den Boden oder laufen weg, statt aufzufliegen. Die Nahrung besteht aus Insekten und Samen. Besonders charakteristisch ist der trillernde Gesang der **Feldlerche,** die ebenso wie die kleinere **Heidelerche** ein Zugvogel ist. Die selten gewordene **Haubenlerche** mit ihrem spitzen Federhäubchen auf dem Kopf überwintert oft in Städten.

Lesotho, ein Königreich in Südostafrika, das von der Republik Südafrika völlig umschlossen ist. Das Land ist etwa so groß wie die beiden österreichischen Bundesländer Nieder- und Oberösterreich zusammen. Es ist größtenteils ein 2000–3000 m hohes Gebirgsland, das in den

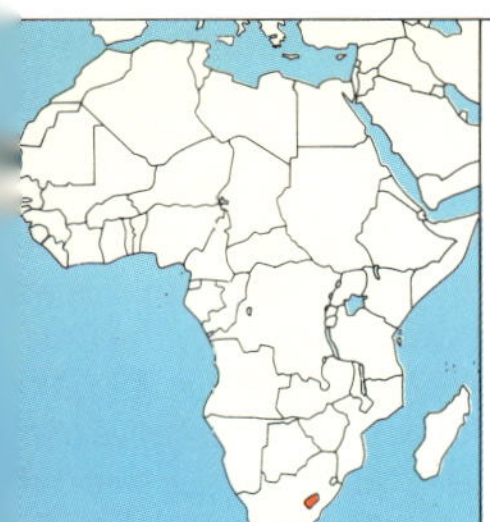

Lesotho

Fläche: 30 355 km²
Bevölkerung: 1,76 Mill. E
Hauptstadt: Maseru
Amtssprache: Sesotho und Englisch
Nationalfeiertag: 4. Okt.
Währung: 1 Loti (M) = 100 Lisente (s)
Zeitzone: MEZ + 1 Stunde

Drakensbergen bis 3 482 m ansteigt. Das Klima zeigt große Temperaturschwankungen im Tages- und Jahresverlauf. Lesotho zählt zu den ärmsten Ländern der Erde. Viele Einwohner verdienen sich ihren Lebensunterhalt in der Republik Südafrika. Grundlage der einheimischen Wirtschaft sind Viehzucht und der Anbau von Getreide und Hülsenfrüchten. Das Land, seit 1868 unter britischem Schutz, wurde 1966 als Königreich unabhängig. (KARTE Seite 194)

Lessing. Für die Geschichte des deutschen Theaters sind die Werke des Dichters **Gotthold Ephraim Lessing** (* 1729, † 1781) wegweisend. Mit seiner Tragödie ›Miß Sara Sampson‹ (1755) begründete Lessing das deutsche bürgerliche Trauerspiel nach englischem Vorbild (vorher waren nur adlige Personen in tragischen Konflikten gezeigt worden). 1766 vollendete Lessing das Lustspiel ›Minna von Barnhelm‹, das in der Mischung von tragischen mit schließlich vorherrschend komischen Elementen bis heute als ›klassisches‹ deutsches Lustspiel gilt. Es ist das erste Stück in Deutschland, das zeitgeschichtliche Probleme im eigenen Land aufgreift. 1772 wurde das Trauerspiel ›Emilia Galotti‹ uraufgeführt. Lessings ›Nathan der Weise‹ (1779) stellt die Forderung nach Toleranz und Menschlichkeit auf.

In seiner Zeit war Lessing vor allem als Kritiker berühmt und gefürchtet. In Berlin schrieb er treffsichere Kritiken in einer Zeitung. In der Wochenschrift ›Briefe die Neueste Litteratur betreffend‹ erklärte er sich zum erstenmal deutlich gegen die französische Klassik, die in Deutschland noch immer als Vorbild für die dramatische Dichtung galt, und rechtfertigte Shakespeares zu dieser Zeit in Deutschland verkannte Werke. Auf die grundsätzlichen Unterschiede zwischen Poesie und bildenden Künsten ging Lessing in seinem ›Laokoon‹ (1766) ein. Ab 1767 war er als Dramaturg am Deutschen Nationaltheater in Hamburg beschäftigt. Dort entstand die ›Hamburgische Dramaturgie‹ (2 Bände, 1767–69), eine Sammlung von Theaterkritiken und Überlegungen zum Wesen von Tragödie und Komödie und zur Bedeutung des Dichters. Nach dem Zusammenbruch des Theaterunternehmens wurde er 1770 Bibliothekar in Wolfenbüttel. Lessing schrieb auch Fabeln und Epigramme und beschäftigte sich mit theologischen Problemen. Als Dichter und Denker gehörte er der → Aufklärung an und wurde zum Wegbereiter der deutschen → Klassik. Sein klarer, prägnanter Sprachstil wurde beispielhaft für die deutsche Prosa.

Lettland, Staat in Osteuropa, eine Republik. Lettland umfaßt etwa ein Sechstel der Fläche Deutschlands. Das von kuppigen Höhen (höchste Höhe 311 m) und Seen bestimmte Land ist ein Ausläufer der Osteuropäischen Ebene. Im Westen umgreift die Halbinsel Kurland den flachen, sich weit ins Landesinnere erstreckenden Rigaischen Meerbusen. Das Klima ist ozeanisch geprägt und hat milde Winter und kühle Sommer.

Die Bevölkerung gliedert sich in Letten (etwas mehr als 50 %), Russen (etwa 35 %), Weißrussen, Ukrainer, Polen und Litauer. Die meisten Gläubigen gehören der evangelisch-lutherischen Kirche an.

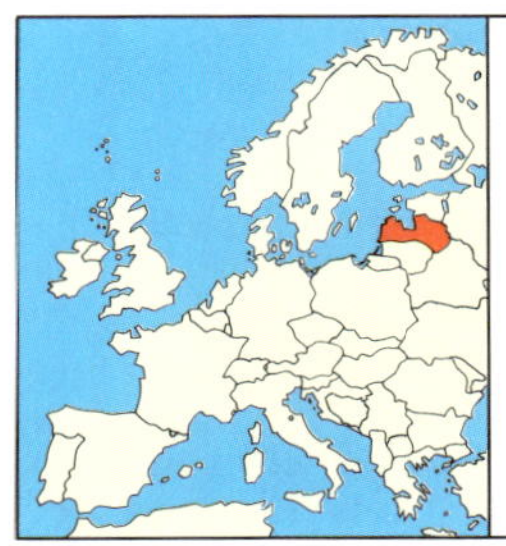

Lettland

Fläche: 64 500 km²
Bevölkerung: 2,68 Mill. E
Hauptstadt: Riga
Amtssprache: Lettisch
Nationalfeiertag: 18. Nov.
Währung: 1 Lat = 100 Santin
Zeitzone: MEZ + 1 Stunde

Wichtigster Wirtschaftszweig ist die Industrie bei Riga, Dünaburg und Libau (Elektrogeräte, Textilien, Maschinen). Im Vordergrund der Landwirtschaft steht die Rinder- und Schweinehaltung. Bedeutend ist die Hochseefischerei.

Die zu den ostbaltischen Völkern zählenden Stämme der Lettgaller, Selen und Semgaller siedelten seit dem 9. Jahrh. n. Chr. im Gebiet des heutigen Lettland. Seit dem 12. Jahrh. wurde die Region christianisiert und vom Schwertbrüderorden, ab 1237 vom Deutschen Orden unterworfen. Nach Jahren polnischer Herrschaft gehörte das Land seit dem Ende des 18. Jahrh. zum russischen Zarenreich. Die 1918 ausgerufene Republik wurde 1934 durch eine Diktatur unter Karlis Ulmanis beseitigt. 1940 wurde Lettland der Sowjetunion einverleibt, löste sich jedoch 1990/91 aus deren Staatsverband.

Lesotho

Staatswappen

Staatsflagge

Lettland

Staatswappen

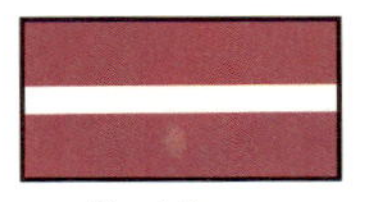

Staatsflagge

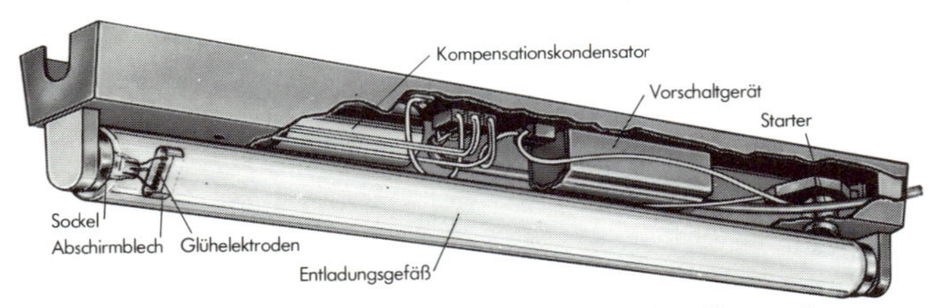

Leuchtstofflampe: Aufbau einer Leuchtstofflampe mit stabförmiger Röhre

Leuchtkäfer, → Glühwürmchen.

Leuchtstofflampe, eine röhrenförmige Lampe. Sie besteht aus einer Glasröhre, die mit Quecksilber niedrigen Drucks und einem Edelgas gefüllt ist. Sie wird daher auch als **Quecksilberniederdrucklampe** bezeichnet. In der Röhre befinden sich an beiden Enden Elektroden. Beim Einschalten der Lampe werden zunächst die Elektroden aufgeheizt. Sind diese genügend warm, gibt das Zündgerät (›Starter‹), das jeder Leuchtstofflampe vorgeschaltet ist, einen Spannungsimpuls ab, der eine Gasentladung innerhalb der Glasröhre in Gang setzt. Jetzt fließt ein elektrischer Strom von einer Elektrode zur anderen; man sagt, die Lampe hat gezündet. Die Gasentladung erzeugt neben dem sichtbaren Licht einen starken Anteil ultravioletter Strahlung, die für das menschliche Auge nicht sichtbar ist. Diese Strahlung trifft auf einen Leuchtstoff, mit dem das Innere des Glasrohrs beschichtet ist. Dieser Leuchtstoff ist in der Lage, die kurzwellige Ultraviolettstrahlung in die längerwellige Lichtstrahlung umzuwandeln und somit helles Licht an die Umgebung abzugeben. Je nach Zusammensetzung des Leuchtstoffbelags erhält man unterschiedlich getönte Lichtfarben; es gibt tageslichtweiße, neutralweiße und warmweiße Lampen, für Sonderzwecke, z. B. Lichtreklame, auch in anderen Farben.

Leukämie [zu griechisch leukos ›weiß‹ und haima ›Blut‹], schwere Erkrankung mit starker Vermehrung der weißen Blutkörperchen, die durch Zellwucherungen des blutbildenden Gewebes im Knochenmark bedingt ist. Die eigentlichen Ursachen der Leukämie sind unbekannt. Auslösend können Strahlen (z. B. Röntgenstrahlen) und nach neueren Untersuchungen wahrscheinlich auch Viren sein. Man unterscheidet akute und chronische Verlaufsformen. Die akute Leukämie, die häufiger bei Kindern auftritt, kann stürmisch und mit hohem Fieber verlaufen. Die chronische Form zieht sich über Monate und Jahre hin. Die Kranken sind äußerst anfällig für ansteckende Krankheiten und neigen zu Blutungen.

Lexikon [zu griechisch lexis ›Stil‹, ›Redeweise‹], alphabetisch geordnetes Nachschlagewerk, in dem man Auskunft über einzelne Personen und Sachbegriffe erhält. Es gibt Lexika, in denen alle Wissensbereiche behandelt werden, und solche über ein bestimmtes Fachgebiet (z. B. Länder-, Sport-, Musiklexikon). Die heutige Form des Lexikons wurde im 19. Jahrh. von **Friedrich Arnold Brockhaus** entwickelt. Er gab seit 1808 ein Konversationslexikon heraus, das Bildung und Wissen in breitere Schichten des Volkes tragen sollte. (→ Enzyklopädie, → Wörterbuch)

Lhasa [tibetisch ›Götterstätte‹], rund 100 000 Einwohner, Hauptstadt von Tibet, Volksrepublik China, im Himalaya, 3 700 m über dem Meeresspiegel, an einem Nebenfluß des Tsangpo. Lhasa gilt als die heilige Stadt der lamaistischen Buddhisten und war bis 1959 Sitz des Dalai Lama (in der Palastburg **Potala**).

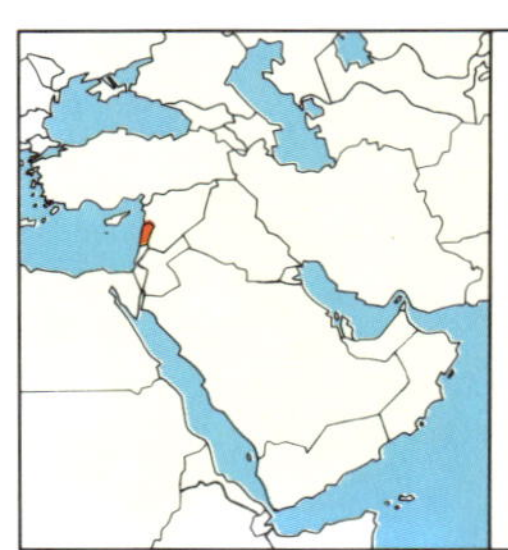

Libanon

Fläche: 10 452 km²
Bevölkerung: 3,34 Mill. E
Hauptstadt: Beirut
Amtssprache: Arabisch
Nationalfeiertag: 22. Nov.
Währung: 1 Libanes. Pfund (L£) = 100 Piastres (P.L.)
Zeitzone: MEZ + 1 Stunde

Libanon, Republik an der Ostküste des Mittelmeers in Vorderasien. Das Land ist etwa halb so groß wie Hessen. Es gliedert sich in den schmalen, dichtbesiedelten Küstenstreifen, das Libanongebirge (bis 3 088 m hoch), das Talbekken der Beka und die sehr trockenen, kahlen Höhen des Antilibanon (bis 2 629 m hoch) im Osten.

Noch vor 20 Jahren nannte man den Libanon auch die ›Schweiz des Nahen Ostens‹, teils wegen des gebirgigen Charakters des Landes, teils wegen seines blühenden Fremdenverkehrs, teils auch wegen seines Reichtums, bedingt durch regen Handel mit den arabischen Staaten. Das Küstengebiet mit landwirtschaftlichem Anbau auf künstlich bewässerten Flächen ist Kerngebiet des Landes. Das Libanongebirge, in dem im Winter Schnee fällt, war vor dem Bürgerkrieg ein bedeutendes Erholungs- und Wintersportgebiet.

Geschichte. Die Geschicke des Libanon waren früher mit denen Syriens verbunden. Unter französischer Herrschaft erhielt das Land 1926 eine eigene Verfassung und Verwaltung. 1946 gewann es die Unabhängigkeit. Seit dem Ende der 1960er Jahre wurde der Libanon immer stärker in den →Nahostkonflikt hineingezogen. Heute ist er ein vom Bürgerkrieg zerrissenes Land, in dem sich religiös bestimmte politische Gruppen gegenüberstehen: Christen (meist Maroniten), Muslime (Sunniten und Schiiten) und Drusen. Außerdem stehen Truppen der palästinensischen Araber (→Palästinenser) und Syriens im Land. 1991 kam es unter dem Druck Syriens zur Beendigung des Bürgerkriegs. Obwohl ein Parlament gewählt wurde und eine Regierung besteht, ist der Libanon faktisch ein Protektorat Syriens. Israel hält im Süden eine sog. Sicherheitszone besetzt. (KARTE Seite 194)

Libẹllen [zu lateinisch libella ›kleine Waage‹], **Wạsserjungfern,** buntglitzernde Insekten mit durchsichtigen Flügeln, die an Teichen und Bächen leben, z. B. die **Gebänderte Prachtlibelle.** Vor allem bei Sonnenschein jagen sie Mücken und Fliegen. Sie fliegen geräuschlos und sehr schnell (bis zu 25 km/h), können wie ein Hubschrauber auf der Stelle schweben und auch rückwärts fliegen. Im Flug ergreifen sie ihre Beute mit den Beinen, die eine Art Fangkorb bilden. Die Larven, die am Boden von Gewässern leben, packen ihre Beute mit einer ›Fangmaske‹. Dazu schnellen 2 große Greifzangen vor, die sonst das Gesicht maskenartig verdecken. Die schlanken Libellen haben große Augen und werden bis zu 13 cm lang. Sie leben nur wenige Wochen.

liberạl [aus lateinisch liberalis ›frei‹], eine politische Haltung, die die Freiheit des einzelnen Menschen, ihre Erhaltung und Fortentwicklung, in den Mittelpunkt stellt. Im 19. und beginnenden 20. Jahrh. wurden die liberalen Gedanken besonders vom Bürgertum getragen. In den parlamentarisch-demokratischen Staaten sind diese Gedanken heute weitgehend Allgemeingut und erscheinen in vielen Parteiprogrammen.

Die liberale Bewegung ging aus der →Aufklärung des 18. Jahrh. hervor. In politischer Beziehung wandte sich der Liberalismus ursprünglich gegen den →Absolutismus der Fürsten und die Ausstattung des Adels mit Vorrechten (Privilegien). Um dem einzelnen Menschen Raum zur eigenverantwortlichen Lebensgestaltung zu schaffen, sucht er die Macht des Staates zu begrenzen. Hauptforderungen sind: Anerkennung allgemeiner Menschen- und Bürgerrechte seitens des Staates, Kontrolle der Regierung durch eine Volksvertretung, Unabhängigkeit der Gerichte, →Gewaltenteilung sowie die zeitliche Beschränkung der Machtausübung. Historisch gesehen ist der Liberalismus der Wegbereiter des Rechts- und Verfassungsstaates (z. B. Verfassung der USA von 1787, Frankreichs von 1791; deutsche Verfassung von 1849). Über die Forderung, daß nicht nur der einzelne Mensch, sondern auch jedes Volk das Recht auf seinen eigenen Weg hat, trat der Liberalismus als Garant der nationalen Einheit (z. B. in Frankreich) oder als Motor der nationalen Einigung (z. B. in Italien und Deutschland) hervor.

In wirtschaftlicher Hinsicht geht der Liberalismus vom Eigeninteresse der einzelnen Menschen aus, besonders von einem freien Unternehmertum bei freiem Wettbewerb. Hatte im 19. Jahrh. der Staat lediglich die Aufgabe, diesen Wettbewerb zu ermöglichen (›Nachtwächterstaat‹), so soll er heute im Rahmen der Sozialen →Marktwirtschaft eingreifen und die Rahmenbedingungen für einen funktionsfähigen Wettbewerb schaffen. Die Ansichten über das Ausmaß staatlicher Eingriffe gehen allerdings weit auseinander.

In weltanschaulicher Richtung geht der Liberalismus vom Gedanken der Toleranz aus und fordert z. B. Glaubens- und Bekenntnisfreiheit.

Im 19. Jahrh. entstanden zahlreiche, häufig starke liberale Parteien. Im 20. Jahrh. übernahmen andere Bewegungen (z. B. Sozialdemokratie/Sozialismus, Christlich-demokratische Bewegung) liberales Gedankengut; das führte im 20. Jahrh. zu einer Schwächung der liberalen Parteien.

In Deutschland bildeten sich 1861 die ›Deutsche Fortschrittspartei‹ und 1867 die ›Nationalliberale Partei‹. In der Zeit der Weimarer Republik (1919–33) vertraten parteipolitisch die ›Deutsche Volkspartei‹ und die ›Deutsche Demokratische Partei‹ den Liberalismus. In der Bundesrepublik Deutschland entstand 1948 die ›Freie Demokratische Partei‹ (FDP), die seit 1949 meist an der Regierung beteiligt ist.

In Frankreich verband sich der Liberalismus mit der republikanischen Bewegung, das heißt mit politischen Kräften, die sich vor allem die Errichtung und später die Bewahrung der republikanischen Staatsform zum Ziele setzten.

In Großbritannien entstand im 19. Jahrh. die ›Liberale Partei‹; z. B. mit Lord Henry Palmerston und William Gladstone stellte sie den Ministerpräsidenten. Nach dem Ersten Weltkrieg wurde sie von der Labour Party in den Hintergrund gedrängt.

Libẹria, der am längsten unabhängige Staat des afrikanischen Kontinents. Das Land ist etwas

Libanon

Staatswappen

Staatsflagge

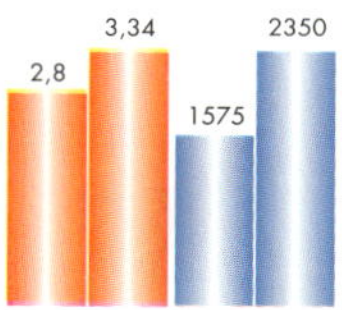

Bevölkerung (in Mill.)

Bruttosozialprodukt je E (in US-$)

Bevölkerungsverteilung 1988

Bruttoinlandsprodukt 1987

Libellen: Gebänderte Prachtlibelle

Liberia

Fläche: 111 369 km²
Bevölkerung: 2,6 Mill. E
Hauptstadt: Monrovia
Amtssprache: Englisch
Nationalfeiertag: 26. Juli
Währung: 1 Liberian. Dollar (Lib$) = 100 Cents (c)
Zeitzone: MEZ – 1 Stunde

Libyen

Fläche: 1 759 540 km²
Bevölkerung: 4,3 Mill. E
Hauptstadt: Tripolis
Amtssprache: Arabisch
Staatsreligion: Islam
Nationalfeiertag: 1. Sept.
Währung: 1 Libyscher Dinar (LD.) = 1 000 Dirhams
Zeitzone: MEZ + 1 Stunde

Liberia

Staatswappen

Staatsflagge

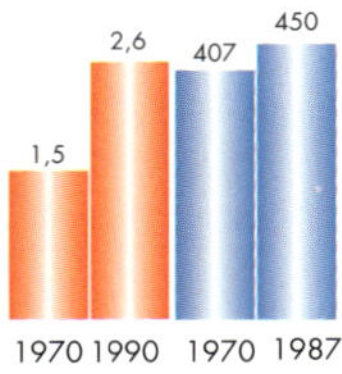

Bevölkerung (in Mill.) Bruttosozialprodukt je E (in US-$)

Bevölkerungsverteilung 1990

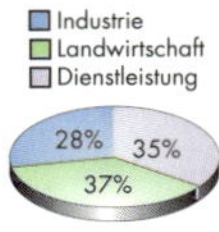

Bruttoinlandsprodukt 1987

größer als Bulgarien. Seit 1822 halfen weiße Amerikaner freigekauften und freigelassenen Sklaven, sich in Afrika anzusiedeln. 1847 schufen sie nach amerikanischem Vorbild die unabhängige Republik Liberia. Die Nachkommen dieser ›Ameriko-Liberianer‹ bilden heute die zahlenmäßig kleine Oberschicht Liberias. Die Einwohner leben größtenteils an der Küste sowie in den Bergbaugebieten. Die geringe Bevölkerungsdichte in den anderen Regionen hängt damit zusammen, daß das Landesinnere zu ¾ von tropischem Regenwald bedeckt ist. Der wichtigste Wirtschaftszweig ist die Landwirtschaft, die von den meisten Bewohnern allerdings vorwiegend zur Selbstversorgung betrieben wird. Für den Export produzieren große Kautschukplantagen und der Bergbau (Eisenerz, Diamanten). (KARTE Seite 194)

Libreville [librewil, französisch ›freie Stadt‹], 352 000 Einwohner mit Vororten, Hauptstadt und wichtigster Hafen von Gabun am Mündungstrichter des Flusses Gabun. Libreville wurde 1849 für 46 aus einem Sklavenschiff befreite Afrikaner gegründet.

Libyen, Republik in Nordafrika zwischen Tunesien im Westen und Ägypten im Osten. Das Land, rund 5mal so groß wie die Bundesrepublik Deutschland, grenzt im Norden an das Mittelmeer und erstreckt sich nach Süden weit in die Wüste Sahara bis zum Tibestigebirge. Es besteht zu $^{9}/_{10}$ aus Wüste. Im Norden fällt das Gebirge des Djebel al-Achdar auf der Halbinsel Cyrenaika steil zum Mittelmeer hin ab. Der Küstenstreifen besitzt Mittelmeerklima mit im Durchschnitt nur 400 mm Niederschlag, im Landesinnern herrscht Wüstenklima. Araber und Berber, die die arabische Sprache und Lebensweise angenommen haben, bilden den Hauptteil der Bevölkerung. Am stärksten besiedelt ist die Küstenebene. In der im Südwesten gelegenen Wüste Fessan leben Tuareg und Tubu als Nomaden. Der Islam ist Staatsreligion.

Durch Erdölfunde wurde Libyen aus einem der ärmsten Entwicklungsländer zu einem der größten Erdölexporteure der Erde. Mit den Einkünften werden Landwirtschaft und Industrie gefördert. Erdnüsse, Olivenöl, Obst und Felle werden exportiert.

Geschichte. Das Land wurde um 650 n. Chr. von den Arabern erobert. Im 16. Jahrh. kam es unter türkische Herrschaft, zu Beginn des 20. Jahrh. an Italien. 1951 errang es die Unabhängigkeit und wurde ein Königreich. Nach dem Sturz des Königs 1969 errichteten Offiziere unter Oberst Gaddhafi eine sozialistische Regierung auf streng islamischer Grundlage. Unter Gaddhafi entwickelte sich Libyen zu einem der schärfsten Gegner Israels. (KARTE Seite 194, BILD Seite 223)

Licht. Als die Menschen das Feuer noch nicht kannten, diente ihnen die Sonne als einzige Energiequelle, die mit ihren Strahlen die Erde beleuchtete und erwärmte. Andere in der Natur unregelmäßig vorkommende Lichterscheinungen neben dem Mond und den Sternen waren der Blitz und das Nordlicht. Die mit den Augen wahrgenommene Erscheinung nannten sie Licht. Höhlenfunde zeigen, daß die Menschen, nachdem sie Feuer entfachen konnten, später Stäbe aus harzigem Kiefernholz (›Kienspan‹) zur Beleuchtung ihrer Unterkunft anzündeten. Aus dem Kienspan entwickelte sich die Fackel. Bast und Seegras wurden mit Tran oder Pech durchtränkt und um dicke Holzstiele gewickelt. Schon 300 Jahre vor Christi Geburt besaßen die Griechen und Römer Ölschalen, in die ein Docht aus Hanf eintauchte. Hundert Jahre später erhellten Bienenwachskerzen die Paläste der reichen Römer. Erst 2 000 Jahre später, im 19. Jahrh., gelang es, aus Erdöl Petroleum zu gewinnen und die Petroleumlampe zu entwickeln. Sie wurde nach der gelungenen Herstellung des Leuchtgases durch Gasbrenner abgelöst; zur Straßenbeleuchtung benutzte man Gaslampen. 1854 erfand der Deutsch-Amerikaner Heinrich Göbel die erste elektrische Glühlampe, die sich aber erst durchsetzen konnte, nachdem der amerikanische Erfinder Thomas Alva Edison sie technisch stark verbessert hatte. Heute werden in zunehmendem Maße zur künstlichen Beleuchtung Leuchtstofflampen verwendet (z. B. die Lichtreklamen und die Straßenbeleuchtung bei Nacht).

Die durch Licht hervorgerufenen Erscheinungen sind sehr vielfältig. Trifft ein Lichtbündel auf eine helle Wand, den Staub in der Luft oder eine Kreidestaubwolke, so wird es von dort nach allen Seiten zurückgeworfen – man sagt auch gestreut – und fällt in das Auge. Man sieht demnach Gegenstände aus verschiedenen Blickrichtungen nur, wenn sie das auftreffende Licht nach allen Seiten hin streuen. An Tagen mit Bewölkung sieht man das Sonnenlicht in nebliger Luft als gerade Strahlen durch Wolkenlücken hindurchtreten.

Ein Lichtbündel breitet sich geradlinig in Luft aus, beim Übergang z. B. in Wasser wird es abgeknickt und verläuft dort ebenfalls geradlinig weiter (→ Lichtbrechung). Die verschiedenen → Farben des Lichtes erscheinen bei der Lichtbrechung als sichtbare Eigenschaft. Eine andere Eigenschaft ist die Tatsache, daß Licht scheinbar keine Zeit braucht, um nach dem Einschalten einer Lampe sofort ein Zimmer vollständig auszuleuchten.

Für sehr große Entfernungen, z. B. den Abstand von 384 000 km zwischen Erde und Mond, läßt sich die Zeit, die das Licht für den Weg braucht, jedoch messen. Ein kurzer, von der Erde ausgesandter Lichtblitz läuft bis zu einem → Spiegel, den Astronauten auf dem Mond aufgestellt haben. Der Spiegel wirft das Licht zur Erde zurück. Die Zeit, die das Licht für den Weg zum Mond und zurück benötigt, beträgt 2,56 s (Sekunden). Berechnet man nun den Weg des Lichtes in einer Sekunde, so erhält man für die **Lichtgeschwindigkeit** etwa 300 000 $\frac{km}{s}$; diese ist nach Albert Einstein die größte erreichbare Geschwindigkeit.

Lichtbogen, eine mit starker Licht- und Wärmeentwicklung verbundene → Gasentladung, bei der in Luft oder einem anderen Gas ein elektrischer Leitungsvorgang stattfindet. Zur Erzeugung eines Lichtbogens werden 2 Kohlestäbe, zwischen denen eine Spannung von mindestens 50 Volt liegt, in Berührung gebracht. Der entstehende Strom erhitzt die Berührungsstelle, bis die Kohlen zu glühen beginnen. Zieht man die Kohlen einige Millimeter auseinander, so entsteht zwischen K_1 und K_2 ein Lichtbogen. Die glühende negative Elektrode K_1 sendet jetzt Elektronen aus, die auf die Anode K_2 prallen, dort unter starker Hitzeentwicklung (4 000 °C) ionisierte Kohleteilchen herausreißen und einen kleinen Krater entstehen lassen.

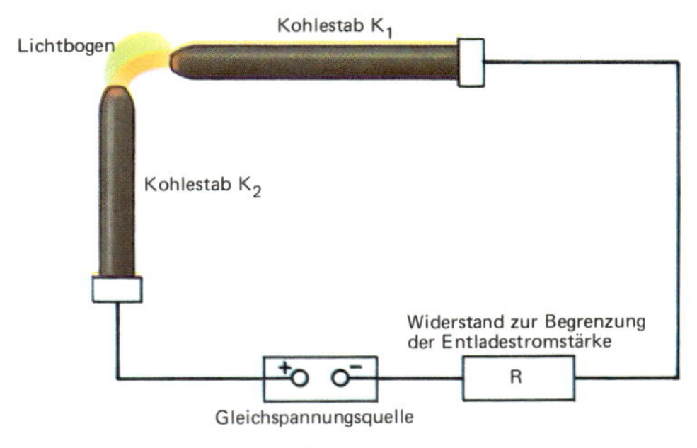

Lichtbogen: Schaltskizze einer Kohlebogenlampe

Lichtbogen werden als helle Lichtquellen z. B. bei der Bogenlampe im Kinoprojektor verwendet. Man gebraucht sie zum Schmelzen von Metallen im Kohlebogenofen und zum Schweißen.

Lichtbrechung. Möchte man Kieselsteine oder Muscheln aus einem klaren Gewässer fischen, so erfährt man schnell, daß das Wasser viel tiefer ist, als man es abgeschätzt hat. Schaut man unter einem bestimmten Winkel auf die Wasseroberfläche, so scheint das Wasser undurchsichtig zu sein. Der Grund ist, daß das Licht aus dieser Richtung reflektiert wird. Stellt man einen Stab schräg in ein mit Wasser gefülltes Gefäß, so scheint er an der Wasseroberfläche geknickt zu sein.

Diese Erscheinungen beruhen darauf, daß das Licht, das von den unter Wasser befindlichen Stellen in das Auge gelangt, sich nicht in der gewohnten Weise von dort zum Auge geradlinig ausbreitet; das Auge wird deshalb über die Richtung, aus der die Lichtstrahlen in unser Auge gelangen, getäuscht. Die Lichtstrahlen legen ihren

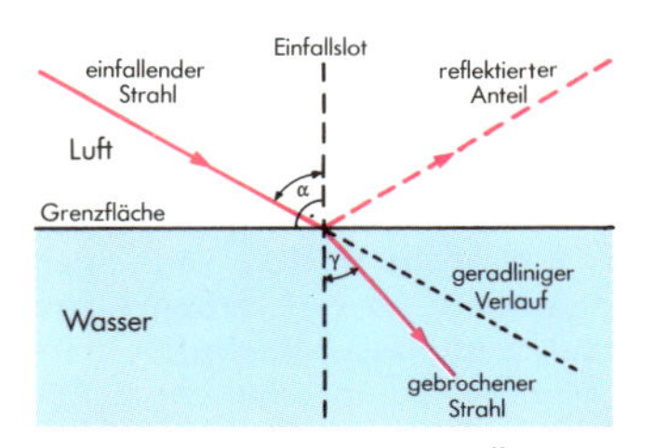

Lichtbrechung: Brechung des Lichtes beim Übergang von Luft in Wasser. (Wasser ist optisch dichter als Luft. Das Licht wird zum Einfallslot hin gebrochen.)

Libyen

Staatswappen

Staatsflagge

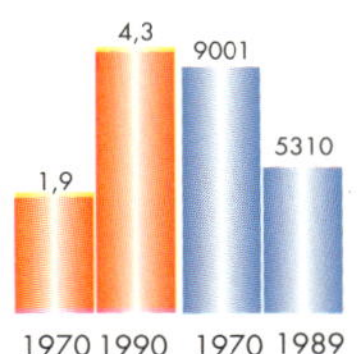

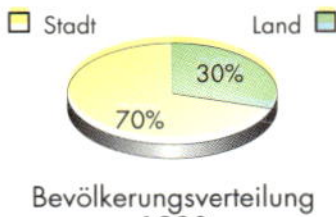

Bevölkerungsverteilung 1990

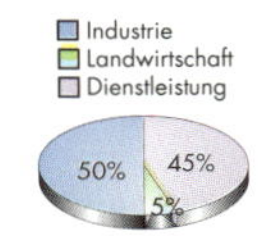

Bruttoinlandsprodukt 1989

Weg in 2 verschieden dichten Stoffen zurück. Dabei erleiden sie, wenn sie schräg auf die Grenzfläche (z. B. Luft/Wasser) beider Stoffe auftreffen, an der Grenzfläche eine Richtungsänderung. Man sagt, die Lichtstrahlen werden gebrochen. Ist bei der Brechung eines Lichtstrahls der Einfallswinkel α größer (kleiner) als der Brechungswinkel γ, so nennt man den Stoff, in den der Strahl übergeht, optisch dichter (optisch dünner) als den Stoff, aus dem er kommt.

Lichtbrechung: Blick auf die Wasseroberfläche: Gegenstand erscheint wegen der Brechung nach oben geknickt und verkürzt. Blick gegen die seitliche Glaswand: Gegenstand erscheint vergrößert und versetzt wegen des Linseneffekts der Glasform und der Brechung

Lichtempfindlichkeit, Photographie: die Empfindlichkeit von photographischem Material gegenüber Licht. Sie ist im allgemeinen auf die Filmpackung aufgedruckt, wobei man dort meist 2 Zahlen findet: Die eine ist nach dem **D**eutschen **I**nstitut für **N**ormung in **DIN** angegeben, die andere nach der amerikanischen Normenstelle **A**merican **S**tandards **A**ssociation **(ASA).** Die Reihe der DIN-Zahlen ist so aufgebaut, daß der Erhöhung der DIN-Zahl um 3 Einheiten eine Verdopplung der Lichtempfindlichkeit entspricht. Bei der ASA-Reihe entspricht ein doppelter Zahlenwert einer verdoppelten Empfindlichkeit. Der Zahlenwert der Filmempfindlichkeit muß am Photoapparat eingestellt werden, damit der Belichtungsmesser die richtigen Werte anzeigen kann.

Empfindlichkeit von Photomaterial:

DIN	12	15	18	21	24	27	30	33	36
ASA	12	25	50	100	200	400	800	1 600	3 200

Lichtfilter, klar durchsichtige, gefärbte Gläser, Gelatine- oder Kunststoffolien, die zur Schwächung einer Lichtstrahlung oder zur Veränderung ihrer spektralen Zusammensetzung benutzt werden. Zur Aussonderung sehr enger Spektralbereiche verwendet man **Interferenzfilter,** bei denen sich die Durchlaßwellenlänge mit dem Einfallswinkel ändert. **Polarisationsfilter** dienen zur Lichtschwächung und zur Erzeugung polarisierten Lichts. Damit lassen sich beim Photographieren unerwünschte Spiegelungen, z. B. auf der Wasseroberfläche, vermeiden. In der Farbphotographie werden farbige **Korrekturfilter** eingesetzt, wenn das verwendete Filmmaterial nicht auf die Farbtemperatur der Lichtquelle abgestimmt ist, z. B. bei Verwendung eines Kunstlichtfilms bei Tageslicht oder eines Tageslichtfilms bei Kunstlicht. Mit **Kompensationsfiltern** kann man unerwünschte Farbstiche vermeiden, z. B. den Blaustich bei Hochgebirgs- oder Strandaufnahmen mit einem **UV-(Ultraviolett-)Filter.** Die gleiche Wirkung haben **Skylightfilter,** die darüber hinaus auch noch die Trübung der Aufnahme durch störenden Dunst verringern. In der Schwarzweißphotographie haben **Farbfilter** die Aufgabe, bei der Umsetzung der Objektfarben in Grauwerte deren Abstufung zu beeinflussen. Das bedeutet, daß Kontraste verstärkt oder vermindert werden. Ein **Gelbfilter** bewirkt z. B. eine dunklere Wiedergabe von Blau bei praktisch unverändert heller Wiedergabe von Gelb und Weiß. Man erhält damit eine verbesserte Abbildung von Wolken am blauen Himmel. Ferner sind **Gelbgrün-, Grün-, Orange-** und **Rotfilter** gebräuchlich.

Lichtgriffel, Gerät, mit dem einem Computer Informationen über den Bildschirm eines Datensichtgeräts (Monitor) eingegeben werden. Mit dem Lichtgriffel kann man z. B. auf dem Bildschirm zeichnen und schreiben oder dem Computer Anweisungen erteilen. Die bei manchen Videospielen verwendeten Schießapparate, mit denen Ziele auf dem Bildschirm abgeschossen werden können, funktionieren ebenfalls wie ein Lichtgriffel.

Lichtjahr, Einheitenzeichen **Lj,** im Einheitengesetz nicht festgelegte, in der Astronomie aber übliche Längeneinheit für jene Strecke, die das Licht (im leeren Raum) während eines (tropischen) Jahres zurücklegt: $1\ \mathrm{Lj} = 9{,}460528 \cdot 10^{15}\ \mathrm{m} \approx$ 10 Billionen Kilometer. Der nächste Fixstern, der Stern α im Sternbild Centaurus (α-Centauri), hat von der Erde einen Abstand von 4,3 Lichtjahren. Das entfernteste Objekt, das mit bloßem Auge noch erkennbar ist, ist der 2,5 Millionen Lichtjahre entfernte Andromedanebel, ein Sternsystem von der Größe unseres Milchstraßensystems.

Lichtmaschine, überholte Bezeichnung für den →Generator eines Kraftfahrzeugs.

Lichtorgel, Effektbeleuchtungsanlage (kein Musikinstrument), bei der verschiedenfarbige Lampen im Takt von Lautsprechermusik selbsttätig gesteuert werden. Der Tonfrequenzbereich wird durch elektrische Filter in 3 oder mehr Bereiche aufgeteilt und jeweils einer Farbe zugeordnet.

Lichtschranke, Anlage mit einem Photodetektor (z. B. Photodiode, Phototransistor), der von einer Lichtquelle beleuchtet wird und ein elektrisches Signal liefert, sobald der Lichtweg durch einen undurchsichtigen Gegenstand unterbrochen wird. Lichtschranken werden eingesetzt zur Geschwindigkeitsmessung (Sport, Verkehrsüberwachung), für die Maschinensteuerung, in der Sicherheitstechnik und als Einbruchsicherung bei Alarmeinrichtungen. Meist wird infrarotes Licht benutzt.

Lichtstärke, 1) ein Maß für die Helligkeit einer Lichtquelle. Die Lichtstärke wird in der Einheit Candela (cd) angegeben. 1 Candela entspricht etwa der Helligkeit einer 4 Zentimeter langen Kerzenflamme.

Lichtstärke einiger Lichtquellen:

Lichtquelle	Lichtstärke
Kerzenflamme (etwa 4 cm)	1 cd
Autoglühlampe (35 W)	50 cd
Glühlampe (100 W)	140 cd
Kohlebogenlampe	1 600 cd
Sonne	etwa 20 000 000 000 000 000 000 000 000 cd

Zur Beleuchtung eines Arbeitsplatzes zum Lesen ist es erforderlich, daß die Beleuchtungsstärke durch die Lichtquelle ausreicht. Will man die Beleuchtungsstärke und die Lichtstärke vergleichen, benutzt man den ›Photometerwürfel‹. Es handelt sich dabei um einen weißen Würfel, von dem zwei senkrecht stehende Flächen gleichzeitig zu sehen sind. Stellt man in 50 cm Entfernung links eine brennende Kerze und rechts eine Glühlampe auf, erscheint dann die rechte Fläche heller als die linke, so ist die Beleuchtungsstärke rechts größer. Die **Beleuchtungsstärke** wird in der Einheit Lux (lx) angegeben, sie hängt von der Lichtstärke und dem Abstand der Lichtquelle zum beleuchteten Gegenstand ab (BILD). 1 Lux ist die Beleuchtungsstärke einer Lichtquelle von 1 Candela auf einen senkrecht beleuchteten Schirm im Abstand von 1 Meter.

Praktisch wichtige Beleuchtungsstärken:

Situation	Beleuchtungsstärke
Bei Vollmond	0,2–0,3 lx
Bei Sonnenschein	
im Winter	5 500 lx
im Sommer	70 000 lx
Arbeitsplatz für grobe Arbeit	50–100 lx
Arbeitsplatz zum Lesen	100–300 lx
Arbeitsplatz für feine Arbeit	1 000–5 000 lx

2) Photographie: →Objektiv.

Liebermann. Der Maler und Graphiker **Max Liebermann** (* 1847, † 1935), der den größten Teil seines Lebens in seiner Geburtsstadt Berlin zubrachte, war ein Hauptvertreter des deutschen →Impressionismus. Er begann mit anfangs dunkeltonigen Bildern arbeitender Menschen, wandte sich dann einer lichteren Farbigkeit zu und gelangte in den 1890er Jahren zu einem eigenen impressionistischen Stil.

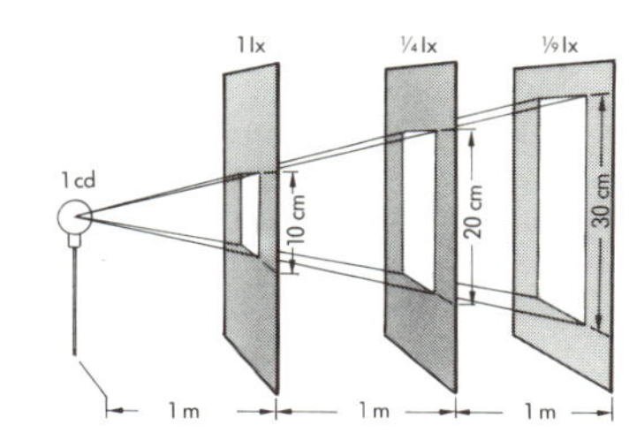

Lichtstärke: Abnahme der Beleuchtungsstärke mit der Entfernung von der Lichtquelle

Liebig. Der Chemiker **Justus von Liebig** (* 1803, † 1873) war einer der ersten, der Boden- und Pflanzenproben analysierte, um festzustellen, welche Mineralstoffe Pflanzen zu ihrem Wachstum brauchen und deshalb dem Boden entziehen. Auf Grund seiner Untersuchungsergebnisse vertrat er die Theorie, dem Boden künstlichen Mineraldünger zuzuführen, um die entzogenen Stoffe zu ersetzen. Liebig ist damit der Begründer der Agrikulturchemie.

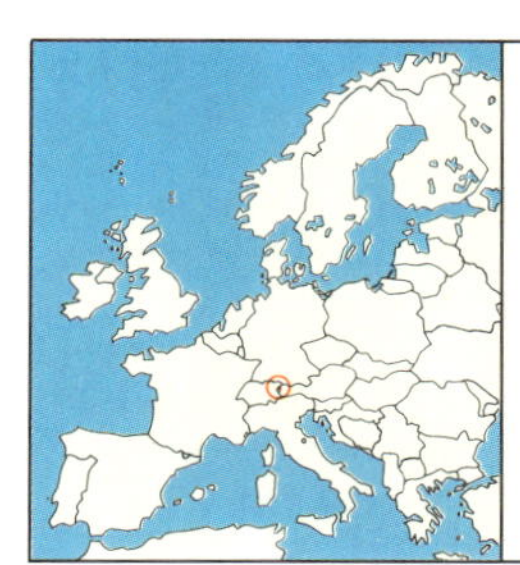

Liechtenstein

Fläche: 160 km²
Bevölkerung: 28 700 Mill. E
Hauptstadt: Vaduz
Amtssprache: Deutsch
Nationalfeiertag: 15. Aug.
Währung: 1 Schweizer Franken (sfr) = 100 Rappen (Rp)
Zeitzone: MEZ

Liechtenstein, Fürstentum in den Alpen am Hochrhein zwischen Österreich und der Schweiz; es umfaßt etwa ¼ der Fläche von Bremen. Die Industrie ist Hauptwirtschaftszweig und erzeugt hochwertige Güter. Das Hauptgewicht der Landwirtschaft liegt bei der Viehhaltung und der Milchwirtschaft. Im Fremdenverkehr überwiegen Tagesbesucher. – Das Reichsfürstentum Liechtenstein wurde 1719 gegründet und gehörte bis 1866 zum Deutschen Bund. Zwischenzeitlich selbständig, lehnte es sich 1918 an die Schweiz an; 1924 übernahm es das Schweizer Währungssystem. (KARTE Seite 200)

Liechtenstein

Staatswappen

Staatsflagge

Liestal, 12 000 Einwohner, Hauptstadt des schweizerischen Kantons Basel-Landschaft, an den nordöstlichen Ausläufern des Jura. Liestal hat eine mittelalterliche Altstadt.

Ligurien, italienische Landschaft am Golf von Genua. Der zerklüftete Gebirgszug der Meeralpen, der Ligurischen Alpen und des anschließenden Apennins fällt zur Steilküste der →Riviera ab. Die Küste ist durch die Berge vor kalten nördlichen Luftmassen geschützt, so daß das Klima in Ligurien auch im Winter mild und sonnenreich ist. Die Siedlungen liegen größtenteils dicht gedrängt an der Küste. Hauptort ist Genua, ferner haben La Spezia und Savona Häfen und bedeutende Industrie. San Remo und Rapallo sind bekannte Luftkurorte. Viele Küstenorte haben sich zu Seebädern entwickelt, z. B. Alassio. Das **Ligurische Meer** ist der nördliche Teil des Mittelmeers zwischen Korsika und Italien.

Lilienthal. Der Flugpionier **Otto Lilienthal** (* 1848, † 1896) versuchte schon als Junge mit seinem Bruder Gustav (* 1849, † 1933) erfolglos, mit Hilfe hölzerner Schwingen zu fliegen. Später, als Ingenieur, maß Otto Lilienthal mit selbstkonstruierten Meßgeräten den Luftwiderstand verschieden geformter Tragflächen, wobei sich herausstellte, daß im Unterschied zu ebenen Flächen schwach gewölbte, vogelartige Flügel zum Fliegen tauglich sein müßten. Diese Entdeckung veröffentlichte Otto Lilienthal in seinem Buch ›Der Vogelflug als Grundlage der Fliegekunst‹ (1889). Er wertete sie mit Unterstützung seines Bruders praktisch aus, indem er sich mit selbstgebauten Ein- und Doppeldeckern von verschiedenen Hügeln bei Berlin herabgleiten ließ. Er lief dabei gegen den Wind an und hielt im Flug das Gleichgewicht durch Verlagerung des Körperschwerpunkts. Seine Hängegleiter sind unmittelbare Vorfahren der heutigen Drachengleiter.

Otto Lilienthal

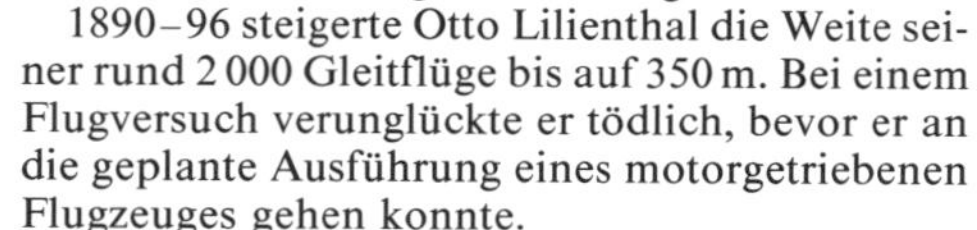
1890–96 steigerte Otto Lilienthal die Weite seiner rund 2 000 Gleitflüge bis auf 350 m. Bei einem Flugversuch verunglückte er tödlich, bevor er an die geplante Ausführung eines motorgetriebenen Flugzeuges gehen konnte.

Lima, 5,4 Millionen Einwohner, Hauptstadt von Peru, liegt oberhalb der Mündung des Río Rimac in den Pazifischen Ozean. Lima bildet mit dem Hafen Callao einen Ballungsraum und ist Sitz der ältesten Universität in Südamerika (gegründet 1551). Die Stadt wurde 1535 von Francisco Pizarro als Ciudad de Los Reyes gegründet und gehörte zu den politisch und kulturell bedeutendsten Städten des spanischen Kolonialreichs. Sie war das Zentrum der spanischen Herrschaft im Unabhängigkeitskampf Südamerikas im 19. Jahrh.

Abraham Lincoln

Limes [lateinisch ›Grenze‹], ursprünglich der Grenzweg zwischen 2 Grundstücken, später Bezeichnung für die Grenzbefestigungsanlagen des römischen Kaiserreichs.

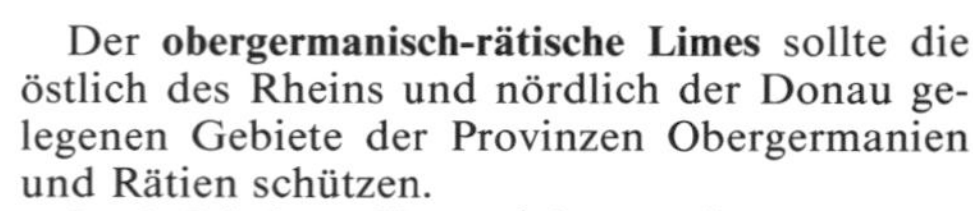
Der **obergermanisch-rätische Limes** sollte die östlich des Rheins und nördlich der Donau gelegenen Gebiete der Provinzen Obergermanien und Rätien schützen.

Im 1. Jahrh. n. Chr. errichteten die Römer zunächst Wachttürme aus Holz, die in Sichtweite zueinander standen. Zur Unterbringung der Soldaten legte man unmittelbar hinter der Grenze →Kastelle an.

Unter Kaiser Hadrian entstand schließlich entlang der Grenze eine durchgehende mannshohe Holzpalisade, die zu Beginn des 3. Jahrh. zusätzlich durch Wall und Graben gesichert wurde. Diese Grenzanlagen ersetzte man dann auf der 166 km langen Strecke zwischen Lorch und Kelheim an der Donau durch eine 2,5–3 m hohe Steinmauer (›Teufelsmauer‹). Nachdem die Alemannen um 260 den Limes durchbrochen hatten, wurde die Reichsgrenze hinter Rhein und Donau zurückverlegt, die unzerstört gebliebenen Befestigungsanlagen verfielen. Die Spuren des insgesamt 548 km langen Limes mit seinen rund 100 Kastellen und 1 000 Wachttürmen sind heute streckenweise noch gut erkennbar; wiederhergestellte Kastelle sind bei Bad Homburg (Saalburg) und bei Osterburken zu besichtigen. (KARTE Seite 227)

Lincoln [lingken]. Der Rechtsanwalt und Politiker **Abraham Lincoln** (* 1809, † 1865) war 1861–65 der 16. Präsident der USA. 1860 wurde er als Kandidat der Republikanischen Partei zum Präsidenten gewählt. Die Wahl eines Republikaners, des Vertreters einer Partei, die für die Abschaffung der →Sklaverei eintrat, löste in den USA den Bürgerkrieg (→Sezessionskrieg, 1861–65) zwischen den Nord- und Südstaaten aus. In dieser Auseinandersetzung ging es Lincoln über die Frage der Abschaffung der Sklaverei hinaus um die Wiederherstellung der staatlichen Einheit der USA. 1863 verbot seine Regierung die Sklavenhaltung. Seine auf rasche Wiedereingliederung der Südstaaten gerichtete Politik stieß bei radikalen Gegnern der Südstaaten in seiner eigenen Partei auf heftige Kritik, verhinderte aber 1864 seine Wiederwahl zum Präsidenten nicht. Kurz danach wurde er ermordet.

Linden, Laubbäume mit mächtiger Krone und riesigem Stamm, die 700–800 Jahre, vereinzelt über 1 000 Jahre alt werden können. In Mitteleuropa heimisch sind die über 30 m hohe **Sommerlinde** mit großen, herzförmigen Blättern und die später blühende, weniger mächtige **Winterlinde.** Die stark duftenden, in kleinen Dolden hängenden Blütchen sind mit einem länglichen Flü-

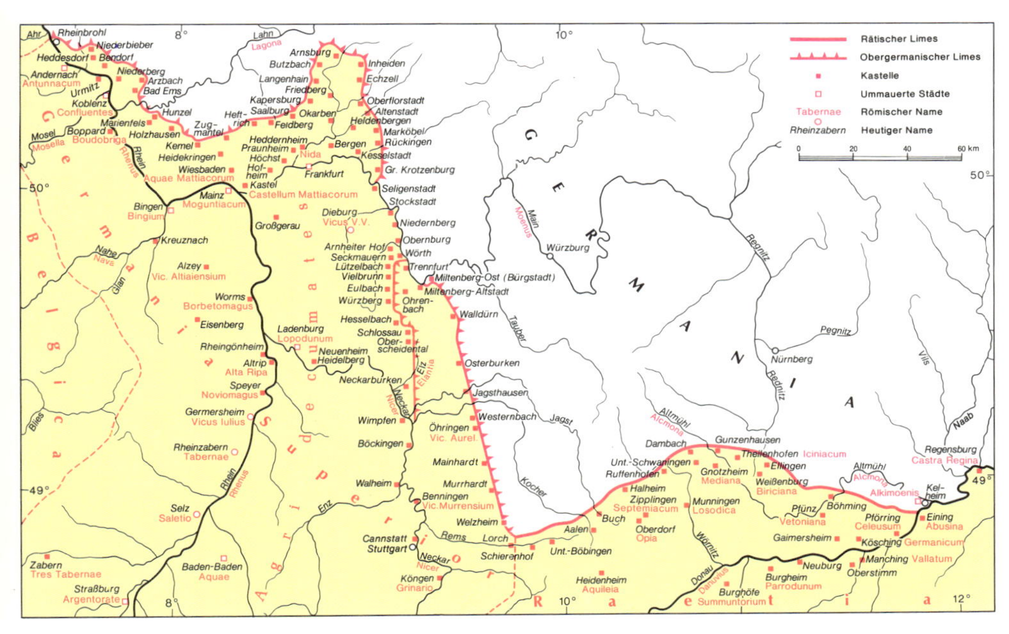

Limes: Obergermanischer und Rätischer Limes

gelblatt verwachsen. Der Fruchtstand fliegt daran wie an einem Fallschirm mit dem Wind weit fort. Lindenblüten ergeben einen schweißtreibenden Tee. Das helle, leichte und weiche Holz eignet sich besonders gut zum Schnitzen und für Drechslerarbeiten.

links, Bezeichnung für eine politische Richtung; diese Bezeichnung leitet sich her aus der Sitzordnung der Parteien in den französischen Parlamenten zu Beginn des 19. Jahrh. Damals saßen, vom Parlamentspräsidenten aus gesehen, die Liberalen auf der linken Seite des Parlaments. Heute umfaßt die Bezeichnung ›links‹ vor allem die sozialdemokratisch/sozialistischen und kommunistischen Parteien, ganz allgemein jene Kräfte, die in der Politik stärker die Notwendigkeit von Veränderungen als das Bewahren der bestehenden Gesellschaftsordnung betonen (im Gegensatz dazu →rechts).

Linné. Der schwedische Arzt und Naturforscher **Carl von Linné** (* 1707, † 1778) unternahm viele Forschungsreisen und lernte auf diese Weise viele Pflanzen- und Tierarten kennen. Er beschrieb sie, gab ihnen Namen und ordnete sie in ein System (→biologisches System). Damit schuf er die Grundlage der biologischen Fachsprache. Die Abkürzung L. hinter einem Pflanzen- oder Tiernamen besagt, daß er diese Art als erster beschrieben und benannt hat (→Art). In Uppsala gestaltete er als Professor der Botanik den Botanischen Garten und errichtete ein Naturhistorisches Museum.

Linse, 1) aus durchsichtigem Material (Glas, Quarz, auch Kunststoff) bestehender Körper mit meist symmetrischem Querschnitt, der durch gekrümmte Flächen begrenzt wird. Lichtstrahlen, die schräg auf die Oberfläche auftreffen, werden je nach Linsenart abgeknickt (→Brechung).

Linsen werden verwendet bei →Brillen, Vergrößerungsgläsern, Fotoapparaten, Tageslichtprojektoren, Mikroskopen und anderen optischen Geräten. Die optischen Linsen lassen sich in zwei Gruppen einteilen, die Sammel- und die Zerstreuungslinsen. Die **Sammellinsen (Konvexlinsen)** vereinigen parallel zur optischen Achse einfallende Lichtstrahlen im Brennpunkt (BILD 1 Seite 228), der Linsenkörper ist am Rand dünner als in der Mitte. Die Entstehung eines Bildes von einem Gegenstand mit einer Sammellinse zeigt BILD 2 Seite 228.

Steht der Gegenstand außerhalb des Brennpunktes (Abstand zwischen Brennpunkt und Linse), so entsteht ein auf dem Kopf stehendes und seitenverkehrtes Bild, das man auf einem Schirm

Linden: Sommerlinde, Zweig mit Blüten, LINKS Früchte

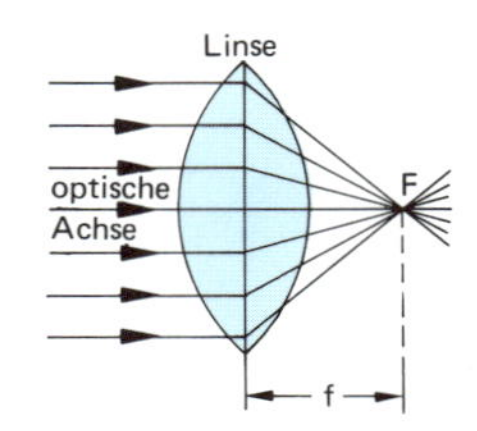

Linse 1: Sammellinse

abbilden kann. Befindet sich der Gegenstand im Brennpunkt, bekommt man vom Gegenstand kein Bild. Rückt man den Gegenstand zwischen Brennpunkt und Linse, so erhält man ein Bild, das man betrachten, aber nicht auf einem Schirm auffangen kann. Das Bild befindet sich auf der gleichen Seite von der Linse wie der Gegenstand und erscheint aufrecht und vergrößert. Diese Anordnung heißt **Lupe** oder Vergrößerungsglas.

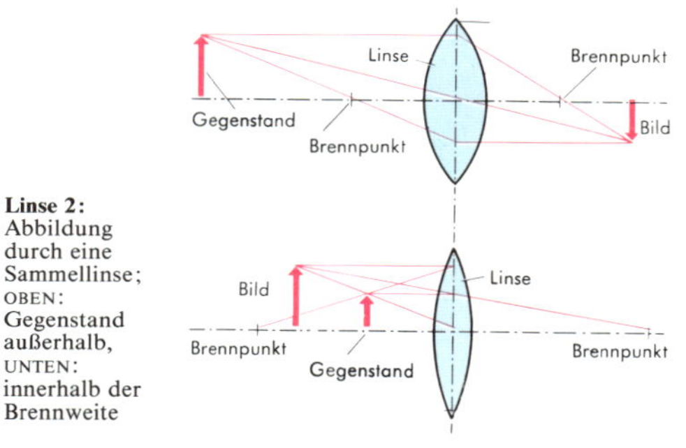

Linse 2: Abbildung durch eine Sammellinse; OBEN: Gegenstand außerhalb, UNTEN: innerhalb der Brennweite

Zerstreuungslinsen (Konkavlinsen) sind am Rand dicker als in der Mitte (BILD 3). Sie bewir-

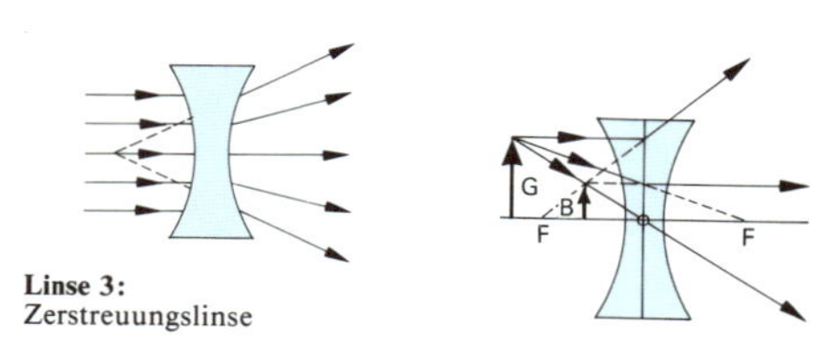

Linse 3: Zerstreuungslinse

ken das Auseinanderlaufen auffallender Lichtstrahlen. Strahlen, die parallel zur optischen Achse einfallen, werden so gebrochen, als ob sie von einem bestimmten Punkt der optischen Achse (dem scheinbaren Brennpunkt) kämen. Das Bild eines Gegenstandes läßt sich nicht auf einem Schirm auffangen, kann aber mit dem Auge wahrgenommen werden; es erscheint aufrecht und verkleinert.

2) Anatomie: Teil des →Auges.

Linz, 203 000 Einwohner, Hauptstadt des österreichischen Bundeslandes Oberösterreich an der Donau, östlich des Engtals der **Linzer Pforte.** Linz ist eine Hafen- und Industriestadt mit Eisen- und Stahlwerken und chemischer Industrie. Linz geht auf ein römisches Kastell zurück. 1827 wurde zwischen Linz und der nördlich gelegenen Stadt Budweis (heute Tschechische Republik) die erste Pferdeeisenbahn Europas eröffnet.

Lippen, besonders bei Säugetieren einschließlich dem Menschen die muskuläre Begrenzung der Mundspalte. Gebildet werden die Lippen von dem kreisförmigen Schließmuskel des Mundes, der nach außen von der Gesichtshaut und innen von Schleimhaut überzogen ist. Die Lippen bilden den Abschluß der Mundhöhle und wirken bei der Lautbildung mit.

Lippenblüter, Pflanzenfamilie, die nach der Form ihrer Blüten benannt ist. Die zweiseitigsymmetrisch verwachsene Blütenkrone ist durch 2 mundwinkelähnliche Einschnitte im Rand in Ober- und Unterlippe gegliedert. Viele dieser Pflanzen enthalten ätherische Öle und dienen als Heil- und Gewürzpflanzen, z. B. Pfefferminze, Salbei, Majoran, Thymian. (BILD Blüte)

Lissabon, 2,06 Millionen Einwohner mit Vororten, Hauptstadt Portugals, größte Stadt und wichtigster Hafen des Landes an der Mündungsbucht des Tejo. Im Zeitalter der Entdeckungen war Lissabon ein Handelszentrum und gehörte neben Sevilla zu den reichsten Städten Europas. In der folgenden Blütezeit von Kunst und Wissenschaften entstand z. B. im Stadtviertel Belém der Wachtturm als Erinnerung an die Entdekkungsfahrten Vasco da Gamas, außerdem das Hieronymitenkloster.

List. Der Volkswirt **Friedrich List** (* 1789, † 1846) war Professor für Staatswirtschaft und Staatspraxis an der Universität Tübingen (1817–20) und Mitbegründer des Deutschen Handels- und Gewerbevereins, dessen Ziel die Aufhebung der Zollschranken innerhalb des Deutschen Bundes war. Damit geriet er in Gegensatz zur Württembergischen Regierung und wurde zu einer Haftstrafe verurteilt. Gegen das Versprechen, nach Amerika auszuwandern, wurde er aus dem Gefängnis entlassen. Als er 1832 aus den USA zurückkehrte, trat er für die Schaffung eines deutschen Eisenbahnnetzes ein. Als Wirtschaftstheoretiker forderte er ›Erziehungszölle‹ für Länder, die eine eigene Industrie aufbauen: die industriellen Produkte sollen so lange durch Zölle vor ausländischer Konkurrenz geschützt werden, bis sie sich aus eigener Kraft auf dem Weltmarkt behaupten können.

Liszt [lißt]. Der deutsch-ungarische Pianist und Komponist **Franz von** (seit 1859) **Liszt** (* 1811, † 1886) wurde zu seiner Zeit hauptsächlich als Klaviervirtuose gefeiert. Sein Kompositionsstil ist besonders von der französischen Romantik beeinflußt, die Klavierkompositionen sind von seiner meisterhaften Technik geprägt. Nach Berlioz' Vorbild legte er den Kompositionen meist ein literarisches ›Programm‹ zugrunde und kann somit als Schöpfer der sinfonischen Dichtung bezeichnet werden.

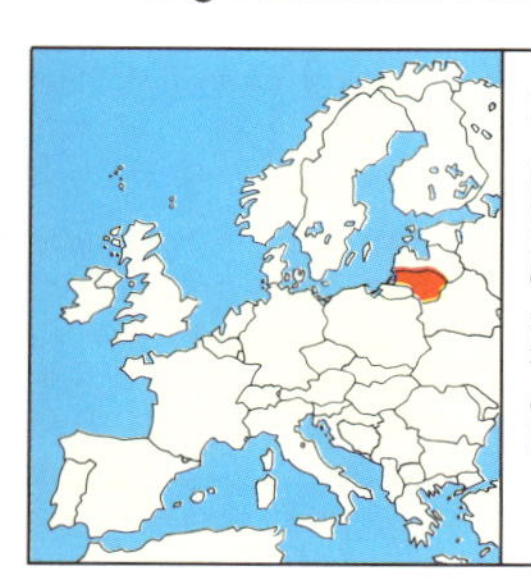

Litauen

Fläche: 65 200 km^2
Bevölkerung: 3,69 Mill. E
Hauptstadt: Wilna (litauisch: Vilnius)
Amtssprache: Litauisch
Nationalfeiertag: 16. Febr.
Währung: 1 Litas = 100 Centai
Zeitzone: MEZ + 1 Stunde

Litauen, Staat in Osteuropa, eine Republik. Litauen ist etwas kleiner als Bayern. Die Oberfläche wird durch Grund- und Endmoränen bestimmt. Mit 292 m befindet sich die höchste Erhebung auf dem Baltischen Landrücken. Vor der südlichen Küste mündet die Memel in das Kurische Haff, das durch die Kurische Nehrung von der Ostsee geschieden wird. Im Westen des Landes herrscht gemäßigtes Klima, gegen Osten werden die Winter kühler und die Sommer wärmer.

Knapp $^4/_5$ der Bevölkerung sind Litauer, die überwiegend der römisch-katholischen Konfession angehören. Die stärkste Minderheit stellen die Russen. Schweine- und Rinderhaltung sowie der Anbau von Getreide, Kartoffeln und Zuckerrüben prägen die Landwirtschaft. Die einst bestimmende Nahrungsmittel- und Textilindustrie wurde vom Maschinenbau und der Elektrotechnik abgelöst.

Das Großfürstentum Litauen entwickelte sich seit dem 14. Jahrh. zu einer bedeutenden Macht. Die → Jagiellonen erwarben 1386 die polnische Königskrone und besiegten 1410 bei Tannenberg den Deutschen Orden. Im 16. Jahrh. wurde Litauen mit Polen vereinigt, bevor es 1795 mit der 3. Polnischen Teilung an Rußland gelangte. 1918 wurde die unabhängige ›Republik Litauen‹ ausgerufen; 1926 errichtete Staatspräsident Antanas Smetonas eine autoritäre Herrschaft. Nach dem Einmarsch der Roten Armee wurde Litauen 1940 der UdSSR angegliedert, von der sich das Land als erste sowjetische Unionsrepublik 1990 für unabhängig erklärte.

Liter [von griechisch litra ›Pfund‹], Einheitenzeichen **l,** auch **L,** im 19. Jahrh. definiert als das Volumen von 1 kg reinen Wassers. Die 12. Generalkonferenz für Maß und Gewicht beschloß 1964: $1\,l = 1\,dm^3$; Liter ist als anderer Name für Kubikdezimeter gesetzlich zugelassen. Es dürfen davon auch dezimale Vielfache und Teile mit Vorsätzen (→ Einheiten) gebildet werden: 1 Milliliter = $1\,ml = 10^{-3}\,l = 0{,}001\,l = 1\,cm^3$, 1 Zentiliter = $1\,cl = 10^{-2}\,l = 0{,}01\,l = 10\,cm^3$, 1 Hektoliter = $1\,hl = 10^2\,l = 100\,l = 100\,dm^3$.

Literatur [zu lateinisch litteratura ›Buchstabenschrift‹, ›Sprachkunst‹], Gesamtheit sprachlicher Texte. In verschiedenen Jahrhunderten und von verschiedenen Blickpunkten aus wurde der Umfang des Begriffes Literatur unterschiedlich bestimmt. Seine ursprüngliche Bedeutung als schriftliche Sprachäußerung (im Gegensatz zu mündlich überlieferten Dichtungsformen) trat seit Erfindung des Buchdrucks zurück. Auch die Gleichsetzung mit dem Begriff → Dichtung ist heute nur noch gelegentlich anzutreffen; in diesem Sinn sind allerdings die Ausdrücke **Nationalliteratur** (›hochrangige‹ Literatur eines Volkes) oder → Weltliteratur immer noch gebräuchlich. Heute begreift die **Literaturwissenschaft** Literatur meist in einem erweiterten Sinn, der neben Dichtung auch **Unterhaltungsliteratur** sowie die sogenannte **Gebrauchsliteratur** des täglichen Lebens (wie Werbetexte) umfaßt.

Weitere Gliederungsmöglichkeiten des Gesamtbereichs der Literatur ergeben sich durch den angesprochenen Leserkreis (z. B. → Kinder- und Jugendliteratur), durch Gattungen wie → Roman und → Drama oder durch die Einzelbetrachtung der Literatur in unterschiedlichen Epochen (z. B. → Klassik, → Romantik, → Realismus, → Naturalismus, → Expressionismus).

Lithium [von griechisch lithos ›Stein‹, da in vielen Gesteinen enthalten], Zeichen **Li,** → chemisches Element (ÜBERSICHT), ein silberweißes, weiches Leichtmetall; das leichteste Festelement. In der Natur kommt es in einer Reihe von Mineralen sowie in Solen und Salzablagerungen vor. Lithium wird unter anderem zur Herstellung lithium-organischer Verbindungen sowie in der Kerntechnik verwendet.

Lithographie, deutsch **Steindruck,** das älteste Flachdruckverfahren (→ Druckverfahren); als Druckform dient eine Platte aus Kalkstein.

Litauen

Staatswappen

Staatsflagge

Franz von Liszt

Lithographie: Pablo Picasso, Pan, 1948

Dieses Verfahren nutzt die Tatsache, daß sich Fett und Wasser abstoßen. Für die Zeichnung wird fetthaltige Kreide oder Tusche benutzt. Durch chemische Behandlung werden die bildfreien Stellen der Platte wasserfreundlich und fettabstoßend. Beim Einfärben des vorgefeuchteten Lithosteins mit fetter Druckfarbe nimmt nur die Zeichnung Farbe an, die bildfreie Fläche nicht. Von der fertigen Platte lassen sich fast beliebig viele Abzüge herstellen. Während die Materialien Holz und Kupfer für Hoch- und Tiefdruck dem Bearbeiter erhebliche handwerkliche Fähigkeiten abverlangen, bietet der lithographische Stein eine glatte Fläche, auf die der Künstler direkt mit Kreide, Feder oder Pinsel zeichnet wie auf Papier; somit sind die lithographischen Erzeugnisse der Handzeichnung verwandt.

Erfinder der Lithographie war **Alois Senefelder** (1798). Das Verfahren wurde für künstlerische Arbeiten, dann zunehmend für Werke der Gebrauchsgraphik (z. B. Plakate) genutzt. Gegen Ende des 19. Jahrh. erreichte die Lithographie ihren Höhepunkt in den Werken des Franzosen Henri de Toulouse-Lautrec.

Löffler

Liudolfinger [nach einem Grafen Liudolf, † 866], sächsische Grafen- und Herzogsfamilie, aus der 919–1024 die Könige des deutschen Reichs hervorgingen. Nach dem häufig vorkommenden Namen Otto nennt man diese Familie auch die →Ottonen.

Liverpool [liwerpuhl], 510 300, mit Vororten 1,51 Millionen Einwohner, Stadt im westlichen England an der Mündung des Mersey in die Irische See. Liverpool ist mit seinen Hafenanlagen sowie dem Erzhafen und Schiffbau in Birkenhead ein Hafen-, Handels- und Industriezentrum.

Livius. Der römische Geschichtsschreiber **Titus Livius** (* 59 v. Chr., † 17 n. Chr.) schrieb eine römische Geschichte (›Ab urbe condita‹) von der Gründung Roms bis 9 v. Chr. Sie umfaßte 142 Bücher, von denen jedoch nur noch wenige erhalten sind. Der Inhalt der übrigen ist durch Auszüge und Zusammenfassungen, die schon im Altertum erstellt wurden, überliefert. Livius legte allerdings mehr Wert auf die künstlerische Darstellung als auf genaue Wiedergabe der geschichtlichen Ereignisse.

Lochkarte: Schlüssel zu einer 80spaltigen Lochkarte; links Buchstaben, Mitte Ziffern, rechts Sonderzeichen

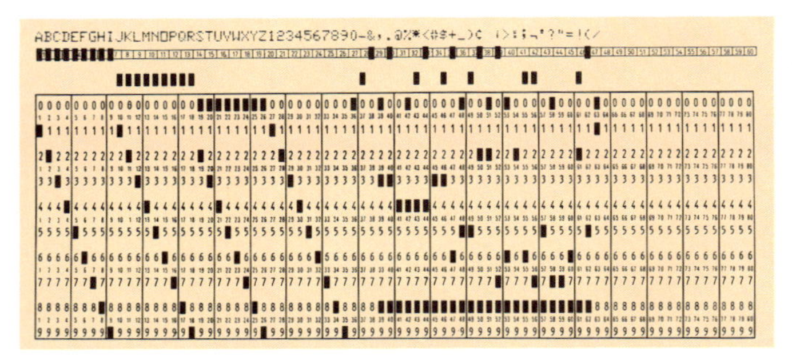

Ljubljana, deutsch **Laibach,** 303 500 Einwohner, Hauptstadt der Republik Slowenien, beiderseits des Flusses Ljubljanica, der dort in die Save mündet. Ljubljana war Hauptstadt des habsburgischen Herzogtums Krain und kam 1918 an Jugoslawien.

Lochkamera, →Camera obscura.

Lochkarte, Datenträger zur Ein- und Ausgabe von Daten und Programmen bei Computern, der in den Anfängen der Computertechnik verwendet wurde. Heute sind Lochkarten wegen der relativ geringen Verarbeitungsgeschwindigkeit weitgehend durch Magnetbänder oder -scheiben (Disketten) und Halbleiterspeicher ersetzt worden. Auf Lochkarten und **Lochstreifen** sind Informationen in Form von Lochmustern gespeichert, die von **Lochern** gestanzt werden. Diese Geräte werden wie Schreibmaschinen bedient und stanzen für jeden Buchstaben eine bestimmte Lochkombination. Im Binärcode des Computers bedeutet ein Loch dann eine 1 und ein nicht vorhandenes Loch eine 0. Eine Lochkarte besteht aus festem Papier. Sie ist etwa so groß wie ein länglicher Briefumschlag und kann bis zu 80 Zeichen enthalten. Lochstreifen dagegen bestehen aus einem beliebig langen, etwa 2 cm breiten Papierband.

Löffler, große, mit den →Ibissen verwandte Schreitvögel mit löffelartig verbreitertem Schnabel. Damit seihen sie Kaulquappen, Würmer und Insektenlarven aus dem Wasser. Die **Weißen Löffler** brüten in Kolonien im dichten Schilf oder auf niedrigem Gebüsch. In Mitteleuropa leben sie heute noch in den Niederlanden und im Donauraum; nach der Brutzeit sind sie auch an der deutschen Nordseeküste zu sehen. Im Zoo wird oft der in Amerika heimische **Rosalöffler** gehalten.

Logik [griechisch ›Wort‹, ›Vernunft‹], allgemein die Fähigkeit, richtig zu denken; im engeren Sinn die Kunst, so zu argumentieren, daß sich aus gesicherten Voraussetzungen über einen Sachverhalt richtige, das heißt logisch schlüssige Folgerungen ziehen lassen.

Beispiel: Hat man 2 Aussagen wie ›Hans ist größer als Peter‹ und ›Paul ist kleiner als Peter‹, folgt daraus **logisch,** daß ›Hans größer ist als Paul‹.

Natürlich gewinnt man durch logisches Denken keine neuen Erkenntnisse, denn daß ›Hans größer ist als Paul‹, ist in den beiden ersten Sätzen eigentlich schon enthalten.

Durch logisches Denken lernt man klare, eindeutige Beziehungen zwischen einzelnen Aussagen herzustellen. Ohne den logischen Gebrauch der Sprache würde die menschliche Verständigung erschwert; auch Computer könnten ohne Logik nicht funktionieren.

Lohengrin, Sohn des Ritters →Parzival, ein Held aus dem Sagenkreis um König →Artus, von dem er den Auftrag erhielt, der in Bedrängnis geratenen Herzogin Elsa von Brabant zu Hilfe zu eilen. In einem von einem Schwan gezogenen Schiff kam er zu der Herzogin und focht für sie einen Zweikampf aus. Lohengrin heiratete Elsa, sagte ihr aber, daß sie niemals nach seiner Herkunft fragen dürfe. Eines Tages stellte Elsa diese Frage trotzdem; Lohengrin mußte sie daraufhin verlassen. Die Sage vom Schwanritter wurde von Wolfram von Eschenbach in dem Epos ›Parzival‹ aufgenommen und von Richard Wagner in seinem Musikdrama ›Lohengrin‹ (Uraufführung 1850) vertont.

Lohn, Vergütung (Bezahlung) menschlicher Arbeitsleistungen. Im engeren Sinn bezeichnet Lohn nur das Entgelt der Arbeiter in einem Betrieb, im Unterschied zum →Gehalt der Angestellten und der Besoldung der Beamten, im weiteren Sinn ist jedoch jede ›Belohnung‹ für Arbeitsleistungen gemeint. Der Lohn wird heute meist in Geld gezahlt **(Geldlohn),** während früher sowie noch heute in bestimmten Wirtschaftszweigen oder für bestimmte Tätigkeiten an Stelle von Geld mit Sachwerten (z. B. Lebensmittel) oder anderen Leistungen (z. B. mietfreies Wohnen) entlohnt wird **(Naturallohn).**

Je nach Art der Arbeit (z. B. Gleichmäßigkeit des Arbeitsanfalls, Gefährlichkeit der Arbeit, besondere Anforderungen, Berufsausbildung, Verantwortung, geistige oder körperliche Arbeit) können verschiedene Arten von Löhnen gezahlt werden: Der **Zeitlohn** ist ein Stunden-, Tages-, Wochen- oder Monatslohn, der bei gleichmäßig anfallender, meist Verwaltungsarbeit gewählt wird. Bei Arbeiten, die in einer bestimmten (kurzen) Zeit erledigt werden sollen, wird häufig ein **Akkordlohn** (→Akkord) gezahlt. Neben dem Zeit- und dem Akkordlohn gibt es für besondere Leistungen noch den **Prämienlohn,** ein zusätzliches Entgelt für Vorschläge zur Einsparung von Kosten oder Zeit, für maschinenschonendes Arbeiten usw. Einige Unternehmen beteiligen ihre Arbeitnehmer darüber hinaus auch am Erfolg oder Gewinn.

Loire [loahr], größter Fluß Frankreichs. Der 1 010 km lange Fluß entspringt in den Cevennen, durchfließt im weiten Bogen Mittelfrankreich und mündet bei Saint-Nazaire in den Atlantischen Ozean. Die wichtigsten Nebenflüsse sind Cher, Allier, Indre, Vienne und Maine. Kanäle verbinden die Loire mit Seine, Saône und der Stadt Brest. Eine Vielzahl von malerischen und zum Teil geschichtlich bedeutenden Schlössern liegt entlang der Loire (z. B. Chambord, Blois, Amboise, Chenonceaux, Azay-le-Rideau).

Lokomotive [von lateinisch locus ›Ort‹ und movere ›bewegen‹], die Zugmaschine oder das Triebfahrzeug der →Eisenbahn. Nach der Antriebsart unterscheidet man zwischen Dampf-, Brennkraft- und Elektrolokomotiven.

Allen Lokomotiven gemeinsam ist der **Fahrzeugkasten** mit dem **Laufwerk** und dem **Triebwerk.** Der auf dem Laufwerk ruhende Fahrzeugrahmen (Untergestell) trägt das Triebwerk und den übrigen **Aufbau** (Führerräume, elektrische Ausrüstung, Steuerungs-, Brems- und Überwachungseinrichtungen). Am Untergestell sind die Eisenbahnkupplungen befestigt. Das Laufwerk überträgt das Gewicht des Fahrzeugkastens über Tragfedern auf die Räder. Die nicht angetriebenen heißen **Laufräder,** die angetriebenen **Treibräder.**

Die ersten Lokomotiven waren **Dampflokomotiven.** Sie haben heute in den Industrieländern – auf Grund der Entwicklung wirtschaftlicherer Antriebe – kaum noch Bedeutung.

Dampflokomotiven haben einen Dampferzeuger (Dampfkessel), der mit Holz, Torf, Kohle oder Öl geheizt werden kann. In ihm wird aus Wasser der Dampf als Antriebsmittel gewonnen. In einer →Dampfmaschine wird die Druckenergie des Dampfes in mechanische Arbeit umgewandelt und über Treib- und Kuppelstangen auf die Treibachse übertragen. In der Rauchkammer werden die aus den Heizrohren strömenden Rauchgase gesammelt und zusammen mit dem entspannten Dampf durch den Schornstein ins Freie ausgestoßen. Aus dem Sicherheitsventil kann der Dampfüberdruck entweichen. Im Tender werden Brennstoff und Wasser mitgeführt.

Bei **elektrischen Lokomotiven** treiben Elektromotoren (Fahrmotoren) die Achsen an. Der elektrische Strom für **Wechselstrom-Lokomotiven** wird in Bahnkraftwerken erzeugt und über

Lokomotive: Dampflokomotive; Schnitt durch eine Einheits-Schnellzuglokomotive der Deutschen Reichsbahn. – Führerhaus, Dampferzeuger: **1** Führerhaus: a Feuertür, b Dampfreglerhebel; **2** Sicherheitsventil; **3** Stehkessel mit Stehbolzen; **4** Feuerbüchse, in der die Kohle verbrannt wird; **5** Feuerschirm; **6** Rost; **7** Aschenkasten; **8** Rauchrohre, in denen die aus der Feuerbüchse kommenden heißen Rauchgase entlangströmen und dabei ihre Wärme an das die Rauchrohre umgebende Wasser abgeben; **9** Dampfdom, in dem sich der aus dem Wasser gebildete Dampf (Naßdampf) ansammelt; **10** Dampfregler; **11** Reglerwelle zum Betätigen des Dampfreglers vom Führerstand aus; **12** Dampfleitungsrohr, in dem der im Dampfdom angesammelte Dampf nach dem Überhitzer geleitet wird; **13** Überhitzerrohre, in denen der aus dem Dampfdom und dem Dampfleitungsrohr kommende Naßdampf überhitzt wird; **14** Sanddom; **15** Speisedom; **16** Dampfsammelkasten, in dem der aus den Überhitzerrohren kommende Dampf zusammenströmt und von da aus durch das Dampfeinströmrohr (hinterm Schornstein) zu den Zylindern strömt; **17** Vorwärmer für das kalte Speisewasser; **18** Abdampfrohr, das einen Teil des Abdampfes vom Blasrohr aus dem Vorwärmer zuführt; **19** Rauchkammer; **20** Rauchkammertür; **21** Blasrohr, von dem aus der in den Zylindern entspannte Dampf in den Schornstein strömt; **22** Funkenfänger; **23** Schornstein; **24** Windleitblech. – Triebwerk: **25** Schieberkasten mit Schieber (Kolbenschieber), der den aus dem Dampfeinströmrohr zuströmenden Dampf in geeigneter Weise dem darunter befindlichen Zylinder zuleitet; **26** Zylinder; **27** Kolben; **28** Kolbenstange; **29** Kreuzkopf; **30** Gleitbahn für Kreuzkopf; **31** Treibstange; **32** Kuppelstangen; **33** Treibrad mit Gegengewicht; **34** Kuppelräder; **35** Laufräder; **36** Bremsklötze; **37** Sandstreuer. – Steuerung: **38** Gegenkurbel; **39** Schwingenstange; **40** Schwinge; **41** Schieberschubstange; **42** Voreilhebel; **43** Anwerf- und Steuerstangenhebel; **44** Steuerstange (nach dem Führerhaus verlaufend)

bahneigene Fernleitungen den Unterwerken (Umspannwerken) zugeführt. Dort wird er auf 15 kV (Kilovolt) umgespannt und fließt von den Oberleitungen über Stromabnehmer, Hauptschalter und Transformator durch die Schienen zum Unterwerk zurück. Im Transformator wird die Oberleitungsspannung auf die Motorspannung (0–600 V) umgespannt. In Erprobung befindet sich bei der Deutschen Bundesbahn die **elektrische Universal-Lokomotive** mit Drehstromantrieb. Dank elektronischer Umrichtung hat sie kleinere und leichtere Fahrmotoren größerer Leistung als die bisherigen Wechselstrommotoren. Die Motorspannung beträgt 0 bis 2 200 V. Die heutigen

Lokomotive: Diesellokomotive, Baureihe 218 der Deutschen Bundesbahn, Leistung 1 850 kW, Gewicht 80 t, Länge über Puffer 16,40 m

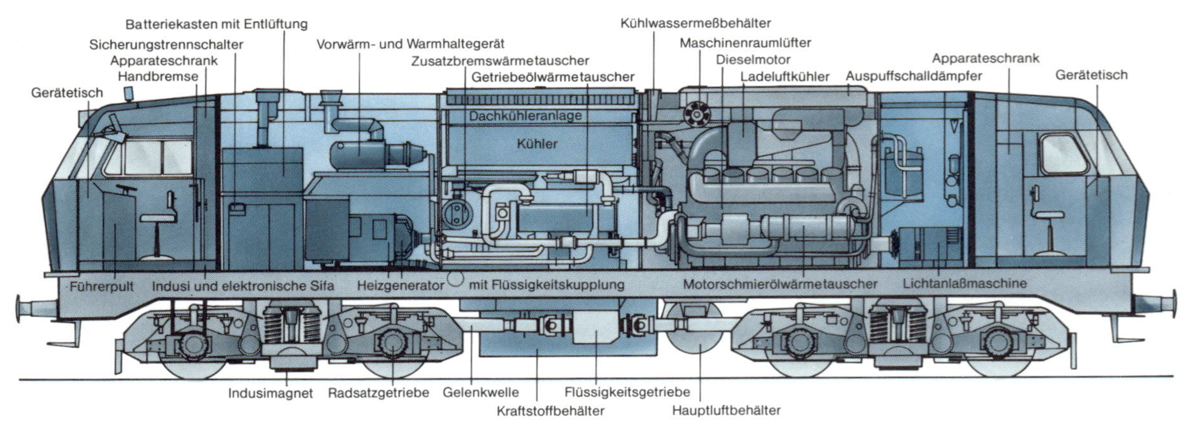

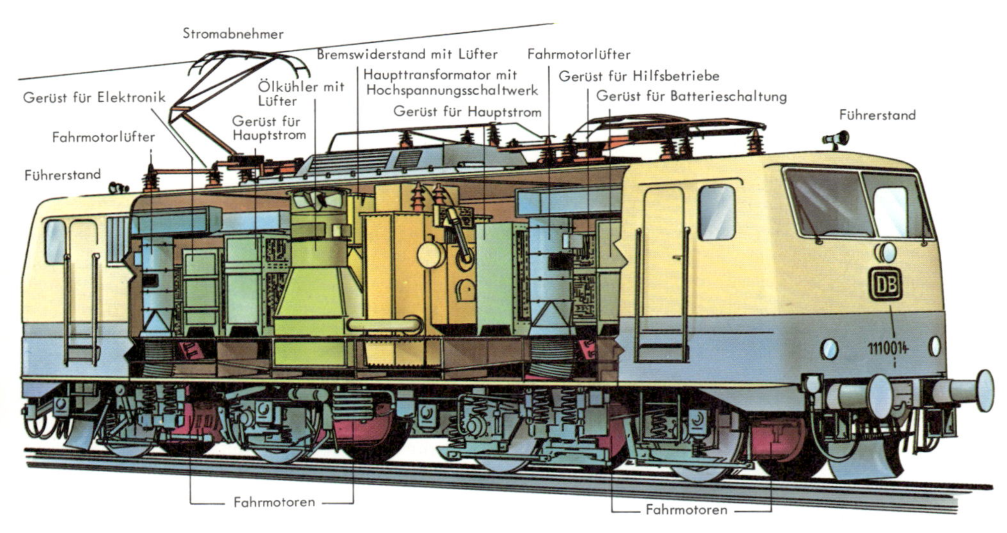

Lokomotive: elektrische Lokomotive 111 der Deutschen Bundesbahn, Leistung 3620 kW, Gewicht 83 t, Länge über Puffer 16,75 m

E-Loks haben meist Einzelachsantrieb, das heißt, jede Achse wird von einem Motor angetrieben. Neben der Druckluft- und der Handbremse sind elektrische Bremsen vorhanden, die als Generatoren arbeiten. Die beim Bremsen freiwerdende Energie wird hierbei nicht in Wärme, sondern in Strom umgewandelt und in die Fahrleitung zurückgespeist (Nutzbremse). – **Akkumulator-Lokomotiven** erhalten ihren Strom aus Batterien. Sie werden zum Rangieren und in Bergwerken eingesetzt.

Brennkraft-Lokomotiven werden durch Dieselmotoren, Vergasermotoren oder Gasturbinen angetrieben. Die größte Verbreitung hat die **Diesellokomotive** gefunden. Da Dieselmotoren nicht unter Last gestartet werden können, muß die Antriebskraft vom Motor über ein Getriebe auf die Treibachsen übertragen werden. Beim **dieselmechanischen Antrieb** handelt es sich um ein Zahnrad-Stufengetriebe, beim **dieselhydraulischen Antrieb** um ein hydrodynamisches Getriebe (Flüssigkeitsgetriebe). Beim **dieselelektrischen Antrieb** treibt der Dieselmotor einen Generator an, der Strom für die elektrischen Fahrmotoren erzeugt. Bei der Deutschen Bundesbahn werden vor allem Dieseltriebfahrzeuge mit hydrodynamischer Kraftübertragung eingesetzt. Kleinlokomotiven mit geringer Motorleistung haben häufig dieselmechanischen Antrieb.

Geschichte. Die erste Dampflokomotive wurde 1804 in England gebaut. Die Urform aller späteren Lokomotiven konstruierte 1829 George Stephenson (* 1781, † 1848) mit der ›Rocket‹, mit der das Zeitalter der Personenbeförderung begann. 1835 lieferte die Firma Stephenson die ›Adler‹ für die erste deutsche Eisenbahn zwischen Nürnberg und Fürth. Die erste elektrische Lokomotive wurde 1879 von Werner von Siemens (* 1816, † 1892) in Berlin vorgeführt. Sie erhielt Strom von einer in der Gleismitte liegenden Stromschiene. Die erste Diesellokomotive entwarf 1908 Rudolf Diesel (* 1858, † 1913).

Lombardei, Landschaft und Region in Norditalien mit der fruchtbaren Po-Ebene als Kerngebiet. Die Lombardei ist dicht besiedelt; auf 23 850 km² leben 8,9 Millionen Einwohner. Hauptstadt ist Mailand. Besonders der Anteil an der Po-Ebene gehört zu den landwirtschaftlich und industriell am weitesten entwickelten Gebieten Italiens. Benannt wird die Landschaft nach dem germanischen Stamm der Langobarden, die im 6. Jahrh. einwanderten und mit dem Zentrum Pavia ein Reich schufen. Nach der Herrschaft der Franken (seit 774) nahm Otto I. 951 den langobardischen Königstitel an. Seit dem 11. Jahrh. erlangten die lombardischen Städte große Macht und unterstützten die Päpste gegen die Staufer. Seit 1535 gehörte die Lombardei zu Spanien; 1714 und – nach kurzer Zeit unter französischer Herrschaft – erneut 1815 wurde sie österreichisch. Ab 1866 kam die Lombardei zusammen mit Venedig an das neue Königreich Italien.

Lome, französisch **Lomé,** 500 000 Einwohner, Hauptstadt der Republik Togo am Golf von Guinea. Als Verkehrsknotenpunkt ist Lome ein Zentrum für Handel, Industrie und Kultur des Landes.

London liegt beiderseits der Themse. Die Stadt ist ein Zentrum des Weltverkehrs und Welthandel und hat den wichtigsten Hafen der britischen Inseln und des Commonwealth of Nations. Sie ist Residenz der britischen Könige (Buckingham Palace) und Sitz der Regierung (Downing Street). Groß-London (Greater London) umfaßt die Innenstadt (City of London) sowie 32 Stadtbezirke (London Boroughs) und hat Selbstverwaltung.

London
Hauptstadt des Vereinigten Königreichs von Großbritannien und Nordirland
Einwohner: 6,79 Millionen

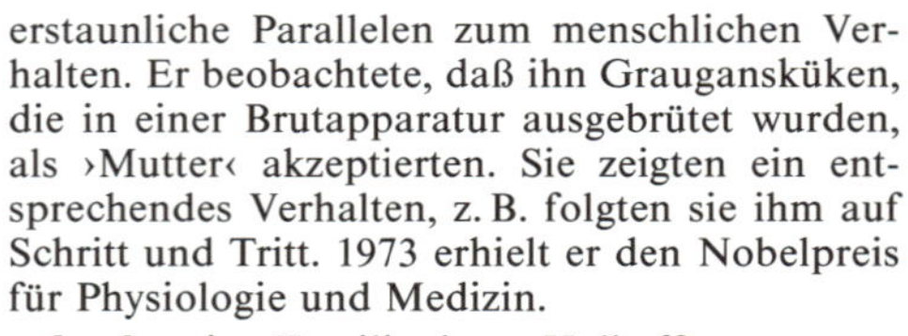

Im Regierungsviertel **Westminster,** das früher außerhalb Londons lag, befinden sich die Kirche Westminster Abbey, in der seit Wilhelm dem Eroberer die englischen Könige gekrönt werden (1066), das Parlamentsgebäude mit Oberhaus und Unterhaus, die Westminster Hall (14. Jahrh.), der Uhrturm mit einer großen Uhr und der Glocke Big Ben. London hat viele traditionsreiche Stadtviertel, bedeutende Museen und Bauwerke. Dazu gehören der **Tower** (11. Jahrh.), ehemals Königsresidenz und Staatsgefängnis, heute eine Kaserne, die älteste Brücke Londons, die London Bridge (10. Jahrh., heute erneuert), mitten in der Stadt der **Hyde Park.** Das **British Museum** enthält eine kostbare Sammlung ägyptischer, vorderasiatischer und griechisch-römischer Kunst und eine umfassende Bibliothek. In der Innenstadt zwischen Westminster und Tower liegen die verkehrsreichen Plätze Piccadilly Circus und Trafalgar Square, das Zeitungs- und Verlagsviertel Fleet Street, das Rathaus sowie die Kirche St.-Martin-in-the-Fields (18. Jahrh.) und die anglikanische Hauptkirche Londons, St. Paul's Cathedral (17. Jahrh.).

London war ursprünglich eine keltische Siedlung und wurde unter römischer Herrschaft als Londinium ein bedeutender Handelsplatz. Unter den Angelsachsen erwarb London das Recht der Selbstverwaltung (9. Jahrh.).

Looping [luping, zu englisch loop ›Schleife‹], → Kunstflug (BILD).

Lorbeer, → Gewürzpflanzen.

Konrad Lorenz

Lorenz. Der österreichische Arzt **Konrad Lorenz** (* 1903, † 1989) ist der Begründer der → Verhaltensforschung. Er untersuchte das natürliche Verhalten zahlreicher Tiere und entdeckte dabei erstaunliche Parallelen zum menschlichen Verhalten. Er beobachtete, daß ihn Graugansküken, die in einer Brutapparatur ausgebrütet wurden, als ›Mutter‹ akzeptierten. Sie zeigten ein entsprechendes Verhalten, z. B. folgten sie ihm auf Schritt und Tritt. 1973 erhielt er den Nobelpreis für Physiologie und Medizin.

Loris, eine Familie der → Halbaffen.

Los Angeles [los ändschilis], 3,48 Millionen, mit Vororten 13,48 Millionen Einwohner, Stadt im Bundesstaat Kalifornien, USA. Los Angeles ist eine der flächenmäßig größten Städte der USA und besitzt ein dichtes innerstädtisches Autobahnnetz. Die Stadt liegt am Fluß Los Angeles inmitten eines Obstbaugebietes und reicher Erdölfelder; sie ist ein Industrie- und Handelszentrum. Einen besonderen Anziehungspunkt für den Fremdenverkehr stellen die Filmstadt **Hollywood** im Nordwesten von Los Angeles und der Vergnügungspark **Disneyland** dar.

Löß, feinkörniger, gelblicher, durch Wind abgelagerter Flugstaub. Er besteht größtenteils aus mehlfeinen Quarzkörnchen mit einem Durchmesser von weniger als 0,05 mm und ist sehr kalkhaltig. Löß ist locker und läßt sich zwischen den Fingern zerreiben. In Mitteleuropa, z. B. am Kaiserstuhl und in den Börden Norddeutschlands am Nordrand der deutschen Mittelgebirge, wurde der Löß während der letzten Eiszeiten bis zu 30 m hoch abgelagert. Löß ist wasser- und luftdurchlässig und wegen des hohen Mineralgehaltes sehr fruchtbar. Der hohe Kalkgehalt bedingt die hohe Standfestigkeit des Löß, so daß er häufig Steilwände, Schluchten und Hohlwege bildet. In China, wo sich vor allem im Norden heute noch Löß bildet **(Gelbe Erde),** sind die Lößablagerungen bis über 400 m hoch.

Lot, Senkblei, Senklot, ein Metallkegel, der mit der Spitze nach unten an einem Faden aufgehängt ist. Mit ihm kann in der Bautechnik die senkrechte Richtung, z. B. an Mauern, ermittelt werden.

In der Schiffahrt wurde das Lot früher zum Messen der Wassertiefe verwendet (→ Echolot).

löten, metallische Gegenstände durch Aufschmelzen einer – **Lot** genannten – Legierung verbinden, an der Zink, Zinn, Nickel, Cadmium, Silicium und Kupfer beteiligt sein können. Der Schmelzpunkt des Lots liegt unterhalb der Schmelzpunkte der zu verbindenden Metalle, so daß diese zwar von der geschmolzenen Lötmasse benetzt, aber selbst nicht geschmolzen werden. Sind die zu verbindenden Stellen leicht oxidiert, so streicht man Lötfett auf, in dem Salmiak enthalten ist; dieser löst die Oxidschichten auf. Beim **Weichlöten** schmilzt das Lot unter 450 °C, beim **Hartlöten** zwischen 450 und 900 °C. Die Lötstelle kann durch beheizte **Lötkolben,** durch einem Schweißbrenner ähnliche Lötgeräte oder durch Eintauchen in geschmolzenes Lot erwärmt werden. Ein neues Verfahren ist das **Löten mit Laserstrahlen.** Das Löten spielt seit langem bei handwerklichen Reparaturarbeiten eine Rolle. Größte Bedeutung hat es in der Elektronik gewonnen, z. B. beim Anlöten von Transistoren oder integrierten Schaltkreisen auf Leiterplatten.

Lothringen, französisch **Lorraine,** Landschaft im Nordosten Frankreichs, zwischen den Vogesen im Osten, der Champagne im Westen, den Ardennen im Norden und den Monts Faucilles im Süden. Die Mosel und die Maas prägen die Landschaft, in der hauptsächlich Viehzucht und Getreideanbau betrieben wird. Die großen Wälder Lothringens ermöglichen eine bedeutende Forstwirtschaft. Der mittlere Teil Lothringens ist reich an Eisenerzlagern (hier als ›Minette‹ bezeichnet), die Grundlage der ausgeprägten Eisen- und Stahlerzeugung.

Ursprünglich war Lothringen das Land Lothars II., des Frankenkönigs. 870 kam es zum Ostfränkischen Reich, das 959 in die Herzogtümer Nieder- und Ober-Lothringen (das heutige Lothringen) geteilt wurde. 1766 fiel Lothringen an Frankreich. Nach dem Deutsch-Französischen Krieg (1870–71) gehörten die deutschsprachigen Teile Lothringens zusammen mit dem Elsaß bis 1918 zum Deutschen Reich.

Lotosblumen, mit den →Seerosen verwandte Blumen; sie wachsen in verschiedenen Arten mit weißen, gelben, rosa oder blauen Blüten in Ägypten, Indien und Ostasien. Ihre Blüte und Knospe sind in der ägyptischen, assyrischen und indischen Kunst häufig als Friesschmuck und bei Säulenkapitellen verwendet worden. Die Lotosblume gilt bei den Ägyptern und Indern als heilige Pflanze, bei den Ägyptern als Sinnbild des Nils und der Fruchtbarkeit. Bei den Indern ruht der Weltenschöpfer auf einer Lotosblüte, die als Sinnbild der Erde angesehen wird; weiterhin gilt sie als Symbol für Schönheit, Reinheit, Sonne und ewiges Leben.

Löwe, neben dem Tiger das größte katzenartige Raubtier (→Katzen). Er erreicht eine Schulterhöhe von 1 m und wird bis zu 2 m lang. Das Fell ist sandfarben, beim größeren Männchen bedeckt eine dunklere Mähne einen Teil des Kopfes, die Schultern und die Brust. Löwen leben und jagen in Rudeln hauptsächlich in den Steppen und Savannen Afrikas (z. B. in Ostafrika in der Serengeti). Ein geringer, sehr gefährdeter Bestand findet sich in einem Schutzgebiet in Indien. Vor allem die Weibchen beschleichen die großen Beutetiere (Antilopen, Zebras, Rinder), kreisen sie ein und fallen sie zu mehreren mit bis zu 10 m weiten Sprüngen an. Löwen, die bis 275 kg schwer werden, schleppen Beutetiere weg, die doppelt so schwer sind wie sie selbst. Ist ein Tier getötet, so fressen zuerst die stärksten Männchen des Rudels. Ein hungriger Löwe kann bis zu 35 kg Fleisch auf einmal verschlingen; er ist dann für mehrere Tage satt. Beutetiere können dann unbehelligt neben ihm grasen. Im Zoo sind Löwen leicht zu züchten; dressierte Löwen werden häufig im Zirkus gezeigt. – In Sage und Volksglauben ist der Löwe der König der Tiere. Er gilt als Sinnbild der Stärke und Tapferkeit; so erscheint er häufig in Wappen (z. B. von Hessen).

LSD, Abkürzung für **L**yserg**s**äure**d**iäthylamid, eine rauscherzeugende Verbindung aus dem chemischen Bestandteil des Mutterkorns, eines giftigen Pilzes, der den Roggen befällt. LSD wirkt in kleinsten Dosierungen als Droge und kommt stark verdünnt auf Löschpapier oder Zucker geträufelt (Trip) in den verbotenen Handel. Die Verschärfung der Sinneseindrücke, das Wahrnehmen von bunten, ineinanderfließenden Farben, Formen und Geräuschen führt oft zu dem Gefühl, daß Zeit und Raum aufgehoben seien, weshalb dem LSD eine bewußtseinserweiternde Wirkung zugeschrieben wird. Die Einnahme von LSD kann zu Angstzuständen und Verfolgungswahn (›Horrortrip‹) führen, die auch nicht selten im Selbstmordversuch enden. LSD führt nicht zur körperlichen Abhängigkeit, jedoch zur psychischen, die eine Dosissteigerung zur Folge hat.

Luanda, 1,54 Millionen Einwohner, Hauptstadt, Handelszentrum, bedeutendster Hafen von Angola an der Küste des Atlantischen Ozeans.

Lübeck, 230 400 Einwohner, schleswig-holsteinische Stadt an der unteren Trave. Lübeck ist Ausgangspunkt zahlreicher Schiffahrtslinien nach den Ostseeländern. Schiffahrt und Handel wurden seit 1900 durch den Ausbau einer Reihe von Industriezweigen (z. B. Herstellung von ›Lübecker Marzipan‹ in der Süßwarenindustrie) ergänzt. Anziehungspunkte für den Fremdenverkehr sind in der Geburtsstadt Thomas und Heinrich Manns die zum Teil wiederaufgebaute Altstadt mit dem Holstentor (1478) und der zur Stadt gehörende Badeort und Fährhafen **Travemünde.** Lübeck wurde im Mittelalter freie Reichsstadt und war führend in der Hanse.

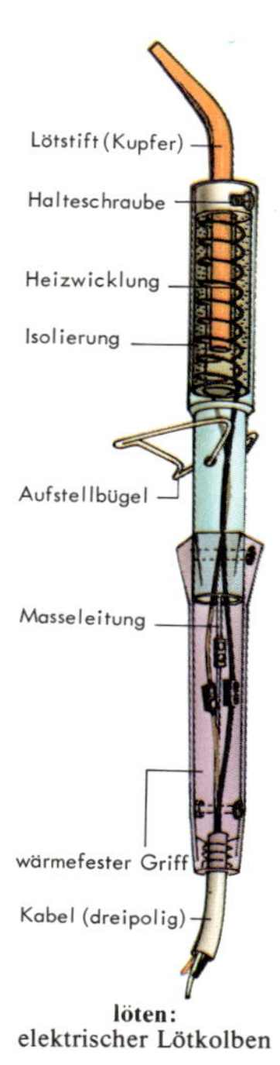

löten: elektrischer Lötkolben

Luchse, Gattung der →Katzen mit sprichwörtlich guten Augen. Als Einzelgänger bewohnen sie in mehreren Unterarten Europa, Asien und Nordamerika; in Mitteleuropa ist diese Katze sehr selten geworden, wird aber vereinzelt wieder angesiedelt (z. B. im Bayerischen Wald). Das dichte, weiche Fell ist als Pelz sehr begehrt. Der hochbeinige Luchs ist etwa so groß wie ein Schäferhund; auffallend sind Backenbart und Stummelschwanz und die dunklen Haarbüschel an den Ohren, die wie eine Antenne wirken. Der Luchs jagt Rehe, Hasen und Vögel.

Ludwig XIV.

Ludolphsche Zahl, →Pi.

Ludwig, Könige von Frankreich:

Ludwig XIV., * 1638, † 1715, König von Frankreich seit 1643. Seine Herrschaft, zunächst mit seiner Mutter als Regentin (bis 1661), dauerte 72 Jahre. Der Wille des Königs, der den Beinamen **Sonnenkönig** annahm, wurde zum unbedingten Gesetz, entsprechend seinem Leitspruch: »Der Staat bin ich!« In Ludwig XIV. fand die Regierungsform des →Absolutismus ihre eindeutigste Verkörperung. Unterstützt durch hervorragende Mitarbeiter, vor allem durch den Wirtschaftsminister Colbert und den Kriegsminister Louvois, führte er Frankreich zu einem Höhepunkt seiner Machtentfaltung. Auch in Kunst und Literatur erlebte das Land eine Blütezeit. Ludwig XIV. ließ das Schloß von Versailles errichten, in dem sich Pracht und Würde mit Maß und Klarheit als Ausdruck des Herrscherwillens verbanden.

Ludwigs XIV. Regierungsweise und sein Schloßbau in Versailles wurden vorbildhaft für viele europäische Fürsten. Er legte jedoch mit seinen hohen Staatsausgaben, die vor allem der zuletzt nicht mehr erfolgreichen Kriegführung und der höfischen Prachtentfaltung dienten, den Grund für die finanzielle Zerrüttung Frankreichs, die später eine der Ursachen der →Französischen Revolution wurde. Durch die Aufhebung des Edikts von Nantes (1685) nahm er der protestantischen Minderheit, den Hugenotten, ihre Sonderrechte. Die Hugenotten flohen ins Ausland.

Ludwig XVI., * 1754, † 1793, König von Frankreich, verheiratet (seit 1770) mit →Marie Antoinette. Ludwig XVI. konnte trotz intensiver Bemühungen seiner Regierung die sich seit Ludwig XIV. anbahnende Finanzkrise der französischen Monarchie nicht beheben. Der Widerstand des Adels und des Klerus gegen seine Politik zwang ihn zur Berufung der Generalstände, was schließlich die →Französische Revolution auslöste. Nach dem Sieg des Dritten Standes konnte er sich nicht bereitfinden, in den von der bürgerlichen Nationalversammlung bestimmten Schranken der Verfassung zu regieren. Sein ständiges Eintreten für die Gegenrevolution und der gescheiterte Fluchtversuch (1791) ließen seine Stellung zunehmend unhaltbarer werden. Nach dem Sturm auf das Schloß der Tuilerien (10. 8. 1792), dem königlichen Aufenthaltsort in Paris, wurde er mit seiner Familie im Temple genannten Festungsturm gefangengehalten und am 21. 9. für abgesetzt erklärt, im folgenden Hochverratsprozeß als ›Bürger Capet‹ vom Nationalkonvent zum Tod verurteilt und am 21. 1. 1793 öffentlich hingerichtet.

Ludwig II., * 1845, † 1886, König von Bayern seit 1864. Er schrieb während des Deutsch-Französischen Krieges von 1870/71 einen von Bismarck entworfenen Brief an die deutschen Fürsten, der den Anstoß zur Ausrufung des preußischen Königs Wilhelm I. zum Kaiser 1871 gab. An den Regierungsgeschäften eigentlich uninteressiert, widmete sich Ludwig II. vor allem dem Bau prunkvoller Schlösser (Herrenchiemsee, Neuschwanstein, Linderhof). Auch seine leidenschaftliche Verehrung für den Komponisten Richard Wagner belastete schwer die bayerische Staatskasse. Als sich Anzeichen von Geisteskrankheit bemerkbar machten, wurde Ludwig II. entmündigt und nach Schloß Berg am Starnberger See gebracht. Dort ertrank er am 13. Juni 1886 im See.

Luft, das die Atmosphäre der Erde bildende Gasgemisch. Die Luft setzt sich in den unteren Schichten der Atmosphäre vor allem aus Stickstoff (78%) und Sauerstoff (21%) zusammen. Außerdem enthält sie Kohlendioxid, Argon und andere Edelgase. Je nach ihrer Temperatur vermag sie unterschiedlich viel Wasserdampf aufzunehmen: Warme Luft kann mehr, kalte Luft weniger Wasserdampf speichern. Warme und feuchte Meeresluft bringt daher die ergiebigsten Niederschläge nach Mitteleuropa. Von der Temperatur abhängig sind noch andere Eigenschaften der Luft. Wie feste und flüssige Stoffe zieht sich auch Luft beim Abkühlen zusammen und dehnt sich beim Erwärmen aus. Ein Würfel kalter Luft ist also schwerer als ein gleich großer Würfel warmer Luft. Deshalb ist Kaltluft am Boden meist mit hohem, Warmluft mit niedrigem Luftdruck verbunden. Durch die Ausdehnung beansprucht warme Luft dagegen mehr Raum als die gleiche Menge kalter Luft, sie reicht daher höher hinauf. Wenn man sich in einer bestimmten Höhe eine Schnittfläche durch eine kalte und eine warme Luftmasse denkt, dann befindet sich über dieser Fläche weniger kalte als warme Luft. Infolgedessen ist Warmluft in der Höhe vielfach mit hohem, Kaltluft dagegen mit niedrigem Luftdruck verbunden.

Luftbild, photographisches Bild, das von einem Flugzeug oder einem Raumflugkörper aus aufgenommen wird und einen Teil der Erdoberfläche zeigt. Die senkrecht von oben photographierten Bilder werden zur Herstellung von Karten herangezogen, schräg aufgenommene Bilder dienen der anschaulichen Darstellung von Gebieten. Luftbilder zeigen Einzelheiten, die mit Aufnahmen vom Boden aus nicht sichtbar würden. Zum Beispiel lassen sich Verfärbungen im Gelände feststellen, die durch unterschiedliche Bodenfeuchtigkeit oder durch Unterschiede im Pflanzenwuchs entstehen. Solche Feststellungen liefern dann Hinweise für archäologische Grabungen, helfen bei der Erforschung neuer Rohstofflagerstätten, dienen der Umweltüberwachung und bringen vielen Wissensgebieten (z. B. Meeres- und Klimakunde) neue Erkenntnisse.

Luftdruck, der Druck, den die Atmosphäre mit ihrem Gewicht auf die Erde ausübt. Der Luftdruck wird mit dem →Barometer gemessen und in Millibar (mbar), seit 1984 in Hektopascal (hPa) angegeben. Dabei gilt: 1 mbar = 1 hPa. Früher diente die Höhe der Quecksilbersäule des Barometers zur Angabe des Luftdruckes; man kann diese Angaben auf die heutigen Einheiten umrechnen, denn 3 mm Quecksilbersäule entsprechen 4 mbar oder 4 hPa. Der Luftdruck beträgt in Meereshöhe im Durchschnitt 1013 mbar. Das bedeutet, daß die Luft mit ungefähr 1 kg auf jeden Quadratzentimeter drückt. Eine Luftsäule mit einer Grundfläche von 10 × 10 cm wiegt also in Meereshöhe etwa 100 kg, und auf einem aufrecht stehenden Menschen lastet fast 1 Tonne Luft! Mit zunehmender Höhe nimmt der Luftdruck ab, zuerst rasch, dann nach oben hin immer langsamer. In etwa 5 km Höhe herrscht nur noch die Hälfte, in 10 km Höhe nur noch ein Viertel des am Boden gemessenen Drucks. In kalter Luft nimmt der Druck mit der Höhe schneller ab als in warmer, so daß in einer bestimmten Höhe Kaltluft einen relativ niedrigen, Warmluft einen relativ hohen Druck aufweist. Die ungleichmäßige Verteilung des Luftdrucks auf der Erde beruht auf der ungleichen Erwärmung der Erde durch die Sonne. Zwischen Gebieten mit unterschiedlichem Luftdruck entsteht eine Luftströmung, die vom höheren zum tieferen Druck gerichtet ist: der Wind.

Luftfahrt, die Fortbewegung im Luftraum (im Unterschied zur →Raumfahrt), indem dafür geeignete Verfahren und Fahrzeuge, die **Luftfahrzeuge,** genutzt werden. Man unterscheidet **Luftfahrzeuge leichter als Luft** (Ballone, Luftschiffe), die durch aerostatischen →Auftrieb getragen werden, von den **Luftfahrzeugen schwerer**

GESCHICHTLICHES

1783	Erster Aufstieg eines Heißluftballons (Montgolfière)
1783	Erster Aufstieg eines Wasserstoffballons (Charlière)
1785	Erste Überquerung des Ärmelkanals von England nach Frankreich durch Jean-Pierre Blanchard und John Jeffries in einem Wasserstoffballon
1797	Fallschirmabsprung aus einem Ballon aus etwa 1000 m Höhe durch André Jacques Garnerin
1804	Louis Joseph Gay-Lussac erreicht im Ballon 7000 m Höhe
1890–96	Gleitflüge Otto Lilienthals
1900	Erster Aufstieg eines Zeppelin-Luftschiffes, des LZ 1, von Manzell am Bodensee
1903	Erster Motorflug der Brüder Wright
1915	Erstes Ganzmetallflugzeug von Hugo Junkers
1917	Streckenrekord von LZ 59 über 6757 km von Bulgarien bis Khartum in Afrika und zurück
1919	Erste Nordatlantiküberquerung durch John William Alcock und Arthur Whitten Brown
1920	Erster Segelflug-Wettbewerb auf der Wasserkuppe
1924	Erste Ost-West-Überquerung des Nordatlantik durch LZ 126 unter Hugo Eckener
1927	Nordatlantiküberquerung New York–Paris durch Charles A. Lindbergh im Alleinflug
1928	Erste Nordatlantiküberquerung Ost-West durch Hermann Köhl, Günther von Hünefeld, John Fitzmaurice
1929	Weltfahrt des LZ 127 ›Graf Zeppelin‹ unter Hugo Eckener
1932	Auguste Piccard erreicht in seinem Stratosphärenballon 16940 m Höhe
1932	Beginn des regelmäßigen Liniendienstes über den Südatlantik durch LZ 127
1935	Beginn des Luftverkehrs mit Flugzeugen über den Pazifischen Ozean
1936	Erster leistungsfähiger Hubschrauber Fw 61
1936	Beginn des regelmäßigen Liniendienstes über den Nordatlantik (Frankfurt–Lakehurst, New York) durch LZ 127 und LZ 129
1937	Brandkatastrophe des LZ 129 ›Hindenburg‹ in Lakehurst, 36 Tote. Ende der Verkehrsluftschiffahrt
1938	Im Segelflugzeug wird die Stratosphäre erreicht (11400 m Höhe)
1939	Beginn des Luftverkehrs mit Flugzeugen über den Nordatlantik
1939	Erstes Flugzeug mit Strahltriebwerk Heinkel He 178
1947	Raketenflugzeug Bell X-1 überschreitet Schallgeschwindigkeit
1949	Umrundung der Erde (37523 km) ohne Zwischenlandung
1952	Luftverkehr beginnt mit Strahlflugzeugen
1957	Planmäßiger Luftverkehr über den Nordpol
1957	Erster Senkrechtstarter
1967	Raketenflugzeug X-15 erreicht 7274 km/h
1969	Einführung der Großraumflugzeuge
1972	Segelflug von Lübeck nach Biarritz (1460 km)
1976	Eröffnung des Überschall-Luftverkehrs
1978	Erste Überquerung des Nordatlantik von USA bis Paris in einem Heliumballon
1979	Ärmelkanal wird von Muskelkraftflugzeug überquert
1981	Ärmelkanal wird von Sonnenkraftflugzeug überquert
1981	Erste Überquerung des nordamerikanischen Kontinents von der West- zur Ostküste der USA (4047 km) mit einem Heliumballon
1981	Erste Überquerung des Pazifischen Ozeans von Japan bis Kalifornien mit einem Heliumballon in $3\frac{1}{2}$ Tagen

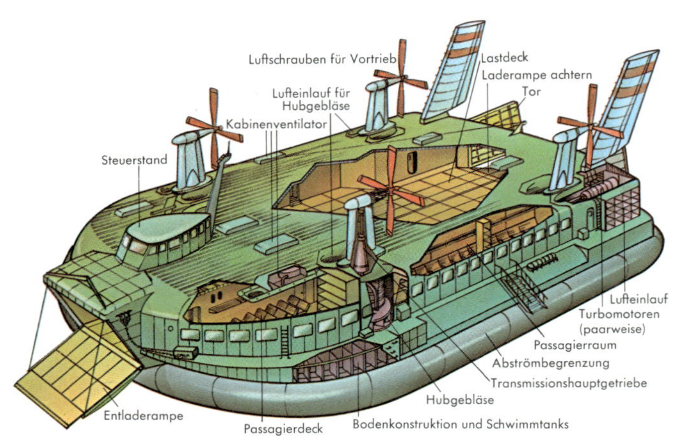

Luftkissenfahrzeug: SR. N4 von der British Hovercraft Corporation. Das Schwebefahrzeug von 168t Gesamtgewicht und 50t Nutzlast hat eine höchste Reisegeschwindigkeit von 130 km/h und 160 km Fahrstrecke. Als Autofähre faßt es bis zu 34 Pkw und 174 Passagiere.

als Luft mit aerodynamischer Auftriebserzeugung (Flugzeuge, Flugkörper, Drachen, Fallschirme, Flugmodelle).

Dem Zweck nach läßt sich die Luftfahrt in **Zivil-** und **Militärluftfahrt** einteilen. Die wichtigsten Teilbereiche der zivilen Luftfahrt sind die **Verkehrsluftfahrt** und die **Allgemeine Luftfahrt,** zu der Flugschulung, Flugsport, Geschäftsflugwesen, Landwirtschafts-, Vermessungs-, Luftbildfliegerei, Luftwerbung, Bau- und Rettungsflugwesen gehören.

Luftfeuchtigkeit, der in der Luft enthaltene Wasserdampf. Seine tatsächliche Menge wird in Gramm pro Kubikmeter (g/m^3) angegeben und als **absolute Feuchte** bezeichnet. Der Höchstwert des Gehalts an Wasserdampf ist von der Temperatur der Luft abhängig. Bei 0 °C beträgt er 4,9 g/m^3, bei + 10 °C ist er doppelt, bei + 30 °C sechsmal so hoch. Wird der Höchstwert überschritten, so kondensiert die Feuchtigkeit in Form kleiner Tröpfchen. Das Verhältnis zwischen der tatsächlich vorhandenen und der höchstmöglichen Feuchtigkeit wird als **relative Feuchte** bezeichnet. Sie wird in Prozent angegeben. Bei einer Luftfeuchtigkeit von 50% enthält also die Luft die Hälfte des höchstmöglichen Wasserdampfgehaltes. Zur Messung der Luftfeuchtigkeit dienen Hygrometer.

Luftröhre

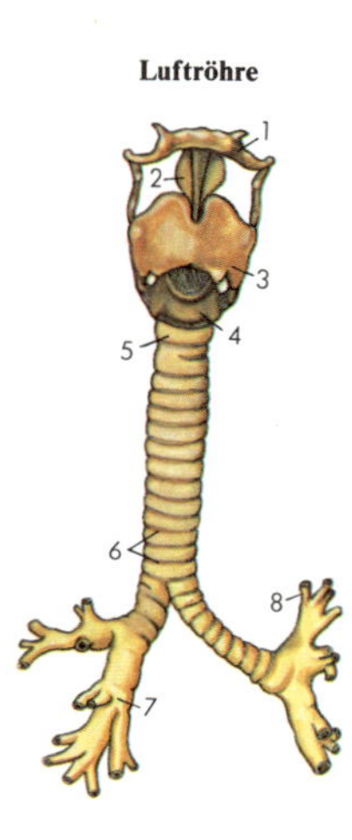

Luftröhre: 1 Zungenbein, **2** Kehldeckel, **3** Schildknorpel, **4** Bogen des Ringknorpels, **5** 1. Luftröhrenknorpel, **6** Bänder zwischen den Luftröhrenknorpeln, **7** rechter Stammbronchus, **8** linker Stammbronchus

Luftkissenfahrzeug, Bodeneffektfahrzeug, englisch **Hovercraft,** ein Amphibienfahrzeug, das in geringem Abstand (30–60 cm) über einer Boden- oder Wasserfläche von einem ›Kissen‹ komprimierter Luft (Luft mit erhöhtem Druck) getragen wird. Durch einen schmalen Ringspalt zwischen Fahrzeugunterseite und Bodenfläche wird Druckluft geblasen; hierdurch entsteht ein Luftpolster, das durch eine ›Schürze‹ gegen den Außendruck abgedichtet wird. Propeller- oder Strahlantriebe erzeugen die Vortriebs- und Steuerkräfte. Luftkissenfahrzeuge haben den Vorteil, daß sie über kürzere Wasserstrecken schneller als jedes andere Fährschiff sind und daß sie auch über unwegsamen Bodenflächen (Sumpf, Marsch, Wattenmeer, Sand, Eis) verwendet werden können. Diese Eigenschaft macht sie auch militärisch verwendungsfähig. Störend beim zivilen Fährbetrieb wirkt die starke Lärmentwicklung der Gebläse und Triebwerke.

Luftröhre, bei Mensch und Wirbeltieren das Verbindungsstück zwischen Kehlkopf und Lunge. Die Luftröhre ist etwa 12 cm lang; in Höhe des vierten Brustwirbels teilt sie sich und geht in die → Bronchien über. Sie ist aus Knorpelspangen aufgebaut, die sie ständig offenhalten. Innen ist sie mit einem Gewebe ausgekleidet, das eindringende Fremdkörper zurückhält und in Richtung zum Mund befördert.

Luftschiff, ein durch Propellertriebwerk und Leitwerk steuerbar und von der Windrichtung unabhängig gemachter → Ballon in Stromlinienform. Die heute zu Werbezwecken über die Städte hinwegfahrenden Klein-Luftschiffe haben eine unter dem Rumpf hängende Gondel für wenige Personen und einen leichten Kraftwagenmotor. Nur der Form nach, nicht der Größe und dem Aufbau nach, sind sie vergleichbar mit den großen Zeppelin-Luftschiffen, die ihren Namen ihrem Schöpfer, dem Grafen **Ferdinand von Zeppelin** (* 1838, † 1917), verdanken. Diese aus einem Aluminiumgerippe bestehenden **Starr-Luftschiffe** nahmen ihren Anfang 1900, als es noch keine Motorflugzeuge gab. Sie bombardierten im Ersten Weltkrieg London und begannen mit dem regelmäßigen Verkehr über den Süd- und Nordatlantik, bis 1937 nach dem Brandunglück des LZ 129 ›Hindenburg‹, das knapp 100 Menschen mit 125 km/h befördern konnte, der Bau von Zeppelin-Luftschiffen eingestellt wurde. Seitdem gibt es nur noch kleine **Prall-Luftschiffe,** die ihre Form durch den Überdruck der Gasfüllung (Wasserstoff, Helium) erhalten. Sie dienen der Werbung, zur Küstenwache, dem Frachttrans-

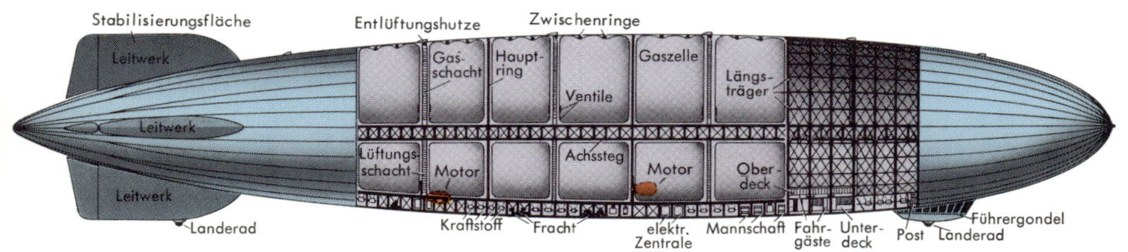

LZ 129 in Seitenansicht (ein Teil im Schnitt)

Länge 245 m; Durchm. 41 m; Prallgasinhalt 200 000 m³; 4 Motoren, 1 200 PS, Reisegeschwindigkeit 125 km/h; Reichweite 14 400 km; zahlende Last 19 t.

Luftschiff

port in Notstandsgebieten und versuchsweise in Kombination mit einem Hubschrauber (›Helistat‹) als ›fliegender Kran‹.

Luftschraube, →Propeller.

Luftspiegelung, optische Erscheinung, die durch Brechung und →Reflexion von Lichtstrahlen an Luftschichten unterschiedlicher Temperatur und damit unterschiedlicher Dichte hervorgerufen wird. Solche Luftschichten entstehen über stark erhitzten oder gekühlten Flächen, z. B. in der Wüste (dort heißt die Luftspiegelung auch **Fata Morgana**), auf erwärmten Landstraßen oder über Wasser. Durch Luftspiegelung können weit entfernte Gegenstände sichtbar werden, gespiegeltes Himmelslicht kann auf einer trockenen Fläche wie Wasser aussehen.

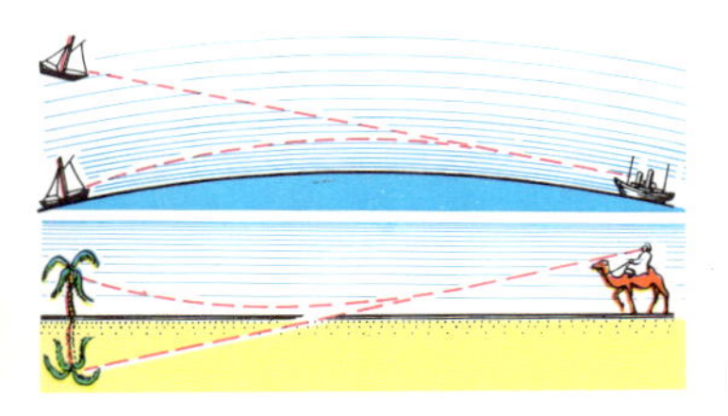
Luftspiegelung

Luftverschmutzung, Luftverunreinigung, Verunreinigung der →Luft, besonders durch Kohlenmonoxid, Schwefeldioxid, Stickoxide und Staub. Eine große Rolle spielen bei der Verbreitung der Schadstoffe nicht nur Stärke und Entfernung der Schadensquelle, sondern auch die Ausbreitungsgeschwindigkeit und Verweildauer der Schadstoffe in der Atmosphäre. Bei bestimmten Wetterlagen, wenn z. B. verschmutzte Luftmassen nicht entweichen können, häufen sich gefährliche Mengen von Schadstoffen (→Smog). Besonders zusammen mit Feuchtigkeit können chemisch angreifende Substanzen entstehen. Infolge von Luftverschmutzung leiden die Menschen unter Geruchsbelästigung, Atembeschwerden und Erkrankungen vor allem der Atemwege. Anschauliche Beispiele für die ungünstigen Folgen der Luftverschmutzung sind das →Waldsterben und die beschleunigte Verwitterung an Bauwerken (→Korrosion).

In der Bundesrepublik Deutschland und in anderen Ländern gibt es ein Netz von Meßstationen, die den Grad der Luftverschmutzung regelmäßig registrieren. Gesetzlich geregelt wird der Schutz vor Luftverschmutzung durch das Bundes-Immissionsschutzgesetz im Zusammenhang mit der Technischen Anleitung zur Reinhaltung der Luft (TA Luft), durch das Benzinbleigesetz, die Verordnungen über Feuerungsanlagen und Chemischreinigungsanlagen, ferner durch landesrechtliche Bestimmungen.

Luftwaffe, Teil der Streitkräfte eines Landes mit der Aufgabe, im Kriegsfall den Kampf in der Luft zu führen. Hierfür gibt es Kampf-, Jagd-, Aufklärungs- und Transportflugzeuge, die in Geschwadern (vergleichbar dem Regiment) zusammengefaßt werden. Daneben verfügt die Luftwaffe zur Abwehr feindlicher Flugzeuge über verschiedene Flugabwehrwaffen. In der Bundesrepublik Deutschland ist die Luftwaffe eine Teilstreitkraft der Bundeswehr (neben Heer und Marine).

Luftwiderstand, →Aerodynamik.

Luftwurzeln, oberirdisch aus Stamm oder Ästen einer Pflanze entspringende Wurzeln mit besonderen Funktionen. Man findet Luftwurzeln als Haftorgane häufig bei Lianen und Pflanzen, die auf anderen Pflanzen leben, ohne diese schmarotzerartig auszunutzen, wie manche Orchideen; hier dienen die Luftwurzeln zum Teil auch der Ernährung. Zu den Luftwurzeln zählt man auch die Stelz- und Atemwurzeln der →Mangroven.

Monstera deliciosa mit **Luftwurzeln**

Luganer See, stark gegliederter See am Südrand der Alpen. Er liegt zum größten Teil im schweizerischen Kanton Tessin, zum kleineren Teil gehört er zu Italien. Er ist 35 km lang, 1–3 km breit und bis 288 m tief. Durch die Tresa im

Westen entwässert der See in den Lago Maggiore. An seinen Ufern liegen zahlreiche Fremdenverkehrsorte wie Lugano und Porlezza.

Lummen, Vögel: →Alken.

Luna [lateinisch ›Mond‹], **1)** römische Mondgöttin. Bei den Griechen hieß diese Göttin **Selene.**

2) seit 1959 Bezeichnung für mehrere sowjetische →Raumsonden zum Mond.

Lüneburger Heide, von der Eiszeit geprägtes Hügelland südlich von Hamburg, zwischen Elbe und Aller gelegen. Benannt ist die Heide nach der Kreisstadt **Lüneburg** (61 100 Einwohner), einer ehemaligen Hansestadt, deren Reichtum im Mittelalter auf Salzbergbau und Salinenbetrieb gründete. Die großen Holzmengen zur Erhitzung der Siedepfannen bei der Salzgewinnung entnahmen die Lüneburger dem Wald der Heide. So entstand das heutige Ödland. Die wellige, durchschnittlich 50–100 m hohe Landschaft besteht aus sandigen Böden, die sehr wasserdurchlässig sind. So können nur Pflanzen gedeihen, die wenig Feuchtigkeit benötigen oder tiefreichende Wurzeln haben. Kiefern, Wacholder, Birken, Flechten, Heidel- und Preiselbeeren, Ginster und Heidekraut bilden die typische **Heidelandschaft,** die heute bis auf Reste im Naturschutzgebiet Wilseder Berg (169 m) stark zurückgedrängt wurde. Durch Kiefernaufforstung und landwirtschaftliche Nutzung hat sich das ursprüngliche Landschaftsbild gewandelt.

Lunge, Atmungsorgan des Menschen und aller luftatmenden Wirbeltiere (→Atmung). Erwachsene Lurche haben einfache sackförmige Lungen, die der Kriechtiere sind bereits stärker gekammert, die der Säugetiere gleichen der menschlichen Lunge; anders ausgebildet ist die Lunge der →Vögel. Die menschliche Lunge besteht aus 2 **Lungenflügeln,** die rechts und links im Brustkorb liegen. Die rechte Lunge hat 3, die linke (auf der Seite des Herzens) 2 Lungenlappen. Bei der Einatmung gelangt die Luft über den Nasen-Rachenraum, in dem sie erwärmt und gereinigt wird, zunächst in die Luftröhre. Von dort erreicht sie über die Bronchien, die sich immer weiter verzweigen, schließlich die Lungenbläschen. Diese sind sehr elastisch und können sich erweitern, wenn die Luft einströmt, und wieder verkleinern, wenn die Luft entweicht. Sie sind netzartig von haarfeinen Blutgefäßen umgeben. Durch die dünnen Wände der Lungenbläschen und Haargefäße erfolgt der Gasaustausch: Das Blut nimmt Sauerstoff auf und gibt Kohlendioxid ab. – Die Oberfläche beider Lungenflügel wird vom **Lungenfell** überzogen, während der Innenraum der Brusthöhle vom **Rippenfell** ausgekleidet ist. Beide zusammen bilden das allseitig geschlossene **Brustfell.** Bei der Atmung gleiten sie ohne Reibung aufeinander. Normalerweise faßt die Lunge bei tiefer Einatmung etwa 3–5 Liter Luft. Auch nach angestrengter Ausatmung bleibt immer eine Restmenge an Luft (Restluft) in der Lunge zurück.

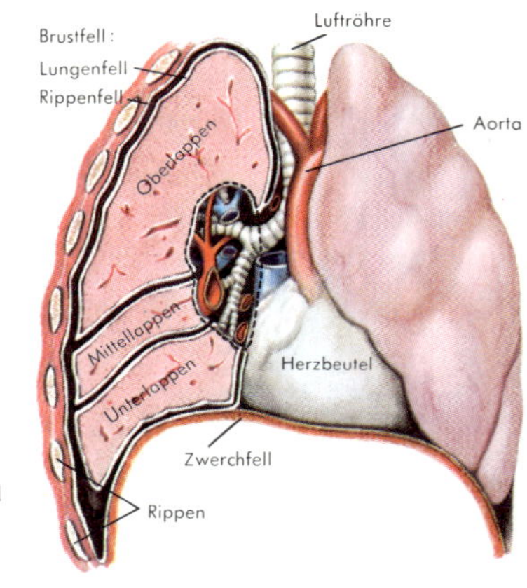

Lunge: rechter Flügel der menschlichen Lunge im Schnitt

Lungenentzündung, griechisch **Pneumonie,** verschiedenartige Entzündungsvorgänge in wechselnd großen Lungenabschnitten. Die Lungenentzündung kann durch unterschiedliche Erreger (Bakterien, Pilze, aber auch Viren) hervorgerufen werden. Man unterscheidet besonders die verhältnismäßig seltene **Lappenpneumonie,** die vor allem von Bakterien (Pneumokokken) ausgelöst wird und in kurzer Zeit einen ganzen Lungenlappen befällt. Sie beginnt heftig mit Schüttelfrost und hohem Fieber, dem wenig später Husten, Auswurf und Atemnot folgen. Häufiger ist die **herdförmige Lungenentzündung,** die mit vielen kleinen Entzündungsherden in beiden Lungen einhergeht. Oft tritt sie im Anschluß oder als Begleiterscheinung anderer Erkrankungen auf, bevorzugt bei Säuglingen und alten Menschen.

Lupe [von französisch loupe ›Linse‹]. Hat man einen kleinen Gegenstand, von dem man Einzelheiten erkennen möchte, nahe ans Auge gebracht, so wird das Bild auf der Netzhaut zwar größer, aber unscharf. Die Brechkraft (→Brennweite) der Augenlinse reicht dann nicht mehr aus, um die Lichtstrahlen, die von einem Punkt eines so nahen Gegenstandes ausgehen, wieder in einem Punkt auf der Netzhaut zu vereinigen.

Um dies zu erreichen, muß man das Auge bei der Brechung unterstützen, indem eine Sammellinse (→Linse) davorgesetzt wird, die wir dann Lupe nennen. Die Vergrößerung einer Lupe nimmt mit kleiner werdender Brennweite zu. Man kann die Vergrößerungen berechnen, indem man die deutliche Sehweite des Auges von 25 cm durch die Brennweite der Linse teilt.

Beispiel: Hat die Linse eine Brennweite von 5 cm, so vergrößert die Lupe fünffach. Die größte Vergrößerung, die man bei Lupen findet, ist etwa 20fach.

Lurche, Wirbeltiere, die anfangs als →Larve im Wasser leben und wie Fische durch Kiemen atmen. Bis zum erwachsenen Tier machen sie eine Umwandlung (›Metamorphose‹) durch: Sie bekommen Beine und Lungen, verlieren die Kiemen und können nun auch an Land leben. Man nennt sie daher auch **Amphibien** (griechisch ›Doppellebige‹). Lurche können zudem mit ihrer nackten und drüsenreichen Haut atmen, die zum Schutz vor Austrocknung oft mit einem feuchten Schleim überzogen ist. Auch die Wasseraufnahme erfolgt über die Haut. Die in allen Erdteilen lebenden Lurche sind an feuchte Lebensräume gebunden. Viele sind nachtaktiv, um der Gefahr der Austrocknung auszuweichen. Wie alle →Wechselwarmen werden sie bei kühler Witterung träge. Im Winter verkriechen sie sich im feuchten Erdboden (Kröten, Molche); Frösche vergraben sich im weichen Bodenschlamm von Gewässern. Die Tiere verfallen dann in einen Starrezustand (›Winterstarre‹). Sie nehmen keine Nahrung zu sich; alle Lebensprozesse gehen – stark herabgesetzt – weiter. In dieser Zeit ist die Hautatmung für die Aufrechterhaltung der lebenswichtigen Funktionen vollkommen ausreichend.

Man unterscheidet die gedrungenen **Froschlurche** (→Frösche, →Kröten, →Unken), die im Verlauf der Metamorphose ihren Schwanz völlig verlieren, und die langgestreckten **Schwanzlurche** (→Molche, →Olme, →Salamander), die zeitlebens einen Schwanz tragen. Lurche suchen zur Fortpflanzung meist das Wasser auf. Sie vermehren sich durch Eier (→Laich), die das Weibchen ins Wasser ausstößt und die in der Regel vom Männchen, das kein Begattungsorgan hat, auch im Wasser besamt werden. Dabei hockt das Männchen auf dem Rücken des Weibchens, es ›klammert‹. Die Eier sind zum Schutz vor Austrocknung von einer gallertartigen Hülle umgeben. Diese Hülle dient den nach 12–18 Tagen schlüpfenden Larven, die man bei Froschlurchen **Kaulquappen** nennt, als erste Nahrung. Sie ähneln äußerlich kleinen Fischen; ihr Ruderschwanz trägt einen Flossensaum. Im Verlauf von 3–4 Monaten entwickelt sich dann der zunächst etwa 1 cm lange Lurch. Alle erwachsenen Lurche nehmen nur tierische Nahrung auf (Insekten, Würmer, Schnecken). Lurche und ihre Larven sind Beutetiere vieler Schlangen, Vögel und Fische. So wachsen trotz der hohen Eizahl des einzelnen Weibchens (bei Kröten 7 000 Eier) nur wenige Lurche heran. Da außerdem in Mitteleuropa ihr Lebensraum vielfach zerstört wurde, ist hier ihre Zahl beträchtlich zurückgegangen; einige Arten sind vom Aussterben bedroht.

Lusaka, 870 000 Einwohner, Hauptstadt, Industrie- und Handelszentrum von Sambia, im Südosten des Landes.

Lustspiel, →Komödie.

Lutetium, Zeichen **Lu,** →chemische Elemente, ÜBERSICHT.

Martin Luther
(Holzschnitt von Lucas Cranach dem Älteren)

Luther. Die entscheidende Persönlichkeit der deutschen →Reformation und der eigentliche Begründer der evangelischen Kirchen ist **Martin Luther** (* 1483, † 1546). Er wurde als Sohn eines Bergmanns geboren. Sein Vater wurde später Mitbesitzer eines Bergwerks. Martin sollte eigentlich kurfürstlicher Beamter werden. Er besuchte die Lateinschule und begann danach, an der Universität Erfurt Rechtswissenschaft zu studieren. Während eines schweren Gewitters im Jahr 1505 legte Luther in Todesangst das Gelübde ab, Mönch zu werden. Gegen den Willen seines Vaters brach er daraufhin das Jurastudium ab und trat dem Orden der Augustiner bei. 1507 zum Priester geweiht, erwarb er den Doktorgrad und lehrte ab 1512 als Professor der Theologie an der Universität Wittenberg. Am 31. Oktober 1517 nahm Luther mit 95 Thesen in lateinischer Sprache kritisch Stellung zu den drängenden Fragen, die sich der Christenheit schon seit langem im Zusammenhang mit Ablaß, Buße, Strafe, Schuld und Fegefeuer stellten. Ob Luther seine Thesen an die Schloßkirche zu Wittenberg schlug oder sie ausgewählten Persönlichkeiten zusandte, ist ungewiß. Von einem Unbekannten ins Deutsche übersetzt, durch die neue Drucktechnik rasch vervielfältigt, verbreiteten sich die Thesen als Flugblätter in wenigen Wochen in ganz Deutschland, ja fast in der ganzen Christenheit. Sie riefen großes Aufsehen hervor. Hinter dem äußerlichen Anlaß des Ablaßhandels, der in Deutschland besonders durch den Dominikanermönch Tetzel blühte, stand die tiefgreifende Auseinandersetzung Luthers mit dem christlichen Glauben. Er stellte den einzelnen Christen in ein neues Verhältnis zu Gott. Der Glaube allein und das Vertrauen in die Gerechtigkeit Gottes, der seinen Sohn in die Welt gesandt hatte, bewirken Gottes Gnade. Luther erklärte alle Getauften für gleich und frei in den Fragen des Glaubens, unabhängig auch von der Autorität des Papstes, die nur menschlich und darum fehlbar sei. Ausschließlich die Heilige Schrift sollte Maßstab christlichen Handelns sein, durch Tradition überlieferte Glaubenssätze lehnte Luther ab.

Luther sollte sich wegen seiner Lehren in Rom verantworten. Sein Landesherr, Kurfürst Friedrich der Weise, erreichte jedoch eine Vernehmung in Deutschland. Den vom päpstlichen Legaten Cajetan geforderten Widerruf aber leistete Luther nicht, da er sich nur durch die Bibel überzeugen lassen wollte. Auch die Disputation mit dem Theologieprofessor Johann Eck in Leipzig (1519) endete ohne Einigung. Schließlich wurde Luther vom Papst unter Androhung der schlimmsten Kirchenstrafe, des Banns, zum Widerruf aufgefordert. Er verbrannte das entsprechende Schriftstück, die Bulle, öffentlich und vollzog so den endgültigen Bruch mit der Kirche. Der Bann trat in Kraft, Luther galt damit als öffentlicher Sünder. Der Papst verlangte nun vom Kaiser – wie im Mittelalter üblich –, die weltliche Ächtung folgen zu lassen. Der junge Kaiser Karl V. aber hatte versprochen, keinen Deutschen ohne Verhör zu verurteilen. So wurde der Gebannte bei freiem Geleit auf den Reichstag 1521 nach Worms geladen. Dort lehnte Luther unter Berufung auf sein Gewissen die Zurücknahme seiner Lehren auch dem Kaiser gegenüber ab. Daraufhin wurde über ihn die Reichsacht verhängt und durch das ›Wormser Edikt‹ die Vernichtung seiner Schriften befohlen. Der Kurfürst von Sachsen, der Luther retten wollte, ließ einen Überfall vortäuschen und brachte ihn als ›Junker Jörg‹ auf der Wartburg in Sicherheit. Dort übersetzte Luther das Neue Testament erstmals in ein so gutes, allen verständliches Deutsch, daß dieser Text zur Grundlage für eine einheitliche Hochsprache in Deutschland wurde (1522).

Als es durch religiöse Eiferer zu Unruhen, Bildersturm und Zerstörung von Kirchen und Klöstern kam, kehrte Luther im März 1522 nach Wittenberg zurück. Dort gelang es ihm, den Aufruhr zu beschwichtigen. Auf andere religiös begründete Aufstände hatte er keinen Einfluß. Auch die Erhebung der unterdrückten Bauern bezog sich auf Luthers reformatorische Schrift ›Von der Freiheit eines Christenmenschen‹ und deutete sie politisch. Als die Bauern ihre zum großen Teil berechtigten Forderungen mit Gewalt durchsetzen wollten, wandte sich Luther gegen sie und unterstützte deren fürstliche Gegner.

Luther heiratete 1525 die frühere Nonne Katharina von Bora. Sein weiteres Leben widmete er dem Aufbau einer protestantischen Kirchenorganisation, bei der die fürstlichen Landesherren zugleich Oberste der Kirche wurden. Er verfaßte viele Schriften, Kirchenordnungen und geistliche Lieder. Er erlebte nicht mehr, daß nach vielen Kämpfen 1555 im ›Augsburger Religionsfrieden‹ Katholiken und Protestanten als gleichberechtigt anerkannt wurden.

lutherische Kirchen, die aus der Reformation Martin → Luthers hervorgegangenen Kirchen. Sie gründen ihren Glauben und ihre Lehre auf die Bibel und die lutherischen Bekenntnisschriften, in denen Luther gegenüber der katholischen Kirche seine Rechtgläubigkeit darlegte. Die lutherischen Kirchen sind in Deutschland in der ›Vereinigten Evangelisch-Lutherischen Kirche Deutschlands‹ (VELKD) zusammengeschlossen, weltweit im ›Lutherischen Weltbund‹.

Luxemburg

Staatswappen

Staatsflagge

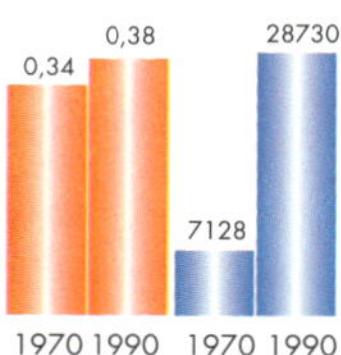

Bevölkerung (in Mill.) | Bruttosozialprodukt je E (in US-$)

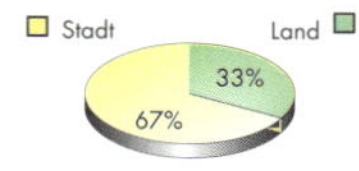

Bevölkerungsverteilung 1990

Bruttoinlandsprodukt 1987

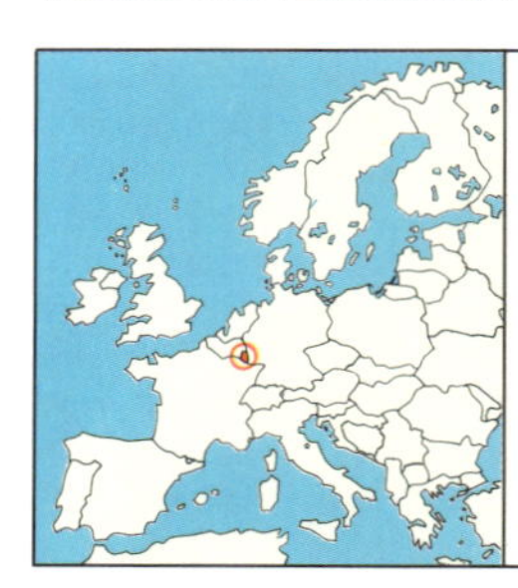

Luxemburg

Fläche: 2 586 km²
Bevölkerung: 378 400 E
Hauptstadt: Luxemburg
Amtssprachen: Französisch, Letzebuergesch, Deutsch
Nationalfeiertag: 23. Juni
Währung: 1 Luxemburg. Franc (lfr) = 100 Centimes (c)
Zeitzone: MEZ

Luxemburg, Großherzogtum in Westeuropa zwischen Belgien, Frankreich und der Bundesrepublik Deutschland, das kleinste der Benelux-Länder, so groß wie das Saarland.

Die Luxemburger sprechen als Umgangssprache eine deutsche Mundart, das Letzeburgische, das auch Luxemburgisch genannt wird. Luxemburg gliedert sich in 2 unterschiedliche Landschaftsräume. Der nördlichste Teil, der **Ösling,** ein Teil der Ardennen, ist eine stark bewaldete, zwischen 400 und 500 m hohe Ebene, in die der windungsreiche Fluß Sauer (französisch: Sûre) ein enges Tal geschnitten hat. Der größere südliche Teil, das hügelige, bewaldete **Gutland,** ist fruchtbar. Im Südwesten, an der Grenze zu Frankreich, wird Eisenerz gefördert und verarbeitet. Dieser Industriezweig ist der wirtschaftlich bedeutendste des Landes. Einen eigenständigen Landschaftscharakter besitzt das Tal der Mosel. Diese bildet auf 35 km Länge die südöstliche

Grenze Luxemburgs zu Deutschland. Im Moseltal wird Wein und Obst angebaut.

Geschichte. Die Grafen von Luxemburg stellten im 14./15. Jahrh. mehrere deutsche Könige und Kaiser. Nachdem das Land in den folgenden Jahrhunderten häufig den Besitzer gewechselt hatte, wurde es 1815 Großherzogtum und Mitglied des Deutschen Bundes. Nach dessen Auflösung 1866 wurde Luxemburg ein unabhängiger Staat. Das Land ist Mitglied der EG und der NATO. (KARTE Seite 200)

Luxemburg, 79000 Einwohner, Hauptstadt des Großherzogtums Luxemburg. Die Stadt ist Sitz einiger europäischer Behörden, z. B. des Europäischen Gerichtshofs. Durch die Gewährung von Steuervorteilen ist die Stadt zu einem der wichtigsten Finanzplätze der Welt geworden. Die private Rundfunkanstalt ›Radio Luxemburg‹ strahlt unter anderem Auslandsprogramme in 5 Sprachen und Fernsehprogramme für Luxemburg, Belgien und Frankreich aus.

Luxemburg. Die sozialistische Politikerin **Rosa Luxemburg** (* 1871, † 1919) wuchs in Polen auf und lebte seit 1897 in Deutschland. Sie zählte zu den führenden Persönlichkeiten auf dem linken Flügel der SPD. Als sozialistische Theoretikerin hielt sie an der Forderung nach einer gewaltsamen Umformung der Gesellschaft fest. Sie überwarf sich mit der SPD, schuf den revolutionären Spartakusbund (benannt nach dem griechischen Sklaven Spartacus) und entwarf das Programm der 1918/19 von ihr mitgegründeten KPD. 1919 wurde sie mit dem sozialistischen Politiker Karl Liebknecht ermordet.

Luxor, etwa 40000 Einwohner, Stadt in Oberägypten, die mit dem Nachbarort Karnak an der Stelle der altägyptischen Hauptstadt Theben liegt. Aus dem 15. Jahrh. v. Chr. stammen die Überreste eines von dem Pharao Amenophis III. erbauten Tempels, der von dem Pharao Ramses II. erweitert wurde. Der Tempel war wie die benachbarte Tempelanlage von Karnak dem Reichsgott Amun gewidmet, aber kleiner als diese und besser erhalten. Von diesem Tempel stammt der Obelisk, der heute in Paris auf der Place de la Concorde steht.

Luzern, Stadt und Kanton in der Schweiz. Der deutschsprachige Kanton liegt im Mittelland. Er reicht im Nordwesten bis fast an die Aare und im Süden bis in die Alpen hinein, wo er im Brienzer Rothorn 2350 m erreicht. Luzern trat 1332 als vierter Kanton nach den Urkantonen Uri, Schwyz und Unterwalden der Eidgenossenschaft bei.

Luzern
Stadt:
Einwohner: 61700
Kanton:
Fläche: 1492 km²
Einwohner: 319500

Die Landfläche wird zu etwa 90% land- und forstwirtschaftlich genutzt; neben Grünlandwirtschaft wird in günstigen Lagen Obst- und Weinbau betrieben. Holzverarbeitung und Textilindustrie sind hauptsächlich um die Stadt Luzern herum ansässig. Der Ort liegt zu beiden Seiten der Reuß an ihrem Austritt aus dem Vierwaldstätter See. Die Stadtteile sind durch mehrere Brücken verbunden, von denen zwei, mit alter Überdachung und Malereien versehen, als Wahrzeichen der Stadt gelten. Luzern ist ein Zentrum des Schweizer Fremdenverkehrs, der hier am Vierwaldstätter See und den umgebenden Bergen Pilatus, Bürgenstock und Rigi große wirtschaftliche Bedeutung hat.

Luzern
Stadt- und Kantonswappen

Lymphe [von lateinisch lympha ›Quellwasser‹], hellgelbe bis farblose Gewebsflüssigkeit bei Wirbeltieren, auch dem Menschen; sie entstammt zum Teil dem Gewebe, zum Teil entsteht sie durch Austritt von Blutplasma aus den Gefäßen ins Gewebe. Dieser Vorgang und die Menge der ausgetretenen Lymphe sind abhängig vom Blutdruck und der Tätigkeit des jeweiligen Organs. Die Lymphe fließt anfänglich in feinen Gewebsspalten, dann in eigenen **Lymphgefäßen,** bis sie über den Hauptlymphgang in die große Körpervene gelangt. Dadurch wird die Lymphe wieder dem Blutkreislauf zugeführt. Die Lymphe dient dem Stoffaustausch im Gewebe, das nicht direkt von feinen Blutgefäßen erreicht wird. Außerdem werden in der Lymphe die weißen Blutkörperchen (Lymphozyten), Eiweißkörper und Nahrungsfette transportiert.

Lymphknoten, bis bohnengroße, abgeflachte Organe bei Menschen und Wirbeltieren, die an verschiedenen Stellen in das von der →Lymphe durchflossene Gefäßsystem eingefügt sind. Lymphknoten sind von einer Kapsel umgeben, die nur von zuführenden Lymphgefäßen durchbrochen wird. Ihre Aufgabe ist die eines Filters, z. B. für Zellbestandteile oder für körperfremde Stoffe wie Krankheitserreger und Gifte. Außerdem werden in ihnen weiße Blutkörperchen **(Lymphozyten)** gebildet, die der Abwehr von ansteckenden Krankheiten dienen. Die Lymphozyten werden von den Lymphknoten aus in die Lymphe eingeschwemmt.

Lymphknoten

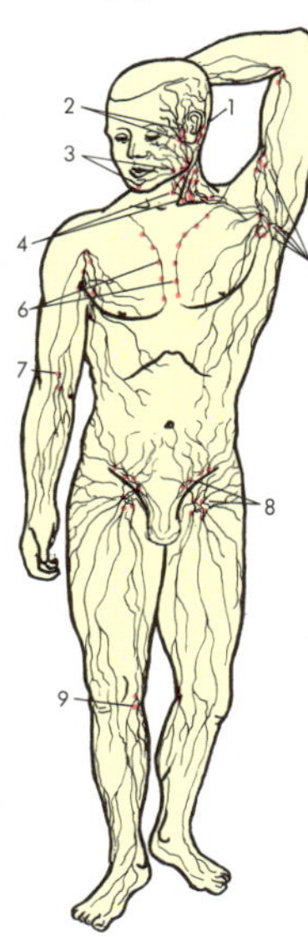

Lymphknoten: Lymphgefäßsystem mit den wichtigsten Lymphknoten: **1** Lymphknoten des Hinterhaupts, **2** der Schläfe, **3** des Unterkiefers, **4** des Halses, **5** der Achselhöhle, **6** des Brustbeins, **7** der Ellenbeuge, **8** der Leistengegend, **9** der Kniekehle

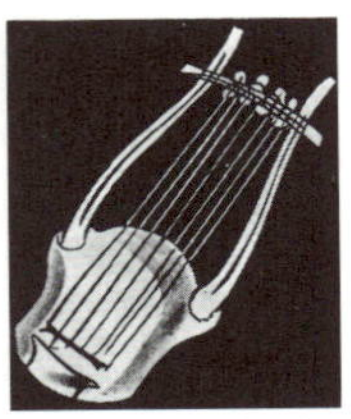

Lyra (Malerei auf einer Amphora, um 400 v. Chr.)

Lyon [ljɔ̃], 422 000, mit Vororten 1,26 Millionen Einwohner, das zweitgrößte Wirtschafts- und Kulturzentrum Frankreichs nach Paris, am Zusammenfluß von Rhône und Saône gelegen. In Lyon sind fast alle Industriezweige vorhanden; an die Stelle der traditionellen Seidenverarbeitung ist heute vielfach die Kunstfaserherstellung getreten. Seit dem Mittelalter ist die Stadt Messeplatz (Lyoner Messe).

Lyra, Saiteninstrument der griechischen Antike aus 2 geschwungenen hölzernen Armen, die senkrecht auf einem Resonanzkörper standen und oben durch einen Querriegel verbunden waren. Die Saiten verliefen den Armen parallel vom Resonanzkasten zum Querjoch. Antike Darstellungen des →Orpheus mit der Lyra sind ein bekanntes Beispiel für die Verbreitung des Instruments. Das deutsche Wort für die Lyra ist **Leier.**

Lyrik, in der griechischen Antike Gesänge, die von der Lyra begleitet vorgetragen wurden. Später bezeichnet das Wort die dritte Hauptgattung der Dichtung neben Dramatik (→Drama) und →Epik. Lyrik gilt dabei im allgemeinen als Urform der Dichtung. – Kennzeichnende Merkmale der äußeren Form sind meist Sprachrhythmus, →Vers, Versmaß, oft auch Reim, Strophe; als Kennzeichen der inneren Form gelten Bildhaftigkeit und Vereinfachung oder Zusammendrängung vielfältiger Bedeutungszusammenhänge; so erscheint Lyrik in der Form eines hochkonzentrierten Sprachkunstwerks, andererseits kennt sie aber auch Wiederholungen (z. B. Refrain) und Variationen. Zu den verschiedenen Lyrikarten gehören, je nach dem behandelten Thema, z. B. politische oder Liebeslyrik. Ein weiteres Einteilungsmerkmal ist, neben dem Inhalt, das Ausmaß der lyrischen Gestaltung, das vom Lied bis zu vielschichtiger Kunstlyrik reichen kann. Weitere lyrische Einzelformen sind Elegien, Epigramme, Oden und Sonette.

M

M, der dreizehnte Buchstabe des Alphabets, ein Konsonant, und das römische Zahlzeichen für 1 000 (lateinisch: **m**ille = 1 000). Als Vorsatzzeichen bei →Einheiten steht m für →Milli (z. B. mm = **M**illi**m**eter), μ (My), der griechische Buchstabe m, für →Mikro (z. B. μm = **M**ikro**m**eter), M für →**M**ega (z. B. MV = **M**ega**v**olt). In der Datenverarbeitung wird M = 2^{20} = 1 048 576 als Größenvorsatz für Bit und Byte verwendet. In der Grammatik ist m. die Abkürzung für **M**askulinum (→Genus). Die Einheitenzeichen **m, m²,** **m³** sind Abkürzungen für die Einheiten →Meter, Quadratmeter und Kubikmeter.

Maar [aus mittellateinisch mara ›See‹], durch vulkanische Gasexplosionen entstandene rundliche, trichterförmige Vertiefung in der Erdoberfläche. Maare sind meist mit Wasser gefüllt und finden sich z. B. in der Eifel.

Maas, Fluß in Westeuropa, 925 km lang, davon sind über 500 km schiffbar. Die Maas entspringt am Fuß des Plateaus von Langres in Ostfrankreich, durchfließt den Nordosten Frankreichs, Belgien und die Niederlande und mündet bei Rotterdam in die Nordsee. Durch Kanäle ist sie mit Antwerpen (Albert-Kanal) und der Waal (Maas-Waal-Kanal) verbunden. Der Juliana-Kanal bildet auf niederländischem Gebiet einen Seitenkanal zur Maas.

Macao, Makao, portugiesisches Gebiet (16 km²) an der Mündung des Kanton-Flusses in Südchina. Es umfaßt die Stadt Macao und die Inseln Coloane und Taipa mit etwa 400 000 Einwohnern. Macao erhielt 1976 volle innere Selbstverwaltung. (KARTE Seite 195)

Machiavelli [makiawelli]. Der italienische politische Schriftsteller **Niccolò Machiavelli** (* 1469, † 1527) stand zeitweilig im Dienst der Republik Florenz. Für die →Medici schrieb er eine ›Geschichte der Stadt Florenz‹. Sein Ziel war die Überwindung der inneren und äußeren Schwächen der italienischen Staatenwelt.

Machiavelli ging von einem pessimistischen Menschenbild aus. Die Aufgabe des Staates sah er darin, die Macht, die zu seiner Selbsterhaltung nötig ist, ohne Rücksicht auf Moral und Recht zu wahren. Diese Vorstellungen sind im Begriff der Staatsraison zusammengefaßt. Bis ins 18. Jahrh. blieb seine Schrift ›Il Principe‹ (›Der Fürst‹, 1513) eine Grundlage der Fürstenerziehung. Seine Lehre, besonders die ›moralische‹ Rechtfertigung sittlich verwerflicher Handlungen (Verfolgung und Ermordung politisch Andersdenkender) im Rahmen der Staatsnotwendigkeit, wird als **Machiavellismus** bezeichnet.

Mach-Zahl [nach dem Physiker Ernst Mach, * 1838, † 1916], Zeichen M, eine für die Führung schneller Flugzeuge wichtige Größe; sie gibt das Verhältnis der Geschwindigkeit v eines Flugzeugs zur Schallgeschwindigkeit c in der es umgebenden Luft an: $M = v/c$.

Beispiel: $M = 2$ (gelesen: Mach 2)

Die Schallgeschwindigkeit in Bodennähe beträgt etwa $c = 340 \frac{\text{m}}{\text{s}}$, dann beträgt die Fluggeschwindigkeit v etwa $680 \frac{\text{m}}{\text{s}}$, was etwa $2\,400 \frac{\text{km}}{\text{h}}$ entspricht.

MAD, Abkürzung für **M**ilitärischer **A**bschirm**d**ienst, → Geheimdienst.

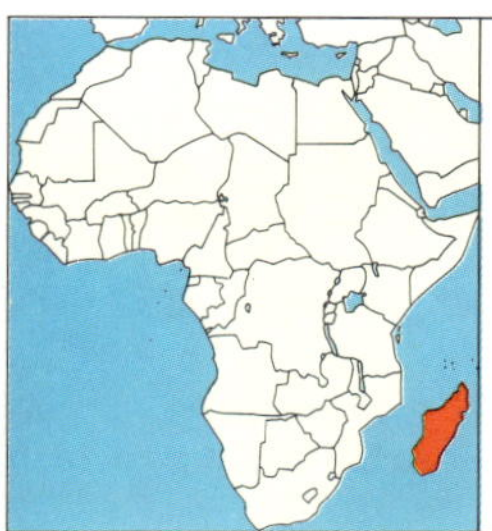

Madagaskar

Fläche: 587 041 km²
Bevölkerung: 11,8 Mill. E
Hauptstadt: Antananarivo
Amtssprachen: Französisch und Malagassi
Nationalfeiertage: 26. Juni, 14. Okt.
Währung: 1 Madagaskar-Franc (FMG) = 100 Centimes (c)
Zeitzone: MEZ +2 h

Madagaskar, Insel im Westen des Indischen Ozeans vor der Küste Ostafrikas und Staatsgebiet der Republik Madagaskar. Das Land ist etwas größer als Frankreich und im Innern weitgehend gebirgig. In dem tropischen Klima erhält der Osten unter dem Einfluß des Südostpassats ganzjährig hohen Niederschlag. Der Regenwald im Osten ist durch Rodung und landwirtschaftliche Nutzung auf $^1/_{10}$ der ursprünglichen Fläche zurückgegangen. Im übrigen Gebiet treten Baumsavannen, im trockenen Südwesten Dornsavannen auf. Die für Afrika typischen Großtiere und Affen fehlen auf Madagaskar. Dagegen leben hier besonders Halbaffen (z. B. Lemuren, die sonst nirgends auf der Erde vorkommen) und Chamäleons. Die Einwohner sind überwiegend Madegassen, die aber aus unterschiedlichen Gruppen bestehen. Wichtigstes Ausfuhrgut ist Kaffee. Daneben ist Madagaskar der Welt größter Lieferant von Gewürznelken und Vanille. Als industrieller Rohstoff wird Graphit abgebaut.

Seit 1896 französische Kolonie, wurde das Land 1960 in die Unabhängigkeit entlassen. (KARTE Seite 194)

Madeira, vulkanische Insel und Inselgruppe im Atlantischen Ozean, 796 km² groß (dies entspricht der Fläche der Hansestadt Hamburg). Madeira liegt etwa 500 km nordwestlich des afrikanischen Festlandes und gehört zu Portugal. Mit 273 000 Einwohnern ist die gebirgige Inselgruppe, die mit Ausnahme weniger Sandbuchten nur Steilküste aufweist, dicht besiedelt. Das milde Klima ermöglicht den Anbau von Zuckerrohr, Bananen, Gemüse, Kartoffeln, Getreide und Wein auf künstlich bewässerten Terrassen. Wirtschaftlich bedeutend sind der Fischfang und die Herstellung von Stickereien (Madeira-Stickerei). Besonders der Hauptort Funchal ist ein beliebtes Ziel europäischer Touristen.

Madeira war schon den Phönikern bekannt. 1419 wurden die Inseln von den Portugiesen neu entdeckt und besiedelt. Zwischen 1580 und 1640 gehörte die Inselgruppe zu Spanien, von 1807 bis 1814 war sie von Großbritannien besetzt.

Madrid, 3,27 Millionen Einwohner, Hauptstadt und größte Stadt Spaniens, liegt in der Mitte der Iberischen Halbinsel. Madrid ist politischer, kultureller und wirtschaftlicher Mittelpunkt des Landes. Die Stadt entwickelte sich aus einer maurischen Festung und wurde 1561 Hauptstadt, als die königliche Residenz von Toledo nach Madrid verlegt wurde. In der Altstadt liegen die Plaza Mayor (17. Jahrh.), ein von Barockbauten mit Arkadengängen umgebener, zentraler Platz, und der Königspalast (18. Jahrh.). Der **Prado,** das spanische Nationalmuseum, enthält bedeutende Werke alter Malerei. 60 km nordwestlich von Madrid liegt das Kloster **San Lorenzo del Escorial** (16. Jahrh.), das König Philipp II. als klösterliche Residenz und als Grabstätte für die spanischen Könige errichten ließ.

Mafia [sizilianisch ›Prahlerei‹, aus arabisch mahjas ›Ruhmredigkeit‹], Geheimbund, der im 17. Jahrh. in Sizilien zum Schutz der Bevölkerung vor Verbrechen entstand. Seit dem 19. Jahrh. entwickelte sich die Mafia in Italien zu einer weitverzweigten Verbrecherorganisation. Durch italienische Auswanderer faßte die Mafia auch in den USA Fuß. Sie hat dort großen Anteil am Verbrechertum, z. B. im Rauschgifthandel. Ihr bekanntester Bandenchef war Al Capone. Andere Bezeichnung für Mafia oder mit ihr vergleichbarer Banden sind **›Costa Nostra‹, ›Camorra‹, ›Onorata Società‹** (›Ehrenwerte Gesellschaft‹).

Magalhães [magaljãisch], portugiesischer Seefahrer, → Magellan.

Magdeburg, 288 300 Einwohner, Hauptstadt von Sachsen-Anhalt an der Elbe, am Ostrand der **Magdeburger Börde,** einem etwa 930 km² großen, besonders fruchtbaren Löß- und Schwarzerde-Gebiet. Die bereits 805 als Handelsplatz erwähnte Stadt ist heute Verkehrsknotenpunkt und bedeutender Binnenhafen. Der im Zweiten Weltkrieg zerstörte **Magdeburger Dom,** eine nach dem Grundriß der französischen Gotik gebaute Basilika, wurde wiederaufgebaut. Im Mittelalter war das **Magdeburger Recht,** das am weitesten verbreitete deutsche Stadtrecht, auch in russischen, ungarischen und polnischen Städten gültig.

Magellan. Unter diesem Namen wurde der portugiesische Seefahrer **Fernão de Magalhães**

Madagaskar

Staatswappen

Staatsflagge

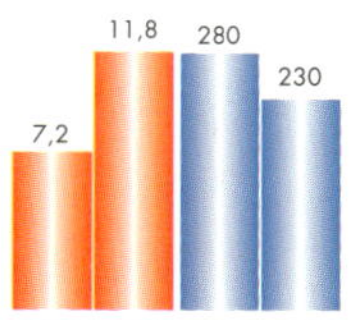

1970 1990 1970 1990
Bevölkerung (in Mill.) Bruttosozialprodukt je E (in US-$)

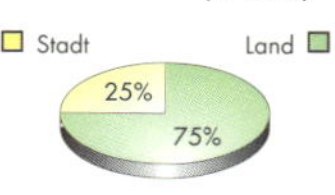

Bevölkerungsverteilung 1990

Bruttoinlandsprodukt 1990

Magellan

(* um 1480, † 1521) weltweit bekannt. Er trat 1517 in spanische Dienste und erhielt 1519 den Auftrag, einen westlichen Weg zu den von Portugal beanspruchten Gewürzinseln, den Molukken, zu finden. Bei der Umrundung Südamerikas entdeckte er die nach ihm benannte **Magellanstraße,** die für Jahrhunderte den einzigen Schiffahrtsweg zwischen Atlantischem und Pazifischem Ozean bildete. Magellan überquerte in 4 Monaten den Pazifischen Ozean und fiel im Kampf mit Eingeborenen auf den Philippinen. Eins seiner Schiffe kehrte jedoch 1522 um das Kap der guten Hoffnung nach Spanien zurück und vollendete damit die Reise um die Erde; Magellan gilt seither als der erste Weltumsegler.

Magen, beim Menschen und bei vielen Tieren (→ Wiederkäuer) ein Organ, das der Verdauung der Speisen dient. Beim Menschen ist der Magen ein muskulöser, mit Schleimhaut ausgekleideter Sack, der zwischen Speiseröhre und Darm im linken Oberbauch liegt. An die Speiseröhre schließt er mit dem **Magenmund** an, der den Rückfluß der Speisen verhindern soll. Dem folgt der **Magenkörper;** den **Magenausgang (Pförtner)** bildet ein ringförmiger Schließmuskel, der dafür sorgt, daß der Mageninhalt in kleinen Portionen an den Darm abgegeben wird. Der Magen dient als Nahrungsspeicher und durchmischt den Speisebrei. Die Absonderung des von der Schleimhaut gebildeten Magensaftes wird von Hormonen und Nerven gesteuert, aber auch z. B. von appetitanregenden Reizen (Duft und Geschmack der Speisen) hervorgerufen. Er enthält neben der Magensalzsäure Enzyme, die die im Mund begonnene Verdauung weiterführen.

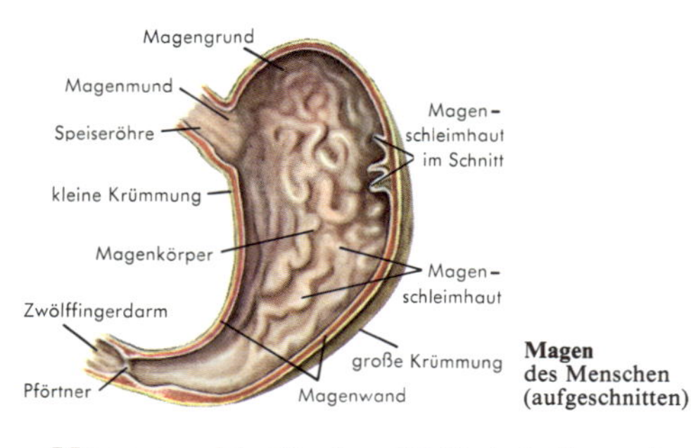

Magen des Menschen (aufgeschnitten)

Magersucht, Oberbegriff für jede Form der ausgeprägten Abmagerung. Eine Sonderform wird als **Pubertätsmagersucht** bezeichnet und betrifft überwiegend Mädchen im Pubertätsalter. Die Ursachen liegen in seelischen Fehlentwicklungen. Auffällig sind die große körperliche Aktivität der Betroffenen und die trotz extremer Abmagerung fehlende Einsicht, daß dieser Zustand lebensbedrohlich ist. Als Folge des starken Hungerns können vielseitige Störungen der Körperfunktionen auftreten, z. B. Ausbleiben der Menstruation, niedriger Blutdruck. Eine psychotherapeutische Behandlung (Verhaltenstherapie, Familientherapie) ist meist erforderlich.

Maghreb [arabisch ›Westen‹], der westliche Teil der arabischen Welt. Als **Maghreb-Staaten** werden Marokko, Algerien und Tunesien bezeichnet. Der östliche Teil der arabischen Welt wird **Maschrik** genannt.

Magie, geheimnisvolle, zauberische Handlungen, Zeichen und Formeln, mit denen man sich übernatürliche Kräfte dienstbar machen will, um irdische Ereignisse zu beeinflussen. Magische Handlungen werden von einem **Magier** vorgenommen. Dieser versucht, in genau geregelter Form (Ritual) die in einem Gegenstand oder einer Person scheinbar ruhenden übernatürlichen Kräfte zu beschwören. Werden mit dem Zauber unheilvolle Absichten verfolgt, spricht man von **›schwarzer Magie‹,** bei nutzbringendem Zauber von **›weißer Magie‹.** Im Mittelalter wurde die Magie von der Kirche als Hexerei verurteilt. Während sie in vorgeschichtlicher Zeit und heute noch bei Naturvölkern vielfach religiöse Funktionen hat, dient sie im Varieté und Zirkus meist nur noch der Unterhaltung.

Magma [griechisch ›geknetete Masse‹], glutflüssige Schmelze der Erdtiefe mit Temperaturen von über 1 200 °C. Sie kann beim Aufsteigen in den oberen Bereichen der Erdkruste als Tiefengestein oder – wenn sie als Lava an die Erdoberfläche tritt – als Ergußgestein erstarren. Tiefengesteine erstarren langsam und können daher große Minerale ausbilden; an der Luft schnell erstarrende Ergußgesteine sind dagegen feinkristallin.

Magna Charta Libertatum [lateinisch ›der große Freibrief‹], das wichtigste englische Grundgesetz. Als der englische König Johann ohne Land (1199–1216) durch außenpolitische Mißerfolge geschwächt war, konnte der Adel den aus 63 Artikeln bestehenden Freibrief durchsetzen. Die Magna Charta setzte fest, daß kein freier Mann ohne rechtskräftige Verurteilung verhaftet, eingekerkert, enteignet, geächtet oder verbannt werden durfte. Ein Allgemeiner Rat aus 25 gewählten Baronen mußte neuen Steuern, die der König erlassen wollte, zustimmen. Dieser Rat überwachte auch die Einhaltung aller Artikel der Magna Charta, so daß der König einer Kontrolle unterlag. Der Allgemeine Rat wird als Vorläufer des englischen Parlaments angesehen.

Magnesium [nach der griechischen Halbinsel Magnesia], Zeichen **Mg**, ein →chemisches Element (ÜBERSICHT), das in reiner Form ein silberweiß glänzendes unedles Leichtmetall ist. Magnesium läßt sich feilen und hämmern und verbrennt mit strahlend weißem Licht **(Magnesiumlicht)** zu Magnesiumoxid. Man verwendet es z. B. in Blitzlichtbirnen und als Legierungszusatz in Metallen. In der Natur existiert es in mineralischen Magnesiumverbindungen (z. B. im Magnesit und Dolomit oder in gelöster Form im Meerwasser). Auch tierische und pflanzliche Organismen enthalten es in Spuren. So kommt es auch als wichtiger Bestandteil im Blattgrün (Chlorophyll) von Pflanzen vor.

Magnet. Bestimmt hat jeder schon einmal einen künstlichen Magneten wie einen Stabmagneten oder einen Hufeisenmagneten in der Hand gehabt, ein Stück Stahl oder eisenähnliche Legierung, von dem unsichtbare Kräfte auf eiserne Gegenstände ausgehen. Solche magnetischen Kräfte hatten auch natürliche Magneteisensteine (Eisenoxid), die man angeblich schon im Altertum in der kleinasiatischen Stadt Magnesia fand und die man nach dieser Stadt benannte. Ein Magnet zieht Gegenstände aus Eisen, Nickel, Kobalt und Legierungen aus diesen Metallen an. Auf alle anderen Stoffe, z. B. auf Glas, Gummi, Holz, Kupfer und Blei, übt er keine Anziehungskraft aus.

Das Auge und der Tastsinn können einen Magneten nicht von einem nichtmagnetischen Stück Eisen unterscheiden. Erst in Eisenfeilspäne getaucht, wird der Magnetismus sichtbar. An den Enden haften dicke ›Bärte‹; es sind die Stellen stärkster Anziehung, die man Pole nennt. An den übrigen Teilen des Magneten dagegen bleiben nur wenige Späne hängen.

Wird ein Stabmagnet waagerecht aufgehängt, dann erkennt man, daß er sich etwa in der Nord-Süd-Richtung der Erde einpendelt. Deshalb nennt man den Pol, der nach Norden zeigt, Nordpol, den anderen Südpol (→Kompaß).

Nähert man dem Nordpol eines Magneten den Nordpol eines anderen oder dem Südpol einen Südpol, so stoßen sich die gleichnamigen Pole ab. Ungleichnamige Pole dagegen ziehen sich an. Die magnetische Kraft wirkt auch durch Papier und Glas hindurch. Streicht man mit einem Magneten unter einem Tisch entlang, auf dem ein Löffel liegt, wird dieser auf der Tischplatte bewegt. Bestimmte Stoffe in der Umgebung eines Magneten werden selbst zu Magneten, man nennt diese Tatsache **Influenz.** Man kann z. B. eine Stricknadel magnetisieren, indem man sie mit einem Magneten immer in gleicher Richtung bestreicht. Legt man auf einen Magneten eine dünne Glasscheibe und streut Eisenfeilspäne darüber, so kann man erkennen, daß sich die Eisenteilchen auf ganz bestimmten Linien anordnen, die von Pol zu Pol verlaufen. Diese Linien nennt man **Magnetfeldlinien.** Ihre Gestalt kennzeichnet den Raum, in dem die magnetischen Kräfte eines Magneten wirken. Man bezeichnet ihn als **Magnetfeld.**

Auch ein stromdurchflossener Leiter (Relais, Drehspulinstrument, elektrischer Motor) umgibt sich mit einem Magnetfeld. Wickelt man einen elektrischen Leiter zu einer Spule, so entsteht ein **Elektromagnet,** der in seinen Eigenschaften einem natürlichen oder einem künstlich hergestellten Magneten gleicht. Der **Magnetismus** hat große Bedeutung für die Technik.

In der Tontechnik werden Sprache und Musik auf magnetisierbaren Bändern gespeichert. Dabei wird ein veränderliches Schallsignal durch ein Mikrophon aufgenommen und in ein sich änderndes Stromsignal umgewandelt. Dieses Stromsignal steuert das Magnetfeld eines Elektromagneten und magnetisiert die Eisenoxidschicht des Tonbandes. Dadurch wird das Schallsignal gespeichert und kann beliebig oft abgespielt werden. In der Industrie werden elektrische Hubmagnete zum Transport metallischer Güter verwendet, und magnetische Schalter steuern Fertigungsabläufe.

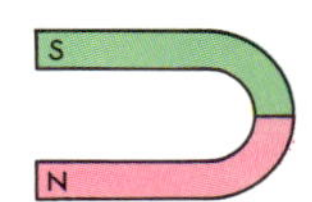

Magnet: OBEN Stabmagnet, UNTEN Hufeisenmagnet; N = Nordpol, S = Südpol

Magot, zu den →Makaken gehörender Affe.

Magyaren [madj-], **Madjaren, Ungarn,** ein Volk, das zum finnisch-ugrischen Sprachkreis gehört. Nachdem sie ihr ursprüngliches Siedlungsgebiet, den Ural, verlassen hatten, siedelten sie seit dem 9. Jahrh. im Gebiet des heutigen Ungarn. Die dort lebenden Stammesreste, z. B. Germanen und Slawen, wurden eingegliedert. Im 19. Jahrh. wurde die Verbreitung der magyarischen Kultur in Ungarn (Magyarisierung) offiziell betrieben, so daß der Anteil der Magyaren an der Gesamtbevölkerung stark zunahm. 95% der ungarischen Bevölkerung sind heute Magyaren.

Mahler. Der österreichische Komponist und Dirigent **Gustav Mahler** (* 1860, † 1911) studierte in Wien und war dort Schüler Anton Bruckners. 1897–1907 leitete er die Wiener Hofoper, 1898 bis 1901 auch die Philharmonischen Konzerte. Seine Werke gehören der Spätromantik an. Er

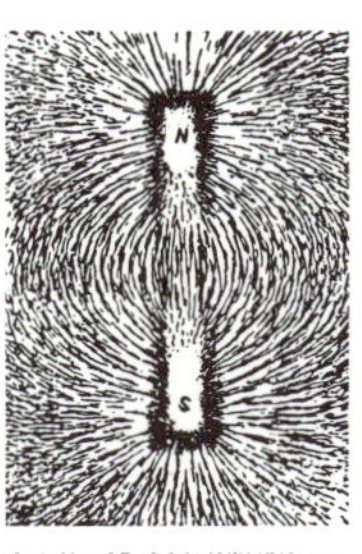

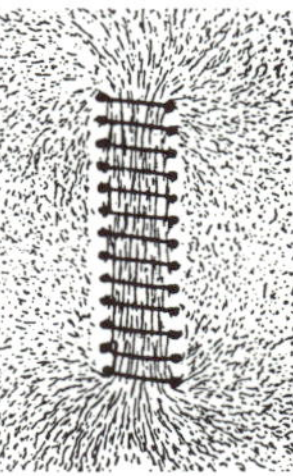

Magnet

Magnet: OBEN Magnetfeld eines Stabmagneten, UNTEN Magnetfeld einer stromdurchflossenen Spule

schrieb unter anderem 10 Sinfonien (die 10. unvollendet) und Lieder (›Kindertotenlieder‹, ›Lieder eines fahrenden Gesellen‹, Lieder auf Texte von ›Des Knaben Wunderhorn‹).

Mähren, Landschaft in der Tschechischen Republik. Den Kern des Landes bildet das 180–250 m hohe Becken von March und Thaya, die nach Süden zur Donau fließen. Die fruchtbaren Tieflandbecken sind dicht besiedelt. Mähren ist reich an Bodenschätzen (Stein- und Braunkohle, Eisenerz, Erdöl, Erdgas) und hat eine bedeutende Industrie (Eisen-, Nahrungsmittel-, Textil-, Lederindustrie).

Ursprünglich siedelten in Mähren Kelten und Germanen, ab dem 6. Jahrh. Slawen. Nach 800 entstand das Großmährische Reich, das 906 den Ungarn unterlag. Seit dem 15. Jahrh. teilte Mähren die Geschichte Böhmens.

Maiglöckchen blühen im Frühling in Laubwäldern, Gebüschen und Gärten. Ihre weißen, glockenförmigen Blütchen, die eine überhängende Traube bilden, duften sehr stark. Sie entwickeln sich zu kugelrunden, roten Beeren. Die ganze Pflanze ist **sehr giftig.** Maiglöckchen stehen unter Naturschutz und können, bei entsprechender Dosierung, als Heilpflanzen bei Herzerkrankungen Anwendung finden. (BILD Heilpflanzen)

Maikäfer, Käfer Nord- und Mitteleuropas. Die in Deutschland vorkommenden Arten werden bis zu 30 mm groß, haben rotbraune Flügeldecken, schwarzglänzende Unterseiten und braunrote oder schwarze Halsschilde. Ihre am Ende fächerförmig verbreiterten Fühler tragen beim Männchen 7 Blättchen, beim Weibchen 6 kleinere. Das Weibchen legt 50–60 Eier in die Erde; nach 6–8 Wochen schlüpfen die weißlichen, gekrümmten Larven **(Engerlinge),** die an Pflanzenwurzeln große Schäden anrichten können. Sie verpuppen sich je nach örtlichem Klima nach 3–5 Jahren. Im jeweils folgenden August schlüpft ein Käfer, der erst im Mai darauf aus der Erde kriecht. Er lebt höchstens 6–8 Wochen und frißt junge Blätter, Knospen und Blüten von Laub-, auch Obstbäumen. Bis in die 1950er Jahre traten Maikäfer periodisch in Massen auf und waren ein gefürchteter Pflanzenschädling. Seitdem sind sie durch Pflanzenschutzmittel und tieferes Umpflügen der Äcker stark vermindert worden.

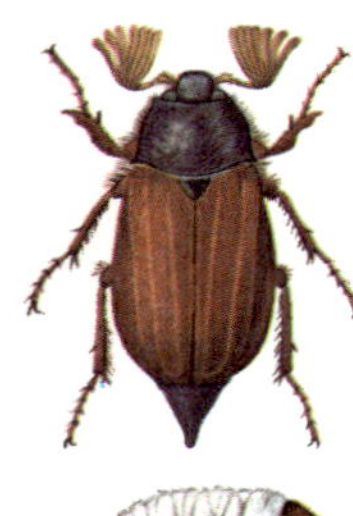

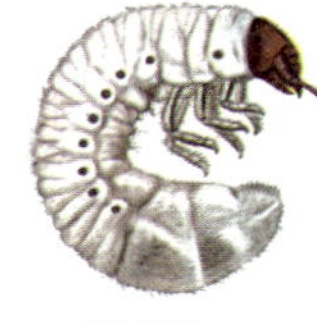

Maikäfer:
OBEN Feldmaikäfer,
UNTEN Larve

Mailand, 1,65 Millionen Einwohner, zweitgrößte Stadt Italiens, liegt in der Po-Ebene. Mailand ist die bedeutendste Handels- und Industriestadt des Landes mit internationaler Messe und kultureller Mittelpunkt Norditaliens mit Museen, z. B. Pinacoteca di Brera, Bibliotheken und Oper, der **Scala.** Zu den alten Bauwerken gehören der gotische Dom (gegründet im 14. Jahrh.), eine fünfschiffige Basilika mit dreischiffigem Querhaus, marmorverkleidet, mit reichen Skulpturen, sowie die Kirche Santa Maria delle Grazie (15. Jahrh.) und das Sforza-Kastell (15. Jahrh.). – Mailand, eine keltische Gründung, wurde 222 v. Chr. von den Römern erobert. Die Stadt ist seit dem 11. Jahrh. die reichste Stadt der Lombardei und wurde lange Zeit von 2 Adelsfamilien regiert, den Visconti (1277–1447) und den Sforza (1450–1535).

Main, größter rechter Nebenfluß des Rheins. Der 524 km lange Fluß entsteht bei Kulmbach durch die Vereinigung der Quellflüsse **Weißer Main** (vom Fichtelgebirge) und **Roter Main** (von der Fränkischen Alb). Er durchfließt in mehreren großen Bogen das Frankenland und das östliche Rhein-Main-Gebiet, bevor er bei Mainz in den Rhein mündet. Die wichtigsten Nebenflüsse sind Fränkische Saale, Kinzig, Nidda (von rechts) sowie Regnitz und Tauber (von links). Der Main ist ab Bamberg schiffbar und Teil des →Rhein-Main-Donau-Großschiffahrtsweges.

Mainau, Insel im nordwestlichen Teil des Bodensees (Überlinger See). Durch eine Brücke ist die Mainau mit dem Festland verbunden. Das milde Klima ermöglicht sogar das Wachstum südländischer Pflanzen (Orangen- und Zitronenbäume) auf der Insel. Besitzer der Insel ist seit 1932 der schwedische Graf Lennart Bernadotte.

Mainz, 178 000 Einwohner, Hauptstadt des Bundeslandes Rheinland-Pfalz, liegt verkehrsgünstig am Rhein, gegenüber der Mainmündung. Für den Weinhandel und die verschiedenen Industriebetriebe ist der Rheinhafen ein bedeutender Umschlagplatz. Die über 500 Jahre alte **Johannes-Gutenberg-Universität** hat ihren Namen von dem in Mainz geborenen Erfinder des Buchdrucks; ebenso das **Gutenberg-Museum,** das ›Weltmuseum der Druckkunst‹. Die Stadt ist Sitz des Zweiten Deutschen Fernsehens (ZDF). Obwohl Mainz im Zweiten Weltkrieg fast völlig zerstört wurde, sind historische Bauwerke erhalten, z. B. das ehemalige kurfürstliche Schloß, die gotische Sankt-Stephans-Kirche (mit von Marc Chagall gestalteten Glasfenstern) und der um 1000 begonnene **Mainzer Dom,** einer der großen romanischen Kaiserdome. Der römische Name **Mogontiacum** deutet auf eine Kultstätte des keltischen Gottes Mogon oder Mogontius.

Mais, ursprünglich das Getreide der Indianer Amerikas, das heute vor allem als Futterpflanze in allen wärmeren Gebieten der Erde angebaut wird. Die männlichen Blüten sitzen in Rispen an der Spitze des bis 2,5 m hohen Sprosses, die weiblichen weiter unten in blattumhüllten, dicken Kolben, an deren Spitze die fadenförmigen Griffel heraushängen. In den Kolben reifen die gelben Maiskörner heran. In vielen Ländern bereitet man aus Maismehl Fladen oder Brei. Auch werden die Kolben als Gemüse gedünstet oder sauer eingelegt. Aus den Körnern wird Öl gewonnen; in der Pfanne erhitzt, springen die Körner auf **(Popcorn).**

Majọlika, von dem Namen der Insel Mallorca abgeleitete Bezeichnung für →Fayence.

Makạken, kleine, mit Meerkatzen und Pavianen verwandte →Affen, die in Herden vor allem in Südostasien leben. Nur der **Magot** (auch **Berberaffe**) lebt in Nordwestafrika und auf Gibraltar; er ist der einzige europäische Affe. Beim indischen **Rhesusaffen** wurde zuerst der →Rhesusfaktor entdeckt.

Makedonien

Fläche: 25 713 km²
Bevölkerung: 2,03 Mill. E
Hauptstadt: Skopje
Amtssprachen: Makedonisch, daneben auch Serbokroatisch, Albanisch und Türkisch
Währung: 1 Denar = 100 Deni
Zeitzone: MEZ

Makedonien, Staat in Südosteuropa, eine Republik. Das Land ist etwas kleiner als Belgien. Makedonien ist ein Gebirgsland mit über 2 700 m hohen Gebirgsstöcken und dazwischenliegenden Becken. Klimatisch ist es durch Sommertrockenheit gekennzeichnet. Etwa zwei Drittel der Bevölkerung sind Makedonier; daneben leben vorwiegend Albaner und Türken. Wirtschaftlich größte Bedeutung hat der Bergbau (Förderung von Erzen und Braunkohle), aber auch die Nahrungsmittel-, Tabak- und Textilindustrie. Das wichtigste Anbauprodukt ist Weizen, ferner Wein, Obst und Tabak. In den höheren Lagen dominiert Schafhaltung.

Die den Griechen verwandten Makedonen gelangten im 4. Jahrh. v. Chr. unter ihren Königen Philipp II. und Alexander dem Großen zur Vorherrschaft in Griechenland und Kleinasien. Im Kampf um die Nachfolge Alexanders zerfiel das makedonische Reich und verlor unter römischer, byzantinischer, bulgarischer und osmanischer Herrschaft bis ins 19. Jahrh. seine Bedeutung. Der größte Teil des Landes geriet 1918 als Teil Serbiens an das spätere Jugoslawien, von dem Makedonien 1991 seine Unabhängigkeit erklärte.

Makrẹlen, langgestreckte Fische mit kräftiger, tief eingeschnittener Schwanzflosse, die im Atlantischen Ozean, Mittelmeer und Schwarzen Meer leben. Oft unternehmen sie in großen Schwärmen weite Wanderzüge. Krebse und Fische sind ihre Nahrung. Die etwa 50 cm lange europäische Makrele ist ein beliebter Speisefisch, der frisch, gesalzen, geräuchert oder als Konserve verkauft wird. (BILD Fische)

Malaien, Volk in Südostasien, vor allem in →Indonesien (z. B. Sumatra) und West-Malaysia. Seine indonesische Grundkultur wurde durch indische und seit dem 13. Jahrh. durch islamische Einflüsse stark verändert; heute bekennen sich fast alle Malaien zum →Islam.

Malạiische Hạlbinsel, auch **Malạkka,** der südlichste Teil Hinterindiens. Das gebirgige Land ist auf Grund des tropisch feuchten Klimas zu ²/₃ von tropischem Regenwald bedeckt. Birma, Thailand und Malaysia haben an der Halbinsel Anteil. Die landwirtschaftliche Nutzung wird von Kautschuk-, Kokosnuß- und Ölpalmplantagen geprägt. Die Zinnvorkommen der Malaiischen Halbinsel zählen zu den größten der Erde. (KARTE Seite 195)

Malạiischer Archipẹl, früher **Australasien** oder auch **Insulinde** genannt, die Inselwelt zwischen Australien, Neuguinea und Hinterindien (mit dem zusammen sie den Raum **Südostasien** bildet). Der Archipel umfaßt die Großen und die Kleinen Sunda-Inseln, die Philippinen und Molukken. Politisch gehört der größte Teil zu Indonesien. Die Inselwelt ist reich an zum Teil noch tätigen Vulkanen. Auf Grund des tropischen Klimas ist ein großer Teil des Archipels von tropischem Regenwald bedeckt, der jedoch auf den stark besiedelten Inseln durch Feldbau zurückgedrängt wurde.

Malạria [italienisch, von mala aria ›schlechte Luft‹], **Wẹchselfieber, Sụmpffieber,** eine in den Tropen und anderen warmen Gebieten verbreitete →ansteckende Krankheit.

Malạwi, Republik im südlichen Ostafrika, etwa so groß wie Bulgarien. Das Land, überwiegend Hochland zwischen 1 000 und 1 500 m, erstreckt sich als 80–160 km breiter Streifen westlich und südlich des Malawisees. Es ist dicht be-

Makedonien

Staatsflagge

Malawi

Staatswappen

Staatsflagge

Malawi

Fläche: 118 484 km²
Bevölkerung: 9,1 Mill. E
Hauptstadt: Lilongwe
Amtssprachen: Englisch und Chichewa
Nationalfeiertag: 6. Juli
Währung: 1 Malawi-Kwacha (MK) = 100 Tambala (t)
Zeitzone: MEZ + 1 Stunde

siedelt; die Bevölkerung besteht überwiegend aus Bantustämmen. Neben der Eigenversorgung dient die Landwirtschaft der Erzeugung von Tee, Tabak, Zuckerrohr und Erdnüssen für die Ausfuhr.

Das ehemals britische Schutzgebiet **Njassaland** wurde 1964 als Malawi unabhängig. (KARTE Seite 194)

Malediven

Staatswappen

Staatsflagge

Malawisee, langgestreckter See im südlichen Ostafrika. Mit 30 800 km², einer Fläche von der Größe Baden-Württembergs, ist der See der drittgrößte Afrikas. Der bis zu 706 m tiefe See entwässert über den Shire zum Sambesi. Im Nordosten begrenzen die fast 3 000 m hohen Wände des Njassagrabens, eines Teils des Ostafrikanischen Grabensystems, den See. Der See wurde 1859 von David Livingstone entdeckt.

Malaysia, ein Bundesstaat in Südostasien, der aus dem Südteil der Malaiischen Halbinsel und dem Norden von Borneo besteht. Malaysia ist etwas kleiner als Finnland. Zwei Drittel des Landes sind gebirgig, das Klima ist tropisch. Die Bevölkerung setzt sich hauptsächlich aus Malaien, Chinesen und Indern zusammen. Staatsreligion ist der Islam. Das Land ist größter Lieferant der Erde von Naturkautschuk, Palmöl, Palmkernen und Zinn. Ferner werden Kopra, Pfeffer und Holz exportiert. Auch die Erdölfunde sind bedeutend. Die ehemals britische Kolonie wurde als Malaiischer Bund 1957 unabhängig. 1963 vereinigte sich der Bund mit Sarawak, Sabah (auf Borneo) und Singapur, das 1965 wieder austrat, zu Malaysia. Das Land ist eine Wahlmonarchie: Staatsoberhaupt ist einer der islamischen Herrscher, der auf 5 Jahre vom Rat der Herrscher gewählt wird. (KARTE Seite 195)

Malaysia

Staatswappen

Staatsflagge

Malaysia

Fläche: 329 757 km²
Bevölkerung: 17 Mill. E
Hauptstadt: Kuala Lumpur
Amtssprachen: Bahasa Malaysia
Nationalfeiertag: 31. Aug.
Währung: 1 Malaysischer Ringgit (M$) = 100 Sen (c)
Zeitzone (von W nach O): MEZ + 6½ bzw. 7 Stunden

Malediven, Republik auf der gleichnamigen Inselgruppe im Indischen Ozean südwestlich von Indien. Zu den Malediven gehören rund 2 000 flache Inseln (Atolle), von denen etwa 200 bewohnt sind. Es herrscht tropisches Klima mit hohen Niederschlägen im Sommer. Die Einwohner stammen von Arabern und Malaien ab. Fischfang, Anbau von Kokospalmen und Fremdenverkehr sind die wichtigsten Wirtschaftszweige. Einst portugiesisch, dann seit 1645 niederländisch, wurde die ab 1887 britische Kolonie 1965 unabhängig. (KARTE Seite 195).

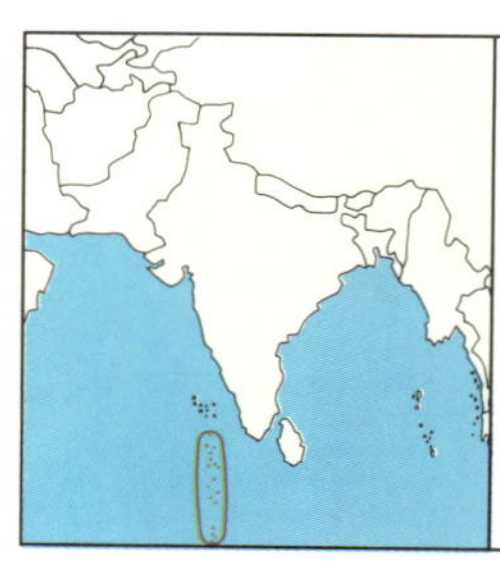

Malediven

Fläche: 298 km²
Bevölkerung: 219 000 E
Hauptstadt: Male
Amtssprache: Divehi
Staatsreligion: Islam
Nationalfeiertage: 26. Juli, 11. Nov.
Währung: 1 Rufiyaa (Rf) = 100 Lari (L)
Zeitzone: MEZ + 4 h

Malerei, die künstlerische Flächengestaltung mit Farben im Unterschied zu den räumlichen und körperlichen Künsten Architektur und Bildhauerei sowie der linienbetonten Graphik. Nach dem Bildträger unterscheidet man: 1) Wandmalerei und Deckenmalerei mit den Techniken → Freskomalerei (auf feuchten Putz) und Seccomalerei (auf trockenen Putz); ferner die Fassadenmalerei. 2) Tafelmalerei, mit den wichtigsten Techniken Aquarellmalerei (→ Aquarell), → Gouachemalerei, → Ölmalerei, Pastellmalerei (→ Pastell). 3) → Buchmalerei. 4) Malerei im Bereich des Kunstgewerbes (auf Lack, Porzellan und Glas; → Hinterglasmalerei). Grenzbereiche der Malerei sind unter anderem farbige Flächengestaltungen wie Glasfenster (→ Glasmalerei) und → Mosaik.

Früheste Zeugnisse sind die Felsbilder der Steinzeitmenschen (Höhlenmalerei). Von den Malereien des Alten Orients und der griechischen Frühzeit (Kreta, Mykene) sind dank der dauerhaften Technik vor allem Fresken erhalten, von der Malerei der griechischen Antike fast nur

Vasenmalereien (→Vase), aus der römischen Antike auch Wandmalereien, die vor allem in den verschütteten Städten Pompeji und Herculaneum gefunden wurden; ferner gibt es spätantike Buchmalereien und Bildtafeln (Mumienporträts). Die Techniken der antiken Malerei lebten in der christlichen Kunst fort, so in den Fresken der Katakomben und der romanischen Kirchen, in den byzantinischen Ikonen und in der byzantinischen und mittelalterlichen Buchmalerei.

Bis ins 15. Jahrh. gab es keine auf mathematische Erkenntnisse gegründete Raumdarstellung in der Fläche. Die Figuren der mittelalterlichen Malerei wirken flach, Landschaft und Architektur fehlen bis zum 15. Jahrh. meist, statt dessen gibt es einen goldfarbenen Hintergrund, der keine räumliche Bildtiefe aufkommen läßt. Als erster hatte →Giotto sich um räumliche Wiedergabe bemüht (14. Jahrh.), doch die Zentralperspektive (→Perspektive) wurde erst im 15. Jahrh. von dem Renaissancearchitekten Filippo Brunelleschi entwickelt. Dieses neue Ausdrucksmittel wie auch die plastische Körperlichkeit durch das Spiel von Licht und Schatten bestimmten nun seit der Renaissance mehr oder weniger alle Stilepochen bis ins späte 19. Jahrh.; Höhepunkte waren die Wand- und Deckenmalerei des Barock und die niederländische Tafelmalerei des 17. Jahrh. Neben die religiöse Thematik des Mittelalters traten weltliche und mythologische Stoffe, Landschaften, →Stilleben, Porträts und Gruppenbilder, Architektur- und Innenraumdarstellungen, Szenen aus der Geschichte (Historienbilder), aus dem alltäglichen Leben (Genremalerei) und vieles mehr. Erst im Anschluß an den Impressionismus trat die Abbildung der äußeren Wirklichkeit zurück. Es ging nun mehr darum, seelische Vorgänge und Gefühle auszudrücken (→Expressionismus), ferner um Formexperimente mit Flächen und Linien, die in der abstrakten Kunst des 20. Jahrh. zu selbständigen Ausdrucksmitteln wurden. Stilrichtungen wechselten seitdem in immer schnellerer Folge.

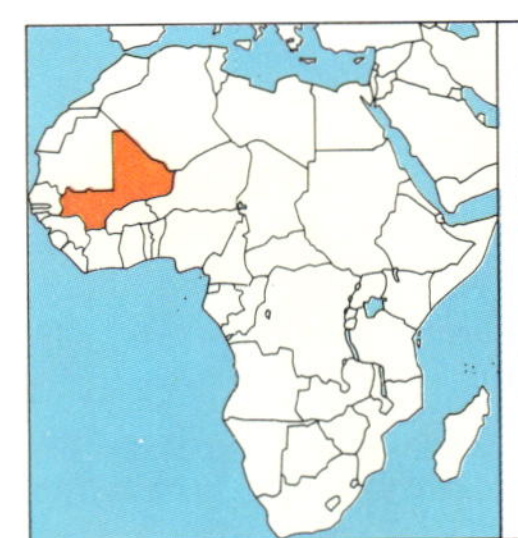

Mali

Fläche: 1 240 192 km²
Bevölkerung: 9,2 Mill. E
Hauptstadt: Bamako
Amtssprache: Französisch
Nationalfeiertag: 22. Sept.
Währung: CFA-Franc (FC.F.A.)
Zeitzone: MEZ –1 Stunden

Mali

Staatswappen

Staatsflagge

Mali, ein Binnenstaat, flächenmäßig das größte Land Westafrikas, viermal so groß wie Norwegen. Es reicht von der Oberguineaschwelle über das Nigerbecken bis in die Sahara. Weite Ebenen und flache Becken kennzeichnen das Landschaftsbild. Im Süden herrscht Feuchtsavannenklima, nach Norden folgen Trockensavanne, Dornsavanne und Wüste. Das Land ist dünn besiedelt. Im Süden werden Erdnüsse, Baumwolle und Zuckerrohr für den Export angebaut. Die Industrie verarbeitet landwirtschaftliche Erzeugnisse. Gegen Ende des 19. Jahrh. von Frankreich erobert, bildete das heutige Mali danach einen Teil von Französisch-Westafrika. Seit 1960 ist Mali eine unabhängige Republik. (KARTE Seite 194)

Mallorca [maljorka], größte Insel der →Balearen. Die Insel ist 3 684 km² groß – halb so groß wie das österreichische Bundesland Salzburg – und hat 438 700 Einwohner. Den mittleren Teil Mallorcas bildet fruchtbares Hügelland, wo Südfrüchte, Wein und Getreide angebaut werden. Im Nordwesten ragt ein stark zerschnittenes Gebirge mit schroffen Formen bis zu 1 445 m hoch auf, das zum Meer hin steil abfällt. Der Süden der Insel wird von einem Höhenzug aus Kalkgestein mit Höhen bis zu 562 m eingenommen. In dem Kalk haben sich große Höhlen gebildet, z. B. die ›Drachenhöhle‹. Große Bedeutung für Mallorca hat der Fremdenverkehr, vor allem im Gebiet um den Hauptort Palma und an der Südküste.

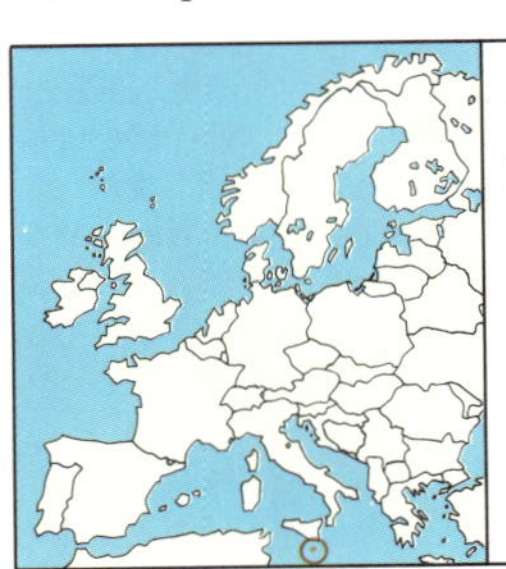

Malta

Fläche: 316 km²
Bevölkerung: 354 900 E
Hauptstadt: Valletta
Amtssprachen: Maltesisch, Englisch
Nationalfeiertag: 31. März
Währung: 1 Maltes. Lira (Lm) = 100 Cents (c)
Zeitzone: MEZ

Malta

Staatswappen

Staatsflagge

Malta, Staat und Inselgruppe im Mittelmeer südlich von Sizilien, doppelt so groß wie Liechtenstein. Die Hauptstadt liegt auf der Hauptinsel Malta. Die bis 253 m hohen Inseln fallen meist steil zum Meer ab. Das Klima ist im Winter mild, die Niederschläge sind gering.

Die Malteser, die eine italienisch-arabische Mischsprache sprechen, pflanzen für die Ausfuhr Blumen, Frühkartoffeln, Obst und Gemüse an und stellen Textilien her. Der Fremdenverkehr ist bedeutend.

Die arabische Herrschaft vom 9. bis 11. Jahrh. beeinflußte Sprache und Brauchtum der Bewohner bis heute. 1530 gab Kaiser Karl V. die Insel dem Johanniterorden zu Lehen. 1814 wurde sie britische Kronkolonie und wichtiger Flottenstützpunkt. Seit 1964 ist das Land unabhängig, 1974 wurde die Republik ausgerufen. (KARTE Seite 203)

Malteserorden, katholischer religiöser Ritterorden. Der Name entstand nach 1530, als den von der Insel Rhodos vertriebenen Johannitern die Insel Malta zum Lehen gegeben wurde. Die sich seither einbürgernde Bezeichnung wurde nach der Reorganisation des Ordens im 19. Jahrh. allgemein gebräuchlich. Heute ist der Orden (Sitz: Rom) von vielen Staaten völkerrechtlich anerkannt. Seine Haupttätigkeiten liegen in der Krankenpflege und in sozialer Arbeit. In der Bundesrepublik Deutschland unterhält er zusammen mit dem Deutschen Caritasverband den **Malteser-Hilfsdienst e. V.,** der sich ähnlichen Aufgaben widmet wie das Deutsche Rote Kreuz.

Man
Wappen der Insel

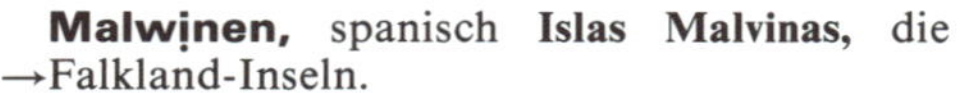

Malwinen, spanisch **Islas Malvinas,** die →Falkland-Inseln.

Mamba, eine giftige →Schlange.

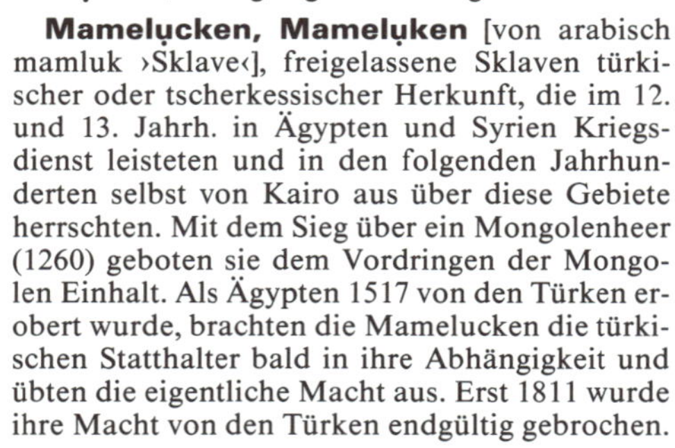

Mamelucken, Mameluken [von arabisch mamluk ›Sklave‹], freigelassene Sklaven türkischer oder tscherkessischer Herkunft, die im 12. und 13. Jahrh. in Ägypten und Syrien Kriegsdienst leisteten und in den folgenden Jahrhunderten selbst von Kairo aus über diese Gebiete herrschten. Mit dem Sieg über ein Mongolenheer (1260) geboten sie dem Vordringen der Mongolen Einhalt. Als Ägypten 1517 von den Türken erobert wurde, brachten die Mamelucken die türkischen Statthalter bald in ihre Abhängigkeit und übten die eigentliche Macht aus. Erst 1811 wurde ihre Macht von den Türken endgültig gebrochen.

Mammut, dem →Elefanten verwandtes Tier, das in der Eiszeit in ganz Europa, Nordasien und Nordamerika lebte und vor weniger als 20 000 Jahren ausgestorben ist. Im gefrorenen Boden Sibiriens fand man fast vollständig erhaltene Kadaver dieser Rüsseltiere. Ein Mammut wurde demnach 5 m lang und 3 m hoch; es hatte ein zottiges, rotbraunes Fell und kleine Ohren. Die geschwungenen, bis zu 5 m langen Stoßzähne dienten als Schneepflug zum Freischaufeln der pflanzlichen Nahrung. Das Mammut wurde in Fallgruben gefangen.

Mammutbäume, sehr große Nadelbäume, die ihre Heimat in den Bergwäldern Kaliforniens (Nordamerika) haben. Die ältesten unter ihnen

Mammut

sind etwa 4 000 Jahre alt. Diese fast 140 m hohen Baumriesen mit über 10 m Stammdurchmesser und 35 m Stammumfang gehören zu den ältesten Bäumen. In Europa werden Mammutbäume seit über 100 Jahren als Parkbäume angepflanzt; die ältesten sind 50 m hoch und 2–3 m dick.

Man [män], britische Insel in der Irischen See, 558 km². Die rund 60 500 Einwohner sind meist keltischer Abstammung mit eigener Sprache. Viehzucht (Rinder und Schafe), Fischfang und Fremdenverkehr sind die Haupterwerbszweige der Bevölkerung. Die Hauptstadt ist Douglas. Auf Man wird jährlich das schwerste Motorradrennen der Welt (Tourist Trophy) ausgetragen. – Seit 1765 untersteht die Insel der britischen Krone, besitzt aber eine eigene Verfassung und ein eigenes Parlament. Sie ist nicht Mitglied der EG, unterhält aber besondere Beziehungen zur EWG. (KARTE Seite 203)

Managua, 682 000 Einwohner, Hauptstadt von Nicaragua im Westen des mittelamerikanischen Staates am Managuasee. Die nach dem Erdbeben von 1931 als modernes Industriezentrum wiederaufgebaute Stadt wurde 1972 erneut durch ein Erdbeben zerstört. Danach verlegte man die Geschäftsviertel an den Stadtrand. Im Stadtkern ist die Kathedrale aus dem 18./19. Jahrh. erhalten.

Mancha [mantscha], **La Mancha,** Landschaft im Südosten der spanischen Hochfläche. Die Mancha ist eine Hochebene in 600–700 m Höhe. Das Klima ist im Winter kalt, im Sommer trocken. Angebaut werden vor allem Getreide und Wein. Die Siedlungen sind meist Riesendörfer mit zum Teil über 10 000 Einwohnern. Sie liegen weit auseinander und zeigen, außer den Hauptorten, keine Bevölkerungszunahme. Die Mancha ist bekannt geworden durch den spanischen Dichter →Cervantes, dessen Romanheld Don Quijote aus diesem Gebiet stammt.

Manchester [mäntschister], 449 200 Einwohner, englische Stadt zwischen Cheshire-Ebene und Penninischem Gebirge. Nach London ist Manchester mit zahlreichen Banken, Versicherungen und Firmensitzen das bedeutendste Finanz- und Handelszentrum Großbritanniens. Seit dem 16. Jahrh. bildet die Stadt den Mittelpunkt für die englische Baumwollindustrie.

Mandarine, eine →Citrusfrucht.

Mandelbäume brauchen viel Sonne, damit ihre Früchte reifen. Sie wachsen vor allem im Mittelmeerraum und in Kalifornien, in Deutschland nur vereinzelt, z. B. an der Bergstraße. Häufig sieht man aber hier das frühblühende **Mandelbäumchen,** ein Ziergehölz mit rosa Blüten. Nur die fettreichen Samen des Mandelbaumes, die süßen oder bitteren **Mandeln,** sind eßbar. Aus süßen Mandeln wird z. B. Marzipan und Nougat hergestellt. Preßt man das Öl aus, bleibt die **Mandelkleie** übrig, mit der Hautunreinheiten behandelt werden. Bittere Mandeln enthalten giftige Blausäure, die durch Kochen und Rösten zerstört wird.

Mandelentzündung, entzündliche Vorgänge im Rachenraum, besonders an den Gaumenmandeln (→Angina).

Mandeln, ringförmig angeordnete Organe im Rachen; sie bilden mit Gaumenmandeln, Rachenmandel und Zungenmandeln den lymphatischen Rachenring, der der Abwehr von Krankheitserregern dient.

Mandoline, ein der →Laute verwandtes Zupfinstrument, dessen birnenförmiger Korpus jedoch viel kleiner ist. Bespannt ist das Instrument mit 4 Doppelsaiten, die wie bei der Violine in GDAE gestimmt sind. Diese werden vom Spieler mit einem →Plektron angerissen. Da der Klang der kurzen Saiten nicht sehr tragfähig ist, muß im raschen Wechsel von Auf- und Niederschlag die Saite tremolierend geschlagen werden. Dadurch empfindet das Ohr eine Art Dauerton.

Mandrill, großer, mit den →Pavianen nah verwandter Affe, wohl das bunteste Säugetier. Die Nase des bis zu 80 cm langen und 50 kg schweren Männchens ist grellrot, die Knochenwülste beiderseits des Nasenrückens sind mit blauer, längsgefurchter Haut bedeckt, der Kinnbart ist hellgelb, die nackten Hautflächen am Hinterteil leuchten grellrot und violettblau. Mandrills leben in Afrika in Wäldern des Kongogebiets und in Südkamerun; sie graben im Boden nach Wurzeln und Knollen und pflücken auch Früchte.

Mandschurei, früherer Name des nordöstlichen Teils der Volksrepublik China. Das Gebiet grenzt im Nordwesten, Norden und Osten an Rußland, im Südosten an Korea und im Westen an die Mongolei. Kerngebiet des Landes ist die fruchtbare Nordostchinesische Tiefebene; hier werden z. B. Reis, Mais, Baumwolle und Äpfel angebaut. Die Bergländer im Norden und Osten sind reich bewaldet. Die Mandschurei hat große Vorkommen an Bodenschätzen (Kohle, Eisenerz, Erdöl, Bauxit); sie ließen schon im frühen 20. Jahrh. eine starke Schwerindustrie entstehen, außerdem gibt es Aluminium- und Papierindustrie.

Das im 16./17. Jahrh. unter der Herrschaft der tungusischen Manchu vereinte Land kam im 19. Jahrh. an Rußland. Nach dem Russisch-Japanischen Krieg 1904/05 wurde das Land 1905 geteilt. 1931 besetzte Japan die gesamte Mandschurei und errichtete einen unabhängigen Staat, der bis 1945 bestand. Nach vorübergehender Besetzung durch die Sowjetunion wurde die Mandschurei 1949 Teil der Volksrepublik China.

Mandoline

Manet [manä]. Der französische Maler **Édouard Manet** (* 1832, † 1883) gehörte mit der lichten Farbigkeit seiner Bilder zu den Wegbereitern des →Impressionismus. Zum Maler geschult hatte er sich auf Reisen und durch das Studium der alten, besonders der spanischen Meister. 1863 schuf er das Gemälde ›Frühstück im Freien‹ (heute im Louvre, Paris), auf dem 2 wohlgekleidete Herren zu sehen sind, die im Wald mit ihren Begleiterinnen picknicken; eine von ihnen ist unbekleidet. Das Motiv hat Manet bei alten Meistern entlehnt und in seine Zeit übertragen. Gerade deshalb aber wurde es bei der Ausstellung als ›anstößig‹ empfunden und erntete Entrüstung, ebenso wie die ›Olympia‹ (1863, Louvre), ein Aktbild nach Art der Venusdarstellungen etwa von Tizian. Auf die jungen Maler der Zeit hatten diese Bilder mit ihrer darstellerischen Freiheit großen Einfluß. Manet malte ferner Porträts, Stilleben, Landschaften, Szenen aus dem Alltag und zeitgenössische Ereignisse.

Mangan [nach der griechischen Stadt Magnesia], Zeichen **Mn,** →chemische Elemente, ÜBERSICHT.

Mango, eine →Südfrucht.

Mangroven wachsen in waldartiger Gemeinschaft an tropischen Flachküsten. Bei Flut ragen nur noch die Kronen dieser Gehölze aus dem Wasser, bei Ebbe auch die Stelz- und Atemwurzeln. Mit Hilfe dieser Wurzeln können Mangro-

Mandrill

Manierismus: Giambologna, ›Raub der Sabinerinnen‹; 1579–83 (Florenz, Loggia dei Lanzi)

Thomas Mann

ven an diesem Standort gedeihen. Das Stelzwurzelwerk gibt der Pflanze im weichen Boden besseren Halt und widersteht durch seine Durchlässigkeit den Wogen und der Flutwelle. Die bis 1,5 m langen Atemwurzeln versorgen das im sauerstoffarmen Schlamm verankerte Wurzelsystem mit Sauerstoff. Sie wachsen, im Unterschied zu anderen Wurzeln, spargelförmig aus dem Boden heraus in die Luft. Die Mangroven der Küsten des Indischen und Pazifischen Ozeans sind am artenreichsten. Ihre Samen keimen oft noch an der Mutterpflanze.

Manhattan [mänhättn], Stadtbezirk von → New York.

Manierismus [von italienisch maniera ›Manier‹, ›Art‹], der Kunststil zwischen Renaissance und Barock, etwa zwischen 1520 und 1600. Er wurzelt in der Hochrenaissance (Raffael, Michelangelo), zeigt aber wesentlich abweichende Merkmale: Die menschliche Gestalt wirkt gestreckter, oft überlängt, in der Haltung gedreht, in den Gesten geziert. Die schlangenförmig gedrehte Körperhaltung wird in der Plastik sogar zum Kompositionsprinzip, z. B. in den Werken des italienischen Bildhauers Giambologna. Die Maler zeigen Menschen, Gebäude und Landschaften gern aus ungewöhnlichem Blickwinkel, z. B. in übertriebener perspektivischer Verkürzung, so daß der Bildraum ins Unendliche zu fluchten scheint. Die Farben können emailartig, ›unwirklich‹ leuchten. Die Porträts bilden weniger den individuellen Menschen ab als den einer bestimmten Norm entsprechenden Standesvertreter (das Ideal war der Höfling). Auf anderen Bildern scheinen die Gesichter von starkem, oft übersteigertem religiösen Empfinden erfüllt zu sein. Die bedeutendsten Maler waren Tintoretto (Italien) und El Greco (Spanien).

Manila, mit Vororten 7,6 Millionen Einwohner, Regierungssitz und Hafenstadt der Philippinen an der Bucht von Manila im Westen der Insel Luzon. Manila wurde 1571 von Spaniern gegründet.

Maniok, tropischer Strauch, der wegen seiner stärkehaltigen Wurzelknollen in Mittel- und Südamerika zu den wichtigsten Nahrungsmittelpflanzen gehört. Die Knollen enthalten Blausäure, ein starkes Gift, das durch Dämpfen, Rösten oder Kochen zerstört wird. Man ißt die Knollen wie Kartoffeln oder zerstampft sie getrocknet zu Mehl.

Manitu, bei vielen Indianerstämmen im Osten Nordamerikas Bezeichnung einer Macht, die allen Dingen und Naturerscheinungen innewohnen soll und die man sich entweder unpersönlich oder als höchstes Wesen vorstellt.

Mann. Mit großer Schärfe griff der Schriftsteller **Heinrich Mann** (* 1871, † 1950), älterer Bruder Thomas Manns, in Romanen wie ›Professor Unrat‹ (1905, verfilmt unter dem Titel ›Der blaue Engel‹) und ›Der Untertan‹ (1914) die Gesellschaft zur Zeit Kaiser Wilhelms II. an. Die Romane ›Jugend und Vollendung des Königs Henri Quatre‹ (2 Bände, 1935–38) gehören zu seinem Spätwerk. Mann, der gegen die Überschätzung der eigenen Nation und die Begeisterung für den Krieg eintrat, wanderte zur Zeit der Machtergreifung Hitlers 1933 nach Frankreich, dann in die USA aus.

Mann. Der Roman ›Buddenbrooks‹ (1901) brachte dem Schriftsteller **Thomas Mann** (* 1875, † 1955) seinen ersten großen Erfolg. Mann, Sohn einer Lübecker Kaufmannsfamilie, schildert darin den langsamen Verfall eines hanseatischen Patriziergeschlechts. Schon hier taucht die Frage nach dem Verhältnis von Geist und Leben, Künstler und Bürger auf, die in späteren Werken immer wiederkehrt (z. B. in den Erzählungen ›Tonio Kröger‹, 1903, ›Der Tod in Venedig‹, 1912). Krankhaft sensible und lebensuntüchtige Menschen werden lebensvollen Charakteren gegenübergestellt. Zeitkritik an der Epoche vor dem Ersten Weltkrieg übt Mann in seinem Roman ›Der Zauberberg‹ (1924). Mann lebte seit der Machtergreifung Hitlers 1933 in der Schweiz und in den USA; nach dem Zweiten Weltkrieg kehrte er in die Schweiz zurück. In Amerika entstanden das vierbändige Romanwerk ›Joseph und seine Brüder‹ (um die Figur des biblischen Joseph; 1933–43), die Romane ›Lotte in Weimar‹ (1939) und ›Dr. Faustus‹ (1947). 1954 erschien der Schelmenroman ›Bekenntnisse des Hochstaplers Felix Krull‹. Manns Werke zeichnen sich durch kunstvolle Sprache und viel Ironie aus. 1929 erhielt er den Nobelpreis für Literatur.

Mannheim, 330 000 Einwohner, Stadt in Baden-Württemberg am Zusammenfluß von Neckar und Rhein, gegenüber von Ludwigshafen. Mannheim, 1606 durch Kurfürst Friedrich IV. von der Pfalz gegründet, ist nach Duisburg und Köln der drittgrößte Binnenhafen der Bundesrepublik Deutschland. Die Altstadt ist schachbrettartig angelegt: Die Straßen werden nicht mit Straßennamen, sondern nach den Buchstaben und Zahlen der 143 Quadrate bezeichnet, die durch die rechtwinkligen Straßenkreuzungen entstehen. Das Residenzschloß der Kurfürsten (18. Jahrh.) ist eine große Barockanlage.

Manometer [zu griechisch manos ›dünn‹], Gerät zur Druckmessung von Gasen (z. B. Luftdruck) und Flüssigkeiten. Je nach Anwendungszweck gibt es verschiedene Manometerarten: Federmanometer, Flüssigkeitsmanometer und elektrische Druckmesser (z. B. piezoelektrische Manometer). Die **Federmanometer** ermöglichen die Druckmessung in Flüssigkeiten und Gasen. **Flüssigkeitsmanometer** eignen sich nur für Gase. **Elektrische Druckmesser** nutzen die sich verändernden elektrischen Materialeigenschaften bei Druckbelastung zur Messung aus. Ihre Anwendung unterliegt keiner Beschränkung. Das Funktionsprinzip des **Rohrfedermanometers** besteht in der Federwirkung eines kreisförmig gebogenen Rohres mit ovalem Querschnitt. Unter Druckeinwirkung im Rohr biegt dieses sich auf und bewirkt über ein Zeigerwerk die Anzeige.

Das **Flüssigkeitsmanometer** wird auch als U-Rohr-Manometer bezeichnet. Ein U-förmig gebogenes Glasrohr enthält eine Meßflüssigkeit (z. B. Quecksilber oder Äthylalkohol), wobei ein Schenkel verschlossen und der zweite offen ist. Der offene Schenkel des U-Rohres läßt sich über einen Gummischlauch mit dem zu messenden Gegenstand (z. B. Gasbehälter oder Fahrradschlauch) verbinden. Der Gasdruck läßt sich am Steigen oder Sinken der Meßflüssigkeit im verschlossenen Schenkel des U-Rohres erkennen und auf einer geeichten Skala ablesen. Der angezeigte Druck hat die physikalische Einheit Pascal (Pa), und es entspricht: 1 Pa = 1 Newton je Quadratmeter.

Maori, die einheimische, einst von den polynesischen Inseln kommende Bevölkerung Neuseelands. Seit 1840 sind sie durch Vertrag den Weißen gleichgestellt und werden zunehmend in die moderne Wirtschaft und Gesellschaft des Landes einbezogen. Von ihrer eigenen Kultur und Kunstfertigkeit haben sie vieles bewahrt; besonders entwickelt sind bei den Maori Bildhauerei und Schnitzkunst.

Mao Tse-tung. Der chinesische Revolutionär **Mao Tse-tung** (* 1893, † 1976) war der langjährige Führer der chinesischen Kommunisten und Gründer der **Volksrepublik China.**

1921 beteiligte sich Mao Tse-tung maßgeblich an der Gründung der Kommunistischen Partei Chinas. In den Wirren des seit etwa 1916 herrschenden Bürgerkriegs gelang es ihm, in der Provinz Kiangsi (Süd-China) 1927 ein kommunistisches Herrschaftsgebiet zu schaffen. Er wurde jedoch von →Tschiang Kai-schek, dem zu dieser Zeit mächtigsten Mann in China, gezwungen, dieses Gebiet aufzugeben und das Aktionsfeld der chinesischen Kommunisten auf einem über 12 000 km langen Marsch nach Nordchina zu verlegen. Auf diesem ›Langen Marsch‹ stieg er zum unbestrittenen Vorsitzenden der Kommunistischen Partei Chinas auf.

Nach einem siegreichen Bürgerkrieg gegen Tschiang Kai-schek rief Mao Tse-tung 1949 in Peking die Volksrepublik China aus. Er selbst trat an die Spitze des Staates, 1949–54 als Vorsitzender der ›Zentralen Volksregierung‹, 1954–58 als Staatspräsident. Er leitete eine radikale gesellschaftliche Neuordnung Chinas ein. Meinungsverschiedenheiten mit anderen kommunistischen Politikern seines Landes über den weiteren Weg des kommunistischen China führten 1958 zu seinem Rücktritt als Staatschef. Unter dem Titel ›Großer Vorsitzender und Steuermann‹ konnte er jedoch seine Stellung als Parteivorsitzender ausbauen. Von der Parteipropaganda wurde er als eine mit Weisheit und politischer Unfehlbarkeit ausgestattete Persönlichkeit dargestellt. Jeder Chinese sollte das ›Rote Buch‹, eine kleine, handliche Zusammenfassung seiner Gedanken, besitzen und lesen. In der Kulturrevolution suchte Mao Tse-tung auch unter Anwendung gewaltsamer Mittel, noch vorhandene Reste europäischen oder überkommenen chinesischen Denkens als Hindernisse auf dem Weg zur klassenlosen Gesellschaft zu beseitigen. In seiner Außenpolitik stellte Mao Tse-tung den Führungsanspruch der sowjetischen Kommunisten innerhalb der kommunistischen Weltbewegung in Frage und geriet damit in Konflikt mit der Sowjetunion.

Maputo, früher **Lourenço Marques,** 1,09 Millionen Einwohner, Hauptstadt von Moçambique, Hafen an der Delagoa-Bai des Indischen Ozeans.

Marabus, große Schreitvögel aus der Familie der →Störche, die in Indien und Afrika leben. Marabus gelten ähnlich wie die →Geier als ›Gesundheitspolizei‹, da auch sie sich vor allem von toten Tieren ernähren. Auch sie besitzen zur Anpassung an diese Lebensweise einen fast nackten Kopf und Hals. Der besonders große und kräftige Schnabel ähnelt einer Spitzhacke. Auffallend ist der luftgefüllte, herabhängende Kropfsack, der nur aus Bindegewebe besteht und vermutlich dem aufgelegten Schnabel als Polster dient.

Maracuja, korrekt **Mara cuja,** trübroter Saft der Passionsfrucht, einer →Südfrucht.

Marathonlauf. Der längste olympische Laufwettbewerb (für Herren seit 1896, für Damen seit 1984) führt über 42,195 km und wird

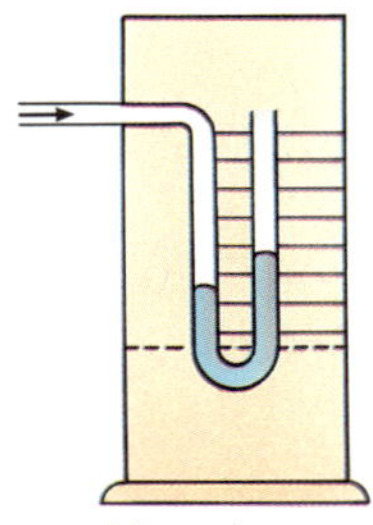
Manometer: offenes Quecksilbermanometer

Manometer: Rohrfedermanometer

Mao Tse-tung

Marabu

zum größten Teil auf der Straße ausgetragen. Der Marathonlauf geht zurück auf den sagenhaften Bericht über den Boten, der nach der Schlacht von Marathon (490 v. Chr.) im Laufschritt die Siegesmeldung ins 40 km entfernte Athen brachte und dort mit dem Ausruf »Wir haben gesiegt« tot zusammenbrach.

Marc. Der Maler und Graphiker **Franz Marc** (* 1880, gefallen 1916) malte und zeichnete vor allem Tiere. Als Mitbegründer der Künstlervereinigung ›Blauer Reiter‹ gehörte er zu den Expressionisten. Kennzeichnend für seinen Stil waren leuchtende, reine Farben und kristalline Formen, die in seinen letzten Arbeiten immer abstrakter wurden. Das Tier galt ihm als Symbol für die Ursprünglichkeit und Reinheit des Lebens. Mit seiner Darstellung wollte er kein Naturvorbild wiedergeben, sondern gleichnishaft Vorstellungen ausdrücken, etwa die Einheit von Kreatur und umgebender Natur oder die Gefährdung dieser Einheit. Besonders die Farben wählte Marc nach dem Symbolwert, den sie für ihn hatten; so malte er z. B. die Pferde nicht braun oder weiß, sondern rot oder blau. Eines seiner Hauptwerke hieß ›Turm der blauen Pferde‹ (1913); es ist seit 1945 verschollen.

Märchen, frei erfundene, unterhaltende Prosaerzählung, die meist in einfachem Stil gehalten ist und von phantastisch-wunderbaren Ereignissen handelt. Im Märchen greifen übernatürliche Mächte in das Alltagsleben ein oder werden wie selbstverständlich mit ihm verbunden. Tiere, Pflanzen und Gegenstände aller Art sprechen und handeln auf einer Ebene mit den Menschen. Der Abschluß des Märchens ist gewöhnlich befriedigend für den Leser, denn es kommt fast immer zu einer gerechten Lösung. Dies ist vor allem im **Volksmärchen** der Fall. Das von einem einzelnen Autor erdachte **Kunstmärchen** bringt meist eine weniger einfache Weltordnung zum Ausdruck: Während in den meisten Volksmärchen die handelnden Personen klar erkennbar in gute und böse, schlaue und dumme, schöne und häßliche Menschen eingeteilt sind, die ihren Eigenschaften und Taten entsprechend am Ende belohnt oder bestraft werden, sind diese Gegensätze im Weltbild der Kunstmärchen nicht ganz so klar abgegrenzt und vielfach der Wirklichkeit etwas mehr angenähert.

Viele Kunstmärchen (z. B. die von Autoren wie Wilhelm Hauff, Hans Christian Andersen und Oscar Wilde) entstanden im 18. und 19. Jahrh. Die Ursprünge des Volksmärchens sind sehr viel älter; die ältesten bis heute überlieferten Aufzeichnungen aus vorchristlicher Zeit enthalten schon Erzählungen märchenhaften Inhalts. Ähnliche Märchenmotive wurden bei verschiedenen Völkern entwickelt, überliefert und miteinander verbunden. So zeigen die europäischen Märchen, deren früheste noch erhaltene Aufzeichnungen auf das 8. und 9. Jahrh. zurückgehen, daß sie von verschiedenen jüdischen, arabischen und auch keltischen Märchenüberlieferungen beeinflußt worden sind. In späterer Zeit kamen indische Einflüsse und die Wirkung der arabischen Märchensammlung ›Tausendundeine Nacht‹ hinzu. Deutsche Märchen wurden als ›Kinder- und Hausmärchen‹ von den Brüdern Grimm seit 1812 herausgegeben.

Marco Polo, Forschungsreisender, →Polo.

Marder, weltweit verbreitete, artenreiche Familie kleiner bis mittelgroßer Raubtiere, die auch in Europa zum großen Teil noch wild leben. Sie jagen meist in der Dämmerung und Nacht, unter anderem Mäuse und Ratten. Marder haben meist einen langgestreckten Körper, kurze Beine und Stinkdrüsen in Afternähe, mit deren Sekret sie ihr Revier kennzeichnen; es dient auch zum Zusammenfinden der Geschlechter sowie zu Verteidigung und Abschreckung (→Iltis, →Stinktier). Zur Familie der Marder gehören weiterhin →Dachse, →Fischotter, →Nerze, →Vielfraß, →Wiesel (→Hermelin) und →Zobel. Viele sind wegen ihres schönen, kostbaren Felles verfolgt worden. Da außerdem ihr Lebensraum immer mehr eingeengt wird, sind die meisten selten geworden. Das Weibchen wird vom Jäger **Fähe** (auch **Fehe**) genannt.

Der mit Schwanz 80 cm lange, dunkelbraune **Baummarder** (auch **Edelmarder**) mit goldgelbem Fleck an der Kehle lebt in abgelegenen Felsspalten. Er klettert gewandt und erbeutet mit Vorliebe flinke Eichhörnchen und Bilche. Der kleinere graubraune **Hausmarder** (auch **Steinmarder**) mit weißem Kehlfleck bewohnt häufig Scheunen und Ställe. Er erbeutet auch Geflügel und Eier. (BILDER Seite 257)

Margarine [zu griechisch margaron ›Perle‹], der Butter ähnliches, durch Schlagen und Rühren hergestelltes, streichfähiges Gemisch aus Fett und darin fein verteilten Wassertröpfchen (oder aus entrahmter Milch). Im Unterschied zu Butter wird das Fett überwiegend aus Pflanzen gewonnen, z. B. aus Soja-, Sonnenblumen-, Erdnußöl, Kokos- und Palmkernfett. Bei der Herstellung dürfen Vitamine, Kochsalz und Farbstoffe zugesetzt werden, meist gibt aber das Provitamin A (Carotin) der Margarine ihr zartgelbes Aussehen.

Zur Unterscheidung von Butter wird Margarine eine geringe Menge Stärke zugesetzt.

Maria, die Mutter Jesu, im katholischen Sprachgebrauch auch **Mutter Gottes, Himmelskönigin** und **Allerseligste Jungfrau** genannt. Nach neutestamentlicher Überlieferung hatte sie für das Wirken ihres Sohnes zunächst kein rechtes Verständnis, wird dann jedoch als Zeugin von Jesu Tod und Auferstehung und als wichtigstes Mitglied der ersten christlichen Gemeinde genannt.

Nach katholischer Lehre empfing Maria als Jungfrau ihren Sohn Jesus durch das Wirken des Heiligen Geistes und lebte nach der Geburt Jesu in jungfräulicher Ehe mit Joseph. Aus ihrer Würde als ›Gottesgebärerin‹ (Konzil von Ephesos, 431) ergeben sich für Maria alle anderen Gnadenvorzüge: Sie wurde ohne Erbsünde geboren (Dogma von der Unbefleckten Empfängnis, 1854) und wurde mit Leib und Seele in den Himmel aufgenommen (Dogma von der Himmelfahrt Marias, 1950). Mariä Himmelfahrt wird von den katholischen Christen am 15. August, Unbefleckte Empfängnis am 8. Dezember gefeiert. Im Lauf der Jahrhunderte entstanden viele Formen der Marienverehrung.

Die evangelische Lehre erkennt die besondere Stellung Marias als Mutter Jesu an, verwirft aber die katholische Ausgestaltung der biblischen Aussagen, besonders die Lehre von der Unbefleckten Empfängnis und der leiblichen Himmelfahrt. Maria gilt ihr als ein der Erlösung bedürftiger Mensch.

Marianen, vulkanische Inselgruppe in Mikronesien mit 16 900 Einwohnern auf einer Landfläche von 473 km². Verwaltungssitz ist Saipan. Die 13 größeren und 3 kleineren Inseln liegen am Westrand des **Marianengrabens,** eines Tiefseegrabens (10 924 m tief). Sie wurden 1898 (bis auf das von den Amerikanern eroberte → Guam) von der Kolonialmacht Spanien an Deutschland verkauft. 1945 übernahmen die USA die seit dem Ersten Weltkrieg von Japan verwalteten Inseln. Als **Nord-Marianen** sind sie seit 1978 mit den USA assoziiert und haben für die innere Selbstverwaltung ein eigenes Parlament und eine Verfassung. (KARTE Seite 198)

Maria Stuart [-stjuert], * 1542, † 1587, Königin von Schottland (1542–67), Tochter Jakobs V. und der französischen Prinzessin Maria von Guise. Maria wurde seit 1548 in Frankreich erzogen und 1558 mit dem französischen König Franz II. vermählt. Nach dessen Tod kehrte sie 1561 nach Schottland zurück. Hier erhob Maria

Maria Stuart

Maria Theresia

Marie-Antoinette

Marienkäfer: Siebenpunkt; OBEN Käfer, UNTEN Larve

als Urenkelin Heinrichs VII. gegenüber der protestantischen Königin Elisabeth I. Ansprüche auf den englischen Thron. Dies rief den Widerstand des schottischen Adels hervor, der sich der Reformation angeschlossen hatte. Nachdem sie 1565 ihren Vetter Lord Darnley und 2 Jahre später dessen Mörder Bothwell geheiratet hatte, mußte Maria 1568 den Kampf gegen die protestantischen Adeligen aufgeben und abdanken. Sie floh nach England, wurde dort jedoch von ihrer Rivalin Elisabeth gefangengenommen. Wegen des Verdachts der Mitwisserschaft an einem Attentat auf Elisabeth verurteilte man Maria zum Tod (Hinrichtung auf Schloß Fotheringhay). Ihr Sohn aus der Ehe mit Lord Darnley, Jakob (* 1566, † 1625), folgte 1603 der kinderlos gebliebenen Elisabeth I. auf den Thron. Friedrich Schiller machte das Leben Maria Stuarts zum Gegenstand eines gleichnamigen Dramas.

Maria Theresia, * 1717, † 1780, Königin von Ungarn und Böhmen, Erzherzogin von Österreich (1740–80). Nachdem sie 1737 den lothringischen Herzog Franz Stephan geheiratet hatte, übernahm sie nach dem Tod ihres Vaters, Karls VI., die Regierung der habsburgischen Erblande. Die Möglichkeit einer weiblichen Thronfolge, die Karl VI. in der →Pragmatischen Sanktion eröffnet hatte, fand nicht überall Anerkennung. So versuchten einige europäische Fürsten, die vermeintliche Schwäche Österreichs auszunutzen und ihr das Erbe streitig zu machen. Maria Theresia konnte sich jedoch im Österreichischen Erbfolgekrieg behaupten, auch wenn Schlesien an den preußischen König Friedrich II. abgetreten werden mußte. 1745 wurde ihr Gemahl als Franz I. zum deutschen Kaiser gewählt; ihm folgte 1765 ihr Sohn Joseph II. Nach dem Beispiel Preußens führte Maria Theresia innere Reformen in ihren Erblanden durch und sicherte Österreichs Stellung als europäische Großmacht. Gestützt auf tüchtige Minister wie den Grafen Haugwitz, schuf sie durch eine zentrale Verwaltungs- und Finanzbehörde die Grundlage zu einem aufgeklärt absolutistischen Staat. Ein oberster Gerichtshof kontrollierte die Landesgerichte, ein Staatsrat die Behörden. Eine Allgemeine Schulordnung wurde 1774 erlassen. Die Aufhebung der Frondienste und der Leibeigenschaft, von Maria Theresia vorbereitet, konnte nur zum Teil und nur gegen den Widerstand des Adels von ihrem Sohn durchgesetzt werden. Obwohl streng katholisch, beharrte sie auf der Oberaufsicht des Staates gegenüber der Kirche. Gegen ihren Willen beteiligte sich Österreich an der ersten →Polnischen Teilung 1772. Maria Theresia hatte 16 Kinder (darunter auch →Marie Antoinette); sie war auf Grund ihrer Mütterlichkeit und Aufgeschlossenheit sehr beliebt.

Marie-Antoinette [mari ãntoanett], * 1755, † 1793, französische Königin, Tochter Kaiser Franz' I. und der Maria Theresia. Sie wurde 1770 dem französischen Kronprinzen, dem späteren Ludwig XVI., vermählt. Die als lebensfroh und auch leichtsinnig geschilderte Königin wurde in Frankreich auch wegen ihrer Ablehnung jeglicher Reformpolitik rasch unbeliebt. Nach dem Ausbruch der Revolution von 1789 richtete sich der Volkshaß immer stärker gegen sie. Besonders der mißlungene Fluchtversuch der Königsfamilie wurde ihr angelastet. Ihre Mitwirkung (über Mittelsmänner) bei den Vorverhandlungen zum preußisch-österreichischen Feldzug von 1792 gegen Frankreich brachte sie an die Seite der bewaffneten Gegenrevolution. Nach dem Sturm auf die Tuilerien (10. August 1792) folgte sie Ludwig XVI. in die Gefangenschaft. Nach seiner Hinrichtung wurde sie von ihren Kindern getrennt und wenig später selbst unter Anklage gestellt. Den Prozeß, das Todesurteil (14. Oktober 1793) und den Weg zur Guillotine (16. Oktober 1793) ertrug sie, nunmehr ›Witwe Capet‹ genannt, in fester Haltung.

Marienburg (Westpreußen), polnisch **Malbork,** 38 200 Einwohner, Stadt in Polen, an der Nogat. Die Burg Marienburg (1272 erbaut) war im 14. Jahrh. Hauptsitz des →Deutschen Ordens.

Marienkäfer, Käferfamilie mit über 4 000 in Mitteleuropa heimischen Arten. Die Marienkäfer sind bis zu 1 cm lang und oben fast halbkugelig gewölbt. Ihre meist roten, auch gelben oder schwarzen Flügeldecken tragen schwarze, rote oder gelbe Punkte. Am bekanntesten sind der **Siebenpunkt** und der **Zweipunkt.** Das Weibchen legt bis zu 1 000 Eier auf Blättern ab. Aus ihnen schlüpfen nach wenigen Tagen langbeinige Larven, die sich nach 3–6 Wochen verpuppen. Aus der an einem Blatt klebenden Puppe kriecht nach etwa 10 Tagen ein anfangs knallgelber Käfer. Marienkäfer stellen sich wie viele Käfer bei Berührung tot und sondern aus den Beingelenken eine schlecht riechende, bitter schmeckende, gelbliche Flüssigkeit ab. Sie überwintern in Spalten und Ritzen von Häusern und Bäumen. Die meisten ihrer Arten sind sehr nützlich, da Larve und Käfer täglich bis zu 50 Blatt- und Schildläuse fressen. – Marienkäfer gelten als Glücksbringer.

Marihuana [wohl von dem spanischen Vornamen Maria Juana als Deckname], aus der gleihen Hanfpflanze wie →Haschisch gewonnene etrocknete Blätter und Stengel.

Marille [aus lateinisch amarus ›herb‹], die →Aprikose.

Marimbaphon, Form des →Xylophons, bei er unter jedem Holzstab eine im Ton passende letallröhre angebracht ist. Dadurch ist der Ton oller und klingt länger nach.

Marine, dem Seehandel und der Seekriegführ- ing dienende Schiffe und Einrichtungen. Die **riegsmarine** eines Landes soll vor allem die ei- enen Handelschiffe und Küsten schützen. Die **undesmarine** der Bundesrepublik Deutschland t eine der 3 Teilstreitkräfte der →Bundeswehr.

Mark, ursprünglich eine nordgermanische Gewichtseinheit (1 Mark = 8 Unzen). Später vurde die Mark als Münzgewicht der gesetz- chen Festlegung des Metallgehalts (z. B. Gold- ehalts) von Münzen zugrundegelegt. 1524–1857 var z. B. die ›Kölnische Mark‹ zu 233,855 g amt- ches Münzgewicht. Davon ist auch die Münz- ezeichnung ›Mark‹ abgeleitet.

Im Deutschen Reich wurde die Mark 1873 als Vährungseinheit eingeführt. 1924–48 galt die **Reichsmark (RM),** die in der Bundesrepublik Deutschland durch die **Deutsche Mark (DM)** ab- elöst wurde. In der Deutschen Demokratischen Republik hieß die Währungseinheit 1968–90 **Mark der Deutschen Demokratischen Republik M).**

Mark [verwandt mit lateinisch margo ›Rand‹], Grenzland, verwaltet von einem →Markgrafen. Erstmalig zur Zeit Karls des Großen wurden in en dünn besiedelten Rangebieten des →Fränki- chen Reichs zum Schutz der Grenzen Siedlun- gen angelegt. Zusätzlich sicherte man diese Ge- iete durch militärische Anlagen. Die wichtigsten Marken waren zunächst die ›Spanische Mark‹ enseits der Pyrenäen und die ›Bayrische Ost- nark‹ (später Österreich). Im Hochmittelalter rlangten im Zuge der Ostkolonisation z. B. die Billunger Mark‹ (das spätere Mecklenburg) und ie ›Nordmark‹ (später Mark Brandenburg) gro- ße Bedeutung.

Markgraf, der Befehlshaber einer →Mark. Zur Zeit Karls des Großen konnten ihm mehrere Grafen unterstellt sein. Seit Otto dem Großen eschränkten sich Marken auf meist nur eine Grafschaft. Wegen ihrer besonderen Aufgaben vurden damals Markgrafen den Herzögen fast gleichgestellt, so daß sie in der Folgezeit eine eigenständige Landesherrschaft erringen konn- en, wie z. B. in der Mark Brandenburg. Die **Markgrafschaften** überdauerten in dieser Form nicht. Im 19. Jahrh. war keiner der deutschen Staaten mehr eine Markgrafschaft.

Markt, im engeren Sinn der Ort, an dem Güter zum Kauf oder Tausch angeboten werden (auf einem **Marktplatz,** in einer **Markthalle**); im weiteren Sinn jedes Zusammentreffen von Angebot an und Nachfrage nach Waren und Dienstleistungen in einem Land sowie im zwischenstaatlichen Austausch. Die Menge der nachgefragten im Verhältnis zu den angebotenen Gütern ergibt den **Marktpreis,** der eine Knappheit oder einen Überfluß an Gütern widerspiegelt: Je mehr ein Gut bei einer gegebenen Angebotsmenge gewünscht wird, desto knapper und damit teurer wird es. Der Marktpreis, zu dem Güter gekauft und verkauft werden, führt zu einem Ausgleich von Angebot und Nachfrage.

Die Anzahl der Anbieter auf der einen Seite und die der Nachfrager andererseits bestimmt die **Marktform.** Je weniger Anbieter einer großen Zahl von Käufern gegenüberstehen, desto marktmächtiger sind jene und können im Grenzfall, dem **Monopol** (griechisch ›Alleinverkauf‹) mit nur einem Anbieter, den Nachfragern einen Preis aufdiktieren, falls diese nicht auf andere Konkurrenzanbieter ausweichen können. Der Wettbewerb am Markt ist beeinträchtigt oder sogar ausgeschaltet.

Mark Twain [mahk twehn]. So nannte sich der amerikanische Schriftsteller **Samuel Langhorne Clemens** (* 1835, † 1910). Seinen Decknamen, der ›zwei (Fadentiefe) markieren‹ bedeutet, entnahm Mark Twain dem Wortschatz der Schiffer des Mississippi. An diesem Fluß, der auch Schauplatz seiner Tom-Sawyer-Geschichten ist, wuchs der Schriftsteller auf und machte dort eine Lehre als Lotse. Später arbeitete er als Journalist. Seinen ersten schriftstellerischen Erfolg hatte er 1867 mit einer Sammlung volkstümlicher und komischer Erzählungen. Eindrücke vieler Reisen, besonders nach Europa, verarbeitete Mark Twain in humoristischen Reisebüchern. Zu den Werken der Weltliteratur gehören sein Roman ›Tom Sawyers Abenteuer‹ (1876) und vor allem das als Fortsetzung geschriebene Buch ›Huckleberry Finns Abenteuer‹ (1884). Die Handlung besteht aus meist spannenden Erlebnissen der beiden Jungen, die immer zu Streichen aufgelegt sind. Ihrem Wunsch nach Freiheit stehen die festen Regeln der Gesellschaft gegenüber, ihrem Zusammengehörigkeitsgefühl und ihrer Opferbereitschaft die Verlogenheit, Heuchelei und Vorurteilsbefangenheit der Erwachsenen. Wie in an-

Mark Twain

deren seiner Werke gab Mark Twain in beiden Büchern Gespräche in der Umgangssprache wieder. Dieses neue und ungewöhnliche Stilmittel haben viele Schriftsteller von ihm übernommen. Vor allem aber zeichnen sich Mark Twains Werke durch seinen großen Humor und seine Spottlust aus.

Marktwirtschaft, Wirtschafts- und Gesellschaftsordnung, in der die Hersteller und die Käufer von Gütern frei über Erzeugung und Verbrauch entscheiden können und in der der →Markt die Höhe der Güterpreise bestimmt. Im Gegensatz dazu steht die →Planwirtschaft.

In der Marktwirtschaft, besonders in ihrer reinsten Form, der **freien Marktwirtschaft,** werden staatliche Eingriffe in den Wirtschaftsablauf weitgehend abgelehnt. Der Staat soll lediglich die Funktionsfähigkeit des Marktes gewährleisten, das heißt die Freiheit der Konsum- und Arbeitsplatzwahl, den freien Marktzutritt und das Privateigentum garantieren und für die Sicherheit und den Schutz der Bürger sorgen.

In der Bundesrepublik Deutschland herrscht eine Ordnung der **Sozialen Marktwirtschaft,** die den Markt in all den Bereichen sich selbst überläßt, wo es nicht zu Ungerechtigkeiten, Unsicherheiten oder Spannungen unter den Bürgern kommt. Der Staat greift nur bei unerwünschten Marktergebnissen (z. B. Gefährdungen des freien Wettbewerbs) in das Wirtschaftsgeschehen ein und hilft den wirtschaftlich Schwachen (z. B. alten Menschen und Behinderten). Außerdem versucht der Staat, das allgemeine Wirtschaftsgeschehen dahingehend zu beeinflussen, daß möglichst viele Menschen einen sicheren Arbeitsplatz haben. Nach der Wiedervereinigung ist die Einführung der Marktwirtschaft in den neuen Bundesländern zu einer wichtigen politischen Aufgabe geworden.

Marmarameer, türkisches Binnenmeer, das durch den Bosporus mit dem Schwarzen Meer, durch die Dardanellen mit dem Ägäischen Meer verbunden ist. Das Marmarameer ist 280 km lang, bis zu 80 km breit und bis 1 355 m tief.

Marmor [griechisch ‹Felsblock‹], eine polierfähige und daher bautechnisch besonders geschätzte Form des Kalksteins. Marmor im gesteinskundlichen Sinn ist ein durch Druck und Temperatur umgewandelter kristallisierter Kalkstein. Durch Verunreinigungen von Kohlenstoff kann Marmor flecken- oder linienhaft grau oder schwarz, von Eisenverbindungen gelb, rot oder braun verfärbt sein. Als Material für Bildhauer und in der Baukunst ist Marmor sehr begehrt.

Marokko

Staatswappen

Staatsflagge

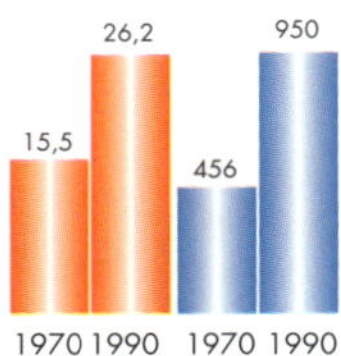

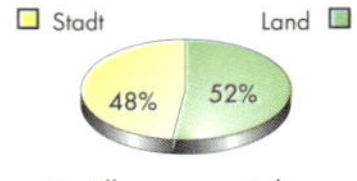

Bevölkerungsverteilung 1990

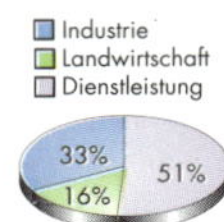

Bruttoinlandsprodukt 1990

Marne [marn], rechter Nebenfluß der Sein
Der 525 km lange, teilweise schiffbare Fluß en
springt auf dem Plateau von Langres nordwes
lich von Dijon, durchfließt im weiten Bogen di
Champagne und mündet bei Paris in die Sein
Das Kanalsystem der Marne hat Verbindunge
zur Maas und zum Rhein (Rhein-Marne-Kana
und zur Saône (Marne-Saône-Kanal).

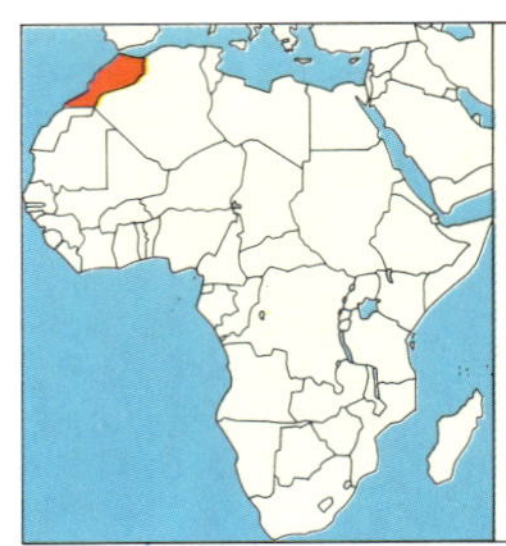

Marokko

Fläche: 458 730 km²
Bevölkerung: 26,2 Mill. E
Hauptstadt: Rabat
Amtssprache: Arabisch
Staatsreligion: Islam
Nationalfeiertage: 3. März, 14. August
Währung: 1 Dirham (DH) = 100 Centimes (c)
Zeitzone: MEZ – 1 Stunde

Marokko, ein Königreich in Nordwestafrik
etwa so groß wie Schweden. Es erstreckt sich süd
lich der Straße von Gibraltar bis auf die Höhe de
Kanarischen Inseln. Der größte Teil des Lande
wird von den Gebirgsketten des Atlas eingenom
men, an die sich nach Südosten die Sahara an
schließt. Im Osten leiten Hochflächen nach Alge
rien über, im Nordwesten fällt ein Tafelland stu
fenweise zur Küstenebene ab. Im Westen grenz
Marokko an den Atlantischen Ozean, im Norde
an das Mittelmeer. Das mittelmeerische Klim
bringt Winterregen, in Höhenlagen auch Schnee
Südlich der Gebirge herrscht das Wüstenklim
der Sahara. Mehr als ⅓ der Einwohner stamme
von Berbern ab, über die Hälfte sind Araber. Nu
noch wenige Vollnomaden leben im Land. Wich
tigste Städte sind Casablanca, Rabat, Fès, Marra
kesch, Tanger. Eine ertragreiche Landwirtschaf
produziert Getreide, Oliven, Citrusfrüchte, Dat
teln, Wein, Gemüse, Baumwolle und Zuckerrü
ben. Im Gebirge und auf den Hochflächen wir
Viehzucht betrieben. An Bodenschätzen ist vo
allem Phosphat von Bedeutung. Neben der viel
fältigen Industrie spielt der Fremdenverkehr ein
Rolle. – Das Land kam um 700 unter arabisch
Herrschaft. Seit 1904 beanspruchte Frankreic
die Vormachtstellung in Marokko. 1956 wurd
das Land unabhängig. (KARTE Seite 194)

Marone, Frucht der Edelkastanie (→Kasta
nie).

Maronenpilz, ein →Pilz.

Mars, **1)** bei den Römern der Gott des Krie
ges, im griechischen Götterglauben entsprich

hm **Ares.** Mars war aber gleichzeitig auch Beschützer der Felder, der Feldpflanzen und ihres Vachstums. Eine Reihe von Festen im Monat Martius‹, dem Beginn der Wachstumszeit, waen dem Mars geweiht. Unser Monatsname März rinnert noch daran.

2) Astronomie: von der Sonne her gesehen der vierte Planet unseres Sonnensystems; er gehört zu den erdähnlichen Planeten. Er hat einen Äquatordurchmesser von etwa 6788,6 km (das eißt etwa die Hälfte des Erddurchmessers) und umkreist die Sonne in einer durchschnittlichen Entfernung von rund 228 Millionen km innerhalb von rund 687 Tagen (= 1 Marsjahr); seine Rotationszeit beträgt rund 24 Stunden 37 Minuen. Der Mars ist außer der Erde der am besten erforschte Planet. Da seine Umdrehungsachse etwa genauso schräg auf der Bahnebene steht wie die der Erde, gibt es auf ihm wie bei uns Jahreszeiten, die allerdings fast doppelt so lang sind wie auf der Erde. Zwei Monde, **Phobos** und **Deimos,** mit mittlerem Durchmesser von rund 23 km und 13 km, umkreisen den Mars. Die Umlaufzeit beträgt für Phobos 7 Stunden 39 Minuten, für Deimos 30 Stunden 18 Minuten. Die **Marsatmosphäre** besteht aus etwa 95% Kohlendioxid, 2,7% Stickstoff und 1,6% Argon; Wasserdampf und Sauerstoff gibt es nur in geringen Mengen. Die Marsatmosphäre ist am Boden so dünn wie die Erdatmosphäre in 35 km Höhe. Dies bedeutet, daß die Temperatur im Marssommer in Äquatornähe zwar tagsüber bis auf + 20 °C ansteigt, in der Nacht aber wieder auf − 85 °C abfällt, da die Sonnenwärme nicht gespeichert werden kann. Der Durchmesser der Polkappen, die aus gefrorenem Kohlendioxid (›Trockeneis‹) und Wassereis bestehen, schwankt im Rhythmus der Jahreszeiten. In ausgedehnten, rötlich leuchtenden Wüstengebieten (daher der ›rote Planet‹) toben heftige Staubstürme, besonders im Frühling. Vier dunkle Flecken erwiesen sich als 4 große Vulkane, von denen der größte, Olympus Mons, 26400 m hoch und an der Basis 600 km breit ist. Den vermeintlichen ›Marskanälen‹, deren Beobachtung 1877 von Giovanni Schiaparelli gemeldet wurde, liegt eine optische Täuschung zugrunde, wie die Funkbilder der amerikanischen Marssonden ›Mariner‹ zeigten. Allerdings fällt am Mars eine 4000 km lange, über 200 km breite und 6000 m tiefe Schlucht (Canyon Valles Marineris) auf, die fast 1/5 des Marsäquators ausmacht. Zu den Hauptaufgaben der beiden 1976 auf dem Mars gelandeten amerikanischen Vikingsonden gehörte die Suche nach einfachen Lebensformen auf dem Mars. Sie wurde in einem automatischen Minilaboratorium an Bord der Sonden durchgeführt, blieb jedoch erfolglos.

Mars: Oberfläche, photographiert von der Marssonde Viking 1 am 21. 7. 1976

Marsch, Mạrschland, das niedrige, bei Flut zum Teil unter dem Meeresspiegel gelegene Land an Flachküsten mit starken Gezeiten. Es wird an der Küste als **Seemarsch,** an Flußmündungen als **Flußmarsch** bezeichnet. Die Marsch ist wegen ihres fruchtbaren Bodens meist durch Deiche geschützt. Zum Wattenmeer hin wird sie durch Kanäle entwässert, die durch Schleusentore (Siele) in den Deichen vor dem Eindringen der Flut geschützt sind.

Marseille [marsẹj], 880000, mit Vororten 1,1 Millionen Einwohner, Stadt nahe der Rhône-Mündung mit dem größten Mittelmeerhafen Frankreichs. Das um 600 v. Chr. von den Griechen gegründete **Massalia** wurde früh eine blühende Handelsstadt; heute befinden sich zahlreiche Industrieniederlassungen, wissenschaftliche und kulturelle Einrichtungen in Marseille. Nach dem Namen der Stadt ist auch die französische Nationalhymne benannt: 1792 wurde die **Marseillaise** als Revolutions- und Freiheitslied von einem Marseiller Freiwilligenbataillon beim Einzug in Paris gesungen.

Marshall-Inseln [mạhschell-], Inselgruppe im Pazifischen Ozean im östlichen Teil Mikronesiens. Die Gruppe besteht aus 2 Reihen langgestreckter Atolle und über 800 weiteren kleinen Inseln. Auf insgesamt 180 km^2 leben etwa 27000 Einwohner. Auf den Inseln werden hauptsächlich Kokospalmen und Bananen angebaut.

Die Marshall-Inseln wurden 1529 von den Spaniern entdeckt und 1788 von dem Engländer John Marshall genauer erforscht. 1884 wurden sie deutsches Schutzgebiet, 1920 japanisches

Mandatsgebiet. Nach dem Zweiten Weltkrieg kamen die Inseln an die USA, die in diesem Gebiet Kernwaffenversuche durchführten. 1986 erhielten die Inseln im Rahmen einer Assoziierung mit den USA die Selbstverwaltung; seit 1990 formal unabhängig.

Martinique [martinik], die zweitgrößte Insel der Kleinen Antillen; sie bildet ein Übersee-Département Frankreichs. Die dichtbesiedelte Insel (308 000 Einwohner, etwa 335 Einwohner je km²) ist gebirgig und vulkanisch. Der höchste Gipfel ist der 1 397 m hohe Vulkan Montagne Pelée, dessen Ausbruch vom 8. Mai 1902 die damalige Hauptstadt Saint-Pierre vernichtete.

Martin von Tours [-tuhr], * um 316/317, † 397, einer der volkstümlichsten Heiligen. Nach seinem Militärdienst empfing der Sohn eines römischen Tribuns die Taufe und gründete 361 bei Poitiers das erste Kloster Galliens. Gegen seinen Willen wurde er von den Priestern und der Bevölkerung der Stadt Tours zum Bischof gewählt. Bedeutung erlangte er durch seine Missionstätigkeit im heidnischen Gallien, seine Grundlegung des abendländischen Mönchtums, seinen Gerechtigkeitssinn und die Sorge um die Armen. Daran erinnern die Legenden und Bräuche rund um den Martinstag am 11. November. Am Vorabend oder Abend finden vielerorts **Martinszüge** statt, an denen die Kinder mit ihren **Martinslaternen** teilnehmen. Die Lieder und das **Martinsspiel** erzählen davon, wie Martin als Reitersoldat einen Bettler vor dem Erfrieren rettete, indem er seinen Mantel mit ihm teilte.

Karl Marx

Märtyrer [zu griechisch martyr ›Zeuge‹], christlicher Blutzeuge, also ein Christ, der trotz Verfolgung an seinem Glauben festhält und für ihn sogar den Tod erleidet. Ursprünglich war die Bedeutung enger gefaßt: Märtyrer waren die unmittelbaren Zeugen des Lebens Jesu. Heute nennt man so im weiteren Sinn jeden Menschen, der wegen seiner Gewissensüberzeugung leidet oder getötet wird.

Marx. Der Philosoph und Gesellschaftskritiker **Karl Marx** (* 1818, † 1883) ist mit Friedrich → Engels der Begründer des → Marxismus. Nach dem Studium der Rechtswissenschaften und Philosophie in Bonn und Berlin wurde er Mitarbeiter, später Chefredakteur der linksliberalen ›Rheinischen Zeitung‹. Er wandte sich zunächst der Philosophie Hegels zu, vollzog aber dann von ihr aus den Schritt zum revolutionären Sozialismus. Von staatlichen Behörden häufig ausgewiesen, führte er zwischen 1843 und 1849 ein rastloses Leben, bis er nach Aufenthalten in Paris, Brüssel und Köln London zu seinem ständigen Wohnsitz machte.

Mit Engels, den er in Paris kennengelernt hatte und mit dem ihn eine lebenslange Freundschaft verband, verfaßte er im Auftrag des Bundes der Kommunisten das →Kommunistische Manifest. Beide kritisierten darin nicht einzelne gesellschaftliche Mißstände der entstehenden industriellen Gesellschaft (Arbeitslosigkeit, geringer Verdienst und elende Lebensbedingungen der Arbeiter), sondern die gesamte Gesellschaftsordnung. Sie riefen die Arbeiter, die ›Proletarier aller Länder‹, zur Revolution und zur Ersetzung des →Kapitalismus durch eine sozialistische Gesellschaftsordnung auf, die in einer klassenlosen Gesellschaft ihre Erfüllung finden sollte. In London entstand sein Lebenswerk **›Das Kapital‹.** In ihm legt er seine Auffassung dar, daß sich die Geschichte der Menschheit nach bestimmten Entwicklungsgesetzen vollziehe. Mit seinem Werk übte Marx nachhaltigen Einfluß auf die Entwicklung des Sozialismus aus.

Marxismus, Sammelbezeichnung für die Lehren von Karl →Marx und Friedrich →Engels. Sie sind vor allem im →Kommunistischen Manifest und im Hauptwerk von Karl Marx ›Das Kapital‹ niedergeschrieben. Der Marxismus versteht sich nicht allein als Wissenschaft, sondern ganz besonders als Anleitung im Kampf um eine sozialistische Gesellschaftsordnung. Marx sagte ›Die Philosophen haben die Welt nur verschieden interpretiert (das heißt gedeutet), es kommt (aber) darauf an, sie zu verändern.‹

In seiner Deutung der Weltgeschichte übernahm Marx vom Philosophen **Hegel** das ›dialektische Prinzip‹. Dies besagt, daß sich die Geschichte der Menschheit aus dem Kampf von Gegensätzen vorwärtsentwickelt, die sich dann auf einer höheren Ebene gegenseitig aufheben und gleichzeitig eine neue Entwicklungsstufe darstellen. Nach Marx sind die unüberbrückbaren Gegensätze zwischen den **Klassen** (das sind feste soziale Gruppen) und ihr Kampf gegeneinander der **Klassenkampf,** das eigentliche Entwicklungsgesetz der Menschheitsgeschichte. ›Die Geschichte ist‹, so sagt Marx, ›eine Geschichte von Klassenkämpfen‹. Dabei stünden sich auf den einzelnen Entwicklungsstufen jeweils eine herrschende Klasse, die über die zum Leben und Arbeiten notwendigen Produktionsmittel verfüge, und unterdrückte Klassen gegenüber, die in ihren Lebensbedingungen von diesen Produktionsmitteln abhängig seien. Mit dem Sieg der unterdrückten Klassen über die jeweils herrschende Klasse durch eine **Revolution** erreiche die Geschichte der Menschheit oder eines Teils von ihr (z. B. eines Volkes) eine höhere gesellschaftliche Entwicklungsstufe. So bewege sich die Geschichte von der **Urgesellschaft** über die **Sklavenhaltergesellschaft** zum **Feudalismus** (bestimmt z. B. von Vorrechten des Adels gegenüber dem ihm persönlich verpflichteten Bauern) und zum →Kapitalismus im Industriezeitalter. Mit dem Sieg des Proletariats (→Proletarier) über die Bourgeoisie (Bürgertum), der führenden Klasse des Kapitalismus, beginne die Phase des **Sozialismus.** Um den Sieg über die Bourgeoisie zu sichern und die Entwicklung zur **klassenlosen Gesellschaft** einzuleiten, müsse das Proletariat eine Diktatur in Staat und Gesellschaft ausüben **(Diktatur des Proletariats).**

Die wirtschaftlichen Bedingungen sind nach Marx die **Basis,** die Grundlage, der Gesellschaft; Recht, Politik, Religion und Philosophie, Kunst bilden den **Überbau** der Gesellschaft und hängen in ihrem Wesen von der Basis ab.

Jeder Mensch, sagt Marx, verwirkliche sich als Mensch durch Arbeit. Dieses sei jedoch dem Lohnarbeiter im Kapitalismus nicht möglich, da er nicht Eigentümer der Güter und Waren sei, die er herstelle; er sei daher dem Produkt, dem Ergebnis, seiner eigenen Arbeit **entfremdet.** Nur durch die **Enteignung der Kapitalbesitzer** (z. B. Fabrikbesitzer, Bankgesellschaften) in einer Revolution könne dieser Mißstand beseitigt werden.

Da die Zahl der Arbeitskräfte immer größer, die Konkurrenz der Arbeiter untereinander um Arbeitsplatz und Lohn immer stärker werde, werde die **Verelendung des Proletariats** zunehmen.

Im Zentrum der Marxschen Kritik am Kapitalismus steht die Lehre vom **Mehrwert:** Der Arbeiter müsse seine Arbeitskraft wie eine Ware verkaufen. Zwischen dem Preis (Lohn), den der Unternehmer ihm für seine Arbeit zahle, und dem Preis (Erlös), den der Unternehmer für Waren, die der Arbeiter hergestellt hat, erziele, sei ein Unterschied: der Mehrwert. Diesen Mehrwert nehme der Kapitalbesitzer für sich als seinen **Profit** in Anspruch. Durch die Revolution komme der Arbeiter im Rahmen der sozialistischen Gesellschaft nun seinerseits in den Genuß des Mehrwerts.

Nach Marx und Engels haben besonders →Lenin, →Stalin, →Trotzkij und →Mao Tse-tung den Marxismus weiterentwickelt.

Masern, eine durch ein →Virus hervorgerufene →ansteckende Krankheit, die überwiegend im Kindesalter vorkommt. Sie beginnt mit Fieber, Schnupfen, Angina und Augenbindehautentzündung (Lichtscheu). An der Wangenschleimhaut, gegenüber den unteren Backenzähnen, bilden sich weiße Flecken. Nach 3 Tagen fällt das Fieber ab und steigt erneut an mit dem Auftreten des typischen Hautausschlags, der hinter den Ohren beginnend kleinfleckig, hellrot sich über das Gesicht und den ganzen Körper ausbreitet.

Maskulinum, männliches →Genus.

Masse ist eine Grundeigenschaft der Materie. Die durch Wägung bestimmte Masse bezeichnet man auch als →Gewicht. Die SI-Einheit der Masse ist das →Kilogramm (kg). 1 kg = 1 000 g (Gramm) = 1 000 000 mg (Milligramm). Eine weitere gesetzliche Einheit (→Einheiten) der Masse ist die Tonne (t): 1 t = 1 000 kg.

Die **Massenanziehung** (→Gravitation) von Körpern ist z. B. zu beobachten, wenn Gegenstände, die wir loslassen, zur Erde fallen. Nicht nur die Erde, sondern z. B. auch der Mond zieht Körper an, die sich in seiner Nähe befinden. Die Anziehungskraft beträgt aber nur etwa den sechsten Teil der Anziehungskraft auf der Erde. Ein Astronaut fühlt sich deshalb auf dem Mond leichter und kann dort viel höher springen als auf der Erde. Die Masse eines Körpers, der von der Erde zum Mond gebracht wird, verändert sich nicht. Die Masse eines Körpers ist eine ortsunabhängige Größe.

Maße, Maßeinheiten, veraltet für →Einheiten, ÜBERSICHTEN.

Massenmedien, →Medien.

Maßstab. Auf einer Wanderkarte beträgt die Entfernung des Ortes A vom Ort B 15 cm. Um auf die tatsächliche Entfernung schließen zu können, steht auf der Karte die Angabe 1 : 50 000. Diese Angabe nennt man den **Maßstab** der Karte. Der Maßstab besagt, daß 1 cm auf der Karte 50 000 cm = 500 m in der Natur entsprechen. Somit beträgt die wirkliche Entfernung des Ortes A vom Ort B $15 \cdot 500\,\text{m} = 7\,500\,\text{m} = 7{,}5\,\text{km}$.

Ein Maßstab gibt das Längenverhältnis von Strecken auf bildlichen Darstellungen gegenüber ihrer wirklichen Länge an.

Auch Längenmeßgeräte, z. B. Lineale oder Bandmaße, werden häufig als Maßstäbe bezeichnet.

Masturbation, Onanie, geschlechtliche Selbstbefriedigung durch Reiben der erregbaren Zonen im Bereich der äußeren Geschlechtsorgane. In der Pubertät kommt die Masturbation recht häufig als vorübergehende Erscheinung in der Entwicklung zur reifen Sexualität vor.

Materialismus [zu lateinisch materia ›Stoff‹], Weltanschauung, die in der ersten Hälfte des 18. Jahrh. in Deutschland, England und Frankreich entstand und im 19. Jahrh. durch Marx und Engels, die Begründer des Kommunismus, weiterentwickelt wurde.

Im Materialismus gelten nur solche Dinge als wirklich vorhanden, die man sehen, messen oder anfassen kann. Was nicht auf Materielles zurückgeführt werden kann (z. B. Gott, Seele, Freiheit), gilt als Einbildung oder Trugbild. Marx und Engels lehrten beispielsweise, daß Kunst, Religion und Politik, also der ›gesellschaftliche Überbau‹, wie sie sagen, vollständig bestimmt (›unterbaut‹) werde durch die wirtschaftlichen Verhältnisse der Menschen. Nach ihrer Sicht ist die Religion, ist Gott nichts weiter als eine nützliche Erfindung der ›herrschenden Klasse‹, um die Mehrzahl der arbeitenden Menschen davon abzuhalten, sich wirkungsvoll gegen Ausbeutung und wirtschaftliche Not zu wehren.

Umgangssprachlich bezeichnet man als ›Materialisten‹ Menschen, die nur materielle Dinge interessieren und die gegenüber moralischen Forderungen oder übergreifenden Ideen (z. B. soziale Gerechtigkeit, Friedenssicherung) gleichgültig sind.

Mathematik [zu griechisch mathema ›Wissenschaft‹], die Wissenschaft, die aus den praktischen Aufgaben des Messens und Rechnens entstand. Sie beschäftigt sich mit Verknüpfungen und Eigenschaften von Zahlen und Figuren. Heute ist, besonders unter dem Einfluß der →Mengenlehre, unter Mathematik die Wissenschaft von den abstrakten Strukturen zu verstehen. Dabei werden aus Grundannahmen, den ›Axiomen‹, logische Folgerungen (mathematische Sätze) gezogen.

Die Mathematik kann in reine und angewandte Mathematik unterteilt werden. Zur **reinen Mathematik** gehören z. B. die →Algebra, die →Geometrie und die Mengenlehre. Die **angewandte Mathematik** benutzt die Ergebnisse der reinen Mathematik, um die Zusammenhänge zwischen praktisch ermittelten Erkenntnissen aufzuklären und sie nutzbringend anzuwenden. Zur angewandten Mathematik gehören z. B. die Wahrscheinlichkeitsrechnung, die Statistik und die numerische Mathematik. Es ist allerdings schwierig, die Teilgebiete der Mathematik klar voneinander abzugrenzen und zwischen reiner und angewandter Mathematik zu unterscheiden. Für alle Zweige der Naturwissenschaften, so etwa für die Physik, die Chemie oder die Astronomie, bildet die Mathematik die wichtigste Grundlage.

Maulbeerbäume: Schwarze Maulbeere

Eine bedeutende Erweiterung der mathematischen Arbeitsweise besonders in der angewandten Mathematik gelang durch die Entwicklung des Computers, da nun Probleme berechnet werden konnten, die bisher wegen des großen zeitlichen Aufwandes nicht lösbar waren. So wäre z. B. die Landung auf dem Mond ohne Einsatz von Computern, die die Raketenbahn ausrechneten, nicht möglich gewesen.

Geschichte. Schon die Babylonier und die Ägypter besaßen erste mathematische Kenntnisse. Viele theoretische Fortschritte brachten die Griechen. Euklid (* um 365, † um 300 v. Chr.) faßte die mathematischen Erkenntnisse seiner Zeit in 13 Büchern, den ›Elementen‹, zusammen. Sein Aufbau der Geometrie auf Axiomen war richtungweisend für die weitere Entwicklung der Mathematik. Von den Indern stammt die Dezimaldarstellung der Zahlen. Im Mittelalter haben vor allem die Araber die Mathematik durch die Weiterentwicklung von Rechentechniken gefördert. Außerdem wurden durch sie die Ergebnisse der babylonischen und griechischen Mathematik in Europa bekannt. Hier setzte dann im 15. Jahrh. eine Entwicklung ein, die zum raschen Aufbau der höheren Mathematik führte. Um die Wende des 16. zum 17. Jahrh. schuf Galileo Galilei (* 1564, † 1642), die heutige naturwissenschaftliche Methode unter Verwendung der Mathematik. Im 17. Jahrh. entwickelten der Engländer Isaac Newton (* 1643, † 1727) und Gottfried Wilhelm Leibniz (* 1646, † 1716) unabhängig voneinander die Analysis, die im Oberstufenunterricht der Schule behandelt wird. Einen gewaltigen Ausbau erfuhren die Entdeckungen von Newton und Leibniz durch den Mathematiker Leonhard Euler (* 1707, † 1783). Vor allem im 19. Jahrh. legten dann so bedeutende Mathematiker wie Carl Friedrich Gauß, Augustin Louis Cauchy, David Hilbert, Évariste Galois, Georg Friedrich Bernhard Riemann, Karl Weierstraß und Pierre Laplace die Grundlage der heutigen Mathematik. Die Weiterentwicklung nach dem 19. Jahrh. ist besonders durch das Zusammenwirken verschiedener Disziplinen bei der Erarbeitung neuer Gebiete und der Lösung konkreter Aufgaben gekennzeichnet.

mathematische Zeichen gehören zur Symbolsprache der Mathematik und sind vor allem Abkürzungen für immer wiederkehrende Relationen, Operationen, Zuordnungen, Abbildungen (Funktionen), Variable und Terme. (ÜBERSICHT Seite 265)

Matisse [matiß]. Der französische Maler **Henri Matisse** (* 1869, † 1954) war der Mittelpunkt einer Gruppe von Malern, die ›Fauves‹ (französisch ›Wilde‹) genannt wurden; ihre Stilrichtung **(Fauvismus)** stand dem Expressionismus nahe. Kennzeichnend für die Malweise von Matisse war, daß er alles Körperliche und Räumliche in leuchtende, reine Farbflächen ohne Licht- und Schattenmodellierung umsetzte, die er abgegrenzt gegeneinanderstellte. Die gemalten Gegenstände und Personen wurden bei ihm zu bloßen Farbträgern; wichtig war ihre dekorative Wirkung. Die Bezeichnung ›Wilde‹ kam wohl auf, weil sich die Lebhaftigkeit der Farben so steigerte, daß sie von den Kritikern als grell empfunden wurden. Der flächig-farbige Stil führte Matisse auch zur Wandmalerei, zu Scherenschnitt-Collagen und zur Gestaltung von Glasfenstern (Klosterkapelle Notre-Dame du Rosaire in Vence bei Nizza).

Matriarchat [zu griechisch mater ›Mutter‹ und arche ›Herrschaft‹], am Mutterrecht ausgerichtete Gesellschaftsform, bei der Frauen eine vorherrschende Rolle in der Familie sowie im wirtschaftlichen und politischen Bereich innehaben. In matriarchalischen Gesellschaftsordnungen, wie es sie heute noch z. B. auf Inseln vor der Westküste Afrikas gibt, ist eine Frau Oberhaupt der Familie und kann auch Führerin des Stammes oder Volkes sein. Frauen sind Besitzerinnen von Grund und Boden, über den sie nach freiem Ermessen verfügen. Elternpaar und Kinder leben bei der Großfamilie der Frau. Abstammung und Erbgang leiten sich **matrilinear,** also von der mütterlichen Abstammungslinie, her. Auch in Kultur und Religion (z. B. Verehrung von Muttergottheiten) spiegeln sich entsprechende Gesellschaftsverhältnisse. Einen Gegensatz zu dieser Gesellschaftsform bildet das →Patriarchat.

Matterhorn, 4478 m hoher Felsgipfel in den Walliser Alpen auf der Grenze zwischen der Schweiz und Italien. Die steile vierkantige Pyramide überragt die Umgebung um mehr als 1000 m. Das Matterhorn wurde erstmals 1865 von dem Engländer Whymper mit einer Seilschaft erstiegen. Vier seiner Begleiter fanden auf dem Rückweg den Tod.

Mauersegler, nahezu weltweit verbreitete Vögel mit schwarzem Gefieder, weißlichem ›Kinn‹ und einem kurzen gegabelten Schwanz. Sie ähneln in Aussehen und manchen Verhaltensweisen den →Schwalben, sind aber nicht mit ihnen verwandt. Mit ihren sehr langen, sichelförmigen Flügeln sausen Mauersegler pfeilschnell (weit über 100 km/h) durch die Luft. Dabei fangen sie mit ihrem kurzen Schnabel Insekten. Mit ihren schwachen Beinen und den nach vorn gerichteten Klammerzehen können sie nur sehr schlecht am Boden laufen und sich auch nicht auf einem Ast halten. So verbringen sie die meiste Zeit in der Luft. Viele schlafen, Gegenwindströmungen ausnutzend, und paaren sich in der Luft. Ihr Nest aus speichelverklebten Halmen und Federn bauen sie in Höhlungen und Nischen und auf Mauervorsprüngen von Gebäuden. Mauersegler sind Zugvögel, die sich nur von Ende April bis Anfang August in Deutschland aufhalten.

Mauersegler

Maulbeerbäume, Laubbäume mit kätzchenartigen Blüten, die vor allem in wärmeren Ländern wachsen. Die brombeerförmigen Früchte (Maulbeeren) der Schwarzen Maulbeere sind eßbar. Die Blätter der Weißen Maulbeere dienen als Futter für Seidenraupen (→Seide). BILD Seite 264.

Maulesel, Maultier, Kreuzungen zwischen →Esel und Pferd.

Maulwürfe, kleine →Säugetiere, die in unterirdischen Gängen leben, die sie mit ihren kräftigen schaufelartigen Vorderfüßen graben; dabei werfen sie die überflüssige Erde zu den bekannten Maulwurfshügeln auf. Maulwürfe sind ständig auf der Suche nach Nahrung, die sie mit ihrem feinen Geruchssinn aufspüren; Tasthaare erleichtern ihnen das Zurechtfinden in der dunklen Umgebung. Sie vertilgen schädliche Insekten,

Maulwurf

MATHEMATISCHE ZEICHEN

Relations- und Operationszeichen

Zeichen	Bedeutung
$=$	gleich
$\neq$	ungleich
$<$	kleiner
$>$	größer
$\leqq, \leq$	kleiner oder gleich
$\geqq, \geq$	größer oder gleich
$+$	plus
$-$	minus
$\cdot, \times$	mal
$:, /$	geteilt durch
$t \mid a$	t ist Teiler von a
a^n	n-te Potenz von a
$\sqrt[n]{a}$	n-te Wurzel von a
$\lvert a \rvert$	Betrag von a

mengentheoretische Zeichen

Zeichen	Bedeutung
$\in$	Element von
$\notin$	kein Element von
$\subset$	Teilmenge
$\not\subset$	nicht Teilmenge
$\cap$	Durchschnitt
$\cup$	Vereinigung
$\setminus$	Minuszeichen für Mengen
$A \times B$	Kreuzprodukt von A und B
$\emptyset, \{\}$	leere Menge
$\mathbb{N}$	Menge der natürlichen Zahlen
$\mathbb{Z}$	Menge der ganzen Zahlen
$\mathbb{Q}$	Menge der rationalen Zahlen
$\mathbb{R}$	Menge der reellen Zahlen
$\mathbb{C}$	Menge der komplexen Zahlen

logische Zeichen

Zeichen	Bedeutung
$\wedge$	und
$\vee$	oder
$\rightarrow, \Rightarrow$	wenn ..., dann
$\leftrightarrow, \Leftrightarrow$	genau dann, wenn
$\neg$	nicht
$\exists, \bigvee$	es existiert
$\forall, \bigwedge$	für alle
$A := B$	A ist durch B definiert

geometrische Zeichen

Zeichen	Bedeutung
$\parallel$	parallel
$\perp$	senkrecht
$\sim$	ähnlich
$\cong$	kongruent
$\sphericalangle$	Winkel
$\overline{AB}$	Strecke
$\lvert\overline{AB}\rvert$	Streckenlänge
$\overline{AB}$	Halbgerade
AB	Gerade

Mauritius

Staatswappen

Staatsflagge

vor allem Engerlinge und Schnecken, aber auch nützliche Regenwürmer. Maulwürfe kommen in verschiedenen Arten in Europa, Asien und Nordamerika vor. Der in Deutschland heimische Maulwurf mit samtartigem schwarzem Fell ist etwa so groß wie eine Ratte. Das Weibchen wirft jährlich 4–5 Junge; Maulwürfe werden 3–4 Jahre alt. Sie halten keinen Winterschlaf. Im Winter legen Maulwürfe als Nahrungsspeicher unterirdische, mit Beutetieren gefüllte Kammern in Nestnähe an.

Mauren [von griechisch amauros ›dunkel‹], heute nur noch selten gebrauchter Sammelname für die arabisch-berberische Bevölkerung von Teilen Nord- und Westafrikas. Die Römer nannten die → Berber **Mauri;** bei den Spaniern hießen die arabischen Eroberer der Iberischen Halbinsel **Mores.** Außerdem bezeichnet man die Bewohner Mauretaniens, eine Mischbevölkerung arabisch-berberischer Abkunft, als Mauren.

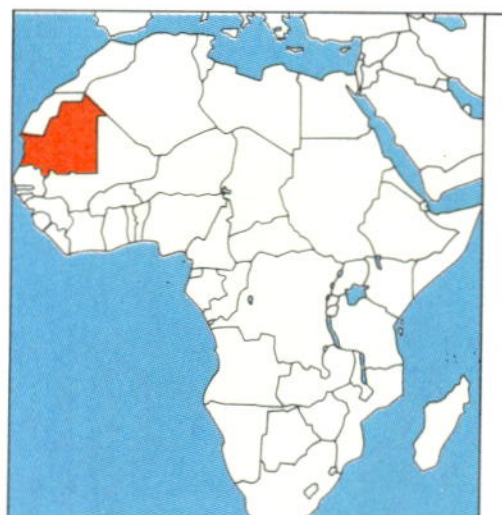

Mauretanien

Fläche: 1 030 700 km²
Bevölkerung: 2,04 Mill. E
Hauptstadt: Nouakchott
Amtssprachen: Arabisch, Französisch
Staatsreligion: Islam
Nationalfeiertag: 28. Nov.
Währung: 1 Ouguiya (UM) = 5 Khoums (KH)
Zeitzone: MEZ – 1 Stunde

Mauretanien

Staatswappen

Staatsflagge

Mauretanien, Republik in Westafrika, etwa dreimal so groß wie die Bundesrepublik Deutschland. Mauretanien ist zum größten Teil Wüste (Sahara), der Süden reicht in die Sahelzone hinein. Er ist am dichtesten besiedelt. Wichtig ist die Viehhaltung; sie wird im Norden von Nomaden betrieben. Fischfang gewinnt an Bedeutung. Der Bergbau spielt für die Wirtschaft des Landes die größte Rolle; Eisenerz macht mehr als ¾ der Ausfuhr aus. Mauretanien gehört zu den am dünnsten besiedelten Ländern der Erde. Es wurde 1960 von Frankreich unabhängig. (KARTE Seite 194)

Mauritius, Inselstaat im Indischen Ozean, 900 km östlich von Madagaskar. Das gebirgige Land mit tropischem Klima wird überwiegend von den Nachfahren indischer Plantagenarbeiter bewohnt. Wichtigster Wirtschaftszweig ist der Zuckerrohranbau für den Export. Auch der Fremdenverkehr spielt eine Rolle.

Die Inseln wurden im 16. Jahrh. von Portugiesen entdeckt. Im 18. Jahrh. französisches Gebiet, wurden sie 1810 britische Kolonie und 1968 selbständige Republik. (KARTE Seite 194).

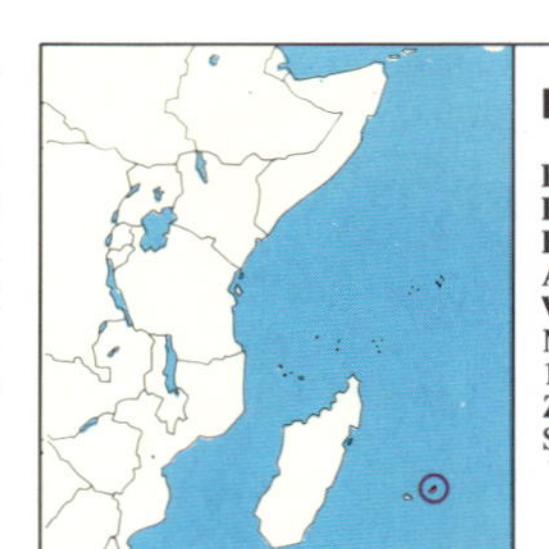

Mauritius

Fläche: 2 045 km²
Bevölkerung: 1,14 Mill. E
Hauptstadt: Port Louis
Amtssprache: Englisch
Währung: 1 Mauritius-Rupie (MR) = 100 Cents (c)
Zeitzone: MEZ + 3 Stunden

Mäuse, weltweit verbreitete kleine → Nagetiere, die sich schnell vermehren. Die bräunliche **Feldmaus** hat eine stumpfe Schnauze, sehr kleine Ohren und einen kurzen Schwanz. Sie lebt auf Äckern und Wiesen in unterirdischen Gängen und Höhlen, wo das Weibchen 4mal im Jahr 6–8 Junge wirft. Die aschgraue **Hausmaus** (etwa 18 cm lang, davon die Hälfte Schwanz) hat eine spitze Schnauze, große Ohren und einen langen Schwanz; 3–4mal im Jahr bringt das Weibchen 6–13 Junge zur Welt. Hausmäuse leben in der Nähe von Menschen und ernähren sich hauptsächlich von Abfällen. Zu den kleinsten Mäusen gehört die in ganz Europa verbreitete **Zwergmaus** (mit Schwanz 10–14 cm lang, 5–8 Gramm schwer); sie ist eines der kleinsten einheimischen Säugetiere. Vorwiegend in Getreidefeldern baut sie aus Pflanzenteilen ihr kunstvolles Nest; mit ihrem Greifschwanz kann sie gut klettern.

Weiße Mäuse sind für Tierversuche gezüchtete Hausmäuse; ihnen fehlt der Farbstoff (das Pigment) in der Haut (→ Albinismus). Sie werden häufig im Käfig in der Wohnung gehalten.

Nahe Verwandte der Hausmäuse sind die **Ratten,** die auf dem Schwanz bis zu 270 Schuppenringe tragen. Sie haben ähnliche Lebensgewohnheiten wie Mäuse, sind aber erheblich größer (die Wanderratte ist noch größer und kräftiger als die Hausratte) und richten auch größeren Schaden an. Besonders in den Ländern der Dritten Welt sind sie gefürchtete Schädlinge an Baumwolle, Getreide, Zuckerrohr und Sojabohnen. Außerdem können Ratten gefährliche Krankheiten übertragen, z. B. die Pest. Verwandt sind unter anderen die → Bisamratten und die → Lemminge. (BILDER Seite 267)

Mauser, der Federwechsel von Vögeln. Das Einsetzen der Mauser wird durch Licht, Temperatur und Nahrungsangebot, die anscheinend

Mäuse: LINKS Hausmaus, MITTE Waldmaus, RECHTS Zwergmaus

Wirkung auf den Hormonhaushalt haben, beeinflußt. Häufigkeit und Zeitpunkt der Mauser sind von Art zu Art sehr verschieden. Sicher ist, daß pro Fortpflanzungszyklus (Paarung–Brut–Ruhezeit–Paarung) eine zumindest teilweise Mauser stattfindet. Die meisten Vögel bleiben während der Mauser flugfähig. Nur einige Wasservögel (Enten, Gänse, Schwäne) werfen alle Schwungfedern gleichzeitig ab und verbergen sich im Sumpfdickicht, bis die Federn wieder nachgewachsen sind.

Mausoleum, ein monumentales Grabmal. Die Bezeichnung geht auf das Grabmal des Herrschers Mausolos (377–355 v. Chr.) in Halikarnassos an der Südwestküste Kleinasiens zurück, das als eines der →Sieben Weltwunder galt.

Maut [von gotisch mota ›Zoll‹], seit dem Mittelalter allgemein Bezeichnung für Zoll und Wegegeld; auch die Zollstelle wurde Maut genannt. Im 18./19. Jahrh. wurde die Maut im Innern der Länder wegen der verkehrsbehindernden Wirkung meist aufgehoben. Im Süden des deutschsprachigen Raums wird der Begriff in diesem Sinn zum Teil noch heute verwendet, vor allem auch für gebührenpflichtige Straßen **(Mautstraßen).** Auch in anderen Ländern (z. B. Schweiz, Frankreich, Italien, USA) ist die Benutzung der Schnellstraßen, meistens der Autobahnen, gebührenpflichtig.

Maximilian I. Der vielseitig gebildete Sohn Kaiser Friedrichs III., **Maximilian** (* 1459, † 1519), wurde 1486 zum König gewählt und folgte seinem Vater 1493 auf dem Thron. 1508 nahm er als erster deutscher König den Kaisertitel ohne Krönung an. Seine Regentschaft fiel in eine Zeit des innen- und außenpolitischen Umbruchs. Um eine Unterstützung des Reichs für seine außenpolitischen Unternehmungen zu erlangen, gab Maximilian auf den Reichstagen zu Worms (1495) und Augsburg (1500) den Forderungen der Reichsstände nach. Ein vom Kaiser unabhängiges **Reichskammergericht** wurde eingerichtet, der **Ewige Landfriede** (zur Beendigung privater Fehden) geschlossen; das Reich wurde in 6 (später 10) Kreise eingeteilt. Das **Reichsregiment,** ein ständiger Ausschuß zur Überwachung des Kaisers, bestand nur wenige Jahre.

Durch seine Heirat mit Maria von Burgund erwarb Maximilian Anspruch auf alle burgundischen Besitzungen, doch konnte er letztlich nur den Artois und die Freigrafschaft Burgund halten. Sein Krieg gegen die Schweizer Eidgenossen führte zur Loslösung der Schweiz vom Reich. – Das Haus Habsburg erhob er durch eine kluge Heiratspolitik zur mächtigsten Dynastie Europas. Er sicherte die habsburgische Erbfolge in Böhmen und Ungarn und setzte Erbansprüche in Spanien durch.

Kaiser Maximilian I.

Maximilian, der wegen seiner vollendeten Beherrschung der ritterlichen Künste und Fertigkeiten **›der letzte Ritter‹** genannt wurde, schuf das

Mäuse: Ratten; LINKS Wanderratte, RECHTS Hausratte

Karl May

neue Fußvolk der Landsknechte, vervollkommnete das Geschützwesen. Als Freund der schönen Künste förderte er Kunst und Wissenschaften, wobei er sich selbst als Schriftsteller versuchte.

May. Wohl jeder verbindet mit dem Namen des deutschen Schriftstellers **Karl May** (* 1842, † 1912) die spannenden, wildromantischen Reiseerzählungen wie ›Durchs wilde Kurdistan‹ (1892), ›Der Schatz im Silbersee‹ (1894) oder ›Old Surehand‹ (3 Bände 1894–96). Viele von ihnen spielen unter den Indianerstämmen Nordamerikas. Auch der Vordere Orient ist Schauplatz einiger Bücher, in denen die Abenteuer Kara Ben Nemsis und Hadschi Halef Omars beschrieben werden. May versuchte, ›Edelmenschen‹ als Leitbilder vorzustellen, z. B. den Indianer Winnetou oder den weißen Trapper Old Shatterhand. Er trat für Vaterlandsliebe, Christentum, Menschlichkeit und Naturliebe ein. In seinen Erzählungen siegt das Gute stets über das Böse. Gekennzeichnet sind seine Werke auch von einer schwärmerischen Heldenverehrung und der Schwarzweißzeichnung der Charaktere. Meist schrieb May seine Bücher in der Ich-Form, um den Eindruck des Selbsterlebten hervorzurufen. Doch erst nach Erscheinen vieler seiner Bücher besuchte May 1899 den Orient, 1908 dann Amerika. Nicht von eigenen Reisen, sondern aus Büchern hatte er sein Wissen über die fernen Länder bezogen. Seine Phantasie und sein Talent, spannend zu erzählen und die fremden Landschaften und ihre Menschen anschaulich zu schildern, machten May zu einem der meistgelesenen deutschen Schriftsteller. Aus dem ehemaligen Lehrer, der aus finanzieller Not Diebstähle und Betrügereien begangen hatte und insgesamt sieben Jahre im Gefängnis saß, wurde ein wohlhabender und angesehener Mann. Jährlich finden in Bad Segeberg (Holstein) und Elspe (Sauerland) Karl-May-Festspiele statt. In Bamberg gibt es ein Karl-May-Museum.

Maya, indianisches Volk, dessen verschiedene Stämme und sprachlich-kulturelle Untergruppen in Mexiko, Guatemala, Belize, El Salvador und Honduras leben. In Guatemala stellen sie den größten Bevölkerungsteil. Ihre Gesamtzahl beträgt über 2 Millionen.

Geschichte. Die frühesten Funde, die den Maya zugeordnet werden können, stammen aus der Zeit um 2000 v. Chr. Eine erste Blütezeit der Maya-Kultur lag zwischen 300 und 900 n. Chr. Danach wurden die meisten religiösen Zentren von den Maya verlassen und zum Teil zerstört; ob dabei klimatische, innen- oder außenpolitische Gründe die Hauptrolle spielten, ist bis heute nicht bekannt. Ein neuer Aufschwung läßt sich um 1000 mit der Entwicklung der Stadt **Chichén Itzá** belegen. Nach ihrem Niedergang bestand mit der **Liga von Mayapán** 250 Jahre lang der einzige größere Staatsverband in der Geschichte der Maya. Mit zunehmenden kriegerischen Auseinandersetzungen ging ein deutliches Absinken ihrer Kultur einher. Schließlich eroberten die Spanier im 16./17. Jahrh. die verschiedenen Stadt- und Kleinstaaten der Maya. – In der Maya-Gesellschaft gab es mehrere soziale Schichten, an der Spitze Adlige und Priester, dann Handwerker, Bauern, schließlich Sklaven.

Die Wirtschaft der Maya gründete sich vor allem auf Erzeugnisse des Ackerbaus wie Mais und Gemüse, Baumwolle und Kakao, wobei letzterer als Währung diente. Metallwerkzeuge, Töpferscheibe, Last- oder Zugtiere sowie das Rad waren noch unbekannt, jedoch standen Wissenschaft und Kultur (z. B. Malerei, Bildhauerei und Architektur) auf einer hohen Stufe. Zahlen sowie Zeichen einer Bilderschrift, die bis heute noch nicht vollständig entziffert ist, wurden schon benutzt. Man fertigte genaue Kalender an und führte astronomische Berechnungen durch; mit Hilfe der Null und unter Berücksichtigung des Zahlenstellenwertes konnte mit sehr großen Zahlen gerechnet werden. In der Religion gab es eine Vielzahl von Göttern; Menschenopfer spielten bei ihrer Verehrung, anders als bei anderen mittelamerikanischen Völkern, keine große Rolle.

In der heutigen lateinamerikanischen Bauernkultur der Maya hat die Hochkultur ihrer Vorfahren kaum Spuren hinterlassen; die heute noch gepflegten indianischen Überlieferungen gehen vermutlich auf die noch nicht ganz erforschte Kultur der bäuerlichen Unterschicht zurück.

Mayotte [majọtt], Insel der → Komoren. Als diese 1977 unabhängig wurden, wurde Mayotte zu einem Übersee-Département → Frankreichs.

MAZ, Abkürzung für die **m**agnetische Bild**a**uf**z**eichnung beim Fernsehen. Die in der Aufnahmekamera erzeugten elektrischen Signale werden einer Magnetbandmaschine zugeführt, die die Signale auf Band speichert.

Mazedọnien, → Makedonien.

McKinley, Mount McKinley [maunt mekịnli], mit 6 193 m der höchste Berg Nordamerikas. Der zur Alaskakette zählende Berg liegt im Staat Alaska, USA. Nach ihm ist der gleichnamige Nationalpark benannt.

Mechạnik [zu griechisch mechane ›Werkzeug‹], das älteste Teilgebiet der Physik. Die Griechen des Altertums glaubten, daß jemand, der z. B. mit Hilfe eines → Hebels mühelos Lasten bewegt, die Natur überlistet. Sie waren sogar der Ansicht, man könne die Natur ausschließlich durch reines Nachdenken, niemals jedoch mit Hilfe eines Instruments erkennen. Archimedes (* 285, † 212 v. Chr.), der neben vielen anderen Gesetzen auch die Hebelgesetze und den → Auftrieb entdeckte, gilt als der eigentliche Begründer der modernen physikalischen Mechanik. Aber erst im 16. und 17. Jahrh. überwanden Galileo Galilei und Isaac Newton den Irrglauben der Griechen vollständig. Vor allem Galilei zeigte, daß auch Maschinen und Geräte den Naturgesetzen folgen. Er setzte deshalb erfolgreich z. B. die → schiefe Ebene und das → Fernrohr zum Studium von Bewegungsvorgängen ein. Seit dieser Zeit versteht man unter Mechanik die Lehre von den Bewegungsvorgängen und untersucht die Frage nach ihren Ursachen.

Die Mechanik kennt als Basisgrößen nur die → Länge, die → Masse und die → Zeit. Alle anderen (physikalischen) Größen, z. B. die → Kraft oder die → Energie, sind aus diesen abgeleitet.

Mecklenburg-Vorpommern wurde 1990 als Bundesland der Bundesrepublik Deutschland aus den Bezirken Rostock, Schwerin und Neubrandenburg der ehemaligen Deutschen Demokratischen Republik gebildet. Das Bundesland liegt im Bereich des Norddeutschen Tieflandes und erstreckt sich zwischen der Ostseeküste im Norden und dem Baltischen Landrücken im Süden. Im Norden des Landes liegt Vorpommern, im Süden Mecklenburg mit der Mecklenburgischen Seenplatte. Vor der Küste liegen die Inseln Rügen und Usedom.

Fläche: 23 838 km²
Einwohner: 1 945 000
Hauptstadt: Schwerin

Das Bundesland ist überwiegend agrarisch strukturiert mit den Wirtschaftszweigen Landwirtschaft und Lebensmittelindustrie. Hinsichtlich der Industrieproduktion steht Mecklenburg-Vorpommern unter allen Bundesländern an letzter Stelle. Die Schiffbauindustrie in Rostock und Wismar leidet an weltweiten Überkapazitäten. Bedeutend ist die metallverarbeitende Industrie in Schwerin, Neubrandenburg und Greifswald. Fremdenverkehr gibt es an der Ostseeküste, auf den Inseln und im Bereich der Mecklenburgischen Seenplatte.

Mecklenburg ist germanisches Siedlungsgebiet, wurde im 7. Jahrh. von Wenden besetzt. Seit der Unterwerfung durch Heinrich den Löwen (12. Jahrh.) wurde das Land eingedeutscht. Seit 1701 bestanden die Herzogtümer Mecklenburg-Schwerin und Mecklenburg-Strelitz. 1934 wurde daraus ein Land Mecklenburg gebildet, 1945 um Vorpommern vergrößert, das 1952 in Bezirke aufgeteilt wurde.

Medea, in der griechischen Sage eine zauberkundige Königstochter, die dem thessalischen Königssohn Iason zum → Goldenen Vlies verhalf. Als Iason sie verstieß, um sich mit der Königstochter Kreusa zu vermählen, tötete Medea die Rivalin. Später floh sie nach Asien, wo sie zur Stammutter der **Meder** wurde. Die Medea-Sage bildete die stoffliche Grundlage für Werke z. B. von Euripides, Seneca, Franz Grillparzer und Jean Anouilh.

Medici: Cosimo der Alte

Medici [meditschi]. Die Familie der Medici kam in Florenz durch Wollhandel und Geldgeschäfte zu großem Reichtum. Ihre Mitglieder verstanden es, durch geschickte Politik zu politischem Ansehen und Einfluß zu gelangen. Mit **Johann von Medici** (* 1360, † 1429) begann der Aufstieg des Hauses. Unter seinem Sohn **Cosimo dem Alten** (* 1389, † 1464) und dessen Enkel **Lorenzo dem Prächtigen** (* 1449, † 1492) erlebte Florenz seine Blütezeit. Die Medici förderten Wissenschaften und Künste und machten Florenz zur bedeutendsten Stadt Italiens neben Rom. Den zu Beginn des 16. Jahrh. aus der Stadt vertriebenen **Alexander von Medici** (* 1511, † 1537) führte Kaiser Karl V. 1531 nach Florenz zurück und erhob ihn zum Herzog von Florenz. Nach der Eroberung von Siena wurden die Medici 1569 Großherzöge von Toskana. 1737 starb das Herrscherhaus aus. Dem Geschlecht entstammten auch die Päpste **Leo X.** (* 1475, † 1521), **Klemens VII.** (* 1478, † 1534) und **Leo XI.** (* 1535, † 1605). **Katharina** und **Maria von Medici** waren im 16. und 17. Jahrh. Königinnen von Frankreich.

Medici: Lorenzo I., der Prächtige

Medien [aus lateinisch medium ›Mittel‹], Sammelbezeichnung für alle Mittel, die der Verbreitung und dem Austausch von Wissen dienen (Kommunikation). Die Vermittlung kann durch Zeichen, Bilder, Sprache und Schrift geschehen. Als Medien bezeichnet man Presse, Buch, Hörfunk, Fernsehen, Film, Photographie, Schallplatte und Tonband. Vermittlungssysteme, die sowohl Bild als auch Ton übertragen, also gleichzeitig Sehen und Hören ermöglichen, heißen **audiovisuelle (AV-)Medien.** Medien, die sich an ein großes Publikum richten, nennt man **Massenmedien.**

Medikamente [zu lateinisch medicari ›heilen‹], → Arzneimittel.

Mecklenburg-Vorpommern Landeswappen

Medizinmann, bei Naturvölkern ein Mensch, dem übernatürliche Kräfte und Fähigkeiten zugeschrieben werden. Er nimmt die Aufgaben eines Naturheilkundigen, Regenmachers, Wahrsagers und Geisterbeschwörers wahr. Die Grenzen zur Rolle des Kultpriesters und →Schamanen sind fließend.

Medusa, in der griechischen Sage eine der 3 Gorgonen (geflügelte Ungeheuer mit grauenerregenden Häuptern). Wer das Medusenhaupt anblickte, wurde nach der Sage zu Stein; der Zeussohn Perseus erschlug die Medusa deshalb mit abgewandtem Kopf.

Medusen, die →Quallen.

Meere, große zusammenhängende Wassermassen, die insgesamt 361 Millionen km² (fast 71%) der Erdoberfläche bedecken, zum größeren Teil (206 Millionen km²) auf der Südhalbkugel. Durch die Kontinente werden 3 große **Weltmeere (Ozeane)** voneinander getrennt: Pazifischer Ozean (auch Stiller Ozean), Atlantischer Ozean mit dem Nördlichen Eismeer und Indischer Ozean. Die Ozeane sind auf der Südhalbkugel miteinander verbunden, aber ihre Strömungen und Gezeiten sind selbständig. In die umgebenden Landmassen greifen sie ein als **Randmeere,** die durch Halbinseln oder Inselgruppen vom offenen Meer abgetrennt sind (Nordsee), als **Binnenmeere,** die in einem Erdteil eingelagert sind und nur eine schmale Verbindung zum Ozean haben (Schwarzes Meer), oder als **Mittelmeer,** die innerhalb eines Erdteils oder zwischen 2 Erdteilen liegen (Europäisches Mittelmeer). Nach der Tiefe unterteilt man den Meeresboden in die **Schelfe** (bis 200 m Tiefe), die die Erdteile als Gürtel umrahmen, den **Kontinentalabfall** bis in 3 500–4 000 m Tiefe, die **Tiefseebecken** zwischen 4 000 und 6 000 m Tiefe und die **Tiefseegräben,** die im Marianengraben ihre größte Tiefe (nach neuesten Messungen 10 924 m) erreichen.

Meeresströmungen: Oberflächenströmungen im Weltmeer (nach G. Dietrich): 1–5 Nord- und Südäquatorialströme, 6 Kuro Shio, 7 Ostaustral-, 8 Golf-, 9 Brasil-, 10 Agulhas-, 11 Nordpazifischer, 12 Nordatlantischer Strom, 13 Westwindtrift, 14 Kalifornischer, 15 Humboldt-, 16 Kanaren-, 17 Benguela-, 18 Westaustralstrom, 19–21 äquatoriale Gegenströme, 22 Alaska-, 23 Norwegischer, 24 Westspitzbergen-, 25 Ostgrönland-, 26 Labrador-, 27 Irmingerstrom, 28 Oya Shio, 29 Falklandstrom

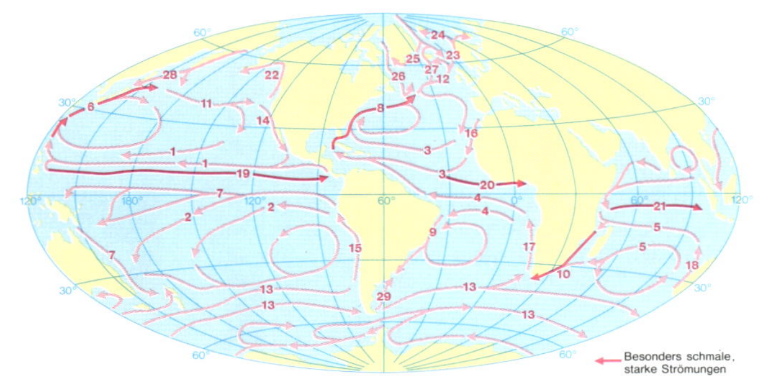

Das Meer stellt einen Ablagerungsraum für verwittertes Gesteinsmaterial (Geröll, Sand, Schlick), abgestorbene Organismen und chemische Ausfällungen (z. B. Manganknollen) dar. Meerwasser ist salzig. Der durchschnittliche Salzgehalt liegt bei 35 g pro Liter (35‰). Die meisten Salze (88,6%) sind Chlorverbindungen, davon über 70% Kochsalz.

Das Meer ist Lebensraum einer artenreichen Pflanzen- und Tierwelt und wird je nach Lebensweise in 3 Bereiche gegliedert. Zum **Benthos** gehören alle am Boden festsitzenden oder umherkriechenden Lebewesen (z. B. Muscheln, Seeanemonen, Braun- und Rotalgen), während das **Nekton** die Organismen umfaßt, die sich aktiv schwimmend im Wasser bewegen (Kopffüßler, Fische, Robben, Wale). Das **Plankton** ist die Lebensgemeinschaft von Pflanzen und Tieren, die passiv mit der Bewegung des Wassers schweben. Zum Plankton gehören mikroskopisch kleine Einzeller ebenso wie Kleinkrebse und Medusen (Quallen), die einen Schirmdurchmesser von 2 m und eine Tentakellänge von mehr als 30 m aufweisen können.

Wirtschaftlich gesehen liefern die Meere dem Menschen Fische, Krebse, Muscheln, Schwämme, eßbare Algen, Korallen und Perlen, auch Kochsalz und Jod. Aus den Schelfgebieten werden Bodenschätze, vor allem Erdöl und Erdgas, gewonnen. Küstenvölker und -staaten haben schon sehr früh die Meere als wichtige Verkehrs- und Handelswege genutzt.

Meerechse, ein →Leguan.

Meereskunde, Ozeanographie, die Wissenschaft vom Meer. Sie befaßt sich mit der Verteilung der Meere, den Oberflächenformen und Ablagerungen des Meeresbodens, den physikalischen und chemischen Eigenschaften (z. B. Temperatur, Salzgehalt) des Meerwassers sowie den Meeresströmungen und deren Auswirkungen auf das Leben im Meer.

Meeresspiegel, die Wasseroberfläche des Meeres. Ihre durchschnittliche Lage ist Ausgangspunkt für alle Höhenangaben auf der Erde (→Normal Null).

Meeresströmungen. In gleicher Richtung wirkende Winde gleiten nicht nur über die Wasseroberfläche, sondern üben auf sie eine Reibung aus. Dabei werden die Wassermassen bis in Tiefen von 100 bis 200 m horizontal in Bewegung gesetzt **(Oberflächenströme),** vor allem von beständig wehenden Winden wie den Passaten und Monsunen. Die von diesen Strömungen weggeführten Wassermassen werden durch Ausgleichsströme an der Oberfläche oder aus der Tiefe wieder ersetzt **(Gefälls-** oder **Gradientströme).** Unterschiede der Temperatur und des Salzgehalts des Meereswassers führen ebenso zu Wasserbewegungen. So entstehen innerhalb der Ozeane beständige Kreisläufe, die infolge der Erddrehung auf der Nordhalbkugel von der Windrichtung aus gesehen nach rechts, auf der Südhalbkugel nach links abgelenkt werden. Die warmen und kalten Meeresströmungen wirken sich auf das Leben der Meerestiere und -pflanzen sowie auf das Klima aus und sind für die angrenzenden Kontinente von größter Bedeutung, z. B. der warme Golfstrom für Europa.

Meerkatzen, lebhafte →Affen, die in Gruppen die Wälder und Baumsavannen Afrikas südlich der Sahara bewohnen. Sie sind häufig bunt gefärbt, haben einen rundlichen Kopf mit weiten Backentaschen, einen langen Schwanz und Gesäßschwielen, mit denen sie gut auf dünnen Ästen sitzen können. Sie ernähren sich vor allem von Pflanzen.

Meerschweinchen, in Südamerika heimische, kleine →Nagetiere, die ›übers Meer‹ nach Europa kamen; hier werden sie gern in der Wohnung gehalten. Man füttert sie mit Getreidekörnern, getrocknetem und frischem Obst und Gemüse, Gräsern und Kräutern. Das Fell der etwa rattengroßen, schwanzlosen Meerschweinchen ist einfarbig oder gescheckt; es kann glatthaarig, langhaarig oder sehr wirbelig sein. Meerschweinchen werden mit Fell, offenen Augen und kleinen Zähnen (was bei Säugetieren sehr selten ist) geboren; sie werden etwa 7–8 Jahre alt. In großer Zahl züchtet man Meerschweinchen als Versuchstiere für die Forschung.

Mega, Vorsatzzeichen **M,** ein Vorsatz vor →Einheiten für den Faktor $10^6 = 1\,000\,000$ (Million); z. B.: 1 **Megagramm** = 1 Mg = 10^6 g = 10^3 kg = 1 t (Tonne); 1 **Megawatt** = 1 MW = 1 000 000 W (Watt); 1 **Megatonne** = 1 Mt = 1 000 000 t. – 1 **Megabyte** = 1 Mbyte = 2^{20} Byte = 1 048 576 Byte.

Megalithgräber [griechisch ›Großsteingräber‹], große vorgeschichtliche Grabanlagen aus mächtigen Steinblöcken (→Menhir), die ursprünglich von Erdhügeln überdeckt waren. Haupttypen sind der →Dolmen und das **Ganggrab,** die beide auf ebener Erde errichtet wurden, sowie das **Galeriegrab.** Dieses ist in den Bogen eingetieft und besteht aus hochkant gestellten Seitenplatten und Steinkisten. In Norddeutschland werden Megalithgräber auch als **Hünengräber** bezeichnet.

Mehrwertsteuer, Steuer, die mancher Staat erhebt, wenn sich ein Gut oder eine Dienstleistung auf dem Weg von der Herstellung zum Verbrauch befindet. Jeder Arbeitsgang, der an einer Ware vorgenommen wird (Herstellung, Verpakkung, Lagerung, Transport, Verkauf), macht das Gut wertvoller, schafft also einen ›Mehrwert‹. Nur von diesem Mehrwert ist in der jeweiligen Arbeitsstufe eine Steuer an den Staat zu zahlen. Diese Steuer kann jedoch in jeder Stufe auf den Preis aufgeschlagen werden, so daß letztendlich nur die Verbraucher als Endglied der Kette die Steuer bezahlen, was vom Staat auch beabsichtigt ist.

Mehrzahl, Plural (→Numerus).

Meile [zu lateinisch milia passuum ›tausend (Doppel-)Schritt‹], Längeneinheit sehr verschiedener Größe und verschiedenen Ursprungs, z. B. bei den Römern 1 500 m, im Deutschen Reich 7 500 m **(Deutsche Meile).** Heute ist die Meile im wesentlichen nur noch in den angelsächsischen Ländern als →mile sowie in der Luft- und Seefahrt als internationale →Seemeile in Gebrauch.

Meineid, mit der Eidesformel ›ich schwöre‹ bekräftigte, vorsätzlich falsche Aussage eines Zeugen oder Sachverständigen vor Gericht. (→Eid)

Meinungsforschung, die →Demoskopie.

Meisen, zierliche, lebhafte Singvögel mit kontrastreichem Gefieder, die in Deutschland sehr häufig sind. Sie nisten in Wäldern, Parkanlagen, einige in Gärten, in Baumlöchern, gern auch in Nistkästen. Ständig auf Nahrungssuche, turnen sie geschickt im Gezweig von Bäumen und Sträuchern umher und hängen dabei oft mit dem Kopf nach unten. Meisen fressen vor allem Insekten (ein Pärchen und seine 5–12 Jungen in einer Woche über 2 000 Raupen), auch Samen und Früchte, die sie mit den Füßen festhalten. Im Winter ziehen Meisen in kleinen Schwärmen umher; sie erscheinen oft am Futterhaus. Die sperlingsgroße, wenig scheue **Kohlmeise** mit glänzend schwarzer Kopfkappe und schwarzen Längsstreifen auf dem gelben Bauch lebt zahlreich in Wäldern und Gärten. Ihr ähnelt die kleinere, blassere **Tannenmeise** mit auffallend weißem Nacken-

Haubenmeise

Blaumeise

Kohlmeise

Meisen

fleck, die wie die graubraune **Haubenmeise** mit schwarz-weiß ›geschuppter‹ Federhaube Nadelwälder bewohnt. Die **Blaumeise** mit kobaltblauem Scheitel bevorzugt Gehölze in Gärten und Parks.

Meißen, 34 000 Einwohner, Stadt in Sachsen an der Elbe, nordwestlich von Dresden. Meißen entstand im 10. Jahrh. um eine Burg. In der von August dem Starken gegründeten Manufaktur wird seit 1710, gestützt auf die Kaolinvorkommen in der Umgebung, das erste europäische Hartporzellan hergestellt (→ Porzellan); das **Meißener Porzellan** wird noch heute durch die Schwertermarke gekennzeichnet.

Meißen: Schwertermarke des Meißener Porzellans

Meister [von lateinisch magister], in Handwerksberufen die höchste Ausbildungsstufe nach Lehrling (Auszubildender) und → Geselle. Die **Meisterprüfung** wird von der Handwerkskammer abgenommen und besteht aus allgemeinen und fachlichen Fragen und Arbeiten sowie der Anfertigung eines **Meisterstücks** (ähnlich dem Gesellenstück eines Gesellen). Nach bestandener Prüfung wird ein **Meisterbrief** ausgestellt.

Meistergesang. Hervorgegangen aus dem ritterlichen Minnesang, blühte die bürgerliche Liedkunst des Meistersangs im 14.–16. Jahrh. in zahlreichen deutschen Städten, so in Worms, Mainz, Nürnberg, Ulm, Memmingen und Augsburg. Sie wurde in zunftmäßig geordneten Singschulen gelehrt und bestand zunächst darin, daß zu alten Minnesängerweisen neue Texte gedichtet wurden. Später wurden auch neue Weisen erfunden, was nach bestimmten, in der ›Tabulatur‹ niedergelegten Regeln zu erfolgen hatte. Nach dem Grad der Fähigkeit unterschied man zwischen Schüler, Schulfreund, Sänger, Dichter und Meister. Als bedeutendste Meister gelten Hans Folz, Hans Rosenplüt und vor allem Hans Sachs (* 1494, † 1576), dessen ›Silberweise‹ ›Salve, ich gruß dich schone‹, ein Marienlied, zu den besten Leistungen des Meistersangs gehört. Ein lebendiges Bild dieser bürgerlichen Musikkultur entwarf Richard Wagner mit seiner Oper ›Die Meistersinger von Nürnberg‹.

Mekka, 550 000 Einwohner, Stadt im Westen Saudi-Arabiens, als Geburtsort → Mohammeds und erste Stätte seines Wirkens die heiligste Stadt und der wichtigste Wallfahrtsort des Islam. Sie wird in jedem Jahr von fast einer Million Moslems besucht, denn jeder Moslem soll nach den Regeln des Islam wenigstens einmal im Leben nach Mekka wallfahren und das Hauptheiligtum des Islam, die → Ka'aba, besuchen. Die Stadt darf nur von Moslems betreten werden.

Mekong, mit 4 500 km der längste Fluß Südostasiens. Er entspringt im chinesisch-tibetanischen Tangla-Gebirge und bildet die Grenze von Birma und Thailand gegen Laos. Weiter südlich durchfließt er Kambodscha und mündet im südlichen Vietnam in einem mächtigen Delta (70 000 km², etwa so groß wie Bayern) in das Südchinesische Meer.

Melanesien [aus griechisch melas ›schwarz‹ und nesos ›Insel‹], Inselgruppen im westlichen Pazifischen Ozean, nordöstlich von Australien. Das nach seinen dunkelhäutigen Bewohnern benannte Melanesien umfaßt 967 000 km² Landfläche mit Neuguinea, den Salomon-, Santa-Cruz-Inseln, Fidschi, den Neuen Hebriden sowie Neukaledonien und benachbarten Inseln. Die meisten der größtenteils gebirgigen und vulkanischen Inseln sind von tropischem Regenwald bedeckt. Das Klima ist tropisch feucht. Im Küstenbereich werden Kokospalmen, Kakao, Bananen und Knollengewächse angebaut. Wirtschaftlich bedeutend sind die Kupfer- und Goldvorkommen auf Neuguinea und den Salomonen sowie die Nickelvorkommen von Neukaledonien (an 3. Stelle der Weltproduktion). KARTE Seite 198.

Melisse, → Gewürzpflanzen.

Melodie [aus griechisch melos ›Lied‹ und ode ›Gesang‹], künstlerisch geformte, als Einheit aufgefaßte Folge von Tönen, die in ihrer Höhe und meist auch in ihrer Dauer wechseln. Jede Melodie hat ihren eigenen Rhythmus und Takt.

Melonen, die großen saftigen Früchte von kletternden krautigen Pflanzen, die mit Kürbissen und Gurken verwandt sind. Ursprünglich in Südwestasien und im südlichen Afrika heimisch, werden sie heute in vielen warmen Gebieten angebaut. Die bis 15 kg schwere **Wassermelone** hat meist eine grüne Schale und blutrotes, sehr saftiges Fruchtfleisch, in dem die schwarzen Kerne sitzen. Bei den kleineren **Zuckermelonen,** die aromatischer schmecken, sitzen die Kerne in einer Höhlung in der Mitte; dazu gehören z. B. die leuchtendgelbe Honigmelone und die Netzmelone, deren grünliche Schale mit weißen netzartigen Korkleisten überzogen ist. Melonen sind reif, wenn sich rings um den Stielansatz ein leichter Riß bildet.

Melville [melwill]. ›Moby Dick‹ (1851), die Geschichte des rachedurstigen Kapitäns Ahab und seiner Jagd auf den weißen Wal, ist der bekannteste Roman des amerikanischen Schriftstellers **Herman Melville** (* 1819, † 1891). Erzählt wird sie aus der Perspektive des Matrosen, der den dreitägigen Kampf mit dem Ungeheuer und den Untergang des Schiffes als einziger überlebt. Zu verstehen ist die Handlung als ein Sinnbild des vergeblichen Versuchs der Menschen, sich die Natur zu unterwerfen. Melville, der mit 17 Jahren Matrose wurde und auf Walfang- und Kriegsschiffen alle Meere bereiste, kannte das harte Leben der Seeleute, das er in ›Moby Dick‹ wie auch in anderen Seeromanen wirklichkeitsgetreu schilderte.

Membran [lateinisch ›Häutchen‹], **1)** dünnes Häutchen, das die Grenzfläche zwischen →Zellen oder Organen (z.B. Trommelfell) bildet. Während pflanzliche Zellen feste Zellwände besitzen, sind die Membranen der tierischen und menschlichen Zellen dünn und für gewisse Stoffe durchlässig.

2) dünnes, schwingungsfähiges Blättchen, das aus verschiedenen Materialien (Metall, Kunststoff, Papier) bestehen kann. In einem Mikrophon nimmt die Membran Tonschwingungen auf und wandelt sie in mechanische Schwingungen um, während bei einem Lautsprecher ihre Funktion genau umgekehrt ist.

Memel, russisch **Neman,** Fluß in Osteuropa, 937 km lang. Sie entspringt südlich von Minsk, durchfließt Weißrußland und Litauen und mündet, sich in **Ruß** und **Gilge** gabelnd, in das Kurische Haff. Das nach ihr benannte **Memelgebiet,** ein Teil Ostpreußens, liegt nördlich von Memel und Ruß. Es wurde nach dem Zweiten Weltkrieg in die Litauische SSR (heute Litauen) eingegliedert. Die Stadt **Memel,** litauisch **Klaipeda,** liegt am Ausgang des Kurischen Haffs in die Ostsee und hat 184000 Einwohner.

Memphis, altägyptische Stadt südlich von Kairo auf dem Westufer des Nils. Sie wurde wohl um 2900 v. Chr. gegründet (→Ägypten, Altägyptische Geschichte, ÜBERSICHT) und war Regierungssitz der Pharaonen des Alten Reiches. Die Reste der Stadt wurden im Mittelalter für Bauten in Kairo verwendet, so daß von Memphis kaum etwas übriggeblieben ist.

Mendel. Der Mönch **Gregor Johann Mendel** (* 1822, † 1884) war Lehrer für Naturgeschichte und Physik. Bei der →Kreuzung verschiedener Erbsenrassen entdeckte er Gesetze der →Vererbung, die nach ihm →Mendelsche Gesetze genannt wurden. Lange Zeit fanden seine Forschungsergebnisse keine Beachtung, bis man um 1900 ihre Bedeutung für die →Züchtung von Haustieren und Kulturpflanzen erkannte.

Mendelevium [nach dem russischen Chemiker Dmitrij Mendelejew], Zeichen **Md,** →chemische Elemente, ÜBERSICHT.

Mendelsche Gesetze, die statistischen Gesetze der →Vererbung, die von Gregor Johann →Mendel entdeckt wurden. Bei der →Kreuzung von Pflanzen fand Mendel heraus, daß deren Merkmale, z. B. die Blütenfarbe, in einem ganz bestimmten Zahlenverhältnis in der nächsten Generation wieder auftauchen. Kreuzte er z. B. eine rot- und eine weißblühende Pflanze, so entstanden als Nachkommen in der ersten Generation nur rosablühende Pflanzen **(Uniformitätsregel).** Kreuzte er diese miteinander, so entstanden bei deren Nachkommen die Merkmale rot-, weiß- und rosablühend in einem bestimmten Zahlenverhältnis **(Spaltungsregel).** Mendel fand außerdem heraus, daß einzelne Erbanlagen unabhängig voneinander vererbt werden. Das bedeutet, daß auch Merkmalskombinationen entstehen können, die bei den Eltern nicht vorhanden sind. Dieses Gesetz wurde eingeschränkt, als man die Chromosomen als Träger der Erbanlagen (Gene) entdeckte, denn nur Merkmale (Gene), die auf verschiedenen Chromosomen liegen, werden unabhängig voneinander vererbt. Solche, die auf einem Chromosom liegen, verhalten sich bei der Kreuzung wie ein einziges Gen; sie werden gekoppelt vererbt. Die Mendelschen Gesetze werden noch heute bei der →Züchtung von Pflanzen und Tieren berücksichtigt.

Mendelssohn-Bartholdy. Der Komponist **Felix Mendelssohn-Bartholdy** (* 1809, † 1847) gehört zu den bedeutendsten Vertretern der deutschen Romantik. Er trat schon mit 9 Jahren öffentlich als Pianist auf und begann mit 11 Jahren zu komponieren; bereits 1826 schrieb er die Ouvertüre zu Shakespeares ›Sommernachtstraum‹. Nach mehrjährigen Reisen durch Deutschland, Italien, Frankreich und England wurde er 1833 Musikdirektor in Düsseldorf und 1835 Leiter der Gewandhauskonzerte in Leipzig. Zu seinen bedeutendsten Werken gehören die Konzertouvertüren, 5 Sinfonien (darunter die ›Schottische‹ und die ›Italienische‹), das Violinkonzert e-Moll (1844) sowie die Oratorien ›Paulus‹ (1836) und ›Elias‹ (1846).

Felix Mendelssohn-Bartholdy

Mengenlehre. Die Folge der natürlichen Zahlen 1, 2, 3, ... hat kein Ende, denn wie groß auch immer die natürliche Zahl n ist, stets läßt sich noch eine größere Zahl, nämlich $n + 1$, angeben. Der Begriff ›unendlich‹, der durch das Symbol ∞ bezeichnet wird, kann nicht als natürliche Zahl in die obige Reihe aufgenommen werden, da dann die Grundregeln für das Rechnen mit natürlichen Zahlen nicht mehr beibehalten werden könnten. Um mit dem schwierigen Be-

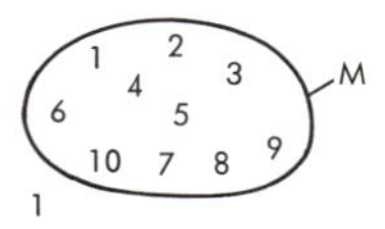

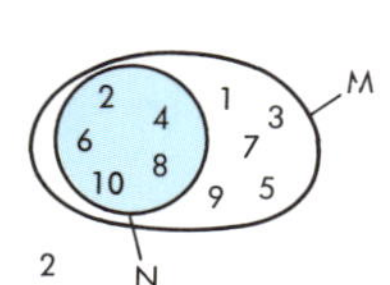

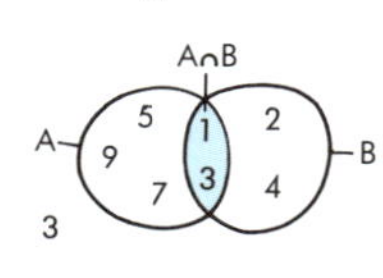

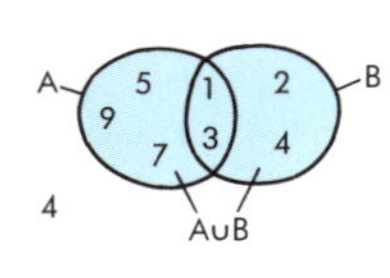

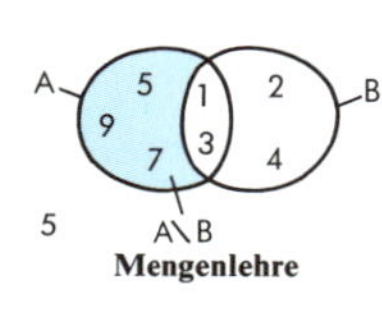

Mengenlehre

griff des Unendlichen fertigzuwerden, hat der Mathematiker Georg Cantor (* 1845, † 1918) die **Mengenlehre** begründet. Viele Gebiete der heutigen Mathematik bauen auf der Cantorschen Mengenlehre auf. Wegen der großen Anschaulichkeit und der Möglichkeit, mit ihr das mathematische, logische Denken zu erlernen, fanden die Grundbegriffe der Mengenlehre auch Eingang in die Schule, so etwa in der Gleichungslehre, der Geometrie oder der Theorie der Funktionen. Unter einer **Menge** versteht Cantor eine Zusammenfassung bestimmter, wohlunterschiedener Objekte unserer Anschauung oder unseres Denkens zu einem Ganzen. Diese Objekte heißen die **Elemente** der Menge.

> Beispiele:
> 1. Die Menge der auf dem Schulhof spielenden Kinder.
> 2. Die Menge der natürlichen Zahlen.

Eine Menge ist dann gegeben, wenn die Elemente der Menge bekannt sind.

Mengen werden meist mit großen Buchstaben bezeichnet und können auf verschiedene Weisen dargestellt werden.

a) **aufzählende Form:** $M = \{1, 2, 3, 4, 5, 6, 7, 8, 9, 10\}$.
Hier werden die Elemente der Menge M einzeln zwischen 2 Mengen-Klammern aufgeführt.

b) **beschreibende Form.** M ist die Menge aller natürlichen Zahlen von 1 bis 10.
Hier wird die charakteristische Eigenschaft der Elemente der Menge beschrieben.

c) **im Mengendiagramm** (BILD 1).

Man unterscheidet zwischen Mengen mit endlich vielen Elementen, den **endlichen Mengen** (Beispiel 1), und Mengen mit unendlich vielen Elementen, den **unendlichen Mengen** (Beispiel 2): Für die Aussage ›4 ist ein Element der Menge M‹ schreibt man $4 \in M$, für die Aussage ›11 ist kein Element der Menge M‹ schreibt man $11 \notin M$.

Mit dem Begriff **Teil-** oder **Untermenge** wird ein bestimmter Teil einer Menge bezeichnet.

> Beispiel:
> Die Menge $N = \{2, 4, 6, 8, 10\}$ bildet eine Teilmenge der Menge M. Man schreibt $N \subset M$. Jedes Element von N ist somit auch ein Element von M. Darstellung im Mengendiagramm: BILD 2.

Die **leere Menge** (Symbol $\{\}$), also die Menge, die kein Element enthält, ist Teilmenge jeder anderen Menge.

Zwei Mengen A und B sind **gleich,** in Zeichen $A = B$, wenn sie sich aus den gleichen Elementen zusammensetzen.

Mengenverknüpfungen:

1. Der **Durchschnitt** $A \cap B$ zweier Mengen A und B ist die Menge aller Elemente, die in A und in B vorkommen.

> Beispiel:
> $A = \{1, 3, 5, 7, 9\}$, $B = \{1, 2, 3, 4\}$, also $A \cap B = \{1, 3\}$.
> Darstellung im Mengendiagramm: BILD 3.

2. Die **Vereinigungsmenge** $A \cup B$ zweier Mengen A und B ist die Menge aller Elemente, die in A oder in B vorkommen.

> Beispiel:
> $A = \{1, 3, 5, 7, 9\}$, $B = \{1, 2, 3, 4\}$, also $A \cup B = \{1, 2, 3, 4, 5, 7, 9\}$.
> Darstellung im Mengendiagramm: BILD 4.

3. Die **Restmenge** $A \setminus B$ ist die Menge aller Elemente aus A, die nicht in B liegen.

> Beispiel:
> $A = \{1, 3, 5, 7, 9\}$, $B = \{1, 2, 3, 4\}$, also $A \setminus B = \{5, 7, 9\}$.
> Darstellung im Mengendiagramm: BILD 5.

Gilt $B \subset A$, so heißt $A \setminus B$ das **Komplement** von B bezüglich A.

In der Mengenalgebra werden die Gesetzmäßigkeiten der Mengenverknüpfungen $\cap$, $\cup$, $\setminus$ untersucht. So gelten z. B. die **de Morganschen Regeln:** $C \setminus (A \cup B) = (C \setminus A) \cap (C \setminus B)$ und $C \setminus (A \cap B) = (C \setminus A) \cup (C \setminus B)$.

Mächtigkeit von Mengen. Besitzen 2 endliche Mengen gleichviel Elemente, so nennt man die Mengen **gleichmächtig.** Die Anzahl der Elemente kann durch eine natürliche Zahl, die sogenannte **Kardinalzahl,** angegeben werden. So nennt man allgemein 2 Mengen A und B gleichmächtig, wenn eine Abbildung gefunden werden kann, die jedem Element von A ein und nur ein Element von B und zugleich jedem Element von B ein und nur ein Element von A zuordnet.

Zum Beispiel ordnet die Abbildung

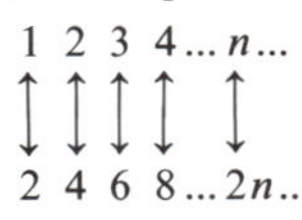

jeder natürlichen Zahl genau eine gerade natürliche Zahl zu und umgekehrt. Die Menge der natürlichen Zahlen ist somit gleichmächtig zur Menge der geraden Zahlen, obgleich die geraden Zahlen eine Teilmenge der natürlichen Zahlen bilden.

Jede zu der Menge der natürlichen Zahlen gleichmächtige Menge heißt **abzählbar.** Cantor wies nach, daß die Menge der rationalen Zahlen abzählbar, die der reellen Zahlen hingegen nicht abzählbar ist.

Menhir [bretonisch ›langer Stein‹], aufrechtstehende, bis zu 20 m hohe, roh behauene Steinsäule. Die Menschen der Jungsteinzeit verwendeten solche Steine beim Bau von Grabanlagen (→Megalithgräber) und Kultstätten (→Carnac, →Stonehenge). In Deutschland werden diese Steine als **Hünen-** oder **Hünnenstein,** in Rheinland-Pfalz und Hessen auch als **Hinkelstein** bezeichnet.

Meniskus [griechisch ›Halbmond‹], **1)** die halbmondförmige Knorpelscheibe im Kniegelenk. Der **Meniskusriß,** eine häufige Sportverletzung, kann nur selten durch Ruhigstellung in Gips geheilt werden; meist ist eine operative Entfernung des Meniskus notwendig.

2) Physik: die gekrümmte Oberfläche einer Flüssigkeit in einem vertikalen Rohr. Benetzende Flüssigkeiten (z. B. Wasser in einem Glasrohr) stehen am Rand höher, nicht benetzende (z. B. Quecksiller in einem Glasrohr) tiefer als in der Mitte (BILD). Der Meniskus kommt durch das Zusammenwirken von →Adhäsion und Kohäsion zustande.

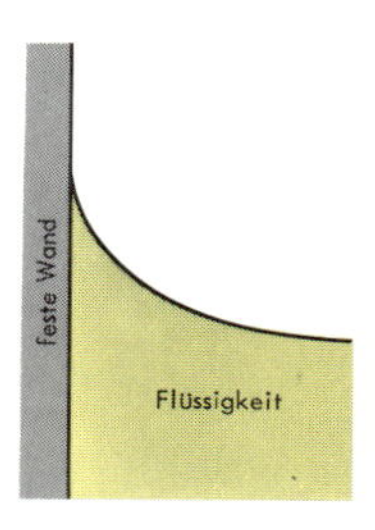

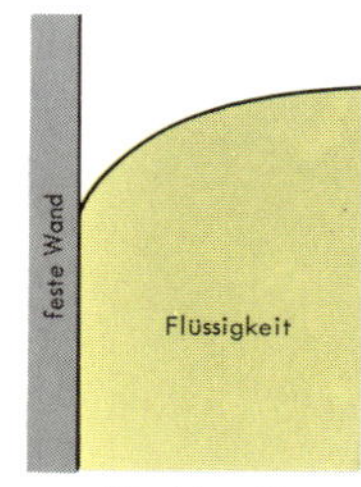

Meniskus 2): OBEN benetzende, UNTEN nicht benetzende Flüssigkeit

Mensch, Homo sapiens sapiens [lateinisch ›verständiger Mensch‹], der Jetztmensch, der einzige heute noch lebende Vertreter der Gattung Homo. Im →biologischen System gehört er, zusammen mit den Halbaffen und Affen, zur Ordnung der →Primaten. Charakteristisch für den Menschen sind vor allem der aufrechte Gang, ermöglicht durch den besonderen Bau der Wirbelsäule, des Brustkorbes, des Beckens und der Füße, und der Verlust des tierischen Haarkleides. Vor allem aber durch sein hochentwikkeltes →Gehirn (besonders die Großhirnrinde) und die damit verbundenen Fähigkeiten, z. B. zu denken, zu sprechen, seine Umwelt zielgerecht zu verändern, ist der Mensch das höchstentwickelte Lebewesen auf der Erde.

Die Wissenschaft, die sich mit dem Menschen befaßt, ist die **Anthropologie.** Von besonderem Interesse aber ist die Abstammung des Menschen und seine Entwicklung. Damit beschäftigt sich die **Paläoanthropologie** auf der Grundlage der Evolutionstheorie (→Evolution), die von Charles →Darwin begründet wurde. Er erkannte, daß sich alle Lebewesen, das heißt Pflanzen, Tiere und somit auch der Mensch aus einfachen Formen entwickelt haben. Die direkten Vorfahren des Menschen mußten aber noch gefunden werden. Die Suche nach dem ›Adam‹ setzte ein, als 1856 in einer Höhle des Neandertals bei Düsseldorf Reste eines menschenähnlichen Skeletts, des Neandertalers, gefunden wurden. Seitdem ist überall, vor allem in Ost- und Südafrika, auf Java, in Australien, China, Vorderasien und Europa, eine ganze Anzahl von Skelettresten (Fossilien) mit äffischen (z. B. Affenschnauze, Überaugenwülste) und menschlichen (z. B. geschlossene, fast halbrunde Zahnreihe mit kleinen Eckzähnen) Merkmalen entdeckt worden. Da meist Schädelteile (Schädeldecke und Kiefer) gefunden wurden, ordnet man heute diese Funde vor allem auf Grund von Schädelmerkmalen ein.

So läßt sich ein – wenn auch sehr unvollständiger – Stammbaum (BILD) aufstellen, der die Entwicklung von äffischen Vorfahren zum heutigen Menschen zeigt. Danach entwickelten sich unsere ersten Vorfahren vor mehr als 3 Millionen Jahren aus dem Übergangsfeld Tier–Mensch. In der Folge entstanden 3 Linien, von denen 2 ausstarben. Aus der dritten Linie, dem **Homo habilis** (›geschickter Mensch‹), ging der **Homo erectus** (›aufrecht gehender Mensch‹) hervor, der direkte Vorfahre sowohl des Neandertalers als auch des Jetztmenschen, des **Homo sapiens sapiens** (›verständiger Mensch‹). Der Neandertaler **(Homo sapiens neanderthalensis)** starb vor etwa 35 000 Jahren aus. Er kann also nicht als direkter Vorfahre des heutigen Menschen angesehen werden. Vielmehr waren es die Altsteinzeitmenschen, die vor 40 000 bis 10 000 Jahren während der letzten Eiszeit in Europa, Asien und im Vorderen Orient an verschiedenen Stellen gleichzeitig erschienen und nach den Fundorten in Frankreich als **Cro-Magnon-** und **Aurignac-Menschen** bezeichnet werden. Sie waren dem heutigen Menschen im Körperbau sehr ähnlich, bearbeiteten Tierknochen zu Speerspitzen und Werkzeugen und waren mit Fellen und Wolle bekleidet. Auch Höhlenmalereien wurden gefunden. Diese Altsteinzeitmenschen breiteten sich über Europa, Afrika und Asien aus. Um 10 000 v. Chr. gelangten sie über die Beringstraße nach Amerika, das sie ebenfalls besiedeln.

Keine andere Art hat einen derartigen Verbreitungsgrad und auch eine so große Variationsbreite im Aussehen wie der Mensch. Im Lauf der Entwicklung sind der negride, der europide und der mongolide Rassenkreis mit insgesamt 30 Rassen entstanden, die sich in Körperbau, Erscheinungsbild, Körpergröße usw. teilweise sehr stark unterscheiden. Auf Grund der enormen Weiterentwicklung seines Gehirns während seiner Stammesgeschichte hat der Mensch gelernt, die Umwelt seinen Bedürfnissen anzupassen oder sich vor schädigenden Einflüssen zu schützen (z. B.

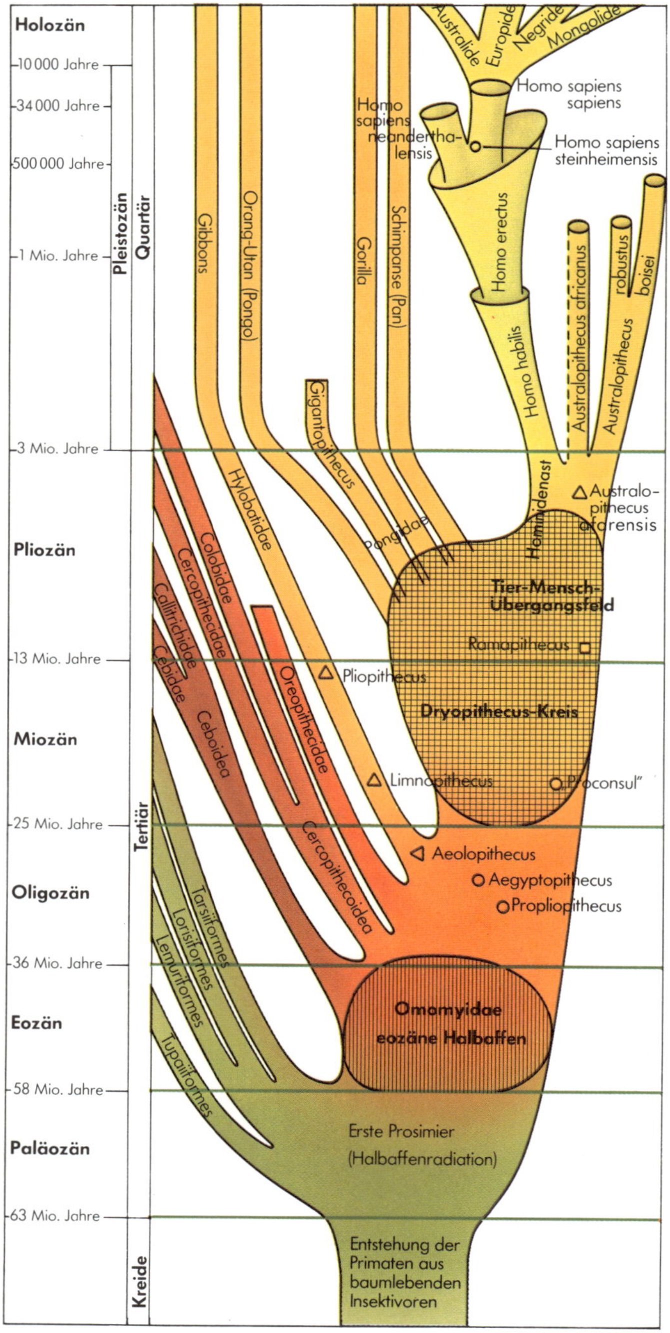

Schutz vor extremer Kälte durch warme Kleidung). So konnten im Lauf der Evolution viele Erbanlagen erhalten bleiben, die durch natürliche →Auslese bei anderen Arten längst verlorengegangen wären, woraus sich die große Rassenvielfalt erklärt.

Menschenaffen, eine Familie der →Affen, die dem Menschen in vielen körperlichen Merkmalen und geistigen Fähigkeiten ähnlich sind. Sie gelten aber nicht als unmittelbare Vorfahren des Menschen, sondern beide haben sich, stammesgeschichtlich gesehen, unabhängig voneinander aus einer gemeinsamen Wurzel entwickelt (→Mensch, →Primaten). Zu den Menschenaffen, die alle schwanzlos sind, gehören →Gorilla, →Orang-Utan und →Schimpanse; eng verwandt sind die →Gibbons. Der Körper und die inneren Organe sind bei ihnen sehr ähnlich gebaut wie beim Menschen bis auf die Wirbelsäule, die nur einfach gekrümmt ist, und das Becken, da sie klettern und auf allen Vieren laufen. Sie können zwar auch aufrecht gehen, allerdings nur mit Mühe und meist auf ihre stets längeren Armen abgestützt. Das Gehirn ist bei Menschenaffen (und Delphinen) am stärksten von allen Tieren entwickelt, daher haben sie beachtliche geistige Fähigkeiten, verbunden mit großem Lernvermögen. Sie benutzen auch einfache Werkzeuge. Mit ihrem lebhaften Mienenspiel, mit Lauten und Gebärden verständigen sie sich. Nach etwa 8 Monaten Tragzeit bringen die Weibchen meist nur ein Junges zur Welt, das sie wie der Orang-Utan oft mehrere Jahre säugen und betreuen. Im Zoo ist die Aufzucht der Jungen schwierig. Tierpfleger müssen die Versorgung übernehmen. Gegenüber Infektionen sind die Jungen anfälliger als Säuglinge.

Menschenfresser, →Kannibale.

Menschenrechte, die jedem Menschen von Natur her und unabhängig von staatlicher Anerkennung zustehenden angeborenen, unantastbaren Rechte. Hierzu gehören vor allem die Menschenwürde, das Recht auf Leben, die Glaubens- und Gewissensfreiheit und die Gleichheit. Mit den Menschenrechten sind die →Grundrechte eng verbunden. Während Menschenrechte stets Grundrechte sind, bedürfen einige Grundrechte jedoch besonderer staatlicher Ausformung und Anerkennung, so z. B. die Versammlungsfreiheit oder die Berufsfreiheit. In Anlehnung an die Ideen der →Aufklärung enthielt die amerikanische Unabhängigkeitserklärung vom 4. Juli 1776

Mensch: Abstammungslehre: Stammesgeschichtliches Beziehungsschema

erstmals das Bekenntnis eines Staates, daß alle Menschen gleich geschaffen und mit bestimmten unveräußerlichen Rechten ausgestattet seien, wozu auch das Streben nach Glück gehören sollte. Die Idee der Menschenrechte trug auch dazu bei, 1789 die Französische Revolution auszulösen.

Seither haben zahlreiche Verfassungen die Menschenrechte besonders berücksichtigt. Auch wichtige internationale Erklärungen wie die **Allgemeine Erklärung der Menschenrechte** vom 10. Dezember 1948 durch die UNO oder die **Europäische Menschenrechtskonvention** des Europarats vom 4. November 1950 unterstreichen ihre Bedeutung.

Menstruation [von lateinisch menstrualis ›alle Monate geschehend‹], auch **Monatsblutung, Regel, Periode,** die monatliche Blutung aus der Gebärmutter während der geschlechtsreifen Zeit der Frau. Die erste Menstruation erfolgt etwa mit 11–12 Jahren, die letzte um das 50. Lebensjahr (Wechseljahre). Die Menstruation tritt ungefähr alle 28 Tage auf, ihre durchschnittliche Dauer beträgt 4–6 Tage. Sie beruht auf Vorgängen in den Eierstöcken und der Gebärmutter (→Geschlechtsorgane), die von den Hormonen der Hirnanhangdrüse und der Eierstöcke gesteuert werden. Alle 4 Wochen reift in einem der Eierstöcke eine Eizelle in einem Eibläschen heran, das in der Mitte zwischen 2 Monatsblutungen platzt (Eisprung, Ovulation). Die Eizelle wird vom Eileiter aufgenommen und zur Gebärmutter transportiert, während sich das geplatzte Bläschen in den ›Gelbkörper‹ umwandelt. Der Gelbkörper bildet weibliche →Geschlechtshormone, die bewirken, daß die Schleimhaut der Gebärmutter wächst und aufgelockert wird und damit aufnahmebereit ist für die Einnistung einer befruchteten Eizelle. Ist eine →Befruchtung durch eine Samenzelle erfolgt, so beginnt die →Schwangerschaft; jetzt tritt keine Menstruation mehr ein. Wurde die Eizelle aber nicht befruchtet, so wird sie etwa 14 Tage nach dem Eisprung zusammen mit der Gebärmutterschleimhaut als Monatsblutung abgestoßen.

Menuett [von französisch menu pas ›kleiner Schritt‹], ursprünglich ein anmutiger Paartanz im $^{3}/_{4}$-Takt, der besonders im 17. Jahrh. am Hof König Ludwigs XIV. von Frankreich getanzt wurde und sich von dort über ganz Europa verbreitete.

Aus diesem Tanz entwickelte sich ein Instrumentalstück, das aus 3 Teilen besteht: einem ersten Menuett, einem zweiten Menuett (da es ursprünglich nur von 3 Musikern gespielt wurde, nennt man es **Trio**) und der Wiederholung des ersten Menuetts. Menuette kommen vor allem als Satz der Suite vor, aber auch z. B. in Sinfonie und Sonate.

Menzel. Der Maler und Graphiker **Adolph von Menzel** (* 1815, † 1905) zeichnete unermüdlich alles, was er im Alltag und auf Reisen sah; er hinterließ 4000 Blatt Zeichnungen in 30 Skizzenbüchern und schuf unter anderem die 200 Illustrationen für die Neuausgabe der Schriften Friedrichs des Großen (1839–42). Als Maler wählte er einfache Motive (Innenräume, Landschaften, Hinterhäuser), aber auch geschichtliche Stoffe (›Tafelrunde Friedrichs des Großen in Sanssouci‹, 1945 zerstört) und Vorlagen aus der Arbeitswelt (›Eisenwalzwerk‹, 1875, Berlin-Ost, Staatliche Museen). Seine Gemälde geben in freier malerischer Weise, vor allem bei der Behandlung der Lichtreflexe, den unmittelbaren Eindruck des Gesehenen wieder; damit nimmt Menzel zum Teil den →Impressionismus vorweg.

Meran, 33500 Einwohner, Kurort in Südtirol, Italien, am Passerbach vor dessen Mündung in die Etsch. Meran war bis um 1420 die Hauptstadt Tirols und kam 1919 zu Italien. In der Umgebung liegen zahlreiche alte Schlösser.

Mercalli-Skala [nach dem italienischen Vulkanologen Giuseppe Mercalli, * 1850, † 1914], zwölfstufige Skala der Erdbebenstärke (→Erdbeben).

Meridiane, gedachte Linien, die die beiden Pole der Erde miteinander verbinden. Zusammen mit den →Breitenkreisen, die sie im rechten Winkel schneiden, bilden sie das →Gradnetz der Erde. Auf Landkarten oder dem Globus verlaufen sie senkrecht in nordsüdlicher Richtung. Wie die Breitenkreise ist jeder Meridian durch eine Zahl bestimmt, die in Winkelgraden (°) angegeben wird. Vom →Nullmeridian aus werden nach Osten und nach Westen je 180 Meridiane gezählt. Am Äquator haben sie einen Abstand von etwa 110 km, an den Polen laufen sie spitz zusammen.

Das Wort Meridian stammt von dem lateinischen Wort meridies (›Mittag‹) ab: Alle Orte, die auf einem Meridian liegen, haben zur gleichen Zeit Mittag.

Merkantilismus [von französisch mercantile ›kaufmännisch‹], die Wirtschaftsordnung des Absolutismus im 16.–18. Jahrh. Ausgangspunkt waren finanzielle Schwierigkeiten des absolutistischen Staates (hohe Kosten für Heer, Beamtentum und Hofhaltung). Um seine Macht wieder zu stärken, griff der Staat durch eine Vielzahl von Maßnahmen in die Wirtschaft ein. Im Mittelpunkt stand die Förderung des Handels, besonders des Außenhandels. Man wollte mehr exportieren als importieren. Die Einfuhr ausländischer Waren sollte verhindert werden. Es wurden staatliche Manufakturen (Fabriken auf handwerklicher Grundlage) errichtet, Verkehrswege ausgebaut und Binnenzölle abgeschafft. – 1651 erließ Oliver Cromwell (* 1599, † 1658) die Navigationsakte, die bestimmte, daß Waren nur noch auf englischen Schiffen eingeführt werden sollten. Der Oberintendant der Finanzen zur Zeit Ludwigs XIV., Jean Baptiste Colbert (* 1619, † 1683), richtete in Frankreich königliche Manufakturen für Gobelins und Porzellan als Musterbetriebe ein.

Merkur, 1) bei den Römern der Gott der Kaufleute und Wanderer, zugleich Götterbote. Im griechischen Götterglauben entpricht ihm →Hermes.

2) Astronomie: sonnennächster, mit 4 878 km Äquatordurchmesser zweitkleinster Planet unseres Sonnensystems (nach Pluto). Seine Umlaufzeit um die Sonne (bei einer durchschnittlichen Entfernung von 57,91 Millionen km von der Sonne) beträgt 87,97 Tage, die Drehung um seine eigene Achse dauert 58 Tage, 15 Stunden, 30 Minuten. Der Merkur besitzt keine Atmosphäre. Sein Gestein wird tagsüber von der Sonne auf 350 °C erhitzt, nachts kühlt es auf – 200 °C ab. Die Oberfläche des Merkur ähnelt der des Mondes und ist von vielen Kratern zernarbt (BILD), die auf Einschläge kosmischer Brocken während der Frühzeit des Sonnensystems zurückgehen.

Merkur 2): Mosaikbild des Merkur, das aus über 30 Einzelphotos zusammengesetzt ist, die aus einer durchschnittlichen Entfernung von etwa 100 000 km von der Raumsonde Mariner 10 am 29. März 1974 aufgenommen wurden

Merowinger, fränkisches Königsgeschlecht, dessen Namen von Merowech abgeleitet ist. Dieser war der Vater Childerichs, eines Kleinkönigs in der Gegend von Tournai im heutigen Belgien. Childerichs Sohn →Chlodwig, der 482 die Nachfolge seines Vaters antrat, beseitigte die vielen fränkischen Kleinkönigreiche und herrschte als erster Merowinger allein über das →Fränkische Reich. Dieses wurde unter seinen Nachfolgern mehrfach geteilt; die Könige bekämpften sich untereinander und verloren 751 ihre Macht an die →Karolinger.

Merseburg, 50 100 Einwohner, Stadt in Sachsen-Anhalt an der Saale. Bei Merseburg gibt es Braunkohlenbergbau und bedeutende chemische Industrie (Leuna, Schkopau). Das Stadtbild beherrschen der gotische Dom (begonnen im 11. Jahrh.) und das bischöfliche Schloß (15.–17. Jahrh.) auf dem Domhügel. In der Dombibliothek fand man die **Merseburger Zaubersprüche,** 2 althochdeutsche Zauberformeln aus dem 10. Jahrhundert.

Meskalin, ein Bestandteil der mexikanischen Kakteenart Peyotl oder Peyote. Als Droge genossen, bewirkt es zunächst Schwindel und Erbrechen, dann Gefühle der Schwerelosigkeit und Farbhalluzinationen. Es kann zu Persönlichkeitsspaltung (Schizophrenie) führen. Meskalin wirkt schon in sehr kleiner Dosierung. In Mexiko und Südamerika wird es häufig im Zusammenhang mit religiösen Zeremonien verwendet.

Mesolithikum [zu griechisch mesos ›Mitte‹ und lithos ›Stein‹], die →Mittelsteinzeit.

Mesopotamien [griechisch ›Zwischenstromland‹], Landschaft um die Flüsse Euphrat und Tigris; sie gehört zum größten Teil zu →Irak. Vor mehr als 3 000 Jahren war Mesopotamien Zentrum der ersten Hochkulturen des →Alten Orients. Man nimmt an, daß die Menschen hier in der Jungsteinzeit begannen, Getreide anzubauen und Haustiere zu züchten, nachdem sie gelernt hatten, trockenes Land zu bewässern und Sümpfe zu entwässern und in fruchtbares Ackerland zu verwandeln (→Fruchtbarer Halbmond). Im Lauf der Geschichte herrschten in Mesopotamien die Sumerer, Babylonier und Assyrer, später die Perser, Griechen und Römer, seit dem Mittelalter die Araber und Türken.

Mesosphäre, zwischen Stratosphäre und Ionosphäre liegende Schicht der →Atmosphäre.

Mesozoikum [zu griechisch mesos ›Mitte‹ und zoon ›Lebewesen‹], das Erdmittelalter (→Erdgeschichte, ÜBERSICHT).

Messias [hebräisch ›der Gesalbte‹], der im Alten Testament von Gott verheißene Erlöser. Die jüdische Religion erwartet in ihm den Heilskönig der Zukunft, der die politische Macht Israels und zugleich die weltweite Gottesherrschaft aufrichten wird. Das Neue Testament sieht diese Weissagung in →Jesus Christus erfüllt.

Messing, Gruppe von Legierungen, die aus Kupfer und Zink gebildet werden. Der Anteil des Kupfers liegt über 55%, der des Zinks entsprechend unter 45%. Bei geringem Zinkgehalt ist Messing rot gefärbt, bei höherem Zinkanteil sieht es gelb bis gelbweiß aus. Messing läßt sich im allgemeinen gut bearbeiten und ist beständig gegen Korrosion. Es wird für Armaturen, Beschläge, Schrauben, Nieten sowie im Schiffbau und in der Uhrenindustrie verwendet.

Mestize, Mischling aus der Verbindung eines weißen mit einem indianischen Elternteil.

Met, weinähnliches Getränk aus vergorenem Honig und Wasser. Bei den Germanen galt er als der Trank der Götter und Helden in Walhall, ähnlich dem griechischen Nektar.

Metalle [von griechisch metallon ›Bergwerk‹], chemische Elemente, die in fester Form (Gold, Silber, Eisen, Kupfer oder Aluminium) oder wie das Quecksilber auch in flüssiger Form auftreten. Sie sind lichtundurchlässig und zum Teil farbig, glänzen stark und leiten die Wärme und den elektrischen Strom gut. Metalle lassen sich durch Walzen, Pressen, Ziehen und Schmieden plastisch verformen. Diese Eigenschaften können durch die Bildung von →Legierungen, durch Verformung und Wärmebehandlung weitgehend beeinflußt werden.

Auf Grund besonderer Eigenschaften lassen sich die Metalle einteilen in →Leichtmetalle und →Schwermetalle, wobei die Grenze zwischen beiden bei einer Dichte von 4,5 Gramm pro Kubikzentimeter liegt, sowie in →Edelmetalle und →Buntmetalle, Eisen- (Kobalt, Nickel) und Nichteisenmetalle.

Die Gewinnung, Trennung und Reinigung (Raffination) der Metalle ist Gegenstand der **Metallurgie.**

Metaphysik, der Teil der Philosophie, der nach dem fragt, was ›hinter‹ (griechisch meta) der ›Natur‹ (griechisch physis) oder der Alltagswirklichkeit steht. Ihr Thema ist nicht dieses oder jenes Seiende (Naturdinge, Tier, Mensch), sondern das Seiende schlechthin. An einem Beispiel kann man sich diese Fragestellung gut verdeutlichen: Es gibt viele Steine von unterschiedlicher Gestalt und Farbe, z. B. Kieselsteine, Backsteine, Edelsteine. Gibt es nun eine Eigenschaft, die allen diesen unterschiedlichen Steinen gemeinsam ist? Jeder, der schon Steine in der Hand gehabt hat, weiß, daß eine Gemeinsamkeit aller Steine in ihrer Festigkeit und Härte besteht. Im übertragenen Sinn machen Härte und Festigkeit also das Sein oder Wesen eines Steines aus. Härte und Festigkeit sind zwar vorhanden, aber man kann sie nicht sehen. Dieser scheinbare Widerspruch, daß etwas da ist, man es aber nicht sehen kann, ist charakteristisch für die Metaphysik. Nun fragt man weiter. Härte und Festigkeit kann man zwar nicht sehen, aber doch mit bestimmten Instrumenten messen. Der Metaphysiker fragt nun, anders als der Wissenschaftler, nach dem, was weder zu sehen noch zu messen, gleichwohl aber doch irgendwie ›ist‹ und warum es ist.

Eine der bekanntesten metaphysischen Fragen ist die nach Gott. Man sagt, daß Gott der Grund oder die höchste Ursache alles Seienden oder der Schöpfung ist. Da man Gott aber weder sehen noch wissenschaftlich beweisen oder demonstrieren kann, beschäftigt sich die Naturwissenschaft in der Regel nicht mit theologischen Fragen.

Eine andere wichtige metaphysische Frage ist die nach dem Sinn des Daseins, die weder die Psychologie noch die Biologie erschöpfend beantworten, weil diese sich eben nicht mit dem beschäftigen, was außerhalb des Sichtbaren und Meßbaren liegt. Hier wird man also in der →Philosophie und in der →Religion mehr erfahren können.

Metastase [griechisch ›Wanderung‹], Tochtergeschwulst, die durch Verschleppung von Zellen einer bösartigen →Geschwulst in die Umgebung oder an eine andere Stelle im Körper entstanden ist.

Meteor, Leuchterscheinung beim Eindringen eines Kleinkörpers der interplanetaren Materie (eines →Meteoriten) in die Erdatmosphäre. Je nach der Größe des Meteoriten unterscheiden sich Stärke und Form der Leuchterscheinungen: 1) **teleskopische Meteore** sind dem Auge unsichtbar und können nur im Fernrohr wahrgenommen werden; die erzeugenden Meteorite haben einen

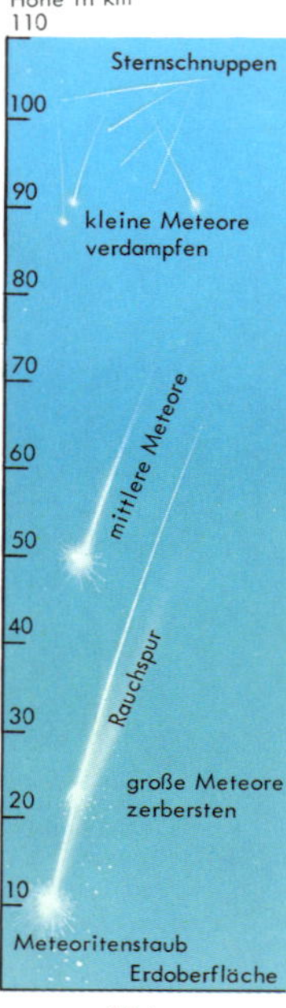

Meteor

Durchmesser von $d = 0{,}1$ bis 1 mm und eine Masse von $m = 2\ \mu g$ bis 2 mg. 2) **Sternschnuppen** heißen Meteore, deren Helligkeit die mittlere Venushelligkeit nicht übertrifft ($d = 1$ mm bis 1 cm, $m = 2$ mg bis 2 g). 3) **Feuerkugeln (Bolide)** sind heller als die mittlere Venushelligkeit ($d > 1$ cm, $m > 2$ g).

Beim Eindringen eines Meteoriten in die Erdatmosphäre (mit Geschwindigkeiten von etwa 15 bis 75 km/s) verliert er bei jedem Zusammenstoß mit einem Luftmolekül an Masse, weil einige Atome herausgeschlagen werden, die ihre kinetische Energie größtenteils in Form von Wärme an die Luftmoleküle abgeben; ein kleiner Bruchteil (rund 1%) dient zur Anregung, ein noch kleinerer (rund 1‰) zur Ionisation der Luftmoleküle. Die anschließende Abgabe der Anregungs- und Ionisationsenergie in Form von Lichtquanten bewirkt die Leuchterscheinung, die meist in einer Höhe zwischen 110 und 90 km auftritt, da Sternschnuppen hervorrufende Meteorite bereits in etwa 90 km Höhe vollständig verdampft sind. Bei Feuerkugeln dringt der hervorrufende Meteorit in tiefere Atmosphärenschichten vor, deren höhere Dichte zu einer starken Abbremsung und Erhitzung (bis auf etwa 3 000 K) führt. Dabei können Helligkeitsschwankungen, Lichtausbrüche, Explosionen mit Explosionsgeräuschen und Teilungen auftreten sowie bis zu einer Stunde nachleuchtende Schweife, hervorgerufen durch das Rekombinationsleuchten zuvor ionisierter Moleküle. Besonders große Meteorite sind auf dem letzten und hellsten Teil ihrer Bahn auch am Tag sichtbar und hinterlassen häufig eine Rauchspur; ihre Reststücke gelangen bis zum Erdboden (→Meteorite).

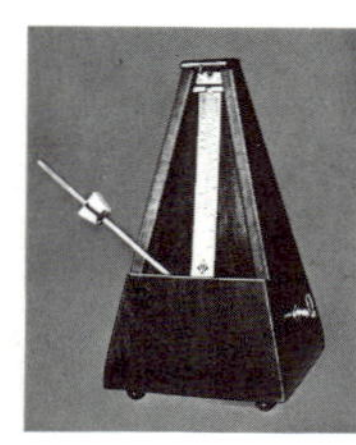
Metronom

Jedes Jahr, Anfang Januar und Anfang Mai, aber vor allem um den 11. August, können am Nachthimmel ergiebige **Meteorströme** beobachtet werden (stündlich bis zu 100 Sternschnuppen).

Meteorite, außerirdische Kleinkörper, die in die Erdatmosphäre eindringen und dort ganz oder zum Teil verdampfen und die als →Meteore bezeichnete Leuchterscheinungen verursachen. Meteorite im engeren Sinn sind die zur Erdoberfläche fallenden Reststücke solcher Körper, Meteorite im weiteren Sinn alle Kleinkörper, die sich in Strömen oder Einzelbahnen durch das Sonnensystem bewegen und wahrscheinlich meist Überreste von Kometen oder von zerstörten Planetoiden sind. Die Gesamtmasse meteoritischen Materials, das pro Tag auf die Erdoberfläche niederfällt, wird auf einige hundert bis einige tausend Tonnen geschätzt, wobei der weitaus überwiegende Anteil in Form von **Mikrometeoriten** (Durchmesser kleiner als 0,1 mm, Masse kleiner als 2 µg) vorliegt, die keine merklichen Meteorerscheinungen hervorrufen. Meteorite, die große Feuerkugeln erzeugen, werden in 10–50 km Höhe abgebremst, wobei die Außenzone verglüht. Oft zerplatzt das Objekt noch vor dem Aufprall, so daß **Meteoritenschauer** und **Steinregen** auftreten. Die Reststücke unterliegen dem freien Fall und dringen meist weniger als 1 m in den Erdboden ein. Einschlagstellen von bisher nie direkt beobachteten **Riesenmeteoriten,** deren Massen beim Aufprall explosionsartig verdampft sein müssen, heißen **Meteoritenkrater** oder **Astrobleme.** Als größter Meteoritenkrater gilt der Vredefort-Ring (Republik Südafrika, 40 km Durchmesser), in Europa das Nördlinger Ries (Bundesrepublik Deutschland, 25 km Durchmesser).

Klemens Fürst von Metternich

Meteorologie, Wetterkunde, Wissenschaft, die sich mit den physikalischen Vorgängen in den unteren Schichten der Erdatmosphäre befaßt, besonders mit den Eigenschaften und Ursachen des Wettergeschehens. Wichtigster Arbeitsbereich der Meteorologie ist die Vorhersage des Wetters.

Meter [von griechisch metron ›Maß‹], Einheitenzeichen **m,** SI-Basiseinheit der Länge (→Einheiten). Das Meter wurde ursprünglich festgelegt durch die Länge eines bestimmten Stabes, des **Urmeters,** das heute noch in Paris aufgehoben wird. Eine Länge von einem Meter entspricht ungefähr dem vierzigmillionsten Teil des Erdumfangs.

Für Messungen von höchster Genauigkeit kam es 1983 zu einer Neufestsetzung der Meterdefinition, die jedoch so vorgenommen wurde, daß sich an den Längenmessungen des Alltags nichts ändert. Danach ist 1 m die Länge der Strecke, die das Licht im Vakuum während des Zeitintervalles von 1/299792458 Sekunden durchläuft.

Methanol, Methylalkohol, der einfachste Alkohol, der in vielen Pflanzenstoffen enthalten ist. Methanol ist eine farblose Flüssigkeit mit dem niedrigen Siedepunkt bei 64,5 °C. Getrunken oder eingeatmet ist es **giftig;** sein Genuß führt zu Sehstörungen bis hin zur Blindheit. Die tödliche Menge wird auf 50–75 g geschätzt. Deshalb darf Methanol als Ersatz für das viel teurere Äthanol in kosmetischen Produkten oder Arzneimitteln nicht verwendet werden.

Metrik [von griechisch metron ›(Vers)maß‹], Lehre vom Metrum, dem geordneten Silben- oder Versmaß, das dem →Vers zugrundeliegt.

metrische Einheiten, die Einheiten eines ursprünglich auf dem Meter, später auf dem Meter und dem Kilogramm aufgebauten Einheitensystems mit dezimaler Teilung. Dieses **metrische System** wurde später durch Hinzunahme der Zeiteinheit Sekunde als dritter Basiseinheit erweitert und nach den Anfangsbuchstaben der Basiseinheiten auch **MKS-System** genannt. Die metrischen Einheiten werden in allen der Meterkonvention angeschlossenen Ländern benutzt. Ihre Weiterentwicklung führte zum internationalen Einheitensystem (→ Einheiten).

Metronom [griechisch ›Taktmesser‹]. Der Instrumentenbauer Johann Nepomuk Mälzel (* 1772, † 1838) konstruierte 1816 das Metronom als ein Hilfsmittel, mit dem man das Tempo eines Musikstücks genau festlegen kann. Es ist ein uhrenähnliches Gerät mit einem Pendel, das in einer bestimmten Geschwindigkeit ausschlägt, was durch ein regelmäßiges Ticken hörbar ist. Die Zahl der Schläge pro Minute kann man durch ein verschiebbares Gewicht verändern. Es gibt heute auch elektronisch funktionierende Metronome. Manche Komponisten geben **Metronomzahlen** an, wenn sie die Tempi einer Komposition exakt bezeichnen wollen. Für Metronomzahl schreibt man kurz M. M., die Abkürzung von **M**etronom **M**älzel; z. B. bedeutet M. M. ♩ = 72, daß die Viertelnoten eine Dauer von $^1/_{72}$ Minute haben. (BILD Seite 280)

Metrum [von griechisch metron ›(Vers)maß‹], im → Vers angewandtes Maß.

Metternich. Der österreichische Staatsmann **Klemens Fürst von Metternich** (* 1773, † 1859) war nach dem Sturz (1814/15) des französischen Kaisers Napoleon I. einer der führenden Politiker Europas. Sein Name ist eng mit dem → Wiener Kongreß (1815) und der von ihm begründeten politischen Ordnung in Europa verbunden.

Metternich entstammte einem rheinischen Adelsgeschlecht, das in österreichischen Diensten stand. 1809 wurde er österreichischer Außenminister. Als sich Österreich 1813 dem russisch-preußischen Bündnis gegen Napoleon I. anschloß, übernahm Metternich die diplomatische Führung im Kampf gegen den französischen Kaiser. Auf dem Wiener Kongreß, dessen Vorsitz er innehatte, setzte er sich mit Erfolg dafür ein, die Ordnung in Europa, so wie sie vor der Französischen Revolution von 1789 bestanden hatte, weitgehend wiederherzustellen. Gegen die Idee der vom Volk ausgehenden Staatsgewalt (›Volkssouveränität‹) setzte er den Gedanken, daß Fürsten und Könige Herrscher ›von Gottes Gnaden‹ seien. Machtpolitisch sicherte Metternich die Vorherrschaft Österreichs in Italien und im neugeschaffenen Deutschen Bund. Er strebte ein gemeinsames Vorgehen der Großmächte an, sollte die vom Wiener Kongreß geschaffene Ordnung bedroht sein. Mit den ›Karlsbader Beschlüssen‹ (1819) suchte Metternich liberale und nationale Strömungen innerhalb der Staaten des Deutschen Bundes mit polizeistaatlichen Mitteln (vor allem Unterdrückung der Pressefreiheit) zu bekämpfen. 1821 wurde er Haus-, Hof- und Staatskanzler Österreichs. Als Symbolfigur reaktionärer (rückschrittlicher) Politik angesehen, wurde er während der Revolution von 1848 gestürzt. (BILD Seite 280)

Mexiko, 15 Millionen Einwohner mit Vororten, Hauptstadt der Republik Mexiko, Verkehrsknotenpunkt und wichtigster Handelsplatz des Landes mit zahlreichen Industrieniederlassungen. – Mexiko wurde im 16. Jahrh. auf den Ruinen der alten Azteken-Hauptstadt Tenochtitlán erbaut.

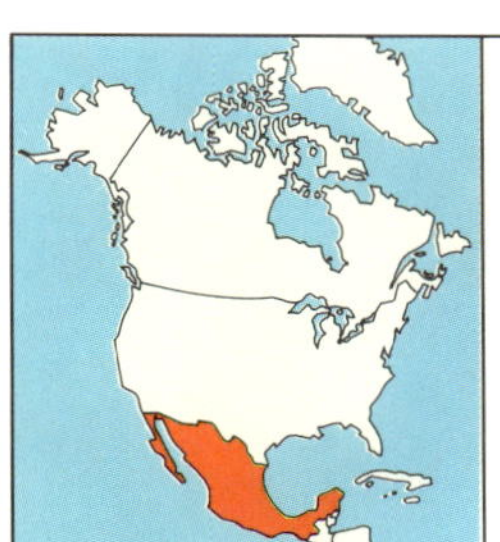

Mexiko

Fläche: 1958 201 km²
Bevölkerung: 81,14 Mill. E
Hauptstadt: Mexiko
Amtssprache: Spanisch
Nationalfeiertag: 16. Sept.
Währung: 1 Mexikan. Peso (mex$) = 100 Centavos (c)
Zeitzonen (von W nach O): MEZ −7, −8 bzw. −9 Stunden

Mexiko

Staatswappen

Staatsflagge

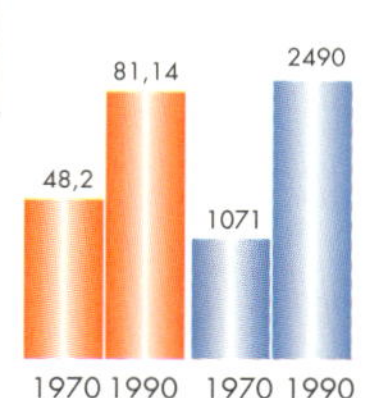

Bevölkerung (in Mill.)

Bruttosozialprodukt je E (in US-$)

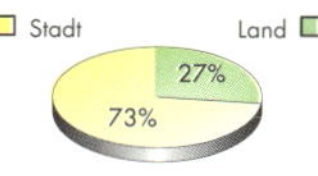

Bevölkerungsverteilung 1990

Industrie
Landwirtschaft
Dienstleistung
30%
9%
61%

Bruttoinlandsprodukt 1990

Mexiko, Republik in Mittelamerika, die im Norden an die USA, im Süden an Guatemala und Belize angrenzt. Im Osten wird sie durch den Golf von Mexiko, im Westen durch den Pazifischen Ozean begrenzt. Das Land ist mehr als sechsmal so groß wie Deutschland.

Mexiko ist überwiegend ein **Hochland** (im Norden um 1000 m, im Süden 2000–3000 m hoch), das in viele Einzelbecken gegliedert ist. Das Hochland wird durch hohe Bergketten und -massive begrenzt: im Westen durch die Sierra Madre Oriental; im Süden schließt sich eine Zone zum Teil noch tätiger Vulkane an, darunter der **Popocatépetl** (5452 m) und der höchste Berg Mexikos, der **Pico de Orizaba** (5700 m). Diese Vulkankette fällt nach Süden steil zum Rio Balsas ab. Jenseits dieses Flusses erstreckt sich die Sierra Madre del Sur bis zur Landenge von **Tehuantepec,** wo sich Pazifischer Ozean und Golf von Mexiko bis auf 220 km nähern. Östlich davon beginnt die zentralamerikanische Kordillere, die sich nach der atlantischen Seite zu der wasserarmen und verkarsteten Halbinsel **Yucatán** absenkt.

Das Klima ist tropisch bis subtropisch; im Hochland sind die Temperaturen durch die Höhenlage gemildert, wobei das Hochland keinen Wechsel zwischen kalten und warmen Jahreszeiten kennt. Die sommerliche Regenzeit bringt vor allem dem Süden am Golf von Mexiko reiche Niederschläge. Extrem trocken dagegen ist der Nordwesten des Landes mit der Halbinsel Niederkalifornien; charakteristisch für diese Gegend sind ausgedehnte Kakteensteppen.

Die Bevölkerung ist sehr ungleichmäßig verteilt. Dicht besiedelt ist die Zentralregion um die Hauptstadt, am dünnsten die Halbinsel Yucatán. Weitaus die meisten Mexikaner sind Mestizen; die Zahl der Indianer wird auf 1 Million geschätzt.

Fast die Hälfte der Bevölkerung lebt von der Landwirtschaft. Die wichtigsten landwirtschaftlichen Erzeugnisse sind – neben den Hauptnahrungsmitteln Mais und Bohnen – Weizen, Zuckerrohr, Reis, Baumwolle und Kaffee sowie Agaven, aus denen die alkoholischen Getränke Tequila und Pulque hergestellt werden. Im Norden ist die Viehzucht von Bedeutung.

Mexiko ist reich an Bodenschätzen. Seit jeher wird Gold und Silber abgebaut, und noch heute ist Mexiko einer der größten Silberproduzenten der Erde. Von weit größerer wirtschaftlicher Bedeutung jedoch sind die Vorkommen an Erdöl und Erdgas. Sie bilden die Grundlage der sich rasch entwickelnden Industrie (Stahl- und Kraftfahrzeugindustrie). Eine wichtige Einnahmequelle ist der Fremdenverkehr, auch wenn Mexiko wegen seiner hohen Inflationsrate zu den teuersten Reiseländern der Erde zählt. Hauptanziehungspunkte sind die Denkmäler des Aztekenreichs und der Maya-Kultur sowie die Seebäder an der pazifischen (zum Beispiel Acapulco) und an der karibischen Küste.

Geschichte. Das in Mexiko bestehende Reich der Azteken wurde zu Beginn des 16. Jahrh. von dem Spanier Hernando Cortez erobert und zum spanischen Vizekönigreich Neuspanien. Nachdem das Land 1821 die spanische Herrschaft abgeschüttelt hatte, begann eine Zeit der Bürgerkriege. 1848 mußte Mexiko Kalifornien, New Mexico, Texas und andere Gebiete an die USA abtreten. Ein Versuch Frankreichs, in Mexiko Einfluß zu gewinnen, um die Rückzahlung französischer Kredite sicherzustellen, scheiterte. Erneute Bürgerkriege zu Beginn des 20. Jahrh. endeten mit der Einleitung von Reformen (Enteignung des Großgrundbesitzes, Verstaatlichung der Bodenschätze). KARTE Seite 196.

HAUPTDATEN ZUR GESCHICHTE MEXIKOS

etwa 2000 v. Chr. bis um 1000 n. Chr.	Im Gebiet des heutigen Mexiko und der südlich angrenzenden Länder entwickelten verschiedene indianische Völker, z. B. Olmeken, Zapoteken, Mixteken und vor allem Maya, Hochkulturen.
um 1000 n. Chr.	neue Blüte der Maya-Kultur unter dem Einfluß der Tolteken; ihr Zentrum war Chichén Itzá auf der Halbinsel Yucatán.
14. Jahrhundert	Von Norden kommend, dehnten die Azteken ihr Reich nach Süden aus. Ihre Hauptstadt Tenochtitlán lag an der Stelle der heutigen Hauptstadt Mexiko.
1519–21	eroberte Hernando Cortez das Reich der Azteken. Die Bevölkerung der Kolonialzeit bestand in einer kleinen weißen Oberschicht, deren Wohlstand in den großen Silbervorkommen und im Grundbesitz begründet war, und einer Mehrheit von Kleinbauern und Landarbeitern (Indianer und Mestizen). Die Katholische Kirche war durch einen zahlenmäßig starken Klerus vertreten, der über umfangreichen Grundbesitz und vielerlei Vorrechte verfügte. Daraus ergaben sich soziale Spannungen, die sich seit der Unabhängigkeit Mexikos in Bürgerkriegen und Aufständen entluden.
16. 9. 1810	Aufruf zum Volksaufstand gegen die spanische Herrschaft (der 16. 9. ist heute Nationalfeiertag).
1821	wurde Mexiko unabhängig.
1845–48	versuchte Mexiko, im Mexikanischen Krieg gegen die USA die Annexion des bis dahin mexikanischen Texas durch die USA rückgängig zu machen, und verlor im Frieden von Guadelupe Hidalgo die Hälfte seines Staatsgebiets (alle Gebiete nördlich des Rio Grande) an die USA. Diese Gebietsverluste und ein Bürgerkrieg, in dem es vor allem um den Einfluß und Grundbesitz der Kirche ging, trieben das Land in den Staatsbankrott.
1862–64	versuchte vor allem der französische Kaiser Napoleon III., in Mexiko ein Kaiserreich nach seinen Vorstellungen zu errichten. Der österreichische Erzherzog Maximilian konnte sich jedoch als Kaiser nur unter dem Schutz der französischen Truppen halten; als diese Mexiko verließen, eroberten die Republikaner unter dem gewählten Präsidenten Benito Juarez das Land zurück und ließen Maximilian am 19. Juni 1867 in Gueretaro erschießen.
1876–1911	regierte mit diktatorischen Vollmachten der konservative Präsident Porfirio Diaz, der durch rasche Industrialisierung und Hilfe ausländischer Firmen einen wirtschaftlichen Aufschwung herbeiführte, jedoch die sozialen Mißstände eher noch verstärkte: 97 % der Landbevölkerung besaßen 1910 kein eigenes Land und waren ärmer als je zuvor. Eine lange und blutige Revolution beendete P. Diaz' Herrschaft.
1917	schuf die heutige gültige Verfassung die Grundlage für eine soziale Neuordnung (Aufteilung des Großgrundbesitzes, Verstaatlichung der ausländischen Unternehmen). Seither haben sich die sozialen Verhältnisse der Mexikaner trotz vieler Unruhen stetig verbessert.

Mexiko, Golf von Mexiko, der nordwestliche Teil des Meeres zwischen Nord- und Südamerika. Vom Karibischen Meer ist der Golf durch Florida, Kuba und die mexikanische Halbinsel Yucatán getrennt. Der Meeresboden ist fast eben und liegt durchschnittlich 1500 m tief; die größte Tiefe beträgt 4376 m. Das Wasser des Golfs ist warm (bis über 30 °C) und salzreich. Zwischen Kuba und Florida strömen die Wassermassen als Golfstrom in den Atlantischen Ozean hinaus. Im Bereich der Mississippi-Mündung vor der Südküste der USA befinden sich große Erdölvorkommen.

Meyer, Verlegerfamilie. **Joseph Meyer**

(* 1796, † 1856) gründete 1826 die Verlagsbuchhandlung ›Bibliographisches Institut‹ in Gotha (seit 1828 in Hildburghausen, dann in Leipzig, seit 1953 in Mannheim, seit 1984 vereinigt mit F. A. Brockhaus). 1840–53 erschien ein Konversationslexikon in 46 Bänden (später verringerte Bandzahl), zuletzt in 9. Auflage ›Meyers Enzyklopädisches Lexikon‹. Daneben erschienen unter anderem ›Meyers Großes Universallexikon‹, kleine Lexika, das Rechtschreibwerk von Konrad → Duden (mit Erweiterungen).

Meyer. Der schweizerische Dichter **Conrad Ferdinand Meyer** (* 1825, † 1898) gilt als Meister der historischen Novelle (z. B. ›Das Amulett‹, 1873, ›Die Hochzeit des Mönchs‹, 1884). In ihnen ließ er die Welt der italienischen Renaissance, aber auch des Mittelalters lebendig werden. Meist gestaltete Meyer das Verhalten historischer Persönlichkeiten in politischen Konflikten. Den starken und skrupellosen Menschen (z. B. die Titelgestalten ›Jürg Jenatsch‹, 1882, und ›Die Richterin‹, 1885) stehen schwache, leidende und gebrochene Charaktere gegenüber. Stoffe aus der Geschichte verarbeitete Meyer auch in seinen Balladen (›Die Füße im Feuer‹). Außerdem schrieb er formvollendete Gedichte (›Der römische Brunnen‹).

MEZ, Abkürzung für → **M**ittel**e**uropäische **Z**eit.

Mezzosopran, → Stimmlagen.

mg, Einheitenzeichen für **Milligramm** (→ Einheiten).

Michael Kohlhaas, Held der gleichnamigen Erzählung von Heinrich von → Kleist. Dem Pferdehändler Kohlhaas ist durch den Junker Wenzel von Tronka ein Unrecht geschehen. Lange Zeit sucht er die Wiedergutmachung auf dem Rechtsweg. Als er den Glauben an den Staat verliert, beginnt Kohlhaas einen Privatkrieg. Sein verletztes Gerechtigkeitsgefühl macht ihn zum Räuber und Mörder. Schließlich bekommt er sein Recht. Für seine Gewalttaten, die nur Unschuldige getroffen haben, wird Kohlhaas jedoch enthauptet. Die literarische Figur geht auf den Kaufmann Hans Kohlhase aus Cölln (Berlin) zurück, der im 16. Jahrh. nach erfolglosem Rechtsstreit wegen zweier Pferde gegen Kursachsen kämpfte. 1540 wurde er wegen Landfriedensbruch hingerichtet, nachdem er in seiner Sache Recht erhalten hatte.

Michelangelo [mikelandschelo]. Der italienische Bildhauer, Maler und Architekt **Michelangelo,** eigentlich Michelangelo **Buonarroti** (* 1475, † 1564), war einer der größten Künstler der Hochrenaissance und der bedeutendste Wegbereiter des Manierismus.

Von großem Einfluß auf das Schaffen Michelangelos war das Vorbild der antiken Meisterwerke. Schon als junger Mann schuf er Marmorskulpturen, die wegen ihrer ›klassischen‹ Schönheit gerühmt wurden: die ›Pietà‹ (Maria mit dem toten Christus) für die Peterskirche in Rom und der ›David‹ (Akademie in Florenz). 40 Jahre lang arbeitete Michelangelo am Grabmal für Papst Julius II.; von den fertiggestellten Teilen beeindruckt vor allem die Skulptur des ›Moses‹ (in San Pietro in Vincoli, Rom).

Conrad Ferdinand Meyer

Michelangelos größtes Werk als Maler sind die Fresken in der Sixtinischen Kapelle des Vatikans: Darstellungen aus der Schöpfungsgeschichte, Propheten und Sibyllen an der gewölbten Decke (1508–12) und das riesige ›Jüngste Gericht‹ an der Altarwand (1535–41).

In späteren Jahren war Michelangelo auch als Architekt tätig (Palazzo Farnese in Rom; Platzgestaltung des römischen Kapitols, zu seinen Lebzeiten nicht vollendet). 1547 übernahm er die Bauleitung für den Neubau der Peterskirche, deren mächtige Kuppel seine größte Leistung als Baumeister ist. (BILD Renaissance)

Michigansee [mischigen-], englisch **Lake Michigan,** der südwestlichste der 5 Großen Seen Nordamerikas. Er ist mit 57 757 km² größer als die beiden Bundesländer Rheinland-Pfalz und Nordrhein-Westfalen zusammen. An der Südspitze des bis zu 282 m tiefen Sees liegt Chicago.

Mikro, Vorsatzzeichen μ, ein Vorsatz vor → Einheiten für den Faktor 10^{-6} (Millionstel); Beispiel: 1 **Mikrometer** = 1 μm = 10^{-6} m = 0,001 mm.

Mikroben, die → Mikroorganismen.

Mikrocomputer [-kompjuhter], Abkürzung **μC,** kleine Rechenanlagen in der Größe von Schreibmaschinen, die häufig als Heimcomputer verwendet werden. Sie arbeiten langsamer als große Anlagen, haben aber meist ebenfalls Zusatzgeräte zur Anzeige, zum Drucken, Zeichnen und Speichern. Daten und Befehle werden meist über eine Tastatur eingegeben. Größere Anlagen, wie sie in Firmen und Behörden benutzt werden, nennt man **Minicomputer.** Sie arbeiten schneller und haben mehr Speicherkapazität.

Mikronesien, griechische Kleininselwelt, Bezeichnung für die Marianen, Karolinen, Marshallinseln, Gilbertinseln und Nauru im Pazifischen Ozean.

Mikronesien, Bundesstaat im westlichen Pazifischen Ozean, der 607 Inseln mit 700 km² Flä-

Mikronesien

Staatsflagge

che und 115 000 Einwohner hat. Die Landwirtschaft (Taro, Jams, Brotfrucht, Maniok) dient der Eigenversorgung. – Die Inseln wurden vor rund 3 500 Jahren besiedelt, im 16. Jahrh. von den Spaniern entdeckt. Nach dem Spanisch-Amerikanischen Krieg 1898 wurden sie an das Deutsche Reich verkauft; nach 1918 japanisch, seit 1947 von den USA verwaltet, seit 1990 unabhängig.

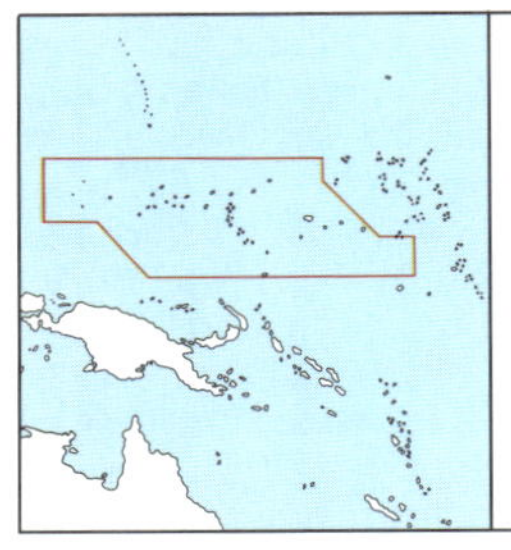

Mikronesien

Fläche: 700 km² (Landfläche)
Bevölkerung: 115 000 E
Hauptstadt: Kolonia
Amtssprache: Englisch
Währung: 12 US-Dollar (US-$) = 100 Cents (c)
Zeitzone: MEZ +11 Stunden

Mikroorganismen, Mikroben, Bezeichnung für Viren (→Virus), →Bakterien sowie die pflanzlichen (einzellige Pilze und Algen) und die tierischen **Einzeller** (→Urtierchen). Mikroorganismen sind nur unter dem Mikroskop sichtbar. Sie kommen im Boden, im Wasser und in der Luft vor. Einige sind die Erreger von Fäulnis und Verwesung und spielen im Stoffkreislauf eine wichtige Rolle (→Nahrungskette). Manche Mikroorganismen leben in →Symbiose mit Tieren in deren Darm und helfen ihnen, die Cellulose aufzuschließen (Pansenbakterien bei Wiederkäuern), andere in den Wurzeln von Pflanzen, wo sie den Stickstoff der Luft für die Pflanze binden (Knöllchenbakterien bei Schmetterlingsblütern wie Erbsen und Bohnen). Manche Mikroorganismen sind Parasiten und gefährliche Krankheitserreger bei Pflanze, Tier und Mensch. Wieder andere werden vom Menschen zur Herstellung von Wein, Bier, Hefeteig, Sauermilch, Joghurt, Käse, Sauerkraut, Arzneimitteln und vielem mehr benutzt. – Die **Mikrobiologie** ist ein Teilgebiet der →Biologie.

Mikrophon [zu griechisch mikros ›klein‹ und phone ›Stimme‹], Gerät, mit dem Töne in elektrische Signale umgeformt werden. Zunächst nimmt eine Membran den Schall auf und wandelt ihn in mechanische Schwingungen um. Diese können dann auf verschiedene Weise in elektrische Schwingungen umgeformt werden.

Mikrophon

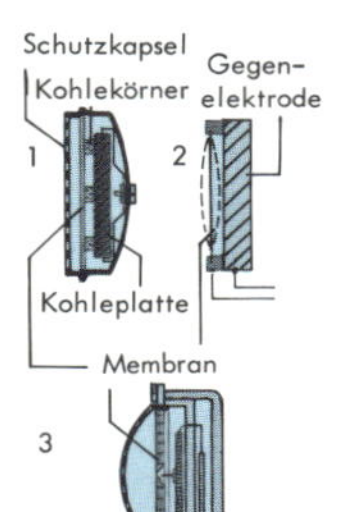

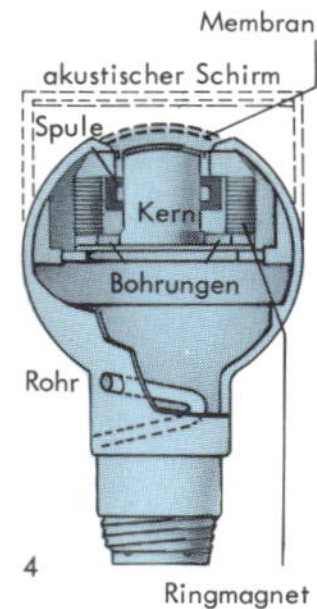

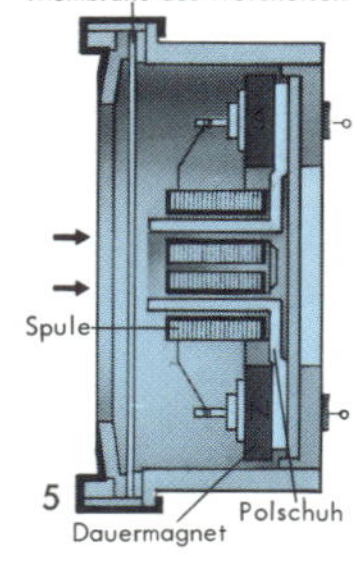

Mikrophon: 1 Kohlemikrophon, **2** Kondensatormikrophon, **3** Kristallmikrophon, **4** Elektrodynamisches Mikrophon, **5** Elektromagnetisches Mikrophon

Das erste Mikrophon wurde 1861 im Zusammenhang mit der Erfindung des Telephons von dem deutschen Physiker Philipp Reis entwickelt. Nur wenige Jahre später erfand dann der Amerikaner Thomas Alva Edison das **Kohlemikrophon,** das noch heute für Sprachübertragungen, z. B. beim Telephon, verwendet wird. Bei diesem Mikrophontyp befinden sich zwischen der Membran und einer festen Gegenelektrode Kohleteilchen, die – abhängig von den Schwingungen der Membran – unterschiedlich stark zusammengepreßt werden. Dadurch ändert sich der elektrische Widerstand zwischen den Kohleteilchen, und es entsteht in einem angeschlossenen Stromkreis ein Wechselstrom, der dem Takt der Sprachschwingungen entspricht.

Für Musikübertragungen ist das **elektrodynamische Mikrophon** besser geeignet. Seine gebräuchlichste Ausführung ist das Tauchspulenmikrophon. Hier werden die Schwingungen der Membran an eine Spule weitergeleitet, die sich in einem Magnetfeld befindet. Durch diese Bewegungen entsteht in der Spule eine elektrische Spannung, die mit der gleichen Frequenz wie die Schallwelle vor der Membran schwingt. Als hochwertigster Schallempfänger gilt das **Kondensatormikrophon,** das überwiegend in professionellen Aufnahmestudios benutzt wird. Für den Hobbybereich genügt meist das wesentlich preiswertere **Elektret-Kondensatormikrophon.** Ferner gibt es **Kristallmikrophone,** die die Fähigkeit besonderer Kristallplättchen ausnutzen, Schalldruck in elektrische Spannung umwandeln zu können.

Ein wesentliches Merkmal des Mikrophons ist seine **Richtwirkung.** Danach unterscheidet man allseitig empfindliche Mikrophone mit Kugelcharakteristik, zweiseitig empfindliche mit Achtercharakteristik und einseitig empfindliche mit Nieren- oder Kardioidcharakteristik.

Mikroprozessor, winziger elektronischer Baustein, der aus einem integrierten Schaltkreis (→Chip) besteht. In ihm sind die Grundelemente eines Computers, nämlich die Rechen- und Steuerfunktionen sowie die Speichereinheiten, enthalten. Heute werden Mikroprozessoren zunehmend in vielen Bereichen zur Steuerung elektronischer Geräte eingesetzt, z. B. in medizinischen Geräten, in Meß- und Haushaltsgeräten.

Mikroskop [zu griechisch mikros ›klein‹ und skopein ›betrachten‹]. Betrachtet man einen Wasserfloh unter einem Mikroskop, so sieht man, wie er die kräftigen Antennenmuskeln bewegt. Deutlich ist das Herz zu erkennen; es schlägt recht schnell, etwa viermal in der Sekunde. Bei starker Vergrößerung sind sogar die kleinen weißen Blutkörperchen erkennbar.

In seiner einfachsten Form besteht das Mikroskop aus 2 Sammellinsen (→Linse), dem →Okular und dem →Objektiv mit kleiner →Brennweite, die in einem langen Rohr **(Tubus)** untergebracht sind. Legt man den Körper, den man untersuchen will, vor das Objektiv zwischen einfache und doppelte Brennweite des Objektivs, dann entsteht auf der anderen Seite des Objektivs, außerhalb der doppelten Brennweite, ein wirkliches, umgekehrtes, vergrößertes Bild. Dieses wirkliche Bild muß nun im Brennpunkt des Okulars liegen, so daß dieses als Lupe wirkt. Man beobachtet dann ein scheinbares, aufrechtes, vergrößertes Bild des ersten Bildes, also ein umgekehrtes Bild des beobachteten Gegenstandes. – Die Vergrößerung eines Mikroskops erhält man, wenn man die Vergrößerungen durch Okular und Objektiv miteinander multipliziert. So vergrößert ein Mikroskop 600fach, wenn das Objektiv 50fach und das Okular 12fach vergrößert: $50 \cdot 12 = 600$.

Taucht man das zu beobachtende Objekt und das Objektiv zusätzlich in eine Flüssigkeit (z. B. Zedernholzöl), die man auch **Immersionsflüssigkeit** nennt, so wird das Licht stärker als beim Übergang in Luft gebrochen und dadurch die Vergrößerung weiter erhöht.

Mit modernen Mikroskopen erreicht man eine etwa 2 000fache Vergrößerung. Möchte man stärkere Vergrößerungen erzielen, so verwendet man andere Mikroskope, z. B. das →Elektronenmikroskop. Diese arbeiten nicht mehr mit Lichtstrahlen und Glaslinsen, sondern mit Elektronenstrahlen, die durch elektrische und magnetische Felder (Elektronenlinsen) gebündelt werden.

Das erste Mikroskop wurde wahrscheinlich 1590 von Hans und Zacharias Janssen aus Middelburg in den Niederlanden gebaut. Die Konstruktion von sehr leistungsstarken Forschungsmikroskopen gelang Ernst Abbe und Carl Zeiss am Ende des vorigen Jahrhunderts.

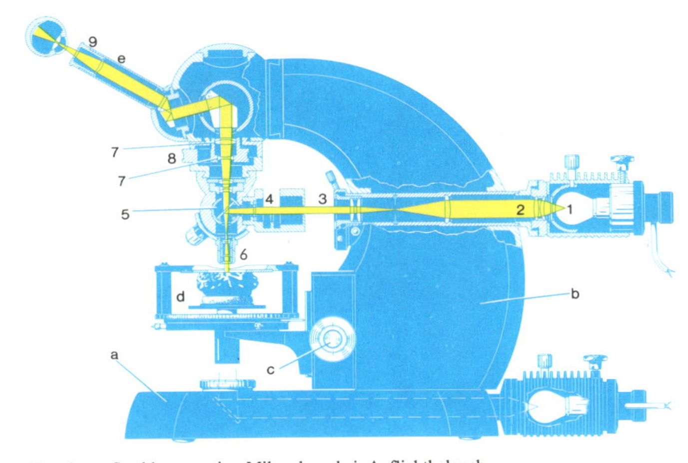

Mikroskop: Strahlengang im Mikroskop bei Auflichtbeleuchtung, a Fuß, b Stativ, c Grob- und Feineinstellung, d Anschlifftisch, e monokularer oder binokularer Tubus, 1 Niedervoltleuchte, 2 Kollektorlinsen, 3 Auflichtblendeneinsatz, 4 Auflichtilluminator, 5 teildurchlässiger Reflektor, 6 Objektiv (Kondensor), 7 untere und obere Telanlinsen, 8 Vergrößerungswechsler, 9 Okular

Mikrowellen, elektromagnetische Wellen, deren Frequenzen über 300 MHz liegen; entsprechend klein (unter 1 m) sind die Wellenlängen. Mikrowellen werden durch spezielle Halbleiterbauelemente oder, vor allem bei größeren Leistungen, durch Mikrowellenröhren (z. B. Klystron, Magnetron) erzeugt. Sie lassen sich zu nachrichtentechnischen Zwecken über Antennen (z. B. Parabolantennen) abstrahlen und auffangen. Zur leitungsgebundenen Übertragung verwendet man Hohlleiter (hohle Metallrohre mit meist rechteckförmigem Querschnitt), in denen die Wellen entlanglaufen. Mikrowellen werden angewendet im Nachrichtenverkehr über Richtfunkverbindungen auf der Erde und über Satelliten, beim Radar, in der Funknavigation, bei Landeführungssystemen auf Flugplätzen und für wärmetechnische Aufgaben. Besonders bekannt ist hier der Mikrowellenherd, mit dem Speisen erhitzt werden.

Milane, auch in Deutschland heimische →Greifvögel; sie werden etwas größer als Mäusebussarde. Im Flug fallen ihre gewinkelten Flügel auf, beim **Rotmilan** außerdem der tief gegabelte Schwanz (daher auch **Gabelweihe**). Milane nisten auf hohen Bäumen an Waldrändern. Sie jagen Mäuse, Eidechsen, Blindschleichen und Heuschrecken. Meist überwintern sie im Süden.

Milane: Rotmilan

Milben kommen in vielen Arten überall auf der Erde vor, sogar in polaren Randzonen und in der Tiefe des Meeres. Diese mit den →Spinnen verwandten sackförmigen Tiere mit zum Teil stechend-saugenden Mundwerkzeugen sind meistens sehr klein (0,5–2 mm) und können daher auch in engste Spalten und Ritzen eindringen. Viele Milben leben als Parasiten. Sie saugen an Pflanzen (wodurch z. B. Bäume ihre Blätter verlieren können) sowie an Tieren und Menschen (→Zecken). Andere verursachen die →Gallen an Pflanzen oder Krankheiten bei Tieren (Räude), einige auch beim Menschen (Krätze).

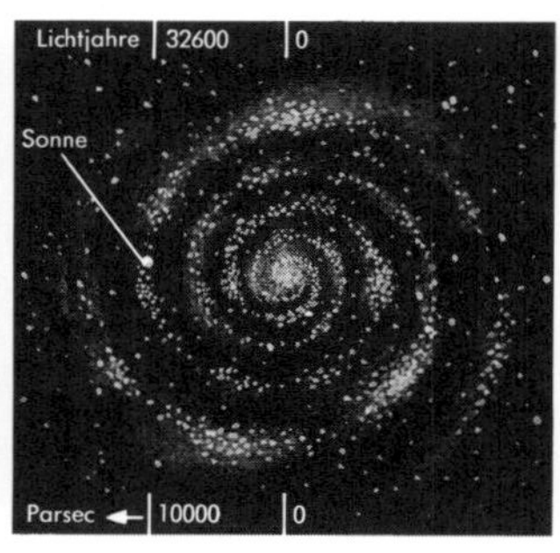

Milchstraßensystem: LINKS seitliche Ansicht des Milchstraßensystems (schematisch; Sonne stark vergrößert dargestellt), RECHTS Ansicht des Milchstraßensystems von Norden. Die Rotation wird entgegen dem Uhrzeigersinn angenommen (schematisch)

Milchgebiß, →Gebiß.

Milchstraße, der breite helle Gürtel um die Himmelskugel, der durch den vereinigten Glanz sehr vieler, weit entfernter Sterne entsteht. Die Erscheinung der Milchstraße entsteht durch Projektion eines riesigen, stark abgeplatteten Sternsystems, des →Milchstraßensystems, an die Himmelskugel.

Milchstraßensystem, Galaxis, ein →Sternsystem, dem neben der Sonne und allen mit bloßem Auge sichtbaren Fixsternen (etwa 5 000) noch weitere rund 200–300 Milliarden Sterne angehören. Das Milchstraßensystem besteht aus einer galaktischen Scheibe von etwa 120 000 Lichtjahren Durchmesser und 3 500 Lichtjahren Dicke mit einer zentralen Verdikkung von 15 000 Lichtjahren Durchmesser, die vom nahezu kugelförmigen, vor allem aus Kugelsternhaufen bestehenden **galaktischen Halo** (Durchmesser 165 000 Lichtjahre) umgeben wird. Die nur schwer zu bestimmende Gesamtmasse des Milchstraßensystems wird mit 120–190 Milliarden Sonnenmassen angegeben. Die Sonne ist etwa 30 000 Lichtjahre vom Zentrum des Milchstraßensystems **(galaktisches Zentrum)** entfernt, das jedoch durch dazwischenliegende dichte Wolken interstellarer (zwischen den Sternen befindlicher) Materie nicht sichbar ist, und liegt 45 Lichtjahre nördlich der galaktischen Ebene. Während der mittlere Sternabstand in der Sonnenumgebung bei etwa 5–6 Lichtjahren liegt, enthält das galaktische Zentrum auf engem Raum einige 100 Millionen Sterne (mittlerer Abstand dort einige Lichtwochen).

Die äußere Form des Milchstraßensystems ist von einem Beobachtungsort innerhalb des Systems nur schwer zu erschließen, doch deuten radioastronomische Messungen auf eine Spiralstruktur hin. Während in den Spiralarmen überwiegend junge Sterne anzutreffen sind, enthalten die kugelförmigen Sternhaufen des galaktischen Halo hauptsächlich alte Sterne (bis zu 20 Milliarden Jahre). Die Rotation des Milchstraßensystems **(galaktische Rotation)** führt zu einer Umlaufbewegung der Sonne um das galaktische Zentrum innerhalb von 250 Millionen Jahren, was einer Rotationsgeschwindigkeit am Ort der Sonne von rund 230 km/s entspricht.

mile [mail], Einheitenzeichen **mile** in Großbritannien, Einheitenzeichen **mi** in den USA, auch **statute mile** (›Landmeile‹): 1 mile = 1 760 yd (→yard) = 1,609 344 km (vereinheitlichter Wert); **nautical mile** ist die Bezeichnung für die internationale →Seemeile.

Milet, altgriechische Handelsstadt, heute Ruinenstätte an der Westküste Kleinasiens. Milet wurde im 7. Jahrh. v. Chr. als Kolonie von Ioniern gegründet. Als es um 550 v. Chr. zusammen mit den griechischen Städten Kleinasiens unter persische Herrschaft gezwungen wurde, kam es zum Ionischen Aufstand (499–494 v. Chr.). Der Aufstand scheiterte; Milet wurde völlig zerstört und seine Bevölkerung in die Sklaverei geführt. 479 v. Chr. baute der Architekt Hippodamos die Stadt mit einem neuartigen rechtwinkligen Straßennetz wieder auf. Nach erneuter Blüte verödete sie in der Spätantike (4./5. Jahrh.), als der Hafen versandete.

Military [militeri, englisch], →Vielseitigkeit.

Miliz [von lateinisch ›militia‹ Truppe], Streitkräfte, die im Frieden nur zu kurzfristiger Ausbildung und wiederholten Übungen zusammentreten oder nur ein kleines Stammpersonal unterhalten, das erst im Kriegsfall aufgefüllt wird. Der Dienst in der Miliz kann eine Form der allgemeinen Wehrpflicht sein, z. B. in der Schweiz.

Miller. Die sozial- und zeitkritischen Theaterstücke des amerikanischen Dramatikers **Arthur Miller** (* 1915), z. B. ›Alle meine Söhne‹ (1947), ›Der Tod des Handlungsreisenden‹ (1949), ›Blick von der Brücke‹ (1955), richten sich besonders gegen das Erfolgsstreben des amerikanischen Bürgertums und stellen die Verantwortung des einzelnen für seine Mitmenschen in den Vordergrund. Kritik an der antikommunistischen Verfolgungswelle im Amerika der 1950er Jahre enthalten die Bühnenstücke ›Hexenjagd‹ (1953) und ›Nach dem Sündenfall‹ (1963). Miller verwendet die analytische Technik, nach der Ereignisse aus der Vergangenheit im Lauf der Handlung aufgedeckt werden, sowie Verfremdungseffekte und Rückblenden.

Milli [von lateinisch mille ›tausend‹], Vorsatzzeichen **m,** ein Vorsatz vor →Einheiten für den Faktor 10^{-3} (Tausendstel); z. B.: 1 **Millimeter** = 1 mm = 0,001 m; 1 **Milligramm** = 1 mg = 0,001 g; 1 **Milliliter** = 1 ml = 0,001 l; 1 **Millibar** = 0,001 bar (→Bar).

Milliarde, Abkürzung **Mrd.,** 1 000 Millionen, die Zahl 1 000 000 000.

Millimeter-Quecksilbersäule, kurz für **konventionelle Millimeter-Quecksilbersäule,** Einheitenzeichen **mmHg,** nicht gesetzliche Einheit des Druckes; sie stellt den Druck einer 1 mm hohen Quecksilbersäule bei Normfallbeschleunigung (9,80665 m/s²) dar: 1 mm Hg = 133,322 Pa (Pascal) = 1,33322 mbar (Millibar).

Million, Abkürzung **Mio,** tausend mal tausend, die →Zahl 1 000 000.

Milz, faustgroßes, bohnenförmiges, den Lymphknoten ähnliches Organ, das im linken Oberbauch im Bereich der 9. bis 11. Rippe liegt. Neben der Bildung von weißen Blutkörperchen und Antikörpern (→Abwehrkräfte) besteht ihre Aufgabe darin, gealterte rote Blutkörperchen abzubauen und das in ihnen enthaltene Eisen zu speichern.

Mimikry [englisch ›Nachahmung‹], eine Form der Schutzanpassung bei Tieren. Arten, die von Natur aus ungeschützt sind, ahmen oft andere wehrhafte oder ungenießbare Arten in Aussehen (z. B. Warn- oder Schreckfarbe) oder Verhalten (z. B. Drohhaltung) nach, so daß ein Räuber diese Arten ebenso wie ihre Vorbilder meidet. So ahmt z. B. der völlig harmlose Schmetterling Hornissenschwärmer die Hornisse im Aussehen nach und schützt sich so vor dem Gefressenwerden durch Vögel, die aus Erfahrung gelernt haben, daß Hornissen stechen können.

Mimosen, Familie tropischer Pflanzen mit gelben, weißen oder violetten Blütenköpfchen, deren artenreichste Vertreter die →Akazien sind. Die in Brasilien heimische **Mimose** oder **Sinnpflanze** klappt bei dem geringsten Reiz (Erschütterung, Dunkelheit, Wärme) ihre Fiederblättchen paarweise nach oben und dann das ganze Blatt nach unten.

min, Einheitenzeichen für →**Min**ute 1).

Minarett, der Turm einer Moschee, in dessen oberem Bereich sich eine oder mehrere Galerien befinden. Von hier ruft der Muezzin (Gebetsrufer) die Moslems täglich fünfmal zum Gebet, heute oft über Lautsprecher.

Minarett (Bauformen)

minderjährig, nicht volljährig, in der →Geschäftsfähigkeit beschränkt. Die Minderjährigkeit endet in der Bundesrepublik Deutschland mit Erreichen des 18. Lebensjahrs, in der Schweiz mit 20, in Österreich mit 19 Jahren. (ÜBERSICHT Lebensalter)

Minerale [von lateinisch minera ›Erzschacht‹], chemisch und physikalisch einheitliche, natürliche, meist anorganische Festkörper der Erdkruste oder von Himmelskörpern. Sie liegen meist als Kristalle oder körnige Gemengteile, z. B. in Gesteinen, vor. Zu ihrer Beschreibung und Bestimmung werden ihre physiko-chemischen Eigenschaften herangezogen, vor allem aber auch äußere Kennzeichen wie Kristallform, Dichte, Härte, Spaltbarkeit, Bruch, Glanz, Farbe und Lichtdurchlässigkeit. Von den mehr als 2 000 Mineralarten setzen sich mehr als 96 % der oberen Erdkruste allein aus Plagioklasen, Kalifeldspaten, Pyroxenen, Hornblenden, Olivinen, Quarz, oxidischen Eisenerzen, Glimmer, Kalkspat und Tonmineralen zusammen. Nur einzelne Minerale, wie Erze oder Salze, kommen örtlich angereichert in abbauwürdigen Lagerstätten vor. Besonders auffällige oder seltene Minerale oder Mineralaggregate werden gern gesammelt.

Auf Grund ihrer chemischen Zusammensetzung werden 9 Mineralklassen unterschieden: die Elemente wie Kupfer, Quecksilber oder Kohlenstoff (Diamant); die Sulfide, Arsenide und Antimonide, die sehr viele wichtige Erze bilden; die Halogenide wie Steinsalz oder Flußspat; die Oxide und Hydroxide wie Korund oder Hämatit; die Carbonate, Nitrate und Borate wie Kalkspat oder Chilesalpeter; die Sulfate, Chromate, Molybdate und Wolframate wie Schwerspat oder Gips; die Phosphate, Arsenate und Vanadate wie Türkis oder Apatit; die große Gruppe der →Silikate sowie organische Verbindungen wie der Honigstein.

Mineralstoffe, die unverbrennbaren Anteile von Pflanze, Tier und Mensch (›Aschebestandteile‹). Sie werden nach ihrer Funktion im Organismus in 2 Gruppen eingeteilt: Zur ersten Gruppe gehören solche, die vor allem als Baustoffe dienen und stets in größerer Menge vorkommen, z. B. Natrium, Kalium, Calcium, Magnesium und Phosphor. Die zweite Gruppe bilden die **Spurenelemente,** die im Organismus nur in Spuren vorkommen, vor allem als Bestandteil von Hormonen, Enzymen und Vitaminen, z. B. Eisen, Kupfer, Kobalt, Zink, Jod und Fluor. Die Mineralstoffe werden immer in Form von Mineralsalzen (z. B. Natrium als Natriumchlorid) aufgenommen, und zwar bei den Pflanzen über die Wurzel aus dem Boden und bei den Tieren und dem Menschen mit der Nahrung. Der Mangel an Mineralstoffen führt schnell zu **Mangelkrankheiten.** Die Ursache kann bei Pflanzen darin liegen, daß der Boden ausgelaugt ist oder der entsprechende Mineralstoff in einer Form vorliegt, in der die Pflanze ihn nicht aufnehmen kann. Ein Beispiel ist das Vertrocknen der Blätter unter Braunfärbung bei Kaliummangel. Bei Mensch und Tier tritt Mineralstoffmangel meist als Folge falscher Ernährung, aber auch bei Krankheiten (Durchfall, erheblicher Blutverlust) auf. Beispiele sind die Kropfbildung bei Jodmangel oder eine Form der →Anämie bei Eisenmangel. Werden die Mineralstoffe völlig entzogen, so hat dies den baldigen Tod des Organismus zur Folge.

Minerva, altitalische Göttin, die Beschützerin des Handwerks. Die Römer setzten sie später mit der griechischen Pallas →Athene gleich.

Miniatur [zu lateinisch minium ›Mennigfarbe‹, später Bedeutungswandel zu minor ›kleiner‹], zum einen ein Bild in einer Handschrift oder einem Buch (→Buchmalerei), zum anderen ein Porträt in kleinem Format. **Porträtminiaturen** gewannen besonders im 16. Jahrh. durch Hans Holbein den Jüngeren an Bedeutung. Gegen Ende des 19. Jahrh. wurden sie von der Photographie verdrängt.

Minigolf, →Bahnengolf.

Minister [lateinisch ›Gehilfe‹], Mitglied einer Regierung, meist der Leiter einer obersten Behörde der Staatsverwaltung, eines **Ministeriums.** In der Bundesrepublik Deutschland und in Österreich werden die Mitglieder der Bundesregierung **Bundesminister** genannt. Die Mitglieder der schweizerischen Regierung heißen **Bundesräte.**

Ministerpräsident, in den meisten Ländern der Bundesrepublik Deutschland der dem Landtag verantwortliche Leiter der Landesregierung.

Mink, der nordamerikanische →Nerz.

Minnesang, die ritterliche Liedkunst des 12.–14. Jahrh. in Deutschland. Sie greift auf die Kunst der französischen Troubadoure, auf altkirchliche Melodien (Gregorianischer Gesang) und auf die volkstümliche Kunst der fahrenden Spielleute zurück. Die einstimmigen, oft mit kleinen Verzierungen (Melismen) ausgestatteten Gesänge haben meist die ›Barform‹: 2 melodisch gleichgestaltete ›Stollen‹ werden von einem davon abweichenden ›Abgesang‹, der in der Regel oft wieder in die Stollenmelodie einmündet, beantwortet. Sie handeln von der ›Minne‹, der verehrenden Liebe eines Ritters zu einer meist verheirateten, höhergestellten Frau. Die Minnelieder wurden zu Fiedel oder Harfe gesungen. Gegen Ende des 14. Jahrh. entstanden auch mehrstimmige Lieder. Zu den bedeutendsten Minnesängern, die Dichter und Komponist in einer Person waren, gehören Heinrich von Morungen, Reinmar von Hagenau, Walther von der Vogelweide, Neithart von Reuental und Oswald von Wolkenstein.

minoische Kultur, die erste Hochkultur Europas, benannt nach König Minos, der auf Kreta geherrscht haben soll. Den Namen gab ihr der britische Archäologe Arthur Evans, der um 1900 die minoische Palastanlage von →Knossos erforschte. Die minoische Kultur, die etwa 2600–1150 v. Chr. dauerte, wirkte nach ihrem Untergang in der griechischen, besonders in der mykenischen Kultur (→Mykene) weiter. Beide werden oft zur kretisch-mykenischen Kultur zusammengefaßt.

Minos, sagenhafter König in Knossos auf Kreta, Sohn des Zeus und der Europa. Seine Gattin gebar den **Minotaurus,** ein Ungeheuer mit menschlichem Körper und Stierkopf, den Minos in einem riesigen Labyrinth festhalten ließ. In dieses Labyrinth drang Theseus mit Hilfe von Minos' Tochter Ariadne ein und tötete das Ungeheuer.

Minus [lateinisch ›weniger‹], Zeichen **–**, das Rechenzeichen für die Subtraktion (→Grundrechenarten).

Minuspol, Kathode, bei einer elektrischen Spannungsquelle (z. B. galvanisches Element) der Pol mit Elektronenüberschuß.

Minute, 1) gesetzliche SI-fremde →Einheit der Zeit, Einheitenzeichen **min** bei Angabe einer Zeitdauer: 1 min = 60 s (Sekunden); Einheitenzeichen ^{min} bei Angabe der Uhrzeit, z. B. $7^{h}\,12^{min}$ (für 7 Uhr 12 Minuten).

2) Einheitenzeichen ′, gesetzliche SI-fremde Einheit des ebenen Winkels, 60. Teil des Winkelgrades: $1' = 1°/60 = (\pi/10\,800)$ rad. Die Minute wurde früher auch als **Altminute** bezeichnet, im Gegensatz zur Neuminute (→Grad).

Minze, würzig riechende Pflanzen, die reich an ätherischen Ölen sind und vielfach als Heilpflanzen verwendet werden, vor allem die →Pfefferminze.

Mio., Abkürzung für →Million.

Mirabelle, eine →Pflaume.

Miró. Der spanische Maler, Bildhauer und Graphiker **Joan Miró** (* 1893, † 1983) entwickelte einen Stil, der Elemente des Kubismus und des Surrealismus mit der Buntheit der Naiven Malerei verband. Seine ›Traummalerei‹ zeigt frei phantasierte Szenen aus abstrakten oder dingähnlichen Formen und kindlichen Strichmännchen; die Bilder wirken poetisch und heiter, manchmal drücken sie auch Angst und Schrekken aus. Miró schuf auch Lithographien, Collagen, Wandbilder und Skulpturen.

Mischlinge, Nachkommen von Eltern verschiedener Rassen. Man spricht je nach Rassenzugehörigkeit der Eltern z. B. von **Mestizen** (Weiße und Indianer), **Mulatten** (Weiße und Schwarze), **Zambos** (Indianer und Schwarze).

Mischpult, elektrisches Gerät, mit dem Tontechniker die Aufnahmen von Sängern und Musikern kontrollieren. An dem Pult können Klang und Lautstärke über Regelknöpfe oder -schieber geändert und einzelne Instrumente oder Geräuscheffekte dazugemischt werden.

Mission [von lateinisch missio ›Sendung‹], allgemein die Aussendung eines Boten mit einem wichtigen Auftrag, besonders die Aussendung von Glaubensboten **(Missionare)** zur Verbreitung einer Religion unter Andersgläubigen. Im Islam gibt es einen Auftrag zur Mission durch den Propheten Mohammed. Im Christentum liegt die Mission im Sendungsbefehl Christi begründet. Die christlichen Missionare, die heute auf allen Kontinenten wirken, predigen jedoch nicht nur ihren Glauben, sondern sie helfen in der Krankenpflege, der Betreuung von Armen, bei Hungersnöten und leisten so ihren Beitrag zur Entwicklungshilfe. Die ersten Missionare waren die →Apostel.

Mississippi [indianisch ›Vater der Gewässer‹], größter Strom Nordamerikas. Er ist 5971 km lang (mit dem →Missouri 6020 km). Der Mississippi entspringt im Itascasee westlich der Großen Seen im Norden der USA. Bevor er in den Golf von Mexiko mündet, nimmt er große Nebenflüsse auf: Missouri, Arkansas, Red River von Westen (Rocky Mountains), Ohio/Tennessee von Osten (Appalachen). Die Wasserführung schwankt sehr stark, dennoch ist der Fluß größtenteils schiffbar. Mit zahlreichen Stauwerken, besonders in den Nebenflüssen, wird versucht, die früher verheerenden Überschwemmungen des Mississippi einzudämmen.

Missouri [mißuri, indianisch ›Schlammfluß‹], mit 2241 km längster Nebenfluß des Mississippi. Er entsteht aus 3 Quellflüssen im Staat Montana im Nordwesten der USA, durchfließt die Kordilleren und das Missouri-Plateau und mündet bei Saint Louis in den Mississippi. Auf dem Missouri gibt es keine Schiffahrt. Zahlreiche große Stauanlagen dienen der Hochwasserregulierung, Elektrizitätsgewinnung und Bewässerung.

Mißtrauensvotum, in den parlamentarischen Demokratien das Recht des Parlaments, mit der Mehrheit seiner Mitglieder dem Regierungschef oder einem einzelnen Minister das Vertrauen zu entziehen und ihn damit zum Rücktritt zu zwingen. In der Bundesrepublik Deutschland kann der Bundestag zwingend jedoch nur dem Bundeskanzler sein Mißtrauen aussprechen, und zwar, indem er mit der Mehrheit seiner Mitglieder einen Nachfolger wählt. Einen Regierungssturz dieser Art nennt man **konstruktives Mißtrauensvotum.** So wählte der Bundestag 1982 mit der Mehrheit seiner Mitglieder Helmut Kohl (CDU) anstelle von Helmut Schmidt (SPD) zum Bundeskanzler. Aus eigener Machtvollkommenheit kann der Bundestag den Sturz eines einzelnen Bundesministers nicht erzwingen, sondern er kann nur dessen Entlassung fordern.

Mistel

Mistel, Pflanze, die auf Bäumen schmarotzt. Sie ist mit Hilfe ihres Blattgrüns zwar zur →Photosynthese fähig, entzieht aber, da ihr die Wurzeln fehlen, ihrer Wirtspflanze Wasser und darin gelöste Nährstoffe (→Parasiten). Die weißen Beeren mit sehr klebrigem Fruchtfleisch werden vor allem von Amseln und Drosseln verzehrt. Dabei werden die Samen von einem Baum zum anderen getragen. Das Keimwürzelchen bildet eine klebrige Haftscheibe, auf der ein zapfenartiger Fortsatz durch die Baumrinde bis in den Holzteil dringt. Nach dem Laubfall erkennt man Misteln als kugelige, gelbgrüne Büsche auf den Bäumen.

Mistkäfer

Mistkäfer, etwa 1–2 cm lange, schwarz, schwarzgrün oder dunkelblau glänzende Käfer, die sich von Mist ernähren. Die Weibchen graben bis 1 m tiefe Erdgänge und legen ihre Eier hinein. Verwandt sind die →Pillendreher.

Mitbestimmung, Beteiligung der Arbeitnehmer (Arbeiter und Angestellte) an Entscheidungen in Betrieben (betriebliche Mitbestimmung) und Unternehmen (unternehmerische Mitbestimmung). Die **betriebliche Mitbestimmung** ist im Betriebsverfassungsgesetz (für Beschäftigte des öffentlichen Dienstes im Personalvertretungsgesetz) geregelt. Um von ihren Mitwirkungs- und Mitbestimmungsrechten Gebrauch zu machen, können die Arbeitnehmer in Betrieben mit mindestens 5 Beschäftigten über 18 Jahren einen **Betriebsrat** (im öffentlichen Dienst einen **Personalrat**) wählen. In wirtschaftlichen Angelegenheiten (z. B. bei umfassenden Betriebsänderungen) sind die Rechte des Betriebsrats auf Anhörung und Mitberatung beschränkt.

Neben Mitwirkungsmöglichkeiten kann der Betriebsrat in sozialen Angelegenheiten auch mitbestimmen, besonders bei Arbeitszeitregelungen sowie Urlaubs- und Entlohnungsgrundsätzen. In personellen Angelegenheiten (z. B. Einstellung, Versetzung, Entlassung) muß der Betriebsrat unterrichtet werden; er kann auch Widerspruch, z. B. gegen eine Kündigung, einlegen.

Arbeiten in einem Betrieb mindestens 5 Jugendliche, kann eine besondere **Jugendvertretung** gewählt werden. Sie ist für Fragen der Berufsausbildung zuständig und achtet darauf, daß die Bestimmungen des Jugendarbeitsschutzgesetzes eingehalten werden.

Unternehmerische Mitbestimmung bedeutet, daß die Belegschaft von Kapitalgesellschaften (AG, GmbH) an der wirtschaftlichen Leitung beteiligt wird (z. B. bei Entscheidungen über Investitionen). Je nach Unternehmensgröße und Branche wählen die Arbeitnehmer unterschiedlich viele Vertreter in den Aufsichtsrat. Diesem Gremium, das die Arbeit der Geschäftsführung überwacht, gehören außerdem Vertreter der Anteilseigner (z. B. Aktionäre einer AG) an.

Mitesser, Komedonen, kleine Hautknötchen mit schwarzem Mittelpunkt. Sie entstehen, meist im Gesicht und auf dem Rücken, wenn Talgdrüsen der Haut durch Verhornung, Schmutz oder Talgeindickung verstopfen. Beim Ausdrücken entleert sich ein länglicher Talgpfropf. Wenn Krankheitserreger eindringen, kann daraus eine →Akne entstehen.

Mitlaut, Konsonant, →Laut.

Mittag. Wenn die Sonne ihren höchsten Stand über dem Horizont erreicht hat, ist es 12 Uhr Ortszeit. Die Sonne hat dann scheinbar den Längengrad (→Meridian), auf dem ein Ort liegt, durchschritten und die Mittagshöhe erreicht.

Mittelalter, die geschichtliche Epoche zwischen Altertum und Neuzeit, die man meist mit der Völkerwanderung (375) beginnen und mit Renaissance und Reformation (um 1500) enden läßt. Man teilt das Mittelalter in **Frühmittelalter** (bis zum Ende der Herrschaft der →Karolinger, 919), **Hochmittelalter** (zwischen 919 und 1250/54, Herrschaft der →Ottonen, →Salier und →Staufer) und **Spätmittelalter** (bis zur Entdeckung Amerikas, 1492, und zum Thesenanschlag Martin Luthers, 1517). Das römisch-deutsche Kaisertum, das Papsttum und die Kirche sind die bestimmenden Kräfte dieses Zeitalters, in dem sich römische, christliche und germanische Elemente verbinden. Die mittelalterliche Gesellschaft war ständisch nach Adel, Geistlichkeit (Klerus), Bürgern, Handwerkern, Bauern und gesellschaftlich Minderberechtigten (Henker, Abdecker, Dirnen; Juden) gegliedert. Sie war Feudalgesellschaft, das heißt, sie beruhte auf dem →Lehnswesen.

Mittelamerika, die Übergangslandschaft zwischen Nord- und Südamerika (→Amerika), gegliedert in →Mexiko, →Zentralamerika und →Westindien.

Mitteldeutschland, das Gebiet der deutschen Mittelgebirge vom Rheinischen Schiefergebirge im Westen bis zu den Sudeten im Osten. Vor allem versteht man darunter den mittleren Abschnitt dieses Gebiets vom Hessischen Bergland im Westen bis zur Lausitz im Osten; die nördliche Begrenzung bilden Harz und Fläming, die südliche Thüringer Wald, Frankenland und Erzgebirge.

Mitteleuropäische Zeit, Abkürzung **MEZ,** die in Mitteleuropa gültige Zeit. Die Uhrzeit eines Ortes wird vom Stand der Sonne bestimmt. Orte auf demselben Längenkreis haben dieselbe Ortszeit, die aber schon für die westlich oder östlich benachbarten Längenkreise nicht mehr gilt. Um zu verhindern, daß über kürzere Entfernungen hinweg die Zeit unterschiedlich bezeichnet wird, sind auf der Erde 24 **Zeitzonen** festgelegt worden. Rein rechnerisch ist eine Zeitzone ein 15° breiter Streifen, der sich von einem Mittelmeridian aus je 7,5° nach Westen und Osten erstreckt. Die Grenzen der Zeitzonen folgen aber nicht einfach den Längenkreisen, sondern passen sich den Ländergrenzen an. Die Mitteleuropäische Zeit gilt daher in ganz Mitteleuropa, von Frankreich bis Polen.

Mittelgewicht, eine →Gewichtsklasse.

Mittellandkanal, Schiffahrtskanal, der das westdeutsche Wasserstraßennetz mit Weser und Elbe verbindet. Er reicht vom Dortmund-Ems-

Kanal östlich von Rheine bis zur Elbe bei Magdeburg, ist 325 km lang und für Schiffe bis 1 000 t befahrbar.

Mittelmeer, auch **Europäisches Mittelmeer, Mittelländisches Meer,** rund 3 Millionen km² großes Nebenmeer des Atlantischen Ozeans zwischen Südeuropa, Vorderasien und Nordafrika. Zu ihm gehören mehrere Randmeere, z. B. Adriatisches und Ägäisches Meer, Marmarameer, Schwarzes Meer. Es ist durchschnittlich 1 450 m tief; die größte Tiefe (5 121 m) liegt im östlichen Mittelmeer westlich der Peloponnes. Durch die Straße von Gibraltar ist das Mittelmeer mit dem Atlantischen Ozean verbunden; der Suez-Kanal stellt eine künstliche Verbindung zum Roten Meer her.

Hohe Bevölkerungsdichte, umfangreiche Industrieansiedlungen und starker Fremdenverkehr an den nördlichen Küsten bringen das Mittelmeer immer mehr aus seinem natürlichen Gleichgewicht. So ist auch der starke Rückgang des Fischfangs zu erklären.

Mittelmeere, Nebenmeere, die zwischen 2 Kontinenten (Europäisches Mittelmeer) oder innerhalb eines Kontinents (Ostsee) liegen.

Mittelschwergewicht, eine →Gewichtsklasse.

Mittelsteinzeit, Mesolithikum, die Übergangszeit von der Altsteinzeit zur Jungsteinzeit, wird oft der →Altsteinzeit zugeordnet.

Mittelstreckenlauf, Sammelbezeichnung für die leichtathletischen Laufstrecken von 800 m bis 3 000 m. Der 800- und der 1 500-m-Lauf sind für Damen und Herren olympische Disziplinen. Damen laufen seit 1984 bei Olympischen Spielen auch über 3 000 m.

Mittelwellen, Abkürzung **MW,** elektromagnetische Wellen mit Wellenlängen zwischen 100 und 1 000 m, was Frequenzen von 3 000 bis 300 kHz (Kilohertz) entspricht. Tagsüber werden Mittelwellen von der Ionosphäre (Teilbereich der Atmosphäre) nicht reflektiert. Man kann daher nur die in ihrer Reichweite auf einige 100 km begrenzten Bodenwellen, die sich längs des Erdbodens ausbreiten, empfangen. Nachts kommen die von der Ionosphäre reflektierten, viel weiter reichenden Raumwellen hinzu (Fernempfang).

Mitternachtssonne. Auf der Nordhalbkugel der Erde bleibt die Sonne jenseits der geographischen Breite von 66,5° zur Sommerszeit auch um Mitternacht über dem Horizont und geht nicht unter (Polartag). An den Polarkreisen dauert dieser Polartag genau 24 Stunden, zum Nordpol hin nimmt seine Dauer stetig zu. Dort ist vom 21. März bis 23. September Polartag. Auf der Südhalbkugel ist zu dieser Zeit →Polarnacht. Ein halbes Jahr später sind die Verhältnisse umgekehrt.

ml, Einheitenzeichen für **Milliliter,** 1 ml = 0,001 l (→Liter).

mm, mm², mm³. Einheitenzeichen für **Millimeter, Quadratmillimeter** und **Kubikmillimeter** (→Einheiten).

mmHg, Einheitenzeichen für konventionelle →Millimeter-Quecksilbersäule.

Moa, ein mit dem →Strauß verwandter, ausgestorbener Riesenlaufvogel auf Neuseeland.

Mobilfunk, die beweglichen Landfunkdienste. Sie ermöglichen drahtlose Ferngespräche von jedem Ort aus (u. a. Autotelefon). Unterschieden werden nichtöffentliche (Betriebsfunk u. a. bei Taxiunternehmen) und öffentliche (Eurosignal, Cityruf, schnurlose Telefone) Funknetze. Einen europaweiten Einsatz erlauben die seit 1991 im Aufbau befindlichen digitalen Funknetze der Telekom (D 1-Netz) und der Mannesmann Mobilfunk GmbH (D 2-Netz).

Moçambique

Fläche: 799 380 km²
Bevölkerung: 14,7 Mill. E
Hauptstadt: Maputo
Amtssprache: Portugiesisch
Währung: 1 Metical (MT) = 100 Centavos (c)
Zeitzone: MEZ + 1 Stunde

Moçambique [moßambik], **Mosambik,** Republik in Südostafrika am Indischen Ozean, mehr als viermal so groß wie die Bundesrepublik Deutschland. Das Land gliedert sich in ein Tiefland entlang der Küste und 1 000 m hohe Hochländer im Norden und Nordwesten, die von Inselbergen überragt werden. Das Klima ist im Küstengebiet tropisch, im Hochland gemäßigt. Trockensavannen herrschen vor.

Die meisten Bewohner gehören Bantustämmen an. Wichtigstes landwirtschaftliches Erzeugnis sind die Cashewnüsse, die ⅕ des Exports ausmachen. Daneben werden Tee, Sisal, Mais, Bananen und Citrusfrüchte angebaut. Auch Baumwolle wird exportiert. Die Industrie verarbeitet landwirtschaftliche Erzeugnisse. Der Cabora-Bassa-Staudamm dient der Stromerzeugung. Portu-

Moçambique

Staatswappen

Staatsflagge

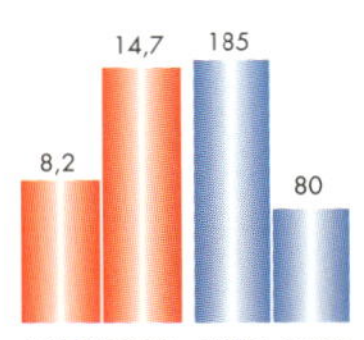

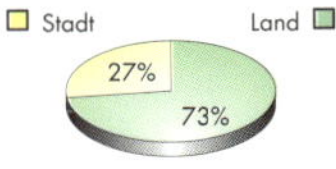

Bevölkerungsverteilung 1990

Industrie
Landwirtschaft
Dienstleistung
15% 20%
65%

Bruttoinlandsprodukt 1990

giesen hatten das Land im 16. Jahrh. besetzt. 1962 begann ein Unabhängigkeitskrieg, der 1975 mit der Unabhängigkeit endete. (KARTE Seite 194)

Modem, Abkürzung für **Mo**dulator-**Dem**odulator, Gerät, das z. B. bei der Übertragung von Bildschirmtext benötigt wird. Ein Modem übersetzt die über das Fernsprechnetz ankommenden Signale, so daß sie von dem im Fernsehgerät eingebauten Decoder in Informationen umgesetzt werden können.

Moderner Fünfkampf, sportliche Vielseitigkeitsprüfung, seit 1912 olympische Disziplin für Herren. Sie besteht aus: Springreiten, Degenfechten, Schwimmen über 300 m in beliebigem Stil, Pistolenschießen, 4000-m-Geländelauf.

Modersohn-Becker. Die Malerin **Paula Modersohn-Becker** (* 1876, † 1907), die mit ihrem Mann, dem Landschaftsmaler **Otto Modersohn** (* 1865, † 1943), in der norddeutschen Künstlerkolonie Worpswede lebte, malte bevorzugt bäuerliche Menschen sowie Kinder, Selbstporträts und Stilleben. Ihre Bilder sind durch flächenhafte Farbwirkungen gekennzeichnet; Figuren und Gegenstände erscheinen in vereinfachten Formen, durch die das Ursprüngliche in Menschen und Dingen zum Ausdruck kommen soll. Paula Modersohn-Becker steht in eigenständiger Weise dem → Expressionismus nahe.

Modigliani [modiljahni]. Der italienische Maler und Bildhauer **Amedeo Modigliani** (* 1884, † 1920) lebte größtenteils in Paris. Hier wurde er zunächst vom Fauvismus (Henri → Matisse) beeinflußt und empfing später auch Anregungen durch afrikanische und indische Plastik. In klarer, vereinfachender Linienführung malte er vor allem Akte und Köpfe von Mädchen.

Modul [von lateinisch modulus ›Maß‹], elektronische Baugruppe, die eine oder mehrere Aufgaben innerhalb eines größeren Geräts oder einer Anlage übernimmt. Ein Modul ist meist als leicht austauschbare Einheit aufgebaut, z. B. eine mit Steckkontakten versehene Leiterplatte. Die Modulbauweise erleichtert den Austausch defekter Teile und ermöglicht die Erweiterung des Systems.

Mofa, Abkürzung für **Mo**tor**fa**hrrad, ein Fahrrad mit Hilfsmotor. Es hat eine Höchstgeschwindigkeit von 25 km/h und darf ab 15 Jahren mit einer Prüfbescheinigung gefahren werden. (→ Motorrad)

Mogadischu, Mogadiscio, 1 Million Einwohner, Hauptstadt, wichtigster Hafen von Somalia an der Küste des Indischen Ozeans.

Möglichkeitsform, → Konjunktiv.

Mohammed, Begründer der islamischen Religion (→ Islam). Er wurde vermutlich um 570 in Mekka geboren. Um 595 heiratete er Chadidja, eine wohlhabende Kaufmannswitwe, und unternahm als ihr Vermögensverwalter ausgedehnte Handelsreisen. Er beschäftigte sich mehr und mehr mit religiösen Fragen und zog sich immer häufiger zur Meditation in die Wüste um Mekka zurück. Dort wurden ihm 610 nach islamischem Glauben die göttlichen Offenbarungen zuteil, wie sie später im → Koran aufgezeichnet wurden. Im Zentrum seiner Verkündigung stand das Bekenntnis zu Allah, dem einen Gott, und die Verkündigung eines göttlichen Gerichts, vor dem der Mensch nach dem Tod Rechenschaft ablegen muß. Die neuen Lehren fanden in Mekka nur wenige Anhänger, und nach dem Tod seiner Frau versuchte man, ihn zu vertreiben. Mohammed vollzog 622 seine Ausbürgerung aus seinem Stamm in Mekka und siedelte nach Medina über. Mit dem Jahr der Auswanderung setzt die islamische Zeitrechnung ein.

Nach damaliger Sitte heiratete er mehrfach und hatte schließlich 12 Frauen, von denen Aischa als Lieblingsfrau gilt. Seine Macht wurde mit der Zeit so groß, daß er 630 wieder in Mekka einziehen und seine Geburtsstadt dem Islam unterwerfen konnte. Als Mohammed am 8. Juni 632 starb, beherrschte er weite Teile Arabiens.

Mohikaner, nordamerikanischer Indianerstamm, der an beiden Ufern des Hudson beheimatet war. Reste des Stammes leben heute im Staat Wisconsin, USA. Bekannt wurde ihr Name durch James Fenimore Coopers Roman ›Der letzte der Mohikaner‹.

Mohrrübe, Karotte, Gemüsepflanze mit spindelförmiger, fleischig verdickter Pfahlwurzel und stark zerteilten Blättern. Die in den Blättern gebildeten Nahrungsstoffe werden in der Wurzel gespeichert. Sie ist reich an Nährstoffen und Vitaminen, vor allem an Carotin (= Provitamin A), Vitamin C und Vitamin E, und daher ein wertvolles Nahrungs- und Futtermittel.

Mokick, leichtes **Mo**torrad mit **Kick**starter, das heißt einem Trethebel zum Anwerfen des Motors. Mokicks haben eine Höchstgeschwindigkeit von 40 km/h und dürfen mit Führerschein Klasse 4 gefahren werden. (→ Motorrad)

Mol, Einheitenzeichen **mol,** SI-Basiseinheit (→ Einheiten) der Stoffmenge. Das Mol ist definiert als die Stoffmenge eines Systems, das aus ebensoviel Einzelteilchen besteht, wie Atome in 12 g des Kohlenstoffnuklids ^{12}C enthalten sind.

Bei Verwendung des Mol müssen die Einzelteilchen des Systems spezifiziert sein und können Atome, Moleküle, Elektronen sowie andere Teilchen oder Gruppen solcher Teilchen genau angegebener Zusammensetzung sein.

Molche sehen den Eidechsen ähnlich, gehören aber zu den →Lurchen. Im Unterschied zu den eng verwandten →Salamandern leben sie nicht nur als Larve, sondern auch zur Fortpflanzungszeit (Frühjahr bis Frühsommer) in stehenden oder langsam fließenden Gewässern. Mit ihrem seitlich abgeflachten Ruderschwanz schwimmen sie sehr wendig. Das Männchen trägt zu dieser Zeit einen hohen, teils gezackten Rückenkamm. Das Weibchen setzt seine 200–400 Eier einzeln an Wasserpflanzen ab. An Land, wo sich Molche nur unbeholfen bewegen, leben sie versteckt stets in Gewässernähe. Sie fressen Würmer, Insektenlarven, Schnecken und kleine Krebse. Ähnlich wie Eidechsen sind Molche imstande, verlorengegangene Körperteile (Schwanz, Zehen, ein Bein) neu zu bilden. In Deutschland kommt häufig der **Teichmolch,** der **Alpen-** oder **Bergmolch** und der 18 cm lange **Kammolch** vor.

Moldau, 1) Landschaft im Osten Rumäniens, zwischen Karpaten und der Pruth gelegen. Während im ebenen Osten die Landwirtschaft überwiegt, herrscht in den Karpaten die Waldnutzung vor. Auf der Grundlage reicher Erdölvorkommen hat sich bei Bacău eine bedeutende chemische Industrie entwickelt. Die Hauptorte sind Jassy und Galati. – Die Moldau, seit 1359 selbständiges Fürstentum, wurde 1862 mit der Walachei zum Fürstentum →Rumänien vereinigt.

2) tschechisch **Vltava,** Hauptfluß Böhmens. Der 435 km lange Fluß entspringt im Böhmerwald, nahe der Grenze zur Bundesrepublik Deutschland. Nördlich von Prag (von hier ab ist sie schiffbar) mündet sie in die Elbe.

Moldawien, Staat in Osteuropa, eine Republik. Das Land, das etwa so groß wie Nordrhein-Westfalen ist, grenzt an Rumänien und die Ukraine. Das Klima ist gemäßigt kontinental. Im dicht besiedelten Moldawien leben überwiegend die hier Moldauer genannten Rumänen, daneben vor allem Ukrainer und Russen. Die Gläubigen gehören meist der orthodoxen Kirche an, eine Minderheit ist römisch-katholisch. Die durch Böden und Klima begünstigte Landwirtschaft bringt Getreide, Wein, Obst, Gemüse und Tabak hervor; daneben besteht eine reiche Viehhaltung. Die industrielle Produktion konzentriert sich auf Textil- und Leichtindustrie, Energietechnik und Landmaschinenbau.

Moldawien

Fläche: 33 700 km²
Bevölkerung: 4,4 Mill. E
Hauptstadt: Chişinău
Amtssprache: Moldauisch (Rumänisch)
Währung: 1 Rubel (Rbl.) = 100 Kopeken
Zeitzone: MEZ + 1 Stunde

Nach kurzer Zugehörigkeit zur römischen Provinz Dacia siedelten seit dem 6. Jahrh. n. Chr. slawischen Stämme im Gebiet des späteren Moldawien. Im 14. Jahrh. gründeten Genueser befestigte Handelsstützpunkte am Djnestr. 1359 gründete der walachische Heerführer Bogdan das ›Moldauische Fürstentum‹, in dem Moldava, Bessarabien und die Bukowina vereinigt werden. Nach osmanischer Herrschaft fiel das Land im 19. Jahrh. an Rußland; unter dem Namen Bessarabien nahm es einen bescheidenen wirtschaftlichen Aufschwung. Teile des Gebietes wurden 1918 an Rumänien abgetreten, jedoch 1940 zurückerobert und zur Sowjetrepublik umgestaltet. 1991 erklärte Moldawien seine Unabhängigkeit von Moskau; der Plan einer engeren Bindung an Rumänien führte 1992 zu einem Bürgerkrieg gegen die im Land lebenden Russen und Gagausen.

Molekül [von lateinisch molecula ›kleine Masse‹]. Wenn man von den kleinsten Teilchen eines Stoffes spricht, die gerade noch dessen Eigenschaften besitzen, so muß man zwischen →Atomen und Molekülen unterscheiden. Während Atome die kleinsten Teile von →chemischen Elementen sind, sind Moleküle die kleinsten Teile von →chemischen Verbindungen. Moleküle bestehen aus 2 oder mehr Atomen, die durch chemische Bindungen zusammengehalten werden. Zahl und Art der Atome einer Verbindung kann man in einer chemischen Formel zusammenfassen. So sagt z. B. die Formel von Wasser, H_2O, aus, daß sich 2 Wasserstoffatome (H) mit einem Sauerstoffatom (O) zu einem Wassermolekül verbunden haben.

Die Anzahl der Atome beträgt in den meisten Verbindungen zwischen 2 und 100. **Riesenmoleküle** wie Eiweiße oder Kunststoffe können aber auch Millionen von Atomen enthalten. Moleküle sind elektrisch ungeladen und meist hitzeempfindlich. Oberhalb von 600 °C ist die überwiegende Mehrheit der Moleküle bereits in Bruchstücke oder Atome zerfallen.

Moldawien

Staatswappen

Staatsflagge

Molche:
1 Bergmolch,
1 a Weibchen,
1 b Männchen;
2 Kammolch

Molière [moljährl]. Der französische Komödiendichter **Molière** (eigentlich Jean-Baptiste Poquelin, * 1622, † 1673) durchzog 12 Jahre lang mit einer Wandertruppe die Provinz. In dieser Zeit schrieb er seine ersten, noch possenhaften Stükke. Wieder in Paris, erhielt Molière, der in der Gunst König Ludwigs XIV. stand, ein eigenes Theater. In seinen Komödien, z. B. ›Die Schule der Frauen‹ (1662), ›Tartuffe‹ (1664), ›Der Menschenfeind‹ (1666), ›Der Geizige‹ (1668), ›Der Bürger als Edelmann‹ (1670), spielte er selbst die Hauptrollen. Für Hoffeste schrieb Molière Theaterstücke mit Gesang und Ballettszenen (z. B. ›Der eingebildete Kranke‹, 1673). Seine 26 Komödien zeichnen sich durch meisterhafte Handlungsführung und witzige Sprache aus. Sie wollen Mißstände der Zeit und menschliche Schwächen aufdecken wie Pseudobildung, Adelsehrgeiz der Neureichen, gelehrtes Gehabe unwissender Ärzte, religiöse Heuchelei.

Moll [von lateinisch mollis ›weich‹], das ›weiche‹ oder ›weibliche‹ Tongeschlecht, im Unterschied zum ›männlichen‹ → Dur. Die Molltonarten haben, ausgehend vom Grundton, eine kleine Terz und kleine Sexte.

Molukken, Gewürzinseln, östlichste Inselgruppe Indonesiens mit einer Landfläche von 83 675 km². Die rund 1,4 Millionen Molukker leben vor allem auf den Hauptinseln Halmahera, Seram und Buru. Die Inseln sind gebirgig und weisen noch tätige Vulkane auf. Auf Grund des tropischen Klimas sind die Inseln von tropischem Regenwald bedeckt. Meist werden in den Küstenregionen Sago- und Kokospalmen sowie Knollenfrüchte angebaut. Die Bedeutung des Gewürzexports (Pfeffer, Gewürznelken, Muskatnuß) ist stark zurückgegangen. – Die Molukken wurden 1512 portugiesisch; 1607–1949 waren sie niederländisch. Seit 1949 sind die Inseln eine Provinz Indonesiens.

Molybdän [von griechisch molybdos ›Blei‹], Zeichen **Mo,** → chemische Elemente, ÜBERSICHT.

Monaco, Fürstentum an der französischen Riviera. Das Land steigt steil zum Hinterland der Seealpen an. Historisches Zentrum ist das Gebiet um das Schloß und das Ozeanische Museum. Jenseits des Hafens liegt **Monte Carlo** mit der Spielbank, einer wichtigen Einnahmequelle. Monaco ist wegen des milden Klimas ein beliebter Winterkurort. Das Fürstenhaus der Grimaldi hat 1918 einen Schutzvertrag mit Frankreich geschlossen, dem zufolge beim Aussterben des Herrscherhauses Monaco an Frankreich fällt. (KARTE Seite 202)

Monaco

Staatswappen

Staatsflagge

Monarchie [griechisch ›Einzelherrschaft‹], Staatsform, in der im Gegensatz zur → Republik eine durch Vorrechte der Geburt (Abstammung aus dem Adel allgemein oder von einer bestimmten adligen Familie) ausgezeichnete Person an der Spitze des Staates steht, z. B. ein → König, ein → Kaiser.

Das Deutsche Reich des Mittelalters war eine **Wahlmonarchie** (→ Kurfürsten), das Königreich Frankreich eine **Erbmonarchie.** War die Regierungsgewalt eines Monarchen nur den göttlichen Geboten ideell unterworfen, dann spricht man von einer **absoluten Monarchie** (→ Absolutismus). In einer **konstitutionellen Monarchie** werden die Rechte des Herrschers durch eine Verfassung eingeschränkt; die Gesetzgebung üben Herrscher und gewähltes Parlament gemeinsam aus. In einer **parlamentarischen Monarchie** sind Regierung und Minister vom Vertrauen des Parlaments abhängig. Der Monarch ist als Staatsoberhaupt – wie zum Beispiel in den heutigen Monarchien Europas – auf Repräsentationspflichten beschränkt.

Monat, ursprünglich die Zeit eines Mondumlaufs (→ Mond) um die Erde (Mondmonat); dem Kalender wurde der **synodische Monat** zugrundegelegt, der Abschnitt zwischen 2 gleichen Mondphasen, also 2 Neumonden oder 2 Vollmonden; er dauert 29 Tage 12 Stunden 44 Minuten 3 Sekunden. Die heutige Einteilung des → Jahres in 12 Monate zu 30 oder 31 Tagen (außer dem Februar mit 28 oder 29 Tagen) entspricht jedoch nicht den Umlaufzeiten und den Phasen des Mondes, sondern wurde von Papst Gregor XIII. 1582 (→ Kalender) festgelegt, um eine brauchbare Einteilung des (durch den Umlauf der Erde um die Sonne festgelegten) Jahres zu erreichen.

Monatsblutung, die → Menstruation.

Mönch [von griechisch monachos ›alleinlebend‹], Angehöriger eines Männerordens (→ Orden 1), der aus religiösen Gründen allein oder in der Gemeinschaft eines → Klosters lebt.

Monaco

Fläche: 1,95 km²
Bevölkerung: 29 900 E
Verwaltungssitz: Monaco
Amtssprache: Französisch
Nationalfeiertag: 19. Nov.
Währung: 1 Frz. Franc (FF) = 100 Centimes (c)
Zeitzone: MEZ

Mond

Mond, allgemein ein Himmelskörper, der sich um einen Planeten und mit diesem um die Sonne bewegt; er wird auch **Trabant** oder **Satellit** genannt. Ein Mond leuchtet durch das von seiner Oberfläche reflektierte Licht der Sonne und nicht von sich aus. Nur der Erdmond ist mit bloßem Auge sichtbar, die Monde anderer Planeten kann man wegen deren Lichtschwäche nur mit einem Fernrohr erkennen. Die Erde hat einen Mond, Mars 2, Jupiter 16, Saturn (mindestens) 17, Uranus 5, Neptun 2 Monde und Pluto einen Mond.

Der **Erdmond** bewegt sich auf einer elliptischen Bahn in 27 Tagen 7 Stunden 43 Minuten 11,5 Sekunden um die Erde. Dieser Zeitraum wird **siderischer Monat** genannt, weil der Mond diese Zeit benötigt, um am selben Fixstern (Siderastern) vorbeizuziehen. Auf seiner scheinbaren Bahn an der Himmelskugel bewegt sich der Mond relativ zu den Fixsternen täglich von Westen nach Osten um 13° 10′ 35″ weiter und geht daher jeden Tag später auf und unter. Der Mond wendet uns stets dieselbe Seite zu, weil er bei einem Umlauf um die Erde sich gleichzeitig einmal um die eigene Achse dreht (gebundene Rotation).

Der Mond erhält sein Licht von der Sonne und erscheint daher von der Erde aus in verschiedenen **Mondphasen.** Steht der Mond zwischen Erde und Sonne, so ist seine unbeleuchtete Seite der Erde zugewandt, es ist **Neumond.** Danach wird am rechten Rand der Mondscheibe eine schmale Mondsichel sichtbar; man spricht vom **zunehmenden Mond.** Die Sichel wird immer breiter, und $7^3/_8$ Tage nach Neumond ist die halbe Mondscheibe (Erstes Viertel) beschienen. Wieder nach $7^3/_8$ Tagen befindet sich die Erde zwischen Sonne und Mond; es ist dann **Vollmond,** da die ganze von der Erde aus sichtbare Mondoberfläche beleuchtet wird. Danach beginnt die rechte Seite sich zu verdunkeln, und wieder nach $7^3/_8$ Tagen ist nur noch die linke Mondhälfte von der Sonne be-

Mond

schienen (Letztes Viertel). Die Zeit von Neumond zu Neumond beträgt 29 Tage 12 Stunden 44 Minuten 3 Sekunden und wird **synodischer Monat** genannt. Dieser dauert etwas länger als der siderische Monat, weil die Erde während eines Mondumlaufs ihrerseits einen Teil ihrer Bahn um die Sonne zurücklegt.

Der Mond besitzt keine Lufthülle; die Temperaturen auf seiner Oberfläche wechseln zwischen +130 °C tags und −160 °C nachts. Die kugelförmige Gestalt des Mondes hat einen Durchmesser von 3476 km, etwa ¼ des Erddurchmessers; seine mittlere Entfernung von der Erde beträgt 384403 km. Mit bloßem Auge kann man auf der Mondoberfläche helle und dunkle Gebiete, mit dem Fernrohr Gebirgsketten (bis 8 km aufragend), Krater und Ringgebirge (das heißt Großkrater mit Durchmessern bis über 200 km) erkennen. Auf der Vorderseite des Mondes sind fast 40000 Großkrater, die Mehrzahl mit einem Durchmesser von 40–80 km. Man erklärt ihre Entstehung durch das Aufschlagen von großen →Meteoriten in der Frühzeit des Mondes. Die Entstehung des Mondes ist noch nicht geklärt. Die Anziehungskraft des Mondes bewirkt auf der Erde unter anderem die →Gezeiten. Auswirkungen des Mondes auf die Atmosphäre, das Wetter oder gar auf die Psyche des Menschen haben sich bisher nicht nachweisen lassen. Bilder von der Rückseite des Mondes lieferten (seit 1959) die russischen und amerikanischen Raumsonden (→Raumfahrt, ÜBERSICHT). Am 20. Juli 1969 landeten die Amerikaner Neil Armstrong und Edwin Aldrin mit der →Mondlandefähre von ›Apollo 11‹ auf dem Mond (→Apollo-Programm).

Mondfinsternis, Verfinsterung des Vollmondes beim Durchgang des Mondes durch den Erdschatten, das heißt, wenn sich die Erde auf einer (nahezu) geraden Linie zwischen Sonne und Mond befindet (BILD). Die von der Sonne abgewandte Seite der Erde besitzt einen sich kegelförmig zuspitzenden Kernschatten. In diesen Erdschatten wandert der Mond auf seiner Bahn um die Erde und wird verdunkelt. Eine solche Mondfinsternis ist nur bei Vollmond möglich, wegen der unterschiedlichen Neigung der Mond- und Erdbahn aber nicht bei jedem Vollmond. Wird nur ein Teil des Mondes verdunkelt, spricht man von **partieller Mondfinsternis.** Auch bei der **totalen Mondfinsternis** (das heißt, wenn der Mond ganz in den Kernschatten eingetreten ist) wird der Mond nur selten völlig verdunkelt; ein Teil des Sonnenlichts wird nämlich durch die Erdatmosphäre gestreut und fällt daher doch auf den Trabanten, der dann kupferrot gefärbt ist.

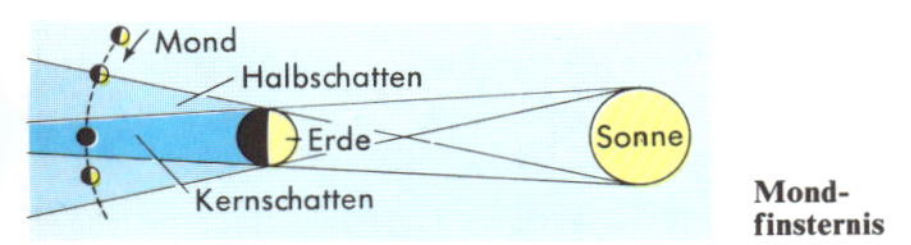

Mondfinsternis

Mondlandefähre. Das bisher einzige bemannte Mondlandefahrzeug war das des →Apollo-Programms, englisch **Lunar Module** (abgekürzt LM). Sein Zweck war, 2 Mann aus der Mondumlaufbahn zur Mondoberfläche herab- und von dort wieder heraufzubringen. Demgemäß bestand die Mondlandefähre aus einer Abstiegs- und einer Aufstiegsstufe. Die Abstiegsstufe blieb nach der Rückkehr der Astronauten auf dem Mond stehen, die Aufstiegsstufe verblieb nach dem Umsteigen der Raumfahrer in einer Mondumlaufbahn.

Monegassen, die Bewohner von →Monaco.

Monet [monä]. Der französische Maler **Claude Monet** (* 1840, † 1926) war ein Hauptvertreter des →Impressionismus, dessen zunächst spöttisch gemeinter Name von Monets Gemälde ›Impression – Sonnenaufgang‹ (1872) abgeleitet wurde. Monet kam es auf die Wahrnehmung der farbigen Erscheinungen der Natur an; vor allem ihre Veränderungen im wechselnden Licht wollte er einfangen. Deshalb malte er dasselbe Motiv zu verschiedenen Tageszeiten, so die Kathedrale von Rouen, den Pariser Bahnhof Saint Lazare oder auch einen Heuschober. Er entwickelte die Technik des kurzen Pinselstrichs, die es ihm erlaubte, mit unvermittelt nebeneinandergesetzten Komplementärfarben das flüchtige Spiel des Lichts wiederzugeben; die Form der Gegenstände war ihm dabei weniger wichtig. In seinen späten Bildern löste er das Dingliche immer mehr auf zugunsten der allumfassenden Lichtbewegung.

Mongolei, der von den Mongolen bewohnte Nordosten Innerasiens. Die Mongolei umfaßt im wesentlichen das Gebiet der Wüste Gobi und reicht im Nordwesten und Norden über den Mongolischen Altai und das Changaigebirge bis zum Sajanischen Gebirge und den Gebirgen jenseits des Baikalsees. Den größten Teil nimmt der Staat der Mongolei ein. – Die Mongolei war im Lauf ihrer Geschichte mehrere Male Mittelpunkt nomadischer Großreiche. Im 17. Jahrh. kam sie unter der Mandschu-Dynastie an China. Bei Ausbruch der chinesischen Revolution 1911 machte sich die **Äußere Mongolei** (zwischen der Gobi und Sibirien) selbständig. Sie bildete 1924–91 die Mongolische Volksrepublik, seither

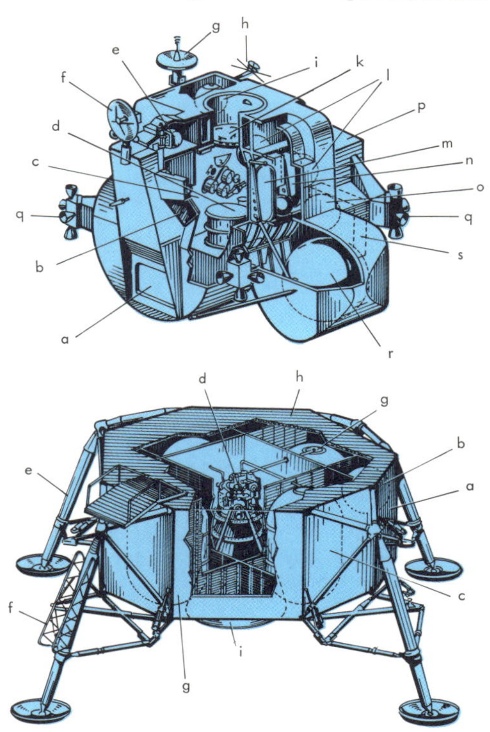

Mondlandefähre: OBEN Wiederaufstiegsstufe; a Ausstiegsluke, b Fenster, c Pilotenkabine, d Aufstiegsmotor, e stabilisierte Plattform, f bewegliche Radarantenne für Rendezvous, g Richtantenne, h UKW-Antenne, i Wassertank, k Luke zum Verbindungstunnel, l Sauerstoffbehälter, m Zündstoff für Steuersysteme, n Brennstoff für Steuersysteme, o Heliumtank, p Instrumentenkammer, q Steuersysteme, r Brennstoff für Wiederaufstiegsmotor, s Reserve-Elektronik. UNTEN Landegestell (Abstiegsstufe); a wissenschaftliche Instrumente, b Wasserbehälter, c Brennstoffbehälter, d Landemotor, e Landegestell, f Abstiegsleiter, g Zündstoff für Landemotor (Oxidator), h Hitzeschild (Apollo 12), i Düsenverlängerung des Landemotors

die Republik Mongolei. Die **Innere Mongolei** (zwischen der Gobi und der Mandschurei) ist seit 1947 autonomes chinesisches Gebiet.

Mongolei

Fläche: 1 565 000 km²
Bevölkerung: 2,18 Mill. E
Hauptstadt: Ulan Bator
Amtssprache: Mongolisch
Nationalfeiertage: 11. Juli, 26. Nov.
Währung: 1 Tugrig (Tug) = 100 Mongo
Zeitzone: MEZ +7 Stunden

Mongolei

Staatswappen

Staatsflagge

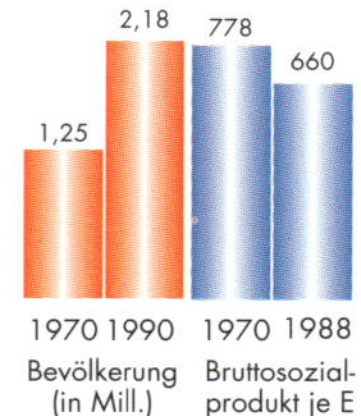

Bevölkerung (in Mill.) Bruttosozialprodukt je E (in US-$)

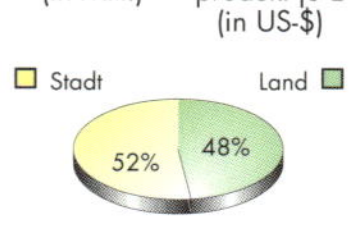

Bevölkerungsverteilung 1990

Industrie
Landwirtschaft
Dienstleistung

34% 49% 17%

Bruttoinlandsprodukt 1990

Mongolei, Staat zwischen Rußland und der Volksrepublik China in Innerasien, rund dreimal so groß wie Frankreich.

Das überwiegend abflußlose Hochland wird im Westen und Nordwesten von den Gebirgsketten des Altai begrenzt. Im Süden liegt die Wüste Gobi. In dem strengen Kontinentalklima mit kalten Wintern und geringen Niederschlägen herrscht Steppe vor. Die Bevölkerung, die zu rund $^1/_3$ in der Hauptstadt lebt, besteht zum größten Teil aus Mongolen. Viehzucht ist der wichtigste Wirtschaftszweig. Vieh, Fleisch, Leder und Wolle werden exportiert. An Bodenschätzen wird besonders Braunkohle abgebaut. Die Industrie verarbeitet landwirtschaftliche Produkte. Wichtigster Handelspartner ist Rußland. – Die kommunistische Mongolische Volksrepublik entstand 1924 aus der 1911 von China abgefallenen Äußeren Mongolei. Seit 1991 ist die Mongolei eine Republik mit Mehrparteiensystem. (KARTE Seite 195)

Mongolen, ein in viele Stämme unterteiltes Volk in der Mongolei, in China und in Rußland. Die westlichen Stammesgruppen unterscheiden sich von den östlichen in Sprache, Kultur und Wirtschaft. Die Mongolen waren Nomaden. Politisch wurden die mongolischen Stämme nach langen Kämpfen durch →Dschingis Chan geeint. Seine Kriegszüge und die seiner Nachfolger begründeten die beherrschende Stellung der Mongolen in Inner-, Ost- und Vorderasien sowie in Osteuropa; zeitweilig standen Teile Rußlands (→Goldene Horde) und Kleinasiens unter mongolischer Herrschaft. Im 13. Jahrh. unterwarfen sie →China.

Die wirtschaftliche und politische Macht lag bei den Mongolen in den Händen einer kleinen Adelsschicht. Volksreligionen waren Schamanismus (→Schamane) und buddhistischer →Lamaismus. Nach der Gründung der Mongolischen Volksrepublik 1924 setzte ein tiefgreifender Wandel ein: Man versuchte, die Mongolen seßhaft zu machen, doch bis heute gibt es teilweise nomadische Viehwirtschaft. Der Ackerbau wurde ausgeweitet, eine Industrie aufgebaut. Die vor 1924 auch wirtschaftlich für das Land bedeutenden lamaistischen Klöster wurden geschlossen.

Mongolismus, Down-Syndrom [daun-], Krankheitsbild, bei dem auf Grund einer spontanen →Mutation das Chromosom 21 dreifach vorhanden ist (›**Trisomie 21**‹). Charakteristisch für das Aussehen der Betroffenen sind unter anderem ein flaches, breites Gesicht, eine breite Nasenwurzel und die Hautfalte im inneren Augenwinkel, ähnlich der Mongolenfalte bei den asiatischen Völkern. Außerdem ist der Mongolismus stets mit einer mehr oder weniger stark ausgeprägten geistigen Behinderung verbunden. Häufig sind auch Fehlbildungen von Organen, besonders des Herzens, die die Lebenserwartung der Betroffenen herabsetzen. Der Mongolismus tritt um so häufiger auf, je älter die Eltern bei der Zeugung des Kindes sind.

Monitor [lateinisch ›Mahner‹], ein Kontrollbildschirm, mit dem Aufzeichnungen beim Fernsehen ebenso überwacht werden wie z. B. der Betrieb in Geschäften oder Banken. Auch Anlagen, die von Menschen nicht betreten werden dürfen, z. B. das Innere von Kernkraftwerken, können von Monitoren kontrolliert werden.

Als Monitor wird auch der Bildschirm eines Computers bezeichnet.

Monogamie [griechisch ›Einehe‹], das eheliche geschlechtliche Zusammenleben von Mann und Frau, im Gegensatz zur Bigamie (Doppelehe) oder →Polygamie (Vielehe). In den meisten modernen Gesellschaften überwiegt die **gemäßigte Monogamie,** bei der – im Unterschied zur **absoluten Monogamie** – die Bindung aufgelöst werden kann, z. B. durch Scheidung.

Monolog [zu griechisch monos ›allein‹ und logos ›Rede‹], im Drama eine längere Rede, die eine Person in der Art eines Selbstgesprächs hält, im Gegensatz zum →Dialog. In Dramen von Shakespeare z. B. wurde diese Kunstform oft verwendet; auch in französischen Stücken des 16. und 17. Jahrh. bediente man sich ihrer häufig. Aus Gründen der Wahrscheinlichkeit des Bühnengeschehens gab es im 18. Jahrh. Einwände gegen die Verwendung des Monologs. Im Zeitalter des Realismus und Naturalismus verschwand diese Form fast ganz aus dem Drama; erst im Drama des beginnenden 20. Jahrh. sowie in der

Literatur der Folgezeit ist der Monolog wieder zu finden.

Monopol [griechisch ›Alleinverkauf‹], Wirtschaft: eine Marktform (→ Markt).

Monroe [monnrou]. Der 5. Präsident der USA (1817–25) **James Monroe** (* 1758, † 1831) war zuvor (1811–17) Außenminister seines Landes. In seiner Amtszeit als Präsident festigten sich die USA nach innen und außen. In seiner Jahresbotschaft 1823 verkündete er mit Blickrichtung auf die europäischen Mächte, daß die USA sich nicht in die inneren Angelegenheiten Europas einmischen, aber auch keinen Versuch außeramerikanischer Staaten hinnehmen würden, auf dem amerikanischen Kontinent Kolonien zu erwerben. Diese als **Monroe-Doktrin** bekannt gewordene Grundhaltung der USA gewann vor allem im Zeitalter des Imperialismus erhöhte Bedeutung; sie fand erst im 20. Jahrh. eine Korrektur.

Monrovia, 465 000 Einwohner, Hauptstadt der Republik Liberia, West-Afrika, die nach James Monroe, dem Präsidenten der USA, der die Besiedlung Liberias mit ehemaligen Negersklaven förderte, benannt wurde. Monrovia ist ein Industriezentrum mit Freihafen und Erdölraffinerien und Umschlagplatz z. B. für Eisenerz.

Monsun, Jahreszeitenwind, der im Sommerhalbjahr vom Meer zum Land, im Winterhalbjahr vom Land zum Meer weht. Der Monsun tritt hauptsächlich in Vorderindien und Ostasien auf. Der vom Indischen Ozean wehende **Sommermonsun** bringt heftige Monsunregen, während der aus Zentralasien kommende **Wintermonsun** ein trokkener, kalter Landwind ist.

Montanunion, → Europäische Gemeinschaften.

Montblanc [mõblã], mit 4 810 m die höchste Berggruppe Europas. Sie liegt in den Westalpen an der französisch-italienischen Grenze. Das Bergmassiv wird von insgesamt 30 Gletschern überzogen. Erstmals wurde der Montblanc im Jahr 1786 bestiegen. Westlich des Hauptgipfels liegt auf 4 362 m Höhe das 1890 gegründete Observatorium. Seilbahnen erschließen das Gebiet des Montblanc für den Tourismus. Der **Montblanc-Tunnel,** 1959–65 erbaut, ist einer der längsten Straßentunnel der Erde (11,6 km).

Montenegro, → Jugoslawien.

Monte Rosa, Gebirgsmassiv in den Walliser Alpen an der schweizerisch-italienischen Grenze. Mit der **Dufourspitze** (4 634 m), die erstmals 1855 bestiegen wurde, ist das Gebirgsmassiv das zweithöchste in den Alpen.

Monteverdi. Der italienische Komponist **Claudio Monteverdi** (* 1567, † 1643) steht als erster großer Musikdramatiker am Beginn der Entwicklung der Oper. Er war 1590–1612 als Sänger und Geiger, dann als Kapellmeister am Hof von Mantua und ab 1613 als Kapellmeister am Markus-Dom in Venedig tätig. Mit seiner Oper ›Orfeo‹ (1607) verwirklichte Monteverdi einen Wandel in der Musikgeschichte. Anstelle des bisher üblichen polyphonen (mehrstimmigen) Chorgesangs der Florentiner Komponisten prägen hier die Deklamation und die Darstellung des Textinhalts den Kompositionsstil. Kühne Akkordfolgen deuten den Text aus. Chöre, Tänze und selbständige Orchesterstücke, die wiederkehren, bestimmen gliedernd und verbindend den Bau der Szenen und Akte.

Montevideo, 1,33 Millionen Einwohner, Hauptstadt und bedeutendster Industrieort und Ausfuhrhafen von Uruguay, auf einer felsigen Halbinsel an der Mündung des Rio de la Plata gelegen.

Mont Saint-Michel [mõßẽmischell], etwa 100 Einwohner, kleine, 78 m hohe Granitinsel in der gleichnamigen Bucht an der Küste der Normandie, Frankreich. Die ehemalige Benediktinerabtei, die sich über die Insel erhebt, ist ein einzigartiges Baudenkmal mittelalterlicher Kloster- und Festungsbaukunst (11.–16. Jahrh.).

Montserrat [mõserra], eine Insel der Kleinen → Antillen. Sie ist britische Kronkolonie.

Moor, auch **Moos, Ried, Bruch** oder **Fehn,** mit Torf bedecktes, feuchtes Gelände mit schlammigem Boden. Moore entstehen, wo mehr Wasser (Niederschlag) auftritt als abfließt, versickert oder verdunstet, z. B. bei verlandenden Seen oder Altarmen von Flüssen. Unter Luftabschluß zersetzen sich abgestorbene Pflanzenteile nur unvollkommen, sie ›vertorfen‹. Man unterscheidet **Flach-** oder **Niedermoore** und **Hochmoo-**

Moor: **a** und **b** Entstehung eines Niedermoors aus einem See; **c** und **d** Entstehung eines Hochmoors aus dem Niedermoor

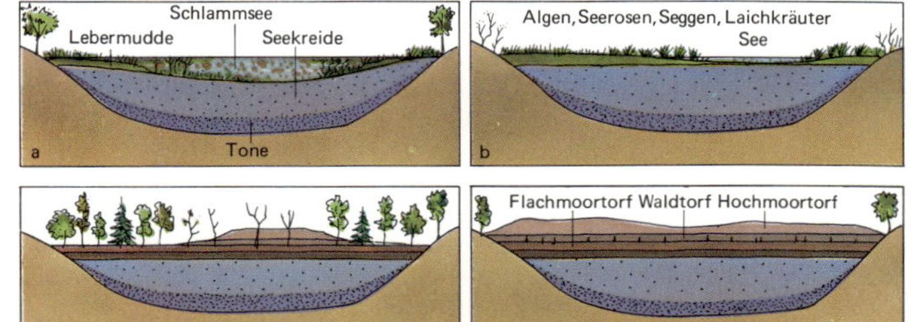

re. Die Pflanzen, die ein Flachmoor bedecken, haben Verbindung zum nährstoffreichen Grundwasser; das Flachmoor ist daher reich an Pflanzenarten, während Hochmoore nur noch von wenigen, anspruchslosen Pflanzen bewachsen sind (Zwergsträucher, Torfmoose, Sonnentau, Erika), deren Wurzeln nicht mehr bis zum Grundwasser hinabreichen. Hochmoore entstehen meist aus Flachmooren, indem diese sich durch abgestorbene Pflanzenreste nach und nach erhöhen.

Moore [mur]. Der englische Bildhauer und Zeichner **Henry Moore** (* 1898) ist einer der einflußreichsten Künstler des 20. Jahrh. Für die Entwicklung seines Stils waren die Kunst der Naturvölker und die archaische griechische Kunst von großer Bedeutung. Das zentrale Thema seiner häufig monumentalen Plastiken aus Stein, Holz und vor allem aus Bronze sind Menschen, als Einzelfiguren oder auch zu Gruppen (z. B. Mutter und Kind) zusammengestellt. Moore schuf naturnahe Figuren, dann wieder stark vereinfachte und deformierte sowie solche in abstrakten Formen. Die Köpfe sind meist klein und haben keine individuellen Züge. Moore arbeitet mit der Gegensätzlichkeit von blockhafter Körperlichkeit und Hohlräumen; die innere und äußere Form der Plastik ist häufig verschachtelt, die Oberfläche schrundig. Im Zweiten Weltkrieg schuf er eindringliche farbige Zeichnungen von Menschen, die dichtgedrängt in den Londoner U-Bahn-Stationen vor Bombenangriffen Schutz suchten.

Eduard Mörike

Moose, kleine blütenlose Pflanzen, die Blattgrün besitzen **(Sporenpflanzen).** Ihnen fehlen echte Wurzeln und Leitungsbahnen (Gefäße). Der untere Teil der Pflanze sendet feine wurzelähnliche Haarzellen in die Erde, die die Pflanze mit Wasser und Nährsalzen versorgen und der Befestigung im Boden dienen. Aber auch die Blätter können durch ihre Oberfläche Wasser aufnehmen. Moose bilden häufig Polster. Sie können wie ein Schwamm große Mengen Wasser speichern. Manche Moose haben entscheidenden Anteil an der Entstehung von Mooren.

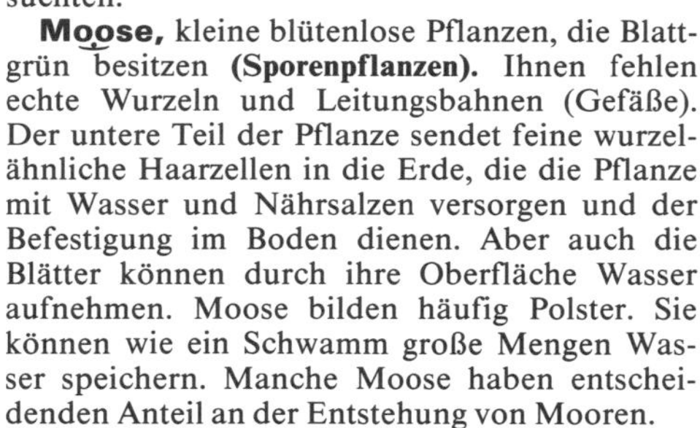

Moose haben einen ausgeprägten →Generationswechsel. Die grüne Moospflanze bildet in speziellen Behältern je eine Eizelle und eine große Zahl von begeißelten Samenzellen. Die Befruchtung erfolgt nur in Anwesenheit von Wasser, da die Samenzellen nur schwimmend zur Eizelle gelangen können. Aus der befruchteten Eizelle entsteht der **Sporophyt,** eine langgestielte, vierkantige Sporenkapsel, die die **ungeschlechtliche Generation** darstellt und viele Sporen ausbildet. Aus den Sporen entwickelt sich zunächst ein Keimschlauch, der sich bald zu einem verästelten Faden ausbildet. An diesem Fadengeflecht entstehen Knospen, die unmittelbar wieder zu jungen Moospflanzen, der **geschlechtlichen Generation,** auswachsen.

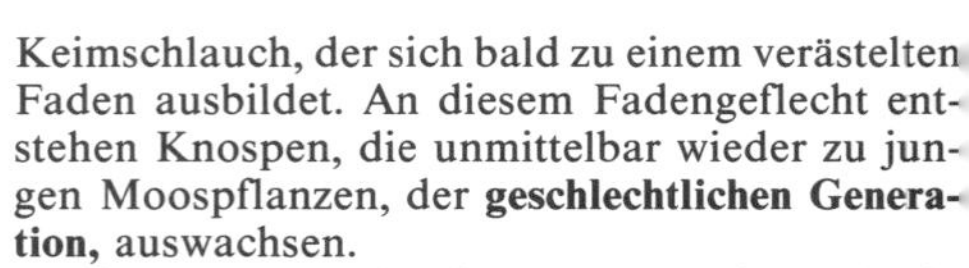

Die Moose werden in 2 Klassen eingeteilt, in **Laubmoose** und **Lebermoose. Schlangenmoose** nennt man die moosähnlichen, aber mit den Farnen verwandten →Bärlappe.

Moped [gekürzt aus **Mo**torrad mit **Ped**alen], ein Kleinkraftrad, das eine Höchstgeschwindigkeit von 40 km/h nicht überschreiten darf. Um ein Moped fahren zu dürfen, muß man mindestens 16 Jahre alt sein und den Führerschein Klasse 5 haben. (→Motorrad)

Mops, eine Rasse der →Hunde.

Morchel, ein →Pilz.

Morgen, in der Landwirtschaft noch verwendete, nicht gesetzliche Einheit der Fläche von Flurstücken, wobei meist 1 Morgen = 2 500 m^2 (Quadratmeter) = 25 a (Ar) = ¼ ha (Hektar) gesetzt wird; regional waren auch andere Umrechnungen üblich. (→Einheiten)

Morgenrot, Rotfärbung des östlichen Himmels vor Sonnenaufgang; sie ist auf die gleiche Weise zu erklären wie das →Abendrot.

Morgenstern, der helle Planet **Venus,** der morgens bis kurz vor Sonnenaufgang am östlichen Himmel sichtbar bleibt.

Mörike. Der Dichter **Eduard Mörike** (* 1804, † 1875) wurde nach seinem Theologiestudium Vikar und später evangelischer Pfarrer, bis er 1843 in den Ruhestand versetzt wurde. 1851–66 lehrte er an einem Mädchenstift Literatur. Danach führte er ein zurückgezogenes Leben in Stuttgart. Während seiner Vikariatsjahre schrieb Mörike den Roman ›Maler Nolten‹ (1832), der vom Leben eines Künstlers handelt. Meisterhaft ist seine Novelle ›Mozart auf der Reise nach Prag‹ (1856), in der ein Tag aus dem Leben des Komponisten Mozart geschildert wird. Seine Märchen, z. B. ›Das Stuttgarter Hutzelmännlein‹ (1853), haben Kurioses und Koboldhaftes zum Inhalt. Mörikes ›Gedichte‹ (1838, 1848) vereinigten volksliedhafte und märchenhafte Züge sowie einen klaren Aufbau in der Form. Einige seiner Gedichte sind, von Robert Schumann und Johannes Brahms vertont, als Lieder bekannt.

Moritat, einzelnes Lied des →Bänkelsangs, das von einem ungewöhnlichen, oft schaurigen Ereignis erzählte und zu Drehorgelmusik und zu anderen volkstümlichen Instrumenten auf Jahrmärkten vorgetragen wurde.

Mormọnen, die Angehörigen einer Religionsgemeinschaft, die sich auch als **Kirche Jesu Christi der Heiligen der letzten Tage** bezeichnet. Grundlagen dieser christlichen Glaubensgemeinschaft, die 1830 in den USA von Joseph Smith (* 1805, † 1844) begründet wurde, sind die Bibel, das Buch ›Mormon‹, eine Art Fortsetzung der biblischen Geschichte auf amerikanischem Boden, und die in dem Buch ›Lehre und Bündnisse‹ gesammelten Offenbarungen des Gründers. Nach dessen Ermordung zogen 15 000 Mormonen in den Westen Nordamerikas und gründeten in der Wüste am Großen Salzsee einen eigenen Staat, der 1896 unter dem Namen Utah ein Bundesstaat der USA wurde. Die Hauptstadt Salt Lake City ist noch heute der geistige Mittelpunkt der Mormonen-Kirche, die fast 4 Millionen Mitglieder zählt, von denen die meisten (etwa 3 Millionen) in den USA leben.

Mọrphium [nach Morpheus, dem griechischen Gott des Schlafes], der wichtigste Bestandteil des →Opiums, der in vielen Arzneimitteln enthalten ist. Morphium unterdrückt die Schmerzempfindung, wirkt einschläfernd und erzeugt ein Wohlgefühl, kann aber bei Überdosierung zu zentraler Atemlähmung führen. Medizinisch dient Morphium der Bekämpfung starker Schmerzen. Der Mißbrauch führt zur Sucht (›Morphinismus‹). Wegen seiner abhängig machenden Wirkung wird der Gebrauch des Morphiums überwacht und ist durch ein Betäubungsmittelgesetz und eine besondere Verschreibungsverordnung geregelt.

Morphologie [griechisch ›Formenlehre‹], die Wissenschaft vom Bau der Lebewesen und ihrer Bestandteile, der Organe, Gewebe und Zellen. Sie ist ein Teilgebiet der →Biologie.

Mọrsealphabet, von dem amerikanischen Erfinder **Samuel Morse** (* 1791, † 1872) entwickelte Zeichenschrift, die sich aus Punkten und Strichen zusammensetzt. Dabei haben häufige Zeichen kurze Kombinationen, während seltener verwendete Buchstaben und Satzzeichen aus längeren Kombinationen bestehen. Früher wurde dieser Code für die Telegraphie fast ausschließlich verwendet; heute jedoch ist er beinahe völlig vom Fünferalphabet des Fernschreibens verdrängt.

Mọrseapparat, Gerät für die Übermittlung von Nachrichten über eine Drahtleitung (→Telegraphie). Zunächst wird der Text mit Hilfe des Morsealphabets in eine Folge von Punkten und Strichen umgeformt, die dann als kurze oder lange Stromstöße über eine Morsetaste ausgesendet werden. Als Empfänger dient ein elektromagnetischer Schreibstift, der die eintreffenden Impulse auf ein bewegtes Papierband aufzeichnet. Der Morseapparat ist heute fast völlig durch Fernschreiber ersetzt.

Mọ̈rser, →Geschütz.

Mosaịk, künstlerische Flächenverzierung auf Fußböden, Wänden und Gewölben aus kleinen, farbigen Stein- oder Glasteilchen (Würfel, Stifte), die mit malereiähnlicher Wirkung zu Bildern und Ornamenten zusammengesetzt werden. Die Mosaiksteine werden, meist nach einer farbigen Vorzeichnung, dicht nebeneinander in eine nasse Mörtelschicht eingedrückt und später glatt geschliffen.

Mosaiken aus farbigen Tonstiften gab es schon um 3000 v. Chr. in Mesopotamien. Die frühesten griechischen Bodenmosaiken waren aus schwarzen und weißen Kieseln zusammengefügt. Das riesige, in Pompeji gefundene Mosaikbild ›Alexanderschlacht‹ vom Ende des 2. Jahrh. v. Chr. gilt als Kopie eines älteren griechischen Tafelgemäldes und vermittelt so einen Eindruck von der fast gar nicht erhaltenen griechischen Malerei. Aus römischer Zeit sind viele Mosaiken erhalten. Einen bedeutenden Platz nahm das Mosaik in der frühchristlichen und vor allem in der byzantinischen Kunst ein. In den byzantinischen Kirchen wurde häufig nach einem bestimmten theologischen Programm der gesamte Innenraum damit ausgeschmückt. Ein wesentlicher Bestandteil war hier der Bildhintergrund aus Goldplättchen (Goldgrund), der entscheidend zur feierlich-monumentalen Wirkung beitrug. Beispiele aus der italienischen Renaissance sind die Mosaiken im

Mosaik: bildliche Darstellung von ›cave canem!‹ (›hüte dich vor dem Hunde!‹) von einem Haus in Pompeji (Neapel, Museo Nazionale)

a	·–
ae	·–·–
à, å	·––·–
b	–···
c	–·–·
ch	––––
d	–··
e	·
é	··–··
f	··–·
g	––·
h	····
i	··
j	·–––
k	–·–
l	·–··
m	––
n	–·
ñ	––·––
o	–––
oe	–––·
p	·––·
q	––·–
r	·–·
s	···
t	–
u	··–
ue	··––
v	···–
w	·––
x	–··–
y	–·––
z	––··
1	·––––
2	··–––
3	···––
4	····–
5	·····
6	–····
7	––···
8	–––··
9	––––·
0	–––––
Punkt	·–·–·–
Komma	––··––
Doppelpunkt	–––···
Bindestrich	–····–
Apostroph	·––––·
Klammer	–·––·–
Fragezeichen	··––··
Notruf:	
SOS	···–––···
Irrung	········
Verstanden	···–·
Schlußzeichen	·–·–·

Morsealphabet

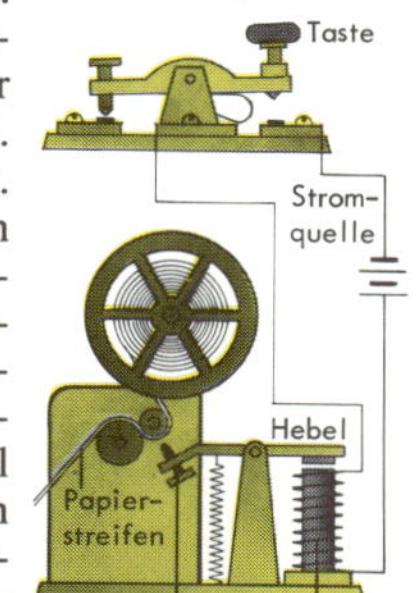

Morseapparat

Dombaptisterium von Florenz und im Dom zu Pisa. Seit dem Barock spielt das Mosaik kaum noch eine Rolle. Erst im Jugendstil erlebte es wieder eine kurze Blüte; in neuerer Zeit findet es sich in der Kunst Mexikos.

Moschee [arabisch ›Anbetungsort‹], islamisches Gotteshaus, in dem sich die Moslems zum gemeinsamen Gebet und freitags zum Gottesdienst, aber auch zu Gemeindeversammlungen oder zu theologischem Unterricht versammeln. Vorbild aller Moscheen ist das Haus des Propheten Mohammed in Medina, ein ummauerter, zum Teil überdachter Hof mit angebauten Räumen. Dem äußeren Bau der Moschee wurden früh das →Minarett sowie Waschanlagen, oft als Brunnen im Vorhof, für die rituelle Reinigung angefügt, denn der Moslem betritt erst nach der Reinigung von Füßen, Armen und Gesicht barfuß den inneren Teil der Moschee. Dieser ist immer nach →Mekka ausgerichtet. Eine Gebetsnische zeigt die Richtung an. Daneben steht eine Lesekanzel, auf der aus dem →Koran vorgelesen wird. Der Boden der Moschee ist mit Teppichen ausgelegt, auf denen die Gläubigen sitzen. Wände und Decken sind mit Sprüchen aus dem Koran und farbenprächtigen Ornamenten geschmückt.

Moschusochse

Moschusochsen, mit den →Ziegen verwandte Tiere, die in kleineren Herden im hohen Norden (Grönland, arktisches Kanada) leben. Während der Eiszeit waren sie bis nach Mitteleuropa verbreitet. Das zottige, dunkelbraune Haarkleid schützt den bis zu 2,5 m langen Moschusochsen gut gegen Kälte und liefert dichte, weiche Wolle. Mit seinen Hufen kratzt er Gras und Blätter auch aus dem Schnee. Gegen Angreifer (Wölfe) bilden Moschusochsen eine ›Burg‹, wobei die großen Tiere sich mit dem Kopf nach außen kreisförmig um die Kälber stellen; ihre breiten, weitgeschwungenen Hörner bilden eine wirksame Waffe. Moschusochsen sind im Zoo schwer zu halten.

Mosel, linker Nebenfluß des Rheins. Der 545 km lange Fluß entspringt in den Vogesen, durchfließt Lothringen, Luxemburg und das westliche Rheinland-Pfalz und mündet bei Koblenz in den Rhein. Die Moselkanalisierung (14 Staustufen) verbindet seit 1964 Lothringen, Luxemburg und den Wirtschaftsraum Trier mit dem Rhein. An den steilen Hängen des Moseltales zwischen Trier und Koblenz wächst der **Moselwein.**

Moses, eine Gestalt des Alten Testaments. Man nimmt an, daß er tatsächlich, und zwar um 1250 v. Chr., gelebt hat. Die Erzählungen des Alten Testaments beschreiben ihn als von Gott (Jahwe) ausgewählten Anführer seines Volkes: Um sein Leben zu retten, soll ihn seine Mutter als 3 Monate altes Kind in einem Körbchen auf dem Nil ausgesetzt haben, denn der ägyptische Pharao hatte befohlen, alle männlichen Neugeborenen des israelitischen Volkes (in Ägypten eingewanderte Nomadenstämme) zu ermorden. Moses wurde von der Tochter des Pharao gerettet und erzogen. Als jungen Mann habe ihn Gott beauftragt, sein Volk aus der Sklaverei zu führen. Auf dem Weg durch die Wüste habe ihm Gott auf dem Berg Sinai (östlich des Golfs von Akaba oder im Sinai-Massiv im Süden der gleichnamigen Halbinsel gelegen) die Zehn Gebote offenbart und den Bund mit seinem Volk geschlossen. Das Alte Testament berichtet, daß Moses starb, bevor die Israeliten das von Gott versprochene Land Kanaan erreichten. Nach der Überlieferung soll Moses die ersten 5 Bücher des Alten Testaments (›Fünf Bücher Mose‹ oder ›Pentateuch‹) verfaßt haben. Dies ist wissenschaftlichen Untersuchungen zufolge nicht haltbar. Den Juden gilt Moses als der Gesetzgeber (→Thora).

Moskau
Hauptstadt Rußlands
Einwohner:
8,8 Millionen
(mit Vororten
9 Millionen)

Moskau liegt im europäischen Teil Rußlands zu beiden Seiten der Moskwa. Die Stadt ist der bedeutendste Verkehrsknotenpunkt und Industriestandort Rußlands. Die Flußhäfen sind durch einen Kanal mit der Wolga verbunden. Moskau ist das kulturelle Zentrum des Landes mit der Akademie der Wissenschaften, die mit ihren Instituten einen eigenen Stadtteil bildet, mit mehreren Hochschulen, z. B. Lomonossow-Universität (gegründet 1755), Bibliotheken, z. B. Russische Staatsbibliothek, mit dem Bolschoj-Theater und der Tretjakow-Galerie (umfassendste Sammlung der Welt zur russischen Malerei). Um den →Kreml als Stadtkern sind ringförmig die jüngeren Stadtteile entstanden. Vor der Kreml-Mauer liegt der **Rote Platz** mit dem Lenin-Mausoleum (Grabstätte Lenins), der Basilius-Kathedrale (16. Jahrh.) und dem Kaufhaus GUM. Auf dem Platz finden die politischen Kundgebungen und Militärparaden statt. Zu den alten Bauwerken Moskaus gehören viele Kirchen und Klöster sowie die Palastanlage Kolomenskoje (16./17. Jahrh.), die frühere Sommerresidenz der Zaren. Moskaus Stadtbild prägen heute Gebäude im Prunkstil der Stalin-Zeit (›Zuckerbäckerstil‹), große Plätze und breite Straßen.

Moskau wurde 1326 Hauptstadt Rußlands und Residenz des Zaren. Obwohl Zar Peter der Große 1712 den Hof nach Sankt Petersburg verlegte, blieb Moskau der wirtschaftliche Mittelpunkt des Landes und Krönungsstadt. Nach dem Einmarsch Napoleons I. 1812 wurde Moskau durch Brand zerstört. Seit 1918 ist Moskau wieder Hauptstadt.

Moskitos, stechende →Mücken der Tropen und Subtropen.

Moslem, Muslim [arabisch ›der sich Gott unterwirft‹], Anhänger des Islams. Die Bezeichnung ›Mohammedaner‹ lehnen die Moslems ab, da sie wegen des Bezugs auf Mohammed eine Mißdeutung ihres Glaubens befürchten: Mohammed war ›nur‹ der Prophet Allahs.

Moto-Cross, Geländerennen im Motorradsport. Die 1500–2500 m lange Rennstrecke, ein Rundkurs, weist natürliche Hindernisse wie Rinnen, Steilhänge, Sand- und Schlammstrecken und künstlich angelegte Hindernisse wie Bodenwellen und besonders ausgesteckte Kurven auf. Sie muß mehrfach durchfahren werden.

Motor [lateinisch ›Beweger‹], Maschine, die Wärme- oder elektrische Energie in mechanische Bewegungsenergie umwandelt, z. B. →Dampfmaschine, →Verbrennungsmotor, →Elektromotor.

Motorbootsport, Sammelbezeichnung für sportliche Wettbewerbe mit motorgetriebenen Wasserfahrzeugen. Geschwindigkeitswettbewerbe für Motorboote verschiedener Klassen werden auf Regattastrecken meist als Rundkurs um 2 Wendebojen ausgetragen.

Motorrad, Kraftrad, zweirädriges, einspuriges Kraftfahrzeug, das auch zusammen mit einem Beiwagen gefahren werden kann.

Krafträder werden nach Bauart, Motorstärke und Geschwindigkeit in verschiedene Gruppen und Führerscheinklassen unterteilt (→Führerschein). Das **Motorrad** wird mit Knieschluß gefahren, während **Motorroller** einen freien Durchstieg haben.

Motorrad BMW K 100 RS, teilweise aufgeschnitten; längs und liegend eingebauter wassergekühlter Vierzylinder-Reihenmotor, 987 cm³, 66 kW (90 PS), Gewicht 239 kg vollgetankt, 220 km/h

Kleinkrafträder haben einen gesetzlich vorgeschriebenen Hubraum bis 50 cm³. Dazu gehören **Mofa** (**Mo**tor**fa**hrrad, Fahrrad mit Hilfsmotor), **Moped** (**Mo**torrad mit **Ped**alen) und **Mokick** (**Mo**torrad mit **Kick**starter und Fußrasten). Mofa und Moped weisen Merkmale von Fahrrädern auf (Tretkurbeln). Moped und Mokick haben eine vorgeschriebene Höchstgeschwindigkeit von 40 km/h. Die größeren Motorräder werden amtlich eingeteilt in **Leichtkrafträder** (Hubraum 51 bis 80 cm³, Höchstgeschwindigkeit 80 km/h) und **Krafträder** ohne Beschränkung.

Bis 175 cm³ Hubraum überwiegt der Zweitaktmotor, über 250 cm³ Hubraum der Viertaktmotor. Ab 100 cm³ werden meist Zweizylinder-, bei größerem Hubraum bis Sechszylindermotoren gebaut. Schwere Motorräder leisten bis etwa 95 kW (130 PS) und erreichen Spitzengeschwindigkeiten von mehr als 200 km/h. Meist wird der Motor durch den Fahrtwind, seltener durch Wasser oder durch Gebläse gekühlt. Angeworfen wird der Motor durch Treten des Kickstarters; größere Motorräder werden mit elektrischem Starter (Anlasser) ausgerüstet.

Vorder- und Hinterräder sind gefedert und mit Stoßdämpfern versehen. Vorgeschrieben sind 2 voneinander unabhängige Bremsen. Der Handbremshebel rechts am Lenker wirkt auf das Vorderrad, der Fußbremshebel vor der rechten Fußraste auf das Hinterrad. Die Kupplung wird durch Handhebel links am Lenker betätigt. Das Wechselgetriebe hat 4–6 Stufen. Geschaltet wird mit dem linken Fuß, bei Motorrollern und Mopeds mit Drehgriff links am Lenker. Die Leistung des Motors regelt man mit Gasdrehgriff rechts am Lenker. Zur Leistungsübertragung vom Ge-

Möwen

triebe zum Hinterrad dient meist eine Rollenkette; auch der Kardanantrieb kommt vor. Die elektrische Ausrüstung (Scheinwerfer, Rück- und Bremslicht, Blinker, Kontrolleuchten, Hupe, zum Teil Starter) hat eine Spannung von 6 oder 12 Volt.

Der wichtigste Vorgänger des heutigen Motorrads ist das 1885 von Gottlieb →Daimler gebaute, hölzerne Kraftrad mit luftgekühltem Benzinmotor. Schon 1892 wurden Stahlrohrrahmen, Stahlspeichenräder und gummibereifte Stahlfelgen eingeführt. Die erste serienmäßige Produktion von Motorrädern begann 1894.

Motorradsport. Die Wettbewerbe des Motorradsports untergliedern sich in Geschwindigkeits- und Geschicklichkeitswettbewerbe. Es gibt Rennen auf Straßen und auf Rundbahnen, Geländerennen (→Moto-Cross), Sandbahnrennen und Geschicklichkeitsfahren. Besondere Rennen sind die Speedwayrennen, die auf Eisbahnen ausgetragen werden. Die Motorräder sind in 2 Kategorien eingeteilt: Motorräder ohne und Motorräder mit Seitenwagen. Beide Kategorien sind dann noch einmal nach dem Hubraum in Klassen unterteilt.

Motten, Familie kleiner →Schmetterlinge. Die Raupen der **Kleidermotte** fressen tierische Fasern, die der **Pelzmotte** zerstören Pelze, die der **Mehlmotte** fressen Mehl und durchsetzen dieses mit Gespinst und Kot.

Möwen leben meist am Meeresstrand, auch am Ufer größerer Flüsse, Seen und Teiche, neuerdings (vor allem im Winter) sogar mitten in Städten (Lachmöwe). In meist großer Zahl (oft zu Tausenden) nisten Möwen am Boden in Dünen, auf Abhängen, Klippen und unbewohnten Inseln. Die Eier (meist 3) werden von beiden Partnern bebrütet. Möweneier gelten als Delikatesse. Die bräunlichen Jungen sind Nestflüchter. Mit ihren langen Flügeln können Möwen gut fliegen, auch im Segelflug. Sie bleiben meist in Küsten- und Ufernähe, wo sie häufig Schiffen folgen und im Flug nach zugeworfenen Nahrungsbrocken oder über Bord geworfenen Abfällen schnappen. Möwen können gut schwimmen. Sie tauchen meist nicht, erhaschen aber Fische und Abfälle mit dem hakigen Schnabel auch an der Wasseroberfläche. Sie erbeuten Eier und Junge anderer Vögel und fressen Aas. An deutschen Küsten erscheint die etwa 70 cm lange **Mantelmöwe** als Wintergast. Hier brüten die sehr ähnliche, kleinere **Heringsmöwe** und die **Silbermöwe** mit silbergrauen Flügeln, die im Winter auch ins Binnenland kommt. Die **Sturmmöwe** nistet auch an Flußläufen. Die nur taubengroße **Lachmöwe,** die zur Brutzeit eine schokoladenfarbene Kopfkappe trägt, ist im Binnenland häufig. Sie nistet an flachen, stehenden Gewässern (›Lachen‹).

Mit den Möwen verwandt sind die zierlichen **Seeschwalben** mit hakenlosem, spitzem Schnabel. Ihr eleganter Flug, ihre langen, sehr schmalen Flügel und der meist gegabelte Schwanz haben ihnen den Namen der nicht verwandten Schwalben eingetragen. Die meisten Seeschwalben sind Küstenbewohner mit hellem Gefieder und auffallend dunkler Kopfplatte. In Bodenmulden legen sie ihre Nester an. Die in Mitteleuropa brütenden Arten sind alle Zugvögel und legen zum Teil weite Strecken zurück. So fliegt die **Küstenseeschwalbe,** die bis hoch in den Norden in der Arktis vorkommt, im Herbst weit in den Süden, um in der Nähe des Südpols zu überwintern. Seeschwalben sind Sturztaucher. Mit angelegten Flügeln, den Schnabel voran, stürzen sie senkrecht ins Wasser. Mitunter ›rütteln‹ sie (wie Turmfalken) in der Luft und stürzen dann hinab.

Wolfgang Amadeus Mozart: (Ausschnitt aus einem unvollendeten Ölbild von Joseph Lange, 1782/83)

Mozart. Der österreichische Komponist **Wolfgang Amadeus Mozart** (* 1756, † 1791) gehört mit Haydn und Beethoven zu den →Wiener Klassikern. Er wurde in Salzburg als Sohn des erzbischöflichen Vizekapellmeisters und Hofkomponisten Leopold Mozart (* 1719, † 1787) geboren. Mozarts früh zutage tretende Begabung wurde vom Vater planmäßig gefördert. Mit 3 Jahren spielte er Klavier, mit 5 Jahren komponierte er bereits seine ersten Stücke. Als Sechsjähriger machte er in Begleitung seines Vaters und der gleichfalls hochbegabten älteren Schwester Nannerl Konzertreisen an den Münchner und Wiener Hof. 1769 wurde er in Salzburg zum Konzertmeister ernannt. 1769–73 folgten 3 Italienreisen, auf denen ihm hohe Auszeichnungen zuteil wurden. 1777/78 unternahm er mit seiner Mutter die letzte Reise über Augsburg und Mannheim nach Paris. Künstlerisch enttäuscht und durch den Tod der Mutter tief erschüttert, kehrte er Anfang 1779 in die Heimat zurück.

Hier trat er wieder in seine frühere Stelle als Konzertmeister und erhielt zudem das Amt eines Hoforganisten. Ein Konflikt mit dem Erzbischof führte 1781 zur Entlassung und Übersiedlung nach Wien, wo es ihm nicht gelang, eine feste Anstellung zu erhalten. Dennoch gehören die Wiener Jahre zu seinen fruchtbarsten und ließen in rascher Folge seine Meisterwerke entstehen. 1782, im Jahr seiner Heirat mit Konstanze Weber, komponierte er das Singspiel ›Die Entführung aus dem Serail‹, 1785 die Oper ›Die Hochzeit des Figaro‹, 1787 die Oper ›Don Giovanni‹

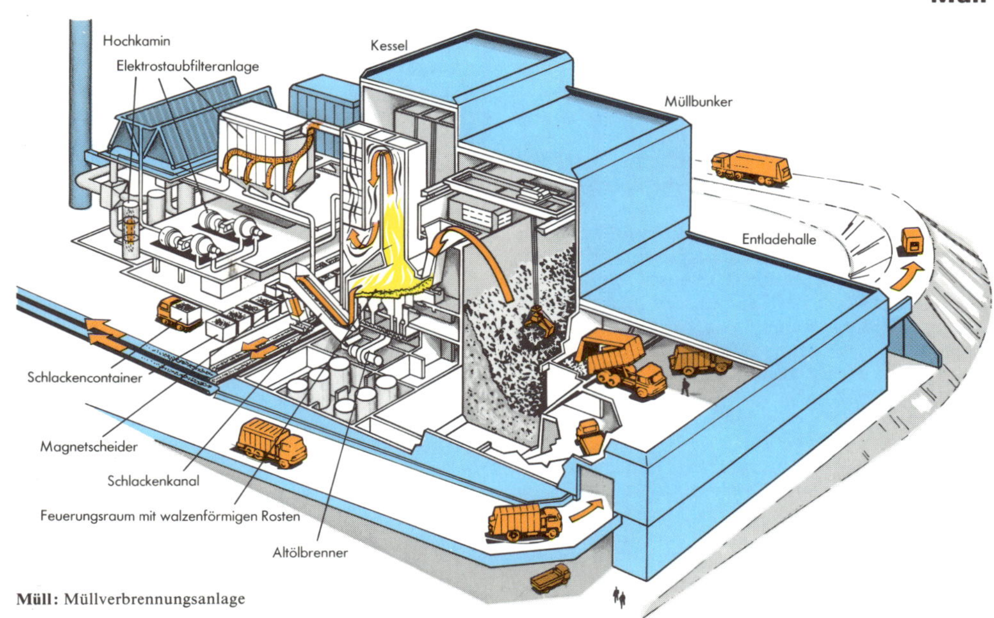

Müll: Müllverbrennungsanlage

sowie das Orchesterstück ›Eine kleine Nachtmusik‹, 1788 die 3 großen Sinfonien in Es-Dur, g-Moll und C-Dur (›Jupiter‹). Auf der Suche nach einer festen Anstellung reiste er 1789 nach Leipzig und Berlin. 1790 entstand die Oper ›Così fan tutte‹, der 1791 ›Die Zauberflöte‹ folgte. Während der Arbeit am ›Requiem‹, einer Totenmesse, ist Mozart Ende 1791 gestorben; er wurde in einem Armengrab beigesetzt, dessen Platz nicht bekannt ist.

Mozart verbindet in seiner Musik klangliche Farbigkeit mit formaler Strenge. Die Instrumentalmusik, im galanten Stil des Rokoko begonnen, vertiefte er durch den Reichtum der Melodik und formale Differenzierung. Aus der Übernahme italienischer Formelemente entwickelte er seine Oper, für die dramatischer Aufbau und Individualität der Personenzeichnung kennzeichnend sind. Das deutsche Singspiel hat er in der ›Entführung aus dem Serail‹ und der ›Zauberflöte‹ zur Oper weiterentwickelt.

ms, Einheitenzeichen für Millisekunde, 1 ms = 0,001 s (→Sekunde).

Mt, Einheitenzeichen für Megatonne, 1 Mt = 1 000 t (→Tonne).

Mücken haben wie die Fliegen im Unterschied zu den meisten Insekten nur 2 durchsichtige Flügel, mit denen sie einen hohen singenden Flugton erzeugen. Sie leben, oft zu Millionen, überall dort, wo Wasser zur Entwicklung ihrer Larven vorhanden ist. Nur die Weibchen der **Stechmücken** saugen mit Hilfe ihres langen Stechrüssels auch menschliches Blut, aus dem sie Aufbaustoffe für ihre Eier gewinnen. Giftige Bestandteile im dabei abgesonderten Speichel rufen örtliche Entzündungen hervor. Die Stechmücken der tropischen und subtropischen Sumpfgebiete, auch **Moskitos** genannt, übertragen Malaria, Gelbfieber und andere Seuchen. Zu den Mücken gehören die großen, besonders langbeinigen **Schnaken,** die nicht stechen; einige sind Pflanzenschädlinge. In Süddeutschland heißen auch die Stechmücken Schnaken.

Mufflon, ein wildes →Schaf.

Mulatte, →Mischlinge.

Müll, Abfälle, Abfallstoffe, Sammelbegriff für feste Abfallstoffe: **Hausmüll** und hausmüllähnliche **Gewerbe-** und **Industrieabfälle** (z. B. aus Kantinen und Konservenfabriken, Verpackungsmaterial). Nicht dazu gehören Gewerbe- und Industrieabfälle, die nicht auf den allgemeinen Müllkippen oder Deponien der Gemeinden gelagert werden dürfen, z. B. Klärschlamm aus den →Kläranlagen, Altöl, Altreifen, Autowracks, Bauschutt. Wenn solche Abfallstoffe auf die Deponien gelangen, gefährden sie das

Grundwasser und die Verrottung des Mülls. Eine Sonderstellung schließlich nimmt der **Sondermüll** ein, das sind vor allem Krankenhausabfälle, Giftmüll und radioaktive Abfälle (→Atommüll). Wegen der hochgradigen Gefährlichkeit der Sonderabfälle sind für ihre Beseitigung nicht die Gemeinden zuständig, sondern die Besitzer (Verursacher) dieser Abfälle.

Eine geordnete **Deponie** hat zuunterst eine wasserundurchlässige Schicht, um Grundwasserverseuchung zu verhüten. Hat eine Deponie eine bestimmte Höhe oder Mächtigkeit erreicht, wird eine Abdeckungsschicht aufgebracht, die bepflanzt wird. Wilde Müllkippen, bei denen diese Grundsätze nicht beachtet werden, sind umweltschädigend und daher verboten. Neben der Mülldeponierung gibt es die **Müllverbrennung,** die das Volumen der Abfälle auf etwa 1/7 verringert. Die in einer Müllverbrennungsanlage (BILD) erzeugte Wärme kann genutzt werden, z. B. für Treibhäuser; auch die Schlacke ist nutzbar. Umweltbelastend sind jedoch die entstehenden Verbrennungsgase, weshalb man diese Form der Müllbeseitigung heute kritischer beurteilt. In Küstennähe wird vielfach das Meer als Müllkippe genutzt, was stellenweise zu erheblicher Verschmutzung dieser Meeresteile (und der Strände) führt. Die sogenannte **Verklappung** auf See ist sehr umstritten.

Abfallstoffe sind ein Hauptproblem unserer Umwelt, die sie belasten. Vor allem ist es die ›**Müllawine**‹, die noch immer lawinenartig zunehmende Abfallmenge, für deren Beseitigung es auf lange Sicht noch keinen Plan gibt. In Großstädten fällt etwa 1–2 kg Müll je Tag und Einwohner an; vor 20 Jahren war es noch die Hälfte. Das Ergebnis je Stadt und Jahr ist leicht auszurechnen, wenn man z. B. 100 000 Einwohner annimmt. Dabei ist der städtische Hausmüll nur ein kleiner Teil der Gesamtmenge aller Abfälle.

Multiplikation [lateinisch ›Vervielfältigung‹], eine der 4 →Grundrechenarten.

Mumie [zu persisch mum ›Wachs‹], auf natürliche Weise durch Trockenheit oder durch künstliche Verfahren vor Verwesung geschützte Leiche. Die alten Ägypter mumifizierten z. B. die Leichen der Pharaonen durch **Einbalsamierung.** Dabei wurden dem Toten Gehirn und Eingeweide herausgenommen. Den Körper behandelte man mit einer Natronlauge und rieb ihn danach mit Salben ein, die aus Zedernholz hergestellt wurden. Der Vorgang dauerte 70 Tage. Anschließend wurde der Tote in Leinentücher gewickelt und in einem Sarkophag beigesetzt.

Mumps, Ziegenpeter, durch ein →Virus hervorgerufene →ansteckende Krankheit, die in der Regel im Kindesalter oder bei Jugendlichen auftritt. Der Befall der Ohrspeicheldrüse, die im Verlauf der Erkrankung schmerzhaft anschwillt, führt zu dem typischen Aussehen mit abstehendem Ohrläppchen. Daneben kann es auch in anderen Drüsen zu Entzündungen kommen, z. B. in der Schilddrüse, der Bauchspeicheldrüse und beim männlichen Erwachsenen im Hoden.

Die Übertragung erfolgt durch →Tröpfcheninfektion. Die Ansteckungsfähigkeit ist einige Tage vor und nach Beginn der Drüsenschwellung am größten. Die →Inkubationszeit beträgt 2–3 Wochen. Nach überstandener Krankheit besteht lebenslängliche →Immunität.

München liegt im Alpenvorland beiderseits der Isar und ist als größte Stadt Süddeutschlands ein Verkehrsknotenpunkt des Fernverkehrs. Die Stadt hat bedeutende Industrie, z. B. Elektrotechnik, Brauereien, Verlage, und ist Sitz vieler Behörden. Sie ist ein kulturelles Zentrum mit mehreren Hochschulen, der Bayerischen Staatsoper und Museen, z. B. **Alte Pinakothek** (Malerei vom 14.–18. Jahrh.), **Neue Pinakothek** (Malerei des 19. Jahrh.), **Haus der Kunst** (moderne Malerei), **Deutsches Museum** (zur Geschichte von Naturwissenschaft und Technik).

München
Landeshauptstadt
von Bayern
Einwohner:
1,28 Millionen

Der älteste Stadtkern (erster Mauerring um 1175) bildet die Innenstadt mit Kaufinger Straße, Altem Rathaus (15. Jahrh.), Neuem Rathaus (19. Jahrh.) am Marienplatz, Peterskirche (11. Jahrh.) und spätgotischer **Frauenkirche** mit 2 hohen Türmen. Um die Innenstadt liegt die Altstadt (zweiter Mauerring um 1300) mit der barocken **Theatinerkirche** und der ehemaligen **Residenz** (16.–19. Jahrh.). München hat großzügig angelegte Straßen und große Parkanlagen wie den **Englischen Garten.** Zu den zahlreichen Bauwerken und Vierteln, die Münchens Stadtbild prägen, gehören das **Hofbräuhaus,** das Stadtviertel **Schwabing,** das als Künstler- und Studentenviertel galt, der Tierpark Hellabrunn und **Schloß Nymphenburg,** das (seit 1664 errichtete) frühere Schloß der bayrischen Kurfürsten. Für die Olympischen Sommerspiele 1972 entstand der Olympiapark mit Olympiastadion und Olympiaturm. Mit ihren Messen, den jährlichen Opernfestspielen und dem **Oktoberfest** ist die Stadt ein Mittelpunkt des Fremdenverkehrs.

München wurde 1158 von Heinrich dem Löwen als Markt gegründet. 1255–1918 war die

Stadt Sitz des Herrscherhauses der Wittelsbacher, seit 1505 ist sie Hauptstadt Bayerns. Im 19. Jahrh. erlebte sie unter König Ludwig I. eine kulturelle Blütezeit.

Münchhausen. Der deutsche Offizier **Karl Friedrich Hieronymus Freiherr von Münchhausen** (* 1720, † 1797) führte ein abenteuerliches Leben, z. B. nahm er an 2 Türkenkriegen teil. Im Freundeskreis erzählte er gern von den unglaublichsten Kriegs-, Jagd- und Reiseabenteuern, was ihm den Namen **›der Lügenbaron‹** einbrachte, so z. B. von dem Ritt auf der Kanonenkugel. Zwischen 1781 und 1783 wurden 16 seiner Geschichten, die Münchhausen nie selber aufgeschrieben hatte, anonym veröffentlicht. 1786 folgte die von Gottfried August Bürger herausgegebene Sammlung ›Wunderbare Reisen zu Wasser und zu Lande, Feldzüge und lustige Abenteuer des Freiherrn von Münchhausen‹.

Mundart, Dialekt, Sprachform, die sich in Grammatik und Aussprache von der Hochsprache unterscheidet und keine festgelegte Schreibweise hat. Mundarten sind örtlich bedingt, das heißt, in einer bestimmten Landschaft wird eine bestimmte Mundart gesprochen. Im deutschsprachigen Gebiet ordnet man die Mundarten in 3 Großgruppen: **Oberdeutsch** (z. B. Bairisch, Alemannisch), **Mitteldeutsch** (z. B. Hessisch, Pfälzisch, Sächsisch), **Niederdeutsch** (z. B. Westfälisch, Berlinisch).

›...Ja, was glaab'n denn Sie? ...weil Sie der liabe Gott san, müaßt i singa, wia'r a Zeiserl, an ganz'n Tag, und z'trinka kriagat ma gar nix!...‹	Ludwig Thoma (Bairisch)
›...Bei eich gebt's ›Wurst‹, bei uns gebt's ›Worscht‹, Bei eich gebt's ›Durst‹ un meer han ›Dorscht‹...‹	Paul Münch (Pfälzisch)
›...et jibt ooch Schweine unter uns, die jar nischt uff sich halten!...‹	Heinrich Zille (Berlinisch)
›...Sie denken, daß wir Ihretwähjn sächseln? So sehn sie aus. Wir sinn nich so gemiedlich, wie wir schbrechen. Wir hamm, wenns sein muß, Dinnamit im Bluhd...‹	Erich Kästner (Sächsisch)

Dichtungen in der Mundart einer bestimmten Landschaft nennt man **Mundart-** oder **Dialektdichtung.** Sie kommt häufig in Literaturgattungen vor, die mündlich vorgetragen werden können, z. B. Lyrik und Drama; Dialektdichtung findet man in bäuerlichen Bühnenstücken, in Unterhaltungs- und Stimmungsliedern, aber auch in Texten von Liedermachern und Rockgruppen.

Mundharmonika, kleines volkstümliches Blasinstrument. Die Seiten eines länglich flachen Holzkästchens sind gitterartig in viele Luftkanäle

Mundharmonika: chromatische Mundharmonika (Schutzdeckel entfernt);
a Stimmplatte,
b Stimmzunge,
c ›Ventil‹ (abgehoben),
d Kanzellenschieber,
e Kanzellenschieber herausgenommen (Teilstück),
f Mundstück (Teilansicht)

(›Kanzellen‹) unterteilt. In jedem dieser Luftkanäle liegen 2 Metallzungen, von denen eine beim Hineinblasen, die andere beim Ansaugen der Luft erklingt. Je nach der Größe des Instruments enthält es bis zu 128 solcher Metallzungen.

Mundhöhle, der Anfangsteil des Verdauungsapparates. Sie wird vorn von den Lippen, seitlich von den Wangen, oben vom harten und weichen Gaumen und unten von der Mundbodenmuskulatur mit der Zunge begrenzt; nach hinten, im weichen Gaumen, geht sie in den →Rachen über. Die Mundhöhle ist mit Schleimhaut ausgekleidet. Die in ihr verteilten kleinen Speicheldrüsen bilden mit den paarig angelegten großen Speicheldrüsen (Ohr-, Unterkiefer und Unterzungenspeicheldrüse) den Mundspeichel. Dieser macht die Nahrung feucht und leitet die Verdauung ein. Die Schleimhaut der Zunge hat warzenförmige Erhebungen **(Geschmacksknospen),** die die Geschmacksempfindungen vermitteln. Die sehr bewegliche Zunge, ein Muskelorgan, ist am Formen und Schlucken der Nahrung sowie an der Sprachbildung beteiligt.

Mündigkeit, die →Volljährigkeit.

Mun-Sekte, auch **Vereinigungskirche, Gesellschaft zur Vereinigung des Weltchristentums e. V.,** eine →Jugendreligion, die 1954 in Seoul, Südkorea, entstand und seit 1964 auch in der Bundesrepublik Deutschland existiert. Gründer und selbsternannter Messias ist der Koreaner **San Myung Mun** (* 1920). Ihm soll mit 16 Jahren Jesus Christus erschienen sein und ihm die Aufgabe übertragen haben, ›die Menschen der Welt unter Gott zu vereinen‹ und das Paradies wiederherzustellen. Er sieht sich dazu bestimmt, die geistliche und dann auch die politische Herrschaft über die ganze Erde zu übernehmen. Zuvor tobt der Kampf gegen das Böse und Satanische, das Mun besonders im Kommunismus verkörpert sieht. Zu diesem Kampf und zum bedingungslosen Gehorsam gegenüber ihrem Führer verpflichten sich die Mitglieder der Mun-Sekte. Dafür ist ihnen die ›Vollkommenheit‹ schon im irdischen Leben verheißen.

Münster [von lateinisch monasterium ›Kloster‹], seit dem hohen Mittelalter die Klosterkirche, ferner die Stiftskirche (auch →Dom genannt), deren Geistliche ähnlich den Mönchen ein gemeinsames Leben führten; manchmal wurde auch eine besonders stattliche Pfarrkirche (z. B. Ulm) Münster genannt. Heute ist Münster nur noch eine historische Bezeichnung bestimmter Kirchen (Straßburg, Freiburg i. Br.).

Münster, 273 400 Einwohner, nordrhein-westfälische Stadt inmitten des Münsterlandes. Münster ist mit seinen Hoch- und Fachschulen, mit Museen und anderen kulturellen Einrichtungen das Kulturzentrum eines weiten Umlandes. Von der im Zweiten Weltkrieg zerstörten Altstadt mit Häusern aus der Gotik und Renaissance wurde ein großer Teil stilgerecht wiederaufgebaut. – Die Geschichte des Bistums Münster geht auf das 8. Jahrh. zurück. Seit dem 14. Jahrh. war Münster Mitglied der Hanse.

Im 16. Jahrh. errichteten radikale Anhänger der reformatorischen Bewegung der Wiedertäufer eine Schreckensherrschaft in Münster, die erst nach 16 Monaten (1535) gestürzt werden konnte. Die Anführer (unter ihnen Johann Bockelson und Bernhard Knipperdolling) wurden hingerichtet und ihre Leichen in einem eisernen Käfig am Turm der Lambertikirche aufgehängt.

Murmeltiere: Alpenmurmeltier

Münzen, Metallstücke, die durch ihr Aussehen und ihre Beschriftung als →Geld kenntlich gemacht sind. Sie haben den Charakter von Waren, wenn ihr Metallwert (z. B. ihr Gold- oder Silberwert) dem Geldwert, der eingeprägten Zahl auf der Münze, entspricht. Diese Münzen heißen **Handels-, Währungs-** oder **Kurantmünzen.** Wenn der Metallwert gegenüber dem Nennwert fast bedeutungslos ist, hat die Münze Geldcharakter; sie wird dann als Kredit- oder **Scheidemünze** bezeichnet.

In Deutschland bestehen die 1-, 2-, 5- und 10-Pfennig-Stücke aus einem Stahlkern mit einer Kupfer- oder Messingauflage, die 50-Pfennig-Stücke sowie die 1-, 2- und 5-DM-Stücke aus einer Kupfer-Nickel-Legierung. Das Gesamtgewicht einer Münze heißt **Schrot,** der Edelmetallanteil **Korn** und das Verhältnis von Schrot und Korn **Feingehalt.** Die Herstellung von 1- und 2-Pfennig-Stücken kostet heute mehr als ihr Nennwert, das heißt dieses ›Kupfergeld‹ zählt zu den Kurantmünzen. Alle anderen deutschen Geldstücke sind Scheidemünzen; z. B. kostet die Herstellung eines 5-Mark-Stückes einschließlich des Metallwerts 27 Pfennige.

Der Staat regelt das Münzwesen (›Münzhoheit‹) und hat auch im allgemeinen das Recht, Münzen zu prägen oder prägen zu lassen (›Münzregal‹). Die Ausgabe der Münzen übernimmt die Deutsche Bundesbank (→Notenbank).

Die ersten Münzen entstanden um 650 v. Chr. in Lydien (Kleinasien). Die Römer hatten seit 269 v. Chr. Kupfer- und Silbermünzen; 44 v. Chr. gab es die ersten Münzen mit Porträtdarstellungen. Im Mittelalter hieß die Hauptmünze Denar. Im 13. Jahrh. entstanden die ersten Handelsmünzen in Gold (Gulden, Dukaten) und Silber (Groschen). Der erste Taler wurde 1484 in Tirol geprägt.

Muränen, aalähnliche Fische (über 1 m lang, bis 6 kg schwer), die zwischen den Felsen an warmen und gemäßigten Meeresküsten leben (z. B. am Mittelmeer). Sie lauern auf vorbeischwimmende Fische. Trotz ihrer Giftdrüsen in der Mundschleimhaut, die sie beim Biß entleeren, sind sie beliebte Speisefische. (BILD Fische)

Murmeltiere, Nagetiere aus der Familie der →Hörnchen, die einen 7–8 Monate dauernden Winterschlaf halten (man sagt: ›schlafen wie ein Murmeltier‹). Sie bewohnen Geröllfelder und Hochgebirgswiesen der Alpen, Karpaten und Pyrenäen. Die scheuen Murmeltiere werden etwa so groß wie ein Hase, leben gesellig, spielen und sonnen sich gern. Sie können sehr gut sehen und machen ›Männchen‹, um das Gelände zu beobachten. Nähern sich ihre natürlichen Feinde (Steinadler, Kolkrabe, Uhu, Marder), so pfeift ein besonders wachsames Tier laut und gellend, und die ganze Kolonie verschwindet in den Erdbauten. Für den Sommer graben Murmeltiere einfache Höhlen an sonnigen Berghängen, wo sie genügend Kräuter, Gräser und Wurzeln finden. Für den Winter legen sie in der Nähe der Waldgrenze (etwa 1 800 m hoch) tiefliegende, weit verzweigte Bauten an, deren Kessel sie mit Heu auspolstern. Ihr dichtes Fell schützt sie gut gegen Kälte. Die Weibchen bringen im Juni/Juli 2–5 nackte und blinde Junge zur Welt. Murmeltiere werden 15–18 Jahre alt. Da ihr Fett als Heilmittel dient, wurden sie stark verfolgt und in manchen Gebieten ausgerottet; sie werden mit Erfolg wieder angesiedelt.

Muschelkalk, die mittlere Abteilung der im außeralpinen Mitteleuropa verbreiteten Trias (→Erdgeschichte, ÜBERSICHT).

Muscheln, →Weichtiere, die im Wasser leben, die meisten Arten im Meer, einige in Bächen und Flüssen. Den eigentlichen Muschelkörper, dessen Kopf zurückgebildet ist, umhüllen 2 Kalkschalen. Diese sind am Rücken gelenkartig durch ›Zähne‹ (Vorsprünge, Vertiefungen, die ineinanderpassen) und ein elastisches Schloßband verbunden. Mit kräftigen Schließmuskeln können die Muscheln die Schalenhälften bei Gefahr so fest zusammenpressen, daß man sie (solange das Tier lebt) mit der bloßen Hand nicht öffnen kann. Die glatten oder gerippten, ovalen oder herzförmigen Schalen abgestorbener Muscheln findet man häufig am Strand. Das Innere der Muschelschale ist mit einer farbig schillernden Schicht, dem **Perlmutt,** überzogen, das zu Schmuck und Knöpfen verarbeitet wird. Bei einigen Arten, z. B. der Perlmuschel, überziehen sich eingedrungene Fremdkörper (z. B. Sandkörner) mit Perlmutt und werden zu Perlen. Mit Kiemen nehmen Muscheln Sauerstoff aus dem Wasser auf, das sie durch eine Öffnung einstrudeln. Aus diesem Atemwasser filtern die großen, vorhangartigen Kiemen auch kleinste Nahrungsteilchen, die aus Plankton und abgestorbenen Pflanzenteilchen bestehen, heraus und leiten sie zum Mundspalt weiter.

Viele Muscheln haben einen schwellbaren, meist keilförmigen ›Fuß‹, mit dem sie sich im Schlamm fortbewegen und auch eingraben können. Manche schwimmen durch schnelles Zusammenklappen ihrer Schalen. Bei den festsitzenden Arten ist der Fuß zurückgebildet. Diese Muscheln sondern aus einer Drüse ein Sekret ab, das meist zu Fäden erstarrt, mit denen sie sich am Untergrund festheften. Dazu gehören die schwarzen **Miesmuscheln** und die größeren, sehr rauhschaligen **Austern,** die man vereinzelt auch an der Nordsee findet. Beide Arten sind eßbar und werden in flachen Küstengewässern auf besonderen ›Bänken‹ gezüchtet, z. B. in Frankreich. Austern werden bei Ebbe mit der Hand oder mit besonderen Schabern oder Netzen gefischt, deren gezahnter Rahmen über den Boden gezogen wird. Bei den meisten Muschelarten gibt es Männchen und Weibchen, die Austern z. B. sind →Zwitter. Der Samen wird von den männlichen Muscheln ausgestoßen und von den Weibchen mit dem Atemwasser eingesaugt. Aus den befruchteten Eiern entwickeln sich Larven, die mit dem verbrauchten Wasser ausgestoßen werden. Sie schwimmen meist frei, die Larven der Süßwassermuscheln heften sich an Haut oder Kiemen von Fischen fest. Muscheln können so klein wie ein Pfennig sein; im Indischen Ozean leben riesengroße Arten, die über 2 m Durchmesser und 5 Zentner Gewicht erreichen. Muscheln werden vermutlich mehrere Jahrzehnte alt, Austern z. B. 10–25 Jahre.

Mụsen, in der griechischen Sagenwelt die 9 Töchter des Zeus, die Schutzgöttinnen der Künste und der Wissenschaften: **Klio** (Geschichte), **Kalliope** (Epos, Elegie), **Melpomene** (Tragödie), **Thalia** (Komödie), **Urania** (Astronomie), **Terpsichore** (chorische Lyrik, Tanz), **Erato** (Liebeslied, Tanz), **Euterpe** (Musik, Lyrik), **Polyhymnia** (Tanz, Pantomime, ernstes Lied).

Musette [müsạt, französisch], der →Dudelsack.

Musical [mjụsikel, von englisch musical comedy ›Musikkomödie‹ oder musical play ›musikalisches Spiel‹], eine volkstümliche Form des amerikanischen Musiktheaters, die um 1900 in New York am Broadway entstand. In ihm verschmelzen Elemente der Operette, der Revue, des Varietés und des Balletts, gelegentlich auch der Oper. Außerdem verwendet das Musical Mittel der amerikanischen Popmusik, des Jazz und der Tanz- und Unterhaltungsmusik. Motive und Stoffe sind oft der Weltliteratur entnommen, jedoch werden auch aktuelle Themen behandelt.

Populäre Musicals sind z. B. ›Porgy and Bess‹ (1935, G. Gershwin), ›Kiss me Kate‹ (1948, C. Porter), ›My fair Lady‹ (1956, F. Loewe), ›Westside story‹ (1957, L. Bernstein), ›Hello Dolly‹ (1964, J. Herman), ›Fiddler on the roof‹ (deutsch ›Anatevka‹, 1964, J. Bock), ›Cabaret‹ (1966, J. Kander), ›Hair‹ (1967, G. McDermot), ›Jesus Christ Superstar‹ (1971, A. Lloyd Webber), ›Cats‹ (1982, A. Lloyd Webber), ›Starlight express‹ (1984, A. Lloyd Webber) sowie ›The phantom of the opera‹ (1986, A. Lloyd Webber).

Musịk [von griechisch musike techne ›Kunst der Musen‹], die Tonkunst, die Kunst, Töne, Klänge und Geräusche schöpferisch so zusammenfügen, daß eine einheitliche künstlerische Form entsteht. Musik wird entweder gesungen (**Vokalmusik,** von lateinisch vox ›Stimme‹) oder von Instrumenten gespielt **(Instumentalmusik).**

Der Ursprung der Musik läßt sich im Grunde zurückführen auf den Ursprung der Menschheit. Schon von jeher verwendeten Menschen Töne und Klänge, z. B. bei eintönigen Arbeiten (Arbeitsgesänge) oder kultischen Handlungen. Diese Form der Musikausübung, wie sie heute noch bei Naturvölkern zu beobachten ist, beruhte in erster Linie auf dem Einsatz der menschlichen Stimme, bediente sich jedoch schon sehr früh einfachster ›Instrumente‹ wie Klanghölzer, Eintonflöten, Musikbogen, Rasseln, Trommeln.

Musik als eigenständige Kunst hat sich erst viel später entwickelt. In vielen Kulturen, z. B. in der griechischen Antike, bildete sie eine Einheit

1

2

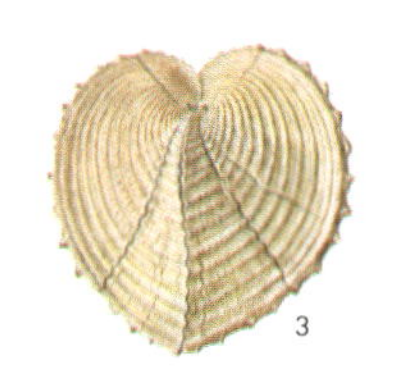
3

4

Muscheln: **1** Knotige Herzmuschel, **2** Kammuschel, **3** Venusherz, **4** Braune Venusmuschel

etwa mit Tanz und Dichtkunst. Reine Instrumentalmusik gab es nur in sehr beschränktem Umfang und auch nur für den Solovortrag. Erst ab dem 4. Jahrh. n. Chr. entwickelte sich unter dem Einfluß des Christentums die Musik zu einer eigenständigen Kunst, blieb jedoch bis weit in die Neuzeit an das Wort gebunden.

Die frühchristliche Musik vereinigte in sich Elemente der spätantiken Musik, des jüdischen Tempelgesangs und der Musik der christlich gewordenen Völker. Sie diente mit einstimmig vorgetragenen Psalmen und feierlichen Hymnen im Gottesdienst der Wortverkündigung; eine Begleitung durch Instrumente gab es nicht. Die verschiedenen Liturgien und Gesangsformen, die sich im Lauf der Zeit herausgebildet hatten, wurden unter den Karolingern (8. Jahrh.) vereinheitlicht; es entstand der **Gregorianische Gesang,** benannt nach dem Erneuerer der römischen Liturgie, Papst Gregor I. (6. Jahrh.). Das andersgeartete Musikempfinden der christianisierten germanischen Völker des Nordens führte im Verlauf der folgenden Jahrhunderte zu einigen wesentlichen Neuerungen: Die einfachen Melodien des Gregorianischen Gesangs wurden durch Verzierungen und Texteinschübe erweitert, und es entwickelte sich ein Parallelgesang im Quint- oder Quartabstand (Organum), mit dem die abendländische **Mehrstimmigkeit** ihren Anfang nahm.

Neben der geistlichen Musik des frühen Mittelalters setzte im 11. Jahrh. eine Blüte der weltlichen einstimmigen Musik ein, die vor allem von den →Troubadours in Frankreich und den Minnesängern (→Minnesang) in Deutschland gepflegt wurde.

War die Musik des Mittelalters zunächst mündlich überliefert oder improvisiert, so wurde sie etwa ab dem 12. Jahrh. komponiert und aufgezeichnet. Die Mehrstimmigkeit, bisher nur auf die kirchliche Musik beschränkt, erfaßte im 14. Jahrh. erstmals in Frankreich auch die weltliche Musik. Weitere bedeutende Zentren mehrstimmiger Musik sind in dieser Zeit Italien und England. Gegen Ende des Jahrhunderts verlagerte sich das Schwergewicht der künstlerischen Entwicklung auf den niederländisch-burgundischen Raum, wobei vor allem die Komposition von **Messen** im Vordergrund stand. Aus dieser **niederländischen Schule,** die auf die europäische Musikgeschichte starken Einfluß ausübte, gingen bedeutende Meister wie **Orlando di Lasso** und **Josquin des Prez** hervor. Sie verwendeten statt des dreistimmigen Satzes, der sich seit dem 13. Jahrh. herausgebildet hatte, den vierstimmigen Satz, den sie mit den für die neuere Harmonik charakteristischen Kadenzbildungen (V. Stufe/I. Stufe) ausstatteten. Zudem ist die Musik der Niederländer durch ein Höchstmaß an Verselbständigung aller Stimmen ausgezeichnet. Den Höhepunkt und Abschluß der niederländischen Satz- und Ausdruckskunst bildete die **A-cappella-Musik** des 16. Jahrh., als deren größte Meister Orlando di Lasso und in Italien **Giovanni Palestrina** gelten. Neben dieser reinen Vokalmusik entwickelte sich seit dem 15. Jahrh. erstmals eine eigenständige Instrumentalmusik, besonders für Orgel und Laute.

Mit dem beginnenden Barockzeitalter (um 1600) entstand in Florenz die **Oper,** die mit **Claudio Monteverdi** ihren ersten Meister hervorbrachte. In Venedig entstanden Kompositionen, in denen verschiedene Klangkörper (z. B. Singstimmen und Instrumente) miteinander im Spiel abwechseln und wetteifern. Sie wurden als **›Concerti‹ (Konzerte)** bezeichnet; aus ihnen entwickelte sich gegen Ende des 17. Jahrhunderts das **Concerto grosso** und das **Solokonzert (Arcangelo Corelli, Antonio Vivaldi).** Daneben gewannen Fuge, Suite, Präludium, Choralbearbeitung und andere Formen der Instrumentalmusik zunehmend an Bedeutung. Die Baßstimme, durch ein Tasteninstrument verstärkt, wurde zur Fundamentalstimme, der die melodisch führende Oberstimme gegenübertrat. Im Wirken **Bachs** und **Händels** erreichte die Musik des Barock ihren Höhepunkt und Abschluß.

In den Jahren 1781 bis 1828 wurde vor allem Wien durch **Haydn, Mozart** und **Beethoven** zum Brennpunkt des musikalischen Geschehens **(Wiener Klassik).** Sonate, Streichquartett, Solokonzert und Symphonie wurden durch sie auf ihre höchste künstlerische Stufe gehoben. Das neue Menschenbild der Klassik fand in den Opern Mozarts vollendeten Ausdruck. Im Schatten Beethovens schuf **Franz Schubert** seine den Klassikern ebenbürtige Instrumentalmusik und seine Lieder. Im 19. Jahrh. wurden die klassischen Formen durch **Felix Mendelssohn-Bartholdy, Robert Schumann, Johannes Brahms** und **Anton Bruckner** weiterentwickelt. Daneben gewann die einsätzige programmatische Ouvertüre und die Symphonische Dichtung **(Franz Liszt)** stark an Bedeutung. Geschätzt waren die Kleinformen des Kunstliedes und des Charakterstücks für Klavier (besonders bei **Frédéric Chopin** und **Schumann**). Die romantische Oper, die von **Carl Maria von Weber** ausging, gipfelte im alle Künste vereinigenden Musikdrama **Richard Wagners.** Bedeutenden Anteil an der Musikentwicklung hatten auch der

Italiener **Giuseppe Verdi,** die Franzosen **Georges Bizet** und **Claude Debussy,** die Tschechen **Friedrich Smetana** und **Anton Dvořák** sowie die Russen **Peter Tschaikowsky** und **Modest Mussorgskij.**

Bereits in der zweiten Hälfte des 19. Jahrh. begann die Musik, sich von dem traditionellen ›musikalischen Denken‹ in Tonarten und Harmoniefolgen, die bestimmten Regeln und Gesetzen unterlagen, zu lösen. Den Komponisten des Impressionismus, besonders Claude Debussy, erschlossen sich so neue Möglichkeiten, mit Klängen Stimmungen wiederzugeben, zu ›malen‹. Im beginnenden 20. Jahrh. führte diese Entwicklung zur Herausbildung mehrerer unterschiedlicher Stilrichtungen. Die Abkehr vom Dreiklang und der Gebundenheit an (Grund)tonarten hatte bei **Arnold Schönberg, Alban Berg** und **Anton Webern** die Entwicklung der **atonalen Musik** und schließlich der **Zwölftonmusik** zum Ergebnis. Andere Komponisten, vor allem **Igor Strawinsky,** griffen auf Stilelemente und Formen des 18. Jahrh. zurück (›Neoklassizismus‹) und verbanden sie mit der Atonalität und rhythmischen Neuerungen. Wieder andere, wie **Béla Bartók,** bearbeiteten fremdartige Volksmelodien oder bildeten sie nach.

Nach dem Zweiten Weltkrieg griffen zahlreiche Komponisten die Zwölftontechnik auf und entwickelten sie weiter. Um 1950 entstand die **elektronische Musik,** die später in Verbindung mit dem Klang herkömmlicher Instrumente, Tonbandeffekten, Sprache und Geräuschen eine außerordentliche Vielfalt von akustischen Eindrücken ergab.

Neben diesen Formen der Kunstmusik sind im 20. Jahrh. vor allem durch die Massenmedien (Rundfunk, Schallplatte) Musikformen verbreitet worden, die sich an ein breites Publikum wenden. Hierzu zählen z. B. Schlager, Chanson, Musical, Jazz, Rock- und →Popmusik; sie werden auch als **leichte Musik** oder **Unterhaltungsmusik** bezeichnet, wobei es teilweise schwierig ist, eine Abgrenzung zur Kunstmusik vorzunehmen.

Muskạt, →Gewürzpflanzen.

Mụskelkater, vorübergehende schmerzhafte Muskelermüdung, die meist nach größeren ungewohnten Anstrengungen auftritt. Er wird vermutlich durch eine Ansammlung von Stoffwechselschlacken, besonders Milchsäure, im Muskelgewebe verursacht. Geeignete Mittel gegen den Muskelkater sind leichte Bewegung, Wärme, z. B. Sauna, und Massage, da dadurch die Durchblutung gefördert wird.

Mụskeln [von lateinisch musculus ›kleine Maus‹], Form des Gewebes, mit dessen Hilfe Bewegungen ausgeführt werden können. Man unterscheidet die willkürliche (vom Willen abhängige), quergestreifte Skelettmuskulatur und die unwillkürliche (nicht durch den Willen gesteuerte), glatte Muskulatur der Eingeweide. Der Mensch besitzt etwa 500 Skelettmuskeln, die aus zahlreichen, von Bindegewebe umgebenen Muskelbündeln bestehen, die sich wiederum aus vielen Muskelfasern (Muskelzellen) zusammensetzen. Über Sehnen wird die Verbindung zum Knochen hergestellt. Der Muskel kann sich, ausgelöst durch Reize, die über die →Nerven geleitet werden, zusammenziehen (verkürzen), um eine Anspannung oder Bewegung zu erreichen. Jedoch besteht auch im Ruhezustand immer eine leichte Spannung, die sich nur im tiefen Schlaf verliert. An der Ausführung einer Bewegung sind immer mehrere Muskeln beteiligt. Durch körperliches Training kann die Muskelmasse erheblich vermehrt werden, durch Untätigkeit wird sie vermindert.

Die glatte Muskulatur der Eingeweide wird vom autonomen (vom Willen unabhängigen) Nervensystem gesteuert. Sie sorgt z. B. für die Beförderung der Nahrung, die Entleerung der Harnblase und die Eng- und Weitstellung der Blutgefäße.

Eine Sonderstellung nimmt die **Herzmuskulatur** ein, da sie quergestreift, aber nicht dem Willen unterworfen ist. Ihre Tätigkeit wird ebenfalls vom autonomen Nervensystem gesteuert.

Musketiere. Von den Abenteuern dreier Musketiere am Hof des französischen Königs Ludwig XIII. (17. Jahrh.) handelt der Roman ›Die drei Musketiere‹, den Alexandre →Dumas (Vater) schrieb. Zusammen mit dem jungen d'Artagnan, dem eigentlichen Helden des Romans, meistern die Freunde gefährliche Situationen im Kampf gegen den Staatsminister Richelieu und seine Anhänger. Sie siegen in vielen Duellen und haben verschiedene Liebesabenteuer. Die spannenden Geschichten, von Dumas in 2 Büchern fortgesetzt, wurden oft verfilmt.

Mụslim, →Moslem.

Mussolịni. Der italienische Politiker **Benito Mussolini** (* 1883, † 1945), der Begründer des Faschismus in Italien, war ursprünglich Mitglied

Muskeln

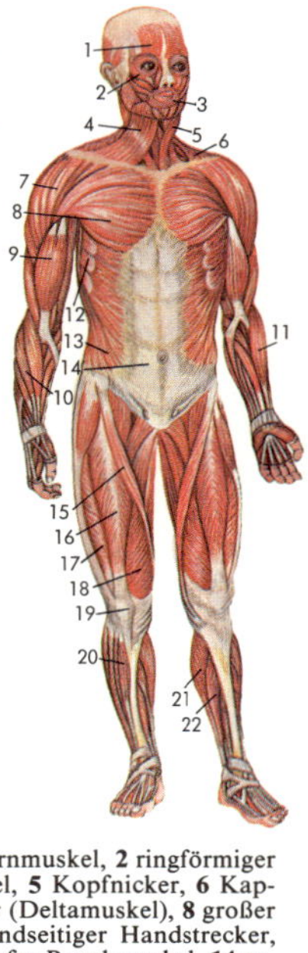

Muskeln: oberflächliche Skelettmuskeln von vorn gesehen: **1** Stirnmuskel, **2** ringförmiger Augenlidmuskel, **3** ringförmiger Mundmuskel, **4** Halshautmuskel, **5** Kopfnicker, **6** Kappenmuskel (trapezförmiger Muskel), **7** dreieckiger Oberarmheber (Deltamuskel), **8** großer Brustmuskel, **9** zweiköpfiger Oberarmmuskel, **10** langer hohlhandseitiger Handstrecker, **11** Armspeichenmuskel, **12** vorderer Sägemuskel, **13** äußerer schiefer Bauchmuskel, **14** gerader Bauchmuskel in seiner Scheide, **15** Schneidermuskel, **16** Schenkelstrecker, gerader Kopf, **17** Schenkelstrecker, äußerer Kopf, **18** Schenkelstrecker, innerer Kopf, **19** Kniescheibe, **20** vorderer Schienbeinmuskel, **21** Zwillingswadenmuskel, **22** Schollenmuskel

der sozialistischen Partei und Direktor ihrer Zeitung. Im Gegensatz zur Mehrheit seiner Parteifreunde befürwortete er den Eintritt Italiens in den Ersten Weltkrieg. In dieser Zeit wandte er sich vom Sozialismus ab.

1919 gründete Mussolini die Bewegung der ›Fasci di Combattimento‹ (deutsch: Kampfbünde), die 1921 in die ›Nationale Faschistische Partei‹ umgewandelt wurde. Mit gewalttätigen Mitteln konnte er Teile Norditaliens unter seine Kontrolle bringen. Durch den ›Marsch auf Rom‹ (28. Oktober 1922), an dem 26 000 seiner Anhänger (nach ihrer Uniform ›Schwarzhemden‹ genannt) teilnahmen, zwang er König Viktor Emanuel III., ihn zum Ministerpräsidenten zu ernennen. Als ›Duce del Fascismo‹ (deutsch: Führer des Faschismus) und ›Capo del Governo‹ (deutsch: Regierungschef) sowie als Kommandant der Geheimpolizei errichtete er in den folgenden Jahren in Italien eine Diktatur. Mit der Eroberung Äthiopiens beschritt er den Weg imperialistischer Machtausdehnung. An der Seite General Francisco Francos griff er in den Spanischen Bürgerkrieg ein. Mit der Begründung der ›Achse Berlin-Rom‹ (1936) und dem Abschluß des Stahlpakts (1939) trat er an die Seite des nationalsozialistischen Deutschland.

Nach dem Eintritt in den Zweiten Weltkrieg geriet Italien immer stärker in die Abhängigkeit von Deutschland. Innere Krisen und militärische Mißerfolge führten 1943 zum Mißtrauensvotum des ›Faschistischen Großrates‹ gegen Mussolini und zu seiner Absetzung durch den König. Mussolini wurde gefangengesetzt, jedoch von deutschen Fallschirmjägern befreit. Im Machtbereich deutscher Truppen gründete er in Norditalien die ›Italienische Sozialrepublik‹. Kurz vor Ende des Zweiten Weltkriegs wurde er von italienischen Widerstandskämpfern erschossen.

Mustang [von spanisch mestengo ›herrenlos(es Pferd)‹], ein verwildertes Hauspferd (→Pferde) in Nordamerika.

Mutation [lateinisch ›Veränderung‹], eine Veränderung des genetischen Materials, die spontan auftreten, aber auch durch chemische Stoffe (›Mutagene‹) oder Strahlung (z. B. UV-Strahlung) verursacht werden kann. So können z. B. einzelne Chromosomen, Chromosomenstükke und →Gene fehlen oder verdoppelt sein, oder die Moleküle, aus denen die Gene aufgebaut sind, sind chemisch verändert. Eine Mutation kann den Tod des Individuums zur Folge haben, sie kann Krankheiten nach sich ziehen (→Mongolismus), gar keine Auswirkungen haben, aber auch für das betroffene Individuum von Nutzen sein (z. B. die Resistenz von Insekten gegen Schädlingsbekämpfungsmittel).

Mutterkuchen, lateinisch **Plazenta,** scheibenförmiges Organ, das nur für die Dauer der →Schwangerschaft in der Gebärmutter angelegt ist und dem Kind zur Ernährung dient. Der Mutterkuchen ist über die Nabelschnur mit dem →Embryo verbunden. Nach der →Geburt des Kindes wird er als **Nachgeburt** ausgestoßen.

Muttermal, lateinisch **Naevus,** eine meist erbliche, scharf begrenzte Fehlbildung der Haut, die schon bei der Geburt bestehen oder später auftreten kann. Häufig kommen Muttermale an mehreren Körperstellen vor. Sie können als kleine Flecken oder ausgedehnt über größere Körperflächen erscheinen. **Pigmentmale** (Leberfleck), braunschwarze, oft behaarte Hautstellen, entstehen durch Anhäufung von →Pigmenten. **Feuermale** sind flache, rote, angeborene Flecken unterschiedlichster Größe, die durch Erweiterungen feinster Blutgefäße entstanden sind.

Mutterschutz, arbeitsrechtlicher Schutz, der in der Bundesrepublik Deutschland allen berufstätigen werdenden Müttern durch das **Mutterschutzgesetz** gewährt wird. Danach dürfen Frauen während der Schwangerschaft nicht für schwere oder gesundheitsgefährdende Arbeiten herangezogen werden. Sechs Wochen vor und 8 Wochen nach der Geburt des Kindes darf die Mutter gar nicht beschäftigt werden. Außerdem kann sie anschließend einen viermonatigen Mutterschaftsurlaub verlangen. In der gesamten Zeit erhält sie von der Krankenkasse ein **Mutterschaftsgeld.** Einer berufstätigen Frau darf während der Schwangerschaft und bis zu 4 Monate nach der Entbindung nicht gekündigt werden.

MW, Abkürzung für →**M**ittel**w**ellen.

My (M, μ), 12. Buchstabe des griechischen Alphabets (→M); **μ,** Vorsatzzeichen für →Mikro; **μC** ist die Abkürzung für →Mikrocomputer.

Mykene, bronzezeitliche Burg im Nordosten der griechischen Halbinsel Peloponnes, im griechischen Mythos Sitz des Königs Agamemnon. Erhalten sind Teile der im 14.–13. Jahrh. v. Chr. aus großen Steinblöcken ohne Mörtel errichteten (›kyklopischen‹) Burgmauer mit dem berühmten Löwentor. Auf dem Gelände des Burgbergs liegen 6 Schachtgräber (mit senkrechtem Schacht, der zur eigentlichen Grabkammer führt), in denen Heinrich Schliemann viele Skelette und kostbare Grabbeigaben wie Goldschmuck, Waffen, Gefäße und Totenmasken fand. Von anderer Art sind die Kuppelgräber, die seit dem späten

16. Jahrh. v. Chr. im Umkreis der Burg errichtet wurden: unterirdische Grüfte von kreisrundem Grundriß, kuppelartig überwölbt durch ringförmig verlegte Blöcke, die jeweils übereinander vorkragen. Eines wird ›Schatzhaus des Atreus‹ genannt, nach dem Vater des Agamemnon. Außerhalb des Burgbergs fanden sich Reste von Wohnhäusern, Läden und Werkstätten.

Mykene war Mittelpunkt der frühgriechischen **mykenischen Kultur** (etwa 1600–1100 v. Chr.), deren Kunst mit der minoischen Kunst (→minoische Kultur) der Insel Kreta zur **kretisch-mykenischen Kunst** zusammengefaßt wird.

Mythologie [zu griechisch mythos ›Wort‹, ›Erzählung‹, ›Sage‹], die Gesamtheit der Überlieferungen eines Volkes aus seiner Vorzeit, vor allem Erzählungen und Sagen über Götter und Helden, über die Entstehung der Welt. So dachten sich die Germanen die Welt aufgeteilt in verschiedene Reiche, zu denen neben der Unterwelt das Menschenreich, das Riesenreich und der Sitz des Göttergeschlechts der →Asen gehörten. Bedeutsam für das germanische Weltbild war die Sage von der →Götterdämmerung, dem Kampf der Götter gegen feindliche Mächte, der mit dem Weltuntergang endete.

In der Mythologie der Griechen gab es eine ähnliche Aufteilung der Welt in verschiedene Reiche. Die Göttersagen umfassen Erzählungen von der Weltentstehung, der Herrschaft der Götter auf dem →Olymp, von den Beziehungen der Götter zueinander und zu den Menschen.

Im Gegensatz zur griechischen Mythologie waren die religiösen Vorstellungen der Römer zunächst nicht durch anschauliche Bilder von den Göttern und ihrem Handeln geprägt. Es gab keine Ehen zwischen den Göttern, keine Zeugung, keine Götterfamilien. Die Götter waren Träger bestimmter Kräfte und hatten entsprechende Wirkungsbereiche (z. B. Pax als Göttin des Friedens). Erst unter Einflüssen von außen, vor allem aus Griechenland, wandelte sich dies.

Neben griechischen, römischen und germanischen Glaubensvorstellungen war besonders die keltische Mythologie prägend für die europäische Ideengeschichte. Auch im außereuropäischen Raum gab es entsprechende Vorstellungs- und Sagenkreise.

N

N, der vierzehnte Buchstabe des Alphabets, ein Konsonant. N ist das chemische Zeichen für Stickstoff (Nitrogenium). In der Physik ist n das Zeichen für →Neutron, N das Einheitenzeichen für die Krafteinheit →Newton; n ist Vorsatzzeichen für →Nano. $\mathbb{N}$ ist in der Mathematik das Symbol für die Menge der natürlichen Zahlen. In der Geographie ist N die Abkürzung für Norden; in der Grammatik bezeichnet n. das →Neutrum.

Nabe, Teil eines →Rades, der direkt auf der Welle sitzt.

Nabel, etwa in der Bauchmitte gelegene, eingezogene Vertiefung. Hier war der Ansatz der **Nabelschnur,** durch die das heranwachsende Kind während der →Schwangerschaft mit dem →Mutterkuchen verbunden war. Nach Durchtrennung der Nabelschnur nach der →Geburt trocknet der Rest ein und vernarbt; dadurch entsteht der Nabel.

Nabelschnur, →Nabel.

Nachgeburt, →Mutterkuchen.

Nachhall, →Echo.

Nachrichtendienst, →Geheimdienst.

Nachrichtensatellit. Zu den wichtigsten geostationären →Satelliten, die sich in 36 000 km Höhe immer über dem gleichen Punkt der Erde bewegen, gehören die Nachrichtensatelliten. Von einem Land oder Kontinent zum anderen können sie gleichzeitig mehrere Fernsehprogramme oder viele tausend Telefongespräche übertragen.

Nachtigall. Der schöne, flötende Gesang der Nachtigall galt schon in der Antike als glückliches Omen; im Volksglauben verheißt er Sterbenden einen sanften Tod. Vor allem das Männchen singt zur Brutzeit (bis Ende Juni) besonders in der Abend- und Morgendämmerung und auch in der Nacht, wenn die meisten Vögel verstummt sind. Die unauffällig rotbraune, etwa sperlingsgroße Nachtigall nistet verborgen im niedrigen Gestrüpp in Wäldern, Gärten und Parkanlagen. Mit ihrem schmalen Schnabel sucht sie am Boden nach Insekten und deren Larven; sie frißt auch Beeren. Beim Laufen stellt die Nachtigall den Schwanz auf und läßt die Flügel hängen. Als Zugvogel kommt sie bis nach Mittelafrika. (BILD Seite 314)

Nachtwandeln →Schlafwandeln.

Nacktsamige, Nacktsamer, eine Gruppe der →Samenpflanzen.

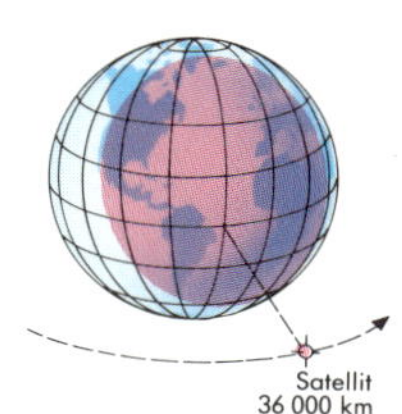

Nachrichtensatellit

Nachrichtensatellit: Die von einem Synchronsatelliten sichtbare Erdfläche (Position etwa 40° West)

Nachtigall

Nadelgewicht, eine →Gewichtsklasse.

Nadelhölzer, Bäume und Sträucher, deren Blätter meist die Form von langen, oft spitzen Nadeln haben. Ihre im Unterschied zu den Blättern der →Laubhölzer kleine, derb-lederartige Blattoberfläche schränkt den Wasserverlust durch Verdunstung stark ein, so daß Nadelhölzer auch in kalten und trockenen Gebieten und auf kargen Böden gedeihen. Mit wenigen Ausnahmen (von den heimischen nur die Lärche) behalten sie ihre Nadeln auch im Winter. Sie werfen die Nadeln nach und nach ab, so daß sie zu keiner Zeit kahl sind. Die Lebensdauer der Nadeln beträgt im allgemeinen 2–3 Jahre, selten über 5 Jahre. Nadelhölzer sind Nacktsamige (→Samenpflanzen). Sie haben unscheinbare männliche und weibliche Blüten, die aber meist auf demselben Baum sitzen. Aus den knospenartigen Blüten entwickeln sich nach der Bestäubung, die mit Hilfe des Windes erfolgt, die Zapfen. Wegen dieser Zapfen heißen die Nadelhölzer auch **Koniferen** (lateinisch ›Zapfenträger‹). Von den einheimischen Nadelhölzern tragen Tanne, Fichte, Kiefer und Lärche Zapfen, der Wacholder hat blauschwarze Beerenzapfen, die Eibe fleischige, rote Samenbeeren. Reife Zapfen werden bräunlich und holzig. Sie öffnen sich, und die kleinen Samen, die unter den Schuppen verborgen liegen, fallen heraus. Die Zapfen bleiben meist am Baum zurück. Die kleinen, braunen Samen werden vom Wind fortgeweht. Die Samen von Eibe und Wacholder werden durch Tiere verbreitet. Viele Nadelbäume liefern →Harz und relativ weiches Nutzholz (Bau-, Kistenholz). Ihre ziemlich geraden und gleichmäßig gewachsenen Stämme sind leicht zu fällen und zu transportieren. Zellstoff und Papier werden vor allem aus Fichten- und Kiefernholz hergestellt.

Nadir [von arabisch nazir ›gegenüberliegend‹], **Fußpunkt,** der dem →Zenit genau gegenüberliegende Punkt. Man erhält ihn, wenn man die Linie Zenit – Beobachtungspunkt nach unten verlängert, bis sie die scheinbare Himmelskugel (→Himmel) schneidet.

Nagasaki, 447 100 Einwohner, Hafenstadt im Westen der japanischen Insel Kyushu, hat mit der Mitsubishi-Werft eine der größten Schiffsbauanlagen der Erde. Von 1641 bis etwa 1854 war Nagasaki die einzige Hafenstadt in Japan, in der von ausländischen Kaufleuten Handel betrieben werden durfte.

Über der Stadt wurde am 9. August 1945 von den Amerikanern, nach Hiroshima, die zweite Atombombe abgeworfen; dabei wurden 150 000 Menschen (andere Schätzungen nennen 75 000) getötet und die Stadt stark zerstört.

Nagetiere, größte, weltweit verbreitete Ordnung der →Säugetiere mit über 3 000 Arten. Das typische gemeinsame Merkmal sind die **Nagezähne,** das sind je 2 scharfe, meißelförmige Schneidezähne im Ober- und Unterkiefer, die keine Zahnwurzel haben und lebenslang nachwachsen. Im Gebrauch werden die Zähne ständig nachgeschliffen und geschärft. Eckzähne fehlen, die Backenzähne haben breite Kauflächen. Beim Nagen bewegt sich der Unterkiefer vor- und rückwärts; eine Spalte in der Oberlippe (›Hasenscharte‹) verhindert, daß sich das Tier mit den eigenen Zähnen verletzt. Biber fällen durch Nagen sogar Bäume. Nagetiere sind meist nur so groß wie →Mäuse (die häufigsten Nagetiere) oder wie die etwas größeren →Hamster. Fast die Größe eines kleinen Dackels erreichen die →Stachelschweine. Das größte Nagetier ist das in Südamerika lebende Wasserschwein (1 m lang, 50 kg schwer). Nagetiere sind die anpassungsfähigsten Säugetiere und besiedeln praktisch alle Lebensräume. Sie klettern auf Bäumen (→Hörnchen, →Bilche), schwimmen im Wasser (→Biber, →Bi-

Nagetiere

samratte) oder graben in der Erde (Feldmaus). Nagetiere vermehren sich oft in sehr großer Zahl (Feldmäuse, →Lemminge). Ihre Tragzeit ist sehr kurz (z. B. beim Goldhamster nur 16 Tage). Zum Teil leben sie in riesigen Kolonien wie die →Präriehunde. Nagetiere können, wenn sie in Massen auftreten (z. B. die Wühlmäuse) an Nutzpflanzen und Nahrungsvorräten großen Schaden anrichten. Sie können auf den Menschen Seuchen übertragen (z. B. Ratten die Pest). In der biologischen, medizinischen und kosmetischen Forschung werden Nagetiere (z. B. Meerschweinchen, Mäuse) in großer Zahl als Versuchstiere verwendet. Die Notwendigkeit dieser Versuche, vor allem ihre Häufigkeit, ist heute umstritten.

Manche Nagetiere liefern wertvolle Pelze, z. B. der Biber, das sibirische Eichhörnchen (›Feh‹) und die Bisamratte. Ein silbergraues, seidenweiches Fell hat das Chinchilla aus den Hochgebirgen Südamerikas, das auch in Farmen gezüchtet wird. Ebenso wird die südamerikanische Nutria (auch Biberratte) als Pelztier gezogen.

Die →Hasen und die mit ihnen verwandten →Kaninchen, haben anders ausgebildete Nagezähne und gehören nicht zu den Nagetieren.

Nagezähne, die Schneidezähne bei →Nagetieren, →Hasen und →Kaninchen.

Naher Osten, Nahost, Sammelbezeichnung für die außereuropäischen Länder am östlichen Mittelmeer. Ursprünglich verstand man unter dem Nahen Osten die Länder des Osmanischen Reiches. Heute werden meist die arabischen Staaten in →Vorderasien sowie Israel zum Nahen Osten gerechnet; oft werden auch Ägypten, die Türkei und Iran mit einbezogen.

Nahostkonflikt. Nach der Ausrufung des Staates Israel (1948) bekämpften die arabischen Staaten, besonders die Länder Ägypten, Syrien, Jordanien und Irak, die Existenz des jüdischen Staates im Nahen Osten. Die Verwicklung dieser Auseinandersetzung in den weltpolitischen Interessenkonflikt zwischen den USA und der Sowjetunion machte den Nahostkonflikt zu einem internationalen Krisenherd.

Seit etwa 1870 waren immer mehr Juden nach Palästina in das – nach jüdischer Ansicht – ›Land der Väter‹ eingewandert und hatten neue Siedlungen gegründet. Schon bald kam es zu Kämpfen zwischen diesen Juden und der einheimischen arabischen Bevölkerung, den Palästinensern. Durch eine Teilung des Landes in ein jüdisches und ein arabisches Gebiet hoffte die UNO 1947, Frieden zu stiften. Die Gründung des Staates Israel führte zum ersten Krieg im Nahostkonflikt, zum **Palästina-Krieg** (1948/49). In diesem Krieg konnte Israel seine Staatsgrenzen behaupten, mußte aber eine Teilung Jerusalems in einen arabischen und einen israelischen Stadtteil hinnehmen. Etwa 800 000 arabische Palästinenser flohen damals aus Israel oder wurden vertrieben; ihre Flüchtlingslager in den umliegenden arabischen Ländern, vor allem in Jordanien und nach 1967 in Libanon, wurden zu gefährlichen Krisenherden. Den Konflikt zwischen Frankreich und Großbritannien einerseits und Ägypten andererseits um die von Ägypten eingeleitete Verstaatlichung des Suezkanals nutzte Israel 1956 zu einem Vorstoß auf die ägyptische Sinaihalbinsel. In diesem Krieg, dem **Suezkrieg,** suchte Israel die arabische Blockadepolitik, besonders am Golf von Akaba, zu durchbrechen. In einem dritten Krieg (**Sechs-Tage-Krieg,** 1967) gegen Ägypten, Syrien und Jordanien gewann Israel strategisch wichtiges Gelände (Golan-Höhen, Westjordanland, Sinaihalbinsel) und den jordanischen Teil Jerusalems, das es seitdem besetzt hält. Unter Führung der **Palästinensischen Befreiungsbewegung** (abgekürzt **PLO**) schlossen sich die Palästinenser zu Kampfverbänden zusammen und organisierten terroristische Kommandounternehmen gegen israelische Siedlungen und israelische Einrichtungen im Ausland. Zu diesen Anschlägen zählt auch das Massaker an den israelischen Teilnehmern der Olympischen Spiele in München (1972). Zu weiteren Kriegen kam es 1973 **(Jom-Kippur-Krieg)** und 1982, als Israel im Libanon einmarschierte **(Libanon-Krieg)** und die im Süd-Libanon, besonders in Beirut, stationierten Kampfverbände der PLO zerschlug. In den letzten Jahren sind bei einigen arabischen Staaten Zeichen eines Verhandlungswillens erkennbar geworden; als erstes Land schloß Ägypten unter Präsident Anwar as-Sadat einen Friedensvertrag mit Israel (1979). Seit 1991 wird auf der Nahost-Friedenskonferenz ein Ausgleich zwischen Israel, den Palästinensern und den arabischen Staaten angestrebt.

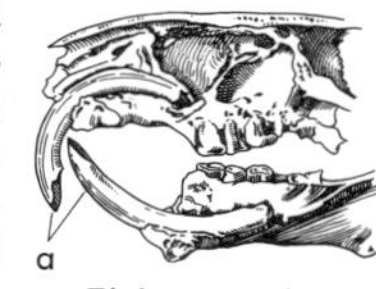

Einlagerung der **Nagezähne** (a) im Ober- und Unterkiefer

Nahrungsketten, die durch Ernährung bedingte Abhängigkeitsfolge von Pflanzen, Tieren und Mikroorganismen in einem Ökosystem. Die Pflanzen stehen am Anfang jeder Nahrungskette, denn nur sie können mit Hilfe des Sonnenlichts aus Mineralsalzen organische Substanz produzieren (→Photosynthese). Eine Nahrungskette ist z. B. Pflanze-Raupe-Raubinsekt-Singvogel-Raubvogel. Jeweils der nächste frißt den vorherigen. Die →Mikroorganismen, die am Ende jeder Nahrungskette stehen, zersetzen die toten Tiere und Pflanzen und verwandeln sie wieder in Mineralsalze, die von den Pflanzen aufgenommen werden (→Verwesung). Somit sind die Stoffe in einem ständigen Kreislauf.

Umweltgifte (z. B. Schwermetalle wie Cadmium) können sich in der Nahrungskette in den Organismen anreichern. Das Lebewesen, das am Ende einer solchen Nahrungskette steht (z. B. der Mensch), nimmt dann mit der Nahrung relativ hohe Konzentrationen dieser Gifte auf.

Nairobi, 1,5 Millionen Einwohner, Hauptstadt von Kenia und Kultur-, Wirtschafts- und Handelszentrum des Landes. In der Nähe von Nairobi befindet sich der **Nairobi National Park,** ein Schutzgebiet für afrikanische Wildtiere.

Naive Malerei, Laienkunst, die nicht in die Abfolge kunstgeschichtlicher Stilrichtungen einzuordnen ist. Im Unterschied zur meist handwerklich betriebenen, auf Überlieferungen beruhenden Volkskunst wird die Naive Malerei völlig durch die Person des Künstlers bestimmt, der sich dem Malen meist nur neben dem Beruf oder sogar erst im Ruhestand widmet. Weil er hauptsächlich in seiner Freizeit malt, wird er auch ›Sonntagsmaler‹ genannt. Er hat meist keine künstlerische Ausbildung. Die Bilder nehmen den Betrachter besonders durch die fröhliche Buntheit der Farben und die Unbefangenheit und Schlichtheit der Darstellung für sich ein. Die Themen reichen von der Umwelt des Künstlers, die er meist liebevoll als kleine heile Welt vorführt, bis zu märchenhaften, poetischen Traumbildern. Zu den bekanntesten Künstlern der Naiven Malerei gehören die amerikanische Farmersfrau **Grandma Moses** und der französische Zöllner **Henri Rousseau.**

Naive Malerei: Henri Rousseau, Der Wagen von Vater Juniet; 1908 (Paris, Louvre)

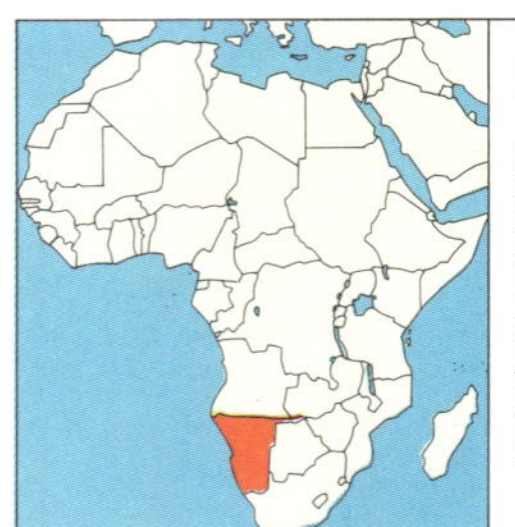

Namibia

Fläche: 824 292 km^2 (einschl. Walfischbai)
Bevölkerung: 1,9 Mill. E (1990), 2 E/km^2
Hauptstadt: Windhuk
Amtssprachen: Afrikaans, Englisch
Währung: 1 Rand = 100 Cents (c)
Zeitzone: MEZ + 1 Stunde

Namibia, Republik in Südwestafrika. Namibia ist mehr als doppelt so groß wie die Bundesrepublik Deutschland. Es ist ein Hochland (1 400–1 800 m), das sanft zur Kalahari im Osten und steil zur Küstenwüste, der Namib, im Südwesten abfällt. Die Flüsse führen mit Ausnahme der Grenzflüsse Oranje im Süden und Kunene und Okawango im Norden nur in der Regenzeit Wasser. Das Klima ist subtropisch mit geringen Niederschlägen, die von Nordosten nach Südwesten abnehmen.

Die größte Bevölkerungsgruppe bilden die Ambo, die zusammen mit weiteren Bantuvölkern fast ¾ der Einwohner ausmachen. Nur etwa 7 % sind Weiße. Die Wirtschaft des Landes wird bestimmt von Bergbau (z. B. Diamanten, Uran, Kupfer, Zink) und Viehzucht (Rinder und Schafe).

Das heutige Namibia gehörte 1884–1918 als **Deutsch-Südwestafrika** zum deutschen Kolonialreich. Danach kam es unter südafrikanische Verwaltung. Nach dem Zweiten Weltkrieg entzog die UNO der Republik Südafrika die Verwaltungsrechte über Namibia; die südafrikanische Regierung hielt jedoch weiterhin an diesen Rechten fest. In einem Kleinkrieg gegen südafrikanische Truppen suchte die schwarzafrikanische Guerilla-Organisation ›South West African Poeple's Organization‹ (abgekürzt SWAPO) die staatliche Unabhängigkeit Namibias mit Waffengewalt zu erzwingen. Unter internationalem Druck kam 1988 der Unabhängigkeitsprozeß in Gang. 1989 fanden international überwachte Wahlen zu einer Verfassunggebenden Versammlung statt. Das Mehrparteiensystem wird von der SWAPO dominiert. Mit der Verabschiedung der neuen Verfassung wurde Namibia 1990 unabhängig. (KARTE Seite 194)

Nandu, ein Laufvogel (→Strauß).

Nano, Vorsatzzeichen **n,** ein Vorsatz vor →Einheiten für den Faktor 10^{-9} (Milliardstel); z. B.: 1 **Nanosekunde** = 1 ns = 10^{-9} s; 1 **Nanometer** = 1 nm = 10^{-9} m.

Nansen. Der norwegische Polarforscher, Ozeanograph, Zoologe und Diplomat **Fridtjof Nansen** (*1861, †1930) überquerte als erster 1888 das über 3 000 m hohe Inlandeis der Insel Grönland von der Ost- zur Westküste. Er unternahm die Reise auf Skiern und mit speziell konstruierten Schlitten. In späteren Jahren erkundete Nansen mit seinem Schiff ›Fram‹ das Nördliche Eismeer und die Arktis, wobei er besonders die Meeresströmungen und die Treibeisbildung erforschte. Ein Versuch, vom Schiff aus mit Schlitten den Nordpol zu erreichen, scheiterte.

Seit 1905 widmete sich Nansen neben seinen Reisen und Forschungen aktiv der Politik. Nach dem Ersten Weltkrieg sorgte er als Vertreter des Völkerbunds für die schnelle Heimkehr der Kriegsgefangenen und leitete ein Hilfsprogramm für das nach Krieg und Revolution unter Hungernöten leidende Rußland. Auf seine Anregung hin wurde vom Völkerbund als Paßersatz für Staatenlose der **Nansen-Paß** geschaffen. 1922 erhielt er für seine Lebensarbeit den Friedensnobelpreis. Nansens Sohn, **Odd Nansen** (*1901), gründete nach dem Zweiten Weltkrieg 1946 den Internationalen Kinderhilfsfonds der Vereinten Nationen (UNICEF).

Napoleon I. Bonaparte. Der Kaiser der Franzosen wurde als **Napoleone Buonaparte** (*1769, †1821) auf Korsika geboren. In Frankreich zum Artillerieoffizier ausgebildet, eroberte er als Leutnant 1793 im Auftrag des Konvents das von den Briten besetzte Toulon und wurde daraufhin zum General befördert. Nach dem Sturz Robespierres und seiner Anhänger hatte sich 1795 eine gemäßigte bürgerliche Regierung gebildet, das Direktorium, gegen das es wiederholt zu Aufständen kam. Napoleon schlug 1795 in Paris einen Aufstand königstreuer Anhänger nieder. Der Dank des Direktoriums brachte ihm den Oberbefehl über die italienische Armee ein (März 1796). Gleichzeitig sicherte ihm die Ehe mit Joséphine de Beauharnais Zugang zu den politisch maßgebenden Kreisen. Im November 1799 löste er durch einen Staatsstreich das Direktorium und das Parlament auf. Er setzte sich als **Erster Konsul** an die Spitze Frankreichs und erließ eine Verfassung, die ihm die alleinige Macht sicherte. Seine Macht beruhte auf dem Volksheer und auf der Zustimmung der Massen, die er sich in Abstimmungen (Plebisziten) bestätigen ließ. 1802 wurde er **Konsul auf Lebenszeit.** 1804 krönte er sich in Paris selbst zum **Kaiser der Franzosen,** worauf ihn der Papst weihte.

Innenpolitisch ordnete Napoleon die Staatsfinanzen nach dem 1797 offiziell erklärten Staatsbankrott neu. Er sorgte durch ein Steuersystem für geregelte Staatseinnahmen. Die Verwaltung wurde einer Zentralgewalt unterstellt und ein hierarchisch geordneter Polizeiapparat geschaffen. Durch ein Konkordat (1801) hatte er sich mit dem Papst als dem Vertreter der ›Religion der Mehrheit der Franzosen‹ versöhnt. Auch den Protestanten wurde Bekenntnisfreiheit garantiert. 1804 erließ er den **Code Civil (Code Napoléon),** der die persönliche Freiheit und Gleichheit vor dem Gesetz garantierte. Der Code Napoléon wurde Vorbild für die meisten Länder Europas. Mit Hilfe von Polizeimaßnahmen unterdrückte Napoleon allerdings jede politische Freiheit. Außenpolitisch beendete Napoleon als Erster Konsul den zweiten Krieg gegen die Koalition Großbritannien, Rußland, Österreich (1799 bis 1802) siegreich. Österreich mußte auch im Namen des deutschen Reichs auf alle linksrheinischen Gebiete verzichten. Das Gefüge des deutschen Reichs wurde so umgestaltet, daß sich außer Österreich und Preußen fast alle übrigen Länder zum ›Rheinbund‹ zusammenschlossen und als das ›dritte Deutschland‹ unter Napoleons Protektorat das ›Heilige Römische Reich Deutscher Nation‹ im Reichsdeputationshauptschluß (1803) zur Auflösung brachten.

Nach der Scheidung seiner kinderlosen Ehe heiratete Napoleon 1810 die österreichische Kaisertochter Marie Louise. Dieser Ehe entstammt sein (einziger) Sohn, Napoleon (II.), der spätere Herzog von Reichstadt. Nachdem 1803 der Krieg mit Großbritannien wieder begonnen hatte, mußte Napoleon 1805 die Vernichtung der französischen Flotte bei Trafalgar hinnehmen und damit den Plan einer Eroberung der britischen Insel endgültig aufgeben. Großbritannien sollte deshalb durch eine Wirtschaftsblockade, die **Kontinentalsperre,** besiegt werden. Auch Rußland schloß sich der Sperre an. Nach der Niederlage Preußens (1806) annektierte Napoleon zur Verschärfung der Sperrmaßnahmen weite Küstengebiete. Der Widerstand Zar Alexanders I. gegen die Ausweitung der Sperre führte zum Feldzug gegen Rußland (1812). Dieser Krieg leitete das Ende der Napoleonischen Herrschaft ein: 1812, nach der Eroberung Moskaus, mußte sich die französische Armee zurückziehen. Sie konnte im November 1812 unter schwersten Verlusten den

Namibia

Staatswappen

Staatsflagge

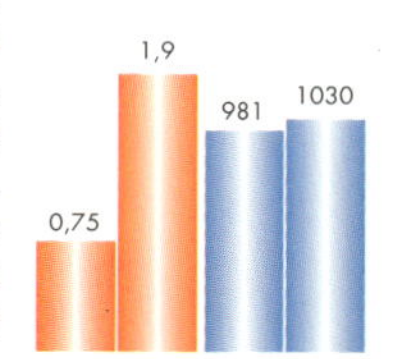

1970 1990 1970 1989
Bevölkerung (in Mill.) Bruttosozialprodukt je E (in US-$)

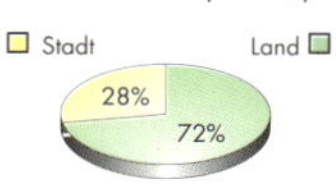

Bevölkerungsverteilung 1990

Bruttoinlandsprodukt 1990

Napoleon I. Bonaparte (Ölstudie von J. L. David, 1799; Paris, Louvre)

Übergang über die Beresina erkämpfen. 1813/14 besiegten die Armeen Rußlands, Österreichs und Preußens die Franzosen. Napoleon mußte abdanken und erhielt die kleine Insel Elba als Fürstentum. 1815 landete er abermals in Frankreich, sammelte ein Heer, zog nach Paris und wurde nach 100 Tagen von britischen und preußischen Heeren bei Belle Alliance (Waterloo) vernichtend geschlagen. Auf die Atlantikinsel Sankt Helena verbannt, starb er dort 1821.

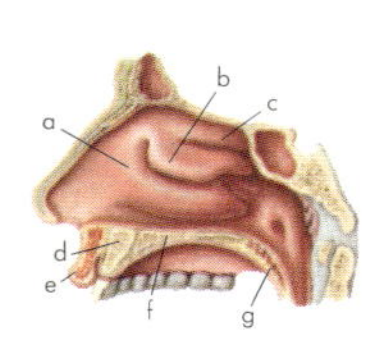

Nase

Nase: rechte seitliche Nasenwand mit Muscheln; a untere Muschel, b mittlere Muschel, c obere Muschel, d Oberkiefer, e Oberlippe, f Gaumenbein, g weicher Gaumen

Napoleon III. Der Neffe Napoleons I., **Charles Louis Napoléon Bonaparte** (* 1808, † 1873), lebte seit 1815 im schweizerischen und deutschen Exil. Mehrfach trat er für die Wiederherstellung des Napoleonischen Kaisertums im demokratischen Geist ein. Wegen seiner Beteiligung an mißglückten Putschversuchen gegen den ›Bürgerkönig‹ Louis Philippe inhaftiert, entzog er sich dem Urteil durch Flucht nach London. Nach der Februarrevolution von 1848 nach Frankreich zurückgekehrt, wurde er zum Präsidenten gewählt. Mit einem Staatsstreich sicherte er sich 1851 umfassende Regierungsvollmachten. 1852 ließ er sich, auf einen Volksentscheid gestützt, als Napoleon III. zum erblichen ›Kaiser der Franzosen‹ ausrufen. Im Innern kennzeichnete das persönliche Regiment Napoleons das ›Zweite Kaiserreich‹. Unter seiner Führung bildeten sich in Frankreich die Elemente eines modernen Wirtschaftslebens aus. Außenpolitisch suchte Napoleon, Frankreich wieder die Vormachtstellung auf dem europäischen Kontinent zu verschaffen. Dies gelang im →Krimkrieg. Durch Unterstützung der Einigungsbewegung in Italien gewann er Nizza und Savoyen. Der zunehmende Einfluß seiner Gattin Eugénie auf die Außenpolitik führte zu schweren Fehlschlägen. Im Streit mit Preußen um die Spanische Thronfolgekandidatur trieb Napoleon in der Julikrise 1870 in den von ihm nicht gewollten →Deutsch-Französischen Krieg von 1870/71. Als Napoleon bei Sedan in Gefangenschaft geriet, wurde in Paris die Republik ausgerufen. Nach seiner Entlassung ging er nach Großbritannien.

Narbe, 1) Biologie: Teil einer →Blüte.
2) Medizin: geschrumpftes Gewebe nach Ausheilen einer →Wunde.

Narkose [von griechisch narke ›Erstarrung‹], **Betäubung,** Verfahren der →Anästhesie, bei dem durch Ausschaltung des Bewußtseins (schlafähnlicher Zustand), der Schmerzempfindung und der Muskelaktivität Operationen durchgeführt werden können.

NASA, Abkürzung für englisch National Aeronautics and Space Administration, 1958 gegründete amerikanische Luft- und Raumfahrtbehörde mit Hauptsitz in Washington. Zur NASA gehören 11 Außenstellen, darunter das Kennedy Space Center in Cape Canaveral, Florida, das als Startbahnhof für die bemannten Raumflüge dient.

Nase, das Geruchsorgan der Wirbeltiere und des Menschen, der oberste Teil der Atemwege. Ihr Gerüst ist vorne knorpelig, im hinteren Teil knöchern. Durch eine Scheidewand wird die Nasenhöhle in 2 Hälften geteilt, die Verbindung zu den **Nasennebenhöhlen** (lufthaltige Hohlräume) haben. Neben der Aufgabe als Riechorgan ist die Nase für die Anfeuchtung, Erwärmung und Reinigung der Atemluft wichtig. Der **Tränen-Nasen-Kanal** verbindet über den inneren Teil des Augenunterlids das Auge mit der Nase. Daher kommt es beim Weinen zum ›Nasenlaufen‹. Schwellungen der Nasenschleimhaut wie beim →Schnupfen können die Nasenatmung erheblich behindern.

Nashörner haben ihren Namen von den auf dem Nasenbein sitzenden Hörnern. Im Unter-

Nashörner: LINKS Panzernashorn; MITTE Breitmaulnashorn; RECHTS Spitzmaulnashorn

schied zu den Hörnern anderer → Huftiere sind es verhornte Gebilde der Oberhaut ohne Knochenstütze. Sie stehen hintereinander und können, falls sie abgerissen werden, nachwachsen. Nashörner wetzen ihre Hörner häufig, um sie als Waffen einsetzen zu können. Die dicke, meist nackte Panzerhaut dieser massigen, plumpen Tiere kann Falten bilden. Die kurzen, säulenartigen Beine tragen an den Füßen je 3 bis an die Hufe in ein Sohlenpolster eingebettete Zehen. Nashörner lebten schon im Tertiär (vor 60 Millionen Jahren) in Eurasien, Afrika und Nordamerika; in Asien kamen riesengroße, hornlose Arten vor, die mit 6 m Höhe die größten Landsäugetiere waren, die je gelebt haben. Die heute noch lebenden Nashornarten sind vom Aussterben bedroht. Noch vereinzelt kommt in Südostasien das **Sumatranashorn** mit rotbraunem Fell und 2 Hörnern vor. Panzerähnliche Hautfalten und nur ein Horn haben das am meisten bedrohte **Javanashorn** und das über 2 Tonnen schwere **Indische Panzernashorn.** Zwei doppelhörnige Arten leben in Afrika südlich der Sahara. Das **Breitmaulnashorn** ist mit 2 m Höhe, 4 m Länge und 3 Tonnen Gewicht heute nach dem Elefanten das zweitgrößte an Land lebende Säugetier; mit seinen breiten Lippen weidet es Gräser. Das **Spitzmaulnashorn** reißt mit seiner fingerförmigen Oberlippe Zweige und Blätter ab. Nach etwa 13–16 Monaten Tragzeit bringen Nashörner ein Junges zur Welt, das sie bis zu 2 Jahren säugen. Nashörner leben höchstens 40 Jahre. Sie werden auch im Zoo gezüchtet.

Nashville-Davidson [näschwill dewidsn], 481 000 Einwohner, Hauptstadt des Bundesstaates Tennessee, USA, am Cumberland River gelegen. Nashville ist mit seiner Schallplattenindustrie Zentrum der Country and Western Music, die durch den **Nashville Sound** gekennzeichnet ist.

Nation [von lateinisch natio ›Geburt‹, ›Stamm‹, ›Volk‹], eine größere Gruppe von Menschen, die entweder durch das Bewußtsein gemeinsamer Sprache, Kultur und Geschichte oder durch gemeinsame Staats- und Gesellschaftsauffassungen verbunden ist. Ist der innere Zusammenhalt einer Nation vor allem vom politischen Willen zur Zusammengehörigkeit bestimmt, so spricht man von **Nationalbewußtsein.** Bestimmen gefühlsmäßige Werte den inneren Zusammenhalt einer Nation, so bevorzugt man den Ausdruck **Nationalgefühl.** Die Begriffe Staat und Nation sind nicht immer gleichbedeutend. Es gibt Nationen, deren Angehörige in mehreren Staaten leben (z. B. die Deutschen nach 1945) und Staaten, in deren Grenzen mehrere Nationen wohnen (z. B. Jugoslawien und Sowjetunion bis zu deren Verfall 1991). Ein **Nationalstaat** ist ein Staat, in dem sich vorwiegend eine Nation organisiert hat.

Nationales Olympisches Komitee, Abkürzung **NOK,** die in den einzelnen Ländern tätige jeweilige olympische Organisation. Sie ist vom → Internationalen Olympischen Komitee (IOC) anerkannt. Die Aufgabe des NOK ist es, über die Entwicklung und den Schutz der olympischen Bewegung im jeweiligen Land zu wachen und sie zu fördern. Das NOK nominiert und entsendet die Mannschaft zu den Olympischen Spielen. Es ist dem IOC gegenüber verantwortlich, daß nur solche Sportler entsandt werden, die den olympischen Zulassungsregeln genügen.

Nationalfeiertag, in der Regel ein gesetzlicher Feiertag zur Erinnerung an ein für die jeweilige Nation wichtiges politisches Ereignis; in Deutschland der 3. Oktober, der ›Tag der deutschen Einheit‹ zur Erinnerung an die Wiedervereinigung der Bundesrepublik Deutschland mit der Deutschen Demokratischen Republik.

Nationalhymne, feierliches Musikstück, das bei besonderen staatlichen und sportlichen Anlässen erklingt. Als deutsche Hymnen waren in der zweiten Hälfte des 19. Jahrh. das **Deutschlandlied** (Text von Heinrich Hoffmann von Fallersleben, Melodie des Kaiserquartetts von Joseph Haydn), daneben seit etwa 1855 ›Was ist des Deutschen Vaterland‹ und nach 1870 besonders ›Die Wacht am Rhein‹ in Gebrauch. Als Kaiserhymne diente ›Heil dir im Siegerkranz‹ nach der Melodie der englischen Hymne. 1922 wurde das Deutschlandlied, von dem seit 1953 nur noch die dritte Strophe gesungen wird, offizielle deutsche Staatshymne. (BILD Seite 320)

nationalistisch, eine politische Haltung, die die Ziele der eigenen → Nation ohne Rücksicht auf die Interessen anderer Nationen oder Staaten verfolgt. Der **Nationalsozialismus** verbindet sich dabei oft mit der Geringschätzung anderer Völker und Kulturen. Nationalistische Kräfte glauben, daß sie die Ziele ihrer Nation am wirksamsten vertreten; sie suchen daher oft sowohl der eigenen Nation als auch anderen Nationen oder Staaten unter Anwendung von Gewalt ihren Willen aufzuzwingen. Das nationalistische Überlegenheitsbewußtsein steigert sich oft zum Rassismus, wenn Menschen, die man nicht dem eigenen Volk zuzählt, als Menschen geringeren Wertes betrachtet werden.

Nationalpark, geschützte Naturlandschaft,

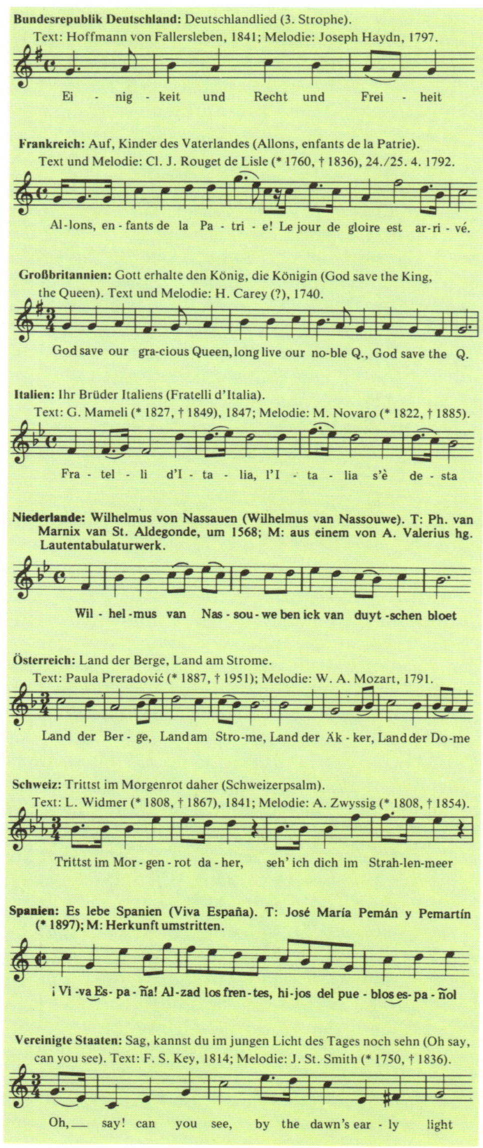

Nationalhymne

in Deutschland Bayerischer Wald, Berchtesgaden, Schleswig-Holsteinisches-, Niedersächsisches- und Hamburger Wattenmeer, Vorpommersche Boddenlandschaft, Jasmund, Müritz, Hochharz, Sächsische Schweiz.

Nationalrat, in Österreich die erste gesetzgebende Kammer des Bundes. Die 183 Mitglieder werden in gleicher, unmittelbarer, geheimer und persönlicher Verhältniswahl auf 4 Jahre gewählt. Der Nationalrat tritt zu 2 öffentlichen Sitzungen im Jahr zusammen.

In der Schweiz ist der Nationalrat eine der beiden Kammern der →Bundesversammlung. Die 200 Abgeordnetensitze des Nationalrats werden auf 4 Jahre unter die Kantone im Verhältnis zu ihrer Wohnbevölkerung verteilt. Die Abgeordneten werden nach dem Verhältniswahlrecht von der Bevölkerung gewählt.

Nationalsozialismus, eine völkisch-antisemitische und nationalrevolutionäre Bewegung in Deutschland (1919–45), die sich in der **Nationalsozialistischen Deutschen Arbeiterpartei (NSDAP)** organisierte. Im Zug der Ausweitung des Begriffs Faschismus (→faschistisch) wird der Nationalsozialismus heute oft als besonders radikale Form des Faschismus gedeutet. Die Ideologie des Nationalsozialismus stellt die ›Volksgemeinschaft‹, die Unterordnung aller Staatsangehörigen unter den ›Führer‹ (›Ein Volk, ein Reich, ein Führer‹), die Notwendigkeit von Rüstung und staatlicher Ausdehnung und den ›ständigen Kampf‹ gegen eine angenommene Feindwelt aus Juden, Marxisten und Demokraten als oberstes Ziel heraus.

Die NSDAP wurde 1919 als ›Deutsche Arbeiterpartei‹ (DAP) gegründet. Adolf →Hitler, der im Gründungsjahr der Partei beigetreten war, arbeitete das Parteiprogramm aus. Er verband darin nationalistische und sozialrevolutionäre Ziele mit judenfeindlichen (antisemitischen) Forderungen. Ein Jude sollte nicht als deutscher ›Volksgenosse‹ betrachtet werden dürfen. 1921 übernahm Hitler selbst die Führung der Partei. 1923 unternahmen die Nationalsozialisten einen Putschversuch in München, um von dort aus die deutsche Reichsregierung in Berlin zu stürzen. Die Aktion scheiterte, die NSDAP wurde verboten, Hitler inhaftiert. In der Haft schrieb Hitler das für den Nationalsozialismus richtungweisende Buch ›Mein Kampf‹.

Nach ihrer Neugründung (1925) dehnte sich die NSDAP über ganz Deutschland aus und wurde in der Krise der →Weimarer Republik zu einer Massenbewegung. Mit 230 Abgeordneten wurde sie im Juli 1932 die stärkste Partei im Reichstag. Ihren Kampf um die Macht führten die Nationalsozialisten auf 2 Ebenen: auf der politisch-parlamentarischen Bühne und, gestützt auf die →SA, auf der Straße durch Terrorisierung ihrer politischen Gegner.

Nach seiner Berufung zum Reichskanzler (30. 1. 1933) errichtete Hitler, gestützt auf die NSDAP, nach dem Führerprinzip eine persönliche Diktatur. Er setzte die Grundrechte außer Kraft, ließ sich vom Reichstag die Gesetzgebungsrechte übertragen (→Ermächtigungsgesetz), schaltete Gewerkschaften und konkurrierende Parteien sowie die Selbständigkeit der Länder des Reichs aus. Nach dem Tod des Reichspräsidenten Paul von Hindenburg (1934) vereinigte Hitler als ›Führer und Reichskanzler‹ die Ämter des Staatsoberhaupts und Regierungschefs. Die deutschen Streitkräfte wurden auf ihn persönlich vereidigt.

Mit ihren angeschlossenen Organisationen (z. B. →Hitler-Jugend, Deutsche Arbeitsfront, NS-Frauenschaft), vor allem jedoch mit ihren militärähnlichen Verbänden (SA, →SS) suchte die NSDAP das ganze Leben der Nation zu durchdringen. Ein von der →Geheimen Staatspolizei (Gestapo) aufgebautes Überwachungssystem mit zahlreichen →Konzentrationslagern sollte jeden Widerstand im Keim ersticken. Die Parteitage der NSDAP dienten der Demonstration ihrer Macht. Die Verfolgung der Juden begann mit dem Boykott jüdischer Geschäfte (1933), steigerte sich zu Terror und unmittelbarer Bedrohung in der →Reichskristallnacht (1938) und fand im Zweiten Weltkrieg mit dem Versuch, die europäischen Juden über Deutschland hinaus systematisch auszurotten, ihren furchtbaren Höhepunkt.

In der Anfangsphase seiner Außenpolitik suchte das nationalsozialistische Deutschland die von der Regierung Hitler eingeleitete Aufrüstung zu verdecken und den eigenen Friedenswillen nach außen zu bekunden. 1936 legte Hitler die Grundlagen für ein Bündnis mit dem faschistischen Italien und mit Japan. Diese Staaten, die sich während des Zweiten Weltkriegs im Dreimächtepakt (1940) zusammenfanden, strebten – auch unter Anwendung militärischer Mittel – eine weltpolitische Neuordnung unter ihrer Führung an. Nach dem Anschluß Österreichs (1938) und der Zerschlagung der Tschechoslowakei (1938/39) löste der deutsche Angriff auf Polen den Zweiten →Weltkrieg aus.

In einer Reihe von Feldzügen konnten deutsche Truppen bis 1940 große Teile Europas besetzen. 1941 griff Hitler in einem rassistisch begründeten Krieg die Sowjetunion an. In den besetzten Gebieten übten die nationalsozialistischen Behörden eine oft grausame Herrschaft aus (unter anderem Deportation von ›Fremdarbeitern‹ in die deutsche Industrie und Landwirtschaft; Erschießung von politischen Kommissaren in der Sowjetunion); es entstanden dort Widerstandsbewegungen gegen die deutsche Besatzungsmacht. Seit 1942/43 sah sich das nationalsozialistische Deutschland einer immer stärker werdenden Anti-Hitler-Koalition (vor allem USA, Großbritannien und Sowjetunion) gegenüber, der es im Mai 1945 erlag. Mit dem Attentat auf Hitler (20. Juli 1944) hatten oppositionelle deutsche Offiziere und Politiker vergeblich versucht, den Sturz der nationalsozialistischen Herrschaft herbeizuführen (→Widerstandsbewegung).

Deutschland wurde besetzt, die NSDAP und ihre Gliederungen aufgelöst und die wichtigsten Politiker der NSDAP, soweit sie nicht Selbstmord begangen hatten, in Nürnberg vor ein ›Internationales Militärtribunal‹ gestellt und verurteilt. Mit einer ›Entnazifizierung‹ sollten Anhänger und Nutznießer des Nationalsozialismus aus dem öffentlichen Leben verbannt werden.

NATO, →Nordatlantikpakt.

Natrium, Zeichen **Na,** ein →chemisches Element (ÜBERSICHT), das in seinem Verhalten große Ähnlichkeit zu dem Element Kalium zeigt. Beide sind sehr reaktionsfähige Metalle, die man in der Natur nur in Form ihrer Verbindungen findet. In ihrer Elementform werden sie unter Petroleum aufbewahrt. Kommen sie mit Wasser in Berührung, so reagieren sie heftig unter Entwicklung von Wasserstoff. In beiden Fällen entstehen Laugen. Die wohl wichtigste Verbindung des Natriums ist das Natriumchlorid (→Kochsalz).

Wegen seines für Metalle ungewöhnlich niedrigen Schmelzpunktes von knapp 100 °C wird Natrium in jüngster Zeit in speziellen Kernkraftwerken als Kühlmittel mit Erfolg eingesetzt.

Natronlauge, die wäßrige Lösung von Ätznatron. Es ist die bekannteste aller →Laugen und kann wie alle diese Flüssigkeiten durch Spritzer auf die Haut oder in die Augen schwere Verätzungen hervorrufen. In den meisten Haushalten finden sich Dosen mit Abflußreinigern, die Ätznatron enthalten. Dieses bildet in dem verstopften Abflußrohr mit Wasser Natronlauge, die den Schmutz wegfrißt.

Große technische Bedeutung hat Natronlauge z. B. in der Seifen- und Farbstoffindustrie und zur Herstellung von Cellulose und Kunstseide.

Nattern, die artenreichste, weltweit verbreitete Familie der →Schlangen. In der Regel sind Nattern ungiftig. Meist leben sie am Boden, auch auf Bäumen oder im Wasser. Sie bewegen sich durch rasches Schlängeln fort. Alle Nattern legen Eier. Dazu gehören die heimische →Ringelnatter und die **Äskulapnatter,** die mit 1,5 m Länge die

Nattern: Äskulapnatter

größte in Deutschland lebende Schlange ist. Zu den gefährlichsten Giftschlangen gehören die in einer eigenen Familie zusammengefaßten **Giftnattern.**

Naturalismus, eine streng auf die Natur bezogene Darstellungsweise in der bildenden Kunst und in der Literatur. In Malerei und Plastik ist der Naturalismus die detailgetreue Darstellung des Sichtbaren, auch des Alltäglichsten und Häßlichen. In diesem Sinn gilt er oft als Steigerung des →Realismus, ist aber nicht immer genau gegen ihn abzugrenzen. Naturalistische Strömungen gibt es in fast allen Kunstepochen. Im engeren Sinn versteht man unter Naturalismus eine bestimmte Richtung der Malerei zwischen 1870 und 1900, die Themen aus dem sozialen Alltag, der kleinbürgerlichen Idylle und des proletarischen Milieus bevorzugte, oft in sozialkritischer Absicht.

Auch in der Literatur von etwa 1880 bis 1900 herrscht die Darstellung des Alltäglichen, Niedrigen, Triebhaften und Häßlichen vor. Der Mensch galt als Produkt von Erbe, Umwelt und geschichtlicher Lage. Diese Zusammenhänge, verbunden mit der Lage der Arbeiter in den Fabrikstädten, sollten mit größter Genauigkeit geschildert werden. In der Ausbildung des literarischen Naturalismus war Frankreich führend (Émile Zola); das erste naturalistische Schauspiel schrieb der deutsche Schriftsteller Gerhart Hauptmann (›Vor Sonnenaufgang‹, 1889).

Naturschutz: Vollkommen geschützte Pflanzen Mitteleuropas; **1** Schachbrettblume, **2** Alpenaurikel, **3** Türkenbund, **4** Küchenschelle, **5** Christrose/Schwarze Nieswurz, **6** Stengelloser Enzian, **7** Breitblättriges Knabenkraut, **8** Gelber Enzian

Naturschutz: geschützte Tiere Mitteleuropas; **1** Neuntöter, **2** Schleiereule, **3** Kleine Hufeisennase, **4** Apollofalter, **5** Puppenräuber, **6** Rote Waldameise, **7** Geburtshelferkröte, **8** Feuersalamander

Naturheilkunde, Lehre von der Behandlung von Krankheiten mit Hilfe naturgegebener Mittel, die die eigenen Heilkräfte des Menschen fördern. So spielen Maßnahmen, die die Lebensweise beeinflussen, wie Ernährung, Ruhe und Bewegung, Klimawechsel, Abhärtung, neben physikalischer Therapie (z. B. Massagen) eine große Rolle. Auf die Behandlung mit chemischen Arzneimitteln wird nur in dringenden Fällen zurückgegriffen, während die Gabe von aus Pflanzen gewonnenen Wirkstoffen im Vordergrund steht; hierzu gehören Tees, Aufgüsse und eine Vielzahl von Tropfen.

natürliche Zahlen. Die natürlichen Zahlen, Symbol $\mathbb{N}$ (gesprochen: ›Doppelstrich-N‹), bilden die Menge $\mathbb{N} = \{1, 2, 3, 4 \ldots\}$ (→Zahlenaufbau).

Naturschutz, die Erhaltung, Gestaltung und Pflege der natürlichen Umwelt durch den Menschen. Naturschutz bedeutet daher nicht nur Schutz seltener Tiere und Pflanzen und der Naturlandschaft, sondern auch Erhaltung und Wiederherstellung einer dem Menschen naturgemäßen Umwelt (→Umweltschutz). Dazu gehören die Einrichtung von Naturschutzgebieten oder Reservaten ebenso wie Maßnahmen zur Wiederaufforstung, Schaffung von Nistmöglichkeiten für Vögel durch Pflanzung von Heckenstreifen in Feldern und vieles mehr. Mit der Abwendung von Eingriffen in den Naturhaushalt sollen Schäden, auch für den Menschen, abgewendet werden. **Naturschutzgebiete** sind geschützte Naturlandschaften, die vor allem der Erhaltung bedrohter Tier- oder Pflanzenarten dienen. **Landschaftsschutzgebiete** sind geschützte naturnahe Flächen, die vor allem zur Erhaltung eines ausgewogenen Naturhaushaltes sowie als Erholungsgebiete des Menschen geplant sind. (Weitere BILDER Seite 322)

Naturvölker, Menschengruppen, die in Stämmen, Sippen oder Klans zusammengeschlossen sind und stark abhängen von dem, was die Natur ihnen in ihrem Lebensraum bietet. Sie leben im allgemeinen als Jäger und Sammler,

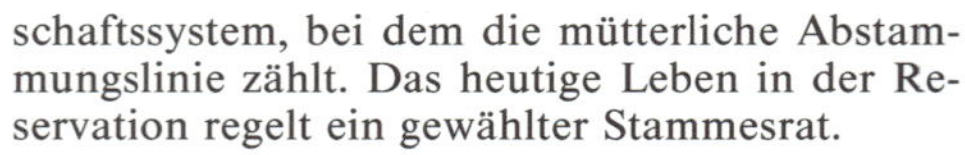

Nauru

Staatswappen

Staatsflagge

Hirten, Fischer oder Ackerbauern. In ihrer Wirtschaft und ihrer sozialen Ordnung sind sie sehr traditionsgebunden. Die meisten ihrer Sprachen sind schriftlos. Die Naturverehrung, der Glaube, daß die Natur um sie herum beseelt sei, und der Toten- und Ahnenkult sind bei vielen von ihnen stark ausgeprägt. Die Anzahl der Naturvölker hat sich mit der Erschließung der Welt zunehmend vermindert; sie wurden ausgerottet oder haben sich an die Lebensformen anderer Völker angepaßt. Zu den Naturvölkern zählen z. B. Buschmänner in Afrika, Eskimo, Indianer, Stämme im Innern von Australien.

Naumburg/Saale, 30 100 Einwohner, Stadt in Sachsen-Anhalt, an der Saale gegenüber der Unstrutmündung. Der am Übergang von der Romanik zur Gotik stehende doppelchörige, dreischiffige Dom (12.–14. Jahrh.) mit dem ältesten erhaltenen Lettner (reliefgeschmückte Wand zwischen Altarraum und Kirchenschiffen) Deutschlands (1225) birgt unter anderem die Stifterfiguren Uta und Ekkehard.

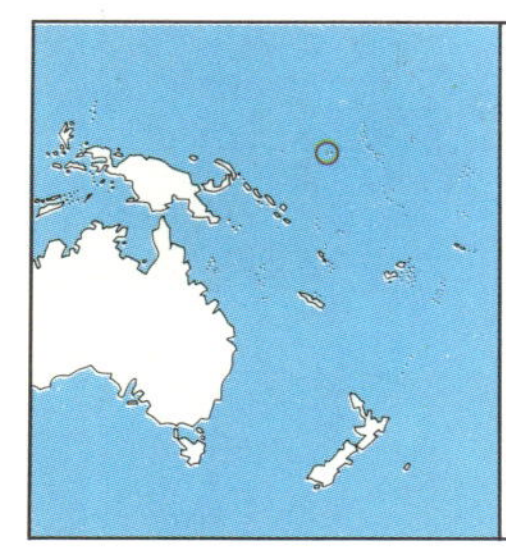

Nauru

Fläche: 21,3 km²
Bevölkerung: 8 100 E
Verwaltungssitz: Yaren
Amtssprachen: Englisch, Nauruisch
Nationalfeiertag: 31. Jan.
Währung: 1 Austral. Dollar ($A) = 100 Cents (c)
Zeitzone: MEZ + 10½ Stunden

Nauru, Inselrepublik im südwestlichen Pazifischen Ozean. Nauru hat mildes tropisches Klima und besteht aus Korallenkalk mit Phosphatlagern. Phosphatabbau ist die Grundlage der Wirtschaft. – Nauru war 1888–1918 deutsche Kolonie und wurde danach britisch-australisch-neuseeländisches Mandatsgebiet im Auftrag der UN. Seit 1968 ist das Land als parlamentarische Republik unabhängig.

Navajo [nawacho], größter nordamerikanischer Indianerstamm, der heute in einer Indianerreservation in Nordostarizona und angrenzenden Bundesstaaten der USA lebt. Die Navajo-Indianer waren zusammen mit den Apachen um 1300 v. Chr. aus dem Gebiet des heutigen Kanada eingewandert und ernährten sich zunächst als Jäger und Sammler. Später wurden sie zum einzigen indianischen Viehzüchtervolk Nordamerikas. Von den seßhaften Indianern übernahm der Stamm das matrilineare Verwandtschaftssystem, bei dem die mütterliche Abstammungslinie zählt. Das heutige Leben in der Reservation regelt ein gewählter Stammesrat.

Navigation [lateinisch ›Schiffahrt‹], Bezeichnung für Verfahren zur Kurs- und Ortsbestimmung von Luft- und Seefahrzeugen. Bei der **astronomischen Navigation** wird der Standort durch die Höhenbeobachtung zweier Gestirne mit Hilfe von Sextanten bestimmt. Bei der **Schallnavigation** werden zur Lotung oder zur Richtungsbestimmung Ultraschallmessungen durchgeführt. Als **terrestrische Navigation** bezeichnet man die Beobachtung von landfesten Zielen. Als Hilfsmittel dienen Karten, Handbücher, Tafeln und der Kompaß. Die Verfahren der → Funknavigation sind für die Luft- und Seefahrt von großer Bedeutung. Sie beruhen im Prinzip auf der Aussendung und dem Empfang von elektromagnetischen Wellen. Auch die Navigation mit Hilfe von Satelliten gehört hierzu.

Nazareth, 48 000 Einwohner, Stadt in Israel im Hügelland von Galiläa. In der orientalischen Unterstadt befinden sich viele Klöster und Kirchen, z. B. Verkündigungskirche. – Nazareth gehört zu den heiligen Stätten des Christentums. Nach den Evangelien war es der Wohnort der Eltern von Jesus Christus.

N'Djamena [ndschamena], bis 1973 **Fort-Lamy,** 594 000 Einwohner, Hauptstadt und bedeutendes Industriezentrum der Republik Tschad, Afrika. N'Djamena liegt nahe der Mündung des Schari in den Tschadsee.

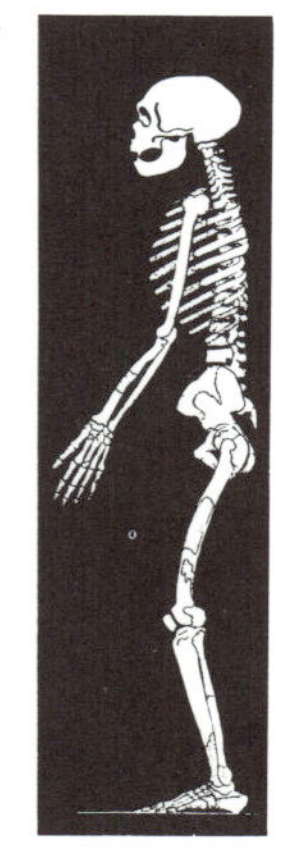

Neandertaler: Skelett eines Neandertalers (Fund von La Chapelle-aux-Saints)

Neandertaler, Homo sapiens neanderthalensis, 1856 im Neandertal bei Düsseldorf gefundene Teile eines Skeletts mit menschenähnlichem Aussehen. Sein Alter wird auf 60 000 Jahre geschätzt. Die Gestalt konnte auf Grund der Funde ziemlich genau rekonstruiert werden: Der Kopf hat eine flache Stirn und dicke Augenwülste, die Gliedmaßen sind leicht gebogen. Die neuere Forschung sieht im Neandertaler keinen direkten Vorfahren des heutigen Menschen, sondern einen Vertreter einer ausgestorbenen Nebenlinie (Neandertalgruppe), die zwischen 70 000 und 35 000 v. Chr. lebte. (→ Mensch)

Neapel, 1,21 Millionen Einwohner, italienische Hafenstadt, am Nordrand des Golfs von Neapel westlich des Vesuv gelegen. Neapel ist das Zentrum des größten Ballungsraums von Wirtschaft und Bevölkerung in Süditalien mit vielfältiger Industrie. Kulturgeschichtlich bemerkenswert sind nicht nur zahlreiche Kirchen der Altstadt, sondern auch, in der Umgebung von Neapel, die Ausgrabungen der antiken Orte **Pom-**

peji und **Herculaneum.** Neapel wurde im 5. Jahrh. v. Chr. als griechische Kolonie angelegt. Bis 1860 war es Hauptstadt des im 11./12. Jahrh. von den Normannen gegründeten, dann an die Staufer vererbten **Königreiches Neapel,** das Unteritalien und Sizilien umfaßte.

Nebukadnẹzar II., Nabuchodọnosor, König in Babylon, der aus der Bibel bekannt ist. Er regierte 605–562 v. Chr. und führte sein Babylonisches Reich zu einem neuen Höhepunkt an Ausdehnung und Macht. 597 v. Chr. eroberte er Jerusalem, zerstörte es 586 v. Chr. und führte die Juden in die →Babylonische Gefangenschaft. Seine Residenz Babylon baute er zu einer prächtigen Stadt aus.

Nẹckar, rechter Nebenfluß des Rheins. Der 367 km lange Fluß entspringt in einem Moor bei Schwenningen. Bevor er bei Mannheim in den Rhein mündet, nimmt der Neckar von rechts Rems, Murr, Kocher und Jagst, von links Enz und Zaber auf. 27 Staustufen ermöglichen den Schiffsverkehr von Plochingen bis zur Mündung.

Negatiọn [zu lateinisch negare ›nein sagen‹], sprachliche Verneinung einer Aussage. Die **Begriffsnegation** verneint nur ein Wort, z. B. ›Paul ist nicht faul‹. Mit der **Satznegation** wird die Gesamtaussage eines Satzes verneint, z. B. ›Wir sehen ihn nicht‹.

Nẹgativ, eine Photographie, die den Aufnahmegegenstand nicht in seinen tatsächlichen Schwarzweißwerten oder Farben zeigt, sondern in umgekehrter Tönung. Auf einem Schwarzweißfilm (→Film) erscheinen helle Stellen dunkel, dunkle Stellen dagegen hell. Bei einem Farbfilm erhält man nicht die Originalfarben, sondern die Komplementärfarben (z. B. Blau statt Gelb). Stellt man eine Kopie des Negativs her (z. B. einen Papierabzug), kehren sich die Schwarzweißwerte und Farben wieder um, und es entsteht ein Bild, das dem Aussehen des Aufnahmegegenstandes gleicht. Dieses Bild heißt **Positiv.**

Nẹger [von lateinisch niger ›schwarz‹], die der negriden →Rasse angehörenden, hauptsächlich in Afrika südlich der Sahara (›Schwarzafrika‹) beheimateten Menschen. Sie weisen sprachlich und kulturell große Unterschiede auf. Durch den Sklavenhandel (→Sklaverei) kamen seit dem 16. Jahrh. viele nach Amerika. Ihre Nachkommen leben vor allem in den USA. Aber auch in Südamerika und Westindien sind Nachfahren von Afrikanern seßhaft geworden, wobei sie Reste ihrer alten Kultur und Sprachen erhalten haben.

Negrịtos [spanisch ›kleine Neger‹], klein- oder zwergwüchsige (im Durchschnitt 137 cm groß), dunkelhäutige Bevölkerung in Teilen Süd- und Südostasiens; zu ihnen gehören z. B. die Aeta auf den Philippinen, die Semang auf der Malaiischen Halbinsel und die Andamaner auf einer Inselgruppe zwischen Birma und Indien.

Negro Spiritual [nịgro spirịtjuel], religiöses Lied der Farbigen in Nordamerika, im Gegensatz zum weltlichen Lied, dem →Blues. Es entstand im 18. Jahrh., als die Negersklaven in den christlichen Gottesdiensten die geistlichen Lieder (Spiritual Songs) der Weißen kennenlernten. Diese ahmten sie in ihren eigenen Kirchen nach und glichen sie dabei der ihnen vertrauten afrikanischen Musik an. Die meist schwermütigen Melodien der Negro Spirituals werden von den Vorsängern vorgetragen, wobei der Chor den Refrain wiederholt und alle Anwesenden dazu im Rhythmus mit den Füßen aufstampfen und in die Hände klatschen. Bekannte Negro Spirituals sind z. B. ›Swing low, sweet chariot‹ und ›Go down, Moses‹.

Nẹhrung. Östlich der Odermündung findet man eine besonders interessante Küstenform, die **Haffküste** (BILD Küste). Die hier vorherrschenden Westwinde treiben die Wellen meist schräg auf den Strand, weswegen die Küstenströmung Sand in östlicher Richtung verfrachtet und ihn vor flachen Buchten wieder absetzt. Hierdurch sind kilometerlange, aus Sand aufgebaute Landstreifen entstanden. Diese können als Nehrung die hinter ihnen liegenden Buchten vom Meer abtrennen, wie dies beim Frischen und Kurischen Haff geschehen ist. Im Lauf der Zeit werden alle Unebenheiten der Küstenlinie ausgeglichen, bis man von einer **Ausgleichsküste** spricht. Wird eine Nehrung vom Meer wieder durchbrochen, können mehrere Nehrungsinseln entstehen.

Neiße, drei Flüsse in Schlesien: 1) **Glatzer Neiße,** linker Nebenfluß der Oder, der im Glatzer Schneegebirge entsteht und nach 182 Kilometern zwischen Oppeln und Brieg in die Oder mündet. 2) **Jauersche** oder **Wütende Neiße,** rechter, nur 51 km langer Nebenfluß der Katzbach. 3) **Lausitzer** oder **Görlitzer Neiße,** linker Nebenfluß der Oder, der im Isergebirge entspringt und bei Guben nach 256 Kilometern in die Oder mündet. Seit 1945 ist die Lausitzer Neiße Teil der →Oder-Neiße-Linie.

Nẹktar, 1) in der griechischen Sage der Trank der Götter, den sie zusammen mit ihrer Speise, dem →Ambrosia, zu sich nahmen.

2) der süße, klebrige Saft, den besondere Drüsen der Blütenpflanzen ausscheiden. Diese **Nek-**

tarien liegen meist innerhalb der Blüten. Nektar dient vielen Insekten und manchen Vögeln (z. B. den Kolibris) als Nahrung. Im Honigmagen der →Bienen wird er zu →Honig umgewandelt. Beim Aufsaugen des Nektars durch das Tier wird die Blüte bestäubt (→Bestäubung).

Nektarine, ein →Pfirsich.

Nelson [nelßn]. Der englische Admiral **Horatio Nelson** (* 1758, † 1805), Herzog von **Brontë,** sicherte durch seine Erfolge über die französische Flotte die englische Vorherrschaft zur See. Nelson trat schon mit 13 Jahren in die Kriegsmarine ein. Im Seekrieg Großbritanniens gegen das Napoleonische Frankreich verlor er ein Auge und den rechten Arm. Als Oberbefehlshaber der britischen Mittelmeerflotte schlug er 1798 bei Abukir (Ägypten) die Flotte des französischen Expeditionskorps vernichtend. Den entscheidenden Seesieg über die Napoleonische Flotte erfocht er 1805 vor Trafalgar. In dieser Schlacht wurde er tödlich verwundet.

Nennform, →Infinitiv.

Neodym, Zeichen **Nd,** →chemische Elemente, ÜBERSICHT.

neofaschistisch, politische Haltung, die nach dem Zusammenbruch faschistischer und nationalsozialistischer Regierungssysteme (1945) entsprechende politische Vorstellungen und Organisationsformen wiederbeleben will. Der Versuch, nationalsozialistische Ziele wiederaufleben zu lassen, wird häufig als **neonazistisch** bezeichnet.

Neolithikum [zu griechisch neos ›neu‹ und lithos ›Stein‹], →Jungsteinzeit.

Neon, Zeichen **Ne,** ein →chemisches Element (ÜBERSICHT) aus der Gruppe der →Edelgase. Es wird vor allem in der Beleuchtungstechnik als Füllgas von Leuchtröhren verwendet. Dabei kann das Licht der Röhre mit dem normalerweise scharlachrot leuchtenden Gas z. B. durch Zufügung von wenig Quecksilberdampf kornblumenblau oder bei Verwendung einer gelblichen Glasröhre grün verändert werden. Zunehmende Bedeutung gewinnt Neon auch als Kühlmittel in der Kältetechnik wegen seines hohen Kühlvermögens. Neon wird gewöhnlich durch Luftzerlegung aus flüssiger Luft gewonnen.

Neozoikum [zu griechisch neos ›neu‹ und zoon ›Lebewesen‹], die Erdneuzeit (→Erdgeschichte, ÜBERSICHT).

Nepal, Königreich in Asien auf der Südseite des Himalaya. Das Land ist doppelt so groß wie Bayern. Im Norden, im Hoch-Himalaya, liegt mit

Nepal

Staatswappen

Staatsflagge

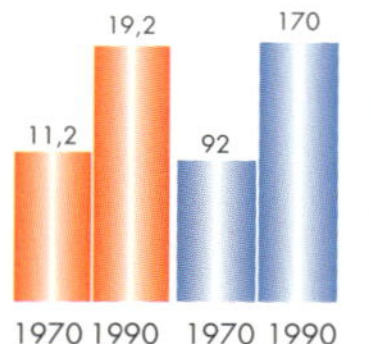

Bevölkerung (in Mill.)

Bruttosozialprodukt je E (in US-$)

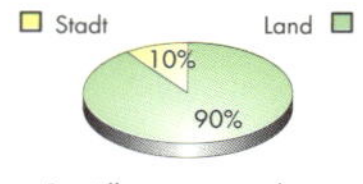

Bevölkerungsverteilung 1990

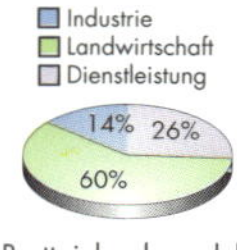

Bruttoinlandsprodukt 1990

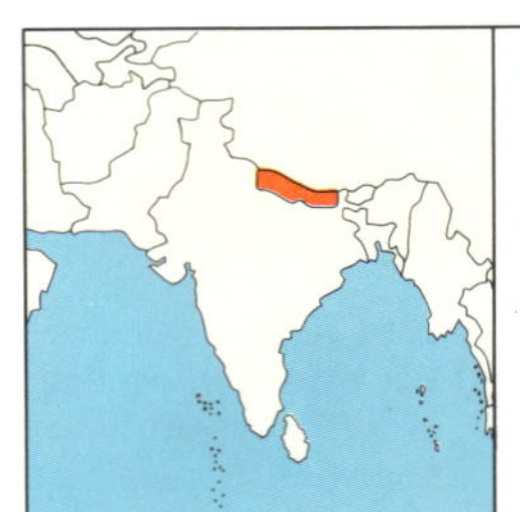

Nepal

Fläche: 147 181 km²
Bevölkerung: 19,16 Mill. E
Hauptstadt: Katmandu
Amtssprache: Nepali
Staatsreligion: Hinduismus
Währung: 1 Nepales. Rupie (NR) = 100 Paisa (P.)
Zeitzone: MEZ + 4½ Stunden

dem **Mount Everest** der höchste Berg der Erde (8 848 m). Nach Süden schließt sich der Nieder-Himalaya mit großen Längstälern an. Das Flachland im Süden hat schon tropisches Monsunklima. Führende Bevölkerungsschicht ist das hinduistische Volk der Gurkha. Jute, Reis, Ziegenfelle, Wollteppiche, Edelhölzer und Heilpflanzen sind die wichtigsten Exportgüter des Landes. Im Himalaya spielt der Fremdenverkehr eine große Rolle. Das Königreich Nepal wurde 1769 gegründet. 1959 und 1962 erhielt das Land eine demokratische Verfassung. (KARTE Seite 195)

Neptun, **1)** der römische Gott des Meeres. Er wurde dem griechischen Poseidon gleichgesetzt.

2) Astronomie: von der Sonne aus gesehen der achte Planet unseres Sonnensystems mit einem Durchmesser von 48 600 km. Neptun bewegt sich in 164,79 Jahren auf einer fast kreisförmigen Bahn mit einer mittleren Entfernung von 4,5 Milliarden km um die Sonne. Neptun wurde 1846 von Johann Gottfried Galle in Berlin entdeckt. Zahlreiche neue Informationen über Neptun erhofft man sich durch den Vorbeiflug der amerikanischen Raumsonde Voyager-2 im September 1989.

Neptunium, Zeichen **Np,** →chemische Elemente, ÜBERSICHT.

Nero, * 37, † 68, der letzte römische Kaiser aus der Familie des Kaisers →Augustus, der julisch-claudischen Dynastie. Seine ehrgeizige Mutter Agrippina brachte ihn 54 auf den Thron. Schon seine Vorgänger hatten die Würde ihrer Stellung zunehmend mißachtet, doch Nero übertraf alle an Grausamkeit, Verschwendungssucht und Größenwahn. Seiner Machtgier ließ er freien Lauf und beseitigte jeden, der ihm im Weg stand; so ließ er seine Mutter 59 ermorden und zwang seinen Berater, den Philosophen Seneca, zum Selbstmord. Auch seine Frau ließ er umbringen. Nero hielt sich für einen bedeutenden Künstler und trat öffentlich als Sänger, Schauspieler und Wagenlenker auf. Als 64 in Rom ein Brand ausbrach, der tagelang nicht gelöscht werden konnte und 3/4 der Stadt in Schutt und Asche legte, behauptete ein hartnäckiges Gerücht, Nero selbst habe den Brand gelegt. Daraufhin beschuldigte Nero die Christen und lenkte den Zorn der obdachlosen Massen auf sie. Zu dieser Zeit setzte die erste grausame Christenverfolgung ein. Neros Regierung endete 68, als es zu einem Aufstand einiger Legionen und der kaiserlichen Garde in Rom kam; Nero wurde vom Senat geächtet. Er floh und beging beim Herannahen seiner Verfolger Selbstmord.

Nero (Marmorskulptur; Rom, Thermenmuseum)

Nerven bilden die Leitungsbahnen im →Nervensystem. Sie bestehen aus Bündeln von erregungsleitenden Nervenfasern. Bei diesen unterscheidet man Bahnen, die Empfindungen zum Gehirn und solche, die den Anstoß (Impuls) für Bewegungen zur Muskulatur leiten.

Nervensystem, aus Nervenzellen und Nervenfasern bestehendes, kompliziertes System, das den gesamten Körper durchzieht und Reize aufnimmt, weiterleitet und somit deren Verarbeitung und eine Reaktion darauf ermöglicht. Es hat die Aufgabe, die Zusammenarbeit aller Organe zu steuern (mit den →Hormonen) und sinnvoll aufeinander abzustimmen. Im Nervensystem werden Meldungen von außen (z. B. Kältereiz) und innen (z. B. Organschmerz) von den →Sinnesorganen aufgenommen und der Zentrale zugeleitet. Diese Zentralstellen bilden das **Zentralnervensystem (ZNS)** mit →Gehirn und →Rükkenmark. Hier werden die Reize verarbeitet, und die Antwort auf diese Reize wird an die entsprechenden Organe, z. B. an die Muskulatur, übermittelt. Die Leitungsbahnen, die sowohl die Reize zum ZNS weiterleiten als auch die Antwort (Befehle) zurückbringen, werden als **peripheres** (am Rand befindliches) **Nervensystem** bezeichnet.

Ein dritter Teil des Nervensystems ist das **autonome** oder **vegetative Nervensystem.** Es beeinflußt die Tätigkeit der inneren Organe, z. B. Atmung, Kreislauf und Verdauung. Es ist nicht dem Willen unterworfen.

Nerze, zu den →Mardern gehörende Tiere. Nerze werden bis zu 50 cm lang und leben an Bächen, Flüssen und Seen, deren Ufer genügend Schlupfwinkel bieten (z. B. in Höhlungen unter Wurzeln, in alten Bäumen oder im Boden). Da sie gut schwimmen und tauchen können, erbeuten sie neben Landtieren Fische, Frösche und Krebse. Nachdem ihr Lebensraum zum großen Teil zerstört wurde und sie wegen ihres kostbaren Fells viel gejagt wurden, sind Nerze in Europa fast ausgerottet. Der in Amerika heimische Nerz (auch **Mink**) wird wegen seines wertvollen Pelzes in vielen Farbvarianten in Farmen gezüchtet; für einen Mantel werden etwa 40 Felle benötigt.

Nesseltiere, wirbellose Tiere, die nur im Wasser, vor allem im Meer, leben. Ihr auffallendstes Kennzeichen sind die Nesselzellen, die nur bei diesen Tieren vorkommen. Ihr Körper besteht aus 2 Zellschichten, die einen Hohlraum umschließen (daher **Hohltiere**). Dieser Hohlraum bildet die Magen- und Darmhöhle. Er besitzt nur eine Öffnung, die zugleich als Mund und After dient und von Fangarmen umgeben ist, mit denen die Beute eingefangen wird und Feinde abgewehrt werden. Besonders auf den Fangarmen und im Bereich der Mund-After-Öffnung sitzen die charakteristischen **Nesselzellen.** Diese Zellen haben einen reizempfindlichen Dorn, der mit einer Kapsel verbunden ist. Das ist ein Bläschen mit Sprungdeckel, in dem sich eine giftige oder klebrige Flüssigkeit befindet. Wird der Dorn von einem Beute- oder Feindtier berührt, springt der Deckel auf, und blitzschnell schleudert wie eine winzige Harpune ein fadenartiger Schlauch heraus, der aufgerollt in der Kapsel ruht. Seine Widerhäkchen verursachen kleine Wunden, durch die das Gift in die Gewebe des Opfers eindringt und es schnell lähmt oder tötet. Der Faden mancher Arten kann die Beute auch blitzschnell umschlingen, oder sie bleibt an der klebrigen Oberfläche haften. Auch bei badenden Menschen und bei Tauchern können durch das Gift z. B. mancher Quallen schmerzhafte, juckende Entzündungen hervorgerufen werden. Nach Gebrauch werden die Nesselzellen abgestoßen und durch neue ersetzt.

Die Nesseltiere treten in 2 Formen auf: als meist festsitzender **Polyp** mit der Öffnung nach oben und als freischwimmende **Meduse (Qualle)** mit der Öffnung nach unten. Die Polypen vermehren sich ungeschlechtlich durch Teilung und Abschnürung, die Medusen pflanzen sich geschlechtlich fort. Zwischen beiden kann ein →Generationswechsel stattfinden. Die Quallengeneration kann auch zurückgebildet sein, oder die Polypengeneration kann fehlen. Die Polypen vieler Nesseltiere bauen große Stöcke mit zum Teil schützenden Kalkskeletten auf (→Korallen); andere leben als Einzeltiere von ziemlicher Größe (Seerose). BILD Quallen.

Nestflüchter, die Jungen von Säugetieren und Vögeln, die in weit ausgebildetem Zustand

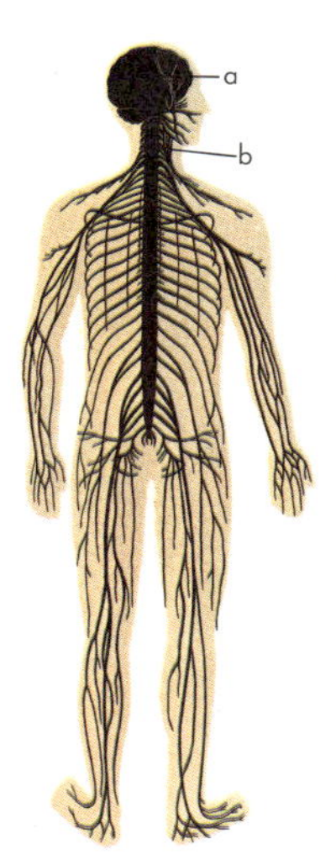

Nervensytem

Nervensystem: Zentralnervensystem mit den von Gehirn (a) und Rückenmark (b) ausgehenden peripheren (zu und von der Körperoberfläche leitenden) Nerven

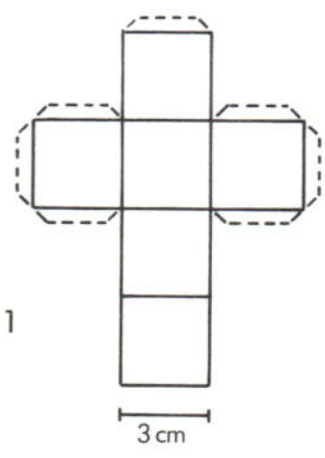

Netz eines Würfels mit der Kantenlänge 3 cm

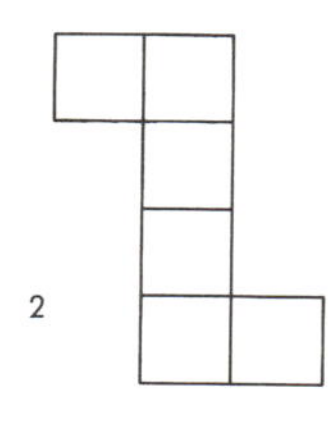

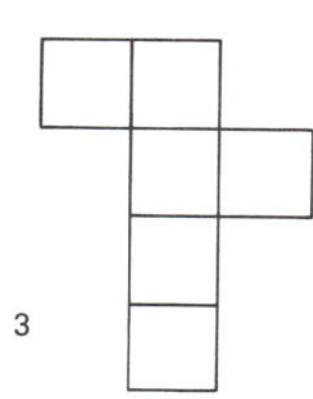

Netze eines Würfels

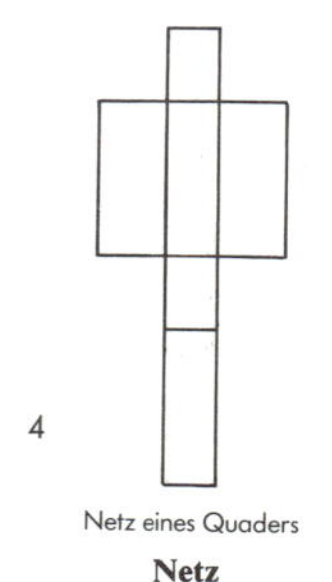

Netz eines Quaders

Netz

Neuenburg
Kantonswappen

zur Welt kommen und deshalb, im Unterschied zu den →Nesthockern, ihr Nest bald verlassen können. Sie können sofort oder nach kurzer Zeit laufen (Wasservögel auch schwimmen), tragen ein wärmendes Fell (Hasen, Ziegen, Schafe, Pferde) oder Federkleid, können sehen und hören und allein Nahrung zu sich nehmen. Dennoch bleiben viele Junge eine Zeitlang unter der Obhut der Elterntiere. Die Nestflüchter unter den Vögeln bebrüten ihre Eier ziemlich lange (etwa 25 Tage). Sie bauen ihre Nester meist am Boden, wo die Jungen wenig Schutz finden; dazu gehören z. B. Enten, Hühner, Gänse, Fasane.

Nesthocker, die Jungen von Säugetieren und Vögeln, die in hilflosem Zustand zur Welt kommen und deshalb, im Unterschied zu den →Nestflüchtern, längere Zeit im ›Nest hocken‹. Sie müssen von den Elterntieren gefüttert, gewärmt und beschützt werden. Dazu gehören unter den Säugetieren z. B. Affen, Hunde, Katzen und Kaninchen. Die Nesthocker unter den Vögeln schlüpfen nach ziemlich kurzer Brutdauer (etwa 12 Tage). Meist nisten diese Vögel auf Bäumen, Felsen oder in Höhlen, wo ihre Jungen verhältnismäßig geschützt sind; dazu gehören z. B. Singvögel, Tauben und Greifvögel.

Nestroy. Der österreichische Schauspieler und Bühnendichter **Johann Nepomuk Nestroy** (* 1801, † 1862) führte mit seinen ironischen, satirischen und parodistischen Stücken die Überlieferung des volkstümlichen Wiener Theaters weiter. In seinen über 80 meist auf fremde Vorlagen zurückgehenden Possen und Sittenstücken mit Gesangseinlagen, Wortspielen und witzigen Dialogen enthüllt Nestroy Gedanken und Hintergedanken seiner Gestalten, kritisiert soziale und politische Zustände und verspottet die Gesellschaft und ihre Schwächen. Auch heute noch aufgeführt werden z. B. ›Der böse Geist Lumpazivagabundus‹ (1833), ›Der Talismann‹ (1840), ›Das Mädl aus der Vorstadt‹ (1841), ›Einen Jux will er sich machen‹ (1842) und ›Der Zerrissene‹ (1844).

netto [von italienisch netto ›rein‹], →brutto.

Netz. Geometrie: Will man einen Würfel mit einer Seitenkante von 3 cm aus Pappe basteln, so zeichnet man zunächst die zusammenhängenden Seitenflächen des Würfels auf die Pappe auf. Dieses Bild nennt man das Netz des Würfels. Das Netz des zu bastelnden Würfels ist in BILD 1 dargestellt. Versieht man die Kanten des Würfels noch mit Klebetaschen (im BILD 1 gestrichelt gezeichnet), so kann das Netz zu einem Würfel gefaltet und zusammengeklebt werden.

Der gleiche Würfel kann unterschiedliche Netzformen besitzen (BILDER 2 und 3). In BILD 4 ist das Netz eines Quaders dargestellt. In manchen Fällen können auch die Netze von Körpern gezeichnet werden, die von gekrümmten Flächen begrenzt werden, wie z. B. beim →Zylinder und beim →Kegel.

Netzhaut, lichtempfindliche Innenhaut des →Auges.

Neubrandenburg, 87 700 Einwohner, Stadt in Mecklenburg-Vorpommern am Austritt des Tollense aus dem Tollense-See. Als fast runde Anlage 1248 gegründet.

Neu-Delhi, →Delhi.

Neue Hebriden, Inselgruppe im Pazifischen Ozean, seit 1980 als →Vanuatu unabhängig.

Neuenburg, amtlich **Neuchâtel,** Stadt und Kanton in der französischsprachigen Schweiz mit überwiegend protestantischen Einwohnern. Der Kanton erstreckt sich vom Schweizer Juragebirge bis zum Neuenburger See. In den Bergregionen wird Käse hergestellt. Obst- und Weinbau finden sich nur am klimatisch begünstigten Abfall des Jura zum Neuenburger See. Die Uhrenindustrie ist der bedeutendste Wirtschaftszweig; ihre Zentren sind La Chaux-de-Fonds und Le Locle. – Seit 1707 gehörte das Kantonsgebiet dem preußischen König, der erst lange nach dem Beitritt Neuenburgs zur Eidgenossenschaft (1814) auf seine Hoheitsrechte verzichtete (1857).

Neuenburg
Stadt
Einwohner: 35 100
Kanton
Fläche: 797 km²
Einwohner: 160 000

Neuenburger See, französisch **Lac de Neuchâtel,** mit 218 km² der größte der schweizerischen Jurarandseen. Der 38 km lange, 8 km breite und bis 153 m tiefe See wird von der Zihl durchflossen und ist durch schiffbare Kanäle mit dem Bieler und dem Murtensee verbunden. An seinem nordöstlichen Ende wurden in La Tène (→Latènezeit) Reste vorgeschichtlicher Uferrandsiedlungen (Pfahlbauten) gefunden.

Neuengland, englisch **New England,** der nordöstliche Teil der USA mit den 6 Staaten Maine, New Hampshire, Vermont, Massachusetts, Rhode Island und Connecticut. Neuengland wurde seit Anfang des 17. Jahrh. durch englische Puritaner besiedelt. Später wanderten irische, italienische und jüdische Gruppen ein. Die Neuenglandstaaten spielten bei der Unabhängigkeitsbewegung (gegenüber Großbritannien) eine führende Rolle.

neue Religionen, →Jugendreligionen.

Neue Sachlichkeit, eine um 1922 entstandene künstlerische Richtung in Deutschland, die sich bewußt vom →Expressionismus abwandte. Es ging ihr nicht mehr darum, in den Bildern Gefühle und Empfindungen des Künstlers auszudrücken, sondern um die detailgetreue, sachliche Erfassung der Wirklichkeit. Diesen Bestrebungen verwandt ist der **Verismus** (zu lateinisch verus ›wahr‹), dessen extrem naturalistische Darstellung auch des Häßlichen und Anstößigen vor allem der Sozialkritik diente, etwa bei den Malern Otto Dix und George Grosz.

Neues Testament, →Bibel.

Neue Welt, →Alte Welt.

Neufundland, Insel vor der Ostküste Kanadas, mit 108 860 km² etwa so groß wie Bulgarien. Das dünnbesiedelte Innere ist eine wellige Hochfläche, die von Gletschern überformt und von niedrigen Bergzügen (bis 814 m Höhe) durchzogen ist. Die felsige Steilküste ist durch zahlreiche Fjorde gegliedert. Sehr kühle, feuchte Sommer und schneereiche, kalte Winter lassen eine landwirtschaftliche Nutzung kaum zu. Weite Nadelwälder bilden die Grundlage einer Holzwirtschaft (Cellulose- und Papierindustrie). Daneben ist der Abbau von Zink, Blei, Eisenerz und Asbest von Bedeutung. Übertroffen werden beide Wirtschaftszweige von der Fischerei, die die äußerst fischreichen Fanggründe der Neufundlandbänke nutzt. Neufundland bildet mit dem Ostteil Labradors die kanadische Provinz Neufundland. (KARTE Seite 196)

Neuguinea [-ginea], zweitgrößte Insel der Erde (771 900 km²), nördlich von Australien, etwa doppelt so groß wie die Bundesrepublik Deutschland. Die Insel wird von einer Gebirgskette durchzogen, die stellenweise über 5 000 m hoch aufragt. Im Norden ist sie durch eine Senke vom Küstengebirge getrennt, im Süden breitet sich eine weite, zum Teil sumpfige Ebene aus. Das Klima ist tropisch feucht; tropischer Regenwald bedeckt das Gebirge bis in 2 000 m Höhe. Die Bevölkerung setzt sich aus Papua, Melanesiern, Chinesen und anderen Gruppen zusammen. Politisch gehört der Westteil der Insel als **West-Irian** zu Indonesien; der Ostteil bildet den Hauptteil des Staates **Papua-Neuguinea.**

Neuguinea wurde 1526 von den Spaniern entdeckt. Im 19. Jahrh. wurde der Westen niederländisch und kam 1963 an Indonesien. Der Ostteil war im 19. Jahrh. britischer und deutscher Kolonialbesitz, kam Anfang des 20. Jahrh. zum Australischen Bund und wurde 1975 als Papua-Neuguinea selbständig. (KARTE Seite 198)

Neukaledonien, französisches Überseeterritorium im Pazifischen Ozean, östlich von Australien. Es umfaßt die Hauptinsel Neukaledonien und einige kleinere Inseln mit zusammen 19 103 km² und rund 140 000 Einwohnern. Die Hauptinsel ist gebirgig und von einem Korallenriff umgeben. Der Abbau von Nickel hat für die Wirtschaft die größte Bedeutung, daneben Rinderhaltung und Anbau von Kokospalmen und Kaffee. Neukaledonien gehört seit 1853 zu Frankreich. (KARTE Seite 198)

Neumann. Der Baumeister und Ingenieur **(Johann) Balthasar Neumann** (getauft Anfang 1687, † 1753) wurde 1719 Baudirektor der Fürstbischöfe von Würzburg, deren prunkvolle Residenz unter seiner Leitung entstand (1720–44). Mit ihr schuf er unter Mitwirkung von Maximilian von Welsch und Lukas von Hildebrandt einen der vollkommensten Palastbauten der Epoche. In der Folge fielen ihm wichtige kirchliche und weltliche Bauaufträge zu. In seinen Schloßbauten verbindet sich die lebhaft-plastische Gliederung der Fassaden und Wände des italienisch-österreichischen Barock mit französischer ruhig-klassischer Auffassung und Wohnlichkeit. Die phantasievolle, rhythmisch bewegte Gestaltung des Innenraums zeigt sich besonders in den Treppenhäusern der Würzburger Residenz und der Schlösser in Bruchsal (Nordbaden) und Brühl (südlich von Köln); ihren vollkommensten Ausdruck fand sie in den durchlichteten Räumen der Wallfahrtskirche Vierzehnheiligen (Oberfranken) und der Klosterkirche Neresheim (Baden-Württemberg), deren Ausstattung wie auch bei anderen Spätwerken Neumanns bereits vom Rokoko bestimmt ist.

Neuschwanstein. In herrlicher Lage am Alpenrand ließ sich König Ludwig II. von Bayern bei Füssen im Allgäu ein Schloß errichten, das einem Märchenschloß gleicht. Es wurde nach Plänen des Theatermalers Christian Jank 1869–92 in romanischen Formen (Neuromanik) erbaut, angelehnt an den Stil der Wartburg. Im Innern befinden sich prächtig ausgestattete Säle (›Sängersaal‹) und Zimmer, deren Wandmalereien meist Motive aus dem Sagenkreis der Opern von Richard Wagner zeigen.

Neuseeland, ein Inselstaat im südwestlichen Pazifischen Ozean, etwa halb so groß wie Frankreich. Neuseeland gliedert sich in die Nord- und die Südinsel, die durch die 35 km breite Cook-Straße voneinander getrennt sind; außerdem gehören mehrere kleinere Inseln dazu. Mehr als ¾ des Landes liegen höher als 2 000 m. Auf der

Neuseeland

Fläche: 268 112 km²
Bevölkerung: 3,4 Mill. E
Hauptstadt: Wellington
Amtssprache: Englisch
Nationalfeiertag: 6. Febr.
Währung: 1 Neuseeland-Dollar (NZ$) = 100 Cents (c)
Zeitzone: MEZ + 11 Stunden

Neuseeland

Staatswappen

Staatsflagge

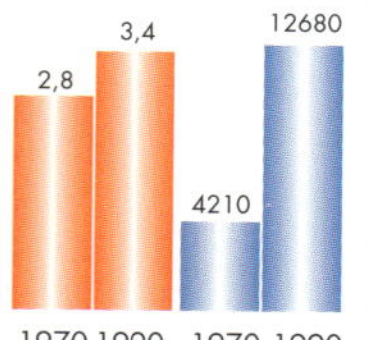

1970 1990 Bevölkerung (in Mill.)
1970 1990 Bruttosozialprodukt je E (in US-$)

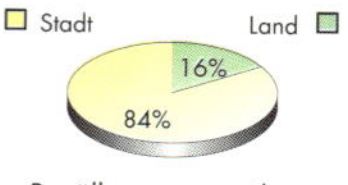

Bevölkerungsverteilung 1990

Bruttoinlandsprodukt 1990

Nordinsel gibt es Vulkane; höchster Vulkan ist der Ruapehu mit 2 797 m. Das Hochgebirge der Südinsel ist teilweise vergletschert.

Neuseeland liegt im Bereich der Westwindzone und erhält besonders an der Westseite hohe Niederschläge. Im milden Klima des Nordens gedeihen subtropische Pflanzen. Die Urbevölkerung der Maori wurde nach der Besiedlung durch die Europäer und Asiaten stark zurückgedrängt. Heute überwiegen die Bewohner britischer Herkunft, die Maori sind gleichberechtigt.

Neuseeland lebt von seiner hochentwickelten Landwirtschaft. Die wichtigsten Anbaugebiete für Weizen, Hafer, Gerste, Gemüse und Obst liegen in den Ebenen der Südinsel. Auf der Nordinsel überwiegt Milchwirtschaft. Schafzucht und Wollwirtschaft als traditionell bedeutendste Wirtschaftszweige gibt es auf beiden Inseln. Die Industrie verarbeitet überwiegend landwirtschaftliche Erzeugnisse; andere Industriezweige beschränken sich auf die Versorgung des Binnenmarktes.

Neuseeland wurde 1642 entdeckt und 1769 von James Cook für Großbritannien in Besitz genommen. 1840 wurde es britische Kolonie. Seit 1931 ist Neuseeland selbständiges Mitglied des Commonwealth. (KARTE Seite 198)

Neusiedler See, schwach salzhaltiger See in der Ebene zwischen Donau und Raab im österreichischen Burgenland; sein Südende gehört zu Ungarn. Der See bedeckt im Durchschnitt eine Fläche von 320 km², weist aber große Wasserspiegelschwankungen auf und war sogar mehrmals ausgetrocknet. Am Westufer ist er von einem breiten Schilfgürtel umgeben, der ein riesiges Wasservogelparadies darstellt. Die Hauptorte Rust und Neusiedl sind Zentren eines ausgeprägten Ausflugs- und Fremdenverkehrs.

Neutralisation [zu lateinisch ne-utrum ›keines von beiden‹], im weiteren Sinn Bezeichnung für die Überführung eines Systems in den neutralen Zustand. So spricht man z. B. in der Physik von Neutralisation, wenn die elektrische Ladung eines Körpers ausgeglichen und dieser dadurch ›ungeladen‹, das heißt, elektrisch neutral wird.

In der Chemie verwendet man den Ausdruck, wenn einer sauer oder basisch reagierenden Lösung ein ausgleichend wirkender Stoff zugesetzt wird, so daß die saure oder basische Wirkung aufgehoben wird. So werden beispielsweise in der Landwirtschaft ›saure‹ Böden durch Zusatz von gelöschtem Kalk neutralisiert.

Im engeren Sinn bezeichnet man mit dem Begriff Neutralisation einen schnell verlaufenden chemischen Vorgang, bei dem die Entfernung der vorherrschenden Ionenart einer Lösung oder deren Ausgleich durch eine zweite, entgegengesetzt geladene, bewirkt wird. Das Lösungsmittel ist in der Regel Wasser; dies bedeutet, daß am **Neutralpunkt** die Anzahl der in der Lösung vorhandenen Wasserstoff- (H-) und Hydroxid-(OH-)Ionen gleich groß ist. Der →pH-Wert beträgt dann 7. Wird z. B. Natronlauge durch Zersetzen von Salzsäure neutralisiert, so entstehen gelöstes Kochsalz und Wasser.

Neutralität [zu lateinisch ne-utrum ›keines von beiden‹], allgemein: die Unparteilichkeit in einem Streit.

Im Völkerrecht bedeutet Neutralität die Nichtbeteiligung eines Staates an einem Krieg; dabei kann die Neutralität zeitlich begrenzt sein. Nach dem Haager Abkommen von 1907 dürfen kriegführende Staaten das Hoheitsgebiet eines neutralen Staats nicht zu Kampfhandlungen oder Truppenbewegungen benutzen. Der neutrale Staat selbst muß die Unverletzlichkeit seines Hoheitsgebietes wahren.

Neben der zeitlich begrenzten Neutralität gibt es den **Grundsatz der dauernden Neutralität** eines Landes. Sie schließt militärische Rüstung zu Selbstverteidigungszwecken nicht aus, ist aber unvereinbar vor allem mit der Beteiligung an Bündnissen, die unter bestimmten Voraussetzungen zum Kriegseintritt zwingen, und mit der Zulassung fremder Stützpunkte.

Die Schweiz übt seit Jahrhunderten, die Republik Österreich (offiziell) seit 1955 eine immerwährende Neutralität.

Neutron [zu lateinisch ne-utrum ›keines von beiden‹], Symbol **n,** ein elektrisch neutrales Elementarteilchen. Neutronen sind zusammen mit den Protonen die Bausteine der Atomkerne (→Atom). Sie wurden 1932 von James Chadwick nachgewiesen.

Neutrum [von lateinisch ne-utrum ›keines von beiden‹], sächliches →Genus.

Neuzeit, der Geschichtsabschnitt, der sich ans Mittelalter anschließt und bis zur Gegenwart reicht. Das Ende des Oströmischen Reiches sowie die Entdeckung Amerikas grenzen unter anderem die Neuzeit vom Mittelalter ab. ›Frühe Neuzeit‹ wird allgemein die Zeit zwischen Reformation und Französischer Revolution genannt. Als ›Neueste Zeit‹ bezeichnet man häufig die Zeit nach 1789. Nach Meinung vieler Historiker begann 1917 mit dem weltgeschichtlichen Doppelereignis des Eintritts der USA in den Ersten Weltkrieg und des Ausbruchs der Oktoberrevolution in Rußland die Zeitgeschichte.

New Orleans [njuh ohliens, auch njuh olihns], 497 000 Einwohner, Stadt im amerikanischen Bundesstaat Louisiana. Mit seinem Seehafen im Mississippi-Delta, dem zweitgrößten der USA nach New York, ist New Orleans Außenhandelsplatz für die Erzeugnisse des Mittleren Westens (z. B. Baumwolle, Zucker, Holz, Erdöl). Die Stadt wurde 1718 von den Franzosen gegründet und kam 1763 an Spanien; aus der französisch-spanischen Zeit stammt die Altstadt. Seit 1803 gehört New Orleans zu den USA; etwa 100 Jahre später entwickelten hier schwarze Musiker den **New-Orleans-Jazz** (→ Jazz).

Newton [njuhtn, nach Isaac Newton], Einheitenzeichen **N,** SI-Einheit der → Kraft, die die veraltete Krafteinheit → Kilopond (kp) abgelöst hat.

Eine Kraft hat den Betrag 1 Newton, wenn sie einen Körper der Masse 1 kg in einer Zeit von 1 s aus der Ruhelage gleichmäßig auf die Geschwindigkeit $1 \frac{m}{s}$ beschleunigt.

Newton [njuhtn]. Die Arbeiten des englischen Mathematikers, Physikers und Astronomen **Isaac Newton** (* 1643, † 1727) waren grundlegend für die Entwicklung der höheren Mathematik, vor allem aber für die Physik und Astronomie.

Newton, der das weiße Licht mit Hilfe von Prismen in seine Spektralfarben zerlegte und wieder vereinigte (→ Farbe), erkannte, daß das weiße Licht aus den Spektralfarben zusammengesetzt ist. 1668 konstruierte er das → Spiegelteleskop. Sein für die physikalische und astronomische Forschung einflußreichstes Werk sind die 1687 erschienenen ›Philosophiae naturalis principia mathematica‹ (deutsch: Mathematische Grundlagen der Naturwissenschaft). Darin leitete er aus dem von ihm aufgestellten Newtonschen Gravitationsgesetz (→ Gravitation) die → Kepler-Gesetze der Planetenbewegung ab. Weiterhin stellte er darin die Newtonschen Axiome der Mechanik auf, z. B. das Gesetz von → Kraft und Gegenkraft (actio = reactio). Damit schuf er das Fundament der klassischen Physik und der Himmelsmechanik. Daneben behandelte er unter anderem die Erscheinungen von Ebbe und Flut, Strömungs- und Schwingungsvorgänge sowie damit zusammenhängende akustische Fragen.

Isaac Newton

New York [njuh jork], Stadt in den USA, eine der größten Städte der Erde, liegt beiderseits des East River an der buchtenreichen Mündung des Hudson in den Atlantischen Ozean auf mehreren Inseln und dem Festland. New York ist in 5 Stadtbezirke eingeteilt: **Manhattan, Bronx, Brooklyn, Queens** und **Richmond.** Den Stadtkern bildet Manhattan auf der gleichnamigen Insel mit der Wolkenkratzer-Silhouette (skyline), zu der das 381 m hohe **Empire State Building,** das Hochhaus der Vereinten Nationen, das Rockefeller Center und die 2 Hochhaustürme (Twin Tower, 412 m) des World Trade Center gehören. In Manhattan befinden sich das Hauptgeschäftsviertel mit der **Wallstreet,** der Straße für Banken und Börsen, der **Broadway,** das Zentrum des amerikanischen Theaterlebens, sowie der 350 ha große **Central Park.** Vor der Südspitze Manhattans an der Hafeneinfahrt steht auf Liberty Island die 90 m hohe **Freiheitsstatue,** das 1886 erbaute Wahrzeichen der Stadt. Mit den Stadtbezirken Brooklyn und Queens auf Long Island und mit dem Festlandbezirk Bronx ist Manhattan durch Brücken und Tunnels verbunden. In diesen 3 und im Stadtbezirk Richmond auf Staten Island befinden sich große Fabrikanlagen. Im Wirtschaftsleben der USA und der Erde hat New York als Industrie-, Handels- und Finanzmittelpunkt eine führende Stellung.

New York
Einwohner:
7,07 Millionen,
mit Vororten
9,12 Millionen

Die Bevölkerung New Yorks setzt sich aus verschiedenen Gruppen (Schwarze, Juden, Chinesen, europäische Einwanderer, Puertorikaner) zusammen, die häufig in eigenen Stadtvierteln wohnen, z. B. die Schwarzen in Harlem, die Chinesen in Chinatown. Mehrere Universitäten (z. B. die 1754 gegründete ›Columbia University‹), Bibliotheken, Museen, Theater (besonders die **Metropolitan Opera**) sowie die Konzerthalle **Carnegie Hall** machen die Stadt zu einem kulturellen Zentrum.

Neu-Amsterdam, die 1625 gegründete Hauptstadt der niederländischen Kolonie Neu-Niederland, wurde mit dieser 1664 der britischen Herrschaft unterworfen und in New York umbenannt.

Niagarafälle, Wasserfälle des **Niagara,** der 56 km langen Flußverbindung des Erie- und Ontariosees. Der linke kanadische Fall in Ontario (Hufeisenfall) ist 900 m breit und 49 m hoch, der rechte amerikanische Fall im Staat New York ist 300 m breit und 51 m hoch. Beide Fälle haben ein etwa 60 m tiefes Becken am Boden ausgehöhlt. Die Fälle schreiten durch Auswaschung des weichen Gesteins um jährlich etwa 107 cm ziemlich rasch zurück. Die Niagarafälle werden auf kanadischer Seite durch den Wellandkanal, auf amerikanischer Seite durch den Eriekanal für den Schiffsverkehr umgangen.

Nibelungen. In der germanischen Heldensage war **Nibelung** ein dämonischer Herrscher, der einen riesigen Goldschatz, den **Nibelungenhort,** besaß. Nachdem →Siegfried den Hort erobert hatte, wurde der Name Nibelung auf ihn übertragen. Als der Schatz nach der Ermordung Siegfrieds durch →Hagen von Tronje an die Burgunderkönige fiel, ging der Name auf diese über.

Nibelungenlied, mittelhochdeutsches Epos, geschrieben um 1200 von einem österreichischen Dichter. Der erste Teil handelt von dem Werben des Helden Siegfried um Kriemhild, die Schwester des Burgunderkönigs Gunther. Siegfried darf sie erst heiraten, nachdem er Brunhild, die Königin von Island, als Braut für Gunther gewonnen hat. Mit Hilfe einer Tarnkappe besiegt Siegfried in Kampfspielen die Königin, die annimmt, Gunther habe sie überwunden, und ihn daraufhin heiratet. Als sie von Kriemhild die Wahrheit erfährt, stiftet die beleidigte Brunhild Hagen von Tronje, einen Gefolgsmann Gunthers, zum Mord an Siegfried an. Hagen erfährt von der einzigen verwundbaren Stelle Siegfrieds und tötet ihn auf einer Jagd.

Im zweiten Teil des Nibelungenliedes wird von dem (geschichtlich belegten) Untergang der Burgunder berichtet, die im Jahre 436 von den Hunnen vernichtet wurden. Kriemhild hat sowohl ihren Gemahl Siegfried als auch den von ihm eroberten Nibelungenhort verloren, den Hagen an einer nur ihm bekannten Stelle im Rhein versenkt hat. Sie heiratet den Hunnenkönig Etzel und lädt die Burgunder ins Hunnenreich ein, um sich an ihnen zu rächen. Alle Burgunder außer Gunther und Hagen fallen im Kampf. Als Kriemhild auch jetzt nicht das Versteck des Nibelungenhortes erfährt, läßt sie Gunther töten und erschlägt Hagen mit eigener Hand. Daraufhin wird sie vom alten Hildebrand, dem Waffenmeister des Gotenkönigs Dietrich von Bern, getötet.

Der Stoff des Nibelungenliedes wurde oft bearbeitet, z. B. von Richard Wagner in seinem vierteiligen Musikdrama ›Der Ring des Nibelungen‹.

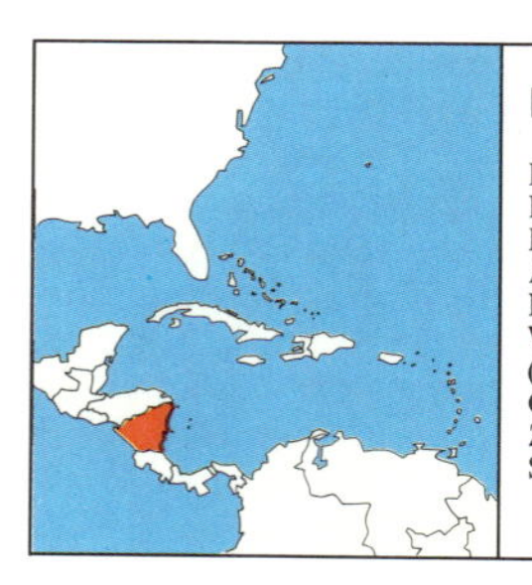

Nicaragua

Fläche: 120 254 km^2
Bevölkerung: 3,6 Mill. E
Hauptstadt: Managua
Amtssprache: Spanisch
Nationalfeiertag: 15. Sept.
Währung: 1 Gold-Córdoba (C$) [seit 1990] = 100 Centavos (c)
Zeitzone: MEZ −7 Stunden

Nicaragua

Staatswappen

Staatsflagge

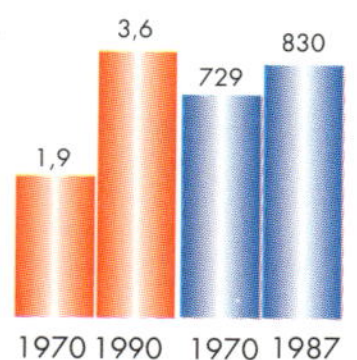

Bevölkerung (in Mill.) · Bruttosozialprodukt je E (in US-$)

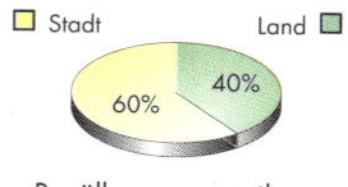

Bevölkerungsverteilung 1990

Bruttoinlandsprodukt 1989

Nicaragua, der flächenmäßig größte Staat Zentralamerikas und zugleich der am dünnsten besiedelte. Die Republik erstreckt sich zwischen Honduras und Costa Rica vom Karibischen Meer bis zum Pazifischen Ozean und ist etwas größer als Bulgarien. Im Innern ist Nicaragua gebirgig (bis 2 107 m) mit zum Teil noch tätigen Vulkanen. Erdbeben sind häufig. Im Süden erstreckt sich ein von Nordwesten nach Südosten verlaufender Grabenbruch mit 2 großen Seen (Managua- und Nicaraguasee).

Etwa ¾ der Nicaraguaner sind Mischlinge, der Rest Weiße und Schwarze. Die Bevölkerung konzentriert sich auf die Küstenebene am Pazifischen Ozean. Das übrige, zum Teil menschenleere Waldland ist wenig erschlossen, so daß es nur sehr langsam besiedelt wird.

Wichtigster Erwerbszweig ist die Landwirtschaft. Als Folge des Bürgerkriegs von 1978/79 gingen die Industrieproduktion und der Außenhandel stark zurück.

Geschichte. Kolumbus entdeckte 1502 die Ostküste Nicaraguas. 1522 wurde das Land für Spanien erobert. Seit der Unabhängigkeit Nicaraguas (1839) wurde das Land häufig von Unruhen erschüttert. Im 20. Jahrh. errichtete die Familie Somoza eine Diktatur. Nach blutigen Kämpfen (1978/79) wurde diese unter der Führung der ›Sandinistischen Befreiungsfront‹ (benannt nach dem früheren Aufstandsführer César Augusto Sandino) gestürzt. In der folgenden Zeit übernahm der marxistische Flügel der Sandinisten immer stärker die alleinige Führung Nicaraguas; politisch konkurrierende Kräfte innerhalb und außerhalb der sandinistischen Bewegung suchte er gleich- oder auszuschalten; kritische Presseorgane unterdrückte er. Die am Marxismus orientierte Innenpolitik löste auch Spannungen mit der katholischen Kirche aus. Bei umstrittenen Parlaments- und Präsidentschaftswahlen, die in ihrem demokratischen Ablauf vor allem von den USA scharf kritisiert wurden, wählte die Bevölkerung 1985 Daniel Ortega zum Staatspräsidenten. Außenpolitisch lehnte sich die sandinistische Regierung eng an das kommunistische Kuba an und knüpfte freundschaftliche Beziehungen zur Sowjetunion.

Die innen- und außenpolitische Entwicklung verschärfte nicht nur die innen-, sondern besonders auch die außenpolitischen Spannungen zu einigen Nachbarstaaten (z. B. Honduras und El Salvador) und zu den USA. Von den USA beraten und militärtechnisch unterstützt, operierten vor allem seit 1983 von Honduras aus antisandinistische Kräfte (›Contras‹) gegen die Regierung. Bürgerkrieg und wirtschaftliche Schwierigkeiten zwangen Ortega zur Einleitung eines Demokratisierungs- und Versöhnungsprozesses. Die allgemeinen Wahlen 1990 gewann die Kandidatin der konservativen Opposition Violetta Barrios de Chamorro. Die Befriedung wurde durch Entwaffnung der Contras erreicht. (KARTE Seite 196)

nichteheliche Kinder, auch **uneheliche, außereheliche Kinder,** Kinder, deren Eltern nicht miteinander verheiratet sind. Sie haben grundsätzlich die gleichen Rechte wie eheliche Kinder. Es gelten aber Besonderheiten: Nichteheliche Kinder tragen den Familiennamen der Mutter und wohnen bei ihr. Die Mutter hat das Sorgerecht, häufig steht ihr das Jugendamt zur Seite. Gegenüber dem Vater hat das nichteheliche Kind einen festgelegten Unterhaltsanspruch (→Unterhaltspflicht).

Nickel, Zeichen **Ni,** zu den Eisenmetallen gehörendes →chemisches Element (ÜBERSICHT). Es ist silberweiß, stark glänzend, magnetisch, zäh und läßt sich schmieden, walzen, zu Drähten ausziehen und schweißen. Sein Anteil an der obersten Erdkruste ist gering. Dagegen vermutet man im Erdinneren größere Nickelmengen, so daß sein Gewichtsanteil auf 3% geschätzt wird. In Mineralen kommt Nickel stets an Schwefel, Kieselsäure, Arsen oder Antimon gebunden vor. Die Hauptmenge des Nickels wird zur Stahlveredlung, für Nickellegierungen und in der Galvanotechnik verwendet. Es wurde bereits im 2. Jahrtausend v. Chr. von den Chinesen für Legierungen benutzt. Die alten Griechen stellten aus Nickellegierungen Münzen her.

Nidwalden. Der Schweizer Halbkanton liegt am Südufer des Vierwaldstätter Sees und erstreckt sich das Engelberger Tal aufwärts bis an den Jochpaß am 3239 m hohen Titlis. Sein amtlicher Name ist **Unterwalden nid dem Wald;** der Hauptort ist Stans. Zusammen mit Obwalden bildet Nidwalden den Kanton →Unterwalden. Die Bevölkerung ist überwiegend deutschsprachig.

Nidwalden
Fläche: 276 km²
Einwohner: 32 600

Fremdenverkehr und Landwirtschaft, besonders Viehzucht und Obstbau, sind die wichtigsten Wirtschaftszweige. Im Hauptort Stans gibt es Flugzeugwerke.

Nidwalden
Wappen des Halbkantons Nidwalden

Niederdeutsch, →Plattdeutsch.

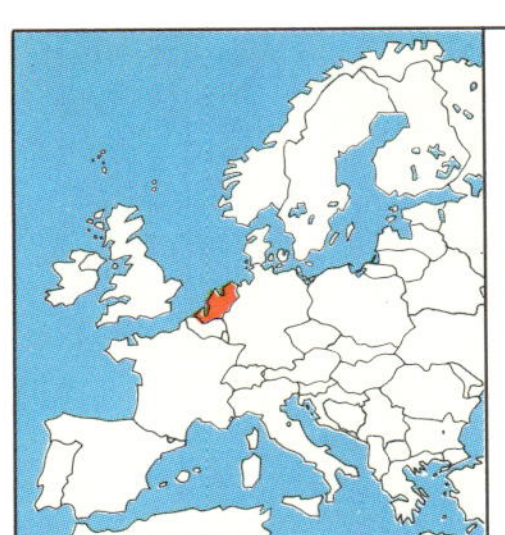

Niederlande

Fläche: 41 864 km²
Bevölkerung: 14,9 Mill. E
Hauptstadt: Amsterdam
Regierungssitz: Den Haag
Amtssprache: Niederländisch
Nationalfeiertag: 30. April
Währung: 1 Holländ. Gulden (hfl) = 100 Cent (c, ct)

Niederlande

Staatswappen

Staatsflagge

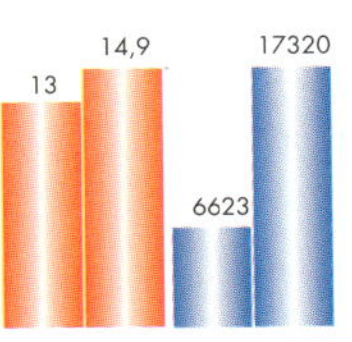

1970 1990 Bevölkerung (in Mill.) — 1970 1990 Bruttosozialprodukt je E (in US-$)

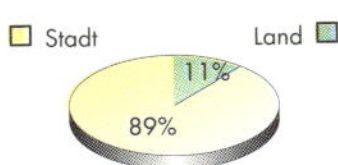

Bevölkerungsverteilung 1990

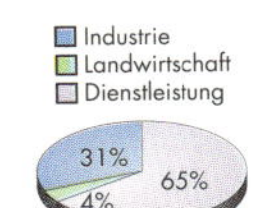

Bruttoinlandsprodukt 1990

Niederlande, Königreich in Westeuropa, das umgangssprachlich meist ›Holland‹ genannt wird. Die Niederlande sind Tiefland und bilden die westliche Fortsetzung der Norddeutschen Tiefebene. Fast $\frac{1}{3}$ der Landesfläche liegt unter dem Meeresspiegel. Hohe Dünen säumen die Nordseeküste. Weiter landeinwärts haben die Niederländer die feuchten Marschen durch Deiche vor Überflutungen geschützt und entwässern sie mit Hilfe von Motorpumpen; früher wurden die Pumpen von Windmühlen betrieben. ›Polder‹ nennt man das dadurch gewonnene, sehr fruchtbare Ackerland im Bereich des Ijsselmeeres und des Mündungsgebiets von Rhein und Maas. Im Osten schließt sich die wenig fruchtbare Geest mit Mooren und Wäldern an. Im äußersten Süden reichen Ausläufer des Rheinischen Schiefergebirges bis in die Niederlande. Dort erreicht der Vaalsenberg 322 m über dem Meeresspiegel. Die Nähe des Meeres bestimmt das gemäßigte Klima, in dem Westwinde vorherrschen.

Die Niederlande gehören zu den wichtigsten Handelsländern der Erde. Das Land selbst ist arm an Rohstoffen; eine hochmoderne Industrie verarbeitet aber die Rohstoffe anderer Länder zu Fertigprodukten und verkauft diese ins Ausland. Die Niederlande sind auch ein wichtiger Umschlagplatz für Erdöl (vor allem in Rotterdam), das in Raffinerien verarbeitet und dann weitergeleitet wird. Eine große Bedeutung hat die Landwirtschaft, vor allem die Blumenkulturen (Tulpenfelder) und der Anbau von Obst und Gemüse in Treibhäusern. Ein großer Teil des Handelsver-

Niederösterreich
Landeswappen

kehrs wird auf Flüssen (z.B. Rhein, Schelde, Maas) und Kanälen (›Grachten‹) abgewickelt.

Geschichte. Im Mittelalter bildeten die Niederlande zusammen mit Belgien das Herrschaftsgebiet der Herzöge von Burgund und seit 1477 der habsburgischen Kaiser. Kaiser Karl V. gab es 1555 seinem Sohn, dem spanischen König Philipp II. Zur gleichen Zeit hatte der Calvinismus in den Niederlanden Fuß gefaßt, und Philipp II. unternahm alle Anstrengungen, um den Katholizismus wiederherzustellen. Es kam zu einem Aufstand unter der Führung Wilhelms von Oranien, den der spanische Herzog von Alba blutig zu unterdrücken versuchte (Hinrichtung der Edelleute Egmont und Hoorn). Schließlich erklärten 1579 die 7 nördlichen Provinzen der Niederlande, an ihrer Spitze Holland, ihre Unabhängigkeit und bildeten eine Republik, deren Gebiet dem der heutigen Niederlande etwa entsprach. Diese Republik wurde im 17. Jahrh. zur größten Handels- und Seemacht Europas; sie besaß ein großes Kolonialreich, vor allem in Südostasien.

Niedersachsen
Landeswappen

Unter Napoleon I. waren die Niederlande ein Teil Frankreichs, und 1815 wurden sie mit dem heutigen Belgien zu einem Königreich vereinigt, von dem sich Belgien 1831 wieder abtrennte. Bis 1890 war der König der Niederlande auch Großherzog von Luxemburg. Auf Grund ihrer Verfassung sind die Niederlande seit 1815 eine konstitutionelle Monarchie. 1848 setzte sich das parlamentarische Regierungssystem durch, 1922 wurde das allgemeine Wahlrecht eingeführt.

Während des Zweiten Weltkriegs waren die Niederlande ohne Kriegserklärung und unter Mißachtung ihrer Neutralität vom nationalsozialistischen Deutschland besetzt worden. 1945 verzichteten sie auf ihre Neutralität und schlossen sich dem westlichen Bündnis an (vor allem der NATO). Auch wurden nach 1945 alle niederländischen Kolonien mit Ausnahme der →Niederländischen Antillen unabhängig. 1947 schlossen sich die Niederlande mit Belgien und Luxemburg wirtschaftlich zu den ›Benelux-Staaten‹ zusammen. Sie unterstützten auch die europäischen Einigungsbemühungen und sind Mitglied der Europäischen Gemeinschaften. (KARTE Seite 200)

Niederländische Antillen, zu den Niederlanden gehörende Inseln vor der Küste Venezuelas im Karibischen Meer. Die Gruppe umfaßt insgesamt 993 km²; auf den Inseln leben 255 000 Einwohner. Hauptstadt ist Willemstad auf Curaçao. Schwerpunkt der Wirtschaft ist die Verarbeitung von Erdöl, das aus Venezuela und Kolumbien kommt.

Niederösterreich, das größte Bundesland Österreichs; es grenzt im Norden und Osten an die Tschechische und die Slowakische Republik und umfaßt im Süden die Österreichischen Alpen (2 100 m), im Norden das Wald- und das Weinviertel. Seine Landesregierung hat ihren Sitz in Wien. Die Bevölkerung konzentriert sich im Wiener Becken. In den tiefer gelegenen Teilen Niederösterreichs befindet sich fast die Hälfte des gesamten österreichischen Ackerlandes; Vieh- und Forstwirtschaft herrschen in den alpinen Gebieten vor. Die hochentwickelte Erdölindustrie nutzt die Öl- und Gasvorkommen im Weinviertel und im Marchfeld bei Wien. Österreichs bedeutendster Flughafen liegt in Schwechat in der Nähe von Wien. – Um 1450 wurden Nieder- und →Oberösterreich getrennt. Innerhalb von Niederösterreich liegt das um 1920 entstandene Bundesland Wien.

Niederösterreich
Fläche: 19 171 km²
Einwohner:
1,4 Millionen

Niedersachsen. Seit 1947 ist Niedersachsen ein Land der Bundesrepublik Deutschland. 1946 wurde es von der britischen Militärregierung aus der preußischen Provinz Hannover und den Ländern Braunschweig, Oldenburg und Schaumburg-Lippe gebildet.

Niedersachsen
Fläche: 47 426 km²
Einwohner: 7 387 000
Hauptstadt: Hannover

Niedersachsen ist das am dünnsten besiedelte der deutschen Bundesländer und reicht von der Nordseeküste mit den vorgelagerten Ostfriesischen Inseln bis an die Deutschen Mittelgebirge. Im Westen und Südwesten grenzt das Land an die Niederlande und Nordrhein-Westfalen, im Osten an Thüringen, Sachsen-Anhalt und Mecklenburg-Vorpommern. Im Norden bildet die Unterelbe die gemeinsame Grenze mit Schleswig-Holstein. Hamburg und das an der Unterweser gelegene Bremen sind selbständige Stadtstaaten. Südlich des Zusammenflusses von Werra und Fulda zur Weser grenzt Niedersachsen an Hessen.

Weite Teile des Landes werden agrarisch genutzt. Viehzucht und Milchviehwirtschaft dominieren im **Marschland** hinter den Nordseedeichen, Obstanbau im **Alten Land** an der Unterelbe, einem der größten Obstbaugebiete der Erde. Auf den fruchtbaren Lößböden vor den Mittelgebirgen werden vor allem Getreide und Zuckerrüben angebaut. Dazwischen liegen weniger intensiv genutzte Landschaften, in denen aber der Fremdenverkehr eine bedeutende Rolle spielt, so in **Ostfriesland** mit den Nordseeinseln, in der **Lüne-**

burger Heide, dem **Weserbergland** und besonders auch im **Harz;** hier erreicht das Land mit dem 971 m hohen Wurmberg seine größte Höhe. An Bodenschätzen wird im Emsland Erdöl gefördert, bei Helmstedt Braunkohle abgebaut.

Industriegebiete liegen um die Großstädte **Osnabrück** (Textil- und Papierindustrie), **Hannover** (elektrotechnische Industrie, Fahrzeug- und Maschinenbau, Kautschukverarbeitung, Lebensmittelindustrie) und die Hafenstädte **Emden, Wilhelmshaven** (vor allem Erdöl) und **Cuxhaven** (Seefischerei). Der einzige größere Industrieraum entstand zwischen Hannover, Wolfsburg und Salzgitter. Hier liegen auch die alten Handelsstädte und heutigen Industriestandorte **Braunschweig** und **Hildesheim. Wolfsburg** entstand seit 1938 zusammen mit dem Aufbau des Volkswagenwerkes, **Salzgitter** blühte auf, als im 20. Jahrh. der Abbau der Eisenerze begann.

Über den Mittelland-Kanal ist diese Industrieregion an das europäische Kanalsystem angeschlossen, wie überhaupt die zahlreichen Binnenwasserstraßen zwischen Ems, Weser und Elbe eine große Bedeutung für den Frachtverkehr haben. Autobahnen und Schienenverkehr von Skandinavien nach Süden und vom Rhein in Richtung Berlin kreuzen sich in Hannover; die Stadt mit der größten jährlich stattfindenden technischen Messe Europas wurde so auch zu einem wichtigen Verkehrsknotenpunkt.

Nielsbohrium [nach dem dänischen Physiker Niels Bohr], → chemische Elemente, ÜBERSICHT.

Niere, paariges Organ beim Menschen und bei Wirbeltieren, das, von Fettgewebe umhüllt, im hinteren Bauchraum rechts und links neben der Wirbelsäule liegt und vorwiegend der Ausscheidung dient. Die Nieren sind bohnenförmig und etwa 10 cm lang. Im feingeweblichen Aufbau der Niere unterscheidet man die äußere Rindenschicht mit den Nierenkörperchen, die der Harnbereitung dienen, und die innere Markschicht mit den Sammelrohren, die im Nierenbecken münden. Von hier aus gelangt der Harn über den Harnleiter in die Harnblase und wird dann über die Harnröhre ausgeschieden. In den Nieren wird das Blut von Abbauprodukten des → Stoffwechsels gereinigt. Außerdem wird mit Hilfe der Nieren der Wasser- und Elektrolythaushalt des Körpers reguliert. Ein Versagen beider Nieren führt unbehandelt in kurzer Zeit zum Tod, da der Körper durch Anhäufung der Abfallprodukte vergiftet wird. Die Aufgaben der Niere können auch von Apparaten (künstliche Niere) übernommen werden, die in regelmäßigen Abständen eine ›Blutwäsche‹ vornehmen. In den letzten Jahren zunehmend gibt es auch die Möglichkeit der → Organverpflanzung.

Nietzsche. Der Philosoph **Friedrich Nietzsche** (* 1844, † 1900) wurde mit 24 Jahren Professor für griechische Sprache und Literatur in Basel. Infolge einer schwerwiegenden Erkrankung mußte er seine Professur 10 Jahre später aufgeben. 1889 erlitt Nietzsche einen körperlichen und psychischen Zusammenbruch. Die letzten 11 Jahre seines Lebens verbrachte er in einem Dämmerzustand.

Nietzsche wurde durch die Musik Richard Wagners und durch die Philosophie Arthur Schopenhauers stark beeinflußt. Das Thema seiner Werke (›Die fröhliche Wissenschaft‹, 1882; ›Also sprach Zarathustra‹, 1883–85; ›Jenseits von Gut und Böse‹, 1886) ist der Verlust oder das ›Wertloswerden‹ überlieferter bürgerlicher Werte und christlicher Glaubensvorstellungen. Diese Erscheinung nannte Nietzsche ›Nihilismus‹. Er sah die Aufgabe des neuen Menschen (›Übermenschen‹) darin, jenseits der von ihm als überholt angesehenen Moralvorstellungen und im Vertrauen auf das Prinzip des Werdens, den ›Willen zur Macht‹, neue Werte und eine neue, schöpferische Lebensordnung zu schaffen.

Niger, mit 4 160 km der drittgrößte Strom Afrikas. Er entspringt in den Lomabergen nahe der Grenze zwischen Guinea und Sierra Leone. Im weiten Bogen durchfließt er Guinea, Mali (wo er in einem riesigen Überschwemmungsgebiet die Hälfte seines Wassers verliert), Niger und Nigeria. In einem großen Delta mündet der Niger in den Golf von Guinea. Der Fluß ist nur teilweise schiffbar. Staudämme dienen der Bewässerung, der Elektrizitätsgewinnung und der Verbesserung der Schiffahrt.

Niger, Republik in Westafrika, mehr als viermal so groß wie die Bundesrepublik Deutschland. Das Land ist ein Binnenstaat und erstreckt sich vom Mittellauf des Niger im Südwesten über die Sahelzone bis in die Sahara. Im Südosten stößt es an den Tschadsee. Weite ebene Flächen bestimmen das Land. Trockensavanne im Süden läßt Ackerbau zu. Die Wüste nimmt ⅔ der Landesfläche ein. Die größte Bevölkerungsgruppe ist das Volk der Hausa. Neben der Landwirtschaft für die Selbstversorgung werden besonders Erdnüsse für den Export angebaut. Auch Vieh und

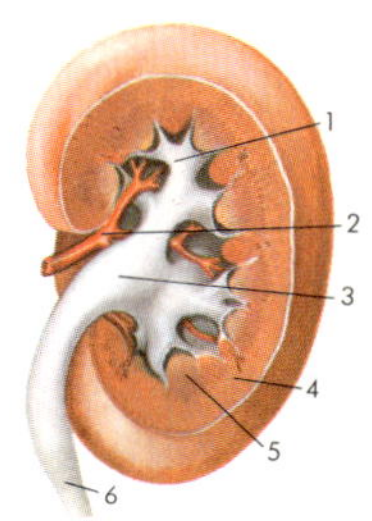

Niere: geöffnete Niere; Nierenvenen und umhüllendes Fettgewebe sind entfernt (nach Benninghoff). **1** Nierenbeckenkelch, **2** Nierenarterie, **3** Nierenbecken, **4** Rindenschicht, **5** Markschicht, **6** Harnleiter

Niger

Staatswappen

Staatsflagge

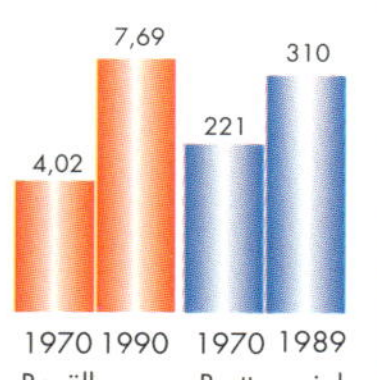

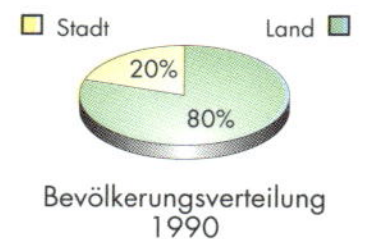

Bevölkerungsverteilung 1990

Industrie
Landwirtschaft
Dienstleistung

13%
36%
51%

Bruttoinlandsprodukt 1990

Niger

Fläche: 1 267 000 km²
Bevölkerung: 7,69 Mill. E
Hauptstadt: Niamey
Amtssprachen: Französisch und die Landessprachen Ful, Haussa und Dyerma
Nationalfeiertag: 18. Dez.
Währung: CFA-Franc (F.C.F.A.)
Zeitzone: MEZ

Viehprodukte werden ins Ausland verkauft. Uranerz macht ⅔ des Exportwertes aus. Die Ausfuhren gehen besonders nach Frankreich. Die große Dürre in der Sahelzone zwischen 1970 und 1974 traf das Land schwer. – Ab 1890 gehörte Niger zum französischen Einflußgebiet; 1960 wurde der Staat unabhängig. (KARTE Seite 194)

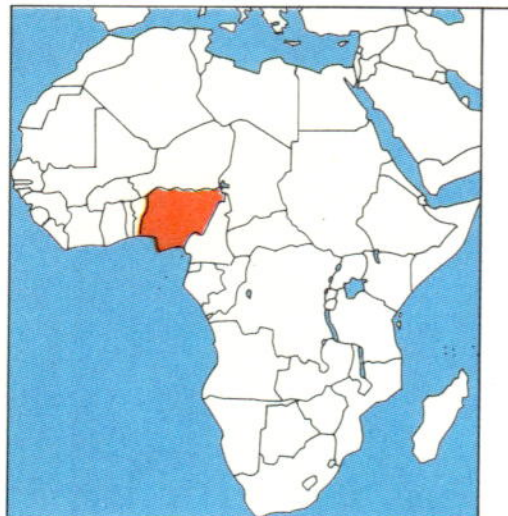

Nigeria

Fläche: 923 768 km²
Bevölkerung: 118,9 Mill. E
Hauptstadt: Abuja
Amtssprache: Englisch
Nationalfeiertag: 1. Okt.
Währung: 1 Naira (N) = 100 Kobo (k)
Zeitzone: MEZ

Nigeria, Bundesstaat in Westafrika am Golf von Guinea, dreimal so groß wie Italien. Das Land gliedert sich von Süd nach Nord in die Zone des tropischen Regenwaldes, die Feuchtsavanne mit den Hochländern von Bauchi und Adamaua, die Trockensavanne und die Dornsavanne. Die jährlichen Niederschläge nehmen von Norden nach Süden zu. Nigeria ist der volkreichste Staat Afrikas. Aus der Vielzahl von Völkern ragen im Norden die islamischen Hausa und Fulbe, im Südwesten die Yoruba und im Südosten die christlichen Ibo heraus. Die Landwirtschaft ist ertragreich, kann jedoch den Eigenbedarf nicht decken. Für den Export werden Erdnüsse, Kakao, Kautschuk, Baumwolle und Kokosnüsse angebaut. Wichtigstes Exportgut ist das im Gebiet des Nigerdeltas geförderte Erdöl. Daneben werden Steinkohle und Zinn abgebaut. – Vor der Kolonialzeit bestanden in Nigeria mehrere Staaten der schwarzen Bevölkerung. Nach 1497 setzte der zunächst von Portugiesen, später von Briten kontrollierte Sklavenhandel ein. 1861 wurde das Gebiet von Briten besetzt. 1960 wurde Nigeria unabhängig. (KARTE Seite 194. BILD Seite 337)

Nikolaus II., * 1868, † 1918, russischer Kaiser 1894–1917, führte die selbstherrliche Regierung seiner Vorgänger fort. Den wachsenden wirtschaftlichen und sozialen Mißständen sowie den Problemen der Arbeiterschaft im beginnenden Industriezeitalter vermochte er nicht durch Reformen zu begegnen. Nach dem Ende des unglücklich verlaufenen Russisch-Japanischen Krieges (1904–05) kam es 1905 zur Revolution; die Forderung nach politischer Mitsprache befriedigte Nikolaus jedoch nur halbherzig und nicht auf Dauer. Nikolaus hielt auch an der außenpolitischen Richtung seiner Vorgänger fest. Die russischen Interessen auf dem Balkan trugen 1914 zum Ausbruch des Ersten Weltkriegs bei. Nach Beginn der Februarrevolution 1917 dankte Nikolaus II. ab. Unter bolschewistischer Herrschaft wurden er und seine Familie gefangengesetzt und im Juli 1918 erschossen.

Nikosia, griechisch **Leukosia,** türkisch **Lefkosa,** 161 200 Einwohner, Hauptstadt der Republik Zypern, in der Messaoria-Ebene. Durch Nikosia verläuft die Trennlinie zwischen dem türkisch-zypriotischen nördlichen Teil der Insel und dem griechisch-zypriotischen Süden →Zyperns.

Nikotin [nach dem französischen Diplomaten J. Nicot, der den Tabak in Frankreich einführte], das Hauptalkaloid (ein stickstoffhaltiger Naturstoff) des Tabaks, das vor allem in der Wurzel gebildet wird, aber in allen Pflanzenteilen vorkommt. Das besonders in frischen Tabakblättern enthaltene Nikotin ist **eines der stärksten pflanzlichen Gifte.** Es kann über die Lunge oder den Darm, aber auch über die Haut in den menschlichen Körper aufgenommen werden. In kleinen Dosen wirkt Nikotin erregend auf das vegetative Nervensystem und setzt unter anderem Adrenalin frei, ein Hormon, das zu einer Verengung der Gefäße führt. Höhere Dosen haben eine lähmende Wirkung. Sie können zu einer akuten Vergiftung mit Herz-Kreislauf-Versagen, Erbrechen und Durchfällen führen. Allerdings wird Nikotin im Körper sehr schnell wieder abgebaut. Bei wiederholter Zufuhr tritt Gewöhnung ein, wobei starker Zigarettenkonsum meist eine chronische Vergiftung mit sich bringt. Diese hat Gefäßerkrankungen und Durchblutungsstörungen zur Folge. Nikotin wird auch zur Schädlingsbekämpfung eingesetzt.

Nil, mit 6 671 km der längste Strom Afrikas. Quellfluß ist der **Kagera,** der in den Victoriasee mündet. Als **Victoria-Nil** verläßt er den See, durchströmt den Kiogasee und mündet in den Albertsee. Der **Albert-Nil,** von der Grenze der Republik Sudan ab Bahr el-Djebel **(Bergnil)** genannt, erreicht im südlichen Sudan das zweite Sumpfgebiet des Bahr el-Sudd, wo er einen Großteil seines Wassers und des mitgeführten Schlamms verliert. Der jetzt als **Weißer Nil** bezeichnete Fluß vereinigt sich schließlich bei Khartum mit seinem wasserreichsten Nebenfluß, dem aus Äthiopien kommenden **Blauen Nil.** Nach der Einmündung des Atbara nimmt der Nil auf den letzten 2 700 km keinen weiteren Nebenfluß mehr auf. In einem bis zu 15 km breiten Tal durchfließt er mit insgesamt 6 großen Stromschnellen (Katarakten) die Nubische und die Arabische Wüste. 20 km nördlich von Kairo mündet der Nil in einem 24 000 km² großen Delta (größer als das deutsche Bundesland Hessen) ins Mittelmeer.

Die für die Landwirtschaft des Niltales so wichtige Nilflut wird von den aus Äthiopien kommenden Zuflüssen verursacht (Höchststand Mitte September, Anfang Oktober). Durch Staudämme wird die jährliche Wasserflut reguliert. Die wichtigsten in Ägypten sind der alte und der neue **Assuan-Damm.** Der 1971 fertiggestellte neue Damm staut den Nil zu dem rund 500 km langen und 20 km breiten Nasser-See auf. Der See ermöglicht zwar eine Ausweitung der Bewässerungsflächen, der Damm hält aber den fruchtbaren Schlamm zurück, so daß die Böden künstlich gedüngt werden müssen. Die intensive Bewässerung großer Flächen hat zur Folge, daß der Grundwasserspiegel im Niltal sehr hoch ist. Die Feuchtigkeit gelangt sehr schnell an die Erdoberfläche, wo sie verdunstet. Dabei bleiben die im Wasser gelösten Mineralsalze zurück; die Böden drohen zunehmend zu versalzen, da die Salze nicht mehr wie früher von der Nilflut weggeschwemmt werden.

Nilpferd, ein anderer Name für das Große →Flußpferd.

Ninive, altmesopotamische Stadt am Tigris, gegenüber der Stadt Mosul im heutigen Irak. Ninive erlebte Blütezeiten als assyrische Hauptstadt im 7. Jahrh. v. Chr.; 612 v. Chr. wurde sie von Babyloniern und Medern völlig zerstört. Aus der einst von doppelter Zinnenmauer umgebenen Stadt sind durch Ausgrabungen Reliefplatten aus Alabaster mit Kampf-, Jagd- und Kultszenen gefunden worden; sie waren Wandschmuck der prachtvollen assyrischen Königspaläste. Heute sind sie zum großen Teil im Britischen Museum in London.

Niob, Zeichen **Nb,** →chemische Elemente, ÜBERSICHT.

Nirwana [altindisch ›das Erlöschen‹], in der buddhistischen Religion ein Zustand des völligen Aufhörens aller Veränderungen, der vollkommenen Ruhe und der Abwesenheit von Begehren und Leid, also ein Zustand, in dem alles ausgelöscht ist, was sonst die Begrenzungen des Menschen ausmacht. Es ist das Heilsziel des Buddhismus, das alles Leiden der Erde beendet, da es die Erlösung aus dem Kreislauf der Wiedergeburten (Seelenwanderung) bedeutet. Der Mensch, dem es gelingt, alle Begierden bereits in diesem Leben zu besiegen, kann das Nirwana schon auf Erden erreichen.

Nissen, die Eier der →Läuse.

Nistkästen, künstliche Nester aus Holz, Beton oder Kunststoff. Die Größe des Fluglochs, das nach Süden oder Osten gerichtet sein sollte, richtet sich nach dem Bewohner (26 mm Durchmesser für Blau- und Tannenmeise; 30 mm für Kohlmeise, Kleiber, Wendehals; 50 mm für Stare). Nistkästen werden an Bäumen oder Eisenpfählen (Schutz vor Katzen) angebracht, nach Möglichkeit schon im Herbst, damit die Vögel im Winter darin schlafen können. Der Kasten sollte nicht in der prallen Sonne hängen.

Nitroglyzerin [zu griechisch nitron ›Natron‹], organische Flüssigkeit, die aus Glyzerin und Mischsäure, einem Gemisch aus Schwefel- und Salpetersäure, hergestellt wird. Die geruchlose, schwachgelbe Flüssigkeit explodiert heftig bei rascher, plötzlicher Erhitzung, bei Erschütterung und bei Schlag oder Stoß. Nitroglyzerin darf deshalb nur in Mischungen mit pulverisierten Stoffen oder in Lösungen bis zu einem Gehalt von 5 % transportiert werden.

Nitroglyzerin ist einer der wichtigsten und meistverwendeten Bestandteile von Sprengstoffen wie →Dynamit sowie von Raketenfesttreibstoffen. In der Medizin wird es als Hauptwirkstoff in pharmazeutischen Präparaten, z. B. gegen Angina pectoris, verwendet.

Noah, →Arche.

Nobel. Der schwedische Chemiker und Industrielle **Alfred Nobel** (* 1833, † 1896) war zunächst in der väterlichen Maschinenfabrik in Sankt Petersburg tätig und beschäftigte sich dann in Stockholm (seit 1859) mit der fabrikmäßigen Herstellung von Sprengstoff. Da der bis dahin bekannte Sprengstoff Nitroglyzerin sehr stoßempfindlich ist und dadurch schon viele Unfälle verursacht hatte, versuchte Nobel, einen weniger

Nigeria

Staatswappen

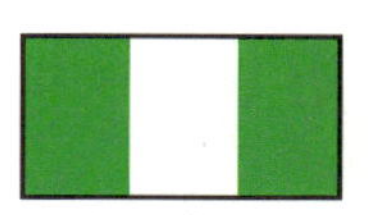

Staatsflagge

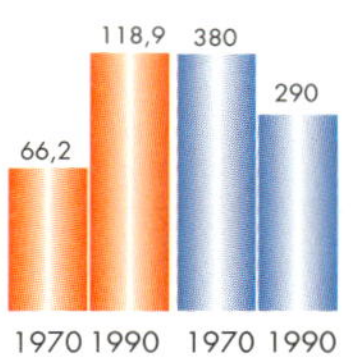

Bevölkerung (in Mill.) Bruttosozialprodukt je E (in US-$)

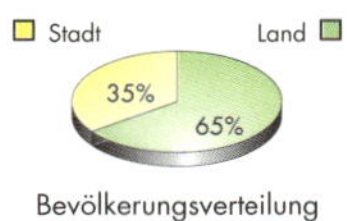

Bevölkerungsverteilung 1990

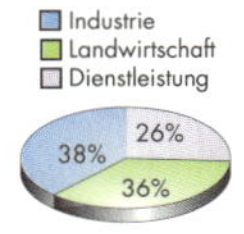

Bruttoinlandsprodukt 1990

Nobel: Nobelpreis; Medaille für Literatur

empfindlichen Sprengstoff zu entwickeln. 1867 gelang ihm dies mit der Erfindung des Dynamits. Bekannter als durch seine Erfindung wurde Nobel jedoch durch seine Stiftung, einen Vermögensfonds von damals 31 Millionen schwedischen Kronen, dessen jährliche Zinsen als Nobelpreise verliehen werden. Es werden jährlich aus den Gebieten **Physik, Chemie, Physiologie und Medizin, Literatur** und **Wirtschaftswissenschaften** diejenigen Arbeiten und Leistungen mit dem Preis ausgezeichnet, die nach Ansicht der Königlich-Schwedischen Akademie der Wissenschaften der Menschheit den größten Nutzen gebracht haben. Außerdem wird der **Friedensnobelpreis** für besondere Verdienste um Schaffung und Erhaltung des Völkerfriedens verliehen.

Nobẹlium [nach Alfred Nobel], Zeichen **No,** → chemische Elemente, ÜBERSICHT.

Nọckenwelle, eine Welle mit vorstehenden Kurvenscheiben (Nocken). Beim Viertaktmotor z. B. haben die nach verschiedenen Seiten ausgerichteten Nocken die Aufgabe, die Ein- und Auslaßventile zu steuern. Dabei wird die Nockenwelle durch Zahnriemen oder über eine Kette von der Kurbelwelle aus angetrieben (→ Verbrennungsmotor).

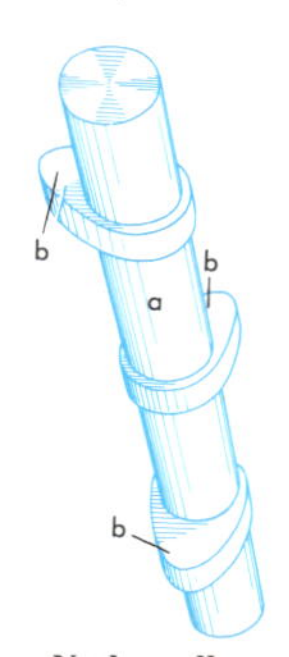

Nockenwelle: a Welle, b Nocken

Nofretẹte war mit dem ägyptischen König Amenophis IV. verheiratet, der sich später Echnaton nannte und von 1364–1347 v. Chr. regierte. Ihr Name bedeutet ›Die Schöne ist gekommen‹. Um 1360 v. Chr. entstand die berühmte Büste der Nofretete aus bemaltem Kalksandstein. Sie wurde 1912 von deutschen Archäologen in Amarna gefunden und ist heute im Ägyptischen Museum in Berlin ausgestellt.

NOK, Abkürzung für → **N**ationales **O**lympisches **K**omitee.

Nọlde. Der Maler und Graphiker **Emil Nolde** (* 1867, † 1956), der eigentlich Emil **Hansen** hieß und sich nach seinem Geburtsort Nolde in Schleswig nannte, war ein Hauptvertreter des → Expressionismus. Sein wichtigstes Ausdrucksmittel war die Farbe, die er in großen, zusammenhängenden Flächen mit oft grellen Kontrasten zu äußerster Leuchtkraft steigerte. Ein starkes Gefühl für die Natur spricht aus seinen Blumen- und Landschaftsbildern, Sinn für Spukhaftes und Groteskes aus seinen Figuren- und Maskenbildern. Seit 1909 malte er auch religiöse Themen, z. B. 1915 die Grablegung Christi. Zu seinen bedeutendsten Werken gehören Holzschnitte und Aquarelle. Während der Zeit des Nationalsozialismus wurden viele Werke Noldes als ›entartet‹ beschlagnahmt; 1941 erhielt der Künstler Malverbot. In seinem ehemaligen Hof in Seebüll, das heute zu Neukirchen in Holstein gehört, wurde ein Museum eingerichtet, in dem viele seiner Werke hängen.

Nofretete (Berlin, Ägyptisches Museum)

Nomạden [zu griechisch nemein ›weiden‹], Wanderhirten, die auf der Suche nach Weideplätzen für ihr Vieh umherziehen. Im Unterschied zu den **Halbnomaden,** die nebenbei noch Land bebauen, ernähren sich die Vollnomaden ausschließlich von Erträgen ihrer Viehhaltung und dem, was sie dafür eintauschen. Diese Lebensweise, der **Nomadismus,** ist nach neueren Forschungen keine einfache Vorstufe für seßhaftes Bauerntum, sondern hat sich gleichzeitig mit diesem entwickelt. Im 20. Jahrh. ist der Nomadismus stark zurückgegangen. Als Vollnomaden leben heute z. B. noch die Tuareg und die Masai in Afrika. Da sich der Verkehr in den Trockengürteln Nordafrikas und Zentralasiens, den Hauptverbreitungsgebieten der Nomaden, zunehmend vom Kamel auf den Lastkraftwagen verlagert, sind die von den Nomaden betriebenen Karawanen heute nur noch in ganz unerschlossenen Gebieten zu finden. Die meisten Staaten versuchen, die Nomaden seßhaft zu machen.

Nọmen [lateinisch ›Name‹], **Nẹnnwort,** zusammenfassende Bezeichnung für Substantiv, Adjektiv, Pronomen.

Nọminativ [lateinisch ›Nennfall‹, zu nominare ›nennen‹], **Wẹrfall,** → Kasus.

Nọnne [aus spätlateinisch nonna ›ehrwürdige Frau‹], **Ọrdensfrau,** weibliches Mitglied eines katholischen → Ordens.

Nọrdamerika, der nördliche Teil des amerikanischen Doppelkontinents (→ Amerika).

Nordatlạntikpakt, englisch **North Atlantic Treaty Organization,** Abkürzung **NATO.** Nachdem 1948 die Kommunisten in der Tschechoslowakei die gesetzmäßige Regierung gestürzt hatten und mit sowjetischer Hilfe selbst an die Macht gekommen waren, schlossen im April 1949 zwölf westliche Staaten in Washington ein Verteidigungsbündnis, den Nordatlantikpakt. Für den Fall, daß einer von ihnen angegriffen würde, verpflichteten sie sich zu gegenseitigem Beistand und unterstellten ihre Truppen – oder einen Teil davon – dem gemeinsamen Oberbefehl. Zu den Gründungsmitgliedern der NATO gehören: USA, Kanada, Großbritannien, Frankreich, Italien, Belgien, die Niederlande, Luxemburg, Dänemark, Norwegen, Island und Portugal. 1952 kamen Griechenland und die Türkei hinzu, 1955 die Bundesrepublik Deutschland.

Frankreich zog sich 1966 aus den militärischen Stäben zurück. 1982 trat Spanien dem Bündnis bei. – Der Generalsekretär, der Ständige Rat und der militärische Stab der NATO haben ihren Sitz in Brüssel.

Norddeutscher Bund. Nach dem →Deutschen Krieg von 1866, der zur Auflösung des Deutschen Bundes geführt hatte, gründeten alle nördlich des Mains gelegenen deutschen Staaten unter Führung Preußens den Norddeutschen Bund. Präsident des Bundes war der König von Preußen. Die Gesetzgebung lag bei Bundesrat und Reichstag. Im Bundesrat saßen die Vertreter der Mitgliedstaaten. Die Wahlen zum Reichstag waren allgemein, gleich, direkt und geheim. Der Präsident ernannte den Bundeskanzler und hatte den Oberbefehl über die Streitkräfte. Die Verfassung des Norddeutschen Bundes wurde zur Grundlage für die Reichsverfassung von 1871.

Norddeutsche Tiefebene, die nördliche Landschaft Deutschlands, zwischen den Küsten der Nord- und Ostsee und dem Nordrand der Mittelgebirge gelegen. Das Tiefland ist von zahlreichen Seen, Mooren, Sand- und Schotterflächen bedeckt, die in der letzten Eiszeit von skandinavischen Inlandeismassen geschaffen wurden.

Norden, eine Himmelsrichtung, in der die Längengrade (Meridiane) des Gradnetzes zum geographischen →Nordpol laufen.

Nordirland, der 1921 bei Großbritannien (→Großbritannien und Nordirland) verbliebene nordöstliche Teil von →Irland mit der Hauptstadt Belfast. Die hügelige Landschaft flacht sich zum Seebecken des Lough Neagh im Innern ab. Die Bevölkerung Nordirlands ist zu knapp ⅓ katholisch, zu über der Hälfte protestantisch. Schwere Spannungen zwischen diesen Bevölkerungsteilen führten seit 1966 zu bürgerkriegsähnlichen Unruhen.

Nordische Kombination, skisportlicher Mehrkampf für Herren, bestehend aus **Skispringen** und **Langlauf.** Gesprungen wird von der Normalschanze, gewertet wird nach Punkten. Der Schlechteste der 3 Wertungssprünge jedes Wettkämpfers wird gestrichen. Am folgenden Tag starten die Teilnehmer zum 15-km-Langlauf in der Reihenfolge der beim Springen erzielten Plätze. Der Sieger im Springen startet als erster, ihm folgt der Zweitplazierte. Die Punktedifferenzen aus dem Kombinationsspringen werden in Abstände nach Minuten und Sekunden umgerechnet. Somit ist Gesamtsieger derjenige, der als erster durchs Ziel geht. Die Nordische Kombination zählt seit 1924 zum olympischen Programm. Bei Weltmeisterschaften wird auch ein Mannschaftstitel vergeben. Pro Mannschaft starten 3 Teilnehmer. Gelaufen werden 3 × 10 km.

Nordatlantikpakt
Flagge

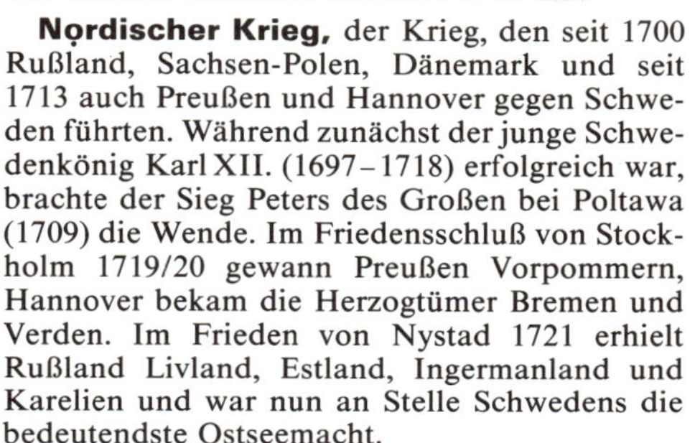

Nordischer Krieg, der Krieg, den seit 1700 Rußland, Sachsen-Polen, Dänemark und seit 1713 auch Preußen und Hannover gegen Schweden führten. Während zunächst der junge Schwedenkönig Karl XII. (1697–1718) erfolgreich war, brachte der Sieg Peters des Großen bei Poltawa (1709) die Wende. Im Friedensschluß von Stockholm 1719/20 gewann Preußen Vorpommern, Hannover bekam die Herzogtümer Bremen und Verden. Im Frieden von Nystad 1721 erhielt Rußland Livland, Estland, Ingermanland und Karelien und war nun an Stelle Schwedens die bedeutendste Ostseemacht.

Nordkap, steiles, 307 m hohes Vorgebirge auf der norwegischen Insel Magerøy. Das kahle Kap gilt als Nordspitze Europas, doch liegt ein anderer Vorsprung, das Kap Nordkinn, etwa 1,5 km weiter nördlich.

Nord-Korea, →Korea.

Nördliches Eismeer, Nordpolarmeer, das arktische Mittelmeer des Atlantischen Ozeans. Das größtenteils mit Eis (Meereis, Treibeis, Packeis, Eisberge) bedeckte, bis zu 5 625 m tiefe Meer erstreckt sich zwischen Europa, Asien, Amerika und Grönland. 1958 gelang dem amerikanischen Atom-U-Boot ›Nautilus‹ die erste Unterquerung des Nordpolarmeereises.

Nordlicht, das →Polarlicht auf der Nordhalbkugel.

Nord-Ostsee-Kanal, früher **Kaiser-Wilhelm-Kanal,** Seeschiffahrtskanal zwischen Brunsbüttel und Kiel-Holtenau. Der 98,7 km lange Kanal verbindet Nord- und Ostsee und verkürzt dadurch erheblich den Schiffahrtsweg; die Durchfahrtszeit beträgt 7–9 Stunden. Zwei Schleusenanlagen an seinen Mündungen gleichen die Wasserstandsschwankungen von Nord- und Ostsee aus. Der meistbefahrene Seeschiffahrtskanal der Erde wurde 1887–95 erbaut und ist inzwischen zweimal erweitert worden.

Nordpol, Punkt, an dem die gedachte Erdachse die Erdoberfläche durchstößt. Der Nordpol ist der am weitesten vom Äquator entfernt liegende Punkt der Nordhalbkugel. Am Nordpol geht die Sonne vom 21. März bis zum 23. September nicht unter. – Nordpol heißt auch der auf den geographischen Nordpol zeigende Pol eines Magneten.

Nordpolargebiet, Arktis, →Polargebiete.

Nordrhein-Westfalen. Das volkreichste und dichtestbesiedelte deutsche Bundesland ist seit 1949 ein Land der Bundesrepublik Deutschland. Drei Jahre zuvor war es von der britischen Militärregierung aus den preußischen Provinzen Westfalen und Rheinprovinz (nördlicher Teil) geschaffen worden; 1947 wurde das Land Lippe-Detmold eingegliedert.

Nordrhein-Westfalen
Fläche: 34 067 km²
Einwohner: 16 961 000
Hauptstadt:
Düsseldorf

Nordrhein-Westfalen
Landeswappen

Nordrhein-Westfalen grenzt im Westen an Belgien und die Niederlande, im Norden an Niedersachsen, im Osten längs der Weser weiter an Niedersachsen und dann an Hessen, im Süden an Rheinland-Pfalz. Von Süden nach Norden fließt der Rhein durch das Land; als Leitlinie wichtiger europäischer Verkehrswege ist er eine Lebensader der Region.

Der Norden ist Teil der Norddeutschen Tiefebene. Das für seine Wasserschlösser und Pferdezucht bekannte **Münsterland** schiebt sich als Senke zwischen den Teutoburger Wald und das südlich aufsteigende Mittelgebirge. Die Niederrheinische Tiefebene reicht bis Köln in das Rheinische Schiefergebirge hinein. Linksrheinisch liegen die Ausläufer der Eifel, rechtsrheinisch das Siebengebirge mit dem Drachenfels, das Bergische Land und das **Sauerland,** das nach Osten hin im Rothaargebirge über 840 m Höhe erreicht. Dieses Bergland mit seinem rauhen Klima ist noch stark bewaldet. Die wasserreichen Bäche und Flüsse wurden zur Energiegewinnung teilweise mit Talsperren verbaut, und die großen Stauseen förderten den Fremdenverkehr und Wochenendtourismus (Möhnesee, Biggestausee).

Über die Hälfte der Bevölkerung lebt in den Großstädten der Region Rhein-Ruhr. Die Städte am Rhein hatten von jeher als Bischofssitze und politische Zentren Bedeutung; Städte wie **Bonn** und **Köln** gehen auf römische Niederlassungen zurück. Die Orte des Ruhrgebiets dagegen waren Stationen am mittelalterlichen Hellweg, der als Handelsstraße vor den Mittelgebirgen in westöstlicher Richtung durch Deutschland führte. Erst mit der Entwicklung des Steinkohlebergbaus und der Eisenverhüttung wuchsen die Städte von **Duisburg** bis **Dortmund** zum **Ruhrgebiet** zusammen. Im 19. Jahrh. wanderten Arbeiter aus Ostdeutschland und Polen zu, nach dem Zweiten Weltkrieg ließ sich hier ein großer Teil der Flüchtlinge nieder. Die Bevölkerung des Kohlereviers unterscheidet sich daher deutlich von Westfalen und Rheinländern.

Durch Krisen im Bergbau und in der Eisen- und Stahlindustrie, hat sich der wirtschaftliche Schwerpunkt seit einigen Jahren von der Ruhr an den Rhein verlagert, wo Handel und Banken, chemische und Elektroindustrie das Bild bestimmen. Hinzu kommt der Braunkohleabbau der Ville bei Köln; die hier erzeugte Energie kann über ein Verbundnetz ganz Mitteleuropa mit Elektrizität versorgen. Insgesamt gehört die **Region Rhein-Ruhr** heute zu den bedeutendsten Wirtschaftszentren der Erde. Eines der dichtesten Verkehrsnetze Europas mit internationalen Flughäfen in **Düsseldorf** und Köln-Bonn trägt diesen Verhältnissen Rechnung.

Daneben konnten sich auch kleinere Industrie- und Bevölkerungszentren, z. B. um **Aachen** und **Bielefeld,** entwickeln. Die Landwirtschaft spielt, obgleich Westfalen wohlhabendes Bauernland war, im Vergleich zu anderen Bundesländern nur noch eine geringe Rolle. Auf fruchtbaren Lößböden werden westlich von Köln und in der Soester Börde intensiv Zuckerrüben, Gemüse und Getreide angebaut.

Nordsee, Nebenmeer des Atlantischen Ozeans, zwischen dem europäischen Festland, den Britischen Inseln und Skandinavien. Die Straße von Dover und der Ärmelkanal sowie ein breiter Durchgang im Norden stellen die Verbindung zum Atlantischen Ozean her; zur Ostsee führen Skagerrak und Kattegat. Die Nordsee ist mit wenigen Ausnahmen ein flaches, im Mittel nur 93 m tiefes Schelfmeer. Der Unterschied zwischen Niedrig- und Hochwasser erreicht in der Deutschen Bucht 4 m, an der englischen und französischen Küste über 6 m. Die Nordsee ist ein bedeutendes Fischereigebiet (Hering, Schellfisch, Kabeljau, Scholle) und eines der verkehrsreichsten Meere der Erde. Wichtige Häfen sind London, Antwerpen, Rotterdam, Amsterdam, Hamburg und Bremen. Seit den 1960er Jahren werden die neu entdeckten, sehr großen Erdöl- und Erdgaslager vor allem von Norwegen, Großbritannien und den Niederlanden genutzt.

Nordstern, →Polarstern.

Normalnull, Abkürzung **NN,** Ausgangsfläche für Höhenmessungen auf der Erdoberfläche. Bezugsfläche ist der mittlere Wasserstand des Meeres. Wegen der unterschiedlichen Höhe des Wasserstandes ist dieser Punkt in den einzelnen Ländern und Erdteilen verschieden. Für die Bundesrepublik Deutschland gilt das Mittelwasser des Amsterdamer Pegels, der 1879 festgelegt wurde.

Normandie, Landschaft im Nordwesten Frankreichs. Sie umfaßt die Halbinsel Cotentin und Hochflächen des Seinemündungsgebietes. Die Hauptstadt ist Rouen. Das milde, feuchte Klima begünstigt die landwirtschaftliche Nutzung. Zahlreiche Badeorte und romantische Fischerstädtchen ziehen viele Touristen an.

Dänische Normannen eroberten seit Ende des 9. Jahrh. die Gebiete an der unteren Seine. Sie nahmen Glauben und Sprache ihrer neuen Heimat an und gaben dieser Landschaft durch Ortsnamen, Mundart und Bauformen ein bleibendes Eigengepräge. Im 11. Jahrh. eroberten die Normannen England; 1066–87, 1106–1202/04 und 1415–49 war die Normandie mit England verbunden. Während des Zweiten Weltkriegs landeten im Juni 1944 die Westmächte in der Normandie und leiteten damit die deutsche Niederlage im Westen ein.

Normannen, Nordmannen, Wikinger, die Bewohner Skandinaviens, die zwischen 8. und 11. Jahrh. die Küsten Europas heimsuchten. Seit 787 kamen sie alljährlich in kleinen und größeren Verbänden auf schnellen, langgestreckten Schiffen, besetzten und plünderten ganze Landstriche. Auf dem Rhein stießen sie bis Mainz und auf der Mosel bis Trier vor, auf der Seine bis Paris. Auch das Rhônetal und Norditalien bedrohten sie. Auf weiten Entdeckungsreisen gelangten die Normannen nach Island (860); um 982 landete Erik der Rote auf Grönland. Sein Sohn Leif Erikson erreichte um 1000 die Küste Nordamerikas. Die Normannen suchten aber auch an den von ihnen eroberten Plätzen Fuß zu fassen und bauten neue Staatswesen auf, deren Organisation vorbildlich war: im 9. Jahrh. eroberten sie einen Küstenlandstrich im Nordwesten des heutigen Frankreich, der bis heute nach den Normannen ›Normandie‹ genannt wird. Von hier aus eroberte Wilhelm der Eroberer 1066 England. Ebenfalls von der Normandie aus gründeten Roger und Robert Guiscard in Unteritalien und Sizilien neue Staaten. Auch im Osten waren es Normannen, hier **Waräger** genannt, die unter Führung ihres Fürsten Rurik ein erstes russisches Staatswesen um Nowgorod und Kiew gründeten.

Die Normannen traten auch als seefahrende Kaufleute auf: Ihre Handelsplätze Birka in Schweden und Haithabu (in der Nähe von Schleswig) waren von großer Bedeutung.

Normannische Inseln, Kanalinseln, englisch **Channel Islands,** französisch **Îles Normandes,** britische Inselgruppe im Ärmelkanal vor der französischen Küste. Die insgesamt 195 km² große Inselgruppe (gegliedert in 2 Verwaltungsbezirke mit Selbstverwaltung) besteht unter anderem aus **Jersey, Guernsey, Alderney, Sark** und **Herm.** Die 130 000 Einwohner leben vor allem auf den Hauptinseln Jersey und Guernsey mit den Hauptorten Saint Hélier und Saint Peter Port. Der französische Einfluß zeigt sich in Sprache, Ortsnamen, Kleidung und Bauformen. Das milde Klima ermöglicht Obst- und Gemüseanbau. Daneben sind Viehwirtschaft und Fremdenverkehr von Bedeutung.

Nornen, Schicksalsgöttinnen, bei den Germanen die Göttinnen der Vergangenheit, Gegenwart und Zukunft. Ihren Aufenthaltsort dachte man sich am Fuß der Weltesche Yggdrasil bei der Schicksalsquelle. Die Nornen entsprachen den griechischen **Moiren** und den römischen **Parzen.**

Norwegen, Königreich in Nordeuropa, das auf einer Länge von fast 2 000 km den Westen Skandinaviens bildet. Das Land, etwas größer als die Bundesrepublik Deutschland, ist größtenteils gebirgig. Das stark vergletscherte, bis 2 470 m hohe Gebirge fällt zur Küste steil und nach Osten allmählich, in weiten Stufen, ab. Die Küste ist durch viele, weit ins Land dringende Fjorde stark gegliedert und dank des warmen Golfstroms auch im Winter eisfrei. Das Klima ist an der Küste mild, im Innern kühler. Die zum größten Teil evangelische Bevölkerung lebt vorwiegend an der Küste, in den großen Tälern sowie in den wenigen flachen Gebieten des Landes. Minderheiten sind Lappen und Finnen.

Zu den Reichtümern Norwegens gehört die Wasserkraft, die der Erzeugung von billigem

Normannen: Normannenzüge

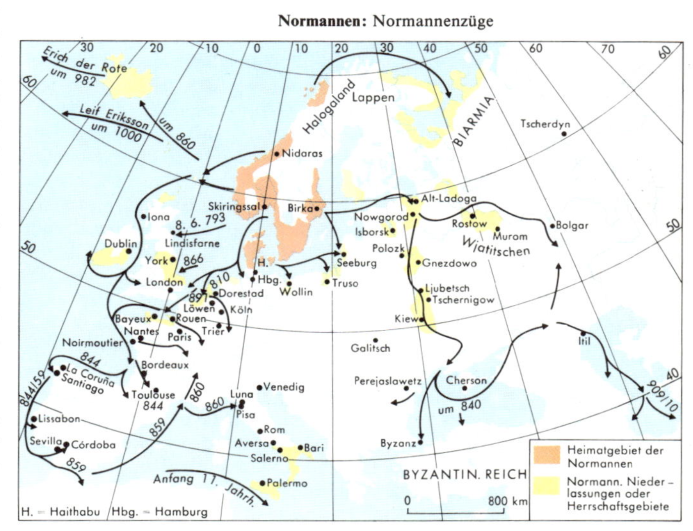

Norwegen

Fläche: 323 895 km²
Bevölkerung: 4,25 Mill. E
Hauptstadt: Oslo
Amtssprache: Norwegisch
Nationalfeiertag: 17. Mai
Währung: 1 Norweg. Krone (nkr) = 100 Øre (Ø)
Zeitzone: MEZ

Norwegen

Staatswappen

Staatsflagge

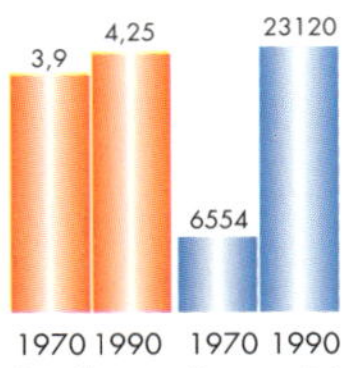

1970 1990 1970 1990
Bevölkerung (in Mill.) Bruttosozialprodukt je E (in US-$)

Stadt Land
25%
75%

Bevölkerungsverteilung 1990

Industrie
Landwirtschaft
Dienstleistung
34%
3%
63%

Bruttoinlandsprodukt 1989

elektrischem Strom dient. Dies begünstigte den raschen Aufbau von Stahlwerken und chemischer Industrie. In der Produktion von Aluminium und Eisenlegierungen ist Norwegen führend in Westeuropa. Seit etwa 1970 hat die Entdekkung großer Ölfelder und Erdgasvorkommen im norwegischen Bereich der Nordsee (z. B. Ekofisk) und ihre Ausbeutung die Wirtschaftsentwicklung stark beeinflußt. Von wirtschaftlicher Bedeutung sind weiterhin die Seeschiffahrt und der Fremdenverkehr. Viele Touristen verbringen ihren Urlaub in den norwegischen Wintersportgebieten oder unternehmen eine Fahrt zum Nordkap, um dort im Sommer die Mitternachtssonne zu erleben. Die natürlichen Gegebenheiten machen Norwegen zu einem führenden Land im Fischfang, auch in der Fischverarbeitung. Dagegen ist Landwirtschaft auf dem kargen Boden nur sehr begrenzt möglich; eine Rolle spielt lediglich die Viehwirtschaft.

Geschichte. Norwegen, die Heimat der Normannen, wurde seit dem 9. Jahrh. zu einem der Ausgangspunkte ihrer weiten Eroberungsfahrten. Im 13. Jahrh. kam das Land an Schweden und wurde 1389 Teil des dänisch-norwegisch-schwedischen Großreichs unter Führung Dänemarks (›Kalmarer Union‹). Auch als Schweden seine Unabhängigkeit erlangt hatte, blieb Norwegen dänische Provinz. 1814 kam Norwegen wieder unter schwedische Herrschaft. 1905 löste sich Norwegen als unabhängiger Staat von Schweden. Während des Zweiten Weltkrieges wurde das Land von Deutschland besetzt. Heute ist Norwegen Mitglied der NATO. (KARTE Seite 205)

Notar [lateinisch ›Geschwindschreiber‹], als Jurist unabhängiger Träger eines öffentlichen Amtes. Zu seinen Aufgaben gehört vor allem die Beurkundung solcher Rechtsvorgänge, für die die Gesetze eine Beurkundung vorsehen, z. B. bei Grundstückskaufverträgen und öffentlicher Beglaubigung von Unterschriften. Er wird von den Landesjustizverwaltungen bestellt. Für Fehler haftet er. In Hessen und Niedersachsen kann er gleichzeitig Rechtsanwalt sein.

Notenbank, Zentralbank, eine staatliche Bank, deren Hauptaufgabe im Unterschied zu den Geschäftsbanken (→ Kreditinstitut) darin besteht, Banknoten und Münzen auszugeben und darauf zu achten, daß der Wert des Geldes möglichst gleich (stabil) bleibt. Damit sind sie Träger der Währungspolitik und verantwortlich für Geld- und Kreditpolitik. Die Notenbank heißt in der Bundesrepublik Deutschland **Deutsche Bundesbank,** in der Schweiz **Schweizerische Nationalbank,** in Österreich **Österreichische Nationalbank.**

Notenschlüssel, Zeichen der Notenschrift, die am Anfang der Notenzeile stehen und festlegen, welche Tonhöhe die einzelnen Linien haben. Es gibt 3 Arten von Notenschlüsseln: **G-Schlüssel** (auch **Violinschlüssel**), **F-Schlüssel** (auch **Baßschlüssel**) und **C-Schlüssel.**

Der G-Schlüssel geht von der zweiten Linie aus und gibt an, auf welcher Linie die Note g^1 steht. Danach kann man dann ganz einfach das Verhältnis der anderen Noten herstellen. Der F-Schlüssel auf der vierten Linie legt die Linie für die Note f und der seltenere C-Schlüssel auf der dritten Linie für die Note c^1 fest. (BILD Seite 343)

Notenschrift, System von Zeichen, das es ermöglicht, Musik aufzuschreiben. Die Tonhöhe des einzelnen Tones wird durch seine Stellung innerhalb des Liniensystems, seine Dauer durch seine Gestalt ausgedrückt. Der regelmäßig wiederkehrende Takt wird durch Taktvorzeichen, die Betonung durch Taktstriche gekennzeichnet. Tempo, Dynamik (Lautstärke), Verzierungen und anderes sind durch Anmerkungen (häufig in italienischer Sprache) oder durch besondere Zeichen geregelt.

Die Noten werden auf dem Liniensystem so angeordnet, daß sie entweder auf oder zwischen den Linien sitzen. Durch den → Notenschlüssel am Anfang des Systems werden die 5 Linien in ihrer Tonhöhenbedeutung festgelegt. Durch Hilfslinien und Oktavierungszeichen kann der Tonumfang des Systems noch beträchtlich erweitert werden. Chromatische Veränderungen (fis, cis, b, es) werden durch → Versetzungszeichen ausgedrückt.

Die **Notenwerte** (Ganze, Halbe, Viertel, Achtel, Sechzehntel usw.) werden durch fortgesetzte Halbierung gewonnen. Bei Triolen, Quintolen usw. werden die Noten in 3 und/oder 5 gleichgroße Werte zerlegt. Ein Punkt hinter der Note verlängert diese um die Hälfte ihres Wertes. Jeder Notenwert läßt sich durch ein Pausenzeichen von gleicher Dauer ersetzen. Die Grundzählzeit ist in der Regel in Vierteln oder Achteln, gelegentlich auch in Halben (alla breve) nach dem Notenschlüssel angegeben (Taktvorzeichnung). Die einzelnen Takte sind durch die Taktstriche begrenzt. Am Ende eines Abschnitts oder des ganzen Musikstücks steht der Doppelstrich. Wiederholungen werden durch Wiederholungszeichen (Doppelstrich und Doppelpunkt) gekennzeichnet.

Zur Notenschrift gehören schließlich noch die Zeichen für Verzierungen (Triller, Doppelschlag, Praller, Mordent und andere), die dynamischen →Vortragsbezeichnungen, Zeichen für Veränderungen des Zeitmaßes, Phrasierungsbogen und vieles andere mehr.

Unsere heutige Notenschrift ist das Ergebnis eines langen, rund 500 Jahre umfassenden Entwicklungsprozesses, der im 17. Jahrh. seinen Abschluß fand. Trotz wiederholter Verbesserungsversuche ist sie seitdem unverändert geblieben. Einen Sonderfall stellen lediglich die Graphiken dar, die zur Aufzeichnung elektronischer Musik verwendet werden.

Notstandsverfassung, die Regeln der Verfassung, nach denen Staatsorgane zur Abwehr besonderer Notlagen größere Vollmachten auf Zeit erhalten. Meist wird zwischen **äußerem Notstand** (Angriff auf ein Land von außen) und **innerem Notstand** (Unruhen, Naturkatastrophen) unterschieden.

Notwehr, Verteidigung, die erforderlich ist, um einen unmittelbar bevorstehenden oder schon begonnenen rechtswidrigen Angriff von sich oder einem anderen abzuwehren. Eine in Notwehr vorgenommene Handlung ist nicht widerrechtlich, das heißt, sie ist straflos und verpflichtet nicht zu Schadenersatz.

Novalis, Dichtername des Freiherrn **Georg Philipp Friedrich Leopold von Hardenberg** (* 1772, † 1801), eines Vertreters der deutschen Frühromantik (→Romantik). Nach dem Tod seiner jugendlichen Braut schrieb er (in rhythmischer Prosa) die ›Hymnen an die Nacht‹ (1797–1800), in denen der Tod als Übergang zur mystischen Vereinigung mit der Geliebten und mit Christus verherrlicht wird. Der unvollendete Roman ›Heinrich von Ofterdingen‹ (1802) zeigt die innere Entwicklung eines Dichters auf; Novalis erfand darin das Symbol der Blauen Blume, das seither als Symbol der romantischen Poesie und ihrer nach dem Unendlichen gerichteten Sehnsucht gilt. Seine innigen und schlichten ›Geistlichen Lieder‹ sind zum Teil in die evangelischen Gesangbücher übernommen worden.

Novelle [nach italienisch novella ›Neuigkeit‹], eine kürzere Erzählung meist in Prosa, die nach Goethe eine ›unerhörte Begebenheit‹ wiedergibt. Im Gegensatz zum Roman beschränkt sie sich auf einen Geschehensausschnitt, der einen Wendepunkt bringt. Die Handlungsführung ist meist einsträngig und zielgerichteter als in der locker aufgebauten Erzählung. Stoffe und Techniken der Novelle reichen bis in die orientalischen, vor allem indischen Literaturen der vorchristlichen Zeit zurück. Aus den kurzen Verserzählungen des Mittelalters leiteten sich viele Stoffe der italienischen Novellen des 14. Jahrh. her (z. B. Giovanni Boccaccios Sammlung ›Decamerone‹, 1353). Diese verwendeten auch erstmals den Namen Novelle als Bezeichnung einer literarischen Gattung. Die deutsche Novelle trat erst seit Ende des 18. Jahrh. auf; zu ihren Verfassern gehören Goethe, Heinrich von Kleist, E. T. A. Hoffmann, Eduard Mörike, Gottfried Keller, Conrad Ferdinand Meyer, Adalbert Stifter, Theodor Storm, Wilhelm Raabe und Thomas Mann.

Novemberrevolution, die politischen Aufstände im Deutschen Reich im November 1918; durch sie wurden die Monarchien beseitigt und der Übergang zur parlamentarisch-demokratischen Republik eingeleitet.

Eine Meuterei der Flotte und ein Matrosenaufstand in Kiel (Ende Oktober/Anfang November 1918) lösten die Novemberrevolution aus. Unter dem Eindruck von Generalstreik und Massendemonstrationen gab der Reichskanzler Prinz Max von Baden am 9. November 1918 die Abdankung Kaiser Wilhelms II. bekannt und übergab die Regierungsgewalt dem Sozialdemokraten Friedrich Ebert. Am gleichen Tag wurde am Reichstag in Berlin die Republik ausgerufen. Überall im Deutschen Reich bildeten sich Arbeiter- und Soldatenräte. Unter dem Vorsitz Eberts übernahm ein ›Rat der Volksbeauftragten‹ die Führung der Regierung. Der Reichskongreß der Arbeiter- und Soldatenräte (16.–20. Dezember 1918) entschied sich für den Aufbau einer parlamentarisch-demokratischen Republik und lehnte damit die Errichtung einer →Räterepublik ab. Nach der Niederschlagung von Aufständen sozialrevolutionärer Gruppen fanden im Januar 1919 Wahlen zu einer Nationalversammlung statt. – In Österreich nahmen die Novemberrevolutionen einen grundsätzlich ähnlichen Verlauf.

NS, Abkürzung für **n**ational**s**ozialistisch.

G-Schlüssel

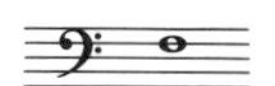
F-Schlüssel

C-Schlüssel

Notenschlüssel

NSDAP, Abkürzung für **N**ational**s**ozialistische **D**eutsche **A**rbeiter**p**artei, →Nationalsozialismus.

Nucleinsäuren [zu lateinisch nucleus ›Kern‹], Moleküle, die in den Zellen jedes Lebewesens (Mikroorganismen, Pflanzen, Tiere, Mensch) vorkommen. Man unterscheidet 2 Arten von Nucleinsäuren: Die **D**esoxyribo**n**ucleinsäure **(DNS)** und die **R**ibo**n**ucleinsäure **(RNS).** Die DNS befindet sich im Zellkern. In allen Zellen eines Organismus ist sie gleich aufgebaut. Sie enthält die gesamte Erbinformation **(Genotyp),** das heißt, sie ist für das äußere Erscheinungsbild **(Phänotyp)** bestimmend. Je näher 2 Individuen verwandt sind, desto ähnlicher ist also der Aufbau ihrer DNS und damit ihr Erscheinungsbild. Nur eineiige Zwillinge haben die gleiche DNS, schon bei Geschwistern sind die DNS-Moleküle unterschiedlich aufgebaut, erst recht bei 2 völlig verschiedenen Lebewesen, z. B. Hamster und Adler.

Die einzelnen Bausteine, aus denen die DNS aufgebaut ist, heißen **Nucleotide.** Sie sind kettenförmig aneinandergereiht. Eine bestimmte Anzahl von Nucleotiden wird als →Gene bezeichnet, ihre Reihenfolge als **genetischer Code.** Im DNS-Molekül sind 2 solcher Nucleotid-Ketten leiterförmig miteinander verbunden, und diese ›Leitern‹ sind spiralförmig aufgerollt **(Helix).** Dadurch können auf kleinstem Raum (Zellkern) sehr lange DNS-Ketten untergebracht werden. So hätte z. B. die DNS-Kette einer Säugetierzelle eine Länge von durchschnittlich 2 m, wäre sie nicht auf diese Art aufgerollt. Die Ribonucleinsäure (RNS) ist ähnlich der DNS aufgebaut, jedoch liegt sie nur als Einzelkette vor. Mit ihrer Hilfe werden aus der Information, die in der DNS gespeichert ist, die →Eiweiße aufgebaut.

Nuklearwaffen [zu lateinisch nucleus ›Kern‹], die →Kernwaffen.

Null [aus lateinisch nullus ›keiner‹], Zeichen **0,** diejenige Zahl, die jede andere Zahl weder durch Addition noch durch Subtraktion verändert. Es gilt:

$$a + 0 = a \quad \text{und} \quad a - 0 = a.$$

Multipliziert man eine Zahl mit Null, so erhält man stets Null, also $a \cdot 0 = 0$. Die Division durch Null ist nicht möglich. Dies läßt sich leicht wie folgt erklären. Die Divisionsaufgabe 6 : 2 ergibt 3, da $3 \cdot 2 = 6$ ist. Ergäbe die Divisionsaufgabe 6 : 0 als Ergebnis die Zahl b, so müßte $b \cdot 0 = 6$ sein. Dies ist aber nicht richtig, da stets $b \cdot 0 = 0$ ergibt. Also ist die Rechnung 6 : 0 nicht durchführbar.

Ist die Null Hochzahl in einer Potenz, so ergibt sich $a^0 = 1$ (→Potenz).

Auf der Zahlengeraden trennt die Zahl 0 die positiven von den negativen Zahlen (→Anordnung von Zahlen). Deshalb ist die Zahl Null die einzige Zahl, die sowohl das positive als auch das negative Vorzeichen tragen kann. Die Null gehört zu den 10 arabischen →Ziffern, mit denen im →Dezimalsystem alle Zahlen dargestellt werden.

Nullmeridian, der Meridian auf 0° geographischer Länge. Er verläuft durch die alte Sternwarte im östlichen Londoner Stadtbezirk Greenwich. Dies wurde 1911 auf einer internationalen Konferenz in Paris beschlossen, um eine in allen Ländern einheitliche Bezeichnung der geographischen Länge zu ermöglichen.

Numerus [lateinisch ›Zahl‹, ›Anzahl‹, ›Menge‹], grammatische Form zur Bezeichnung von Singular (Einzahl) und Plural (Mehrzahl).

Nürnberg, 490 300 Einwohner, zweitgrößte Stadt Bayerns nach München, liegt in Franken an der Pegnitz. Seit vielen Jahrhunderten werden in Nürnberg Spielwaren hergestellt. Es gibt ein Spielzeugmuseum; jährlich findet eine Spielwarenmesse statt. Das **Germanische Nationalmuseum** enthält umfassende Sammlungen zur gesamtdeutschen Kunst- und Kulturgeschichte. Auf alten Traditionen beruhen der Christkindlesmarkt in der Adventszeit und die Herstellung der Nürnberger Lebkuchen. Der mittelalterliche Stadtkern aus Burg, Lorenzerstadt und Sebalderstadt läßt das Bild der ehemaligen Reichsstadt noch erkennen. Sie erlebte ihre Blütezeit um 1500. Damals wirkten hier z. B. der Maler Albrecht Dürer und der Dichter Hans Sachs. Bedeutende Bauwerke der Gotik sind die Kirchen Sankt Sebald (um 1240–73) und Sankt Lorenz (um 1295 bis nach 1350). 1806 kam Nürnberg an Bayern. 1835 wurde zwischen Nürnberg und Fürth die erste deutsche Eisenbahnstrecke eröffnet. Fürth ist heute mit Nürnberg zusammengewachsen, aber eine eigenständige Stadt geblieben (99 700 Einwohner). In Nürnberg veranstalteten die Nationalsozialisten 1933–38 ihre jährlichen Parteitage. 1946–49 fanden in Nürnberg vor dem Internationalen Militärtribunal, dem Vertreter Englands, Frankreichs, der USA und der Sowjetunion angehörten, die Prozesse gegen deutsche Kriegsverbrecher statt.

Nürnberger Gesetze, →Rassengesetze.

Nuß, einsamige Frucht mit trockener, harter Fruchtschale, die nicht von selbst aufspringt

(z. B. Haselnuß, Eichel). Die Walnuß und Kokosnuß dagegen sind Steinfrüchte, bei denen nur der innere Teil der Fruchtschale hart wird und der fleischige äußere Teil vom Steinkern abspringt.

Nutria, auch **Biberratte,** ein → Nagetier mit wertvollem Pelz.

Nylon [nailon], ehemaliger Handelsname für eine Chemiefaser, die 1938 in den USA entwikkelt wurde. Ihr besonderer Vorzug liegt in ihrer Scheuerfestigkeit, weswegen diese Faser bevorzugt zu Strümpfen und Feingewebe, Angelschnüren und Zahnbürsten verwendet wird.

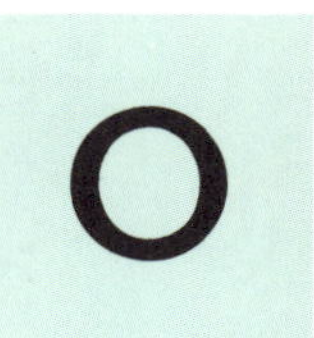

O, der fünfzehnte Buchstabe des Alphabets, ein Vokal. O ist chemisches Zeichen für Sauerstoff (lateinisch: **o**xygenium). Das Griechische kennt 2 Zeichen, Omikron (o) für den kurzen, Omega (Ω) für den langen Vokal (→ A). Ω ist in der Physik das Einheitenzeichen für → **O**hm. In der Geographie ist O die Abkürzung für **O**sten. Bei irischen Familiennamen hat O' die Bedeutung von Sohn, Nachkomme (O'Neill = Sohn, Nachkomme des Neill).

Oase, Gebiet reicheren Pflanzenwuchses in Wüsten- oder Trockengebieten. Oasen entstehen an Quellen, Flußläufen oder an Stellen mit nahem Grundwasserstand. Sie weisen meist dichte Besiedlung und intensive landwirtschaftliche Nutzung auf; die Anbaufläche wird häufig durch Bewässerung erweitert. Unter den Pflanzen spielt die Dattelpalme neben Getreidesorten wie Hirse und Weizen die wichtigste Rolle. Die Bauern in den Oasen führen einen ständigen Kampf gegen den vordringenden Sand der umgebenden Wüsten. Oasen sind auch Handelsplätze und Rastplätze für Karawanen.

Ob, Hauptstrom des Westsibirischen Tieflandes. Der 3680 km lange Fluß entsteht durch die Vereinigung der beiden aus dem Altai kommenden Quellflüsse Katun (mit diesem zusammen ist der Ob 5410 km lang) und Bija. Bevor er mit einer Breite von 20 km und einer Tiefe von 40 m in den Ob-Busen mündet, nimmt der Ob mehrere Nebenflüsse, besonders den wasserreichen Irtysch, auf. Er ist auf seiner gesamten Länge an rund 155 Tagen im Jahr schiffbar.

Obelisk [griechisch ›Bratspießchen‹], im alten Ägypten das Kultsymbol des Sonnengottes; seine oft vergoldete Spitze wurde von den ersten Strahlen der aufgehenden Sonne beschienen. Diese schmalen, vierkantigen Steinkegel wurden meist vor Tempeln aufgestellt. Der höchste in Ägypten erhaltene Obelisk (28 m) steht in Luxor; von dort stammt auch der in Paris stehende Obelisk, der 29,50 m hoch ist.

Obelix, der Gefährte von → Asterix.

Oberammergau, 5200 Einwohner, bayerischer Sommerkurort und Wintersportplatz im Ammertal. Einem Gelübde entsprechend, das im Pestjahr 1633 abgelegt wurde, wird seit 1634 alle 10 Jahre im **Oberammergauer Passionsspiel** die Leidensgeschichte Christi von einheimischen Laiendarstellern aufgeführt.

Oberfläche, Geometrie: die Menge aller Punkte, die auf dem Rand eines geometrischen → Körpers liegen. Zu unterscheiden ist zwischen der Oberfläche und ihrem Inhalt, auch wenn der Begriff Oberfläche oft für beides verwendet wird und dann nur aus dem Textzusammenhang zu schließen ist, welcher Sachverhalt gemeint ist. Für die wichtigsten Körper (→ Kegel, → Kugel, → Polyeder, → Prisma, → Pyramide, → Quader, → Würfel, → Zylinder) gibt es Formeln zur Bestimmung ihres Oberflächeninhaltes.

Obelisk
(Luxor, das altägyptische Theben)

Oberösterreich, österreichisches Bundesland, das im Westen an die Bundesrepublik Deutschland (Innviertel), im Norden an die Tschechische Republik (Mühlviertel) und im Osten an → Niederösterreich grenzt. Im Süden hat es Anteil an den Alpen und erreicht im Dachstein 3000 m Höhe. Die Bevölkerungsdichte ist um den Hauptort Linz sowie um Wels im Trauntal und um Steyr im Ennstal am höchsten. Wichtige Erwerbsquellen sind die Förderung von Braunkohle, Erdgas und Erdöl. Steyr besitzt die größten Fahrzeugfabriken Österreichs. Hallstätter-, Irr-, Alm-, Offen-, Mond-, Atter- und Traunsee bilden die Seenlandschaft des **Salzkammerguts.** – Seit 1278 gehörte Oberösterreich den Habsburgern; 1779 wurde es um das Innviertel vergrößert.

Oberösterreich
Fläche: 11978 km²
Einwohner:
1,34 Millionen

Oberrheinische Tiefebene, Oberrheinebene, das 30–50 km breite, von Basel bis Mainz reichende, 300 km lange Tal des Oberrheins. Mit Höhen von 400 bis über 1000 m begrenzen im Westen Pfälzer Wald (Haardt) und Vogesen, im Osten Odenwald und Schwarzwald die Tiefebene. Sie bietet wegen der windgeschützten Lage, des warmen, sonnenreichen Klimas und des meist guten Bodens ideale Bedingungen für die landwirtschaftliche Nutzung

Oberösterreich
Landeswappen

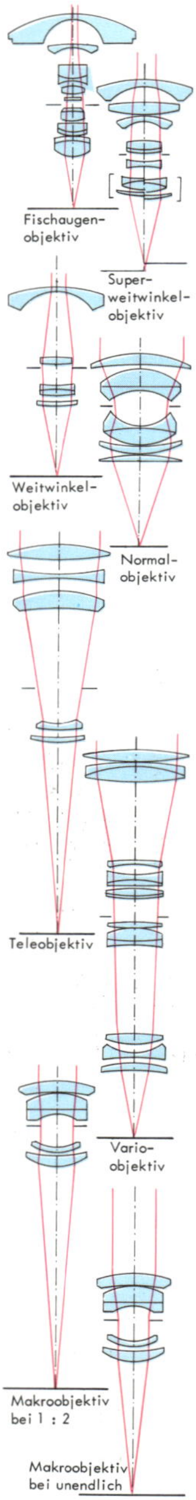

Fischaugenobjektiv

Superweitwinkelobjektiv

Weitwinkelobjektiv

Normalobjektiv

Teleobjektiv

Varioobjektiv

Makroobjektiv bei 1 : 2

Makroobjektiv bei unendlich

Objektiv

(Obst, Gemüse, Wein, Zuckerrüben, Getreide, Tabak, Hopfen).

Die Oberrheinebene ist eine Einbruchzone, ein Grabenbruch, der im Tertiär zur gleichen Zeit, als die Alpen aufgefaltet wurden, entstanden ist. Der Höhenunterschied zwischen Gesteinen, wie sie im Schwarzwald und in den Vogesen vorkommen, und den entsprechenden Gesteinen in der Tiefe des Grabens beträgt etwa 3 000 m.

Obervọlta, früherer Name von →Burkina Faso.

Objẹkt [lateinisch obicere ›entgegenwerfen, entgegenstellen‹], ein Glied des →Satzes, mit dem eine Aussage genauer bestimmt wird (Der Bäcker erzählt einen Witz) oder der Satz erst vollkommen ist (Ich begegnete einem Freund). Das Objekt richtet sich in seiner Flexion (Beugung) nach dem Verb, zu dem es gehört.

Objektịv [zu Objekt], Teil des optischen Systems eines Fernrohrs, Mikroskops oder →Photoapparats, der dem Objekt (das ist der Betrachtungs- oder Aufnahmegegenstand) zugewandt ist. Das Objektiv besteht aus einer oder mehreren, unterschiedlich geformten Glaslinsen, zwischen denen meist eine Blende eingebaut ist. Beim Photoapparat fällt das Licht durch das Objektiv auf den Film und belichtet ihn. Man sagt, das Objektiv bildet den Aufnahmegegenstand auf die Filmebene ab.

Eine wichtige Kenngröße für Objektive ist ihre **Brennweite.** Damit ist der Abstand zwischen dem Linsensystem und der Ebene gemeint, in der das Bild scharf abgebildet wird. Mögliche Brennweiten bei photographischen Objektiven reichen von etwa 7 mm bis über 1 m. Dabei werden die Bildausschnitte immer größer, je kleiner die Brennweite des Objektivs ist. Dagegen lassen sich entfernte Einzelheiten mit großen Brennweiten ähnlich wie mit einem Fernrohr vergrößern.

PHOTOOBJEKTIVE

Fischaugenobjektiv, ein extremes Weitwinkelobjektiv, das ein kreisrundes Abbild der Umgebung liefert.
Makroobjektiv, besonders für Nahaufnahmen geeignetes Objektiv.
Teleobjektiv, Objektiv mit langer Brennweite. Es vergrößert weiter entfernt liegende Gegenstände.
Varioobjektiv, Zoomobjektiv, Gummilinse, Objektiv, das eine stufenlose Veränderung der Brennweite ermöglicht.
Weitwinkelobjektiv, Objektiv mit kleiner Brennweite für große Bildausschnitte.

Eine weitere wichtige Kenngröße ist die **Lichtstärke** des Objektivs. Sie ist ein Maß für die Lichtmenge, die bei größtmöglicher Blendenöffnung auf den Film fällt.

Bei Spiegelreflexkameras ist das Objektiv meist abnehmbar, es kann gegen ein anderes ausgetauscht werden. Sucherkameras haben im allgemeinen ein mit dem Gehäuse fest verbundenes Objektiv. Die Entfernung zum Aufnahmegegenstand muß an einem Ring eingestellt werden. Nur bei Fixfocusobjektiven ist dies nicht nötig, da sie bereits vom Werk her fest eingestellt sind.

Obọe [von französisch hautbois, eigentlich ›helles, lautes Holz‹], Holzblasinstrument, das aus einer etwa 60 cm langen, konisch gebohrten, dreiteiligen Schallröhre aus Ebenholz besteht, die sich unten zum Schallbecher erweitert. Als Mundstück wird ein Doppelrohrblatt (→Rohrblatt) verwendet, das der Spieler zwischen die Lippen nimmt. Die Grifflöcher werden teils mit den Fingern, teils mit einem Klappenmechanismus ähnlich dem der Flöte abgedeckt. Der Klang der Oboe ist etwas herb, leicht scharf, aber sehr tragend. Die Oboe übernimmt meist die Melodieführung der Holzbläsergruppe des Orchesters, für das sie auch den Stimmton ›a‹ angibt. Ein Vorläufer der Oboe ist die **Schalmei,** eine tiefer klingende Abart das **Englischhorn.** Klanglich zwischen diesem und der Oboe steht die **Oboe d'amore** (Liebesoboe), ein Barockinstrument, das z. B. Johann Sebastian Bach häufig verwendete. (BILD Seite 347)

Obsidiạn, vulkanisches Gesteinsglas, das bei der raschen Erstarrung kieselsäurereicher Lava entstand. Obsidian ist schwarz, dunkelgrau bis dunkelbraun, oft geflammt oder streifig und hat ähnliche Eigenschaften wie Feuerstein. In der Jungsteinzeit, später auch von den Maya und Inka, wurde er zu Klingen, Schabern und Pfeilspitzen verarbeitet. Heute wird Obsidian kunstgewerblich genutzt.

Obst, eßbare Früchte und Samen wildwachsender oder vom Menschen gezüchteter Bäume, Sträucher und Stauden. Obst ist reich an Vitaminen und Mineralstoffen. Es wird meist frisch verzehrt und je nach Eignung auf verschiedene Weise verarbeitet. Wird es getrocknet (zum Teil unter Zusatz von Schwefel), erhält man **Trockenobst** (auch **Dörrobst** genannt), das lange haltbar ist (z. B. Rosinen, Feigen, Datteln). Ganze Früchte oder größere Fruchtteile werden als **Kompott** in Konserven eingekocht, Äpfel auch als Mus. Weiterhin stellt man aus Obstfrüchten **Konfitüre (Marmelade)** und **Gelee** her (aus Pflaumen auch Mus, aus Äpfeln und Birnen Kraut). Immer größere Bedeutung bekommt **tiefgefrorenes Obst,** bei dem Aroma, Nährstoffe und Vitamine in hohem Maß erhalten bleiben. Manche Früchte werden **kandiert:** in Zuckerlösungen eingekocht und eingelegt (z. B. Cocktailkirschen, Orangeat). Aus Obst werden alkoholfreie Getränke (Saft, Limonade, Sirup, Fruchtnektar) und alkoholische Getränke (Wein, Schnaps) hergestellt.

Bei dem in Mitteleuropa angebauten Obst unterscheidet man Kern-, Stein-, Beeren- und Schalenobst. Zum Obst im weiteren Sinn zählen auch die →Südfrüchte. **Kernobst** (Äpfel, Birnen, Quitten) hat fleischige eßbare Früchte, bei denen die Kerne (die Samen) in kleine, von einer pergamentartigen Haut umgebene ›Fächer‹ eingebettet sind, dem Kerngehäuse. **Steinobst** (Kirschen, Pflaumen, Pfirsiche, Aprikosen) enthält einen harten Stein. **Beerenobst** hat saftiges Fruchtfleisch, in dem meist mehrere mehr oder weniger große Kerne liegen. Dazu zählt man auch Erdbeere, Brombeere und Himbeere, obwohl sie botanisch gesehen keine echten Beeren sind wie Heidelbeere, Weinbeere und Stachelbeere. **Schalenobst** nennt man Obstfrüchte mit einer trockenen, harten Frucht- oder Samenschale. Die wohlschmeckenden Teile sind nicht weich und saftig wie anderes Obst, sondern hart und trocken. Sie enthalten wenig Wasser und können daher lange gelagert werden. Dazu zählt man die echten Nüsse (wie Haselnuß), aber auch Walnuß, Kokosnuß und Erdnuß, die botanisch betrachtet keine echten Nüsse sind (→Frucht).

Obwalden. Der Schweizer Halbkanton liegt im Bergland südlich des Vierwaldstätter Sees und wird durch das zu Nidwalden gehörende Engelberger Tal in 2 Teile getrennt; im Westen das Gebiet um den Sarner und Lungernsee, im Osten das Aatal mit dem Ort Engelberg. Sein amtlicher Name ist **Unterwalden ob dem Wald;** der Hauptort ist Sarnen. Zusammen mit Nidwalden bildet Obwalden den Kanton →Unterwalden. Die Bevölkerung ist überwiegend deutschsprachig und katholisch.

Obwalden
Fläche: 491 km²
Einwohner: 28 800

Neben dem Fremdenverkehr und der Almwirtschaft sind Holzverarbeitung und Lebensmittelindustrie wichtige Erwerbszweige.

Ochse, ein kastriertes männliches →Rind.

Ode [griechisch ›Gesang‹], im antiken Griechenland Bezeichnung für eine meist zu Musik vorgetragene lyrische Dichtung, die oft weihevoll-feierlichen Charakter hatte. Im engeren Sinn waren Oden gesungene Teile griechischer Trauerspiele, die mit Sprechteilen abwechselten. Später verstand man unter Ode ein feierliches Gedicht, das sich vom Lied durch eine strengere Form unterscheidet.

Odenwald, Mittelgebirge zwischen dem Kraichgau im Süden und dem Main im Norden, das im Westen an der Bergstraße zur Oberrheinebene stark abfällt. Der **Vordere Odenwald,** der in der Neunkirchner Höhe mit 605 m seine höchste Erhebung hat, ist stark zertalt und weist eine dichte Besiedlung auf. Der **Hintere Odenwald** ist eine vom Katzenbuckel (626 m) überragte, stark bewaldete Hochfläche.

Oder, 860 km langer Strom in Mitteleuropa. Sie entspringt im Odergebirge in der Tschechischen Republik, durchfließt Schlesien und Brandenburg und mündet in Pommern aus dem Stettiner Haff mit 3 Armen (Peene, Swine, Dievenow) in die Ostsee. Die wichtigsten Nebenflüsse sind: Oppa, Glatzer Neiße, Katzbach, Bober und Lausitzer Neiße von links sowie Klodnitz, Malapane, Stober, Bartsch und Warthe von rechts. Die Oder ist mit Elbe und Weichsel durch Kanäle verbunden, spielt aber auf Grund ihrer Grenzlage für die Schiffahrt keine Rolle mehr. Seit 1945 ist die Oder Teil der →Oder-Neiße-Linie.

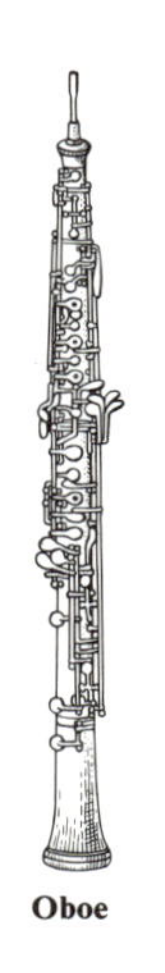
Oboe

Oder-Neiße-Linie, Staatsgrenze zwischen Deutschland und Polen, festgelegt im →Potsdamer Abkommen von 1945; sie bedeutet den Verlust der deutschen Ostgebiete durch den Zweiten Weltkrieg. Sie verläuft von der Ostsee westlich Swinemünde die Oder entlang bis zur Einmündung der Lausitzer (›Westlichen‹) Neiße und folgt ihr bis zur tschechischen Grenze. Die endgültige Festlegung der polnischen Westgrenze sollte einem zukünftigen Friedensvertrag mit Deutschland vorbehalten bleiben. Die Deutsche Demokratische Republik erkannte die Oder-Neiße-Linie 1950 an. Die Bundesrepublik Deutschland stimmte ihr im Warschauer Vertrag (1970) ebenfalls zu. Im Zuge der Wiedervereinigung wurde die Grenze im Deutsch-Polnischen-Grenzvertrag 1990 verbindlich geregelt.

Obwalden
Wappen des Halbkantons Obwalden

Odin, in den altnordischen Sagen der oberste germanische Gott, →Wotan.

Ödipus, in der griechischen Sagenwelt der Sohn des thebanischen Königs Laios und seiner Gemahlin Iokaste. Da dem Laios vorausgesagt worden war, er werde durch seinen Sohn sterben, ließ er Ödipus aussetzen. Doch ein Hirte rettete Ödipus, und der König von Korinth nahm ihn an Sohnes Statt an. Ödipus wurde prophezeit, daß er seinen Vater töten und die Mutter heiraten werde. Um diesem Schicksal zu entgehen, verließ er Korinth und erschlug auf dem Weg nach Theben den dortigen König Laios, ohne zu wissen, daß dieser sein Vater war. Er befreite Theben von der →Sphinx. Zum Lohn dafür wurde er König und Gatte seiner Mutter Iokaste, die ihm 2 Söhne (Eteokles, Polyneikes) und 2 Töchter (Antigone, Ismene) gebar. Durch einen Seher erfuhr Ödipus die Wahrheit. Iokaste erhängte sich daraufhin, und Ödipus stach sich selbst die Augen aus. Begleitet von seiner Tochter Antigone irrte er durch die Fremde, bis er von den Göttern erlöst wurde. Die Ödipussage wurde von zahlreichen Dramatikern und Komponisten bearbeitet, so von Aischylos, Euripides, Seneca, Jean Cocteau, Thomas Stearns Eliot und Igor Strawinsky.

Odoaker, germanischer Heerführer, der der kaiserlichen Leibwache des letzten weströmischen Kaisers Romulus Augustulus angehörte. Germanische Söldner, die in römischen Diensten standen, riefen ihn 476 n. Chr. in Ravenna zum König aus. Er setzte den weströmischen Kaiser ab und regierte Italien, bis die Ostgoten unter der Führung →Theoderichs Italien eroberten. Nach der Übergabe von Ravenna wurde Odoaker von Theoderich 493 erschlagen.

Odyssee, dem griechischen Dichter →Homer zugeschriebenes Epos über die Irrfahrten des →Odysseus. Im übertragenen Sinn versteht man unter ›Odyssee‹ auch eine langwierige Reise mit Hindernissen und Umwegen.

Odysseus, in der griechischen Sagenwelt ein Held, der für seine List und Klugheit gerühmt wurde. Er war König der griechischen Insel Ithaka und nahm auf Seiten der Griechen am →Trojanischen Krieg teil. Seiner List mit einem hölzernen Pferd hatten es seine Landsleute zu verdanken, daß sie Troja erobern konnten. Als der Krieg zu Ende war, irrte Odysseus 10 Jahre lang in der Fremde umher. Dabei hatte er Abenteuer mit →Polyphem, einem einäugigen Riesen, mit der Zauberin →Circe und bei den →Sirenen zu bestehen. Weil Odysseus mit seinen hungrigen Gefährten die heiligen Rinder eines Gottes schlachtete, vernichtete der Gott das Schiff mitsamt der Mannschaft; allein Odysseus überlebte. Sein selbstgebautes Floß verlor er in einem Sturm, den ihm der erzürnte Vater des Polyphem, der Meeresgott Poseidon, geschickt hatte. Dabei wurde Odysseus auf die Insel Scheria verschlagen, die vom Volk der Phäaken bewohnt wurde. Die Phäaken nahmen ihn freundlich auf und geleiteten ihn nach Ithaka zurück, wo seine Gemahlin →Penelope ihm 20 Jahre lang die Treue gehalten und ihre zahlreichen Freier immer wieder vertröstet hatte. – Die Sage von Odysseus wurde in vielen literarischen Werken behandelt; während die griechischen Tragiker die Hauptfigur überwiegend negativ zeichneten, stellte der Verfasser der **Ilias** und der **Odyssee** (möglicherweise →Homer) Odysseus als klugen und standhaften Helden dar. Weitere literarische Bearbeitungen des Themas gab es z. B. im 17. Jahrh. von Pedro Calderón, im 20. Jahrh. von Gerhart Hauptmann, Jean Giraudoux, James Joyce und Lion Feuchtwanger. Opern von Claudio Monteverdi und Werner Egk fußen ebenfalls auf der Odysseussage.

Offshore-Technik [offschor-, englisch ›von der Küste entfernt‹], Sammelbegriff für Aufsuchung und Gewinnung von →Erdöl und →Erdgas aus küstennahen Meeresgebieten.

Ohm, die Einheit des elektrischen →Widerstandes. Sie wurde nach dem deutschen Physiker **Georg Simon Ohm** (* 1789, † 1854) benannt. Das Einheitenzeichen für Ohm ist das große Omega (Ω) aus dem griechischen Alphabet. Ein elektrischer Leiter besitzt den Widerstand 1 Ω, wenn an ihm eine →Spannung von einem →Volt anliegt und dabei ein →elektrischer Strom der Stärke ein Ampere fließt:

$$\frac{1\ \text{Volt}}{1\ \text{Ampere}} = \frac{1\ \text{V}}{1\ \text{A}} = 1\frac{\text{V}}{\text{A}} = 1\,\Omega = 1\ \text{Ohm}.$$

Ohnmacht, kurzdauernder Verlust des Bewußtseins, der meist durch eine Kreislaufstörung bedingt ist, im Unterschied zur →Bewußtlosigkeit.

Ohr, Sinnesorgan im Bereich des Kopfes, das die Aufnahme und Weiterleitung der Schallwellen vermittelt **(Gehörsinn)** und die Orientierung im Raum und das Empfinden für das Gleichgewicht und für Bewegungen ermöglicht **(Gleichgewichtssinn).** Das Ohr ist in 3 Abschnitte gegliedert: Außenohr, Mittelohr und Innenohr. Das **Außenohr** besteht aus der knorpeligen **Ohrmuschel,** die wie ein Schalltrichter wirkt, und dem leicht gebogenen äußeren Gehörgang. An dessen Ende befindet sich das **Trommelfell,** ein feines Häutchen, das das im knöchernen Schädel liegende **Mittelohr** nach außen abschließt. Das

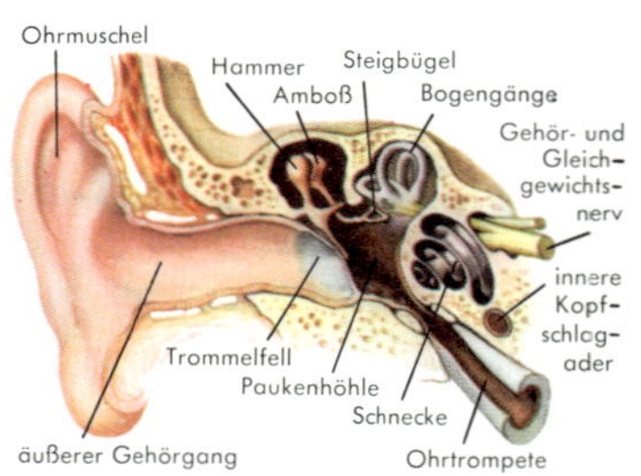

Ohr (schematische Übersicht)

Trommelfell wird durch auftreffende Schallwellen in Schwingungen versetzt, die wiederum auf die 3 kleinen **Gehörknöchelchen** (Hammer, Amboß und Steigbügel) im Mittelohr übertragen werden. Vom Steigbügel werden sie über das **ovale Fenster** an das **Innenohr** weitergegeben; bei jeder dieser Übertragungen werden die Schwingungen verstärkt. Diese erreichen im Innenohr die **Schnecke,** das eigentliche Gehörorgan. In dieser, einer mit Flüssigkeit gefüllten, wie eine Schnecke aufgerollten Röhre, pflanzen sie sich fort und reizen dadurch Sinneszellen (Haarzellen), die den Reiz über Nervenleitungen in das Hörzentrum des Gehirns weitervermitteln. Im Innenohr liegt auch das Gleichgewichtsorgan, das aus 3 **Bogengängen** besteht. Jeder dieser Bogengänge ist einer Richtung im Raum zugeordnet, so daß der Körper sich auf Bewegung und Lageveränderung (Aufstehen, Hinlegen, Bücken, Drehen) einstellen kann.

Das Mittelohr steht mit dem Rachen durch die **Ohrtrompete** in Verbindung. Sie dient dem Druckausgleich zwischen Mittelohr und Außenluft.

Okapi, ein der →Giraffe verwandtes Tier.

Okarina [italienisch ›Gänschen‹], eiförmige Ton- oder Porzellanflöte. Sie hat ein Schnabelmundstück wie die Blockflöte und 8–10 Grifflöcher. Der Ton ist ziemlich dumpf und ohne Obertöne. Sie wurde im 19. Jahrh. in Italien entwickelt.

Ökologie [zu griechisch oikos ›Haus‹], Lehre von den Beziehungen der Organismen untereinander und zu ihrer Umwelt. Sie ist ein Teilgebiet der Biologie. Die Ökologie wurde 1886 von dem Biologen Ernst Haeckel als ›Lehre vom Haushalt der Natur‹ begründet. Die **Autökologie** erforscht bei ökologischen Untersuchungen den Einzelorganismus und seine Abhängigkeit von der Umwelt, während die **Synökologie** von ganzen Lebensgemeinschaften (Biozönosen) ausgeht und die Beziehungen der Organismen untereinander und zu ihrem Lebensraum (→Biotop) untersucht. In jüngster Zeit hat die Ökologie auch auf Grund der Umweltprobleme und der damit verbundenen Bemühungen in →Umweltschutz und →Naturschutz große Bedeutung erlangt, besonders für den Pflanzenbau, die Schädlingsbekämpfung und die Forstwirtschaft.

ökologisches Gleichgewicht [zu griechisch oikos ›Haus‹], die relative Beständigkeit der wechselseitigen Beziehungen zwischen Organismen und Umwelt in einem →Biotop. Das ökologische Gleichgewicht ist ein **Fließgleichgewicht,** das heißt, Veränderungen ziehen andere Veränderungen nach sich, die ihrerseits wieder ausgleichend wirken. Das Gleichgewicht stellt sich immer wieder neu ein. Ein Beispiel: Angenommen, die Zahl der Hasen in einem Biotop nimmt auf Grund einer günstigen Nahrungssituation zu. In der Folge können nun die vorhandenen Nahrungsreserven für die größere Individuenzahl nicht mehr ausreichen, oder aber die Zahl der Freßfeinde (z. B. Fuchs) nimmt auf Grund der für sie nun günstigeren Nahrungssituation (größere Anzahl Hasen) ebenfalls zu. Beides bewirkt wieder einen Rückgang der Anzahl der Hasen. Über lange Zeiträume gesehen, werden diese beiden Prozesse immer abwechseln, das heißt, im Mittel bleibt die Zahl der Hasen gleich, außer es wird ein wichtiger Teil dieses Gleichgewichtes entfernt (z. B. die Freßfeinde). Je mehr Organismen und Umweltfaktoren an einem solchen Gleichgewicht beteiligt sind, desto stabiler ist es, da die Regulierung des Gleichgewichts dann von mehreren Seiten möglich ist.

Ökonomie [zu griechisch oikonomia ›Haushaltung‹], die Wirtschaft, die wirtschaftliche Struktur eines Landes. Als Ökonomie wird auch die Wirtschaftswissenschaft bezeichnet. Ökonomisch, das heißt wirtschaftlich vernünftig handelt, wer ein bestimmtes Ziel (z. B. täglich 5 000 Kraftfahrzeuge herstellen) mit möglichst geringem Aufwand oder Mittelumsatz (z. B. Arbeitskräfte, Maschinen) erreichen will. Dieses **ökonomische Prinzip** (Wirtschaftlichkeits- oder Rationalprinzip) umfaßt auch das Streben von Haushalten und Unternehmen, mit einem gegebenen Aufwand oder Mitteleinsatz (z. B. Monatseinkommen) den größtmöglichen Ertrag oder Nutzen zu erzielen.

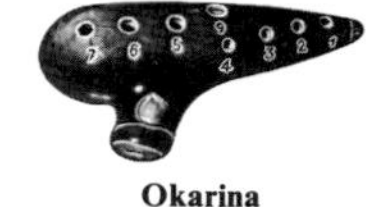
Okarina

Ökosystem [zu griechisch oikos ›Haus‹], das Beziehungsgefüge der Lebewesen untereinander und zu ihrem Lebensraum (→Biotop). Die Ökologen, die die Ökosysteme erforschen, untersuchen die räumliche Gliederung des Ökosystems, die Verteilung der Stoffe, die →Nahrungsketten und die Beziehungen der Pflanzen und Tiere untereinander. In der **Ökosystemforschung** arbeiten oft Mathematiker, Physiker, Chemiker und Geowissenschaftler mit Biologen zusammen.

Das größte Ökosystem ist die Erde, die in kleinere Untereinheiten gegliedert werden kann, z. B. die Ökosysteme Meer und Land bis hin zu den kleinsten Beziehungsgefügen Teich, Bach, Moor.

Oktanzahl [zu lateinisch octo ›acht‹], Abkürzung **OZ,** eine Maßzahl für die **Klopffestigkeit** des im Ottomotor verwendeten →Benzins. Als

Klopfen bezeichnet man die dem Autofahrer hörbare Selbstentzündung des Luft-Kraftstoff-Gemischs im Zylinder, bevor der Zündfunke überspringt. Klopfen vermindert die Motorleistung und kann zu Motorschäden führen. Sein Auftreten ist abhängig vom Verdichtungsverhältnis des Motors und von der Oktanzahl des Benzins. **Oktan** (chemisch genau: Isooktan) ist ein Kohlenwasserstoff und Bestandteil des Benzins, der nicht zum Klopfen neigt. Je mehr Oktan im Benzin enthalten ist, je höher also die in Prozent ausgedrückte Oktanzahl ist, desto klopffester ist der Kraftstoff. Normalbenzin hat eine Oktanzahl von 90–93, Superbenzin von 96–98. Die wegen der Umweltgefahren begrenzte Zumischung von organischen Bleiverbindungen steigert die Oktanzahl.

Oktave [lateinisch ›die achte‹], ein →Intervall im Abstand von 8 Notenstufen. Auch die Gesamtheit der Töne, die innerhalb dieses Intervalls liegen, bezeichnet man als Oktave.

Oktoberrevolution, der Umsturz in Rußland durch die →Bolschewiken, die Anhänger **Lenins.** Nach dem Julianischen Kalender fand er am 24./25. Oktober 1917 statt, nach dem Gregorianischen Kalender am 6./7. November 1918.

An der Spitze eines am 9. Oktober 1917 gebildeten ›Militärischen Revolutionskomitees‹ organisierte **Leo Trotzkij** den Aufstand. Am 24./25. Oktober 1917 besetzten bolschewistische Truppen die wichtigsten Regierungsgebäude in Sankt Petersburg (heute Leningrad); sie stürmten das ›Winterpalais‹, den Sitz der provisorischen Regierung **Aleksandr Kerenskijs.** Die Minister wurden verhaftet, Kerenskij konnte fliehen. Unter der Leitung Lenins übernahm ein ›Rat der Volkskommissare‹ die Regierung. Erste Regierungsmaßnahmen waren die entschädigungslose Enteignung der Großgrundbesitzer und die Einleitung von Friedensverhandlungen mit Deutschland und Österreich-Ungarn. Da die Bolschewiken bei den Wahlen zur Verfassungsgebenden Versammlung nur 175 von 707 Abgeordneten gewannen, lösten sie dieses Parlament auf. Die parlamentarische Demokratie verschwand zugunsten des Rätesystems (→Räterepublik).

Okular [von lateinisch oculus ›Auge‹], dem Auge zugewandte Linse (oder Linsensystem) in optischen Instrumenten (wie →Mikroskop oder →Fernrohr). Das Okular ermöglicht die Betrachtung des vom Objekt durch das →Objektiv erzeugten Zwischenbildes.

Ökumene [griechisch oikumene, ›allgemein‹, ›den bewohnten Teil der Erde umfassend‹], im weiteren Sinn alle christlichen Einigungsbestrebungen. Die ökumenische Bewegung im engeren Sinn begann im 19. Jahrh. Die Bemühungen um die Wiederherstellung der kirchlichen Einheit in Organisation und Lehre gehen vor allem von den →Reformationskirchen und den Ostkirchen aus, besonders seit der internationalen Missionskonferenz in Edinburgh (1910). 1948 wurde in Amsterdam der ›Ökumenische Rat der Kirchen‹ (heutiger Name ›Weltrat der Kirchen‹ mit Sitz in Genf) gegründet, dem mehr als 300 protestantische, orthodoxe, anglikanische und altkatholische Kirchen angehören. Die dem Rat nicht angehörende katholische Kirche unterhält zu ihm enge Beziehungen und entsendet offizielle Beobachter aus dem ›Sekretariat für die Einheit der Christen‹. Im deutschsprachigen Raum gibt es verschiedene Formen ökumenischer Zusammenarbeit. Daraus erwuchs 1967 ein gemeinsamer Text des ›Vater unser‹ und des ›Glaubensbekenntnisses‹; außerdem ist inzwischen eine ökumenische deutsche Bibelübersetzung erstellt worden.

Okzident [lateinisch ›Sonnenuntergang‹], das →Abendland.

Öl, Bezeichnung für eine Vielzahl flüssiger organisch-chemischer Verbindungen, die wasserunlöslich sind. Drei Gruppen lassen sich unterscheiden:

1) Die **Mineralöle,** die Bestandteile oder Produkte des Erdöls (z. B.: Motorenöl, Heizöl) oder vollsynthetische Öle sind.

2) Die pflanzlichen und tierischen, sogenannten **fetten Öle,** die Verbindungen des Alkohols →Glyzerin mit organischen Säuren sind (z. B. Sonnenblumenöl, Olivenöl).

3) Die **ätherischen Öle,** meist intensiv duftende, leicht verdampfbare Flüssigkeiten, die aus Pflanzen gewonnen werden (z. B. Pfefferminzöl, Nelkenöl).

Oldenburg, 143 800 Einwohner, niedersächsische Stadt an der Hunte. Oldenburg war jahrhundertelang Residenz der Grafen und Herzöge von Oldenburg. Das ehemalige großherzogliche Schloß liegt in der von Wasserläufen umgebenen Altstadt Oldenburgs.

Oleander, wärmeliebende Pflanze aus dem Mittelmeergebiet und dem Orient, die in Deutschland als Kübelpflanze gezogen wird. In seiner Heimat wächst Oleander häufig an Straßen als 7–8 m hoher Strauch oder Baum. Die lanzettförmigen, ledrigen Blätter sind immergrün. Die roten, rosa, weißen oder gelben Blüten duften stark. Alle Pflanzenteile sind **giftig.**

Oleander

Ölfrüchte. Aus den Samen, in wenigen Fällen auch aus dem Fruchtfleisch der Ölpflanzen wird vor allem Speiseöl, seltener Öl für technische Zwecke (Seifen, Pharmazeutika, Farben, Lacke) gewonnen. Die Samen oder Früchte werden in **Ölmühlen** maschinell zerkleinert und in einer hydraulischen Presse entölt. Im überwiegend gemäßigten Klima gedeihen Flachs, Hanf, Mais, Mohn, Ölkürbis, Ölrettich, Raps, Rüben, Schwarzer und Weißer Senf und Sonnenblume. Auch manche Laubbäume liefern Öl (Rotbuche, Hasel). Zu den Ölpflanzen, die in tropischen und subtropischen Zonen angebaut werden, zählen: Baumwolle, Erdnuß, Kakao, Kapokbaum, Kokospalme, Mandelbaum, Olivenbaum, Ölpalme, Paranußbaum, Rizinus und Sojabohne. Viele Ölpflanzen liefern Pflanzenfette (z. B. Kokosfett).

Olive, Frucht des Olivenbaums (auch Ölbaum genannt). Die pflaumenähnlichen Steinfrüchte enthalten im Fruchtfleisch bis zu 22% Öl, das als Nahrungsmittel, in der Seifenindustrie und in der Medizin vielseitige Verwendung findet. Als Nahrungsmittel werden Oliven frisch oder in Salz und Essig eingelegt genossen; sie schmecken herb und leicht bitter.

Ölmalerei, die Malweise mit Ölfarben, also mit Farben, bei denen die einzelnen Farbteilchen (Pigmente) durch Öle gebunden werden. Der Bildträger (Holz, Leinwand, Pappe) erhält zunächst eine einfarbige oder aus wenigen Farbtönen bestehende Untermalung (Grundierung); darauf wird dann schichtweise das Gemälde aufgetragen. Zuletzt folgt eine Lackschicht (Firnis) als Schutz gegen Verschmutzung. Die Ölmalerei wurde besonders im 15. und 16. Jahrh. von verschiedenen Künstlern allmählich entwickelt, um die neuen malerischen Aufgaben des ausgehenden Mittelalters und der beginnenden Renaissance technisch bewältigen zu können (Wiedergabe von Licht und Schatten, naturgetreue Modellierung der Form im Raum). Im Unterschied zu den bis dahin hauptsächlich verwendeten **Temperafarben,** die wäßrige Bindemittel enthalten, erlauben die Ölfarben ein Neben- und Übereinandersetzen von Pinselstrichen, ohne daß die Farben ineinanderlaufen. Außerdem trocknen Ölfarben so langsam, daß der Maler noch nach Stunden oder sogar Tagen an der gleichen Stelle weitermalen kann; nach dem Trocknen behalten sie ihren Glanz und ihre satte Farbwirkung. Im Lauf der Zeit können Ölgemälde jedoch matt werden, vergilben oder Risse zeigen.

Olme, Familie sehr schlanker, fast 30 cm langer Schwanzlurche (→Lurche), bei denen zeitlebens Merkmale des Larvenstadiums erhalten bleiben, z. B. die äußeren Kiemen. Der **Grottenolm** lebt in Südeuropa (Jugoslawien) in kalten, unterirdischen Höhlengewässern. Als Anpassung an diesen lichtlosen Lebensraum ist seine Haut durch Pigmentrückbildung weiß, seine Augen sind verkümmert und von Haut überwachsen, die Gliedmaßen zurückgebildet. Der Grottenolm frißt Würmer und kleine Krebse.

Ölpest, großflächige Verschmutzung der Meere und Küsten durch Rohöl und Ölprodukte, die durch Tankerunfälle, durch die zunehmende Erdölförderung im Meer, durch das Ablassen von Altöl ins Meer gelangen und es verunreinigen. Da Öl leichter als Wasser ist, bildet es eine **Ölteppich** genannte Schicht, die den Sauerstoffzutritt ins Wasser verhindert. Dies führt zu Beeinträchtigung der Atmung bei Fischen und Schalentieren sowie zu Verklebung des Gefieders bei Seevögeln und bedeutet für viele den Tod. Bei Auftreten einer Ölpest im offenen Wasser sucht man die Ausbreitung zu verhindern, indem man von Spezialschiffen aus das Öl abschöpft, absaugt oder mit Chemikalien bindet.

Olive: Olivenbaum; Blütenzweig

Olymp, höchstes Gebirge Griechenlands, bis 2911 m hoch. Im griechischen Götterglauben war der Olymp der Sitz der Götter.

Olympia, antike Kultstätte des Zeus und der Hera im Nordwesten der Peloponnes, Schauplatz der Olympischen Spiele. Die Ausgrabungen deutscher Forscher begannen 1875. Hauptbau der Anlage war der dorische **Tempel des olympischen Zeus** aus dem 5. Jahrh. v. Chr., in dem das von Phidias geschaffene gold-elfenbeinerne Sitzbild des Zeus aufgestellt war (nicht erhalten). Ausgegraben wurde der größte Teil der Tempelplastiken, die den Außenbau schmückten; sie sind Gipfelleistungen griechischer frühklassischer Skulptur. Viele weitere Bauten konnten durch die Ausgräber bestimmt werden, vor allem der Hera-Tempel, die Schatzhäuser zur Unterbringung der Weihgeschenke, das Stadion sowie die Übungsstätte für die Athleten (Gymnasion) mit der Ringschule (Palästra).

Olympiade, ursprünglich im antiken Griechenland der vierjährige Zeitraum zwischen 2 Olympischen Spielen. Daraus leitete sich ›Olympiade‹ auch als Bezeichnung für die Olympischen Spiele ab.

Olympische Spiele, im Altertum die antiken Festspiele in Olympia von 776 v. Chr. bis 393 n. Chr., in der Gegenwart die dem antiken Vorbild nachgestalteten großen internationalen Sportspiele seit 1896.

Olympische Spiele: Olympische Ringe

Die Spiele in Olympia

Die Festspiele in Olympia waren in der antiken Welt die bedeutendsten. Ihre Anfänge lagen in kultischen Spielen. Literarisch belegt sind die Olympischen Spiele seit 776 v. Chr. Auf dem Wettkampfprogramm standen Laufwettbewerbe über verschiedene Distanzen, der Fünfkampf (Pentathlon, bestehend aus Lauf-, Diskus- und Speerwerfen, Weitsprung und Ringen), das Ringen, der Faustkampf sowie Pferde- und Wagenrennen. Teilnehmen durften nur freie griechische, später auch römische Bürger. Frauen waren, auch als Zuschauer, nicht zugelassen.

Der Siegespreis bestand aus einem Ölzweig vom heiligen Ölbaum in Olympia, oft kam ein Palmzweig dazu. Später erhielten die Olympiasieger zu Hause hohe, auch wertvolle Auszeichnungen, so z. B. in Athen 500 Drachmen (etwa der Wert von 500 Schafen).

Im 4. Jahrh. n. Chr. liefen die Olympischen Spiele aus, nachdem sie im 2. Jahrh. noch einmal eine Blütezeit erlebt hatten. Von 393 ist die letzte Ausrichtung der Olympischen Spiele bezeugt; Kaiser Theodosius soll sie als heidnischen Kult verboten haben. Zwei Erdbeben (522 und 551) zerstörten den Ort Olympia und ließen ihn in Vergessenheit geraten, bis um die Mitte des 19. Jahrh. Ernst Curtius mit seinen Ausgrabungen die Olympischen Spiele wieder in Erinnerung rief und mittelbar den Anlaß für ihre Erneuerung durch den Franzosen Pierre de → Coubertin gab.

Die modernen Spiele

Nach der Gründung des → Internationalen Olympischen Komitees (IOC) wurden die ersten Spiele für 1896 nach Athen vergeben; seither finden sie alle 4 Jahre (Ausnahme 1916, 1940, 1944) an einem anderen Ort mit festem Programm und nach den vom IOC festgelegten **Olympischen Regeln** statt, wobei Sommer- und Winterolympiade jeweils um 2 Jahre versetzt sind. Seit 1924 werden auch Olympische Winterspiele ausgetragen. Vor Beginn der Wettkämpfe leistet ein Sportler des Gastlandes stellvertretend für alle Teilnehmer das **Olympische Gelöbnis,** womit sich die Athleten verpflichten, die Regeln zu beachten. Für die Dauer der Spiele brennt über dem Stadion die **Olympische Flamme.** Sie wird im griechischen Olympia entzündet und in einem Staffellauf zum Stadion gebracht. Die während der Spiele aufgezogene **Olympische Fahne** zeigt auf weißem Grund die **Olympischen Ringe,** die die Verbundenheit der 5 Erdteile versinnbildlichen. Die 3 Erstplazierten jedes Wettbewerbs erhalten als Auszeichnung eine **Olympische Medaille** (in Gold für den 1. Platz, in Silber für den 2. Platz, in Bronze für den 3. Platz). Zu ihrer Ehrung wird die Fahne ihres Heimatlandes aufgezogen; es erklingt die Nationalhymne des Olympiasiegers.

Oman

Staatswappen

Staatsflagge

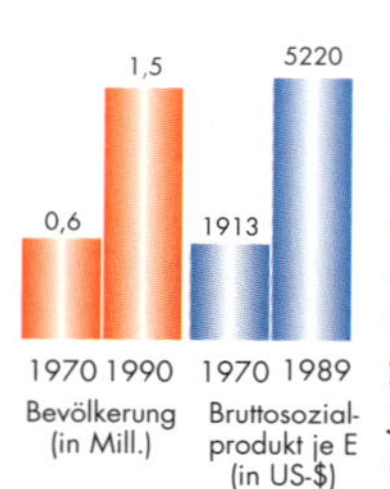

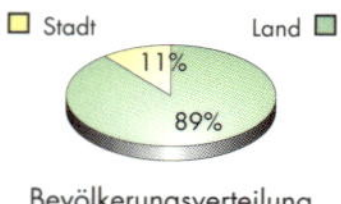

Bevölkerungsverteilung 1990

Bruttoinlandsprodukt 1990

Oman

Fläche: 212 457 km²
Bevölkerung: 1,5 Mill. E
Hauptstadt: Maskat
Amtssprache: Arabisch
Nationalfeiertag: 18. Nov.
Währung: 1 Rial Omani (R. O.) = 1 000 Baizas (Bz.)
Zeitzone: MEZ + 3 Stunden

Oman, Sultanat im Südosten der Arabischen Halbinsel, fast doppelt so groß wie Bulgarien. In dem heißen Wüstenklima ist nur in der Küstenebene und in der Landschaft Dhofar im Süden Oasenfeldbau möglich. Wasser aus Grundwasserbrunnen bewässert Dattelpalmen, Getreide und Obstkulturen. Grundlage der Wirtschaft sind die seit 1963 erschlossenen Erdölvorkommen. Mit den Erträgen werden Straßen, Schulen, Krankenhäuser, aber auch Fabriken gebaut. Wichtigster Abnehmer des Erdöls ist Japan. – Seit dem 7. Jahrh. ist das Land von Arabern besiedelt. Im 19. Jahrh. machten die Briten ihren Einfluß geltend. Im Verlauf seiner Geschichte war Oman jedoch nie Kolonialgebiet. (KARTE Seite 195)

Omega (Ω,ω), der vierundzwanzigste und letzte Buchstabe des griechischen Alphabets (→ Alpha). Ω ist in der Physik das Einheitenzeichen für → **O**hm.

Onanie, Selbstbefriedigung, → Masturbation.

Ontariosee, englisch **Lake Ontario,** der östlichste und kleinste der Großen Seen in Nordamerika. Mit 19 011 km² ist er so groß wie das Bundesland Rheinland-Pfalz. Hauptzufluß des bis zu 224 m tiefen Sees ist der vom Eriesee kommende Niagara, Abfluß ist der Sankt-Lorenz-Strom.

Opal, der Name des vor allem bei den Römern als Edelstein hochgeschätzten Minerals ist wahrscheinlich vom altindischen upala, das heißt ›wertvoller Stein‹, abgeleitet. Das teilweise amorphe (nicht kristallisierte), wasserhaltige Kieselsäuregel kommt als hellfarbener bis farbloser Gesteinsüberzug oder als traubiges Gebilde in der Natur vor. Es wird in Organismen gebildet, vulkanisch in Hohlräumen von Ergußgesteinen, an heißen Quellen als Kieselsinter und besonders bei der Verwitterung von Silikaten wie in der Wüste. So entstanden z. B. die versteinerten Hölzer. Bekannte Edelstein-Varietäten sind der Edelopal, der ein prächtiges bläulich-weißes Farbenspiel zeigt, der leuchtendgelbe bis spiegelrote Feueropal oder der milchig trübe Milchopal.

Op Art, Abkürzung für englisch **Optical Art** [›optische Kunst‹], Bezeichnung für Strömungen innerhalb der zeitgenössischen Kunst seit Mitte der 1950er Jahre. Grundlage sind geometrische Formmuster und Farbfiguren, die im Auge des Betrachters Bewegungs- und Flimmereffekte auslösen und zu optischen Täuschungen führen können. Werke der Op Art schufen z. B. der französische Maler und Graphiker Victor Vasarély und die englische Malerin und Graphikerin Bridget Riley. Die Op Art, die ihre größte Wirkung in den 1960er Jahren entfaltete, beeinflußte vor allem die angewandten Künste, z. B. die Werbegraphik.

Op Art: Victor Vasarély, Relief vert-rouge; 1965

OPEC, Abkürzung für **O**rganization of **P**etroleum **E**xporting **C**ountries [›Organisation Erdöl exportierender Länder‹], 1960 gegründete Organisation, die ihren Sitz in Wien hat. Ihr gehören an: Algerien, Gabun, Indonesien, Irak, Iran, Katar, Kuweit, Libyen, Nigeria, Saudi-Arabien, Venezuela und Vereinigte Arabische Emirate. Die OPEC-Länder wollen vor allem mit Absprachen über Preise und Mengen (→Kartell) ihre Erdölpolitik vereinheitlichen. Wegen der Erdölabhängigkeit westlicher Industriestaaten konnte die OPEC 1970–80 die Preise stark erhöhen. Ihr Einfluß verringerte sich jedoch, als neue Anbieter (z. B. Großbritannien) auftraten und die Industrieländer sparsamer mit Erdöl umgingen.

Oper [von italienisch opera (in musica) ›(Musik-)werk‹], musikalisches Schauspiel, in dem entweder nur gesungen wird oder gesungene Teile mit gesprochenen Dialogen abwechseln. Die Oper ist um 1600 in Florenz entstanden. An der Entwicklung der barocken Oper, die im wesentlichen durch die Abfolge von **Rezitativ** (Sprechgesang) als Träger der Handlung und dreiteiliger **Arie** zur Wiedergabe unterschiedlicher Gefühlsarten gekennzeichnet ist, haben italienische Komponisten (unter anderen Claudio Monteverdi und Alessandro Scarlatti) wesentlichen Anteil. Gegenüber der vorherrschenden italienischen Oper konnte sich im späten 17. Jahrh. nur in Frankreich eine eigenständige Operntradition entwickeln (Jean-Baptiste Lully).

Der anfangs nur von tragischen Stoffen aus der antiken Götter- und Heldenwelt bestimmten **ernsten Oper (opera seria)** erwuchs im 18. Jahrh. eine Konkurrenz in der **komischen Oper (opera buffa),** die meist Themen aus dem bürgerlichen Alltagsleben behandelte. Die Oper des 18. Jahrh. erreichte ihren Höhepunkt in den Werken von Christoph Willibald →Gluck und Wolfgang Amadeus →Mozart, der mit seiner ›Zauberflöte‹ zum Begründer der deutschen Operntradition wurde. Zu den herausragenden Opernkomponisten des 19. und 20. Jahrh. zählen Richard →Wagner, Guiseppe →Verdi, Giacomo →Puccini und Richard →Strauss.

Operation [lateinisch ›Handlung‹], ärztliches Behandlungsverfahren, das mit einem Eingriff in den menschlichen Körper verbunden ist. Dabei verletzt der Arzt den Körper des Menschen, um krankhaft verändertes Gewebe oder funktionsuntüchtige Organe zu entfernen; sein Ziel ist es, das Leben des Patienten zu retten (z. B. nach Unfällen mit starken Blutungen) oder seine Gesundheit wiederherzustellen (z. B. Entfernung des Wurmfortsatzes bei der Blinddarmoperation). Durch eine Operation können auch Knochenbrüche mit Hilfe von Metallplatten oder Nägeln stabilisiert oder zerstörte Gelenke durch ein künstliches Gelenk ersetzt werden. Auch werden mehr und mehr Organe (Niere, Herz, Leber) von einem Menschen auf einen anderen übertragen (→Organverpflanzung). Vor der Operation wird der Patient in →Narkose versetzt, die der Schmerzausschaltung (→Anästhesie) dient.

Operette [aus italienisch operetta ›kleine Oper‹], musikalisches Bühnenwerk mit gesprochenem Dialog, mit leichter, an komischen Szenen reicher Handlung, die von liedhaften Formen mit ausgeprägtem Tanzcharakter und Balletteinlagen unterbrochen wird. Die Grenzen zur komischen Oper, zum Singspiel oder zur Posse mit Gesang sind oft fließend. Die Blütezeit der Operette waren die zweite Hälfte des 19. und die ersten Jahrzehnte des 20. Jahrh. mit Komponisten wie Johann Strauß, Jacques Offenbach und Franz Léhar. Die Operette wurde vor allem in Paris, Wien und Berlin gepflegt. Sie wurde im 20. Jahrh. Ausgangspunkt des →Musicals.

Opfer, Darbringung einer Gabe an eine Gottheit, der der Opfernde damit Verehrung, Dank und Vertrauen bekundet oder von der er etwas erbittet. In manchen Fällen wird ein Opfer auch als Sühne für eine Untat dargebracht; damit soll die Gottheit gnädig gestimmt werden. Im Altertum wurden vor allem Feldfrüchte und Tiere geopfert, womit man um gute Ernten, Fruchtbarkeit der Herden oder den Sieg über die Feinde bat.

Es gab verschiedene Arten des Opfers. Beim **Brandopfer** wurde das geopferte Gut vollständig verbrannt. Beim **Mahlopfer** wurde nur ein Teil verbrannt, während die Opfernden den Rest verzehrten. In nichtchristlichen Religionen gibt es heute noch solche Bräuche, z. B. in Indien. Aus einigen Kulturen sind auch **Menschenopfer** überliefert. So opferten die Phöniker dem Gott Baal ihre erstgeborenen Kinder. Die Azteken brachten ihrem Kriegsgott gefangene Gegner dar, indem sie ihnen bei lebendigem Leib das Herz herausrissen. Viele Sagen von alten Kulturen lassen darauf schließen, daß in früher Zeit Menschenopfer weit verbreitet waren und erst im Laufe der Geschichte durch Tieropfer ersetzt wurden.

Das Christentum lehnt jede Form des Opfers ab. Es sieht im Kreuzestod Christi, der sein Leben als Sühne für die Sünden der Menschheit hingab, das höchste und letzte Opfer.

Im heutigen Sprachgebrauch versteht man unter einem Opfer den spürbaren Verzicht auf etwas oder eine Einschränkung zum Wohl anderer Menschen.

optische Täuschungen

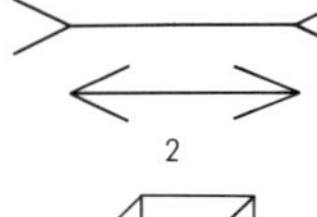

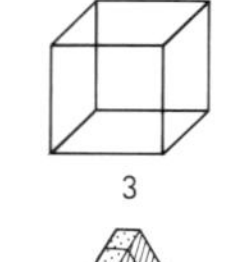

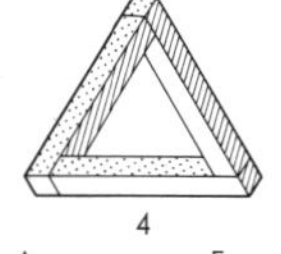

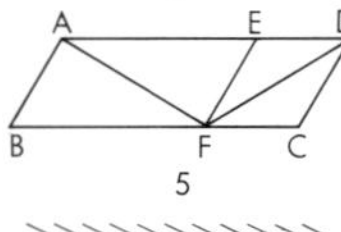

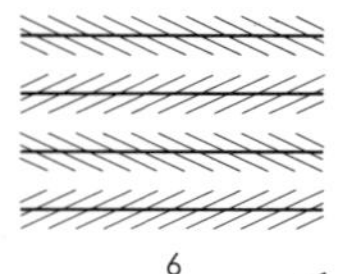

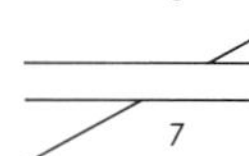

optische Täuschungen: 1 Perspektivische Täuschung; beide Personen sind gleich groß gezeichnet (nach Bezold). **2** Größentäuschung (Müller-Lyersche Täuschung); die von den Pfeilspitzen begrenzten Strecken sind gleich groß. **3** Umspringfigur (Neckerscher Würfel); schlägt bei längerer Betrachtung sprunghaft in eine andere räumliche Auffassung um. **4** ›Unmögliche‹ Figur (nach Penrose). **5** Sandersche Figur; $AF = DF$. **6** Richtungstäuschung (Zöllnersche Täuschung); die Parallelen scheinen zusammenzulaufen. **7** Geometrische Täuschung (Poggendorffsche Täuschung); die schräge, durch zwei parallele Geraden unterbrochene Linie erscheint in ihren Teilstücken gegeneinander versetzt

Opium [zu griechisch opos ›Saft‹], der eingetrocknete Milchsaft der unreifen Fruchtkapsel des Schlafmohns, einer Pflanze, die hauptsächlich im ›Goldenen Dreieck‹ (Birma – Thailand – Laos), aber auch in Indien, Iran und Kleinasien angebaut wird. Opium war für die Anbauer in diesen Ländern schon immer ein wichtiger Handelsartikel und hatte als Zahlungsmittel, Arzneimittel und Rauschmittel hohe Bedeutung. Durch chemische Prozesse werden aus dem Opium als wichtigste Stoffe die Drogen →Morphium und →Heroin gewonnen. Opium wird überwiegend in Form von kleinen Kugeln oder Stäbchen gegessen. Es gleicht in seiner Wirkung dem Morphium. Die körperliche und psychische Abhängigkeit entwickelt sich sehr schnell.

Opossum, ein →Beuteltier.

Opposition, →Demokratie.

Optik [griechisch ›(Lehre vom) Sehen‹], die **Lehre vom Licht,** die sich mit der Entstehung, Ausbreitung und Wirkung von sichtbarem Licht und mit der für unser Auge nicht mehr wahrnehmbaren Strahlung (→Infrarotstrahlung, →Ultraviolettstrahlung) beschäftigt.

Mit Hilfe der **geometrischen Optik (Strahlenoptik)** erklärt man alle Erscheinungen, bei denen die Wellennatur des Lichtes vernachlässigt werden kann. Sie behandelt das Licht als Bündel von geradlinigen Strahlen und verfolgt ihren Gang nach den Gesetzen der →Reflexion und →Lichtbrechung beim Durchgang durch Stoffe verschiedener Art und Form. Sie ist die Grundlage für die Berechnung des Aufbaus optischer Geräte (→Fernrohr, →Mikroskop). Der geometrischen Optik bedient man sich aber auch zur Berechnung des Schattenwurfes großer Gegenstände. Beleuchtet man dagegen sehr kleine oder sehr dünne Gegenstände (z. B. ein Haar) mit parallelem Licht, so beobachtet man, daß der Gegenstand keinen eindeutigen Schatten mehr wirft. Zur Erklärung dieser Erscheinung benötigt man die Wellennatur des Lichtes. Mit ihr befaßt sich die **Wellenoptik.** Durch die Entwicklung des (1960 erstmals funktionierenden) →Lasers wurden der Optik zahllose neue Forschungs- und Anwendungsbereiche erschlossen. – Über die Farbzerlegung des Lichts →Farbe.

optische Täuschungen sind dadurch gekennzeichnet, daß beim Betrachten die wahrgenommenen Maßverhältnisse oder Erscheinungsweisen nicht mit den geometrisch erfaßbaren Verhältnissen oder den physikalischen Gegebenheiten der tatsächlichen Gegenstände übereinstimmen (BILDER).

Opus [lateinisch ›Arbeit‹ oder ›Werk‹], in der Musik ein einzelnes Werk, eine einzelne Komposition. Mit den **Opuszahlen** werden die Werke eines Komponisten gezählt. Meist wird das Wort dann abgekürzt: op., also z. B. die 9. Sinfonie von Ludwig van Beethoven op. 125.

Orakel [von lateinisch orare ›reden‹]. In fast allen Kulturen kennt man das Orakel als Weissagung über Zukünftiges oder als Rat in einer zweifelhaften Situation. Bei den alten Griechen und Römern waren vor allem **Zeichenorakel** üblich: Priester (so die römischen →Auguren) befragten die Götter, indem sie z. B. den Vogelflug beobachteten oder die Eingeweide von Opfertieren auf Besonderheiten hin untersuchten und diese dann als Antwort auf ihre Frage deuteten. Daneben wurden **Spruchorakel** eingeholt, wie sie im griechischen →Delphi die Seherin →Pythia in einer Art Rauschzustand von sich gab. Privatpersonen, aber auch Staatsmänner und Feldherren, ließen sich gegen Bezahlung ein Orakel stellen und machten wichtige Entscheidungen davon abhängig. Das Wort ›Orakel‹ bezeichnet außerdem die Tempelstätten, an denen die Weissagungen eingeholt wurden.

Orange [orạ̄sche], die Apfelsine (→Citrusfrüchte).

Orang-Utan, eine Art der →Menschenaffen, deren Heimat die tropischen Urwälder auf den asiatischen Inseln Sumatra und Borneo sind. Ihr Name bedeutet in der Eingeborenensprache ›Waldmensch‹, denn früher glaubte man, sie seien Menschen, die sich in Wälder zurückgezogen hätten. Das rot- bis gelbbraune Fell mit bis zu 50 cm langen Haaren schützt gut vor Nässe; gegen den häufigen tropischen Regen halten sich Orang-Utans mitunter auch Blätter über den Kopf. Die sehr starken Männchen mit den gewaltigen Backenwülsten können bis 1,5 m hoch und bis 100 kg schwer werden, Zootiere doppelt so schwer; ihr großer Kehlsack bläht sich beim ›Gesang‹, mit dem sie um Weibchen werben, stark auf. Orang-Utans leben meist auf Bäumen. In kleinen Familien durchwandern sie – mit ihren auffallend langen, kräftigen Armen von Ast zu Ast hangelnd und schwingend – das Gezweig. Am Boden können sie mit ihren kurzen Beinen und stark ausgebildeten Greiffüßen nur schlecht laufen. Sie fressen vor allem Früchte, auch Blätter und Knospen. Orang-Utans, die bis zu 35 Jahre alt werden können, sind in ihrem Bestand sehr gefährdet, da ihr Lebensraum mehr und mehr zerstört wird. (BILD Affen)

Oranje, englisch **Orange River,** 1 860 km langer Strom in Südafrika. Er entspringt in den Drakensbergen, bildet die Südgrenze des Oranje-Freistaates und Namibias und mündet bei Oranjemund in den Atlantischen Ozean. Der Oranje ist wegen geringer Wasserführung und zahlreicher Stromschnellen nicht schiffbar. Mehrere

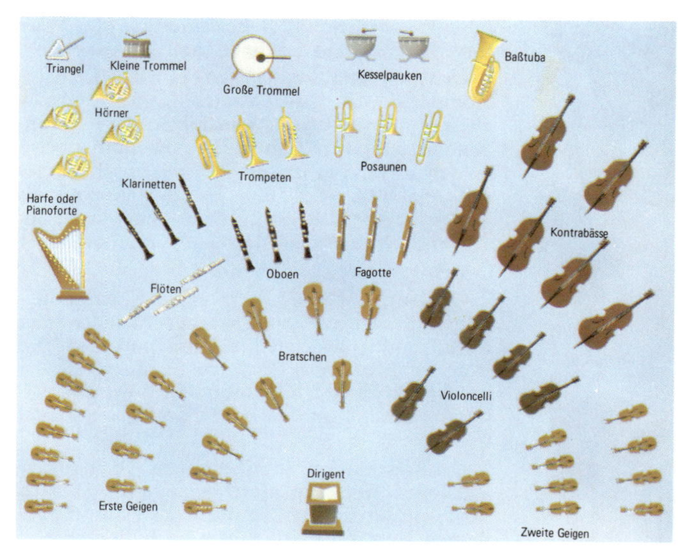

Orchester: Sitzordnung eines Sinfonieorchesters (herkömmliche Art)

Orchester: die ›amerikanische‹ Sitzordnung; von ihr wird in bestimmten Details dann abgewichen, wenn die jeweiligen akustischen Bedingungen des Konzertraumes es erfordern

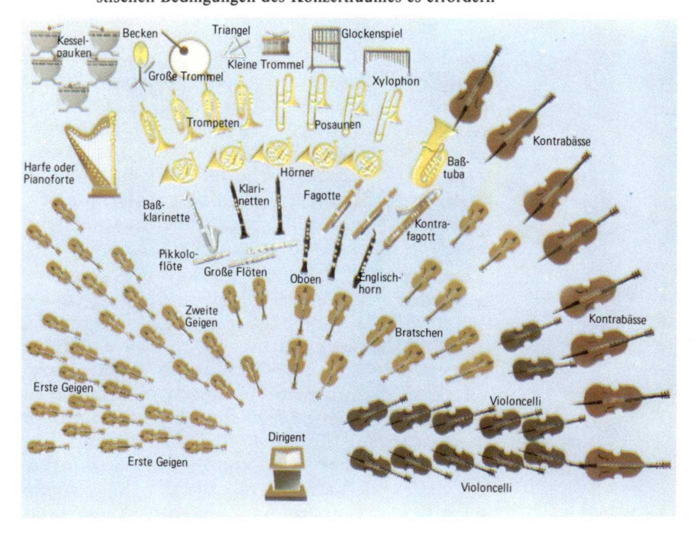

Orchideen:
Frauenschuh

Kleines Knabenkraut

Rotes Waldvögelein

Staudämme dienen der Bewässerung, der Wasserversorgung und der Elektrizitätsgewinnung.

Oratorium [aus italienisch oratorio ›Betsaal‹], Komposition für Einzelstimmen, Chor und Orchester mit meist religiösem Inhalt, die in ihrem Aufbau der Oper ähnelt. Die Handlung wird jedoch nicht, wie in der Oper, szenisch dargestellt, sondern geht allein aus den gesungenen Texten hervor. Die ersten Oratorien wurden im 17. Jahrh. in Italien in Betsälen aufgeführt.

Orbit, →Erdumlaufbahn.

Orbiter, ein Raumfahrzeug oder Raumflugkörper, der einen Himmelskörper (Planeten oder Mond) auf einer Satellitenbahn umkreist. Die Bezeichnung wird nicht auf die Erdumlaufbahn beschränkt; es gab z. B. Mars- oder Venus-Orbiter. Am bekanntesten ist der Orbiter des →Raumtransporters.

Orchester. Im altgriechischen Theater war ›orchestra‹ der ›Tanzplatz‹ des Chores. Danach wird seit der Entstehung der Oper auch im modernen Theater der Raum vor der Bühne, in dem die Musiker sitzen, Orchester oder Orchesterraum genannt. Von diesem Raum ging der Name auf die Musiker selbst über. Heute versteht man unter Orchester vor allem eine Gruppe von Musikern, die – meist unter Leitung eines Dirigenten – auf verschiedenen Instrumenten musizieren. Nach der Aufgabe unterscheidet man z. B. Rundfunk-, Tanz-, Schulorchester, nach ihrer Zusammensetzung **volles Orchester** (mit Streich-, Blas- und Schlaginstrumenten), **Streichorchester** (nur Streichinstrumente), **Harmonieorchester** (nur Blasinstrumente), **Militärorchester** (Blas- und Schlaginstrumente).

Das **Sinfonieorchester** ist ein großes Orchester mit etwa 60–100 Instrumentalisten, die folgende, in 4 Gruppen eingeteilte Instrumente spielen: Streich-, Holzblas-, Blechblas- und Schlaginstrumente. Im **Kammerorchester** spielen weniger Musiker als in einem Sinfonieorchester, und die Instrumente wechseln dem Stück entsprechend (→Kammermusik). BILDER Seite 355.

Orchideen, Pflanzen mit oft unregelmäßig geformten, farbenprächtigen und duftreichen Blüten. Sie sind über die ganze Erde verbreitet, vor allem in feuchtwarmen Klimazonen. In den Tropen wachsen die Orchideenpflanzen meist auf Urwaldbäumen, ohne diesen Nährstoffe zu entziehen. Sie haben z. B. fleischige Blätter oder knollenförmige Stämme als Wasser- und Reservestoffspeicher. Mit ihren →Luftwurzeln befestigen sie sich am Baum, oder die Luftwurzeln ragen in die Luft als Sammler von Wasser, das sie durch ein schwammiges Zellgewebe aufsaugen. Nährsalze werden vor allem dem Staub und Humus entnommen, der sich auf den Bäumen sammelt. Bei den laubblattlosen Orchideen enthalten die Luftwurzeln Chlorophyll und sind zur Photosynthese fähig. Hier dient also die Unterpflanze (im Unterschied zu den →Parasiten) vor allem dazu, das Licht besser nutzen zu können.

Die Früchte einer dieser Orchideenarten liefern die **Vanille,** ein Gewürz. Wegen ihrer Schönheit sind tropische Orchideen sehr begehrt und werden in Gewächshäusern gezogen. Die in Mitteleuropa heimischen Orchideen, z. B. die verschiedenen **Knabenkräuter,** das **Waldvögelein,** der **Frauenschuh,** wachsen wie andere Blumen und Kräuter auf der Erde. Sie haben einen unterirdischen Wurzelstock oder Knollen. Viele bevorzugen Kalkböden als Standort. Häufig ist ein Blütenblatt als ›Lippe‹ ausgebildet. Alle Orchideen leben in →Symbiose mit einem Wurzelpilz, dessen Anwesenheit für das Keimen ihrer winzigen Samen unerläßlich ist. Alle einheimischen Orchideen stehen unter Naturschutz; sie dürfen nicht gepflückt oder ausgegraben werden.

Orden [von lateinisch ordo ›Stand‹, ›Reihe‹, ›Regel‹], **1)** Zusammenschluß christlicher Männer oder Frauen, die sich durch ein Gelübde verpflichten, nach einer bestimmten Regel ein gemeinsames geistliches Leben zu führen. Auf diese Weise entstanden zuerst Mönchsklöster (3. Jahrh. in Ägypten), später auch Nonnenklöster. Der erste abendländische Orden war der Orden der →Benediktiner, den →Benedikt von Nursia im 6. Jahrh. ins Leben rief. Auf seiner Mönchsregel mit den 3 Gelübden der Armut, der Keuschheit und des Gehorsams gründen seither alle anderen Orden, z. B. die →Franziskaner, die →Dominikaner und die →Jesuiten. Gemäß dem Wahlspruch Benedikts ›Ora et labora‹ (›Bete und arbeite!‹) widmen sie sich auch heute noch besonders dem Gebet, der Mission, der Erziehung und Wissenschaft sowie der Seelsorge. Großen Einfluß haben die Orden vor allem in der katholischen Kirche und in den orthodoxen Kirchen, während in den evangelischen Kirchen die Bruderschaften und Schwesterngemeinschaften erst in neuerer Zeit an Bedeutung gewinnen.

Während der →Kreuzzüge des Mittelalters entstanden die **geistlichen Ritterorden:** der →Deutsche Orden, die Templer und die →Johanniter (später auch ›Malteser‹ genannt). Ihre Mitglieder legten außer den Mönchsgelübden noch das Versprechen ab, gegen die Ungläubigen zu kämpfen. Nach ihrem Vorbild entstanden später die **weltlichen Ritterorden.**

2) Verdienstauszeichnungen, kleine, meist kunstvoll gefertigte Metallabzeichen in verschiedenen Formen (Kreuz oder Stern), oft mit Inschriften; sie werden mit oder ohne Band an der Kleidung, meist auf der Brust, getragen. Diese Orden sind ursprünglich aus den Abzeichen der geistlichen Ritterorden hervorgegangen. Besonders die weltlichen Ritterorden verliehen ihren Mitgliedern als Belohnung für Treue und besondere Verdienste Ehrenzeichen, die bald die Bezeichnung ›Orden‹ bekamen. Später wurden Orden beim Militär als Kriegsauszeichnungen eingeführt. Heute werden Orden meist nur noch von Staaten verliehen, die damit besonders verdiente Bürger auszeichnen wollen. So gibt es z. B. in der Bundesrepublik Deutschland das Bundesverdienstkreuz. In der Schweiz werden keine Orden verliehen.

Ordnungswidrigkeiten, rechtswidrige Handlungen ohne kriminellen Charakter, die im Gegensatz zu Straftaten nicht mit Geld- oder Freiheitsstrafe, sondern mit **Bußgeld** zwischen 5,– DM und 1.000,– DM geahndet werden. Besonders häufig sind Ordnungswidrigkeiten im Straßenverkehr (z. B. durch falsches Parken) oder im Gewerberecht. Erläßt die zuständige Behörde (z. B. Straßenverkehrsamt, Ordnungsamt) gegen den Betroffenen einen Bußgeldbescheid, kann er dagegen beim Amtsgericht Einspruch einlegen. Bei Ordnungswidrigkeiten von geringem Gewicht (sogenannte Bagatellsachen) genügt eine bloße **Verwarnung** (wichtigstes Beispiel: das ›Protokoll‹ bei Verkehrsverstößen) mit einem **Verwarnungsgeld** von 5 DM bis 75 DM.

Ordovizium [nach dem keltischen Volksstamm der Ordovizier in Nordwales], →Erdgeschichte, ÜBERSICHT.

Orest, in der griechischen Sagenwelt der Sohn des Königs Agamemnon und seiner Gemahlin Klytämnestra. Nach der Ermordung seines Vaters durch Ägisth, den Liebhaber seiner Mutter, wuchs er in der Fremde auf. Auf Geheiß des Gottes Apoll vollzog er an Ägisth und seiner Mutter die Blutrache für den Vatermord. Seine Schwester Elektra half ihm dabei. Doch der Muttermord ließ ihn ruhelos durch die Welt wandern. Schließlich kam er als Gefangener in einen Tempel auf der Halbinsel Krim, wo er in der Priesterin seine Schwester Iphigenie wiederfand. Die Geschwister flohen nach Griechenland zurück, und Orest trat die väterliche Herrschaft an. – Das Schicksal von Orest wurde – ebenso wie die Ereignisse um →Elektra und →Iphigenie – immer wieder in literarischen oder musikalischen Werken dargestellt, so z. B. in Tragödien von Aischylos, Euripides und Eugene O'Neill.

Orff. Die Bühnenwerke des Komponisten **Carl Orff** (* 1895, † 1982) sind durch die Einheit von Sprache, Musik und Bewegung gekennzeichnet. Zunächst als Kapellmeister in München, Mannheim und Darmstadt tätig, empfing Orff 1925–36 als Leiter der Abteilung ›Tänzerische Musikerziehung‹ der Güntherschule in München entscheidende Anregungen für sein eigenes Schaffen. 1950–55 lehrte er als Professor für Komposition an der Münchner Musikhochschule. Von seinen zahlreichen Bühnenwerken sind besonders die ›Carmina Burana‹ (1937), ›Der Mond‹ (1939) und ›Die Kluge‹ (1943) zu nennen. Grundlegend für den elementaren Musikunterricht in aller Welt ist sein ›Orff-Schulwerk‹ (1930–35), zusammen mit Gunhild Keetman erarbeitet, das neben ›natürlichen‹ Instrumenten (wie Singstimme und Hände) zahlreiche Schlaginstrumente, Stabspiele, Flöten, Fideln und tiefe Saiteninstrumente verwendet.

Organ [von griechisch ›Werkzeug‹], bei mehrzelligen Lebewesen aus bestimmten Zellen und Geweben aufgebauter Teil des Körpers, der eine Einheit mit genau festgelegter Funktion bildet, z. B. Wurzel, Blatt, Leber, Niere. Schon während der Embryonalzeit beginnt die Entwicklung der Organe. Die einzelnen Organe im Körper stehen in enger wechselseitiger Beziehung untereinander. Als **Organismus** bezeichnet man die Gesamtheit der aufeinander abgestimmten, sich gegenseitig beeinflussenden Organe eines Lebewesens. Nur durch die geregelte Zusammenarbeit der einzelnen Organe ist der Organismus lebensfähig. Die Ausbildung von Organen ermöglicht eine Arbeitsteilung innerhalb des Organismus; so ist z. B. das Auge für das Sehen, die Lunge für die Atmung zuständig. Verschiedene Organe wirken für eine Aufgabe in einem **Organsystem** zusammen (z. B. im Verdauungssystem des Menschen).

organische Chemie, größtes Teilgebiet der Chemie, das die natürlichen, aber auch synthetischen Kohlenstoffverbindungen, die →organischen Verbindungen, umfaßt.

organische Verbindungen, die natürlichen und synthetischen Kohlenstoffverbindungen mit Ausnahme der wasserstofffreien Kohlenstoffverbindungen, die mit Sauerstoff, Schwefel,

1

2

3

4

5

6

7

Orden 2): 1 Malteser-Orden (1099). **2** Deutscher Ritterorden, Ritterkreuz (1190). **3** Orden vom Heiligen Grabe (1868). **4** England, Hosenbandorden (1348). **5** Orden Pour le mérite, Friedensklasse (1842). **6** Deutsche Demokratische Republik, Karl-Marx-Orden (1953). **7** Sowjetunion, Lenin-Orden (1930)

Selen und Tellur und deren Abkömmlingen (z. B. Kohlensäure) verbunden sind. Sie werden in der →organischen Chemie behandelt. Es sind rund 6 Millionen organische Verbindungen bekannt, z. B. Aminosäuren oder DNS. Davon entfallen etwa 90% auf Verbindungen, in denen Kohlenstoff, Wasserstoff und Sauerstoff in wechselnden Mengenverhältnissen vorkommen. Verbindungen, die nur aus Kohlenstoff und Wasserstoff bestehen, heißen →Kohlenwasserstoffe.

Organverpflanzung, Transplantation, Übertragung von Gewebe oder eines Organs an eine andere Stelle des gleichen oder eines anderen Individuums. Sie wird durchgeführt, um ein lebenswichtiges Organ nach dessen Funktionsausfall zu ersetzen. Die erste **Herztransplantation** führte 1967 der südafrikanische Professor Christiaan Barnard in Kapstadt durch. Am aussichtsreichsten waren bis jetzt die **Nierentransplantationen.** Dieses Organ kann, da es paarig angelegt ist, von einem ›Spender‹ (möglichst Familienangehöriger) auf den ›Empfänger‹ verpflanzt werden. Die Schwierigkeit bei Organverpflanzungen liegt in der ›Abstoßungsreaktion‹ des Empfängers, das heißt, der Körper des Empfängers erkennt das neue Organ als körperfremd, greift es mit seinen weißen Blutkörperchen an, und es kommt zu Unverträglichkeitsreaktionen. Jedoch leben heute eine Reihe von Menschen bereits seit einiger Zeit mit transplantierten Organen.

Größere Hautverluste (z. B. nach Unfall, durch Verbrennung) werden durch **Hauttransplantate** (von anderen Körperstellen entnommene Hautstückchen) gedeckt. Auch Knochen, Knorpel, Sehnen, Nerven, Gefäße und die Hornhaut des Auges können übertragen werden.

Orgasmus [von griechisch organ ›schwellen‹], Höhepunkt der geschlechtlichen Erregung, z. B. beim →Geschlechtsverkehr.

Orgel [von griechisch organon ›Mittel‹, ›Werkzeug‹], **1)** eine Kombination von Blasinstrumenten mit einem Tastenmechanismus und künstlicher Lufterzeugung. Die Orgel wird als ›Königin der Instrumente‹ bezeichnet, weil sie nach Tonumfang, Lautstärke und Klangreichtum das größte Musikinstrument ist. Im wesentlichen besteht sie aus 3 Elementen: dem Spieltisch, dem Pfeifenwerk und dem Windwerk. Der **Spieltisch** besteht aus mehreren übereinanderliegenden Tastaturen wie beim Klavier, die hier **Manuale** genannt werden, und einer Tastatur für die Füße, den Pedalen. Jeder Taste ist ein Ton zugeordnet, der von einer Pfeife erzeugt wird. Der gesamten Tastatur entspricht also zunächst eine Pfeifenreihe gleicher Bauart und Klangfarbe. Die Vielfalt der Orgel zeigt sich darin, daß es je nach ihrer Größe bis zu über 100 solcher im Klang verschiedener Pfeifenreihen gibt, die man **Register** nennt. Diese können nach Belieben kombiniert werden. Sie werden durch Registerzüge gewählt, die seitlich von den Manualen angebracht sind. Der Spieler wählt erst das Register, dann erst erklingt durch Tastendruck der entsprechende Ton in der bestimmten Klangfarbe.

Die Pfeifen sind im **Pfeifenwerk** nach Registern und nach der Größe geordnet: die größeren erzeugen die tiefsten Töne. Zur Schauseite hin sind meist eine Reihe von Pfeifen zur Fassade im Orgelprospekt zusammengefaßt.

Das **Windwerk** ist der technische Teil der Orgel, der die Luft erzeugt, die, von der Tastatur ausgelöst, in die Pfeifen geleitet wird. Waren es früher Blasebälge, die von Bälgetretern mit Luft gefüllt werden mußten, geschieht dies heute elektromotorisch oder durch Turbinen. Die Orgel findet sich in Kirchen, aber auch in Konzertsälen.

Die älteste noch spielbare Kirchenorgel aus dem 14. Jahrh. steht in Sitten (Kanton Wallis, Schweiz), eine besonders große im Dom zu Passau. Musik für die Orgel gibt es aus allen Musikepochen; der bedeutendste Komponist für dieses Instrument war Johann Sebastian Bach.

2) elektronische Orgel, eine Gruppe von Musikinstrumenten, die äußerlich einer Orgel nachgebaut sind; die Töne werden jedoch über elektromagnetische Schwingungen und Lautsprecher erzeugt. Auch die elektronische Orgel hat eine Klaviertastatur und Register, die teilweise wie bei der Orgel bezeichnet sind und deren Klangwelt nachahmen. Es gibt einfache und große Modelle. Letztere haben (da sie meist in der Unterhaltungsmusik verwendet werden) zahlreiche zusätzliche Effektregister, die z. B. das Schlagzeug imitieren, bestimmte Rhythmen oder künstlichen Nachhall erzeugen können.

Orient [von lateinisch oriens ›aufgehende (Sonne)‹, ›Osten‹], das Morgenland, der Osten, im Unterschied zum Okzident, dem Abendland. Im Orient entstanden die frühen Hochkulturen (→Alter Orient). Heute bezeichnet man mit Orient die Länder des östlichen Mittelmeerraumes, aber auch die Nordafrikas, die durch den Islam zu einer kulturellen Einheit wurden.

Orinoco, 2140 km langer Strom im Norden Südamerikas. Er entspringt im Bergland von Guayana, durchfließt im weiten Bogen Venezuela, bildet dabei über 300 km die Grenze zu

Kolumbien und mündet mit riesigem Delta in den Atlantischen Ozean. Im Oberlauf hat der Orinoco über den Casiquiare und den Río Negro eine schiffbare Verbindung zum Amazonas.

Orkan, ein Wind von Windstärke 12 und mehr, der Windgeschwindigkeiten von über 110 km/h erreicht. Auf dem Festland sind Orkane ziemlich selten. Sie treten am häufigsten über tropischen Meeren auf. Wenn ein Orkan die Küste erreicht, richtet er meist starke Zerstörungen an.

Orkney-Inseln, englisch **Orkney Islands,** Inselgruppe der Britischen Inseln, nördlich von Schottland gelegen. Die 976 km² große Inselgruppe umfaßt etwa 90, darunter 24 bewohnte Inseln, auf denen 18 500 Einwohner leben. Das Klima der buchtenreichen und mit vielen Steilküsten (Kliffs) versehenen Inseln ist nebelreich, mild und feucht. Stürme, starke Gezeiten (Ebbe und Flut) sowie Strömungen behindern die Schiffahrt. Da seit 1950 der Fischfang unbedeutend ist, betreiben die Einwohner vor allem Landwirtschaft. Von dem Erdölfeld in der Nordsee vor den Orkney-Inseln führt eine Pipeline auf die Insel Flotta. Die Inseln besitzen vorgeschichtliche Denkmäler (megalithische Steinkreise). KARTE Seite 203

Orkus, bei den alten Römern ursprünglich der Gott des Todes, später Bezeichnung für die Unterwelt, das Reich der Toten. Der römische Orkus entsprach dem griechischen →Hades.

Orléans [orleã], 102 700 Einwohner, französische Stadt an der Loire, etwa 110 km südwestlich von Paris. Orléans, das auf eine gallische Gründung zurückgeht, war Bischofssitz und im 10. und 11. Jahrh. Residenz des französischen Königsgeschlechts der Kapetinger. 1429 befreite Jeanne d'Arc, die Jungfrau von Orléans, die Stadt von der englischen Belagerung. Im 16. Jahrh. war Orléans ein Stützpunkt der Hugenotten.

Orléans [orleã], Herzogtum, das an Nebenlinien des französischen Königshauses verliehen wurde. Einige Herzöge von Orléans wurden auch Könige von Frankreich, so Franz I. (1515–47) und der ›Bürgerkönig‹ Louis Philippe (1830–48). Dieser stammte aus dem jüngsten Haus Orléans; König Ludwig XIV. hatte es durch erneute Verleihung des Herzogtums begründet. Dieses Haus Orléans war der wichtigste Seitenzweig der →Bourbonen.

Ornament [lateinisch ›Schmuck‹], die dekorative Verzierung an Bauwerken und Gegenständen aller Art. Das Ornament kann die Form, die es schmückt, gliedern und betonen, aber auch unabhängig von ihr bleiben oder sie überwuchern. Ornamente finden sich auf vorgeschichtlichen Tongefäßen, an griechischen Tempeln und auf griechischen Vasen, an mittelalterlichen Kirchen, auf persischen Teppichen, auf Kleiderstoffen und in Büchern. Der Form nach lassen sich Ornamente in abstrakt-geometrischem Stil (Kreis, Dreieck, Zickzack, Spirale) von solchen unterscheiden, die sich von Naturformen herleiten, entweder von pflanzlichen (Blatt, Blüte, Ranke) oder von Tierformen.

Akanthus

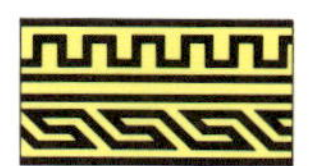
Mäander

Palmette

Rankenwerk

Flechtband

Flechtband

Laubwerk

Rollwerk

Ornament (Europa)

Orpheus, in der griechischen Sagenwelt ein Sohn des Gottes Apoll, der so gut sang und die Leier spielte, daß er wilde Tiere und sogar Steine bezauberte. Durch Gesang und Spiel bewog er die Götter der Unterwelt, ihm seine verstorbene Gemahlin Eurydike zurückzugeben. Jedoch machten die Götter zur Bedingung, daß sich Orpheus vor dem Verlassen der Unterwelt nicht nach seiner Frau umsehen dürfte. Orpheus übertrat das Verbot, und so mußte Eurydike wieder in die Unterwelt zurückkehren. – Die Sage wurde in zahlreichen Dramen und musikalischen Werken verarbeitet, so in Opern von Claudio Monteverdi, Christoph Willibald Gluck und als Parodie in der Operette ›Orpheus in der Unterwelt‹ von Jacques Offenbach.

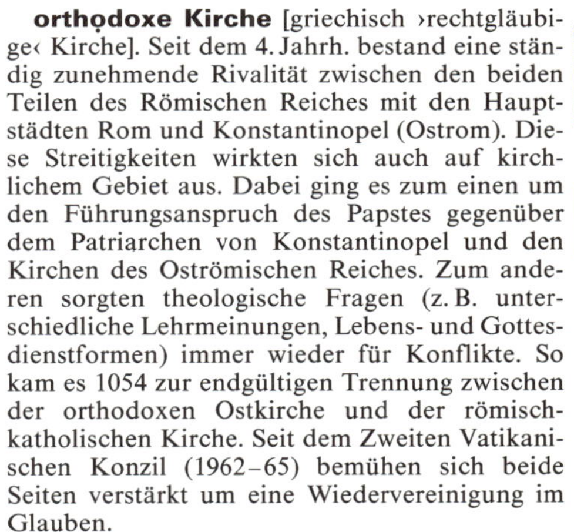

orthodoxe Kirche [griechisch ›rechtgläubige‹ Kirche]. Seit dem 4. Jahrh. bestand eine ständig zunehmende Rivalität zwischen den beiden Teilen des Römischen Reiches mit den Hauptstädten Rom und Konstantinopel (Ostrom). Diese Streitigkeiten wirkten sich auch auf kirchlichem Gebiet aus. Dabei ging es zum einen um den Führungsanspruch des Papstes gegenüber dem Patriarchen von Konstantinopel und den Kirchen des Oströmischen Reiches. Zum anderen sorgten theologische Fragen (z. B. unterschiedliche Lehrmeinungen, Lebens- und Gottesdienstformen) immer wieder für Konflikte. So kam es 1054 zur endgültigen Trennung zwischen der orthodoxen Ostkirche und der römisch-katholischen Kirche. Seit dem Zweiten Vatikanischen Konzil (1962–65) bemühen sich beide Seiten verstärkt um eine Wiedervereinigung im Glauben.

Die orthodoxe Kirche besitzt eine streng hierarchische Ordnung: An der Spitze stehen die Bischöfe, dann folgen die Priester und die Laien. In ihrer Lehre gründet sie sich auf die Bibel und den Glauben der alten Kirche. Mittelpunkt des innerkirchlichen Lebens ist die feierliche Liturgie der Gottesdienste mit reicher Hymnendichtung und Chorgesang. Die Frömmigkeit findet ihren stärksten Ausdruck in der Heiligen- und Marienverehrung (→Ikone) sowie in der Lebensform des Mönchtums. Am bedeutendsten sind heute die griechisch-orthodoxe und die russisch-orthodoxe Kirche.

orthogonal [griechisch ›rechtwinklig‹], anderer Ausdruck für →senkrecht.

Orwell. In seinem Roman ›1984‹ (erschienen 1949) und der Satire ›Farm der Tiere‹ (1945) warnt der englische Schriftsteller **George Orwell** (eigentlich Eric Arthur Blair, * 1903, † 1950) vor Staatsformen, in denen ein Diktator die unumschränkte Macht hat. Bis in das Privateste hinein beobachtet und verwaltet sieht Orwell die Menschen im Jahr 1984. Gleichzeitig zweifelt der Schriftsteller an den Möglichkeiten gesellschaftlicher Veränderungen. Der gemeinsame Aufstand der Tiere auf ihrer Farm gegen den Bauern endet in einer Diktatur der Schweine.

Osiris

Osaka, 2,63 Millionen Einwohner, Hafenstadt auf Honshu, Japan, an der Osakabucht. Nach Tokio ist Osaka das bedeutendste Industrie- und Handelszentrum Japans. Die Stadt entwickelte sich um eine der ältesten Tempelanlagen Japans aus dem 6. Jahrh.

Osiris, im altägyptischen Götterglauben der Totengott. Er galt als Totenrichter, vor dem sich jeder Tote mit seinen Taten verantworten mußte, bevor er zu einem ewigen Leben ins Jenseits eingelassen wurde.

Oslo, 456 000 Einwohner, die Haupt- und Residenzstadt Norwegens, liegt geschützt um die Bucht eines tief in das Land einschneidenden Fjords. Oslo ist die volkreichste Stadt Norwegens, zugleich der wichtigste Hafen, bedeutender Handelsplatz und kultureller Mittelpunkt des Landes.

Osman I., * um 1259, † 1326, türkischer Herrscher. Osman war der Sohn des Fürsten Ertogrul, der in einem der vielen Kleinstaaten in Kleinasien herrschte. Seit 1288 an der Regierung, erweiterte Osman seinen Herrschaftsbereich und machte sich um 1300 zum Sultan. Er war der Gründer des türkischen Reiches, das nach ihm **›Osmanisches Reich‹** genannt wurde (→Türkei).

Osmanisches Reich, das türkische Reich bis 1922. Es hieß so nach dem Begründer der Sultansdynastie, →Osman I. Über die Geschichte des Osmanischen Reichs →Türkei.

Osmium [von griechisch osme ›Geruch‹], Zeichen **Os,** →chemische Elemente, ÜBERSICHT.

Osmose [von griechisch osmos ›Stoß‹]. Trennt man eine wäßrige Zuckerlösung von reinem Wasser durch eine Wand, die nur für Wasser, nicht aber für Zucker durchlässig ist (›semipermeable Membran‹), dann wandert Wasser in die Zuckerlösung. Eine solche einseitig verlaufende Vermischung von Stoffen durch eine semipermeable Membran hindurch nennt man **Osmose.** In dem Raum, in den Wasser einströmt, ist nach einiger Zeit mehr Flüssigkeit vorhanden als in dem Teil, aus dem das Wasser ausströmt. Dieses Mehr an Flüssigkeit übt einen bestimmten Druck aus, der dem Einströmen von weiterem Wasser immer mehr entgegenwirkt. Der Druck, der ausreicht, um das Einströmen des Wassers in die Zuckerlösung zum Stillstand zu bringen, entspricht dem **osmotischen Druck.** Da die Zellkörper aller Lebewesen von semipermeablen Membranen umgeben sind, spielt die Osmose hier eine wichtige Rolle, z. B. in tierischen Organismen bei der Aufnahme von Nährstoffen und im Wasser- und Mineralhaushalt. Bei Pflanzen ist Osmose außer für die Wasser- und Nährstoffaufnahme auch für die Aufrechterhaltung des Zellinnendrucks (Turgor) wichtig, der der Pflanze Gestalt und Festigkeit verleiht. Sinkt der Turgor (z. B. bei Wassermangel), kommt es zum Verlust dieser Festigkeit **(Welken).**

Ostblock, früher die von der Sowjetunion geführte kommunistische Staatenwelt Mittel- und Osteuropas: Bulgarien, Deutsche Demokratische Republik, Polen, Rumänien, Tschechoslowakei und Ungarn. Diese Staaten waren mit der Sowjetunion wirtschaftlich durch den →COMECON und militärisch-politisch durch den →Warschauer Pakt eng verbunden. 1968 unterband die Sowjetunion mit dem Einmarsch von Truppen des Warschauer Pakts in die Tschechoslowakei den Versuch der damaligen tschechoslowakischen kommunistischen Führung, einen eigenen ideologischen Kurs einzuschlagen. Der damalige Generalsekretär der ›Kommunistischen Partei der Sowjetunion‹ (KPdSU), Leonid Breschnew, begründete dies damit, daß die ›sozialistischen Staaten‹ nur eine ›begrenzte Souveränität‹ besäßen, das heißt, den von der KPdSU gesteckten ideologischen und politischen Rahmen nicht verlassen dürften. Mit den politischen Umwälzungen 1989/90 zerfiel der Ostblock, COMECON und Warschauer Pakt lösten sich 1991 auf.

ostdeutsche Siedlung, deutsche Ostsiedlung, im Mittelalter die Besiedlung sowie die wirtschaftliche und kulturelle Erschließung der Gebiete östlich von Elbe und Saale sowie des Böhmerwaldes bis hin zum Finnischen Meerbusen und zum Schwarzen Meer.

Erste Impulse gab der ostdeutschen Siedlungsbewegung die Politik Karls des Großen, der die Reichsgrenzen durch die Errichtung von → Marken zu sichern suchte. Diese Politik fand unter den Ottonen ihre Fortsetzung. Die eigentliche und planmäßige ostdeutsche Siedlung begann unter Lothar von Supplinburg (* 1075, † 1137) und erreichte unter den Staufern im 12./13. Jahrh. ihren Höhepunkt. Ostholstein, Brandenburg, Mecklenburg, Obersachsen und andere Gebiete wurden durch Besiedlung gewonnen. Die Ungarnkönige zogen deutsche Siedler nach Siebenbürgen (Siebenbürger Sachsen), die Böhmenkönige ließen Bauern, Handwerker und Bergleute in den Randgebieten von Böhmen und Mähren siedeln. Besondere Bedeutung kam dem Deutschen Orden zu, der das gesamte Land der Prußen zwischen Weichsel und Memel christianisierte und in den deutschen Kulturkreis einbezog. Viele Städte Polens, Ungarns und Böhmens sind von Deutschen angelegt worden oder erhielten von ihnen deutsches Stadtrecht.

Die ostdeutsche Siedlung war ein jahrhundertelanges Zuwandern bald größerer, bald kleinerer Gruppen, die von vielen Stellen aus planmäßig nach dem Neuland geleitet wurden. Anfangs regelten Landesherren und weltliche und geistliche Grundbesitzer, unter denen die Zisterzienser und Prämonstratenser hervorragten, die Besiedlung; später belehnten sie ritterliche Vasallen, die dann die weitere Besiedlung übernahmen, mit Kolonialland.

Osten, eine Himmelsrichtung. Der **Ostpunkt** ist einer der beiden Schnittpunkte des Himmelsäquators mit dem Horizont. Dort geht die Sonne zum Frühlings- (21. März) und Herbstanfang (23. September) scheinbar auf.

Ostermarsch-Bewegung, in Großbritannien in den 1950er Jahren entstandene Bewegung, die besonders durch jährliche Demonstrationen in der Osterzeit starke Aktivitäten gegen die nukleare Rüstung in der Welt entfaltet. In der Bundesrepublik Deutschland fand 1960 der erste Ostermarsch statt. In den 1980er Jahren entwickelten sich die Ostermärsche zu einer wesentlichen Ausdrucksform der Friedensbewegung.

Ostern, das allen christlichen Kirchen gemeinsame Fest der Auferstehung Jesu Christi, das am ersten Sonntag nach dem ersten Frühlingsvollmond gefeiert wird, von den Ostkirchen allerdings meist zu einem späteren Zeitpunkt. In der katholischen Kirche ist Ostern Höhepunkt des Liturgischen Jahres und Mittelpunkt des **Oster-Festkreises.** An seinem Anfang steht die vierzigtägige Fastenzeit als Vorbereitungszeit, die mit dem Aschermittwoch beginnt. Die **Karwoche** fängt mit dem Palmsonntag an; er erinnert an den feierlichen Einzug Christi in Jerusalem vor seiner Kreuzigung. Am Gründonnerstag wird der Einsetzung der Eucharistie beim → Abendmahl gedacht, am Karfreitag des Leidens und Sterbens Christi, am Abend des Karsamstags oder in der Nacht zum Ostersonntag schließlich der Auferstehung. Hiermit verbunden wird die Weihe der Osterkerze und des Taufwassers, oft auch die Taufe selbst.

Die evangelischen Kirchen folgen im wesentlichen dieser Ordnung des Kirchenjahres, begehen jedoch in ihren Gottesdiensten das Osterfest und die vorausgehenden Kartage in unterschiedlicher Weise. Großes Gewicht wird auf die Feier des → Karfreitags gelegt.

Das Osterfest ist vielfach noch von alten Volksbräuchen umgeben. In vielen katholischen Kirchen werden die Osterspeisen (Schinken, Eier, Salz, Osterfladen) geweiht. Weit verbreitet waren früher Spiele, in denen die Geschehnisse der Karwoche (→ Passionsspiel) und der Auferstehung (Osterspiel) dargestellt und ausgeschmückt wurden. Osterfeuer werden noch heute z. B. im Harz und in Westfalen abgebrannt. Auch gibt es den Brauch, daß ein Hase (›Osterhase‹) den Kindern buntgefärbte Eier bringt. Einige Bräuche gehen auf vorchristliche Überlieferung zurück.

Österreich

Fläche: 83 856 km²
Bevölkerung: 7,623 Mill. E
Hauptstadt: Wien
Amtssprachen: Deutsch, in 8 Südkärntner Gemeinden auch Slowenisch
Nationalfeiertag: 26. Okt.
Währung: 1 Schilling (S) = 100 Groschen (G, g)
Zeitzone: MEZ

Österreich, Bundesstaat in Mitteleuropa, der an den Südosten Deutschlands grenzt. Der in 9 Bundesländer gegliederte Staat entspricht in der Fläche etwa einem Viertel der Bundesrepublik Deutschland. Von den 5 Großlandschaften nehmen die **Alpen** fast ⅔ des Staatsgebiets ein. In den vergletscherten Zentralalpen (Silvretta-Gruppe, Ötztaler, Stubaier, Zillertaler Alpen und Hohe Tauern) liegt der Großglockner, mit 3 798 m höchster Berg des Landes. Von den Zentralalpen werden die Nördlichen Kalkalpen durch die Längstäler von Inn, Salzach und Enns, die Süd-

Österreich

Staatswappen

Staatsflagge

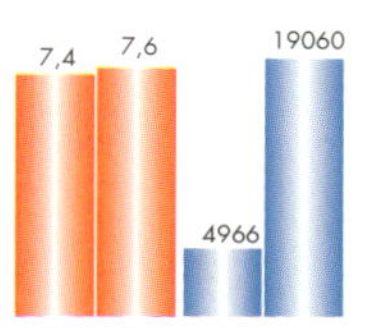

1970 1990 Bevölkerung (in Mill.)
1970 1990 Bruttosozialprodukt je E (in US-$)

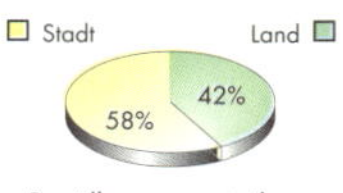

Bevölkerungsverteilung 1990

Bruttoinlandsprodukt 1990

Österreich Bundesländer
Burgenland
Kärnten
Niederösterreich
Oberösterreich
Salzburg
Steiermark
Tirol
Vorarlberg
Wien

(siehe Einzelstichwörter)

lichen Kalkalpen durch das Tal der Drau abgegrenzt. Nördlich der Donau liegt an der Grenze zur Tschechischen und zur Slowakischen Republik die Ebene des **Mühl-** und **Waldviertels.** Alpenvorland, Wiener Becken und Vorland im Osten sind die tiefer gelegenen Gebiete. Der **Neusiedler See** bildet mit 115 m den tiefsten Punkt Österreichs. Fast das ganze Land gehört zum Einzugsbereich der **Donau.** Sie durchquert das Land von Passau bis zur Hainburger Pforte. Der größte Teil Vorarlbergs entwässert zum Rhein, Teile im Norden zur Moldau. Neben Alpenseen hat das Land Anteil am Bodensee im Westen und am Neusiedler See im Osten.

Klimatisch gehört der größte Teil zum mitteleuropäischen Klima mit Westwinden und ganzjährigen, am Nordrand der Alpen hohen Niederschlägen. Die Sommer im Alpeninnern sind kurz, die Winter lang und schneereich. Heiße Sommer, kalte Winter und geringe Niederschläge sind im Osten Merkmale eines kontinentalen Klimas.

Die meisten Österreicher sind deutschsprachig. Daneben gibt es Slowenen in Kärnten, Kroaten und Magyaren im Burgenland. Am dichtesten besiedelt sind das Wiener Becken, Oberösterreich, die Gebiete um Salzburg, Graz, Klagenfurt, das Inntal und Vorarlberg. Die größten Städte sind Wien, Graz, Linz, Salzburg und Innsbruck. Die meisten Bewohner gehören dem katholischen Glauben an.

Wirtschaft. Im Gebirge wird fast ausschließlich Viehwirtschaft, im Alpenvorland auch Akkerbau betrieben. Klein- und Mittelbetriebe herrschen vor. Weizen, Roggen, Gerste, Mais, Kartoffeln und Zuckerrüben sind wichtige Anbauprodukte, ebenso die Futterpflanzen Klee und Silomais. In Niederösterreich und im Burgenland wird Wein angebaut, in der Steiermark spielt der Obstbau eine große Rolle. Rund 40% des Landes sind bewaldet, überwiegend bestimmt Nadelholz den Holzeinschlag.

Die Bedeutung des Bergbaus nimmt ab. Erdöl und Erdgas werden besonders in Niederösterreich gefördert, Steinkohle wird in Oberösterreich abgebaut. Ferner spielen Eisenerz, Blei- und Zinkerze, Wolfram, Antimon, Steinsalz und Graphit eine Rolle.

Die Industrie wurde durch den Zweiten Weltkrieg stark beeinträchtigt. 1946 wurden die Grundstoffindustrien und die Großbetriebe der stahlverarbeitenden und Elektroindustrie verstaatlicht. Österreich ist heute ein leistungsfähiger Industriestaat. Nahrungs- und Genußmittel, Maschinen, chemische Produkte, Textilien und Papiererzeugnisse machen ⅔ des Exports aus.

ÖSTERREICHISCHE GESCHICHTE

6. Jahrh.	Der Volksstamm der Baiern besiedelte den Alpen- und Donauraum.
791/796	Karl der Große dehnte den bayerischen Herrschaftsbereich nach Süden und Südosten aus.
996	Die ›Ostmark‹ erschien in Urkunden erstmals als ›Ostarrichi‹.
1282	Der deutsche König Rudolf von Habsburg verlieh die Herzogtümer Österreich und Steiermark seinen Söhnen. Die Habsburger, die im Mittelalter mehrfach, von 1438 bis 1806 (mit einer Ausnahme) die deutschen Herrscher stellten, betrachteten die österreichischen Länder als ihre Hausmacht.
1493	Maximilian vereinigte die österreichischen Erbländer in einer Hand.
1629	Mit dem Restitutionsedikt erreichte das Haus Habsburg den Gipfel seiner Macht im Dreißigjährigen Krieg.
1683–99	Im Großen Türkenkrieg gewann Österreich Ungarn und Siebenbürgen.
1740–80	Unter Maria Theresia verlor Österreich Schlesien, erweiterte aber sein Gebiet nach Osten.
1804	Der römisch-deutsche Kaiser Franz II. nahm den Titel eines Kaisers von Österreich an.
1814/15	Der Wiener Kongreß brachte Österreich eine führende Machtstellung in Europa und im Deutschen Bund.
1866	**Deutscher Krieg** zwischen Österreich und Preußen. Die Niederlage Österreichs führte zur Auflösung des Deutschen Bundes.
1867	Entstehung der Doppelmonarchie Österreich-Ungarn.
1879	Bündnis mit dem Deutschen Reich.
28. 6. 1914	Die Ermordung des Thronfolgers Franz Ferdinand in Sarajevo löste den Ersten Weltkrieg aus.
1918	Ausrufung der Republik.
1919	Die Herrscherrechte der Habsburger wurden aufgehoben, ihre Besitzungen eingezogen.
1934	Nationalsozialistischer Putschversuch, bei dem Kanzler Engelbert Dollfuß ermordet wurde.
1938	Einmarsch deutscher Truppen, Anschluß Österreichs an das Deutsche Reich.
1945	Aufteilung Österreichs in vier Besatzungszonen.
1955	Österreich erreichte die Unabhängigkeit gegen die Zusicherung ›immerwährender Neutralität‹.

Die elektrische Energie wird größtenteils mit Wasserkraft erzeugt.

Österreich ist ein wichtiges Land für den Fremdenverkehr. Etwa 13 Millionen Ausländer besuchen jährlich das Land. Drei Viertel der ausländischen Gäste kommen aus der Bundesrepublik Deutschland, gefolgt von Niederländern und Belgiern. Skifahren gewinnt immer mehr auch im Sommer auf den hochgelegenen Gletschern an Bedeutung. Die steigende Zahl der Touristen, für die im Gebirge Unterkünfte, Freizeitanlagen und Verkehrseinrichtungen vorhanden sein müssen, hat in den Alpen zu einer Belastung der Umwelt und einer Konzentration der Bevölkerung auf die Tourismuszentren geführt.

Österreich ist ein wichtiges europäisches Durchgangsland. Vor allem der Verkehr zwischen Mittel- und Südeuropa führt über die Paßstraßen oder durch die Tunnel, insbesondere über den Brenner, durch Felbertauerntunnel und

Tauerntunnel. Die Donau ist die bedeutendste Binnenwasserstraße. Internationale Flughäfen gibt es in Wien-Schwechat, Salzburg, Graz, Klagenfurt, Linz und Innsbruck. (KARTE Seite 200 und 201)

Österreichischer Erbfolgekrieg. 1713 hatte Kaiser Karl VI. (1711–40) ein Erbfolgegesetz, die **Pragmatische Sanktion,** erlassen. Seine Töchter sollten vor denen seines älteren Bruders Joseph I. (1705–11) den Vorrang haben. Als Karl VI. starb, folgte ihm seine älteste Tochter Maria Theresia (1740–80) auf den Thron. Karl Albert von Bayern als Schwiegersohn Josephs I. erhob ebenfalls Erbansprüche. Durch den Einmarsch des preußischen Königs Friedrich II. in Schlesien (→Schlesische Kriege) wurde der Krieg ausgelöst, der sich zu einem europäischen Krieg ausweitete, in dem die bayerischen Ansprüche von Frankreich und Preußen unterstützt wurden, während Großbritannien, die Niederlande und Sardinien sich mit Österreich verbündeten. 1742 wurde Karl Albert von Bayern als Karl VII. Kaiser, er starb jedoch 1745. 1748 kam es zum Frieden von Aachen, in dem die Pragmatische Sanktion bestätigt wurde.

Österreich-Ungarn, 1867 gebildete Doppelmonarchie. Die amtliche Bezeichnung lautete (1869–1918) **Österreichisch-Ungarische Monarchie,** volkstümlich wurde die Bezeichnung **Donaumonarchie.** Staatsrechtlich bedeutete das, daß der österreichische Kaiser zugleich König von Ungarn war. Beide Kronen waren erblich im Haus Habsburg-Lothringen. Eine gemeinsame Verfassung für die Gesamtmonarchie gab es nicht. Die Staaten verwalteten die inneren Angelegenheiten selbständig. Gemeinsame Angelegenheiten waren Außenpolitik, Kriegs- und Finanzwesen sowie die Verwaltung von Bosnien-Herzegowina. Nach dem Ersten Weltkrieg wurde der ›Vielvölkerstaat‹ durch die Verträge von Saint-Germain (mit Österreich 1919) und Trianon (mit Ungarn 1920) unter folgenden ›Nachfolgestaaten‹ aufgeteilt: Österreich, Ungarn, Italien, Tschechoslowakei, Polen, Jugoslawien, Rumänien.

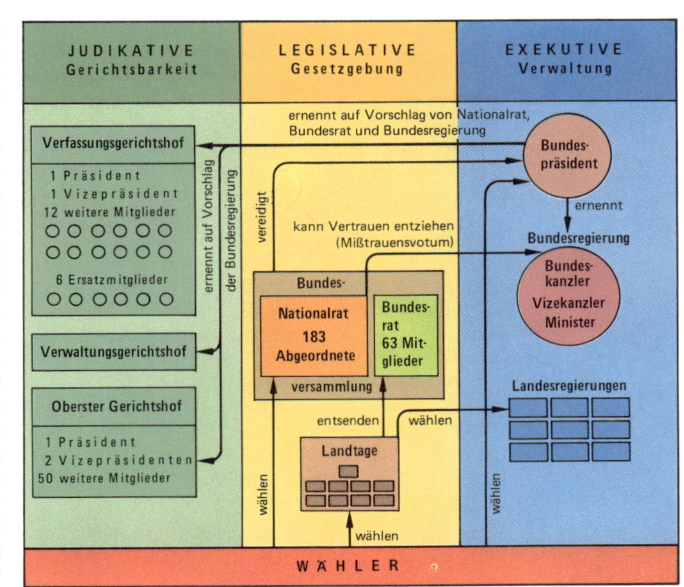

Österreich: Gewaltenteilung

Österreich-Ungarn	
Reichsteile Kronländer	Hauptstadt
Niederösterreich	Wien
Oberösterreich	Linz
Salzburg	Salzburg
Steiermark	Graz
Kärnten	Klagenfurt
Tirol	Innsbruck
Vorarlberg	Bregenz
Böhmen	Prag
Mähren	Brünn
Schlesien	Troppau
Galizien	Lemberg
Bukowina	Czernowitz
Krain	Laibach
Küstenland	Triest
Dalmatien	Spalato
Österreich	**Wien**
Ungarn	Budapest
Fiume	Fiume
Kroatien-Slawonien	Agram
Ungarn	**Budapest**
Bosnien-Herzegowina	**Sarajevo**
Österreich-Ungarn	**Wien**

Ostfriesland, Landschaft in Norddeutschland zwischen dem Mündungsgebiet der Ems und dem Jadebusen. Zu ihr zählen auch die vorgelagerten **Ostfriesischen Inseln.** Die Landschaft besteht überwiegend aus der Geest, deren Moore zum großen Teil kultiviert sind, und der Marsch. Landwirtschaft und Küstenfischerei sind die Haupterwerbsquellen der Bevölkerung.

Die ursprünglich nach demokratischer Verfassung gewählten Konsuln wurden im 14. Jahrh. durch Häuptlinge (örtliche Machthaber) verdrängt. Führend wurde die Familie Cirksena, die auch ab 1464 den Reichsgrafen und ab 1654 den Fürsten von Ostfriesland stellte. Im 18. Jahrh. kam Ostfriesland an Preußen. 1946 wurde es als Regierungsbezirk Aurich Teil des Bundeslandes Niedersachsen.

Ostgoten, einer der beiden großen Stämme der →Goten. Ihr Reich am Schwarzen Meer wurde 375 von den →Hunnen unterworfen; nachdem auch das hunnische Reich untergegangen war, ließen sich die Ostgoten unter der Oberhoheit Ostroms, des →Byzantinischen Reichs, im Donauraum nieder. 471 wurde →Theoderich zum König gewählt. Dieser war zugleich Feldherr des oströmischen Kaisers Zeno, in dessen Auftrag die Ostgoten 493 die Herrschaft →Odoakers in Italien beseitigten. Theoderich gründete nun ein eigenes Ostgotenreich innerhalb des Byzantinischen Reichs. Es verfiel jedoch bald nach Theoderichs Tod (526) und wurde durch die byzantinischen Feldherren Narses und Belisar trotz des tapferen Widerstands der Ostgotenkönige Wittigis, Totila und Teja bis 552 erobert. – Das Ende des Ostgotenreiches hat Felix Dahn in seinem Buch ›Ein Kampf um Rom‹ beschrieben.

Ostkirche, →Christentum, →orthodoxe Kirche.

Ostpreußen, bis 1945 eine preußische Provinz mit (1937) 36992 km² und (1939) 2,5 Millionen Einwohnern. Die Hauptstadt war Königsberg. Ostpreußen ist ein Teil des Norddeutschen Tieflandes. Es wird von einem flachen Landrükken (bis 313 m) durchzogen und senkt sich nach Norden allmählich zur Haffküste der Ostsee hin ab. Charakteristisch für Ostpreußen sind die vielen eiszeitlich entstandenen Seen **(Masurische Seenplatte).** Ackerbau (besonders Roggen, Weizen, Futtergetreide, Futterpflanzen, Kartoffeln) und Viehzucht (Schweine, Rinder, Pferde) waren von großer Bedeutung. Nordwestlich von Königsberg wurde Bernstein (zur Schmuckherstellung) gewonnen.

Ostpreußen ist aus dem ehemaligen Herzogtum Preußen, dem Reststaat des Deutschen Ordens, hervorgegangen. Es wurde 1618 mit Brandenburg vereinigt. Nach dem Ersten Weltkrieg fiel das Memelgebiet im Norden Ostpreußens an Litauen. Der **Polnische Korridor,** der durch die Abtretung Westpreußens an Polen entstand, trennte Ostpreußen vom Deutschen Reich. Nach dem Zweiten Weltkrieg wurde Ostpreußen geteilt: Der Norden mit der Hauptstadt Königsberg kam an die UdSSR (Rußland), der Süden an Polen. 1990 erklärte Deutschland die 1945 entstandenen Grenzen für endgültig.

Oströmisches Reich, →Byzantinisches Reich.

Ostsee, Baltisches Meer, Nebenmeer des Atlantischen Ozeans zwischen Skandinavien, Jütland, Norddeutschland, Polen, Litauen, Lettland, Estland, Rußland und Finnland. Das 422000 km² große und bis zu 459 m tiefe Meer ist über Skagerrak und Kattegat mit der Nordsee verbunden. Der Bottnische Meerbusen im Norden und der Finnische Meerbusen im Nordosten greifen tief in das skandinavische Festland ein. Da sie meist 5 Monate lang mit Eis bedeckt sind, ist die Schiffahrt stark beeinträchtigt. Die Gezeitenwirkung ist im Vergleich zur Nordsee sehr gering: Der Unterschied zwischen Hoch- und Niedrigwasser beträgt stellenweise nur wenige Zentimeter. Da kaum ein Wasseraustausch mit der Nordsee stattfindet und die Zuflüsse Süßwasser in die Ostsee bringen, ist der Salzgehalt wesentlich niedriger als der der Nordsee. Der Fischfang in der Ostsee ist nicht sehr ertragreich. (KARTE Seite 205)

Oszilloskop [zu lateinisch oscillare ›schaukeln‹ und griechisch skopein ›sehen‹], früher **Oszillograph,** Meßgerät zur optischen Darstellung zeitlich schnell veränderlicher Vorgänge in der Elektrotechnik. Auch mechanische Abläufe können durch elektrische Signalgebung (z. B. Druckschalter oder Lichtschranke) auf das Oszilloskop übertragen werden. Das Funktionsprinzip des Oszilloskops ist dem der Bildröhre des Fernsehgeräts ähnlich. Eine luftleere Anzeigeröhre aus einem Leuchtschirm und einer Glühkathode erzeugt einen Elektronenstrahl. Der Elektronenstrahl zeichnet auf dem Schirm eine Leuchtspur, die dem gemessenen Signal entspricht. Den Weg der Leuchtspur bestimmt ein elektrisches Feld, dessen Veränderungen vom eintreffenden Signal ausgelöst werden. Die Netzspannung (220 Volt) der Steckdose erscheint auf dem Leuchtschirm als gleichförmige Welle; daran ist sie als Wechselspannung erkennbar.

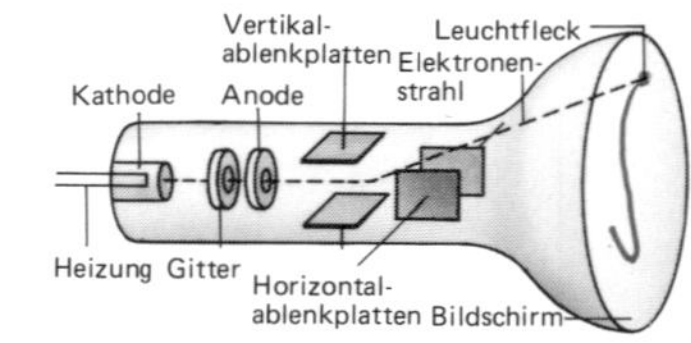

Oszilloskop: Aufbau eines Oszilloskops

Ottawa, 301000 Einwohner, seit 1864 Hauptstadt von Kanada, an der Mündung des Rideau River und des Rideaukanals in den Ottawa River. Ottawa ist Sitz von Regierungs- und Verwaltungsbehörden sowie kulturelles und wissenschaftliches Zentrum des Landes. Das Regierungsviertel wird beherrscht von dem 1865 im Stil der englischen Gotik erbauten Parlamentsgebäude. Holz-, Textil- und andere Industrien befinden sich in der Vorstadt Hull.

Otter, dem Wasserleben angepaßte →Marder; am bekanntesten ist der →Fischotter.

Ottern, die →Vipern.

Otto, Römische Kaiser und deutsche Könige:

Otto I., der Große, * 912, † 973, der Sohn König Heinrichs I., wurde 936 in Aachen zum König gewählt. Die Wahl vollzog sich nach dem von Karl dem Großen dafür vorgesehenen Muster, womit Otto schon andeutete, daß er an die Überlieferung des Frankenreichs der Karolinger anknüpfen wollte. Zu Beginn seiner Regierung widmete er sich besonders der Innenpolitik. Die Herzogtümer Sachsen und Franken behielt er selbst, Lothringen, Schwaben und Bayern gab er an Familienmitglieder oder stellte verwandtschaftliche Verbindungen her. Die Bischöfe beschenkte er mit Grundbesitz und band sie auf diese Art an sich. 951 zog er nach Italien, um der Witwe König Lothars von Italien, Adelheid, gegen dessen Nachfolger Berengar beizustehen. Er nahm in Pavia die langobardische Königswürde an und heiratete Adelheid. 955 besiegte er die Ungarn auf dem Lechfeld so nachhaltig, daß sie in Zukunft keinen Angriff mehr auf das deutsche Reich unternahmen. 961–965 hielt er sich nach einem Hilferuf des Papstes, der von Berengar bedroht wurde, zum zweitenmal in Italien auf. 962 ließ er sich in Rom zum Kaiser krönen und erneuerte die Schutzhoheit des Kaisers über das Papsttum. Im Besitz der Kaiserkrone sah sich der deutsche König als Haupt der Christen des Abendlandes und als Erster unter den christlichen Herrschern. Bei seinem dritten Italienzug (967–972) ließ er seinen Sohn Otto zum Mitkaiser krönen. 972 erreichte er die Anerkennung seines Kaisertums durch den byzantinischen Kaiser und vermählte als sichtbares Zeichen dieser Aussöhnung seinen Sohn mit der byzantinischen Prinzessin Theophano. Die Verbindung der deutschen Königswürde mit dem römischen Kaisertum bestimmte während des ganzen Mittelalters die Politik des deutschen Reiches.

Otto II., * 955, † 983, der Sohn Ottos des Großen, wurde schon 961 zum deutschen König und 967 zum Kaiser gekrönt. Seine Mutter Adelheid vermittelte ihm Bildung. 972 heiratete er die byzantinische Prinzessin Theophano. 973 trat er die Regierung an und mußte sich zunächst gegen aufständische Herzöge durchsetzen und die Grenzen nach Dänemark und Frankreich verteidigen. Seine Pläne, das Römische Reich zu erneuern, griffen noch weiter aus als die seines Vaters. 982 erlitt er jedoch eine schwere Niederlage durch die Sarazenen in Süditalien. Auf einem Reichstag in Verona 983 ließ er seinen dreijährigen Sohn Otto zum König wählen und sicherte sich die Unterstützung der Fürsten für einen neuen Feldzug nach Süditalien. Er starb noch im selben Jahr und wurde im Petersdom in Rom beigesetzt.

Otto III., * 980, † 1002, Sohn Ottos II., wurde schon mit 3 Jahren zum König gewählt. Als sein Vater 983 starb, führte seine Mutter Theophano die Regentschaft für ihn, nach ihrem Tod 991 seine Großmutter Adelheid. 994 übernahm er selbst die Regierung und ließ sich 2 Jahre später in Rom zum Kaiser krönen. Er wollte an altrömische Vorbilder und an Karl den Großen anknüpfen und gemeinsam mit dem Papst ein christliches Weltreich von Rom aus regieren, in dem jedoch der Kaiser die höchste Stelle einnehmen sollte. Im Jahre 1000 unternahm er eine Pilgerreise nach Gnesen. Mit der Gründung der Erzbistümer Gnesen in Polen und Gran in Ungarn wurden diese Länder an den abendländischen Kulturkreis herangezogen. Als sich 1001 der Stadtadel Roms gegen ihn empörte, zog er nach Italien, wo er 1002 starb. Er wurde im Aachener Münster neben Karl dem Großen beigesetzt.

Otto. Der zum Kaufmann ausgebildete **Nikolaus August Otto** (* 1832, † 1891), der zunächst als Reisender tätig war, besaß die Doppelbegabung zum Erfinder und Unternehmer. 1861 begann er, sich mit dem von dem Franzosen Étienne Lenoir (* 1822, † 1900) gebauten Gasmotor zu befassen, der zwar betriebsfähig, aber unwirtschaftlich war. Zusammen mit dem Ingenieur Eugen Langen (* 1833, † 1895) gründete Otto 1864 in Köln eine Fabrik für Gasmaschinen, aus der 1872 die Gasmotorenfabrik Deutz hervorging. Otto und Langen bauten einen atmosphärischen Gasmotor, bei dem das Gasgemisch bei Umgebungsdruck, ohne vorherige Verdichtung, gezündet wird, und hatten damit auf der Pariser Weltausstellung 1867 großen Erfolg. Neue Versuche führten 1876 zu einem Viertakt-Gasmotor mit verdichteter Ladung, der das Vorbild für den weiteren Bau von Verbrennungsmotoren wurde und dem Motor mit Fremdzündung den Namen →Ottomotor gab. Ottos Motor hatte zunächst eine Gasflamme als Zündquelle; die von ihm 1884 angegebene elektrische Zündung ermöglichte die Verwendung flüssiger Kraftstoffe. Der Ottomotor wurde maßgeblich weiterentwickelt von Gottlieb →Daimler, der 1872 bis 1881 als technischer Direktor der Gasmotorenfabrik Deutz wirkte.

Ottomotor, von dem Ingenieur Nikolaus August →Otto entwickelter →Verbrennungsmotor.

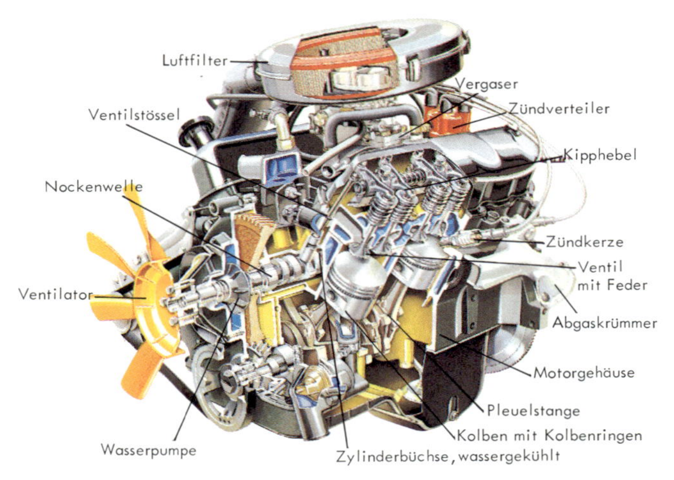

Ottomotor: 6-Zylinder-V-Motor (Ford), 2300 cm³, 80 kW (108 PS)

Otto erfand 1876 zunächst einen mit Gas betriebenen Viertaktmotor mit Gasflamme als Zündquelle. Ihm folgte 1884 ein Motor mit elektrischer Zündung, die die Verwendung flüssiger Kraftstoffe ermöglichte.

Der Ottomotor wird vor allem für Kraftfahrzeuge (Pkw und Motorräder), als Flugmotor und Außenbordmotor verwendet. Im Zylinder wird ein Luft-Kraftstoff-Gemisch durch einen Kolben verdichtet und dann, im Gegensatz zum →Dieselmotor, durch den elektrischen Funken einer Zündkerze gezündet. Der Ottomotor kann als Hubkolben- oder Kreiskolbenmotor gebaut werden und nach dem Zweitakt- oder Viertaktverfahren arbeiten. Das Gemisch wird im Vergaser aufbereitet (Vergasermotor) oder durch Benzineinspritzung dem Zylinder zugeführt (→Einspritzmotor). Als Kraftstoffe dienen vor allem leichtsiedende flüssige Kohlenwasserstoffe (Benzin), aber auch Flüssiggas und Erdgas. Die Abgase des Ottomotors enthalten mehr schädliche Bestandteile als die des Dieselmotors. Zu ihrer Verringerung müssen sie durch →Katalysatoren nachbehandelt werden. Eine andere Möglichkeit, die Abgase schadstoffärmer zu machen, liegt in der Verwendung sogenannter Alternativkraftstoffe, z. B. Methanol oder Wasserstoff.

Ottonen, sächsisches Adelsgeschlecht, das 919–1024 die deutschen Könige stellte. Die Familie geht auf Graf Liudolf († 866) zurück. Nach ihm werden sie auch **Liudolfinger** genannt. Liudolfs Sohn († 912) wurde sächsischer Herzog. 919 wählten Sachsen und Franken Liudolfs Sohn Heinrich I. zum deutschen König. Ihm folgten in direkter Linie Otto I., der Große (936–973), Otto II. (973–983) und Otto III. (983–1002), danach Heinrich II. (1002–1024) aus einer bayerischen Nebenlinie, mit dem das Geschlecht ausstarb. Die Ottonen festigten das Reich im Innern und vollzogen den Übergang vom ostfränkischen zum deutschen Reich. Sie wehrten die nach Deutschland vorgedrungenen Ungarn ab und schufen die enge politische Verbindung zwischen Deutschland und Italien, die das Mittelalter bestimmte.

Die **ottonische Kunst** ist die deutsche Kunst unter den Ottonen, vor allem unter Otto II., Otto III. und Heinrich II. Die unter den Saliern bis zu Heinrich IV. (um 1080) entstandenen Werke werden als spätottonisch angeschlossen. Die ottonische Stilphase wird auch als Frühromanik (→Romanik) bezeichnet.

Ötztal, rechtes Seitental des Inn, in Tirol (Österreich) zwischen den Ötztaler Alpen im Westen und den Stubaier Alpen im Osten gelegen. Das rund 41 km lange Tal, das sich bei Zwieselstein in das Gurgltal und das Venter Tal gabelt, wird von der Ötztaler Ache durchflossen. Neben der Viehwirtschaft wird bis auf 1800 m Höhe auch Ackerbau (Getreide) betrieben. In den unteren Tallagen gedeihen sogar Mais und Obst. Das Tal ist ein bedeutendes Sommerfrische- und Wintersportgebiet. Es bildet den Hauptzugang zu den Ötztaler Alpen, wo auch Sommerskilauf (auf Gletschern) möglich ist.

ounce [aunß, engl.], Einheitenzeichen **oz,** in Großbritannien und den USA Gewichts- und Masseneinheit:

1 oz = $^1/_{16}$ lb (→pound) = 28,349523 g (Gramm).

Output [autput, englisch], Datenverarbeitung: Ausgang, Ausgangsinformation, Ausgabegröße, Ausgabedaten, z. B. bei einem Computer; Gegensatz: Input.

Ouverture [uwertüre, französisch ›Eröffnung‹], Orchestervorspiel, besonders zu Bühnenwerken (Oper, Ballett, Schauspiel) oder Oratorien, dann auch zur Suite, im 19. Jahrh. auch eine eigenständige Komposition **(Konzertouvertüre).**

Ovambo, auch →Ambo genanntes Volk in Südwestafrika.

Ovid. Als geschätzter Dichter der Gesellschaft lebte **Ovid** (lateinisch Publius Ovidius Naso, * 43 v. Chr., † etwa 17 n. Chr.) in Rom. Ovid begann mit Liebesgedichten (›Amores‹) und schrieb die ›Ars amandi‹, ein Lehrgedicht über die Liebeskunst. Als Glanzstück der Erzählkunst gelten die ›Metamorphosen‹, eine Reihe von Sagenerzählungen, die Verwandlungen von Menschen in Tiere, Pflanzen und anderes behandeln. Ebenfalls ein Meisterwerk sind die ›Fasti‹, in denen zu den einzelnen Festen des römischen Kalenders die mit ihnen verknüpften Sagen erzählt und Namen und Kulturbräuche erklärt werden. Ovids Werke zeichnen sich durch Witz, Anmut und Phantasiereichtum aus.

Oxford, 98 500 Einwohner, englische Stadt an der Mündung des Cherwell in die Themse. Oxford besitzt die älteste englische Universität, die im 13. Jahrh. gegründet wurde, die Entwicklung der Stadt bestimmte und noch heute zu den angesehensten britischen Hochschulen zählt. Zur Universität gehören alte Bibliotheken mit wertvollen Beständen (Bodleiana und Radcliffe Camera). Auch bekannte Verlage und Druckereien haben ihren Sitz in Oxford.

Oxid [von griechisch oxys ›sauer‹], früher **Oxyd,** Bezeichnung für Verbindungen eines Elementes mit Sauerstoff. Dabei sind die Metalloxide meist Feststoffe, die mit Wasser alkalische Lösungen, also Laugen, ergeben, während die gasförmigen Nichtmetalloxide mit Wasser Säuren bilden. Viele Oxide stellen wichtige Erze dar und werden bergmännisch gewonnen.

Oxidation, früher **Oxydation.** Unter Oxidation verstand man ursprünglich die Reaktion eines Stoffes mit Sauerstoff, wobei die →Oxide entstehen. Heute versteht man darunter Vorgänge, bei denen der oxidierte Stoff →Elektronen abgibt.

So verschiedenartige Vorgänge wie das Verbrennen von Kohle, Öl oder Gas, das Rosten von Eisen, das Desinfizieren von Wunden, das Reinigen des Trinkwassers, allesamt Oxidationen, haben also – chemisch gesehen – eine gemeinsame Grundlage.

Oxidationen sind stets gekoppelt mit →Reduktionen, denn die von einem oxidierten Stoff abgegebenen Elektronen müssen von einem anderen Stoff aufgenommen werden, der dabei reduziert wird.

Ozean, Bezeichnung für die 3 großen Weltmeere Pazifischer, Atlantischer und Indischer Ozean (→Meer), die durch Kontinente voneinander getrennt sind.

Ozeanien, die Inseln des Pazifischen Ozeans. Vor allem versteht man darunter die zahllosen kleinen und kleinsten Inseln im südwestlichen Teil des Pazifischen Ozeans, die in die Inselgruppen →Melanesien, →Mikronesien und →Polynesien gegliedert werden. Das Klima ist außer auf Neuseeland und den nördlichen Hawaii-Inseln tropisch, aber durch den Einfluß des Meeres gemäßigt. Die Bevölkerung besteht aus Papua, Melanesiern, Mikronesiern und Polynesiern; eingewandert sind Weiße und Angehörige asiatischer Völker (z. B. Inder, Chinesen). Der Fischfang spielt für die Ernährung der Bevölkerung eine bedeutende Rolle. Landwirtschaftlicher Anbau, Bergbau und Fremdenverkehr sind die Einnahmequellen vieler Inseln.

Ozeanien: Staatliche Gliederung

Land	Hauptstadt	km²	Einwohner in 1 000
Fidschi	Suva	18 272	772
Kiribati	Bairiki	728	65
Marshallinseln	Majuro	181	43
Mikronesien	Kolonia	702	115
Nauru	Yaren	21	8,1
Neuseeland	Wellington	268 112	3 397
Nordmarianen	Saipan	477	21,8
Palauinseln	Koror	497	14,1
Papua-Neuguinea	Port Moresby	462 840	4 000
Salomoninseln	Honiara	29 785	314
Tonga	Nukualofa	747	108
Tuvalu	Funafuti	26	9,1
Vanuatu	Vila	14 763	150
Westsamoa	Apia	2 831	169
auf Ozeanien greifen über			
Chile mit der Osterinsel, Juan-Fernández-Inseln, Sala y Gómez u. a.	–	359	2
Indonesien mit Irian Jaya	Jayapura	421 981	1 510
USA mit Hawaii	Honolulu	16 760	1 100
abhängige Gebiete			
von Australien:			
Norfolk-Island	Kingston	35	2
von Frankreich:			
Französisch-Polynesien	Papeete	4 000	191
Neukaledonien	Nouméa	19 058	164
Wallis et Futuna	Matu Utu	274	15
von Großbritannien:			
Pitcairn (mit Insel Pitcairn und Nachbarinseln)	Adamstown	47	0,05
von Neuseeland:			
Cookinseln	Avarua	234	18
Niue	Alofi	259	2
Tokelauinseln	–	10	1,7
von den USA:			
Amerikan. Samoa	Pago Pago	197	38
Guam	Agana	541	130

Ozeanographie [griechisch ›Meeresbeschreibung‹], die →Meereskunde.

Ozelots bewohnen in Mittel- und Südamerika Wälder und Buschlandschaften bis hoch ins Gebirge. Diese →Katzen werden nur etwa doppelt so groß wie eine Hauskatze. Ihr rötlichgelbes Fell mit den länglichen (besonders schön gezeichneten) schwarzen Flecken tarnt sie gut auf ihrer

Jagd nach Vögeln, Mäusen, Ratten und Affen. Ein Ozelot kann gut schwimmen und klettern, er lebt viel auf Bäumen. Oft werden Ozelots in Zoologischen Gärten gezüchtet; junge Tiere lassen sich leicht zähmen.

Ozọn [griechisch ›das Riechende‹], gasförmige Zustandsform des Sauerstoffs, O_3, und Bestandteil der Luft, vor allem in einer Höhe von 20–30 km **(Ozonschicht).** Der **äußerst giftige** Ozon bildet sich unter der Einwirkung von ultravioletten Sonnenstrahlen oder durch elektrische Entladung (Blitz) aus dem zweiatomigen normalen Sauerstoff O_2 und ist dadurch sehr energiereich. In bodennahen Luftschichten steigt bei hohen Windgeschwindigkeiten der Ozongehalt an. Ozon wird als Oxidationsmittel und, da es auch organische Verbindungen sowie Mikroorganismen zerstören kann, zum Bleichen, zur Konservierung und zur Ozonung (Reinigung und Entkeimung) von Trinkwasser verwendet.

Ozon spielt im Strahlungshaushalt der Atmosphäre eine bedeutende Rolle, da es die solare Ultraviolett-Strahlung aufsaugt, in Wärme umsetzt und den irdischen Lebensraum gegen die energiereiche kurzwellige Sonnenstrahlung abschirmt. Hierauf gründet sich die Befürchtung, daß durch die Treibgase aus Spraydosen die Ozonschicht beeinträchtigt werden könne und dadurch auf Dauer Immissionsschäden auf der Erde unvermeidlich seien.

P

P, der sechzehnte Buchstabe des Alphabets, ein Konsonant. P ist chemisches Zeichen für Phosphor. In der Physik ist p das Symbol für das →**P**roton, Vorsatzzeichen für →**P**iko und Einheitenzeichen für →**P**ond. In der Musik bedeutet p →**p**iano. In Zitaten steht p für Seite (lateinisch: **p**agina).

Pa, Einheitenzeichen für →**Pa**scal.

Paarhufer, eine Gruppe der →Huftiere.

Paarung, Zusammenführung oder Vereinigung von 2 Individuen. In der Biologie ist die Paarung von männlichen und weiblichen Individuen derselben Art die Voraussetzung für →Begattung und →Fortpflanzung. Der Paarung geht häufig ein bestimmtes Paarungsverhalten (→Balz) voraus, das wichtige Aufgaben erfüllt, so das ›Sichfinden‹ der Geschlechtspartner, Erkennen der eigenen Art, Anzeigen der Paarungsbereitschaft, Festigung der Paarbildung. Andere Tiere suchen einander nur zur Paarung auf, meist ohne vorherige Partnerwahl, z. B. die meisten Insekten und viele Fische.

Pạckeis. Im Meer können sich keine geschlossenen Eisflächen bilden, da sie infolge der Strömungen, Wellen und Gezeiten immer wieder in Schollen zerlegt werden, die als Treibeis über große Entfernungen gelangen können. Dabei werden die Eisblöcke oft aneinandergepreßt und übereinandergeschoben. So entsteht das meist mächtige Packeis, das sich in den Polargebieten bis zu 30 m hoch auftürmen kann.

Pạdua, 234 700 Einwohner, alte Universitätsstadt in Norditalien westlich von Venedig. In der fast kreisförmigen, früher ummauerten Altstadt liegen die Kirche Sant' Antonio (begonnen im 13. Jahrh.) mit der Grabkapelle des heiligen Antonius, die Arena-Kapelle, die Kirche der Eremitani und der Palazzo della Ragione (12./13. Jahrh.). Paduas Bauten sind reich an Fresken; die ältesten und bedeutendsten wurden von Giotto gemalt (Arena-Kapelle, um 1305). Die Stadt entstand aus einer römischen Siedlung und gehörte 1405–1797 zu Venedig.

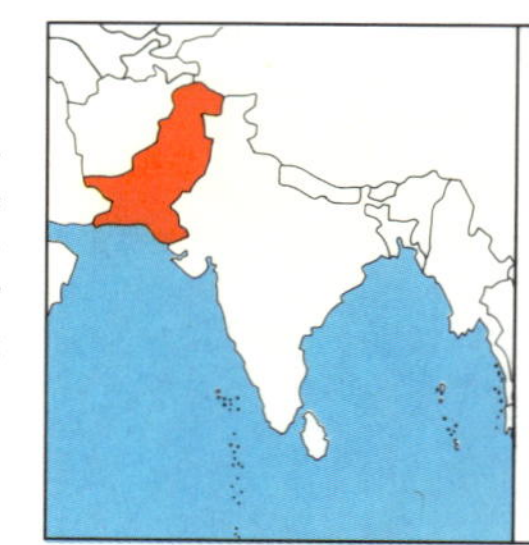

Pakistan

Fläche: 796 095 km²
Bevölkerung: 113,2 Mill. E
Hauptstadt: Islamabad
Amtssprachen: Urdu, in der Prov. Sind auch Sindhi
Staatsreligion: Islam
Währung: 1 Pakistan. Rupie (pR) = 100 Paisa (Ps)
Zeitzone: MEZ +4 h

Pạkistan, islamische Republik in Asien, im Nordwesten des indischen Subkontinents, etwa doppelt so groß wie Schweden. Das Land hat im Norden Anteil an den Hochgebirgen des Hindukusch und des Himalaya. Das Gebiet von Kaschmir ist zwischen Indien und Pakistan umstritten, ein Teil steht unter pakistanischer Verwaltung. Mehr als ⅓ des Landes wird vom Tiefland des Indus eingenommen, der im Unterlauf während der Trockenzeit weitgehend verdunstet. Im Westen begrenzen afghanische und iranische Randgebirge das Land, im Südwesten grenzt es an das Arabische Meer.

Das Klima Pakistans ist subtropisch-kontinental. Die größte Hitze und Trockenheit herrschen im Frühjahr. Die jährlichen Niederschläge sind gering, die Monsunregen von August bis Oktober erreichen nur Teile des Landes.

Nur ein kleiner Teil der Bevölkerung spricht die offizielle Amtssprache Urdu. Am verbreitetsten ist Pandschabi, eine neuindische Sprache. Die größten Städte sind Karachi, Lahore und Lyallpur. Der Islam ist Staatsreligion.

Grundlage der Wirtschaft ist die Landwirtschaft, die etwa ¼ des Landes nutzt. Mit Kanälen und Brunnen wird das größte bewässerte Becken der Erde mit Wasser versorgt. Angebaut werden Weizen, Reis, Baumwolle, Tabak und Zuckerrohr. In den nicht bewässerten Gebieten wird Weidewirtschaft betrieben.

Steinkohle, Erdöl und Erdgas sind die wichtigsten Bodenschätze. Neben Textilindustrie gibt es Nahrungsmittelindustrie, Schwerindustrie, chemische Industrie, Metallverarbeitung und Erdölindustrie.

Geschichte. 1947 wurde aus den überwiegend muslimischen Gebieten Britisch-Indiens der neue Staat Pakistan geschaffen, der aus den getrennten Teilen Westpakistan und Ostpakistan (→ Bangladesh) bestand. Spannungen zwischen der Zentralregierung und den Führern Ostpakistans führten 1971 zum Bürgerkrieg. Mit indischer Hilfe errang Ostpakistan die Unabhängigkeit. 1977 übernahm nach einem Staatsstreich das Militär die Macht, doch wurden 1985 die Verfassung und das Mehrparteiensystem wiederhergestellt. (KARTE Seite 195)

Paläolithikum [zu griechisch palaios ›alt‹ und lithos ›Stein‹], die → Altsteinzeit.

Paläontologie [zu griechisch palaios ›alt‹, on ›seiend‹ und logos ›Wort‹, ›Rede‹], die → Erdgeschichte.

Paläozoikum [zu griechisch palaios ›alt‹ und zoon ›Lebewesen‹], das Erdaltertum (→ Erdgeschichte, ÜBERSICHT).

Palästina, Landschaft in Vorderasien. Im Westen ist es vom Mittelmeer, im Osten vom Jordan und dem Toten Meer begrenzt. Es gliedert sich in fruchtbare Küstenebenen, das Bergland von Judäa und Galiläa und den steil abfallenden Jordangraben und umfaßt die 3 historischen Landschaften Galiläa, Samaria und Judäa. Palästina ist sowohl für das Judentum und den Islam als auch für alle christlichen Konfessionen Heiliges Land. – Die ältere Geschichte teilt Palästina mit → Israel und den → Juden. 63 v. Chr. kam das Land durch Pompeius zu Rom und bildete seit dem 1. Jahrh. n. Chr. eine römische Provinz. Seit 395 war Palästina oströmisch und 634–1918 unter muslimischer Herrschaft. Unterbrochen wurde diese Periode von der Zeit des Königreiches Jerusalem (11. Jahrh.), das von Kreuzrittern errichtet wurde. Im Ersten Weltkrieg eroberten die Engländer Palästina und erhielten es als Mandat des Völkerbundes. Unter britischer Herrschaft setzte eine Einwanderungswelle der Juden ein, die zum Teil zu blutigen Auseinandersetzungen mit den Arabern (→ Palästinenser) führte. Nach Beendigung der Mandatsherrschaft durch die britische Regierung wurde 1948 im westlichen Teil Palästinas der Staat Israel ausgerufen. Ostpalästina kam 1950 an Jordanien, ist aber seit dem Krieg von 1967 von Israel besetzt.

Palästinenser, Eigenbezeichnung der arabischen Bewohner → Palästinas. Unter anderem als Folge vielfältiger europäischer Einflüsse seit Beginn des 19. Jahrh. (z. B. durch christliche Missionsstationen, Pilgerverkehr, geldliche Zuwendungen) nahmen die Palästinenser europäische Lebensformen an und entwickelten eine rege wirtschaftliche Tätigkeit. Nach Gründung des Staates → Israel (1948) flohen palästinensische Araber vor den israelischen Truppen oder wurden von diesen vertrieben. Sie wurden im Libanon, in Syrien, Jordanien und Ägypten in Lagern angesiedelt. In den von Israel 1967 besetzten Gebieten lebten 1978 rund 1,4 Millionen Palästinenser. Die Palästinenser erheben den Anspruch, eine eigenständige Nation zu sein, und fordern, zeitweise auch unter Einsatz von terroristischen Mitteln, einen unabhängigen, eigenen Staat. Die 1964 gegründete **Palästinensische Befreiungsorganisation** (englische Abkürzung: **PLO,** Vorsitzender: Jasir Arafat) tritt als Sprecherin der Palästinenser hervor. Die Palästinenser nehmen seit 1991 an der Nahost-Friedenskonferenz teil.

Palau-Inseln, Inselgruppe in Mikronesien im Pazifischen Ozean, rund 200 Inseln mit zusammen etwa 480 km² und 15 000 Einwohnern. Die Inseln sind gebirgig und von Korallenriffen umgeben. Nach dem Zweiten Weltkrieg waren sie Treuhandgebiet der USA, seit 1981 bilden sie die Republik **Belau.**

Palermo, 730 000 Einwohner, Handels- und Hafenstadt der italienischen Insel Sizilien. Die Stadt wurde von den Phönikern gegründet und erlebte unter den Staufern, besonders unter Friedrich II. (13. Jahrh.), als königliche Residenzstadt eine kulturelle Blütezeit. 1282 ging von Palermo der Aufstand der Sizilianischen Vesper aus (→ Sizilien). Palermo hat zahlreiche Bauwerke aus dem Mittelalter von den Normannen und Staufern (Dom, geweiht 1158).

Palisander, ein hartes, sehr gut polierfähiges Holz, das sich bei der Lagerung nur wenig verändert; es stammt von verschiedenen tropischen

Pakistan

Staatswappen

Staatsflagge

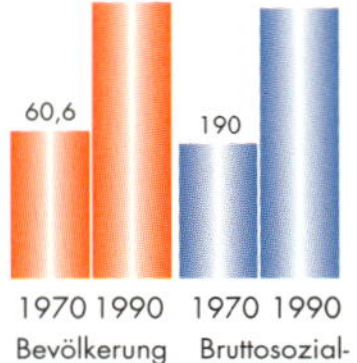

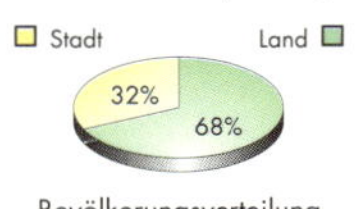

Bevölkerungsverteilung 1990

Bruttoinlandsprodukt 1990

Laubbäumen. Palisander wird zur Möbelherstellung und im Musikinstrumentenbau verwendet.

Palladium, Zeichen **Pd,** seltenes →chemisches Element (ÜBERSICHT) aus der Gruppe der Platinmetalle; es glänzt heller als Silber und ist härter und zäher als Platin. Palladium ist schmiedbar und korrosionsbeständig und kann Wasserstoff bis zum 3000fachen seines Volumens aufnehmen. Deshalb eignet es sich vorzüglich als Katalysator für chemische Zwecke. Palladium wird außerdem für elektrische Kontakte, in Legierungen der zahntechnischen und Schmuckindustrie sowie für chemisch-technische Geräte verwendet.

Pallas, Beiname der griechischen Göttin →Athene.

Palmen: 1 Dattelpalme; **1a** Fruchtstand, **1b** einzelne Früchte, **1c** getrocknete Frucht, **1d** herausgelöste Samen. **2** Zwergpalme

Palmen, die einzigen baumförmig hohen Pflanzen der →Einkeimblättrigen. Sie wachsen in tropischen und subtropischen Gebieten. In Südeuropa ist die Zwergpalme heimisch. Die meisten Palmen sind Bäume mit schlankem, hohem Stamm, der sich nicht verzweigt. An der Spitze des Stammes sitzt ein großer Blätterschopf. Die sehr langen Blätter (›Wedel‹) sind entweder fächerförmig (Zwergpalme) oder fiedrig wie bei den wirtschaftlich wichtigen Arten →Dattelpalme, Ölpalme und →Kokospalme. Zwischen den Blättern sitzen die großen kolben- und ährenförmigen Blütenstände, die oft Hunderte von unscheinbar grünen, meist eingeschlechtlichen Blüten tragen. Die Früchte dienen als Nahrungsmittel, manche liefern Öl (Ölpalme). Aus Palmensaft gewinnt man Palmwein und Palmzucker. Die Gipfelknospe liefert Palmkohl. Blätter, Holz und Fasern werden zum Bau von Hütten verwendet. Die Fasern werden auch zu Matten, Säcken, Körben und Besen verarbeitet. In Mitteleuropa werden Palmen als Zimmerpflanze und Zierpalme in Gewächshäusern gehalten.

PAL-System, Abkürzung für englisch **p**hase **a**lternation **l**ine [›zeilenweise Phasenänderung‹], →Fernsehen.

Pamir [türkisch ›kalte Steppenweide‹], Hochland in Zentralasien, das zum größten Teil zu Tadschikistan gehört, ferner zu Afghanistan und China. Der Pamir bildet einen Knoten großer Gebirgssysteme: Tien-shan, Alaigebirge, Transalai, Kun-lun, Karakorum und Hindukusch laufen hier zusammen. Man nennt deshalb den Pamir auch das **›Dach der Welt‹.** Höchster Berg ist der Pik Kommunismus mit 7482 m (nach anderen Angaben 7495 m) in Tadschikistan. Die alte Pamirstraße, die von Osch über den Alai und Transalai führt, ist für Kraftfahrzeuge ausgebaut.

Pampa, Landschaft in Südamerika, zum größten Teil in Argentinien gelegen. Sie erstreckt sich fast 1000 km von Norden nach Süden und reicht vom Ostrand der Anden bis zur Küste des Atlantischen Ozeans. Im Norden geht sie in den Gran Chaco, im Süden in das Hochland von Patagonien über. Die ursprünglich baumlose Grassteppe hat sich auf Grund ihrer fruchtbaren Böden zum wirtschaftlichen Kernland Argentiniens entwickelt. Auf großen Ackerflächen werden Weizen, Mais und Leinsaat (zur Herstellung von Speiseöl und Farben) angebaut. Daneben wird Rinderzucht, im Süden und Südwesten Schafzucht betrieben.

Pampelmuse, eine →Citrusfrucht.

Pan, im griechischen Götterglauben ein Gott der Hirten, Jäger und des Wildes, der meist mit Bockshörnern, -ohren und -beinen dargestellt wurde. Sein Auftauchen konnte den einsamen Wanderer in **›panischen Schrecken‹** versetzen. Auf der Flucht vor ihm soll die Nymphe Syrinx in Schilfrohr verwandelt worden sein, aus dem dann Pan eine Hirtenflöte (→Panflöte) herstellte. Die Römer setzten ihn dem **Faun** gleich.

Panama

Fläche: 77 082 km²
Bevölkerung: 2,4 Mill. E
Hauptstadt: Panama
Amtssprache: Spanisch
Nationalfeiertag: 3. Nov.
Währung: 1 Balboa (B/.) = 100 Centésimos (c, cts) [Währungsparität zum US-$]
Zeitzone: MEZ −6 h

Panama, Republik auf der zentralamerikanischen Landbrücke zwischen Kolumbien und Costa Rica, etwas größer als Bayern. Das gebirgige Land ist an der schmalsten Stelle nur 55 km breit. Die überwiegend katholische Bevölkerung besteht größtenteils aus Mestizen, daneben gibt es größere Gruppen von Schwarzen und Mulatten in den Küstengebieten.

Panama hat sich zu einem bedeutenden internationalen Banken- und Finanzzentrum Lateinamerikas entwickelt. Haupteinnahmequelle ist der →Panamakanal.

Nur ¼ des Landes wird landwirtschaftlich genutzt; angebaut werden Reis, Mais, Zuckerrohr, Bananen, daneben auch Kaffee und Tabak. Die Viehwirtschaft gewinnt an Bedeutung, ebenso die Fischerei. Die Bodenschätze (z. B. Bauxit, Antimon, Kalk, Eisenerz) sind noch nicht erschlossen. Wichtigster Industriebetrieb ist eine Erdölraffinerie bei Colón, dem Haupthafen, am nördlichen Ausgang des Kanals.

Über die Landenge von Panama führte im 16./17. Jahrh. der Weg von und zu den südamerikanischen Silberminen. Im 20. Jahrh. führte der Bau des Panamakanals zur Erklärung der Selbständigkeit (1903) unter dem Schutz der USA bis zum Jahr 2000. (KARTE Seite 196)

Panamakanal

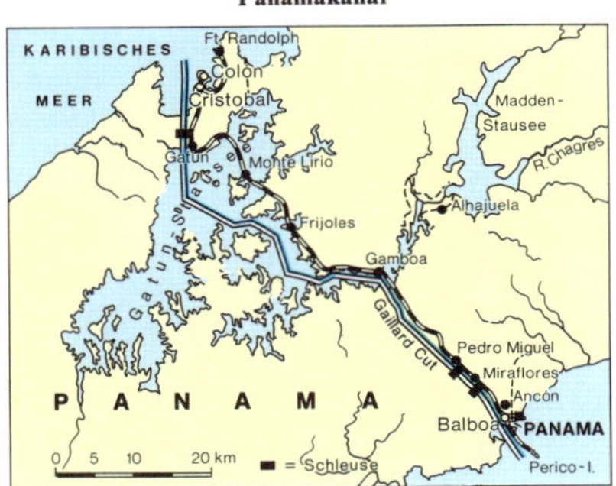

Panama, spanisch **Ciudad de Panamá,** 640 600 Einwohner, Hauptstadt der Republik Panama, 7 km entfernt vom pazifischen Eingang des Panamakanals. Panama wurde 1519 von den Spaniern gegründet und war Zwischenstation für die Edelmetalltransporte von Peru nach Spanien. Größere Bedeutung hat Panama mit seinem Hafen Balboa seit der Eröffnung des Panamakanals (1914).

Panamakanal, Wasserstraße zwischen Atlantischem und Pazifischem Ozean durch die Landenge von Panama. Der Kanal ist 81,6 km lang (Durchfahrtzeit 7–8 Stunden), 90–300 m breit und mindestens 12,4 m tief. Mit Schleusen wird eine 82 m hohe Wasserscheide überwunden. Der Kanal verkürzt den Seeweg zwischen West- und Ostküste der USA um 8 000 Seemeilen (fast 15 000 km). Der 1914 eröffnete Kanal wurde von den USA gebaut, nachdem ein 16 km breiter Streifen beiderseits des Kanals **(Kanalzone)** den USA vertraglich zugesichert worden war. Der Kanal teilt Panama in eine östliche und eine westliche Hälfte. In Verträgen einigten sich Panama und die USA, daß der Kanal und die Kanalzone im Jahr 2000 an Panama übergeben werden.

Panda, Kleinbären aus China und Tibet (→Bären).

Pandora [griechisch ›die mit allen Gaben‹], in der griechischen Sage ursprünglich die Erdgöttin. Später wurde sie von dem Dichter Hesiod als verführerische Frau dargestellt. Sie war, nachdem →Prometheus den Göttern das Feuer entwendet hatte, von Zeus zu den Menschen geschickt worden, um ihnen Verderben zu bringen. Die **Büchse der Pandora,** die ihr Zeus mitgegeben hatte, enthielt unter anderem zahlreiche Übel, die sich nach dem Öffnen der Büchse über die Erde verteilten, nur die Hoffnung blieb darin zurück. – Auf der Grundlage dieser Geschichte entstanden zahlreiche literarische Werke.

Panflöte [zu Pan], **Syrinx,** altes Musikinstrument aus mehreren, meist treppenartig, auch rund miteinander verbundenen Pfeifen verschiedener Größe. Die Pfeifen bestehen aus Rohr, sind oben offen und unten geschlossen und werden wie ein Schlüssel angeblasen.

Pantheon [zu griechisch pan ›all‹, ›ganz‹ und theos ›Gott‹], Kuppelbau in Rom von rund 43 Metern Durchmesser und Höhe, den Kaiser Ha-

Panama

Staatswappen

Staatsflagge

Panflöte

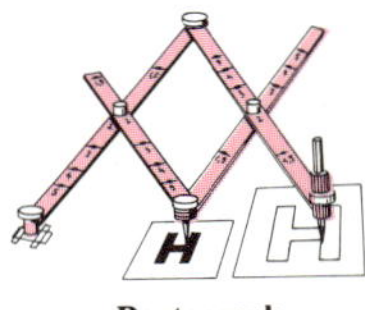

Pantograph

Papageien:
1 Arakakadu,
2 Blauwangenlori,
3 Gelbkopfamazone

drian 125 v. Chr. für die Gesamtheit der in Rom verehrten Götter errichten ließ. In den Wänden im Innern sind Nischen eingelassen, in denen die Götterbilder standen. 609 wurde das Pantheon zu einer christlichen Kirche geweiht, in der bedeutende Italiener ihre letzte Ruhe fanden. – Das Panthéon in Paris, als Kirche erbaut, dient seit 1791 als Ehrentempel bedeutender Franzosen.

Panther, ein anderer Name für →Leopard.

Pantoffeltierchen sind nach ihrer langgestreckten pantoffelähnlichen Form benannt. Diese nur wenige Zehntelmillimeter großen Urtierchen gehören zu den →Wimpertierchen. Mit Hilfe zahlreicher Wimpern auf ihrer Zelloberfläche bewegen sie sich sehr rasch fort. Sie kommen besonders häufig in fauligem Wasser vor und sind zahlreich in einem Heuaufguß zu finden.

Pantograph [zu griechisch pan ›all‹, ›ganz‹ und graphein ›schreiben‹], **Storchschnabel,** ein Zeichengerät, mit dem man von einer Originalzeichnung eine im Maßstab gleiche, verkleinerte oder vergrößerte Abbildung herstellen kann. Die Vorlage wird mit einem Führungsstift nachgefahren. Über ein bewegliches Parallelogramm aus Holz- oder Metallschenkeln, die auf ein bestimmtes Größenverhältnis eingestellt sind, wird von einem Bleistift die Zeichnung auf Papier übertragen. Ein Teil des Schenkelmechanismus muß dabei festgehalten werden. (BILD Seite 371)

Pantomime [griechisch ›alles nachahmend‹], eine theatralische Darstellungsart ohne Worte bei der Handlungen und Charaktere durch Mimik (Minenspiel, Bewegungen) ausgedrückt werden. Die Darsteller nennt man Pantomimen. Die Pantomime war schon um 400 v. Chr. bekannt und wurde in der römischen Kaiserzeit sehr beliebt. Später tauchte sie häufig im Volkstheater, Zirkus und Varieté auf. – Ein bedeutender Pantomime des 20. Jahrh. ist Marcel Marceau.

Papua-Neuguinea

Staatswappen

Staatsflagge

Panzer [aus lateinisch pantex ›Wanst‹], **1)** Vom Altertum bis zum Ende des Mittelalters trugen Krieger oft eine metallene Schutzbekleidung, die den Oberleib schützte. Sie bestand entweder aus enganliegenden, der Körperform angepaßten Metallplatten jeweils für Brust und Rücken **(Vollpanzer)** oder aus vielen kleinen miteinander verbundenen Metallstücken (**Panzerhemd** in der Form des Ring-, Ketten- oder Schuppenpanzers). An die Stelle des Panzers trat im Spätmittelalter der →Harnisch.

Im Ersten Weltkrieg entwickelte man stahlgepanzerte Kampfwagen, die sich auf Raupenketten fortbewegten. Weil diese Panzerfahrzeuge wie große Wassertanks aussahen, wurden sie aus Geheimhaltungsgründen zunächst ›Tank‹ genannt. Als Unterstützungswaffe der Infanterie im Stellungskrieg erzielten die anfangs noch sehr schwerfälligen Panzer nur geringe Erfolge. Im Zweiten Weltkrieg erwiesen sich die nun weit verbesserten Panzer (vollständig drehbarer Turm, hohe Geschwindigkeit) als schlachtentscheidende Waffe. Der moderne Kampfpanzer ist heute die Hauptwaffe der Landstreitkräfte vieler Staaten. Seine Besatzung besteht aus dem Kommandanten, dem Fahrer, dem Richtschützen und dem Ladeschützen; die Bewaffnung umfaßt die Kampfwagenkanone (Kaliber 105 oder 120 mm) und bis zu 2 Maschinengewehre.

2) die verfestigte Körperoberfläche bei verschiedenen Tierarten. Bei Krokodilen und Schildkröten wird der Panzer durch Hornplatten gebildet, die bei den Schildkröten durch Knochenplatten unterlegt sind. Gliederfüßer haben einen Panzer, der durch Hautabscheidungen entsteht; er enthält →Chitin und auch Kalk.

Papageien, meist farbenprächtige Vögel der tropischen und subtropischen Wälder; sie leben vorwiegend auf Bäumen. Dort brüten sie in Höhlungen und suchen nach Samen und Früchten, die sie mit einem Fuß zum Schnabel führen. Mit ihrem kräftigen, stark gebogenen Schnabel knakken sie nicht nur harte Samen und Früchte, sondern stützen sich damit auch beim Klettern ab; wie die →Spechte haben sie besonders ausgebildete Kletterfüße. Papageien werden seit Hunderten von Jahren als Stubenvögel gehalten. In Gefangenschaft erlernen viele Papageienarten die Nachahmung von Geräuschen und sogar der menschlichen Stimme (auch in Tonfall, Lautstärke und Dialekt). Papageien haben ein sehr gutes Gedächtnis und können mitunter eine Reihe von Wörtern behalten (besonders der afrikanische Graupapagei) und diese sogar im passenden Augenblick gebrauchen (z. B. ›herein‹ rufen, wenn es an die Tür klopft). Sie verstehen aber den Inhalt der Worte nicht und können auch selbst keine sinnvollen Sätze bilden. Man nimmt an, daß ihr ›Sprechen‹ für sie ein Spiel ist. Große Papageien können über 60 Jahre alt werden.

Es gibt 325 Papageienarten, darunter die großen, sehr bunten **Aras** aus Südamerika, die besonders häufig im Zoo zu sehen sind. Von Australien bis zu den Philippinen verbreitet sind die oft einfarbigen **Kakadus,** von denen die meisten eine Federhaube auf dem Kopf tragen, und die farbenprächtigen kleineren **Loris.** Kleine Formen sind die **Sittiche,** von denen Nymphensittich und →Wellensittich häufig im Käfig gehalten werden, ebenso wie die vorwiegend grünen **Amazonen** mit andersfarbigen Abzeichen an Kopf und Flügeln.

Papageitaucher, zu den →Alken gehörende Meeresvögel.

Papaya, Baummelone, eine →Südfrucht.

Papier, ein flächiger Werkstoff, der vor allem aus Pflanzenfasern hergestellt wird und überwiegend zum Beschreiben, Bedrucken oder zum Verpacken dient. Schon das Wort ›Papier‹ deutet auf die pflanzliche Herkunft von der Papyrusstaude hin (→Papyrus).

Heute ist der wichtigste Papierrohstoff Fichten- oder Tannenholz, das zu Fasern geschliffen (Holzschliff) oder chemisch zu →Zellstoff aufgeschlossen wird. Dieser Rohstoff kann mit Hadern (Textilabfällen aus Baumwolle, Hanf, Leinen) verfeinert und mit Altpapier gestreckt werden. Durch mehrfaches Wässern, Mahlen, Reinigen und Zusetzen von Füllstoffen (Kreide, Gips) entsteht ein Brei, dessen Verarbeitung in **Papiermaschinen** vor sich geht. In ihnen wird die hineingeleitete wäßrige Suspension durch Sieben, Entwässern, Bleichen, Pressen, Walzen, Trocknen, Glätten zur endlosen Papierbahn, die aufgerollt oder in bestimmte Formate (z. B. DIN-Formate) geschnitten wird. Noch in der Papiermaschine wird die Bahn mit Wasserzeichen versehen.

Je nach Zusammensetzung der Rohstoffe und je nach Art der Zusätze erhält man sehr unterschiedliche Papiersorten: vom glatten Zeichenkarton bis zum rauhen Packpapier, vom zarten Kreppapier bis zum harten Zeitungspapier. Die verschiedenen Druckverfahren haben allein unter den Druckpapieren zahllose Sorten entstehen lassen. Die Beschichtung mit Kunststoff-Dispersionen hat zu wasserdampf- oder sogar aromadichtem Papier geführt.

Das Papier wurde wohl schon vor 2 000 Jahren in China erfunden. Die Kenntnis vom Papiermachen gelangte über Arabien im Mittelalter nach Europa, zuerst nach Italien, dann nach Deutschland, wo 1389 die erste Papiermühle in Nürnberg entstand.

Papiergewicht, Bezeichnung für eine der →Gewichtsklassen.

Pappeln, Laubbäume, die sehr schnell wachsen (pro Jahr rund 1 m). Sie werden bis 40 m hoch. Bekannt sind die **Schwarzpappeln,** zu denen die steil aufragende **Pyramidenpappel** gehört, die als Windschutz und Alleebaum angepflanzt wird, außerdem als Parkbaum die **Silberpappel** mit silbriger Blattunterseite und die **Zitterpappel** oder **Espe,** deren rundliche Blätter beim leichtesten Windhauch flattern; daher kommt die Redensart ›zittern wie Espenlaub‹. Die Pflanze ist zweihäusig. Männliche und weibliche Blütchen sind als hängende Kätzchen ausgebildet.

Papst, das Oberhaupt der katholischen Kirche und zugleich der Bischof von Rom. Nach katholischer Lehre geht sein Amt auf den Apostel →Petrus zurück, den Jesus Christus nach neutestamentlicher Überlieferung (Matthäusevangelium 16, 18) an seiner Stelle als Oberhaupt der Kirche eingesetzt hatte. Der Papst gilt für die katholischen Christen folglich als Stellvertreter Christi auf Erden. Daraus leitet sich die Vorstellung ab, daß er in seinen Entscheidungen unfehlbar ist, wenn er sich ausdrücklich in voller Lehrautorität (›ex cathedra‹) zu Fragen des Glaubens oder der Sitte äußert. Die Unfehlbarkeit des Papstes wurde auf dem 1. Vatikanischen Konzil (1869–70) zum Dogma erklärt. Unterstützt in der Leitung der Kirche wird der Papst von den →Kardinälen, dem Kollegium aller Bischöfe und der römischen Kurie, der obersten Verwaltungsbehörde der katholischen Kirche. Von den Kardinälen wird der Papst auf Lebenszeit gewählt. Für die Dauer der Wahl sind die Kardinäle in einem von der Außenwelt völlig abgeschlossenen Raum eingeschlossen (→Konklave). Gewählt ist, wer $^2/_3$ und eine der abgegebenen Stimmen erhält. Üblicherweise wird ein Kardinal zum Papst gewählt, obwohl jeder Katholik, also auch ein Laie, wählbar ist. Mit dem jetzigen Papst Johannes Paul II. wurde seit 1523 zum erstenmal wieder ein Nicht-Italiener in dieses höchste kirchliche Amt gewählt.

Neben seinem Amt als Oberhaupt der katholischen Kirche ist der Papst auch Staatsoberhaupt des heute nur noch aus der Vatikanstadt bestehenden Vatikanstaates und damit keinem staatlichen Recht unterworfen.

Papua-Neuguinea, Staat in Ozeanien, eine Republik, die die Osthälfte Neuguineas, den Bismarck-Archipel und weitere Inseln umfaßt. Die

Papua-Neuguinea

Fläche: 462 840 km²
Bevölkerung: 4 Mill. E
Hauptstadt: Port Moresby
Amtssprache: Englisch; Neumelanesisch und Hiri Motu als Verkehrssprachen
Währung: 1 Kina (K) = 100 Toea (t)
Zeitzone: MEZ +9 Stunden

Papageien:
1 Graupapagei,
2 Arakanga oder Hellroter Ara,
3 Wellensittich

Pappeln:
Schwarzpappel, Fruchtzweig mit geschlossenen und geöffneten Kapseln

Einwohner leben überwiegend von der Landwirtschaft; auf Plantagen werden Kaffee, Kakao, Kokospalmen, Kautschuk, Bananen und Tee angebaut. Im Bergbau werden Gold und Silber sowie Kupfererz gewonnen. Geschichte: →Neuguinea. (KARTE Seite 198)

Papyrus. 3000 Jahre v. Chr. entdeckten die alten Ägypter, wie man aus dem Mark der Papyrusstaude, einer damals im Nildelta wachsenden Schilfart, ein dünnes Blatt herstellen konnte, das sich mit tintenähnlicher Flüssigkeit beschreiben ließ. Die Stengel der Papyruspflanze wurden in dünne Streifen geschnitten und in 2 Lagen rechtwinklig übereinandergelegt. Beim Trocknen und Pressen dieser Lagen verklebten die Streifen zu Blättern; die Blätter wurden wiederum aneinandergeklebt und die entstandenen Bahnen zusammmengerollt. Die längste gefundene Papyrusrolle ist 40 m lang. Die Taten des Pharao Ramses III. sind darauf festgehalten.

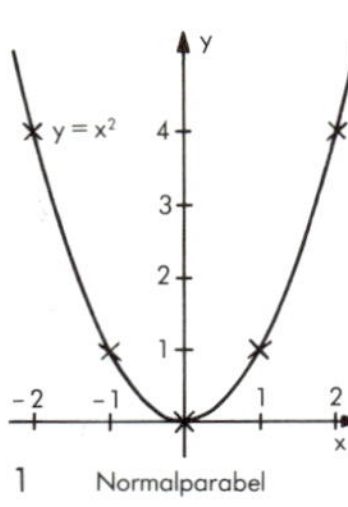

1 Normalparabel

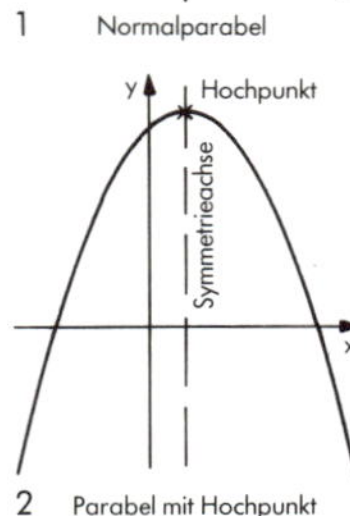

2 Parabel mit Hochpunkt

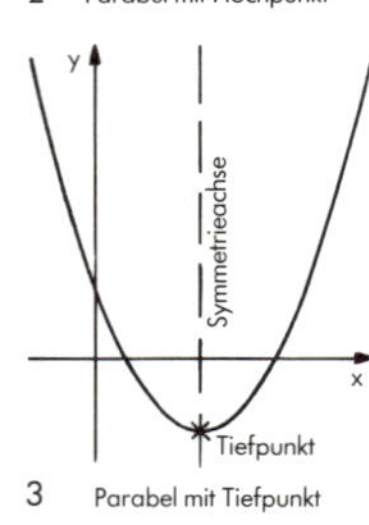

3 Parabel mit Tiefpunkt

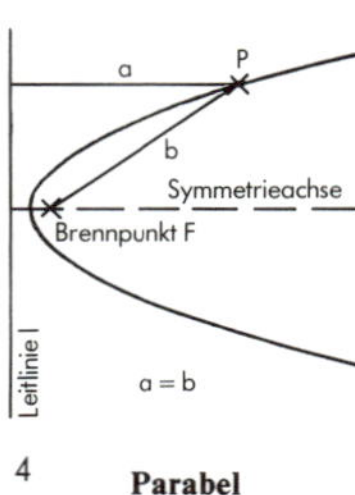

4 **Parabel**

Parabel [griechisch ›Vergleichung‹], Mathematik: Funktionen mit dem Definitionsbereich $D = \mathbb{R}$ und den Funktionsgleichungen $y = x^2$, $y = 2 \cdot x^2$, $y = x^2 - 3 \cdot x + 4$, oder allgemein: $y = a \cdot x^2 + b \cdot x + c$ ($a \neq 0$), heißen **quadratische Funktionen.** Den Graphen einer quadratischen Funktion im Kartesischen Koordinatensystem nennt man eine **Parabel.**

Die einfachste Parabel, die **Normalparabel,** besitzt die Gleichung $y = x^2$ (BILD 1). Parabeln haben folgende Eigenschaften:

1) Die Parabel ist symmetrisch zu einer Parallelen zur y-Achse.

2) Jede Parabel besitzt entweder einen am tiefsten oder am höchsten gelegenen Punkt. Dieser Punkt heißt **Tiefpunkt** oder **Hochpunkt.** Er liegt auf der Symmetrieachse. Der Tief- oder Hochpunkt der Parabel wird auch **Scheitelpunkt** genannt.

3) Eine Parabel mit Hochpunkt steigt links und fällt rechts von diesem Punkt (BILD 2). Eine Parabel mit Tiefpunkt fällt links und steigt rechts von diesem Punkt (BILD 3). Ob eine Parabel einen Tief- oder Hochpunkt besitzt, erkennt man an der Zahl a vor dem x^2-Term. Ist $a > 0$, so besitzt die Parabel einen Tiefpunkt; man sagt: Sie ist nach oben geöffnet. Ist $a < 0$, so besitzt die Parabel einen Hochpunkt; man sagt: Sie ist nach unten geöffnet.

In der analytischen Geometrie wird der Parabelbegriff erweitert. Unter einer Parabel versteht man hier die Gesamtheit aller Punkte, die von einem festen Punkt, dem **Brennpunkt** F, und einer festen Geraden, der **Leitlinie** l, den gleichen Abstand haben (BILD 4), das heißt, für alle Punkte P der Parabel gilt: $a = b$.

Die Parabelgestalt findet bei Parabolspiegeln (→Spiegel) Anwendung. Dies liegt daran, daß Lichtstrahlen, die vom Brennpunkt F ausgehen, parallel zur Symmetrieachse reflektiert werden.

Paracelsus. Der Arzt und Naturforscher Philippus Aureolus Theophrastus, eigentlich **Theophrastus Bombastus von Hohenheim** (* 1493, † 1541), war in Salzburg, Straßburg und Basel tätig. Er vertrat die Ansicht, jeder Arzt müsse seine Erfahrungen am Krankenbett sammeln, darüber hinaus auch Naturforscher sein. Durch Anwendung von natürlichen Heilmitteln und erstmals Mineralen hatte er große Behandlungserfolge, die ihn schnell bekannt machten. Er veröffentlichte seine Erfahrungen in medizinischen Werken und verfaßte außerdem zahlreiche philosophische und theologische Schriften.

Paradiesvögel: 1 Gelbkragen- oder Prachtparadiesvogel, 42 cm lang; **2** Königsparadiesvogel, 16 cm lang, ohne die mittleren Schwanzfedern; **3** Schmalschwanz-Sichelkopf oder Meyer-Sichelschnabel, 100 cm lang

Paradiesvögel leben in den Wäldern Neuguineas und Australiens, wo sie auf Bäumen ihr großes Nest errichten und nach Insekten und Früchten suchen. Die Männchen haben meist ein in vielen Farben schillerndes Gefieder und oft bizarre Schmuckfedern, die sie zur Paarungszeit als Fächer, Schleier oder Schleppe zur Schau stellen. Paradiesvögel wurden in Europa nach der ersten Weltumsegelung (1522) bekannt. Da die mitgebrachten Bälge (das ist die abgezogene gefiederte

Haut) keine Füße hatten, entwickelte sich die Vorstellung, diese Vögel würden nur in der Luft schweben und himmlischen Tau trinken (daher ihr Name). Im 19. Jahrh. waren die schönen Federn in Europa als Hutschmuck begehrt, und viele dieser Vögel wurden sehr stark verfolgt und fast ausgerottet.

Paraffin, Bezeichnung für feste, wachsartige Kohlenwasserstoffe, die in gereinigter Form farblos bis weiß sind und als Kerzenwachs sowie als Grundmaterial in Bohnermassen, Schuhcremes, Lebensmittelverpackungen und Kaugummi Verwendung finden.

Paraguay, Río Paraguay, rechter Nebenfluß und Hauptzufluß des Paraná, Südamerika, 2 600 km lang. Er entspringt im Bergland von Mato Grosso (Brasilien), durchfließt das sumpfige Schwemmland des Pantanal und vereinigt sich oberhalb von Corrientes mit dem Paraná; rund 2 200 km sind schiffbar.

Paraguay

Fläche: 406 752 km²
Bevölkerung: 4,6 Mill. E
Hauptstadt: Asunción
Amtssprachen: Spanisch, Guaraní
Nationalfeiertag: 14. Mai
Währung: 1 Guaraní (G) = 100 Céntimos (cts)
Zeitzone: MEZ – 5 Stunden

Paraguay, Republik in Südamerika, ein Binnenstaat zwischen Argentinien, Brasilien und Bolivien, so groß wie Deutschland und die Schweiz zusammen. Der größere, westlich des Flusses Paraguay gelegene Teil des Landes gehört zum Trockenwaldgebiet des Gran Chaco. Östlich davon ist das Land gebirgig. Das überwiegend subtropische Klima bringt von West nach Ost zunehmende Niederschläge, im Osten bis zu 2 000 mm im Jahr.

Die Bevölkerung besteht größtenteils aus Mestizen, daneben gibt es Indianer, Europäer und Asiaten. Im Südosten liegen große Siedlungsgebiete deutscher Einwanderer. Der Westen ist dünn besiedelt.

Die wichtigsten Ackerbaugebiete liegen im Osten am Paraná. Sojabohnen, Erdnüsse, Baumwolle werden ausgeführt. Mehr als ⅓ des Landes sind Wiesen und Weiden. Sehr bedeutend ist die Viehhaltung, ebenso die forstwirtschaftliche Nutzung der Wälder.

Die Industrieproduktion stützt sich besonders auf die Verarbeitung land- und forstwirtschaftlicher Erzeugnisse. Durch neue Wasserkraftwerke am Paraná wird das Land zur einem bedeutenden Energielieferanten.

Geschichte. 1811 erklärte Paraguay seine Unabhängigkeit von Spanien. Im Krieg von 1865–70 gegen Brasilien, Argentinien und Uruguay versuchte Paraguay, einen Zugang zum Meer zu erlangen. Paraguay verlor mehr als ⅘ seiner Bevölkerung und war wirtschaftlich vernichtet. 1954–89 regierte der Militärdiktator General Stroessner; nach der Verfassung von 1992 ist Paraguay eine präsidiale Republik. (KARTE Seite 197)

Paraguay

Staatswappen

Staatsflagge

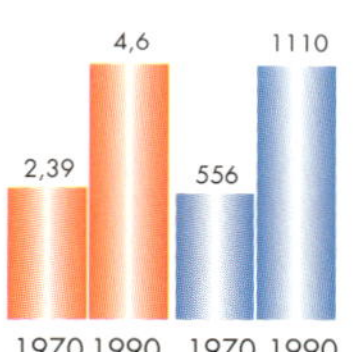

Bevölkerung (in Mill.) Bruttosozialprodukt je E (in US-$)

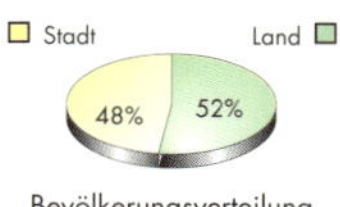

Bevölkerungsverteilung 1990

Industrie
Landwirtschaft
Dienstleistung

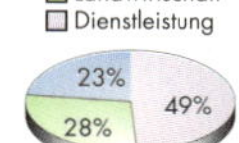

Bruttoinlandsprodukt 1990

parallel [griechisch ›gleichlaufend‹]. Zwei Geraden g und h, die in einer Ebene verlaufen, heißen parallel, wenn sie sich nicht schneiden (BILD 1 Seite 376). Man schreibt: $g \parallel h$ und liest: g parallel zu h. Außerdem hat man vereinbart, daß jede Gerade zu sich selbst parallel ist. Zwei Strecken heißen parallel, wenn sie auf 2 parallelen Geraden liegen. Parallele Strecken findet man häufig in geometrischen Figuren, z. B. sind die gegenüberliegenden Seiten eines Parallelogramms oder die gegenüberliegenden Kanten eines Quaders parallel.

Parallelität und Orthogonalität (→ senkrecht) von Geraden sind durch den folgenden Sachverhalt miteinander verknüpft: Stehen die beiden Geraden g und h senkrecht auf derselben Geraden k, dann sind die Geraden g und h zueinander parallel (BILD 2 Seite 376). Kurzschreibweise: Wenn $g \perp k$ und $h \perp k$, dann gilt: $g \parallel h$.

Parallelepiped [zu griechisch epipedon ›Ebene‹], **Spat,** ein spezieller geometrischer Körper (→ Prisma).

Parallelogramm, ein → Viereck, bei dem die gegenüberliegenden Seiten parallel sind (BILD). Die Eigenschaften eines Parallelogramms sind:

1) Die gegenüberliegenden Winkel sind gleich groß, und je 2 benachbarte Winkel ergänzen sich zu 180°.

2) Die gegenüberliegenden Seiten sind gleich lang.

3) Die beiden → Diagonalen halbieren sich gegenseitig.

4) Der Schnittpunkt der Diagonalen ist Symmetriepunkt (→ Symmetrie).

Sonderfälle eines Parallelogramms sind: → Raute (Rhombus), → Rechteck, → Quadrat.

Für den Flächeninhalt A eines Parallelogramms gilt: $A = g \cdot h$, wobei g die Länge der Grundseite und h die Länge der zu g gehörigen Höhe ist.

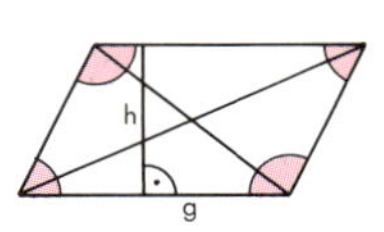

Parallelogramm

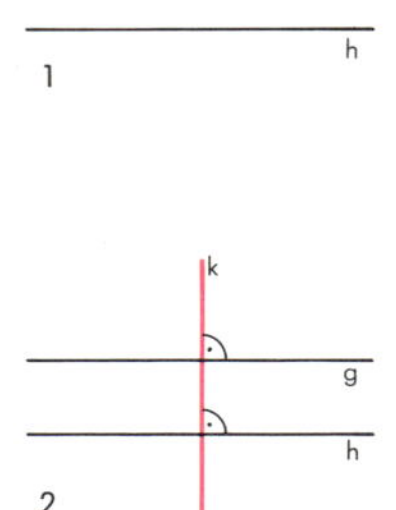

parallel

Das Parallelogramm findet auch in der Physik Anwendung, nämlich beim Kräfteparallelogramm (→Kraft).

Paraná, Strom in Südamerika. Der 3 780 km lange Paraná entsteht durch Vereinigung der Quellflüsse Paranaíba und Rio Grande in Brasilien. Bei Corrientes nahe der argentinisch-paraguayischen Grenze nimmt er den Paraguay auf, folgt dessen Richtung nach Süden und teilt sich unterhalb von Rosario in ein bis zu 70 km breites, sumpfiges Delta. Nördlich von Buenos Aires bildet der Paraná zusammen mit dem Uruguay den Río de la Plata. Als Wasserstraße hat der Paraná vor allem für Paraguay und Argentinien große Bedeutung. Bei Itaipú nahe der Einmündung des Iguaçu entsteht das größte Wasserkraftwerk der Erde.

Paranuß, eine →Südfrucht.

Parasiten, Schmarotzer, Lebewesen, die auf Kosten eines anderen Organismus, des Wirts, leben und sich fortpflanzen. Sie halten sich vorübergehend oder dauernd am oder im Körper des Wirts auf und leben von dessen Körpersubstanz oder von der aufgenommenen Nahrung, ohne ihren Wirt zu töten. Der Wirtsorganismus hat keinen Nutzen von ihnen, er wird mehr oder weniger stark geschädigt.

Pflanzliche Parasiten findet man vor allem unter den Pilzen (Rostpilze, Brandpilze), die als ›Vollparasiten‹ sämtliche Nährstoffe vom Wirt beziehen. Sie können an Pflanzen, Tieren oder Menschen schmarotzen. Unter den höheren Pflanzen findet man auch ›Halbparasiten‹, die zwar mit Hilfe der →Photosynthese Kohlenhydrate, nicht aber stickstoffhaltige Verbindungen herstellen können. Diese beziehen sie von ihrem Wirt über Saugfortsätze (›Haustorien‹), die ins Wirtsgewebe eindringen. Ein Beispiel hierfür ist die →Mistel.

Zu den **tierischen Parasiten** gehören unter anderem die bei Menschen und vielen Tieren schmarotzenden Würmer (z. B. die →Bandwürmer), die sich vor allem in Darm und Blut des Wirts aufhalten, aber auch die im Haarkleid (beim Menschen auch in der Kleidung) lebenden →Flöhe, die das Blut ihres Wirts saugen. Sie können zum Teil gefährliche Krankheiten übertragen (Fleckfieber). Auch **Bakterien** und **Viren** kommen bei Pflanze, Tier und Mensch als Parasiten vor. Bei vielen Insektenarten, z. B. bei einigen →Wespen, leben die Larven als Parasiten in bestimmten Tierarten (oft anderen Insekten) oder in Pflanzen (→Galle). **Brutparasitismus** findet man beim →Kuckuck, der seine Eier in die Nester anderer Vogelarten legt und von ihnen seine Jungen aufziehen läßt.

Paris, in der griechischen Sagenwelt der Sohn des Königs Priamos von Troja. Vor Paris erschienen die 3 Göttinnen Hera, Athene und Aphrodite, um von ihm zu erfahren, wer von ihnen die Schönste sei. Bei einem Fest der Götter hatte Eris, die Göttin des Streites, einen Apfel mit der Aufschrift ›der Schönsten‹ unter die Gäste geworfen. Diesen Apfel gaben die 3 Göttinnen nun Paris. Er sollte ihn derjenigen überreichen, die er für die Schönste hielt. Das **Paris-Urteil** fiel zugunsten Aphrodites aus, die versprochen hatte, ihm die schönste Frau zu gewinnen. Tatsächlich half sie ihm bei der Entführung →Helenas und löste damit den Krieg gegen Troja aus, in dem Paris das Leben verlor.

Paris
Hauptstadt Frankreichs
Einwohner: 2,18 Millionen, mit Vororten 10 Millionen

Paris liegt zu beiden Seiten der Seine und ist in 20 Stadtbezirke (Arrondissements) gegliedert. Die Stadt ist Sitz der obersten Staatsbehörden und internationaler Organisationen, z. B. UNESCO (Kulturorganisation der UNO). Sie ist Finanz-, Handels- und Industriezentrum des Landes mit Flugzeug-, Auto- und Elektroindustrie. Parfum- und Kosmetikindustrie, Schmuck und Modeschöpfung (›Haute Couture‹) haben Weltrang. Paris ist Mittelpunkt des französischen Eisenbahn- und Straßennetzes und der größte Binnenhafen des Landes. Das Hauptverkehrsmittel in der Stadt ist die Untergrundbahn (Métropolitain, kurz Métro genannt). Paris ist der kulturelle Mittelpunkt Frankreichs mit der zweitältesten Universität Europas, der **Sorbonne** (gegründet 1253), die heute in mehrere Universitäten für unterschiedliche Fachbereiche aufgegliedert ist, dem Kulturzentrum Centre Georges Pompidou, Bibliotheken, Museen, z. B. Louvre, Theatern, z. B. Comédie Française (17. Jahrh.), und der Pariser Oper. Mit der Errichtung moderner Wohnsiedlungen, Industrie- und Geschäftszentren in der Banlieue (Vorortbereich) verliert die Innenstadt allmählich ihre zentrale Bedeutung. Es entstand z. B. das Quartier de la Défence mit Versicherungs-, Industrie- und Handelsgesellschaften; 5 ›Neue Städte‹ werden errichtet.

Paris übte schon immer eine große Anziehungskraft auf Künstler, Studenten und Touristen aus aller Welt aus. Kern der Stadt ist die Seine-Insel **Île de la Cité** mit dem Justizpalast und der Kathedrale **Notre-Dame** (›Unsere Liebe

Frau‹; 12./13. Jahrh.), einer fünfschiffigen Basilika mit reichem Figurenschmuck an den Portalen. Zu den traditionsreichen Stadtvierteln und alten Bauwerken gehören das Universitäts- und Studentenviertel **Quartier Latin** südlich der Seine mit der Sorbonne, der Hügel **Montmartre,** der sich mit der nach romanisch-byzantinischem Vorbild errichteten Kirche Sacré-Cœur (19./20. Jahrh.) über die Stadt erhebt und als Künstlerviertel weltweit bekannt wurde, der 300 m hohe **Eiffelturm,** der nach den Plänen des Ingenieurs Gustave Eiffel zur Weltausstellung in Paris 1889 entstand und ein Wahrzeichen der Stadt ist, das Panthéon (18. Jahrh.), ein Ehrentempel mit den Grabmälern berühmter Franzosen, der große Friedhof Père-Lachaise. An der Ost-West-Achse nördlich der Seine liegen das Rathaus (16./17. Jahrh.), der Louvre, der Tuileriengarten und die Straße Champs-Élysées von der Place de la Concorde, vorbei am Palais de l'Élysee (Sitz des Staatspräsidenten), zur Place Charles-de-Gaulle (früher Place de l'Étoile) mit dem Triumphbogen Napoleons (Arc de Triomphe; 19. Jahrh.) und dem Grabmal des unbekannten Soldaten.

Paris wurde von den Galliern am Seine-Übergang eines vorgeschichtlichen Weges gegründet, der Nordfrankreich mit dem Loire-Gebiet verband. Die gallische, später römische Siedlung auf der Insel Île de la Cité hieß Lutetia. Seit dem 10. Jahrh. ist Paris die Hauptstadt Frankreichs. Von Paris ging 1789 die Französische Revolution aus.

Pariser Verträge, verschiedene, rechtlich miteinander verbundene Verträge, die gemeinsam am 5. Mai 1955 in Kraft traten. Durch sie wurde die Bundesrepublik Deutschland ein unabhängiger Staat im Rahmen des westlichen Bündnissystems, besonders der NATO.

Parlament [aus französisch parler ›sprechen‹], die gewählte Volksvertretung; sie kann aus einer oder 2 Körperschaften **(Kammern)** bestehen. Die Bundesrepublik Deutschland hat mit dem Bundestag ein **Einkammerparlament,** da der → Bundesrat kein Parlament, sondern ein Vertretungsorgan der Länder ist. Parlament eines Bundeslandes ist der Landtag (Berlin: Abgeordnetenhaus; Hamburg und Bremen: Bürgerschaft). Die Schweiz (mit der Bundesversammlung aus National- und Ständerat) und Österreich (mit dem Bundes- und Nationalrat) haben ein **Zweikammerparlament.** Das Parlament hat das Recht der Gesetzgebung (→ Legislative); außerdem steht ihm das Recht der ungehinderten Diskussion und Untersuchung öffentlicher Probleme und Streitfragen zu sowie das Recht, Anfragen an die Regierung zu stellen. In parlamentarischen → Demokratien hat das Parlament auch entscheidenden Einfluß auf die Regierungsbildung. In Staaten, in denen nur eine Partei die politische Macht ausübt (z. B. in China), sind die Parlamente weitgehend entmachtet und können nicht mehr – wie in den parlamentarischen Demokratien – die Regierung in grundsätzlichen Fragen kontrollieren.

Das moderne Parlament hat sein Vorbild im englischen Parlament. Die → Magna Charta Libertatum (1215), in der der englische König den gewählten Vertretern des Adels Mitspracherechte einräumen mußte, gilt als Ursprung des englischen Parlamentswesens. Seit 1340 wirkte das Parlament, das sich in diesem Jahrhundert auch in das ›House of Lords‹ (Oberhaus) und ›House of Commons‹ (Unterhaus) aufgliederte, an der Gesetzgebung mit. In der ›Declaration of Rights‹ (›Erklärung der Rechte‹) von 1689 wurden unter anderem die regelmäßige Einberufung des Parlaments und die Redefreiheit vereinbart. Im Zug der amerikanischen Unabhängigkeitserklärung (1776) und der Französischen Revolution (1789) fand seit dem 19. Jahrh. im Zeichen des Liberalismus (→ liberal) der Gedanke weitere Verbreitung, daß das Parlament die Regierung kontrollieren müsse.

Parlamentarischer Rat, verfassunggebende Versammlung, die das Grundgesetz für die Bundesrepublik Deutschland ausarbeitete. Er trat am 1. September 1948 in Bonn zusammen und bestand aus 65 Abgeordneten aus den Länderparlamenten der westlichen Besatzungszonen (27 CDU/CSU, 27 SPD, 5 FDP, 2 Deutsche Partei, 2 KPD, 2 Zentrum). Präsident des Parlamentarischen Rates war der CDU-Politiker und spätere Bundeskanzler Konrad Adenauer. Am 8. Mai 1949 wurde der Entwurf des Grundgesetzes fertiggestellt, das am 23. Mai 1949 durch den Parlamentarischen Rat verkündet wurde und am 25. Mai 1949 in Kraft trat.

Parnaß, Name eines Kalksteingebirges in Mittelgriechenland mit bis zu 2457 m hohen Erhebungen. Der Parnaß galt in der Antike als Sitz der Musen und des Apoll, der Gottheiten der Künste und der Philosophie. Im übertragenen Sinn nennt man das ›Reich der Dichtkunst‹ Parnaß.

Parodie [griechisch ›Nebengesang‹, ›Gegengesang‹], literarische Ausdrucksform, mit der kritisiert und verspottet wird. Im Gegensatz zur → Satire ist die Parodie stets auf Vorlagen bezogen; sie übernimmt die äußere Form und verändert den Inhalt. Das gegensätzliche Verfahren, bei dem der Inhalt des Originals in anderer Form dargestellt wird, heißt **Travestie.**

Parodontose [zu griechisch para ›neben‹, ›gegen‹ und odous ›Zahn‹], Zahnbettschwund, das langsame Zurückweichen des Zahnfleischs von Zahnhals und Wurzel. In einem späteren Stadium kann es sogar zu Knochenschwund kommen. Im allgemeinen verläuft die Parodontose ohne entzündliche Erscheinungen. Die Zahnhälse werden sichtbar, und die Zähne reagieren empfindlich, z. B. auf Süßigkeiten und Temperaturveränderungen. Später kommt es zur Lockerung der Zähne und zum Zahnausfall. Die Ursachen dieser Veränderungen sind ungeklärt. Eine große Rolle spielen Fehlstellungen der Zähne. Die Behandlung besteht vorwiegend in einer sorgfältigen Zahnpflege und der Korrektur etwaiger Fehlstellungen und Fehlbelastungen.

Partei [aus lateinisch pars ›Teil‹], eine Gruppe von politisch Gleichgesinnten, die sich eine feste Organisation gegeben haben, um Einfluß auf die politische Entwicklung ihres Staates zu nehmen: besonders bei der Beratung und Verabschiedung der Gesetze im Parlament, bei der Wahl des Staatsoberhaupts oder des Regierungschefs.

Parteiensysteme. Es gibt Staaten, meist →Diktaturen, in denen nur eine Partei die politische Entwicklung des Landes bestimmt (z. B. die Kommunistische Partei in den kommunistischen Staaten). In →Demokratien können sich mehrere Parteien frei bilden und sich je nach Ausgang der Parlamentswahlen in der Führung des Staates abwechseln oder auch zu Regierungskoalitionen (→Koalition) miteinander verbinden.

Aufbau der Partei. Ungeachtet der zahlreichen Organisationsformen im einzelnen wird jede Partei auf örtlicher, regionaler und nationaler Ebene eines Landes jeweils von einem **Parteivorstand** geleitet, dem ein **Parteiapparat** (bestehend aus **Parteifunktionären**) zur Bewältigung der Parteiziele zur Seite steht. Der Parteivorstand wird von einem in regelmäßigen Abständen tagenden **Parteitag** gewählt; dieser legt auch die allgemeinen Ziele der Partei **(Parteiprogramm)** fest.

Die Finanzierung der Parteien erfolgt nicht nur aus **Mitgliedsbeiträgen,** sondern auch aus **Spenden** und (z. B. in der Bundesrepublik Deutschland) aus **staatlichen Finanzmitteln.** Das Einkommen einer Partei aus Spenden wirft häufig die Frage nach ihrer Abhängigkeit vom Spendengeber auf.

Parteitypen. Es gibt sehr unterschiedliche Arten von Parteien. Eine **Weltanschauungspartei** orientiert sich an übergeordneten moralischen, philosophischen oder religiösen Zielen (z. B. konservative, liberale, sozialistische, christlich-konfessionelle Parteien). Eine **Interessenpartei** sucht die besonderen Interessen einer Gruppe zu vertreten (z. B. Arbeiterpartei). Eine **Volkspartei** möchte die zahlreichen, unterschiedlichen Interessen in der Bevölkerung bündeln und zu einem gemeinsamen politischen Willen zusammenführen. Die geschilderten Parteitypen gehen unter sich zahlreiche Verbindungen ein. Die ›Kommunistische Partei‹ ist der Typ einer **Kaderpartei,** die nicht in erster Linie auf den Gewinn möglichst vieler Mitglieder gerichtet ist, sondern auf die geschlossen auftretende politische Gruppe. Parteien, die besonders eine momentane Mißstimmung in der Bevölkerung zum Ausdruck bringen, nennt man **Protestparteien,** Parteien, die bei Wahlen nur einen sehr geringen Anteil an Stimmen finden, **Splitterparteien.**

Parthenon [griechisch ›Jungfrauengemach‹], Marmortempel zu Ehren der griechischen Göttin Athene auf der Akropolis in Athen; er wurde 447–432 v. Chr. errichtet. Im Innern des Baus mit 10 m hohen dorischen Säulen befand sich das Standbild der Göttin aus Gold und Elfenbein.

partikularistisch [von lateinisch pars, ›Teil‹], eine politische Haltung, die innerhalb eines großräumigen Staates (eines Reichs) die Teilinteressen einer Region (eines Teilfürstentums innerhalb des Reichs) höher stellt als die Interessen des Staatsganzen. Partikularistische Verhaltensweisen **(Partikularismus)** sind ein für die deutsche Geschichte bezeichnendes Element.

Partitur [von lateinisch partiri ›einteilen‹], ein Buch, in dem alle Sing- und Instrumentalstimmen eines Musikwerkes in Notenschrift aufgezeichnet sind derart, daß die gleichzeitig erklingenden Noten untereinanderstehen.

Parzen, römische Bezeichnung für die Schicksalsgöttinnen, die bei den Germanen →Nornen genannt wurden.

Parzival, eine der Heldengestalten in der Sage um König →Artus, ein Urbild des christlichen Ritters. In schweren Kämpfen suchte Parzival weltliche Ritterpflichten mit dem Gehorsam gegenüber Gott zu vereinbaren. Die **Parzivalsage** wurde um 1190 von dem französischen Dichter Chrétien de Troyes und, etwas später, von Wolfram von Eschenbach in Epen verarbeitet. Bei Wolfram wird Parzival nach mancherlei Abenteuern in die Tafelrunde edler Ritter am Hof des Königs Artus aufgenommen. Auch die Burg des heiligen →Grals, nach der Parzival jahrelang auf der Suche ist, findet er schließlich. Parzival kann den König der Burg, Amfortas, jedoch nicht von den Leiden erlösen, die über ihn verhängt sind, weil er versäumt, nach ihnen zu fragen. Damit lädt er, ohne es zu wissen, schwere Schuld auf sich und wird aus der Tafelrunde ausgeschlossen. Jahrelang irrt er umher, bis ihn ein Einsiedler über das Gralsgeheimnis aufklärt. Parzival kann nun mit seiner Frage Amfortas erlösen und wird selbst König des Grals.

Pascal. Im Denken des französischen Philosophen und Mathematikers **Blaise Pascal** (* 1632, † 1662) vereinten sich christliche Frömmigkeit und mystische Gottesergebenheit mit mathematischem Scharfsinn und strenger naturwissenschaftlicher Forschung. Pascal begründete die Wahrscheinlichkeitsrechnung, entdeckte das Gesetz der →kommunizierenden Röhren und beschäftigte sich mit dem Bau einer Rechenmaschine. Zugleich war er aber auch davon überzeugt, daß die Menschen durch Vernunft und Wissen allein nicht zu sich selbst und zu innerem Frieden in Gott kommen könnten. Nötig sei die Erfahrung höherer göttlicher Wirklichkeit und die Hingabe an Offenbarung und Gnade, was Pascal mit seiner berühmt gewordenen Formel von der ›Logik des Herzens‹ (›logique du cœur‹) ausdrückte.

Pascal [nach Blaise Pascal], Einheitenzeichen **Pa;** SI-Einheit des →Druckes: 1 Pa = 1 N/m^2 = 10^{-5} bar. Bei Luftdruckangaben hat das **Hektopascal** (hPa), 1 hPa = 100 Pa, das Millibar abgelöst (→Bar).

Pascal-Dreieck [nach Blaise Pascal], ein Zahlenschema zur Bestimmung der Binomialkoeffizienten (→binomische Formeln).

Paß [zu lateinisch passus ›Schritt‹], von der Natur vorgezeichnete, begehbare oder befahrbare Stelle an einer Wasserscheide, vor allem im Hochgebirge. Ein Paß ermöglicht den Übergang von einem Talgebiet in ein anderes. Zur **Paßhöhe** führen die **Paßstraßen** als Zufahrtswege. Die Zusammendrängung des Verkehrs auf den Paßwegen ließ schon früh auf der Paßhöhe Rasthäuser, am Fuß des Berges wichtige Handels- und Rastorte entstehen. Bei bedeutenden Pässen wird heute meist der oberste und steilste Abschnitt durch Tunnel unterfahren.

Paß, amtliches Dokument, das Ausländer bei der Einreise in fremde Länder vorzeigen müssen, um sich über ihre Person und ihr Heimatland auszuweisen. In einigen Ländern, z. B. in der Bundesrepublik Deutschland, in Österreich und der Schweiz, genügt der Personalausweis. Der Paß enthält den Namen des Inhabers, seinen Geburts- und Wohnort, sein Photo, die Angabe über seine Augenfarbe, Körpergröße und besondere Kennzeichen, seine Unterschrift. Er ist 5 Jahre gültig.

Passahfest, jüdisches Fest zur Erinnerung an den Auszug der Israeliten aus Ägypten. Nach alttestamentlicher Überlieferung tötete Jahwe (Gott) in der Nacht, bevor Moses das israelitische Volk aus der ägyptischen Knechtschaft führte, die Erstgeburten der Ägypter. An den Türen der Israeliten, die diese auf seine Weisung mit Lammblut bestrichen hatten, ging er vorbei (hebräisch Passah ›schonendes Vorübergehen‹). Das Passahfest beginnt am Abend des ersten Frühlingsvollmonds mit einem Familienmahl aus ungesäuertem Brot, bitteren Kräutern und Lammbraten. Das christliche Osterfest findet zur gleichen Zeit statt, da Kreuzigung und Auferstehung Christi in die Zeit des Passahfestes fielen.

Passat, in weiten Teilen der Tropen vorherrschende östliche Luftströmung. Sie wird in den unteren Luftschichten durch die Erddrehung und Reibung abgelenkt: Auf der Nordhalbkugel weht der Passat aus Nordosten, auf der Südhalbkugel aus Südosten. Verursacht wird die Passatströmung durch das ganzjährig bestehende Druckgefälle von Gebieten hohen Luftdrucks in den Subtropen (zu ihnen gehört auch das Azorenhoch) zu dem Bereich tiefen Luftdrucks am Äquator.

Wegen ihrer Regelmäßigkeit wurden die Passate zu Zeiten der Segelschiffahrt zur Überfahrt nach Südamerika benutzt und von den Engländern als ›Handelswinde‹ bezeichnet.

Passau, 52 100 Einwohner, Stadt in Niederbayern am hochwassergefährdeten Zusammenfluß von Donau und Ilz. Passau entstand aus einem Römerkastell und wurde vom 10. Jahrh. bis 1803 von den Bischöfen des Bistums Passau regiert. Gut erhalten ist das vor allem vom Barock bestimmte Stadtbild mit dem Dom Sankt Stephan, der eine der größten Kirchenorgeln birgt, der Severinskirche, alter und neuer bischöflicher Residenz und Kloster Niedernburg.

Passion [von lateinisch passio ›Leiden‹], die Leidensgeschichte Jesu Christi, wie sie von den 4 Evangelisten überliefert wurde. Sie bildet mit der Auferstehung das Zentrum des christlichen Glaubens. Die biblischen Berichte schildern die Einsetzung des →Abendmahls, die Gefangennahme, die Folterung, die Verurteilung, den Kreuzweg und die Kreuzigung Jesu bis hin zu seiner Grablegung. Diesem Leiden und Sterben Jesu gedenken die christlichen Kirchen beson-

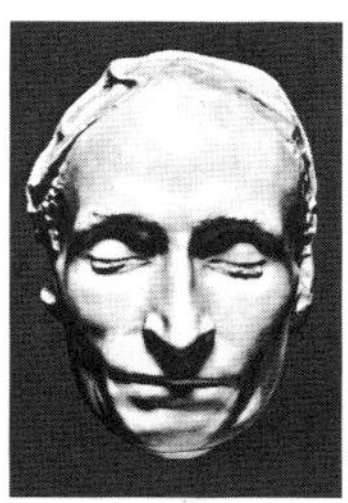

Blaise Pascal
(Totenmaske)

Passionsblume

ders in den Wochen unmittelbar vor Ostern, der **Passionszeit.** Die Passion wurde oft vertont, z. B. von Johann Sebastian Bach. (→Passionsspiele)

Passionsblumen wachsen als Kettersträucher vor allem im tropischen Amerika; in Europa sind sie beliebte Zimmerpflanzen. Blütenteile wurden früher mit den Marterwerkzeugen Christi verglichen, z. B. glaubte man in den 3 Stempeln die Kreuznägel zu erkennen (daher der Name). Die kürbisähnlichen Früchte mancher Arten sind eßbar.

Passionsfrucht, eine →Südfrucht.

Passionsspiele, im 14. Jahrh. entstandene geistliche Schauspiele, in denen die Leidensgeschichte Christi dargestellt wird. Zunächst ließ man sie in kurzer Fassung den aus der gottesdienstlichen Osterfeier hervorgegangenen Osterspielen vorangehen. Später dauerten die Spiele, an denen oft Tausende mitwirkten, mehrere Tage lang. Sie waren über den deutschsprachigen Raum hinaus in ganz Europa üblich; mit der Ausbreitung des protestantischen Glaubens traten die Passionsspiele in den Hintergrund. Heute findet man sie noch vereinzelt in katholischen Gegenden (→Oberammergau).

Passiv [aus lateinisch passivus ›duldend‹, ›untätig‹], Leideform des Verbs im Gegensatz zum →Aktiv (Tätigkeitsform). Das Verb steht im Passiv, wenn mit dem Subjekt etwas geschieht, das heißt, wenn das Subjekt etwas ›erleidet‹, z. B. ›Die Hecke wird vom Gärtner geschnitten‹. Das Passiv wird mit dem Hilfsverb ›werden‹ gebildet.

Passiva, →Bilanz.

Pastell [von italienisch pastello ›Farbstift‹], ein mit Pastellfarben auf Papier, Pappe oder Pergament gemaltes Bild. Die **Pastellfarben** werden aus einer Farbpaste in Stiftform gepreßt und getrocknet. Gemalt wird also mit trockenen Farben (Trockenmalerei). Deshalb haften die Farbteilchen nur leicht auf der Oberfläche und können mit dem Finger oder einem Wischer zu feinsten Übergängen verrieben werden. Bedingt wischfest werden sie erst durch Besprühen mit einer Lösung (Fixativ). Die Weichheit der Stifte erlaubt das Übereinanderlegen mehrerer Farbschichten. Die Farben sind von hoher Leuchtkraft und Beständigkeit. Das früheste Beispiel einer Pastellzeichnung stammt aus dem 15. Jahrh. Die zarten und duftigen Farben des Pastells entsprachen besonders dem Geschmack des Rokoko. In neuerer Zeit malten und zeichneten mit Pastellfarben besonders Édouard Manet, Edgar Degas und Max Liebermann.

Pasteurisieren [pastör-, nach dem französischen Chemiker Louis Pasteur, * 1822, † 1895], Erhitzungsverfahren zur Haltbarmachung von Lebensmitteln bei Temperaturen unter 100 °C (bei Temperaturen von über 100 °C spricht man von →Sterilisation), wobei vermehrungsfähige Formen von Mikroorganismen zu 90–95 % abgetötet werden. Das Pasteurisieren wird z. B. bei Milch, Fruchtsäften, Limonaden und Bier angewendet.

Pastor [lateinisch ›Hirte‹], →Pfarrer.

Patent [lateinisch littera patens ›offener Brief‹], vom Patentamt (seit 1948 in München) ausgestellte Bescheinigung, die dem Erfinder einer technischen Neuheit, zeitlich befristet (meist 20 Jahre), das alleinige Recht sichert, seine Erfindung wirtschaftlich zu nutzen. Dadurch soll verhindert werden, daß andere die Ideen und Mühen des Erfinders ohne Gegenleistung ausbeuten.

Patriarchat [zu griechisch pater ›Vater‹ und arche ›Herrschaft‹], am Vaterrecht ausgerichtete Gesellschaftsform, in der der Mann in bezug auf die meisten wichtigen Lebensbereiche die bestimmende Rolle innehat. Er ist Oberhaupt der Familie, des Dorfes oder Volkes; ihm gehören Grund und Boden, und nach seinem Wohnsitz richtet sich derjenige der Frau. Abstammung und Erbgang werden **patrilinear,** also nach der väterlichen Linie, bestimmt. Auch z. B. in Kultur und Religion (Verehrung männlicher Gottheiten) spiegelt sich gewöhnlich die wirtschaftliche und politische Vormachtstellung des Mannes. Eine gegensätzliche Gesellschaftsform ist das →Matriarchat.

Pastell: Edgar Degas, Tänzerin (Paris Louvre)

Patrizier [zu lateinisch patricius ›adlig‹], im alten Rom die Angehörigen des Geburtsadels, der sich in der Königszeit gebildet hatte. Sie hatten großen Grundbesitz und besaßen auf Grund ihrer Vorrechte in der Zeit der römischen Republik als Senatoren die alleinige Macht in Rom. Auch bekleideten sie die hohen Staatsämter. Die meisten römischen Bürger waren demgegenüber Plebejer (→Plebs). – Vom Mittelalter bis ins 19. Jahrh. nannte man die Angehörigen städtischer Oberschichten Patrizier, so die →Fugger in Augsburg.

Patroklos, in der griechischen Sage der Freund des Helden Achilles. Im →Trojanischen Krieg wurde Patroklos von →Hektor getötet.

Patrone, Munition für alle Handfeuerwaffen, zum Teil auch für Geschütze (Maschinen- und Panzerkanonen). Sie umfaßt in einem Stück Geschoß, Hülse mit Pulver und Zündhütchen. Patronen ohne Geschoß sind die **Platzpatrone** (nur mit Knallsatz), die **Gaspatrone** (enthält Tränengas) und die Leuchtpatrone (nur mit Leuchtsatz).

Pauke, ein Schlaginstrument; es besteht aus einem großen halbkugeligen Kupfer- oder Messingkessel, der mit gegerbtem Fell überzogen ist. Ein Eisenreifen mit 8 Schrauben hält das Fell fest, spannt es und reguliert die Tonhöhe, die um etwa eine Oktave verändert werden kann. Moderne Pedalpauken erlauben das Umstimmen während des Spiels durch ein Fußpedal. Geschlagen wird die Pauke mit Filz-, Hartfilz-, Holz- oder Lederschlegeln.

Paulus, eine der bedeutendsten Gestalten des Christentums. Sein Todesjahr ist wie sein Geburtsjahr nicht eindeutig bestimmbar. Er wurde als Sohn strenggläubiger Juden in Tarsus (Südanatolien, in der heutigen Türkei) geboren. Neben seinem Geburtsnamen Saul(us) trug er zum Zeichen des seiner Familie zustehenden römischen Bürgerrechts den lateinischen Beinamen Paulus. Als strenggläubiger Jude (er wurde in Jerusalem zum Gesetzeslehrer ausgebildet) beteiligte er sich eifrig an der Verfolgung der ersten Christen. Auf einer Reise nach Damaskus (um 34 n. Chr.) erschien ihm nach eigenem Zeugnis der auferstandene Christus und nahm ihn in seinen Dienst. Paulus widmete sein Leben der Missionstätigkeit für den neuen christlichen Glauben. Er unternahm ausgedehnte Reisen durch Kleinasien und Griechenland. Die schnelle Verbreitung des Christentums ist vor allem auf diese Reisen zurückzuführen. Nach einem Zusammenstoß mit jüdischen Gegnern in Jerusalem wurde er von den römischen Besatzern Israels verhaftet und nach zweijähriger Haft in Caesarea nach Rom überführt. Vieles deutet darauf hin, daß er hier, vielleicht um 64 n. Chr. unter Nero, nach längerer Gefangenschaft den Märtyrertod erlitten hat. Von den ihm zugeschriebenen neutestamentlichen Briefen sind folgende in ihrer Echtheit unumstritten: der 1. Thessalonicherbrief, der Galaterbrief, der 1. und 2. Korintherbrief, der Römerbrief, der Philipperbrief und der Philemonbrief.

Pause [griechisch ›Aufhören‹], Musik: das Schweigen einer, mehrerer oder aller Stimmen in einem Musikstück, das durch ein **Pausenzeichen** gekennzeichnet wird. Jedem Notenwert entspricht ein eigenes Pausenzeichen.

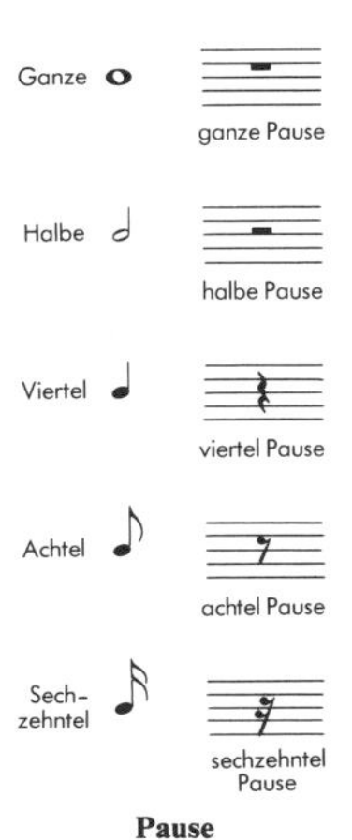

Pause

Paviane sind →Affen mit langer, hundeähnlicher Schnauze, kleinen Augen (über denen starke Wülste liegen) und nackten, meist kräftig roten und stark entwickelten Gesäßschwielen, mit denen sie gut auf Ästen sitzen können. In größeren Herden durchstreifen sie in Afrika Urwälder und vor allem Savannen, um nach Gräsern, Samen, Knospen, Knollen und Früchten sowie nach Heuschrecken und Termiten zu suchen. Mitunter erbeuten sie Meerkatzen und andere kleine Tiere. Die großen Männchen verteidigen die Herde auch gegen Löwen und Leoparden. Ihr Gebiß mit den langen, spitzen Eckzähnen ist eine gefährliche Waffe. Im Unterschied zu vielen anderen Affen klettern Paviane nur zum Schlafen oder bei Gefahr auf Bäume. Das ranghöchste Männchen der **Mantelpaviane,** die auf der Somali-Halbinsel in Afrika und Südarabien heimisch sind, hat eine wallende, silbergraue Mähne, die wie ein Mantel die Schultern umhüllt. Nahe verwandt ist der →Mandrill.

Pazifischer Ozean, Pazifik, Stiller Ozean, mit über 180 Millionen km^2 der größte der 3 Ozeane. Er nimmt damit die Hälfte der von den Weltmeeren bedeckten Fläche und mehr als $^1/_3$ der Erdoberfläche ein. Seinen Namen (nach lateinisch pacificus ›friedlich‹) erhielt der Ozean durch den Seefahrer Magellan, der ihn auf der ersten Weltumsegelung zum größten Teil in den verhältnismäßig sturmfreien, tropischen Regionen durchfuhr. Zum Pazifischen Ozean, der sich zwischen Asien, Australien und Amerika erstreckt, gehören ein großes Mittelmeer (zwischen Australien und Asien) und 6 Randmeere: auf der Westseite Beringmeer, Ochotskisches, Japanisches, Ostchinesisches und Gelbes Meer, auf der Ostseite der Golf von Kalifornien.

Der Meeresboden ist durch zahlreiche Rücken und Schwellen in Becken gegliedert (z. B. Nordwestpazifisches, Zentralpazifisches, Nordostpazifisches, Südpazifisches Becken, Perubecken). Seine mittlere Tiefe beträgt ohne die Nebenmeere 4 188 m. Die größte Tiefe wird im Marianengraben mit 10 924 m erreicht. Charakteristisch für den Pazifischen Ozean ist die Kette der **Tiefseegräben,** die ihn im Osten, Westen und Norden mit geringen Unterbrechungen säumen. Parallel zu den Tiefseegräben verlaufen Ketten junger Vulkane und Zonen starker Erdbebentätigkeit. Eine weitere Besonderheit des Pazifischen Ozeans sind zahlreiche Tiefseekuppen, die häufig als tätige oder erloschene Vulkane dem Tiefseerücken aufgesetzt sind (z. B. die Hawaii-Vulkane Mauna Loa und Kilauea). Besonders der Südwestteil, die **Südsee,** ist reich an Vulkanen und Koralleninseln (Ozeanien).

Pelikan

Als regelmäßige Winde sind die Passate und Monsune von Bedeutung. Gefürchtet sind die tropischen Wirbelstürme, in Ostasien die Taifune. Die kalten Strömungen der südamerikanischen Küste und der Küste Alaskas sowie die ostasiatischen Gewässer sind sehr fischreich.

Pearl Harbor [pörl haber], Flottenstützpunkt der USA auf der Hawaii-Insel Oahu. Während des Zweiten Weltkriegs griffen die Japaner ohne vorherige Kriegserklärung am 7. Dezember 1941 Pearl Harbor an. Die im Hafen von Pearl Harbor versammelte amerikanische Pazifikflotte wurde größtenteils zerstört, etwa 3 500 Menschen fanden den Tod. Daraufhin traten die USA in den Zweiten Weltkrieg ein.

Pedal [von lateinisch pes ›Fuß‹], eine Vorrichtung zur Übertragung oder Auslösung einer Bewegung mit dem Fuß (z. B. bei Harfe und →Klavier sowie bei Fahrrad und Kraftwagen). Bei der Orgel wird die mit den Füßen zu spielende Tastenreihe als Pedal bezeichnet.

Pegasus, in der griechischen Sage ein Flügelroß, mit dem der korinthische Königssohn Bellerophon versuchte, auf den Olymp zu fliegen. Zeus verhinderte und bestrafte dies; Pegasus wurde als Sternbild an den Himmel versetzt. – In späteren Darstellungen erscheint der Pegasus als Musen- oder Dichterroß.

Pekinese, eine Rasse der →Hunde.

Peking, 3,63 Millionen, mit Vororten 9,23 Millionen Einwohner, Hauptstadt der Volksrepublik China, liegt im Norden der Großen Ebene. Peking ist Sitz der obersten Verwaltungs-, Justiz-, Militär- und Parteiorgane und mit mehreren Universitäten der geistige Mittelpunkt Chinas. Die Stadt war schon in vorgeschichtlicher Zeit besiedelt. 1267–1368 stand sie unter mongolischer Herrschaft und ist seit 1421 (mit Ausnahme des Zeitraumes 1928–49) die Hauptstadt Chinas. An die Geschichte der Stadt erinnern z. B. die unter den Mongolen begonnene Stadtanlage, der Kaiserpalast, der Himmelstempel und unweit der Stadt 13 Gräber der Ming-Dynastie.

Pelargonien, volkstümlich **Geranien,** aus Südafrika stammende Blumen mit meist roten, auch rosa oder weißen Blüten. Da sie viel ätherisches Öl enthalten, duften sie stark.

Pelikane, die größten Schwimmvögel der Erde. In freier Natur bewohnen sie Sümpfe, flache Seen und Flußmündungen in warmen Gebieten. Sie nisten meist in Kolonien im Schilf. Mit ihren gut ausgebildeten Füßen, die ganz von Schwimmhäuten überspannt werden, können sie gewandt schwimmen und tauchen. Zur Jagd bilden oft viele Pelikane eine lange Kette und schwimmen im Halbkreis aufs Ufer zu, wobei sie die Fische vor sich hertreiben. Mit dem weit dehnbaren Kehlsack ihres mächtigen Schnabels ziehen sie die Beute aus dem seichten Wasser. In Südosteuropa (Donau-Delta), Asien und Afrika ist der **Rosapelikan** heimisch, der bis 10 kg schwer wird und dessen Flügel eine Spannweite von über 2,7 m haben. Der amerikanische **Braune Pelikan** fängt seine Beute im Sturzflug mit völligem Untertauchen. Pelikane sind häufig im Zoo zu finden.

Peloponnes, die südliche Halbinsel Griechenlands, etwa so groß wie das Bundesland Hessen. Durch den schmalen Isthmus (= Landenge) von Korinth ist die Peloponnes mit Mittelgriechenland verbunden. Die Halbinsel ist bis auf kleine Teile gebirgig. Die rauhen und menschenleeren Gebirge (bis 2 400 m) stehen in schroffem Gegensatz zu den fruchtbaren, dichtbesiedelten Tallandschaften. Diese sind mittelmeerisch geprägt und weisen entsprechende landwirtschaftliche Nutzung auf (Wein, Getreide, Oliven, Obst, Citrusfrüchte, Tabak, Baumwolle). Verkehrsmittelpunkt ist Tripolis, größte Stadt und Haupthafen ist Patras. Die Peloponnes ist reich an historischen Stätten: Olympia, Sparta, Mykene, Epidauros, Korinth. Sie ziehen – ebenso wie die kilometerlangen Sandstrände der Westküste – alljährlich zahlreiche Touristen an.

Peloponnesischer Krieg, der Krieg zwischen Athen und Sparta mit ihren Bundesgenossen, 431–404 v. Chr.; er brach aus, als Athen sich in einem Streit zwischen Kerkyra (Korfu) und Korinth mit Kerkyra verbündete, worauf Korinth in Sparta Hilfe suchte.

Nach dem Plan des Perikles wollte das zu Land schwache Athen seine ganze Stärke im Seekrieg einsetzen. So verwüsteten die Spartaner Attika, dessen Bevölkerung hinter den Langen Mauern (zwischen Athen und Piräus) Schutz fand. Die Athener versuchten, vom Meer her auf der Peloponnes einzufallen. Ohne daß eine Entscheidung gefallen war, wurde 421 v. Chr. Frieden geschlossen, der die Machtstellung Athens wahrte. Als die Sizilische Expedition des Alkibiades 413 v. Chr. scheiterte, brachen die Kämpfe wieder aus. Sparta sicherte sich die Unterstützung Persiens. Alkibiades, der mehrfach die Seiten wechselte, konnte Athen noch einmal zum Erfolg verhelfen. Doch 405 v. Chr. zerstörten die Spartaner die gesamte athenische Flotte, und 404 v. Chr. ergab sich Athen. Der →Attische Seebund wurde aufgelöst, die athenische Flotte auf 12 Schiffe beschränkt. Athens Macht war zu Ende.

Pendel [zu lateinisch pendulus ›herabhängend‹], Bezeichnung für Körper, die oberhalb ihres Schwerpunktes drehbar aufgehängt sind, z. B. ein freihängendes Gewicht an einem Faden oder an einem Stab, der drehbar gelagert ist. Im Ruhezustand hängt das Pendel durch den Einfluß der Schwerkraft senkrecht unter seinem Drehpunkt.

Wird es nach der Seite ausgelenkt (angestoßen), so bewirkt die Erdanziehung, daß es wieder in die senkrechte Lage zurückkehrt. Dabei erreicht es eine bestimmte Bewegungsgeschwindigkeit (Schwung), so daß es sich über die Ruhelage hinaus in die Gegenrichtung weiterbewegt. Dieser Vorgang wiederholt sich gleichmäßig, das heißt, das Pendel führt periodische Schwingungen aus. Die durch die Luftreibung und die Reibung im Aufhängepunkt geringer werdenden Ausschläge (Amplituden) dauern so lange an, bis die gesamte beim Anstoß zugeführte Bewegungsenergie verbraucht ist. Man unterscheidet das mathematische und das physikalische Pendel.

Das **mathematische Pendel** ist ein gedachtes Pendel mit einem Massenpunkt an einem gewichtslosen Faden, bei dem keinerlei Reibung auftritt. Es hat bei geringen Auslenkungen die Schwingungsdauer $T = 2 \cdot \pi \cdot \sqrt{l/g}$ (l = Pendellänge, g = Erdbeschleunigung). Es zeigte sich, daß die Schwingungsdauer nur von der Länge des Pendels und nicht von dessen Gewicht abhängt.

Das **physikalische Pendel** besteht aus einem Körper; die Reibung kann nicht vernachlässigt werden. In der Praxis versucht man aber, die Luftreibung möglichst zu verkleinern und das Pendelgewicht möglichst zu vergrößern, damit sich das Pendel lange bewegt. Ein Pendel mit der Länge $l \approx 1$ m hat eine Schwingungsdauer von 2 s **(Sekundenpendel).**

Die Verwendung der gleichmäßigen Pendelbewegung für die Zeitmessung hatte schon Galilei zu Beginn des 17. Jahrh. entdeckt, die erste Pendeluhr wurde aber erst in der Mitte des 17. Jahrh. gebaut (→Uhr). Die später gebauten Pendeluhren mit Metallpendel hatten den Nachteil, daß sich die Pendellänge bei Temperaturschwankungen änderte und dadurch die Uhren ungenau gingen. Deshalb wurde das **Kompensationspendel** entwickelt, das aus sich unterschiedlich ausdehnenden Metallen zusammengesetzt ist und so die Pendellänge konstant hält. Mit einem Pendelexperiment konnte der französische Physiker Léon Foucault (* 1819, † 1868) die Erddrehung nachweisen.

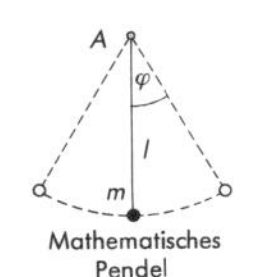

Mathematisches Pendel

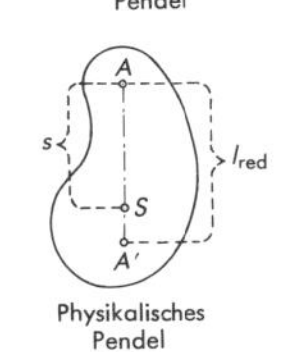

Physikalisches Pendel

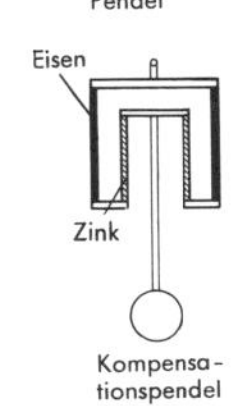

Kompensationspendel

Pendel

Penelope, in der griechischen Sagenwelt die Gemahlin des →Odysseus, die ihm während seiner zwanzigjährigen Abwesenheit die Treue hielt und nicht an seinen Tod glaubte. Die Freier, die sie heiraten wollten, hielt sie hin, indem sie vorgab, für den greisen Vater des Odysseus ein Totengewand weben zu müssen. Doch nachts trennte sie wieder auf, was sie am Tag gearbeitet hatte. Als sie verraten wurde, versprach sie dem ihre Hand, der im Wettschießen mit Odysseus' Bogen siegen würde. Doch nur der unerkannt heimgekehrte Odysseus vermochte den Bogen zu spannen und erschoß damit alle Freier.

Penicillin, das erste bekannte Antibiotikum (→Antibiotika). Es wurde 1928 von Alexander Fleming entdeckt. Während des Zweiten Weltkrieges wurde es 1940 erstmals am Menschen eingesetzt. Penicillin ist das am häufigsten verwendete Antibiotikum, da es die wenigsten Nebenwirkungen zeigt.

Penis [lateinisch ›Rute‹], das männliche Glied; es gehört zu den äußeren →Geschlechtsorganen des Mannes.

Pension [pãsjohn], das Geld, das ein Beamter im Ruhestand, also nach Beendigung seines Arbeitslebens, vom Staat bezieht. Dieses **Ruhegehalt** erhalten auch die Beamten und Soldaten, die durch Krankheit oder Unfall arbeitsunfähig geworden sind. – Die betriebliche Altersversorgung für Arbeiter und Angestellte in Privatbetrieben, die über die gesetzliche Rente hinaus gezahlt werden kann, heißt **Ruhegeld.**

Pentameter [griechisch ›Fünfmaß‹], aus 5 metrischen Einheiten bestehender →Vers.

Perfekt [aus lateinisch perfectus ›vollendet‹], vollendete Gegenwart, Zeitform des Präteritums, die ausdrückt, daß der dargestellte Vorgang abgeschlossen ist (→Tempus).

Perikles

Pergament, ein Schreibmaterial, →Buch.

Pergamon, antike Stadt im nordwestlichen Kleinasien, an der Stelle der heutigen türkischen Stadt Bergama. Pergamon war im 3./2. Jahrh. v. Chr. Mittelpunkt des **Pergamenischen Reiches** und ein Zentrum hellenistischer Kultur. Die Stadt wurde von den Griechen auf dem 333 m hohen Burgberg in Terrassen angelegt, in römischer Zeit wuchs sie weit in die Ebene hinaus. Die antike Stadt wurde seit dem Ende des 19. Jahrh. ausgegraben (Tempel, eine Bibliothek mit 200 000 Schriften, Theater, Säulenhallen). Der dem Zeus geweihte monumentale **Pergamonaltar** ist im Unterbau (36,44 × 34,20 m) mit einem 120 m langen und 2,30 m hohen Figurenfries geschmückt; er stellt den Kampf der Götter mit ihren unversöhnlichen Gegnern, den Giganten, dar. Der Oberbau, ebenfalls mit einem Figurenfries, ist von einer ionischen Säulenhalle umgeben. Der Altar befindet sich heute im Pergamon-Museum in Berlin (Ost).

Perikles, * nach 500, † 429 v. Chr., athenischer Staatsmann. Er trat zuerst 463 politisch hervor und wurde 461 Führer der radikalen Demokraten. Seit 443 wurde er fast jährlich als Stratege (oberster Militärbeamter) gewählt und gewann entscheidenden Einfluß auf die Politik. Perikles führte die Bezahlung aus der Staatskasse für Bürger ein, die öffentliche Ämter ausübten. Damit stärkte er die Demokratie, weil nun auch Arme politisch tätig werden konnten. 431 v. Chr. führte er Athen in den → Peloponnesischen Krieg gegen Sparta. Da brach unter den Athenern die Pest aus, und sie gaben Perikles die Schuld. Als sie ihren Irrtum einsahen und ihn wieder zum Strategen wählten, starb er selbst an der Pest.

Periode [griechisch ›das Herumgehen‹, ›Umlauf‹], Mathematik: Eine oder mehrere Ziffern, die in einer →Dezimalzahl rechts vom Komma in immer gleicher Reihenfolge fortlaufend wiederkehren. Eine solche Dezimalzahl heißt **periodische Dezimalzahl.** Bei periodischen Dezimalzahlen wird der Einfachheit halber die Periode nur einmal geschrieben und überstrichen.

Beispiele:
$0{,}333\ldots = 0{,}\overline{3}$ (lies: Null Komma Periode drei)
$5{,}01313\ldots = 5{,}0\overline{13}$ (lies: Fünf Komma Null Periode Eins Drei).

Wandelt man einen Bruch $\frac{p}{q}$ durch Division $p:q$ in eine Dezimalzahl um, so entsteht immer eine periodische Dezimalzahl, wenn die Primfaktorzerlegung (→Primzahlen) des Nenners q Primfaktoren enthält, die von 2 und 5 verschieden sind.

Beispiele:
$\frac{1}{3} = 1:3 = 0{,}\overline{3}$; $\frac{1}{7} = 1:7 = 0{,}\overline{142857}$;
$\frac{1}{15} = 1:15 = 0{,}0\overline{6}$.

Periöken [griechisch ›Umwohner‹], diejenigen Angehörigen des griechischen Volksstamms der Lakedämonier, die im alten →Sparta zwar keine politischen Rechte hatten, aber zum Kriegsdienst verpflichtet waren.

Perlen [aus lateinisch perna ›Muschel‹ und sphaerula ›kleine Kugel‹], gewöhnlich erbsengroße kugel- oder tropfenförmige Gebilde, meist aus →Perlmutter. **Naturperlen** entstehen als natürliche, **Zuchtperlen** als künstlich angeregte Wucherungen vor allem der Perlmuschel. Seit Jahrhunderten werden nach unterschiedlichen Verfahren auch künstliche Perlen **(Perlenimitationen)** hergestellt, heute zum Teil aus Kunststoff mit perlmutterartigen Zusätzen. Wie assyrische und persische Reliefs zeigen, waren Perlen schon im Alten Orient bekannt und wurden zu Schmuck verarbeitet. Kunsthandwerkliche Arbeiten mit Perlen und perlenähnlichen Gebilden (Holz-, Glasperlen) entstanden in vielen Kulturen, vor allem Schmuck, Verzierungen an Kleidern und Gebrauchsgegenständen. Im Mittelalter galt die Perle als Sinnbild der Liebe Gottes und diente zur Verzierung an Kruzifixen, Reliquienbehältern, Kultgeräten und Gewändern **(Perlstickerei).**

Perlmutter, Perlmutt, die in zarten Farben schimmernde innerste Schicht der Schale von Muscheln und Schnecken. Perlmutter wurde seit altersher für Schmuck und Einlegearbeiten verwendet.

Perlon, ehemaliger Handelsname für eine Chemiefaser, die 1938 in Deutschland entwickelt wurde. Sie wird zur Herstellung von Strümpfen, Socken, Wäsche und Oberbekleidung verwendet.

Perm [nach dem gleichnamigen früheren russischen Gouvernement], jüngste Epoche des Erdaltertums (→Erdgeschichte, ÜBERSICHT).

Persepolis, Palastanlage der Achämenidenkönige in Iran, nordöstlich von Schiras. Die Terrassenanlage wurde von Dareios I. um 518 v. Chr.

Perlen

Perlen: Entstehung einer Perle in einem Perlsäckchen; a–c ein frei zwischen Schale und Mantel liegender Fremdkörper wird von der äußeren Zellschicht des Mantels umwuchert; d von diesem löst sich ein Perlsäckchen ab, in dem der Fremdkörper überperlmuttert wird (stark vergrößert)

gegründet, von seinen Nachfolgern weiter ausgebaut, von Alexander dem Großen 330 v. Chr. zerstört. Persepolis ist die besterhaltene antike Ruinenstätte Vorderasiens; sie stellt einen Höhepunkt achämenidischer Bau- und Bildkunst dar.

Perser, Bewohner Persiens, eines Staates in Vorderasien, dessen amtlicher Name seit 1934 → Iran lautet.

Perserkriege, die Kämpfe zwischen Persern und Griechen, 500–479 v. Chr., mit Unterbrechungen bis 448 v. Chr. Der Anlaß war der Aufstand der griechischen Städte in Kleinasien gegen die persische Herrschaft (Ionischer Aufstand), der um 500 v. Chr. begann und 494 v. Chr. zur Zerstörung Milets führte. Weil Athen und Eretria den Ioniern geholfen hatten, versuchte der persische König Dareios I., den Krieg ins griechische Mutterland zu tragen. 490 v. Chr. wurde eine persische Flotte nach Euböa geschickt und zerstörte die Stadt Eretria. Dann ging das Heer bei **Marathon** an Land und unterlag den Athenern und Platäern. Der Nachfolger des Dareios, Xerxes I., nahm den Krieg wieder auf. Sein Landheer siegte über die unter Spartas Führung vereinten Griechen 480 v. Chr. an den **Thermopylen** und zerstörte Athen. Jedoch gelang es im selben Jahr der athenischen Flotte, die Perser vor der Insel **Salamis** zu schlagen, und 479 v. Chr. siegten die Griechen bei **Platää** auch zu Land über das persische Heer.

448 v. Chr. wurde ein Frieden geschlossen, in dem die Perser auf ihre Herrschaft über die ägäischen Inseln und die kleinasiatischen Griechenstädte verzichteten.

Perseus, in der griechischen Sagenwelt ein Sohn des Zeus, der ausgesandt worden war, das Ungeheuer Medusa zu töten. Mit abgewandtem Gesicht erschlug er die Medusa, deren Anblick zuvor jeden Menschen versteinert hatte.

Persianer, der Pelz bestimmter → Schafe.

Persien, Staat in Vorderasien, → Iran.

Persischer Golf, Arabischer Golf, ein flaches (mittlere Wassertiefe 25 m) Mittelmeer zwischen Iran, Irak und der Arabischen Halbinsel. Es ist durch die Straße von Hormus mit dem Golf von Oman (Indischer Ozean) verbunden. An den Küsten und im Golf selbst lagern riesige Erdöl- und Erdgasvorkommen (nach Schätzungen etwa die Hälfte aller Erdöl- und rund ⅓ aller Erdgasreserven der Erde). Der 1. Golfkrieg (1980–88) zwischen Iran und Irak wurde um den Grenzverlauf zwischen beiden Staaten geführt (er endete ohne Gebietsveränderung); im 2. Golfkrieg (1991) wurde die irakische Annexion Kuwaits gemäß einer Resolution des UN-Sicherheitsrates durch alliierte Streitkräfte unter Führung der USA rückgängig gemacht.

Personalausweis, auch **Identitätskarte,** öffentliche Urkunde, die Personen ab dem 16. Lebensjahr besitzen und auf berechtigtes Verlangen einer Behörde vorzeigen müssen. Der Personalausweis enthält den Namen, Tag und Ort der Geburt, Größe, Farbe der Augen, die Anschrift und die Staatsangehörigkeit.

Personalunion, durch die Person des Herrschers hergestellte Verbundenheit von Staaten, die deren Selbständigkeit nicht berührt.

Personenkraftwagen, Abkürzung **Pkw,** Bezeichnung für → Kraftwagen mit weniger als 8 Sitzplätzen.

Perspektive [von lateinisch perspicere ›hindurchsehen‹, ›deutlich erkennen‹], zeichnerische Darstellung von Körpern auf Bildflächen, so wie der Betrachter die Gegenstände tatsächlich sieht. So wird z. B. beim perspektivischen Zeichnen von 2 gleichlangen Strecken diejenige kürzer gezeichnet, die weiter vom Betrachter wegliegt. Blickt man entlang einer geraden, stets gleichbreiten Straße, so scheint sich die Straße nach hinten zu verengen. Deshalb schneiden sich in einer perspektivischen Darstellung die Bilder paralleler, in die Tiefe gehender Geraden in einem Punkt, dem sogenannten **Fluchtpunkt.** Jede Perspektive ist eine **Zentralprojektion (Zentralperspektive),** da sich die Sehstrahlen im Auge als Projektionszentrum in einem Punkt **(Augpunkt)** auf der Netzhaut vereinigen (→ Projektion). Wird der Augpunkt als hoch angenommen, spricht man von Aufsicht oder **Vogelperspektive,** wird er als niedrig angenommen, von Untersicht oder **Froschperspektive.**

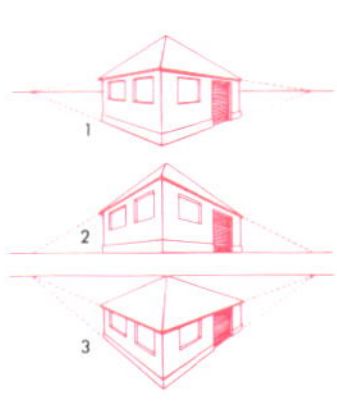

Perspektive mit zwei Fluchtpunkten: **1** Zentral-, **2** Frosch-, **3** Vogelperspektive

Bildende Kunst. Schon die Griechen stellten gegen Ende des 6. Jahrh. v. Chr. Figuren in Verkürzung und Schrägansichten dar **(Körperperspektive);** in der Bühnenmalerei gelangen ihnen später auch perspektivische Raumdarstellungen. Annäherungen an die Zentralperspektive finden sich auch in römischen Wandmalereien. In der Spätantike und vor allem im frühen Mittelalter hatten die Maler kein Interesse mehr daran, räumliche Verhältnisse genau wiederzugeben. Wichtige Figuren wurden nun grundsätzlich größer dargestellt als weniger wichtige **(Bedeutungsperspektive).** In der Gotik erreichte vor allem Giotto in Italien eine Art von Tiefenraumdarstellung (Kastenraum). Die Entdeckung der Zentralperspektive, auch **Linearperspektive** genannt

Perspektive: LINKS Raumdarstellung (Kastenraum) ohne Fluchtpunkt; Giotto, Jesus vor den Hohepriestern, Fresko um 1305 (Padua, Arena-Kapelle); MITTE Beginn der Zentralperspektive; Masaccio, Dreifaltigkeit, Fresko um 1427 (Florenz, Santa Maria Novella); RECHTS Perspektivischer Aufbau mit verteiltem Fluchtpunkt; Jan van Eyck, Maria mit Kind (Dresden, Gemäldegalerie)

(nach den Fluchtlinien), gilt als Leistung der italienischen Frührenaissance (Baumeister Filippo Brunelleschi), gleichzeitig kamen niederländische Maler wie Jan von Eyck zu angenäherten Lösungen. Leonardo da Vinci und Albrecht Dürer untersuchten die perspektivischen Wirkungen wissenschaftlich, Leonardo als erster auch die Nah- und Fernwirkung der Farbwerte und die Auflösung der Umrisse hinter dem Dunstschleier von Licht und Luft **(Farbperspektive, Luftperspektive).** Erst der Impressionismus lehnte die zentralperspektivische Darstellung wieder ab, der Kubismus zeigte ein und denselben Gegenstand in mehreren perspektivischen Ansichten.

Peru

Fläche: 1 285 216 km²
Bevölkerung: 21,9 Mill. E
Hauptstadt: Lima
Amtssprachen: Spanisch, Quechua
Nationalfeiertag: 28. Juli
Währung: 1 Nuevo Sol (S/.) = 100 Centimos (cts)
Zeitzone: MEZ −6 Stunden

Peru, Republik im Westen Südamerikas, etwa fünfmal so groß wie Großbritannien. Das Land gliedert sich in 3 Großlandschaften: Das flache, 50–140 km breite Küstenland **(Costa)** ist wüstenhaft; entlang der aus den Anden kommenden Flüsse liegen Oasen. Das Gebirgsland **(Sierra)** umfaßt die beiden Ketten der Anden mit der dazwischenliegenden Hochebene um den **Titicacasee;** die Westkordillere erreicht Höhen von über 6 000 m. Im Osten liegt das tropisch-heiße Waldland **(Montaña),** das in die Ebenen des Amazonastieflands **(Selva)** übergeht. Das tropische Klima wird an der Küste durch den Humboldtstrom, eine kalte Meeresströmung, beeinflußt und im Innern durch die Höhenstufen des Gebirges gemildert.

Die meisten Bewohner sind Indianer und Mestizen; die Weißen bilden die Oberschicht. Nur ein kleiner Teil des Landes ist ackerbaulich nutzbar. Im Küstengebiet werden in Plantagen Baumwolle, Zuckerrohr, Reis und Tabak angebaut. Der Anbau im Hochland dient der Versorgung der eigenen Bevölkerung. Der Osthang des Gebirges liefert Kaffee, Kakao, Baumwolle und Zuckerrohr für den Export. Peru ist eine der führenden Fischfangnationen der Erde. Das aus Sardellen gewonnene Fischmehl ist ein wichtiges Exportgut.

Bodenschätze machen fast ⅔ des Exports aus. An erster Stelle steht Kupfer, weiterhin werden Blei, Silber, Wismut, Zink, Eisenerz und Erdöl gefördert. Die Industrie ist vor allem um die Hauptstadt angesiedelt.

Geschichte. Das Reich der Inka wurde im 16. Jahrh. durch den Spanier Pizarro erobert. 1821 wurde die Unabhängigkeit ausgerufen. Im Krieg gegen Chile verlor Peru 1883 seine südlichen Gebiete. Nach einem Putsch wurden 1968 von den Militärs eine Landreform durchgeführt und ausländische Gesellschaften enteignet. Mit der Verfassung von 1979 bemühte sich die Regierung um die Rückkehr zu demokratischen Verhältnissen. (KARTE Seite 197)

Pest [lateinisch ›Seuche‹, ›Unglück‹], eine unter wildlebenden Nagetieren, besonders Ratten, verbreitete ansteckende Krankheit, die durch →Bakterien hervorgerufen wird. Die Erreger werden durch Flöhe auch auf den Menschen übertragen. Die Krankheit zeigt sich in Form von eitrigen Lymphknotenschwellungen. Durch den Befall innerer Organe und die Ausbreitung des Erregers auf dem Blutweg (Sepsis) kann die Erkrankung rasch zum Tode führen. Seltener ist der sofortige Befall der Lunge ohne vorherige Lymphknotenschwellung.

Die Pest ist seit der Antike bekannt und spielte im Mittelalter als **›schwarzer Tod‹** eine große Rolle, da durch sie 1347–52 ganze Landstriche entvölkert wurden. Die letzte große Pestepidemie in Europa trat 1720/21 in Frankreich auf. In Europa hat die Pest zur Zeit keine Bedeutung.

Pestalozzi. Der Schweizer **Johann Heinrich Pestalozzi** (* 1746, † 1827) gehört zu den bedeutendsten Gestalten der Pädagogik. Unter dem Einfluß der Ideen von Jean-Jacques Rousseau versuchte er, Bildung und Erziehung des Volkes zu erneuern. Für ihn war dies der einzige Weg zu einer humanen Gesellschaft. Er verstand die Erziehung als Entfaltung der in der menschlichen Natur liegenden Kräfte. Dafür entscheidend seien für Kinder und Jugendliche die Erfahrungen mit Vater und Mutter (›Familienerziehung‹), aber auch das Erleben vorbildlicher Persönlichkeiten in Schule und Gesellschaft. Durch geeignete Bildungsmöglichkeiten könne der Mensch dann fähig werden, sein eigenes Leben auf Liebe und Glauben zu gründen und diese Werte wiederum zu vermitteln.

Pestalozzi gründete zur Umsetzung seiner Vorstellungen in die Praxis unter anderem ein Erziehungsinstitut in Iferten (Yverdon), das unter seiner Leitung weltbekannt wurde. Von hier ging eine Reform der Erziehung aus, die weit über die Grenzen der Schweiz hinaus wirkte und Pestalozzi zum geistigen Schöpfer der modernen Volksschule werden ließ. Seine Ideen beeinflussen auch heute die Erziehungswissenschaften noch stark. Viele pädagogische Einrichtungen und Stiftungen tragen seinen Namen. (BILD Seite 388)

Peter I., der Große, * 1672, † 1725, Zar und Kaiser von Rußland. Er wurde 1682 zum Zaren ausgerufen, jedoch riß seine Halbschwester Sofja die Herrschaft an sich. Mit 17 Jahren konnte er die alleinige Regierung übernehmen. Während seiner ganzen Regierungszeit hatte er das Ziel, Rußland zu einem modernen Staat nach westeuropäischem Vorbild zu machen. Um sich die notwendigen Kenntnisse zu verschaffen, reiste er 1697–99 nach Deutschland, den Niederlanden und England und studierte besonders den Schiffbau, denn er wollte in Rußland eine Flotte gründen. Er holte auch ausländische Fachleute nach Rußland. Die adligen Bojaren widersetzten sich seinen durchgreifenden Reformen. Dagegen griff Peter I. grausam durch. Die langen Gewänder und die alte Barttracht wurden abgeschafft. Die bisher selbständigen Patriarchen der orthodoxen Kirche setzte er ab und ersetzte sie durch den ›Heiligen Synod‹, dessen Ehrenvorsitzender er selbst war. Der Handel wurde vom Staat gelenkt, die Rohstoffausfuhr eingeschränkt und die Einrichtung von Manufakturen verstärkt. Die bisherige Adelsversammlung (Bojarenduma) wurde durch einen Senat ersetzt, in den der Zar nur Männer seiner Wahl berief, die einen neuen Dienstadel bildeten.

Außenpolitisches Ziel Peters I. war es, die Vormachtstellung Schwedens an der Ostsee zu brechen. Im Großen →Nordischen Krieg (1700–21) gegen Schweden erlangte Peter mit seiner neuen Flotte und dem modernisierten Heer Zugang zur Ostseeküste. Dort hatte er mit der Gründung von Sankt Petersburg (1703) eine prachtvolle Residenz und (ab 1712) eine neue Hauptstadt anstelle Moskaus geschaffen. Den Landgewinn im Krieg gegen die Türken verlor Rußland wieder (Asow). Durch Peter I., der 1721 den Kaisertitel annahm, wurde Rußland zur europäischen Großmacht.

Petersilie, →Gewürzpflanzen.

Petition [lateinisch ›Bitte‹], Gesuch an Parlamente oder Behörden. In modernen Demokratien gehört das Petitionsrecht zu den Grundrechten. So heißt es in Artikel 17 des Grundgesetzes der Bundesrepublik Deutschland: ›Jedermann hat das Recht, sich einzeln oder in Gemeinschaft mit anderen schriftlich mit Bitten oder Beschwerden an die zuständige Stelle oder an die Volksvertretung zu wenden‹. Die Petitionen werden dann einem besonderen Parlamentsausschuß, dem **Petitionsausschuß,** zur Behandlung überwiesen oder zwingen eine Behörde zur erneuten Prüfung eines Falles. Das Petitionsrecht hat sich in der englischen parlamentarischen Geschichte entwickelt. Berühmt wurde die Petition of Right vom 7. Juni 1628. Sie forderte König Karl I. auf, die in der →Magna Charta Libertatum von 1215 zugesicherten Rechte zu achten. In dieser Zeit

Peru

Staatswappen

Staatsflagge

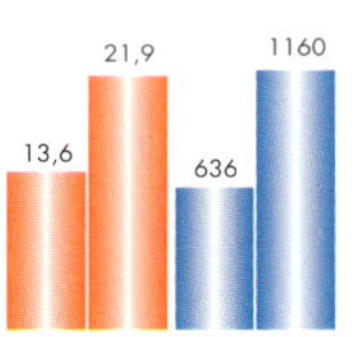

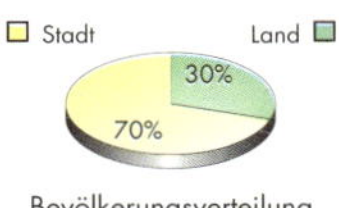

Bevölkerungsverteilung 1990

Bruttoinlandsprodukt 1990

Johann Heinrich Pestalozzi

war das Petitionsrecht meist ein Recht des Parlaments gegenüber dem Herrscher.

Petroleum [griechisch-lateinisch ›Steinöl‹], **1)** amerikanisch-internationale Bezeichnung für Erdöl.

2) Kerosin, zwischen 150 und 250 °C siedende Erdölfraktion (Teil eines Erdölgemischs), die vor allem als Flugturbinenkraftstoff, zum Teil auch für Beleuchtungszwecke und als chemischer Grundstoff verwendet wird.

Petrochemie [zu Petroleum], **Petrolchemie,** Teil der chemischen Großindustrie, der Chemierohstoffe aus Erdöl und Erdgas herstellt (z. B. Rohbenzin, Flüssiggas) und damit Bindeglied zwischen der Erdölverarbeitung in Raffinerien und der eigentlichen chemischen Industrie ist. Als Primärprodukte werden Kohlenwasserstoffe wie Äthylen, Propylen, Benzol, Acetylen sowie Kohlenoxid und Wasserstoff hergestellt, die in weiteren Verfahrensschritten zu Sekundärprodukten wie Styrol, Phenol oder Vinylchlorid umgewandelt werden. Diese dienen schließlich zur Herstellung vieler chemischer Stoffe, z. B. Kunststoffe, Synthesefasern und -kautschuk, Dünge- und Lebensmittel, Lacke, Frost- und Pflanzenschutzmittel, Kosmetika und Pharmazeutika. Die Petrochemie nahm nach 1950 in Europa einen großen Aufschwung, als Erdöl billig zur Verfügung stand. Viele traditionelle Stoffe wie Baumwolle oder Glas wurden durch petrochemische Produkte ersetzt. Da auf diese Weise die genannten Stoffe mit besserer Ausbeute und geringerem Kostenaufwand als aus Kohle (→Kohlechemie) hergestellt werden können, wird die Petrochemie auch in Zukunft ihre Bedeutung behalten. So wird geschätzt, daß der Anteil des chemisch genutzten Erdöls bis zum Jahr 2000 auf etwa 20 % (1980 etwa 10 %) ansteigt.

Petrus, einer der 12 Apostel Jesu. Eigentlich hieß er Simon und war ein Fischer aus Galiläa. Erst Jesus gab ihm den Beinamen Petrus (›der Fels‹): ›Du bist Petrus, und auf diesen Felsen werde ich meine Kirche bauen‹ (Matthäusevangelium 16, 18). Petrus gehörte zu den engsten Vertrauten Jesu und trat oft als Wortführer der 12 Apostel in Erscheinung. Einer alten Überlieferung zufolge (1. Korintherbrief 15, 5) war er auch der erste, dem der auferstandene Jesus erschien. Nach Jesu Tod galt er als Oberhaupt der Christengemeinde und war vor allem an der Leitung der Jerusalemer Urgemeinde maßgebend beteiligt. Später unternahm er ausgedehnte Missionsreisen; wohin ihn diese Reisen im einzelnen führten, ist unbekannt. Man nimmt an, daß er um 64 n. Chr. unter Kaiser Nero in Rom den Märtyrertod erlitt. Die katholische Kirche betrachtet Petrus (vor allem unter Hinweis auf Matthäusevangelium 16, 18–20) als von Christus eingesetztes Oberhaupt der Kirche. Diese besondere Beauftragung geht nach katholischer Lehre auf die Päpste über.

Pfadfinder, internationale Jugendbewegung, die 1907 in Großbritannien von Robert Baden-Powell (* 1857, † 1941) gegründet wurde. Sie will Kinder und Jugendliche durch das gemeinsame Tun in der Gruppe zu Tüchtigkeit und Pflichterfüllung, zum Dienst am Mitmenschen und zu einem naturgemäßen Leben erziehen. Schwerpunkte der Arbeit sind heute vor allem Einübung sozialen Verhaltens, politische Bildung, Einsatz für Frieden und Entwicklungshilfe, Hilfe für andere junge Menschen. Konfessionelle Verbände bemühen sich zudem um eine Mitarbeit in den Kirchen. Zu den bekanntesten Verpflichtungen des einzelnen Pfadfinders gehört es, jeden Tag eine gute Tat zu begehen. Zu den Besonderheiten der Pfadfinder zählt auch die eigene, uniformartige Kleidung (Kluft).

Pfahlbauten, zum Schutz gegen Überschwemmungen, Bodenfeuchtigkeit, feindliche Überfälle und wilde Tiere frei über dem Erdboden oder dem Wasser errichtete Wohnstätten. Diese, meist Holzhütten, sind auf einer hölzernen Plattform gebaut, die auf vielen in den Boden eingerammten Pfählen ruht. Seit rund 140 Jahren werden im Alpengebiet, hauptsächlich in der Schweiz, die Reste ganzer Pfahlbautendörfer aus vorgeschichtlicher Zeit wissenschaftlich untersucht. Anhand der am und im Wasser stehenden, gut erhaltenen Überreste konnte das ursprüngliche Aussehen dieser Pfahlbauten rekonstruiert werden. Auch heute noch gibt es bei manchen Naturvölkern (in Indonesien und Neuguinea) Dörfer aus Pfahlbauten.

Pfalz, im Frankenreich und im Deutschen Reich des Mittelalters ein befestigter Wohnsitz des Königs. Pfalzen gab es über das ganze Reich verstreut. Sie dienten dem König bei seinen Rei-

Pfahlbauten: **a** Pfahlbauten auf Packwerk, **b** frei stehender Pfahlbau mit Fundamentierung am Seeboden, **c** Uferbau

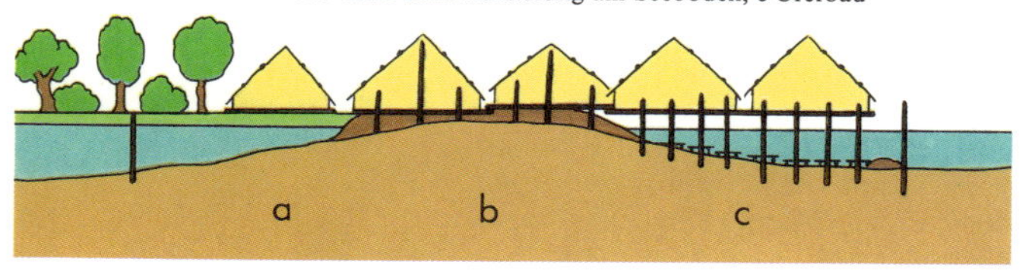

sen als Unterkunft und Gerichtsort. Eine Pfalz umfaßte einen Torbau, mehrere Saalbauten und eine Kapelle; besonders gut erhalten sind die Pfalzen von Gelnhausen und Wimpfen. Die Pfalz stand immer auf einem Gut des Königs (deshalb ist die Bezeichnung ›Kaiserpfalz‹ nicht korrekt). Städte wie Frankfurt am Main und Aachen sind aus solchen Pfalzen hervorgegangen.

Pfalz, geschichtliche Landschaft am Mittelrhein, die von der Rheinebene über die Haardt, den **Pfälzer Wald** und das **Pfälzer Bergland** bis zum Hunsrück und Saarland reicht. – Aus der lothringischen Pfalzgrafschaft entstand im 12. Jahrh. die Pfalzgrafschaft bei Rhein (Rheinpfalz), die 1214 an Bayern kam. Seit 1356 wurden die Pfalzgrafen (Familie der Wittelsbacher) mit der Kurfürstenwürde ausgestattet, so daß die Pfalz von nun ab **Kurpfalz** hieß. Hauptstadt war das rechtsrheinische Heidelberg. 1689 wurde die Pfalz im →Pfälzischen Erbfolgekrieg von französischen Truppen stark verwüstet. Ab 1720 war Mannheim Hauptstadt der Pfalz. 1777 wurde die Pfalz mit Bayern vereinigt. Nach den Französischen Revolutionskriegen fielen die linksrheinischen Gebiete an Frankreich, die rechtsrheinischen 1803 an Baden, Hessen und Leiningen. Nach Beendigung der französischen Herrschaft kamen die linksrheinischen Gebiete 1815 wieder an Bayern. Nach dem Ersten Weltkrieg war die Pfalz erneut von Franzosen besetzt. Auch nach dem Zweiten Weltkrieg fiel die Pfalz wieder unter französische Besatzung; 1946–68 bildete sie einen Regierungsbezirk von Rheinland-Pfalz, der 1968 im Rahmen einer Verwaltungsreform in den Bezirk Rheinhessen-Pfalz überging.

Pfälzischer Erbfolgekrieg, der Krieg, den der französische König Ludwig XIV. 1688–97 um Teile der Pfalz führte. Der Bruder des Königs, Herzog Philipp von Orléans, war mit Elisabeth Charlotte (Liselotte) von der Pfalz verheiratet. Als deren Bruder, der pfälzische Kurfürst, kinderlos starb, erhob Ludwig XIV. für sie Ansprüche auf das Kurfürstentum. Gegen Ludwig verbündeten sich Kaiser Leopold I., die Niederlande, England, Spanien und Savoyen. Die Franzosen unter Ezéchiel Mélac besetzten die Pfalz und zerstörten unter anderem Speyer, Worms und das Heidelberger Schloß. Während sie zu Land siegreich blieben, unterlagen sie zur See der vereinigten englisch-niederländischen Flotte. Im **Frieden von Rijswijk** (1697) ließ Ludwig XIV. die Ansprüche auf die Pfalz fallen, behielt aber Straßburg und Gebiete im Elsaß.

Pfändung. Wer eine Rechtsstreitigkeit gewonnen hat, kann von seinem Gegner oft einen bestimmten Geldbetrag verlangen. Zahlt der Gegner den Betrag nicht freiwillig, muß der Berechtigte das Gericht beauftragen, die Zwangsvollstreckung durchzuführen. Diese beginnt damit, daß der →Gerichtsvollzieher beim Zahlungspflichtigen verwertbare Habe (auch Bankguthaben) pfändet, das heißt dem Gegner wegnimmt und sie für den Berechtigten verwertet. Schwer transportable Gegenstände werden durch ein Pfandsiegel (im Volksmund ›Kuckuck‹ genannt) als gepfändet kenntlich gemacht. Das, was man zum täglichen Leben und für den Beruf braucht (z. B. Herd, Kühlschrank, Werkzeug), darf nicht gepfändet werden.

Pfarrer, Pastor, der für eine christliche Gemeinde **(Pfarrei)** verantwortliche Geistliche. Im allgemeinen hat er an einer Universität oder einer kirchlichen Hochschule Theologie studiert. Neben der Leitung des Gottesdienstes bestehen die Aufgaben des Pfarrers vor allem in der seelsorgerischen Betreuung der Gemeinde (Taufe, Eheschließung, Beerdigung, Altenbetreuung, Beratungen von Gemeindemitgliedern, Jugendarbeit). Viele Pfarrer leisten heute auch, vor allem in Großstädten, verstärkt Sozialarbeit.

Der katholische Pfarrer ist ein geweihter →Priester, der im Auftrag seines Bischofs in einer Gemeinde die →Sakramente spendet und predigt. Ihn unterstützen je nach der Größe der Gemeinde ein oder mehrere Hilfsgeistliche (Kaplan, Vikar, Diakon). Der evangelische Pfarrer wird von der Gemeinde gewählt oder von der Kirchenbehörde eingesetzt und mit der **Ordination** durch die Kirchenleitung in sein Amt eingeführt; er ist der geistliche Vorsteher der Gemeinde und hat das Recht zur ausschließlichen Benutzung der Kanzel in der Kirche seiner Gemeinde.

Pfau, großer, aus Südostasien stammender →Hühnervogel. Bei der Balz schlägt das Männchen sein ›Rad‹: Es breitet seine sehr langen, farbenprächtigen Schwanzfedern mit den schimmernden blauen ›Augen‹ fächerartig aus, um die (unscheinbaren) Weibchen anzulocken. Nach der Paarungszeit fallen die Federn aus. Auf dem Kopf trägt das Männchen ein goldgrünes Federkrönchen. Schon im Altertum wurde der Pfau als Ziervogel gezüchtet. Er gilt als Sinnbild der Eitelkeit (›eitel wie ein Pfau‹). Weiteres BILD Seite 390.

Pfau: Indischer Pfau, OBEN Männchen, UNTEN Weibchen

Pfeffer, →Gewürzpflanzen.

Pfefferfresser, ein anderer Name für die Vogelfamilie →Tukane.

Pfefferminze

Pfefferminze, eine alte Heilpflanze, die in Gärten und auf Feldern angebaut wird. Aus den Blättern gewinnt man das mentholhaltige Pfefferminzöl, das kühlend, krampflösend und leicht schmerzstillend wirkt. In den verschiedensten Produkten (z. B. Bonbons, Zahnpasta) wird Pfefferminze als Aromastoff verwendet. Aus getrockneten, auch frischen Blättern wird Tee bereitet.

Pfeil, Geschoß, das von Bogen, Armbrust oder Blasrohr abgeschossen wird. Der Pfeil besteht aus einem 10–15 cm langen geraden Holz- oder Rohrschaft. Hinten ist er meist mit einer Kerbe versehen, damit er besser in die Bogensehne eingespannt werden kann. Zur Verbesserung der Flugstabilität ist er hinten häufig gefiedert. Vorne befindet sich die Pfeilspitze aus Stein, Metall, Bambus, Knochen oder Holz. In früheren Zeiten als Waffe verwendet, wird der Pfeil heute bei Naturvölkern bei der Jagd eingesetzt. Darüber hinaus dient der Pfeil heute als Sportgerät.

Pfeilgifte. Zu Jagd- und Kriegszwecken stellten manche Naturvölker früher meist aus Pflanzen Gifte her, in die sie die Spitzen ihrer Pfeile und Blasrohre tauchten, um damit deren Wirkung zu erhöhen. Die genaue Zusammensetzung dieser Gifte, in die weitere Drogen gemischt wurden, war nur wenigen bekannt. Eines der bekanntesten Pfeilgifte ist das **Curare,** das von den Indianern in Venezuela und Guayana zubereitet wurde. Es stammt aus der Rinde verschiedener Lianenarten. Die Gifte, die durch die Pfeilwunde in den Körper des Opfers eindringen, wirken besonders auf Herz und Nerven. Nach wenigen Mi-

radschlagender **Pfau**

Pferde: Pferderassen I (Voll- und Warmblutpferde);
1 Araber, **2** englisches Vollblut, **3** Trakehner, **4** Hannoveraner, **5** Oldenburger, **6** Lippizaner

Pferde: Pferderassen II (Kaltblut, **2–5** Kleinpferde);
1 Süddeutsches Kaltblut, **2** Haflinger, **3** Norweger, **4** Shetlandpony, **5** Welshpony, **6** Przewalskipferd (Wildpferd)

nuten tritt der Tod ein. Das Fleisch getroffener Tiere bleibt jedoch genießbar.

Pfennig, früher **Pfenning,** Abkürzung **Pf,** eine Münze, in Deutschland seit 1871 der hundertste Teil einer Mark. Heute sind in der Bundesrepublik Deutschland 100 Deutsche Pfennige 1 Deutsche Mark. In Großbritannien heißt der Pfennig ›penny‹. – Im fränkischen Reich unter Karl dem Großen und Pippin war der Pfennig die einzige Münze; er entsprach $^1/_{12}$ Schilling = $^1/_{240}$ Pfund Silber (darauf beruhte die britische Währung bis 1971). Die Zeit zwischen 750 und 1300 wurde in Europa auch ›Pfennigzeit‹ genannt, da in den meisten europäischen Ländern Pfennigmünzen und Teilstücke des Pfennigs geprägt wurden. Seit etwa 1070 trug im deutschsprachigen Raum der Pfennig den Namen ›Denar‹. Der Pfennig war zunächst eine Silbermünze und wurde erstmals im 16. Jahrh. als Kupfermünze hergestellt.

Pferde, hochbeinige Säugetiere, die wie die → Esel und → Zebras zur Familie der Unpaarhufer gehören. Sie treten nur mit der Mittelzehe, die von einem Huf umschlossen ist, auf (→ Huftiere). Früher lebten die etwa 1,40 m hohen, kräftigen und genügsamen Wildpferde in von einem Leithengst geführten Herden in Wüsten und Steppen Europas und Asiens. Heute sollen noch einige wenige Wildpferde in der südwestlichen Mongolei an der Grenze zu China leben. Bei den **Mustangs** der nordamerikanischen Prärien handelt es sich um Nachfahren verwilderter Hauspferde, die die Spanier bei der Eroberung Amerikas mitgebracht haben (nach 1600). Das **Camargue-Pferd** in Frankreich ist ein halbwildes, verhältnismäßig großes Pony.

Pferde sind – in Anpassung an ihren ursprünglichen Lebensraum – schnelle und ausdauernde Läufer. Die natürlichen Gangarten sind Schritt, Trab und Galopp. Pferde sind Pflanzenfresser, im Unterschied zu Rindern, Schafen und Ziegen jedoch keine Wiederkäuer. Verschiedene **Pferderassen** (BILDER) werden in Gestüten gezüchtet; sie erreichen eine Höhe von etwa 150–165 cm. Dazu gehören das schwere, kräftige und träge **Kaltblut** als Zug- und Lasttier, das leichtere und elegante **Warmblut** zum Reiten und das temperamentvolle **Vollblut** für den Rennsport. Der fuchsfarbene **Haflinger,** ein etwa 140 cm hohes Gebirgspferd, ist als ausdauernd bekannt. Ein **Pony** ist ein kleines, nur 80–120 cm hohes Pferd; das kleinste und bekannteste Pony ist das Shetlandpony.

Nach der Farbe unterscheidet man z. B. Rappe (schwarz), Schimmel (weiß), Apfelschimmel (weiß mit dunklen Flecken), Fuchs (braunrot) und Schecke (braun mit weißen Flecken). Das männliche Pferd heißt **Hengst,** ist es kastriert, also künstlich unfruchtbar gemacht, **Wallach.** Eine **Stute** kann jedes Jahr nach etwa 11 Monaten Tragzeit ein **Fohlen** (auch **Füllen**) zur Welt bringen, das 4–5 Monate gesäugt wird. Pferde werden im allgemeinen 16–18 Jahre alt, in Einzelfällen bis zu 40 Jahre.

In der Geschichte spielte das Pferd eine wichtige Rolle (z. B. bei der Völkerwanderung und in vielen Schlachten). Von alters her hatte das Pferd in den Religionen große Bedeutung. Viele Götter waren beritten oder fuhren vierspännig über den Himmel (z. B. der griechische Sonnengott Helios). ›Zu Pferde reiten‹ galt in Europa zu allen Zeiten als Ausdruck gehobener gesellschaftlicher Stellung. Seit Jahrtausenden dient das Pferd dem Menschen als Last- und Zugtier; erst in den letzten Jahrzehnten wurde es durch Zugmaschinen und Kraftwagen weitgehend verdrängt. Heute werden Pferde überwiegend für den Pferdesport gezüchtet.

Pferdestärke, Einheitenzeichen **PS,** nicht gesetzliche Einheit der →Leistung in der Technik: 1 PS = 75 kp · m/s = 0,735498 75 kW (Kilowatt).

Pfifferling, ein →Pilz.

Pfingsten [von griechisch pentekoste ›fünfzigster Tag‹], in den christlichen Kirchen das Fest des Heiligen Geistes, das am 50. Tag, also 7 Wochen nach Ostern, gefeiert wird. Es soll an die Herabsendung des Heiligen Geistes auf die Jünger Jesu erinnern. Nach diesem ersten Pfingstfest gingen die Anhänger Jesu in die Welt, um die christliche Botschaft zu verkünden.

Pfirsiche [von lateinisch malum persicum ›persischer Apfel‹], die Früchte des rosablühenden, ursprünglich in Asien heimischen Pfirsichbaums, der in Europa nur in mildem Klima und an geschützten Standorten gedeiht. Der saftige Pfirsich mit samtig-behaarter Haut hat einen großen, gefurchten Kern und meist gelbes, aber auch weißes oder rotes Fruchtfleisch. Die verwandten Nektarinen haben eine glatte Haut.

Pflanzen, Lebewesen, die **autotroph** leben, das heißt, sie bauen ihre organischen Stoffe aus dem Kohlendioxid CO_2 der Luft und aus anorganischen Verbindungen des Bodens oder des Wassers mit Hilfe von Licht selbst auf. Die autotrophe Pflanze kann mit Hilfe des **Chlorophylls** (Blattgrün) in bestimmten Zellorganellen, den Chloroplasten (→Plastiden), die den tierischen Zellen fehlen, Licht absorbieren, die Lichtenergie in chemische Energie umwandeln und so organische Stoffe aus anorganischen aufbauen (→Photosynthese). Eine Ausnahme sind die Pilze. Da sie keine dem Chlorophyll entsprechenden Farbstoffe besitzen, sind sie – wie auch Tiere und Menschen – **heterotroph,** das heißt, sie können die organischen Stoffe nicht aus anorganischen aufbauen, sondern müssen sie aufnehmen und in körpereigene umbauen. Während Tiere und Menschen diese im allgemeinen pflanzlicher und tierischer Nahrung entnehmen, leben Pilze in der Regel entweder parasitisch (→Parasiten), in Symbiose mit Algen (→Flechten) oder von toter Substanz.

Pflanzen sind meist ortsgebunden und zeigen nur eine begrenzte Beweglichkeit. Die pflanzliche Zelle ist von einer festen Zellwand umgeben, die bei den höheren und vielen niederen Pflanzen aus Cellulose und bei den meisten Pilzen aus Chitin besteht. Die einzelligen Pflanzen, z. B. bestimmte Algen, leben meist freibeweglich. Niedere vielzellige Pflanzen (Thallophyten), z. B. Algen, Pilze, Flechten, haben einen verhältnismäßig einfachen Vegetationskörper. Die höheren Pflanzen (Kormophyten), z. B. Moose, Farne, Samenpflanzen, sind in Organe wie Wurzel, Sproßachse und Blätter gegliedert.

Die ältesten bekannten Pflanzen, zu denen oft noch die Blaualgen gezählt werden, obwohl diese den Bakterien näherstehen, sind fadenförmige Wasserbewohner. Der Übergang vom Wasser zum Landleben war unter anderem mit der Ausbildung von Festigungsgeweben verbunden. Die →Fortpflanzung vollzieht sich bei den Pflanzen im allgemeinen sowohl geschlechtlich als auch ungeschlechtlich (vegetativ) durch einzellige Keime (Sporen) oder vielzellige Ausläufer, Brutknospen, Brutzwiebeln, Sprosse und Knollen.

Für die heterotrophen Organismen sind die Pflanzen außer als Nahrungsmittel auch durch die Freisetzung von Sauerstoff bei der Photosynthese lebenswichtig. Darüber hinaus bewahrt eine dichte Pflanzendecke den Boden vor →Erosion, und im Gebirge kann dichter Waldbestand einen wirksamen Schutz vor Lawinen darstellen. Durch Speicherung von Niederschlagswasser sowie durch Wasserverdunstung (Transpiration) an ihrer Oberfläche beeinflussen die Pflanzen das Klima. Gärten, Parks und Grünanlagen tragen dank der Sauerstoffbildung der Pflanzen zur Reinhaltung der Luft in den Städten bei.

Pflanzenfresser, Tiere, die sich vor allem von Pflanzen ernähren; dazu gehören die Paarhufer (Huftiere, Wiederkäuer) und Nagetiere sowie viele Vögel, die meisten Insekten und andere Wirbellose.

Pflanzenschutz, 1) alle Maßnahmen, die dazu dienen, Krankheiten, Schädlinge und sonstige Schäden an Kulturpflanzen und ihren Erzeugnissen zu verhindern oder zu bekämpfen (→Schädlingsbekämpfung). Der Erfolg der Pflanzenschutzmaßnahmen kann an der erzielten Ernte und der Qualität der Produkte gemessen werden. **2)** Im Naturschutz schließt der Pflanzenschutz alle Maßnahmen ein, die dem Schutz und der Erhaltung bedrohter Pflanzenarten und ihrer natürlichen →Biotope dienen. (→Tierschutz)

Pflaumen, die Früchte des weißblühenden Pflaumenbaums, die je nach Sorte sehr unterschiedlich aussehen. Die **Zwetschen** (in Süddeutschland **Zwetschgen**) waren früher von den größeren Pflaumen durch Form und Fruchtnaht zu unterscheiden (Pflaume: rundlich mit Naht, Zwetsche: spitze Enden ohne Naht). Viele Kreuzungen haben diese Merkmale jedoch aufgehoben. Die Zwetsche reift später als die Pflaume, hat festeres Fruchtfleisch und leicht lösbare Steine. Die runden **Renekloden (Reineclauden)** haben grüne bis rötliche Schalen und schmecken schwach säuerlich. Die kleinen runden **Mirabellen,** orangegelb mit roten Punkten, sind süß. Die großen runden **Susinen** gleichen farblich den Renekloden und haben einen süß-säuerlichen Geschmack.

Pflug, landwirtschaftliches Gerät zum Lockern des Bodens. Am verbreitetsten ist der früher von Gespannen, heute von Traktoren gezogene **Scharpflug.** Beim Pflügen wird von Sech und Schar ein Streifen (Erdbalken) aus dem Boden herausgetrennt und mit Hilfe des Streichbleches gewendet und zerkleinert. Durch das Wenden wird der Erdbalken seitlich verlagert. In die so entstandene Furche wird beim nächsten Durchgang der nächste Erdbalken gefüllt. – Die Menschen früher Kulturen, z. B. in Ozeanien und im indianischen Amerika, bedienten sich des **Grabstocks** zur Bodenbearbeitung. Indem ein hakenförmiges Holz von Menschen oder Zugtieren durch das Erdreich gezogen wurde, entstand die erste Form des Pfluges, der **Hakenpflug.** Der mit Beginn unserer Zeitrechnung aufgekommene **Räderpflug** ermöglichte eine intensive Bodenbearbeitung.

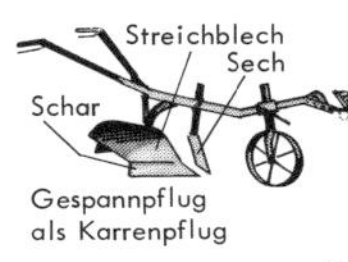

Gespannpflug als Karrenpflug

Kreiselpflug

Beetpflug, einseitig wendend

Drehpflug, zweiseitig wendend

Pflug

Pfund [von lateinisch pondus ›Gewicht‹], Gewichtseinheit und Währungsbezeichnung. Die Verbindung von Gewicht und Währung ergab sich aus der Gewichts- oder Wertangabe von Edelmetallmünzen. Das Pfund war als Gewichtseinheit früher in vielen Ländern gültig. Heute ist das metrische Pfund (Einheitenzeichen Pfd oder ℔; 1 Pfund = 0,5 Kilogramm) als gesetzliche Gewichtseinheit nicht mehr zulässig, wird im allgemeinen Sprachgebrauch jedoch weiterhin verwendet. Als Rechnungs- und Währungseinheit (z. B. Pfund Sterling, Zeichen £, in Großbritannien) ist das Pfund in zahlreichen Staaten der Erde in Gebrauch.

Phalanx [griechisch ›Balken‹], die geschlossene Schlachtreihe, die die Griechen seit dem 7. Jahrh. v. Chr. im Kampf bildeten. Sie bestand zunächst aus 8, später aus 16 Reihen hintereinander. Sie wurde von den schwerbewaffneten Fußkämpfern, den Hopliten (mit Schwertern und 5 m langen Lanzen bewaffnet), gebildet.

Phantastische Literatur, Bezeichnung für literarische Werke, in denen Übernatürliches eine entscheidende Rolle spielt, z. B. das Auftreten von Geistern und Vampiren, unerklärliche Vorgänge häufig bedrohlicher Natur. Die Möglichkeit einer verstandesmäßigen Erklärung bleibt meist in der Schwebe, mitunter wird eine solche aber am Ende geliefert. Bedeutende Vertreter waren E(rnst) T(heodor) A(madeus) Hoffmann, Wilhelm Hauff, Edgar Allan Poe, Bram Stoker (›Dracula‹). Als **fantasy** wird eine im angloamerikanischen Bereich entwickelte, an Sagen anknüpfende oder eine eigene Sagenwelt entwerfende Sonderform der Phantastischen Literatur bezeichnet; als Vorbild gilt hier der Engländer J(ohn) R(onald) R(euel) Tolkien. Die **heroic fantasy** schließt besonders Kampfszenen ein.

Pharao [aus ägyptisch per'o ›großes Haus‹], Titel der altägyptischen Könige. Die einzelnen Herrscherfamilien, die oft über Generationen hinweg den Pharao stellten, bezeichnet man als **Dynastien.** (→Ägypten, Geschichte)

Phidias, athenischer Bildhauer, der im 5. Jahrh. v. Chr. lebte. Er galt schon in der Antike als der bedeutendste Bildhauer der klassischen Periode der →griechischen Kunst. Um 450 begann er mit dem Wiederaufbau der Akropolis von Athen, deren prachtvoller Parthenon-Tempel die über 12 m hohe Statue der Göttin Athena Parthenos enthielt. Sie und der sitzende Zeus im Heiligtum von Olympia, der als eines der Sieben Weltwunder galt, begründeten den Ruhm des Phidias. Nur Beschreibungen, kleine Kopien und

Münzen sind von ihnen überliefert. Ob die beiden, 1972 vor der Küste Kalabriens bei Riace aus dem Meer geborgenen Kriegerstatuen aus Bronze Werke des Phidias sind, ist umstritten. Phidias wurde 432 der Prozeß wegen angeblicher Materialunterschlagung gemacht. Er soll im Gefängnis gestorben sein.

Philadelphia, 1,69 Millionen, mit Vororten 5,9 Millionen Einwohner, Stadt im Osten der USA, im Bundesstaat Pennsylvania, am Fluß Delaware. Philadelphia gehört zu den bedeutendsten Industrie-, Finanz- und Kulturzentren des Landes. Die Stadt war ein kultureller Mittelpunkt der britischen Kolonien. In der Unabhängigkeitsbewegung (→ Vereinigte Staaten von Amerika) tagte hier der Kontinentalkongreß. Am 4. Juli 1776 wurde in Philadelphia die Unabhängigkeit verkündet und 1787 die Bundesverfassung der USA ausgearbeitet.

Philatelie, Briefmarkenkunde (→ Briefmarken).

Philipp II., * um 382, † 336 v. Chr., König von Makedonien (359–336 v. Chr.). Er führte die Regentschaft für seinen unmündigen Neffen so erfolgreich, daß das Volk ihn zum König ausrief. Nachdem die Uneinigkeit der Griechen zu immer neuen Kämpfen geführt hatte, unternahm es der Makedonenkönig, Griechenland unter seiner Führung zu einigen. 338 v. Chr. besiegte sein Heer die verbündeten Athener und Thebaner in der Schlacht bei Chaironeia. 337 v. Chr. versammelte Philipp in der Stadt Korinth Vertreter der griechischen Städte und gründete den ›Panhellenischen (gesamtgriechischen) Bund‹ unter seiner Führung. Ein Vergeltungskrieg aller Griechen gegen Persien wurde beschlossen. Aber noch vor Abschluß der Rüstungen wurde Philipp ermordet. Sein Sohn Alexander (der Große) setzte Philipps Werk fort und besiegte die Perser.

Philipp II., * 1527, † 1598, König von Spanien seit 1556. Er folgte seinem Vater Kaiser Karl V. (in Spanien Karl I.) und erbte neben Spanien die amerikanischen Kolonien, die Niederlande, Mailand, Neapel, Sizilien und Sardinien. Seit 1580 war er auch König von Portugal. Unter Philipp II. erreichte Spanien den Höhepunkt seiner Weltmacht. Der Sieg seiner Flotte bei Lepanto 1571 wehrte die Türkengefahr ab. Philipp war ein Vorkämpfer der → Gegenreformation. Dadurch kam es zum Aufruhr in den protestantischen Niederlanden, die sich 1581 von Spanien lossagten, und zum Krieg mit dem sie unterstützenden England seit 1585. Dieses vernichtete 1588 die spanische Flotte, die ›Armada‹. Damit begann, noch unter der Regierung Philipps II., der Niedergang Spaniens.

Philippinen

Staatswappen

Staatsflagge

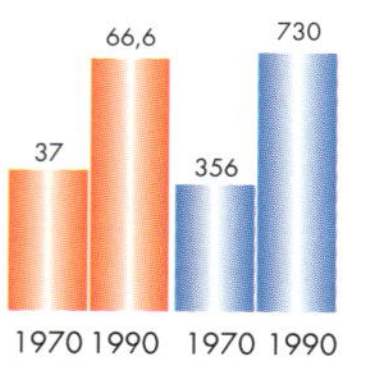

Bevölkerungsverteilung 1990

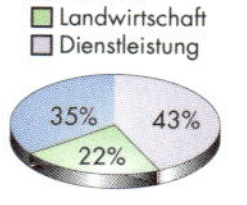

Bruttoinlandsprodukt 1990

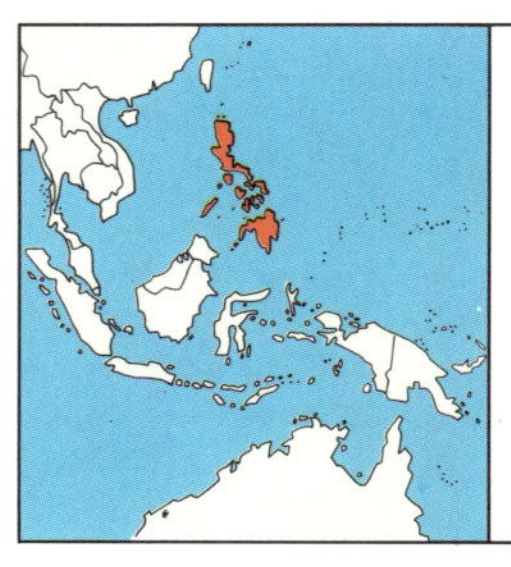

Philippinen

Fläche: 300 000 km²
Bevölkerung: 66,6 Mill. E
Hauptstadt: Manila
Amtssprachen: Tagalog, Englisch
Nationalfeiertag: 4. Juli
Währung: 1 Philippin. Peso (₱) = 100 Centavos (c)
Zeitzone: MEZ +7 Stunden

Philippinen, Inselgruppe und Republik im Malaiischen Archipel in Südostasien. Von den 7 100 Inseln sind 4 300 unbewohnt. Zwei Drittel der Landesfläche entfallen auf die größten Inseln Luzon und Mindanao. Das Innere der Inseln ist gebirgig mit zum Teil noch tätigen Vulkanen; höchster Berg des Landes ist der Vulkan Mount Apo mit 2 954 m. Das Klima ist tropisch. Der Norden wird im Sommer von Taifunen heimgesucht. Durch den winterlichen Nordostmonsun erhalten die Ostseiten höhere Niederschläge als die westlichen Gebiete.

Die Bevölkerung besteht überwiegend aus Filipinos, einem Zweig der Indonesier, und anderen Gruppen; die meisten gehören der Katholischen Kirche an.

Haupterwerbszweig ist die Landwirtschaft. Zuckerrohr, Kopra, Abacá (Manilahanf) und Kokosöl sind wichtige landwirtschaftliche Ausfuhrgüter. Die tropischen Regenwälder liefern Edelhölzer. Unter den Bergbauprodukten nimmt Kupfer den ersten Rang ein; verstärkt wird Erdöl gefördert. Die Industrie konzentriert sich im Raum Manila.

Geschichte. Die Philippinen wurden 1521 von Magellan entdeckt und für Spanien in Besitz genommen. Ihren Namen erhielten sie 1543 nach dem spanischen König Philipp II. Nach dem Spanisch-amerikanischen Krieg von 1898 trat Spanien die Inselgruppe an die USA ab. Im Zweiten Weltkrieg besetzten japanische Truppen das Land. 1944/45 wurde es von den USA zurückerobert und 1946 unabhängig. Seit 1965 regiert Präsident Marcos das Land unter Unterdrückung der Opposition. (KARTE Seite 198)

Philosophie [griechisch ›Weisheitsliebe‹], die Bemühung des Menschen, zur Wahrheit über sich und die Welt zu kommen. Der heutige, wissenschaftsgläubige Mensch ist oft geneigt, ihr die Daseinsberechtigung abzusprechen, denn sie liefert keine gesicherten Erkenntnisse, macht keine Fortschritte wie die Mathematik, die Chemie, die Biologie und die Medizin, und sie hat auch keinen praktischen oder gesellschaftlichen Nutzen wie die Physik, deren Forschungsergebnisse für die Allgemeinheit zwar nicht nachvollziehbar sind, der aber so nützliche Dinge wie Telefon und Fernsehen zu verdanken sind.

Der Sinn der Philosophie ist anderen Ursprungs. Sie versucht, dem Menschen Antworten auf die großen Fragen seines Lebens zu geben: Was kann ich überhaupt wissen? (→Logik, →Metaphysik), Wie soll ich richtig leben? (→Ethik), Gibt es einen Gott? (→Religion).

In der Geschichte der Philosophie wurden die verschiedensten Antworten zu geben versucht. Sokrates, ein griechischer Philosoph des 5. Jahrh. v. Chr., der seines Gewissens wegen zum Tode verurteilt wurde (399 v. Chr.), zeigte, daß das menschliche Wissen sehr beschränkt ist. Nach ihm ist es wichtiger, um sein Nichtwissen zu wissen und gut, das heißt tugendhaft und selbstlos zu handeln als sich in der trügerischen Sicherheit eines oberflächlichen Wissens um die äußeren Dinge zu wiegen. Für Hegel, einen der bedeutendsten Philosophen des deutschen →Idealismus, war die Philosophie hingegen die höchste Gestalt des Wissens, während heutige Philosophen z. B. über die Existenz des Menschen, über Sinnverlust und Gottferne sowie über die Angst des Menschen vor dem Tod nachdenken.

Phnom-Pẹnh, 500 000 Einwohner, Hauptstadt von Kambodscha mit bedeutendem Hafen am Mekong. Nach dem Bürgerkrieg (→Kambodscha), in dem Phnom-Penh ein Zentrum der Kämpfe war, wurden viele Bewohner in ländliche Gebiete umgesiedelt.

Phon [zu griechisch phone ›Stimme‹]. Die vom Menschen empfundene Lautstärke (Sprache, Musik, Verkehrslärm; →Lärm) wird durch den **Schalldruck** im Ohr hervorgerufen. Das Hören ist für das menschliche Ohr nur möglich, wenn der Schall zwischen 16 und 20 000 Schwingungen pro Sekunde (→Hertz) ausführt. Die Lautstärke wird in den Einheiten Phon oder Dezibel (dB) gemessen, wobei Phon die vom Menschen empfundene und Dezibel die mit Meßgeräten bestimmte Lautstärke darstellt. Die Dezibelwerte stimmen bei 1 000 Hertz mit der Einheit Phon überein. Bei allen anderen Frequenzen stimmen die Werte nicht überein.

Phönịker, semitisches Volk, das im Altertum einen schmalen Landstreifen im syrischen Küstengebiet bewohnte. Politisch war dieses Gebiet in kleine Stadtstaaten gegliedert, unter denen seit etwa 1000 v. Chr. Tyros und Sidon eine Vorrangstellung hatten. Phöniker gründeten Handelskolonien an den Mittelmeerküsten, besonders in Nordafrika und Südspanien, auf Sizilien, Malta und Zypern. In Nordafrika gründeten die Phöniker, die hier von den Römern später **Punier** genannt wurden, im 9. Jahrh. v. Chr. →Karthago, das bis zum 5. Jahrh. v. Chr. die beherrschende Macht im westlichen Mittelmeer wurde. Die Römer zerstörten Karthago 146 v. Chr. Das Ursprungsland der Phöniker wurde 63 v. Chr. mit ganz Syrien römische Provinz.

Phọ̈nix, in der Sage ein heiliger Vogel, der schon bei der Weltschöpfung auf dem Urhügel erschienen war. Die Ägypter verehrten ihn als Verkörperung des Sonnengottes; bei den Griechen war der Phönix Sinnbild des Lebens, das nach dem Tod neu entsteht. Nach der römischen Sage verbrennt sich der Phönix in gewissen Abständen immer wieder selbst und steigt dann aus der Asche wieder auf. Als Sinnbild der ewigen Erneuerung des Lebens durch den Tod wurde der Phönix auch in die christliche Legendenwelt übernommen.

Phọsphor [zu griechisch phosphoros ›lichttragend‹], Zeichen **P,** nichtmetallisches →chemisches Element (ÜBERSICHT), das in 3 Zustandsformen vorkommt. Der **weiße** oder **gelbe Phosphor** ist bei Zimmertemperatur wachsweich und chemisch sehr reaktionsfreudig. Da er an der Luft instabil ist – bei 50 °C entzündet er sich von selbst –, muß er unter Wasser aufbewahrt werden. Seine Dämpfe sind **sehr giftig.** Er ist Ausgangspunkt für alle Phosphorverbindungen. **Roter** oder **violetter Phosphor** entsteht aus weißem Phosphor bei längerem Erhitzen unter Luftabschluß. Obwohl beständiger, weniger giftig und weniger reaktionsfähig als weißer Phosphor, explodiert er, gemischt mit Oxidationsmitteln wie Kaliumchlorat, schon beim Verreiben. Bei hohen Drücken und unter dem Einfluß von Katalysatoren entsteht aus weißem Phosphor der **schwarze** oder **metallische Phosphor.**

Phosphor kommt nicht elementar und fast ausschließlich in Form der **Phosphate** vor. So als **Apatit,** einem unter anderem Fluor und Chlor enthaltenden Calciumphosphat, das auch Hauptbestandteil des Zahnschmelzes und der festen Knochensubstanz ist. Bei der Verwitterung phosphathaltiger Gesteine und von organischen Massen wie Skelett- und Knochensubstanzen sowie Zähnen entsteht der **Phosphorit.**

Phosphor ist für die Zahn- und Knochenbil-

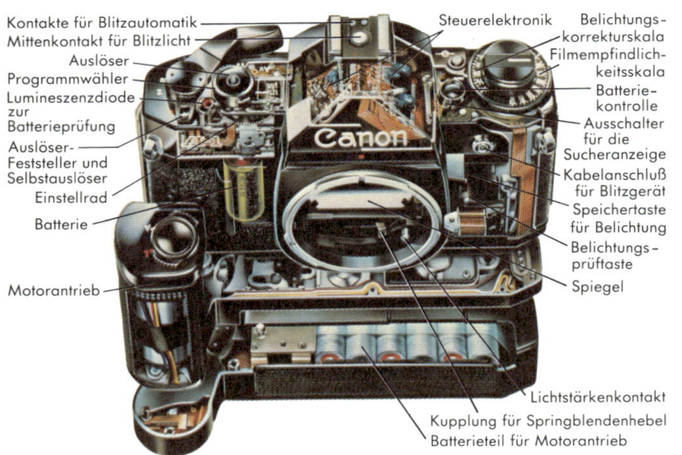

Photoapparat:
Teilschnitt durch eine Spiegelreflexkamera ohne Objektiv

dung der Lebewesen unerläßlich. Darüber hinaus ist er in Enzymen und anderen organischen Stoffen enthalten und an allen Vorgängen des Energiestoffwechsels und an Stoffwechselreaktionen beteiligt.

Phosphor dient zur Herstellung der Phosphorverbindungen, von Handelsdünger, Arzneimitteln, Zündhölzern, Brandbomben und zur Erzeugung künstlicher Nebel. Er ist Bestandteil von Legierungen und wird zur Erzeugung von schützenden Deckschichten auf Metallen benutzt.

Photoapparat. So kompliziert moderne Photoapparate auch sein mögen, sie alle lassen sich auf das alte Prinzip der →Camera obscura zurückführen. Im einfachsten Fall besteht ein Photoapparat aus einem Kasten mit einer kleinen Öffnung auf der einen und dem lichtempfindlichen Material auf der anderen Seite. Natürlich sind die mit einem derartigen Apparat aufgenommenen Photos nicht so gut, wie wir das heute gewohnt sind.

Der heute verwendete Photoapparat ist mit vielen technischen Einrichtungen ausgerüstet: Durch das →Objektiv fällt das Licht auf den Film. Die am Apparat einstellbare →Blende begrenzt die Lichtmenge, die auf den Film gelangt. Der →Verschluß liegt wie die Blende im Strahlengang, das heißt im Verlauf der Lichtstrahlen in der Kamera. Er öffnet sich für einen kurzen Moment, wenn man auf den Auslöser drückt, und läßt das für die Aufnahme notwendige Licht durch. Für lange Verschlußzeiten braucht man ein Stativ, da sonst die Aufnahme verwackelt.

Die meisten Photoapparate verfügen über einen eingebauten →Belichtungsmesser, der die Helligkeit des Aufnahmegegenstands mißt. Außerdem hat jeder Photoapparat einen Sucher, durch den man den Bildausschnitt betrachten kann.

Bei der einäugigen **Spiegelreflexkamera** sieht man über einen Spiegel, der im Moment der Aufnahme wegklappt, durch das Objektiv auf den Aufnahmegegenstand. Die zweiäugige Spiegelreflexkamera hat 2 Objektive, das obere für den Sucher und das untere zum Photographieren. Bei der einfacheren **Sucherkamera** schaut man durch ein kleines Fenster auf das Motiv.

Für die meisten Photoapparate werden Kleinbildfilme (→Film) verwendet, die in lichtdichten Patronen aufgewickelt sind. Für größere Bildformate gibt es Platten und Rollfilme. Besonders flach sind Photoapparate, die mit einer Filmscheibe (›Disc‹) arbeiten. Auf dieser Scheibe befinden sich z. B. 15 einzelne Filmstreifen kreisförmig angeordnet, es können also 15 Bilder gemacht werden.

Wenn man nicht lange auf die Entwicklung des Films warten möchte, kann man eine **Sofortbildkamera** verwenden. Hierfür gibt es besondere Kassetten, die bereits Film, Papier und die zur Entwicklung benötigten Chemikalien enthalten. Gleich nach der Aufnahme schiebt der Apparat das fertige Papierbild durch einen Schlitz heraus. (Weiteres BILD Seite 397)

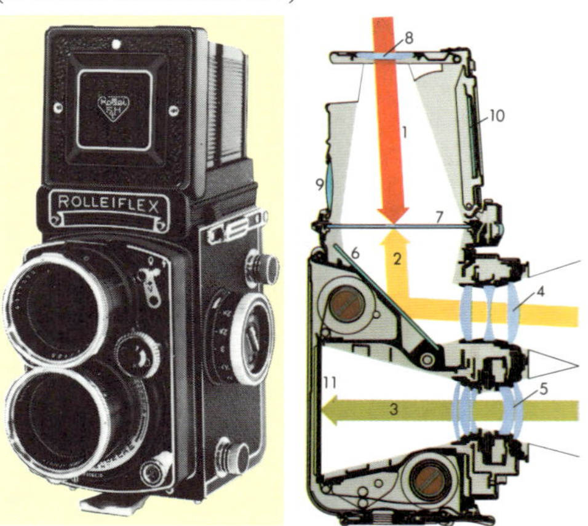

Photoapparat:
Zweiäugige Spiegelreflexkamera: LINKS Tele-Rolleiflex (Objektiv: C. Zeiss Sonnar, fünflinsig, 1:4/135 mm). RECHTS Schnittzeichnung der Rolleiflex: 1 Einblick in den Lichtschacht (rot), 2 Sucherbild-Strahlengang (gelb), 3 bilderzeugender Strahlengang (grün), 4 Sucherobjektiv, 5 Aufnahmeobjektiv, 6 Reflexspiegel, 7 Sucherbildebene, 8 und 9 Sucherokulare, 10 Reflexspiegel, 11 Bildebene

Photoapparat: Sucherkamera für Kleinbildformat (Kompaktkamera)

Photographie [zu griechisch phos ›Licht‹ und graphein ›schreiben‹]. Seit alters her versuchen Menschen, von ihrer Umwelt dauerhafte Abbilder zu erzeugen. Dazu sind viele Techniken entwickelt worden, z. B. Malen, Zeichnen, Gravieren, Schnitzen. Wenn es jedoch darum geht, besonders genaue und naturgetreue Abbildungen herzustellen, ist das Photographieren die geeignetste Methode. Bereits Anfang des 19. Jahrh. wurden Möglichkeiten erforscht, wie durch Lichteinwirkung auf bestimmte Chemikalien sichtbare Bilder erzeugt werden können. Die erste haltbare Photographie stammt von Joseph Nicéphore Niepce (etwa 1826), die ersten brauchbaren Photographien waren die nach dem Franzosen Louis Daguerre benannten ›Daguerreotypien‹ (1837), von denen allerdings keine Abzüge hergestellt werden konnten. Diese Verfahren wurden verändert und wesentlich verfeinert, später kam die Erfindung der →Farbphotographie hinzu.

Im gleichen Maß, wie die chemischen Grundlagen der Photographie erforscht und weiterentwickelt wurden, wandelte sich die Technik des →Photoapparats von der →Camera obscura zur modernen Sucher- oder Spiegelreflexkamera. Viele zusätzliche technische Einrichtungen, z. B. →Blitzgeräte, →Winder, Wechselobjektive mit unterschiedlichen Brennweiten (→Objektiv), Balgen, Vorsatzlinsen, Farb- und Trickfilter (→Lichtfilter), helfen dem Photographen, die Aufnahme nach seinen Wünschen zu gestalten oder besonderen Erfordernissen (z. B. die Verwendung eines Polarisationsfilters zur Unterdrückung von Lichtreflexionen auf Glasscheiben oder Wasseroberflächen) gerecht zu werden. Bei der Gestaltung eines Photos ist die Beleuchtung von großer Bedeutung, da sich mit Licht und Schatten plastische Wirkungen hervorrufen und Stimmungen gut ausdrücken lassen. Die Wahl der Belichtungszeit und der Blendenöffnung trägt ebenfalls zur Gestaltung bei. Besondere Ef-

Photographie: OBEN Schema der Filmherstellung; UNTEN Entstehung einer photographischen Schwarz-Weiß-Aufnahme (schematisch)

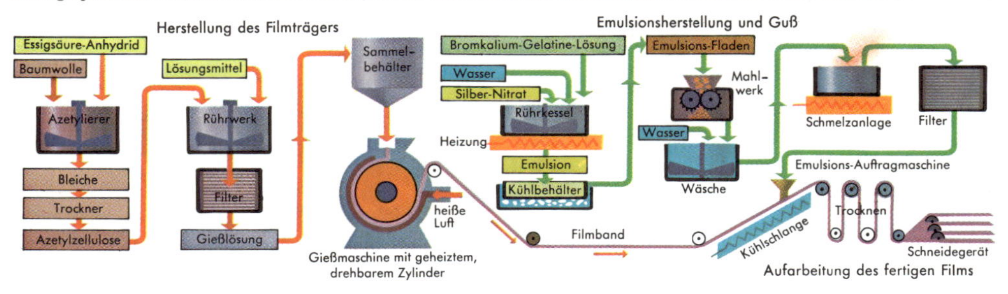

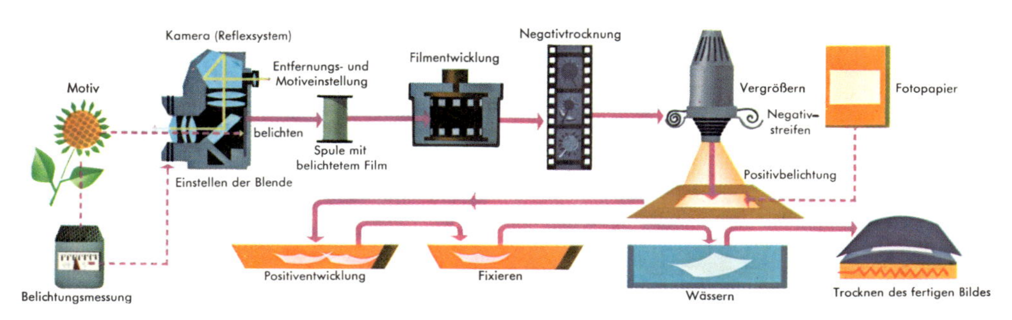

fekte kann man bei der →Filmentwicklung und beim Herstellen von Papierabzügen erzielen.

Die Photographie verdrängte anfangs auf manchen Gebieten die Malerei. Nach 1840 entstanden die Werke bestimmter Bildgattungen immer häufiger auf photographischem Weg, so die Porträtminiatur und die Stadt- und Landschaftsansicht (›Vedute‹). Im 20. Jahrh. wurde die Photographie, vor allem die Farbphotographie, zum eigenständigen künstlerischen Verfahren. Daneben spielten Photographien auch in der modernen Kunst eine Rolle, etwa als Bestandteile von Collagen im Dadaismus und Surrealismus oder als Gemäldevorlagen (→Fotorealismus). Ohne die Photographie ist die Entwicklung von Film und Fernsehen nicht vorstellbar. Film und Kamera wurden auch zu unentbehrlichen Hilfsmitteln für den Wissenschaftler.

Photorealismus, →Fotorealismus.

Photosynthese [zu griechisch phos ›Licht‹ und synthesis ›Zusammenstellung‹], ein biochemischer Vorgang, in dessen Verlauf aus Kohlendioxid und Wasser (anorganischen Stoffen) mit Hilfe des Sonnenlichts Kohlenhydrate (organische Stoffe) und Sauerstoff gebildet werden. Die Photosynthese findet in bestimmten Bestandteilen der Pflanzenzelle, den **Chloroplasten,** statt. Diese enthalten das Blattgrün (→Chlorophyll), das das Licht für die Photosynthese einfängt. Die gebildeten Kohlenhydrate werden in der Pflanze gespeichert. Da Mensch und Tier diese Kohlenhydrate zum Aufbau ihrer eigenen Körpersubstanz mit der Nahrung aufnehmen müssen, ist die Photosynthese auch für diese Organismen eine Lebensgrundlage. Zudem konnte die sauerstoffreiche Atmosphäre, die Vorbedingung für jegliches tierisches Leben ist, erst durch die Sauerstoffproduktion bei der Photosynthese entstehen.

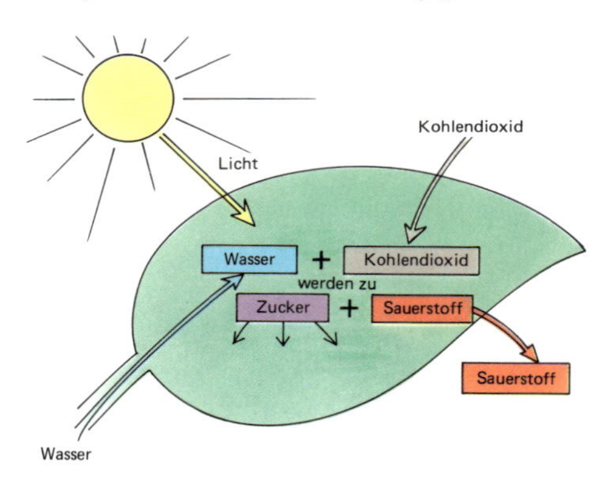

Photosynthese: Aus Wasser und Kohlendioxid stellen die Pflanzen im Licht Zucker und Sauerstoff her. Aus Zucker wird anschließend Stärke aufgebaut.

Photozelle, einer Elektronenröhre ähnliches Bauelement (Photodetektor); es besteht aus einem luftleeren Glas- oder Quarzgefäß, in das 2 Elektroden (Kathode und Anode) eingeschmolzen sind. Die Kathode ist mit einer lichtempfindlichen Schicht überzogen (z. B. Cäsium, Lithium, Natrium, Kalium) und sendet, wenn man sie mit Licht bestrahlt, Elektronen aus (äußerer lichtelektrischer Effekt oder Photoeffekt). Die von außen an die Röhre angelegte Spannung sorgt dafür, daß die Elektronen von der Anode angesaugt werden. Mit einer Photozelle kann man also Lichtenergie in elektrische Energie umwandeln. Die Größe des fließenden Stromes hängt von der Stärke der Beleuchtung ab.

Die heute überwiegend eingesetzten **Photodetektoren** sind aus einem Halbleiterkristall aufgebaut. Sie nutzen den inneren Photoeffekt aus. Dabei befreit die Energie des Lichts Elektronen aus ihrer Bindung innerhalb der Kristallstruktur. Die Elektronen können sich jetzt frei bewegen und vergrößern somit die elektrische Leitfähigkeit des Kristalls. Derartige Bauelemente werden als Photowiderstände bezeichnet. Mit Hilfe dieses Effektes kann auch die Funktionsweise von **Photoelementen** erklärt werden. Sie verwandeln die auftreffende Lichtenergie direkt in elektrische Energie. Man gebraucht sie zur Belichtungssteuerung, als Belichtungsmesser und großflächig als **Solarzellen.**

pH-Wert, pH [von lateinisch potentia hydrogenii ›Stärke des Wasserstoffs‹]. Im Zusammenhang mit der Diskussion über den sauren Regen und das Waldsterben in Mitteleuropa wird diese Maßzahl häufig verwendet. Es handelt sich dabei um einen Zahlenwert, der Auskunft darüber gibt, ob eine wäßrige Lösung sauer oder alkalisch ist oder sich wie reines Wasser, das heißt neutral, verhält. Die Stärke des sauren oder alkalischen Charakters wird durch den pH-Wert angegeben:

pH-Wert:	0 1 2 3	.....	6 7 8	.....	12 13 14
	↑		↑		↑
Lösung:	stark sauer	schwach sauer	neutral	schwach alkalisch	stark alkalisch
Beispiel:	Salzsäure	Essig	Wasser	Seifenlauge	Natronlauge

Physik [zu griechisch physis ›Natur‹], die Lehre von solchen Eigenschaften, Strukturen und Vorgängen der unbelebten Materie, die experimenteller Erforschung, messender Erfassung und mathematischer Darstellung zugänglich sind und allgemeingültigen Gesetzen unterliegen. Man kann die Physik einteilen in die **klassische Physik,** wozu die Gebiete Mechanik, Akustik, Optik, Wärmelehre und Elektrizitätslehre gehören, und in die **moderne Physik,** die sich ab etwa 1900 entwickelte und unter anderen die Gebiete Atomphysik, Kernphysik, Relativitätstheorie und Quantentheorie umfaßt.

Innerhalb des weiten Rahmens der exakten Naturwissenschaften nimmt die Physik die zentrale Stellung ein, weil die physikalischen Gesetzmäßigkeiten auch die Grundlage zum Verständnis der in anderen Naturwissenschaften beobachteten Naturvorgänge bilden. So sind im Prinzip die Gesetze der Chemie aus den quantentheoretischen Gesetzen der Atomphysik mathematisch herleitbar; das Grenzgebiet der **physikalischen Chemie** nimmt hier eine vermittelnde Stellung ein. Auch die Grenzen zwischen Physik und Biologie verschwimmen in dem Maß, in dem die quantitativen physikalischen Methoden durch ihre Verfeinerung auf die hochkomplizierten biologischen Systeme anwendbar werden **(Biophysik).** Physik und Astronomie sind durch **Astrophysik** und **Kosmologie** auf das engste miteinander verknüpft. Die **Geophysik** stellt die Verbindung zwischen Physik und den Geowissenschaften her. Enge Wechselbeziehungen bestehen auch zwischen Physik und Mathematik, da einerseits viele abstrakte mathematische Strukturen historisch aus physikalischen Problemstellungen erwachsen sind und andererseits bereits entwickelte mathematische Strukturen häufig in der physikalischen Forschung zur modellmäßigen Beschreibung real existierender Gegebenheiten verwendet werden können.

Die ersten Physiker wirkten bereits im Altertum, z. B. der Grieche Archimedes (→Auftrieb). Die Namen Galileo Galilei und Isaac Newton in der Mechanik, André Marie Ampère, James Clerk Maxwell und Heinrich Hertz in der Elektrizitätslehre, Anders Celsius, Rudolf Clausius und Ludwig Boltzmann in der Wärmelehre, Carl Friedrich Gauß, Ernst Abbe, Augustin-Jean Fresnel in der Optik und Max Planck, Albert Einstein, Wilhelm Conrad Röntgen, Niels Bohr, Werner Heisenberg, Erwin Schrödinger, Paul Adrien Maurice Dirac, Wolfgang Pauli und Enrico Fermi in der modernen Atom- und Quantenphysik markieren Meilensteine in der Geschichte der Physik.

Pi (Π, π), der sechzehnte Buchstabe des griechischen Alphabets. In der Mathematik bezeichnet π die **Ludolphsche Zahl (Kreiszahl),** $\pi = 3{,}1415926535...$, die bei der Berechnung der Fläche des Kreises mit dem Radius 1 als Flächeninhalt auftritt (→Kreis, →Kugel).

piano, musikalische Vortragsbezeichnung: leise, sanft; **pianissimo,** sehr leise, **fortepiano,** laut und sofort wieder leise.

Pianoforte, das →Klavier.

Hinweise für den Benutzer des Jugend-Brockhaus

Die Stichwörter sind nach dem Alphabet angeordnet.
Für die Einordnung gelten alle fettgedruckten Buchstaben, auch wenn das Stichwort aus mehreren Wörtern besteht.
Die Umlaute ä, ö, ü werden wie a, o, u behandelt, also folgen z. B. aufeinander: Atmung, Ätna, Atoll.
Dagegen werden ae, oe, ue wie getrennte Buchstaben behandelt; z. B. folgen aufeinander: Cadmium, Caesar, cal.

Die **Betonung** wird bei jedem Stichwort durch einen Punkt unter dem betonten Vokal angezeigt, z. B.
Altamịra, Atọm, Dịesel.
Stichwörter, die schwierig auszusprechen sind, erhalten in der eckigen Klammer Angaben zur **Aussprache** in vereinfachter Form. Hierzu werden die Buchstaben des deutschen Alphabets verwendet sowie die folgenden zusätzlichen Zeichen:
ã für den Nasal, der dem a entspricht, z. B. **Entent**e
ẽ für den Nasal, der dem e entspricht, z. B. Chop**in**
õ für den Nasal, der dem o entspricht, z. B. Bet**on**

Angaben zur **Herkunft der Wörter** werden gebracht, wenn sie zum Verständnis des Stichworts beitragen können. Sie stehen entweder in der eckigen Klammer hinter dem Stichwort oder an geeigneter Stelle im Text, z. B.
Alibi [lateinisch ›anderswo‹]
Albinismus [zu lateinisch albus ›weiß‹]

Der **Verweisungspfeil** → fordert auf, das dahinterstehende Stichwort nachzuschlagen, um dort weitere Auskünfte zu finden.
Das Zeichen ⇒ am Schluß einiger Artikel weist auf Stichwörter hin, die in größerem, ergänzendem Zusammenhang mit dem behandelten Thema stehen.

Als **Abkürzungen** werden verwendet:

°C	Grad Celsius	usw.	und so weiter
Jahrh.	Jahrhundert	z. B.	zum Beispiel
n. Chr.	nach Christi Geburt	*	geboren
v. Chr.	vor Christi Geburt	†	gestorben

Das Bildquellenverzeichnis erscheint am Schluß von Band 3.

Erläuterungen zu den graphischen Darstellungen bei Länderartikeln

Die roten Säulen geben die Bevölkerungsentwicklung eines Landes für zwei verschiedene Jahre an, so daß man die Veränderung in einem bestimmten Zeitraum erkennen kann. Die Bevölkerungszahlen in Millionen Einwohner stehen über den Säulen. Die blauen Säulen geben die Entwicklung des Bruttosozialprodukts (in amerikanischen Dollars), der wirtschaftlichen Leistung eines Landes, für zwei verschiedene Jahre an, so daß die Veränderung einer Volkswirtschaft in einem bestimmten Zeitraum erkennbar ist. Die entsprechende Säule ist um so höher, je größer das Bruttosozialprodukt ist. Eine geringe wirtschaftliche Leistungsfähigkeit ergibt nur eine kurze Säule.
Die weiteren Darstellungen sind Kreisdiagramme. Das erste gibt die Anteile der Land- und Stadtbevölkerung wieder. Das zweite zeigt das Bruttoinlandsprodukt in den Bereichen Landwirtschaft, Industrie und Dienstleistungen.

Beispiele:
Die hier abgebildeten Beispiele, Frankreich als Industriestaat und Bangladesh als Entwicklungsland, zeigen im Hinblick auf die Bevölkerungszahl einige Unterschiede: Bangladesh hat mehr Einwohner als Frankreich.
Auffallend ist die unterschiedliche Stellung beider Länder hinsichtlich der wirtschaftlichen Leistung: Die hochentwickelte Wirtschaft Frankreichs erzeugt wesentlich mehr und hochwertigere Güter als die Wirtschaft des Entwicklungslandes Bangladesh.
In bezug auf die Bevölkerungsverteilung weist Frankreich die typischen Merkmale eines Industrielandes auf: Von 100 Einwohnern wohnen 74 in der Stadt. Dagegen gehören nur 16% der Einwohner Bangladeshs zur städtischen Bevölkerung. Sehr unterschiedlich ist auch der Anteil der in einzelnen Bereichen erwirtschafteten Leistung: Im Dienstleistungssektor wurden in Frankreich 67%, in Bangladesh nur 47% aller Produktionswerte geschaffen, in der Landwirtschaft in Bangladesh hingegen 38% gegenüber nur 4% in Frankreich; in der Industrie 29% in Frankreich und 15% in Bangladesh.

Bangladesh

Staatswappen

Staatsflagge

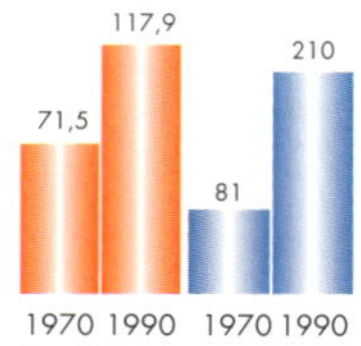

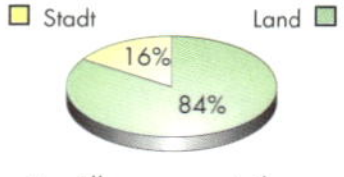

Bevölkerungsverteilung 1990

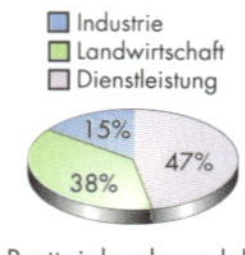

Bruttoinlandsprodukt 1990

Frankreich

Staatswappen

Staatsflagge

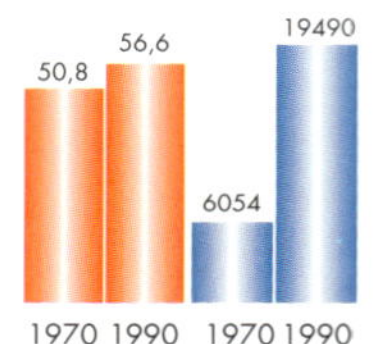

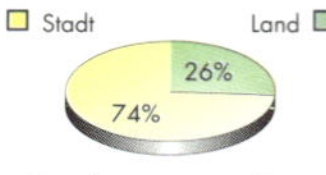

Bevölkerungsverteilung 1990

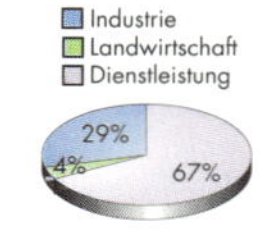

Bruttoinlandsprodukt 1990